中国文学编年史

宋辽金卷

（中）

主编◇陈文新

本卷主编◇张思齐

湖南人民出版社

☆武汉大学人文社会科学重大攻关项目

总 序

纪传体、编年体是中国传统史书的两种主要体裁，而编年体的写作远较纪传体薄弱。《四库全书总目》卷四七史部编年类小序已明确指出这一事实："司马迁改编年为纪传，荀悦又改纪传为编年。刘知幾深通史法，而《史通》分叙六家，统归二体，则编年、纪传均正史也。其不列为正史者，以班、马旧裁，历朝继作。编年一体，则或有或无，不能使时代相续。故姑置焉，无他义也。"① 与古代历史著作的这种体裁格局相似，在20世纪的中国文学史写作中，也是纪传体一枝独秀，不仅在数量上已多到难以屈指，各大专院校所用的教材也通常是纪传体，这类著作的核心部分是作家传记(包括作家的创作经历和创作成就)。编年类的著作，则虽有陆侃如、傅璇琮、曹道衡、刘跃进等学者做了卓有成效的工作，但就总体而言，仍有大量空白，尤其是宋、元、明、清、现、当代部分，历时一千余年，文献浩繁，而相关成果甚少。这样一种状况，自然是不能令人满意的。这套十八卷的《中国文学编年史》的编纂出版，即旨在一定程度地改变这种状况。

文学史是在一定的空间和时间中展开的。纪传体的空间意识和时间意识以若干个焦点（作家）为坐标，对文学史流程的把握注重大体判断。其优势在于，常能略其玄黄而取其隽逸，对时代风会的描述言简意赅，达到以少许胜多许的境界。若干重要的文学史术语如"建安风骨"、"盛唐气象"、"大历诗风"等，就是这种学术智慧的凝

① 永瑢等撰：《四库全书总目》，第418页，北京，中华书局，1965。

结。但是，由于风会之说仅能言其大概，“个别”和“例外”（即使是非常重要的“个别”和“例外”）往往被忽略，不免留下遗憾。一些跨时代的作家，如李煜、刘基、张岱等人，在文学史中的时代归属与其代表作的实际创作年代也常有不吻合的情形。例如，李煜被视为南唐作家，而他最好的词写在宋初；刘基被视为明代作家，而他最好的诗、文写在元末；张岱被视为明代作家，而其代表作多写于清初。比上述情形更具普遍性的，还有下述事实：我们讲罗贯中的《三国志通俗演义》，往往以毛宗岗修订本为例；我们讲施耐庵的《水浒传》，往往以百回繁本为例；我们讲兰陵笑笑生的《金瓶梅》，往往以崇祯本为例。这就出现了两方面的问题：第一，我们讲的并不是作家的原著；第二，我们忽略了读者的接受情形。这类涉及风会与例外、作家时代归属与作品实际创作、传播与接受两方面的问题，以纪传体来解决，由于受到体例的限制，往往力不从心，采用编年体，解决起来就方便多了：不难依次排列，以展开具体而丰富多彩的历史流程。

与纪传体相比，编年史在展现文学历程的复杂性、多元性方面获得了极大的自由，但在时代风会的描述和大局的判断上，则远不如纪传体来得明快和简洁。作为尝试，我们在体例的设计、史料的确认和选择方面采用了若干与一般编年史不同的做法，以期在充分发挥编年史长处的同时，又能尽量弥补其短处。我们的尝试主要在三个方面：其一，关于时间段的设计。编年史通常以年为基本单位，年下辖月，月下辖日。这种向下的时间序列，可以有效发挥编年史的长处。我们在采用这一时间序列的同时，另外设计了一个向上的时间序列，即：以年为基本单位，年上设阶段，阶段上设时代。这种向上的时间序列，旨在克服一般编年史的不足。具体做法是：阶段与章相对应，时代与卷相对应，分别设立引言和绪论，以重点揭示文学发展的阶段性特征和时代特征（现当代文学因时间周期较短，拟省略阶段，不设引言）。其二，历史人物的活动包括“言”和“行”两个方面，“行”（人物活动、生平）往往得到足够重视，“言”则通常被忽略。而我们认为，在文学史进程中，“言”的重要性可以与“行”相提并论，特殊情况下，其重要性甚至超过“行”。比如，我们考察初唐的文学，不读陈子昂的诗论，对初唐的文学史进程就不可能有真正的了解；我们考察嘉靖年间的文学，不读唐宋派、后七子的文论，对这一时期的文学景观就不可能有准确的把握。鉴于这一事实，若干作品序跋、友朋信函等，由于透露了重要的文学流变信息，我们也酌情收入。其三，较之政治、经济、军事史料，思想文化活动是我们更加关注的对象。中国文学进程是在中国历史的背景下展开的，与政治、经济、军事、思想文化等均有显著联系，而与思想文化的联系往往更为内在，更具有全局性。考虑到这一点，我们有意加强了下述三方面材料的收录：重要文化政策；对知识阶层有显著影响的文化生活（如结社、讲学、重大文化工程的进展、相关艺术活动等）；思想文化经典的撰写、出版和评论。这样处理，目的是用编年的方式将中国文学进程及与之密切相关的中国思想文化变迁一并展现在读者面前。

《中国文学编年史》是一个基础性的重大学术工程，文献的广泛调查和准确使用是做好编纂工作的首要前提。《四库全书》、《续修四库全书》、《四库存目丛书》、《四库禁毁书丛刊》、《丛书集成》、《笔记小说大观》等是我们经常使用的典籍，近人和今人整理出版的别集、总集，大量年谱（如徐朔方《晚明曲家年谱》），以及文、史、哲方面的编年史，均在参考范围之内，限于体例，未能一一注明，谨此一并致谢。在使用上述文献的过程中，我们采取的是一种如履薄冰、如临深渊的谨慎态度。这是因为，相当一部分典籍是由我们第一次标点，这一工作的难度是不言而喻的。即使是前人已经整理的典籍，我们也并不直接采用，而是根据自己的理解再整理一次。这样做当然增加了工作量，但确有许多好处，若干错误就是在这一过程中得到纠正的，有些错误的纠正涉及基本事实的澄清。比如，张大复《皇明昆山人物传》卷八记梁辰鱼晚年情形，有云：“（梁氏）当除夕遇大雪，既寝不寐。忽令侍者遍邀诸年少，载酒放歌，绕城一匝而后就睡。曰：‘天为我辈雨玉，可令俗人蹴踏之耶?’时年已七十矣。亡何，中恶，语不甚了。有老奴李用者，颇省其说，尚有注记。得岁七十有三。”一位学者将“中恶，语不甚了”标点为“中恶语，不甚了”，并就此推论说：“梁辰鱼七十岁时遭遇暧昧不明的事件。”“《皇明昆山人物传》的上述记载本意是为贤者讳，事实上倒很可能为统治者隐盖了迫害异己文人的一件罪行。”这就不免弄错了事实。“中恶”即突然患急病，正所谓“老健春寒秋后热”，老年人得急病是常见的情形。而“中恶语”的表述，明显不符合古人的语言习惯。再如，陈田《明诗纪事》将正德时期的傅汝舟与明末的傅汝舟混为一人，将两人的生平搅在一起，其按语云：“丁戊山人诗初矜独造，晚遁荒诞，择其入格者录之，亦是幽弦孤调。山人享大年，具异才，谈佛谈仙，亦作北里中艳语。初与郑少谷游，晚乃与茅止生、卓去病、张文寺、文太青倡和，支离怪诞，无所不有。少谷集中无是也。论者乃专谓山人刻意学少谷，何哉?”《明诗纪事》近三百万言，卓有建树，是研究明诗的必备案头书。但关于傅汝舟，陈田的确弄错了。郑善夫（1485—1523）号少谷，以学杜著称，学郑少谷的是正德年间的傅汝舟；文翔凤号太青，万历三十八年（1610）进士，与文太青等唱和的是明末的傅汝舟。两个傅汝舟之间相距约百年，陈田想当然地将二者合为一人，说他“享大年”，又说他前期学郑少谷，后期学竟陵派，曲意弥缝，令人哑然失笑。其他种种，如部分文学家辞典对作家生卒年的误注，若干点校本的断句错误等，我们都在力所能及的范围内做了纠正。提到这些情况，不是想证明我们的水平有多高，而意在告诉读者：我们的工作态度是认真的，有志于为读者提供一部值得信赖的编年史著述。

《中国文学编年史》的编纂得到了北京大学、武汉大学、南京大学、中国人民大学、中国社会科学院、中国艺术研究院、中华书局、陕西师范大学、西北师范大学、华中师范大学、山东师范大学、山东曲阜师范大学、中南民族大学、中南财经政法大学等单位专家和领导，尤其是武汉大学领导的支持；湖南省新闻出版局、湖南出版投资控股集团及湖南人民出版社鼎力支持编年史的编纂出版，所有这些，我们将永远铭记在心。

陈文新

2006 年 7 月 23 日于武汉大学

凡 例

一、《中国文学编年史》以编年形式演述中国文学发展历程，凡十八卷：第一卷周秦、第二卷汉魏、第三卷两晋南北朝、第四卷隋唐五代（上）、第五卷隋唐五代（中）、第六卷隋唐五代（下）、第七卷宋辽金（上）、第八卷宋辽金（中）、第九卷宋辽金（下）、第十卷元代、第十一卷明前期、第十二卷明中期、第十三卷明末清初、第十四卷清前中期（上）、第十五卷清前中期（下）、第十六卷晚清、第十七卷现代、第十八卷当代。

二、编年史各卷据文学发展的不同阶段划分为若干章（如无必要，或不分章）。章的标目方式是："××章　××年至××年，共××年"。关于某一阶段文学的总体评论放在该章的首年之前，如明前期卷"第一章　洪武元年至建文四年，共35年"，在章目下，"洪武元年"之前，单列明前期卷"引言"一目。关于某一时代文学的综合论述，放在卷首。如元代卷，在第一章前，单列元代文学"绪论"。

三、编年史各卷所收录内容的构架大体统一，重点包括七个方面：1. 重要文化政策；2. 对文学发展有显著影响的文化生活（如结社、讲学、重大文化工程的进展、相关艺术活动等）；3. 作家交往（唱和、社团活动等）；4. 作家生平事迹；5. 重要作品的创作、出版和评论；6. 争鸣（团体之间、个人之间在重要问题上的论辩等）；7. 其他。

四、叙事以纲带目，即在征引相关文献之前有一句或数句概述。如，先总叙一句"俞宪编《盛明百家诗》成书"，再征引相关序跋、著录、评议。前者为纲，后者为目，纲、目配合，旨在完整地呈现文学史事实。少量见于常用工具书的重要史实，或不必展开的文学史事实，则列纲而略目，以省篇幅。

五、公历纪年年初与中国传统纪年年末不属同一年份，如公元1899年元月1日至12月31日对应于光绪二十四年戊戌十一月二十七日至光绪二十五年己亥十一月二十九日，而不对应于光绪二十五年己亥正月初一至十二月三十日。我们采用变通的处理方法，以公历纪年，而以农历纪月，比如，凡光绪二十五年己亥正月至十二月之内的内容均置于公元1899年下。作家生卒年，仍据公历标注，其他以此类推。现、当代文学部分，纪年、纪月均据公历。

六、同一年内之文学史实，按月份先后顺序排列。月份不详而仅知季度的，春季置于三月之后，夏季置于六月之后，其他以此类推。季度、月份均不详者，另设“本年”目统之。

七、一部分重要文学史实，年月不详而仅知大体时段者，在年号之末另设“××年间”目统之，如嘉靖四十五年之后另设“嘉靖年间”一目。

八、引用序跋，一般采用“作者+篇名”的方式，如“臧懋循《唐诗所序》”。引用序跋之外的诗文等作品，一般采用“集名+卷次+篇名”的方式，如“《有学集》卷三一《隐湖毛君墓志铭》”，采用“作者+篇名”的方式，如“钱谦益《隐湖毛君墓志铭》”。无篇名者则省略，如“《艺苑卮言》卷三”。某作者集中所收为他人别集所作的序跋，亦采用这一方式，如“《太函集》卷二二《弇州山人四部稿序》”。引用正史，一般采用“正史名+本传或××传”的方式，“如《明史》本传”或“《明史》李攀龙传”，不标卷次。引用《四库全书总目提要》，或用全称，或简称“四库提要”，只标明卷次。如“四库提要卷一五三”。引用地方志，标明纂修年代，如“光绪《乌程县志》卷三一”。据类书转引时，注明原出处，如“《太平广记》卷二〇《阴隐客》（出《博异志》）”。引用报刊，注明年月日或卷次。

九、作者小传一般置于生年。有些作家，虽生年在上一卷，但在上一卷无文学活动，其小传酌情移入本卷首次出现时。如杨士奇，元亡时才4岁，其小传置于明前期卷，出生时只交代：“杨士奇（1365—1444）生”，不列小传。现、当代作者，因传记资料常见，相关作家小传酌情收录。

十、对于某一作家的总体评论和重要著录一般置于卒年。某作者卒年在下一卷，但在下一卷无重要文学活动，主要评论材料酌情置于本卷。如易顺鼎（1858—1920），其评论材料集中于晚清卷，不入现代卷。

十一、作家代表作一般不录原文，但收录重要评论材料，并酌情说明相关选本收录情形。

十二、需要补充交待而占用篇幅较大的文学史事实，设少量“附录”。对若干需要辨证的史实，设按语加以说明。以提供文献线索为主，不详加征引。

目 录

第二章　宋哲宗元祐元年至元符三年
(1086—1100) 共 15 年

第三章　宋徽宗建中靖国元年至钦宗靖康元年
(1101—1126) 共 26 年

第四章　宋高宗建炎元年至绍兴三十二年（1127—1162）共 36 年

绪 论

《宋史》卷二〇二《艺文志一》：宋有天下，先后三百余年。考其治化之污隆，风气之离合，虽不足儗伦三代，然其时君汲汲于道艺，辅治之臣莫不以经术为先务，学士缙绅先生，谈道德性命之学，不绝于口，岂不彬彬乎进于周之文哉！宋之不兢，或以为文盛之弊，遂归咎焉。此以功利为言，未必知道者之论也。

朱长文《苏州学记》：神宋受命，遏乱兴治，乘舆常幸国庠，亲临讲席。是时勋臣宿将并列藩镇，庠序虽未兴，而洪儒硕生闻风以起。有若戚坚素在睢水，种明逸在终南，皆聚徒讲授，髦俊归之。其后陪京方面之守臣，稍庆兴学。自景祐中范文正公作学于吴，又创于润，滕子京建于湖。庆历之盛，文正公参与机政，而石守道、孙明复首居太学。是时仁宗开天章阁，召辅臣八人，问以治要。文正公复以学校为对，于是诏天下皆立学。神宗之时，立三舍法，置方郡教官，皆试可而后授。今上嗣位，申命近臣荐堪内外学官者。方圣朝承平之久而长育之勤，虽濒海裔夷之邦，执耒垂髫之子，孰不抱籍缀辞以干荣禄？裒然而赴诏者，不知其几万数。盖自昔未有盛于今也。凡命教之法，以经术观其学，以词赋观其文，以论策观其智。所取兼于汉唐，而德行道义之士参出乎其中矣。然欲合二帝三代之法，使人人有士君子之器，皆在吾君相之所润色也。

周必大《初寮先生前后集序》：一代文章必有宗，惟名世者得其传。天生斯人，固已不数，向非君师作而成之，则其道不坠于地者几希。若稽本朝，太祖以神武基王业，文治兴，斯文一传为太宗，翰林王公元之出焉。再传为真宗，杨文公大年出焉。长养尊用，风示学者，虽间以刚直被排斥，而眷顾终不少衰。至于仁宗、英宗、神宗，然后异才充满中外。其杰出如欧阳文忠公，又逢时得政，同心德于三朝，阅八年之久，相与化成天下，功不少矣，故其门人高弟尤多。惟东坡苏公崛起西蜀，嘉祐收以异科，治平欲躐置翰苑，熙宁首待以国士，及遇哲宗，遂光显于朝。中间小人敲撼挫揠，欲杀不果者，天意也，上赐也。

谢尧人《张于湖先生集序》：文章有以天才胜，有以人力胜，出于人者可勉也，出于天者不可强也。今观贾谊、司马迁、李太白、苏东坡，此数人皆以天才胜，如神龙之夭矫，天马之奔轶，得蹑其踪而追其驾。惟其才力难局于小用，是以亦时有疏略简易之处。然善观其文者，举其大而遗其细可也。若乃柳子厚，专下刻深功夫，黄山谷、陈后山专寓深远趣味，以至唐末诸诗人，雕肝琢肺，求工于一言一字间，在于人力，固可以无恨，而概之前数公纵横驰骋之才，则又有间矣。故曰人可勉也，天不可强也。

叶适《题陈寿老文集后》：元祐初，黄、秦、晁、张各擅毫墨，待价而显，许之者以为古人大全，赖数人复见。及乎纷纭于绍述，埋没于播迁，异等不越宏词，高第仅止科举，前代遗文，风流泯绝，又百有余年矣。文之兴废，与治消长，亦岂细故哉！

胡次焱《跋错轩唱和诗集》：南渡前说诗文家必曰苏、黄，南渡后说道学家必曰朱、张。老苏雄词健笔，成一家言，虽无坡、颍，无伤也；亚夫若非山谷，则康州之名何以显？魏公功在社稷，何在南轩之增润；若韦斋不得晦庵，窃料吏部身价，未必如今日赫赫也。是故贵有子也。

鲁九皋《诗学源流考》：宋初国祚虽定，文采未著，学士大夫家效乐天之体，群奉王禹偁为盟主。其后杨亿、刘筠辈崇尚西昆，专取温、李数家，摹仿于字句俪偶之间。及欧阳公出，始知学古，与梅圣俞互相讲切。欧诗长篇多效昌黎，间取则于太白；梅则于唐人诸家，不名一体，惟造平淡。自此介甫、东坡相继而起，山谷晚出，而与东坡齐名。于元祐之际，又有张文潜、晁无咎兄弟相为羽翼，时称“苏门六君子”。东坡才大，汪洋纵恣，出入于李、杜、韩三家。山谷则一意学杜，精深峭拔，别出机杼，自成一格。吕本中尝作《江西宗派图》，以山谷为鼻祖，列陈师道、潘大临、谢逸、洪刍、饶节、僧祖可、徐俯、洪朋、林敏修、洪炎、汪革、李春、韩驹、李彭、晁冲治、江端本、杨符、谢薖、夏倪、林敏功、潘大观、何颙、王直方、僧善权、高荷，合二十五人，以为法嗣，谓其渊源皆出豫章。然二十五人，以诗闻于世者，不过数人，其余未有闻焉。南渡以还，气格卑约，独陆放翁超然特出。顾此数君子，皆以长句见长，至如五言，则必以梅宛陵为冠。次则末造之谢皋羽翱，严仪卿羽，犹存唐音。而《谷音》一集，多遗民遗士之作，足继《箧中》之选。他若永嘉四灵之专学姚、贾，又其别出者也。金、元之际，元遗山犹存东坡遗韵，词则刘迎差足羽翼。

朱彝尊《群雅集序》：宋之初，太宗洞晓音律，制大小曲，及因旧曲造新声，施之教坊舞队。曲凡三百九十，又琵琶一器有八十四调。仁宗于禁中度曲，时则有若柳永。徽宗以大晟名乐，时则有若周邦彦、曹组、辛次膺、万俟雅言，皆明于宫调，无相夺伦者也。洎乎南渡，家各有词。虽道学如朱仲晦、真希元亦能倚声中律吕，而姜夔审音尤精。终宋之世，乐章大备，四声二十八调，多至千余曲，有引有序，有令有慢，有近有犯有赚，有歌头，有促拍，有摊破，有摘遍，有大遍，有小遍，有转踏，有转调，有增减字，有偷声。惟因刘昺所编《宴乐新书》失传，而八十四调图谱不见于世，虽有歌师板师，无从知当时之情趣箫篴谱矣。

第一章

宋神宗熙宁元年至元丰八年（1068—1085）共18年

·引 言·

王偁《东都事略》卷八：臣称曰：宋自建隆迄于治平，百年之间，四圣相授，深仁厚泽，浃于人心者厚矣。承平日久，事多舒缓，神宗皇帝乃慨然图乂，立政造事，以兴一代之治。于时广亲亲之道以睦九族，尊经术之士以作人材，驰力役以便民，通货才而阜国，时散薄敛以行补助之政，严修保伍以为先事之防，兴水土之利而厚农桑，分南北之祀而侑祖祢，酌六典以正百辟，制九军而攘四夷，凡所制作，欲以远迹治古，可谓励精之主矣。虽然，锐于始者其终必悔，神宗末年盖亦悔矣，而臣下不能将顺其意，此后日继述之论所由起也。

黄庭坚《与秦少章觐书》：庭坚心醉于诗与楚词，似若有得，然终在古人后。至于论议文字，今日乃当付之少游及晁、章、无已，足下可从此四君子一二问之。前日王直方作楚词二篇来，亦可观。尝告之云：如世巧女，文绣妙一世，设欲作锦，当学锦机，乃能成锦。足下试以此思之。

张叔春《坡门酬唱集序》：诗人酬唱盛于元祐间，自鲁直、后山宗主二苏，旁与秦少游、晁无咎、张文潜、李方叔驰骛相先后，萃一时名流，悉出苏公门下。嘻，其盛欤！余少喜学诗，尝汎观众作，因之驰流寻源，且恨坡诗有唱而无和，或和而不知其唱，每开卷虽凝思遐想，茫无依据，至搜取他集，才互见一二，复恨不获睹其全也。将类聚俾成一家，辄局于官守且未暇。岁在己酉，曷来豫章，机幕邵君叔义，实隆兴同升，出示巨编，目曰《坡门酬唱》，乃苏文忠公与其弟黄门偕鲁直而下六君子者，迭为往复，总成六百六十篇。幸矣，余之嗜乡偶与叔义同，而精敏不逮远矣。

《四库全书总目》卷一八七《苏门六君子文粹》七十卷：观其所取，大抵议论之文居多，盖坊肆所刊，以备程式之用也。陆游《老学庵笔记》曰："建炎以来，尚苏氏文章，学者翕然从之，而蜀士尤盛。有语曰：苏文熟，吃羊肉；苏文生，吃菜根云云。"盖风会所趋，并其从游之士亦为当代所摹拟矣。然其去取谨严，犹工文之士所辑。且李廌集世无传本，今始从《永乐大典》辑成帙，颇藉此书相补苴。又张耒集写本仅存，字多舛误；陈师道集刊本，较诗差详，较文则略，亦颇藉此书以刊正云。

周必大《皇朝文鉴序》：时不否则不泰，道不晦则不显。天启艺祖，生知文武，取五代破碎之天下而混一之，崇雅黜浮，汲汲乎以垂世立教为事。列圣相承，治出于一。

援毫者知尊周孔，游谈者羞称杨墨。是以二百年间，英豪踵武。其大者固已羽翼六经，藻饰治具，而小者犹足以吟咏情性，自名一家。盖建隆、雍熙之间其文伟，咸平、景德之际其文博，天圣明道之辞古，熙宁、元祐之辞达。虽体制互异，源流间出，而气全理正，其归则同。嗟呼！此非唐之文也，非汉之文也，实我宋之文也，不其盛哉！

陈师道《后山诗话》：退之以文为诗，子瞻以诗为词，如教坊雷大使之舞，虽极天下之工，要非本色。今代词手，惟秦七黄九尔，唐诸人不逮也。

许学夷《诗源辩体·后集纂要》卷一第四条：宋主变，不住正，古诗、歌行，滑稽议论，是其所长，其变幻无穷，凌跨一代，正在于此。或欲以论唐诗者论宋，正犹求中庸之言于释、老，未可语于释、老也。

赵骏烈《雍正重刊后山先生集序》：江西诗派始自涪翁，学之者拟议有余，而变化不足，往往得其貌，未得其神，不可谓之善学也。善学涪翁者无过陈后山。盖后山为东坡所荐士，而涪翁即东坡友，则后山稍后于涪翁，犹及见涪翁，宜其学涪翁诗，顾所学者以神不以貌。尝云“学诗如学仙，时至骨自换”，其自道所得有如此，同时诗家莫之能及。后有任渊特为作注，且谓“读后山诗，大似参曹洞禅，不犯正位，切忌死语。非冥搜旁引，莫窥其用意深处”。诚以其苦心深造，自成一家，不拘拘于规抚涪翁，正其善于学涪翁也。夫涪翁与米元章、李伯时同为东坡友，后米与李皆叛坡，而彼独为坡远谪，濒死不悔，大节凛然，照耀千古。后山之所模范者在是，独侍乎哉？……则介然之节，直与涪翁同，而诗以人重，亦无弗同。论者以其闭门觅句，仅比对客挥毫，恐未足以尽之。余平日读宋诗，深有意乎后山之为人，以其善学涪翁也。

吴之振、吕留良、吴自牧《宋诗钞·后山诗钞序》：初学于曾，后见黄鲁直诗，格律一变。鲁直谓其读书如禹之治水，知天下之脉络，有开有塞，至于九川涤源、四海会同者。作文知古人关键。其诗深得老杜之法，今之诗人不能当也。任渊谓“读后山诗，大似参曹洞禅，不犯正位，切忌死语。非冥搜旁引，莫窥其用意深处，因为作注。”盖法严而力劲，学赡而用变，涪翁以后，殆难与敌也。

纪昀《后山集序钞》：考江西诗派以山谷、后山、简斋配享工部，谓之一祖三宗。而左袒西昆者则掊击抉摘，身无完肤，至今呶呶向诟厉。其五言古劖削坚苦，出入于郊、岛之间，意所孤诣，殆不可攀。其生硬杈枒，则不免江西恶习。七言古多效昌黎，而间杂以涪翁之格，语健而不免粗，气劲而不免直，喜以拗折为长，而不免少开合变动之妙。篇什特少，亦自知非所长耶？五言律苍坚瘦劲，实逼少陵，其间意僻语涩者亦往往自露本质。然胎息古人，得其神髓，而不自掩其性情。此后山所以善学杜也。七言律嵚崎磊落，矫矫独行，惟语太率而意太竭者是其短。五、七言绝则纯为少陵《遣兴》之体，合格者十不一二矣。大抵绝不如古，古不如律，律又七言不如五言。弃短取长，要不失为北宋巨手。向来循声附和，誉者务掩其所短，毁者并没其所长，不亦傎耶？

公元1068年（宋神宗赵顼熙宁元年　辽咸雍四年　夏惠宗李秉常乾道元年　戊申）

正月

神宗皇帝继位。《纲鉴易知录》卷七十：“神宗皇帝，名顼，英宗长子，初封颍王，寻立为太子。英宗崩，即位，在位十八年，寿三十八而崩。帝励精求治，不御田游，不治宫室，惟勤为俭，将以大有为也，误用王安石变更成法，以坏天下，亡宋之祸，实自帝始。”

宋改元熙宁。《宋大诏令集》卷二《改元熙宁诏》：“朕膺凭几之遗音，遵覆盂之定业，默思至道，祗述先猷。白云来远于遗弓，驹景俄迁于过隙。属穷阴之毕岁，肇苍德以建正。乃睠时雍，是更岁纪，混齐六合。敢期尽入于甄陶，鼓舞万民，将以一新其耳目。正月一日，改治平五年为熙宁元年。”

参知政事赵槩以年老求去，罢知徐州；以龙图阁学士、给事中、权三司使唐介除参知政事。

神宗诏修《英宗实录》。

诏太学增置外舍生百员。《续资治通鉴》卷六六：“初，太学置内舍生二百员，官为给食。至是待次盖百余人，谏官以为言，故有是诏。”

曾巩官京师，作《尹公亭记》。尹公，指“庆历之间，起居舍人、直龙图阁河南尹洙”。

二月

辽命元帅府募兵。

辽道宗颁行《御制华严经赞》。

司马光进读《资治通鉴》。

三月

辽国种植水稻。先是，辽禁南京种稻，民病之。于是命除军行之地，并许种稻。辽赈应（今山西应县）朔（今山西朔县）州饥民。

春

苏轼自蜀寄书至京师，请曾巩为其伯父苏序作墓志铭，曾巩遂作《赠职方员外郎苏君墓志铭》。

王安石奉召入京，赴京前后有诗《被召作》、《再题南涧楼》、《松间》、《离北山寄平甫》、《出金陵》、《赴召道中》、《泊船瓜洲》、《次韵平甫金山会宿寄亲友》等。

四月

辛亥，以孙莘老为右正言，同知谏院，与神宗言革积弊。

富弼言治道。《续资治通鉴》（此据上海古籍出版社 1987 年影印版，下同）卷六六：“夏四月壬寅朔，新判汝州富弼入见，以足疾，许肩舆至殿门，帝特为御内东门小殿见之，令其子绍庭，掖以进，且命毋拜，坐语从容。至日昃，问以治道。富弼知神宗锐于有为，对曰：‘人君好恶，不可令人窥测，可窥测则奸人得以傅会其意。陛下当如天之鉴人，善恶皆所自取。’又问边事，弼曰：‘陛下临御未久，当先布德泽，愿二十年口不言兵，亦不宜重赏边功。干戈一起，所系祸福不细。’神宗默然良久。又问为治所先，弼曰：‘阜安宇内为先。’”

王安石倡言变法，神宗诏翰林学士王安石越次入对。《续资治通鉴》卷六六：“乙巳，神宗诏翰林学士王安石越次入对。安石素与韩绛、韩维及吕公著相友善，神宗在藩邸，维为记室，每讲说见称，辄曰：‘此维友王安石之说也。’及为太子庶子，又荐以自代。神宗由是想见其为人。甫即位，命安石知江宁府。数月，诏为翰林学士，兼侍讲。神宗问为治所先，对曰：‘择术为先。’神宗曰：‘唐太宗何如?’曰：‘陛下当法尧舜，何以太宗为哉！尧舜之道，至简而不烦，至要而不迂，至易而不难，但末世学者不能通知，以为高不可及耳。’神宗曰：‘卿可谓责难于君矣。’又问安石：‘祖宗守天下，能百年无大变，粗致太平，以何道也?’安石退而奏书，陈祖宗守天下，享国百年而无事之故，并言：‘然本朝累世因循末俗之弊，而无亲友群臣之义，人君朝夕与处，不过宦官女子，出而视事又不过有司之细故，未尝如古人有为之君，与学士大夫讨论先王之法以措之天下也。一切因任自然之理势，而精神之运有所不加，名实之间有所不察。以诗赋记诵求天下之士，而无学校养成之法。以科名资格叙朝廷之位，而无官司课试之方。农民坏于差役，而未尝特见救恤，又不为之设官以修其水土之利。兵士杂于疲老，而未尝申敕训练，又不为之择将而久其疆场之权。其于理财，大抵无法，故虽俭约而民不富，虽勤忧而国不强。赖非夷狄昌炽之时，又无尧汤水旱之变，故天下无事，过于百年。虽曰人事，亦天助也。伏惟陛下知天助不可常，知人事不可急，则大有为之时，正在今日。’”[思齐按：王安石退而书奏，所奏之文即《本朝百年无事札子》。宋朝自太祖建隆元年（960）建国至神宗熙宁元年（1068）为一百〇九年，此举成数。本札子为宋代散文名篇。]

关于《本朝百年无事札子》，可参茅坤编选《唐宋八大家文钞·临川文钞引》：“王荆公湛深之识，幽眇之思，大较并本之古六艺之旨，而于其中别自为调，劖刻万物，鼓铸群情，以成一家之言者也。其尤最者，《上仁宗皇帝书》与神宗《本朝百年无事》诸札子，可谓王佐之才。此所以于仁庙之镇静博大，犹未能入，而至于熙宁、元丰之间，劫主上而固鱼水之交，譬则武丁之于傅说，孔明之于昭烈，不是过已。惜也，公之学问本之好古者多，而其措注当时，亦狃于泥古为患，况以矫拂之行而兼之以独见，以执拗之资而恣之以私臆，所以吕、章、邢、蔡以下，纷纷附会，荧惑天子，流毒四海。新法既坏，并其文学知而好之者半，而厌而訾之者亦半矣。以予观之，荆公之雄不如韩，逸不如欧，飘宕疏爽不如苏氏父子兄弟，而匠心所注，意在言外，神在象先，如入幽林邃谷，而杳然洞天，恐亦古来所罕者。予每读其碑志墓铭及他书所指次世之名臣硕卿贤人志士，一言之予，一字之夺，并从神解中点缀风刺，翩翩乎凌风之翮矣，于《史》《汉》外别为三昧也。”

关于《本朝百年无事札子》，可参《唐宋八大家文钞》卷八二茅坤评：“此篇极精神骨髓，荆公所以直入神宗之胁，全在说仁庙处，可谓搏虎屠龙手。自本朝以下节节议得的确，而荆公所欲为朝廷节节立法措注处亦自可见，神庙所以以伊、傅、周、召任之信之。而惜也，荆公之志虽劖画，而学问渊源则得之讲习考核者多，而非出于疏通博大之养也，况其强愎自用得之天授，而偏见所向，遂至于并其同心同志稍稍隔绝。及其位高而势危，宠专而气锐，所以材佞之士得投间以入，而平生所自喜者反为左右所阏，而国家亦多故矣。惜哉！”张孝先评：“仁宗，宋之贤主也，百年无事，皆其宽仁恭俭之效。至于累世因循不振，诚有如介甫所云者，但欲佐其君以大有为，而不进修德讲学、兴贤去奸之说，其大旨仅在于富国强兵之术而已。宋朝百年无事，如人元气尚完，然未免稍弱。介甫汲汲以理财为急，如庸医妄投丹药，而元气为之剥丧矣。此篇条陈凿凿可听，乃其所以结主知，即其所以祸人国者欤?”

《唐宋十大家全集录·临川先生全集录一》储欣评：“一祖四宗之治，尽意排驳，开人主菲薄前世之心，以自售其狂愚惨刻之学。圣人恶利口之覆邦家，职是故也。而其文特工。”又，《唐宋文举要》引吴汝纶评《本朝百年无事札子》语：“纲举目应，章法高古。自首至尾，如一笔书，所谓瑰伟雄放也。”

王安石《谢宣诏表》，亦作于本月。

刘敞（1019 —1068）卒。敞字原父，新喻（今江西新余）人，官至集贤院学士，门人私谥为公是先生。刘攽乃其弟（门人私谥为公非先生）。敞学问渊博，尝得先秦彝鼎数十，铭识奇奥。皆按而读之，因以考之三代制度。庆历前作者受注疏之说，至敞为《七经小传》，始与诸儒异。刘敞著有《公是集》。刘敞能诗，比较有名的作品有《微雨登城二首》、《城南杂题四首》、《桃花》等。刘攽《公是先生集序》：“公是先生总集七十五卷，序文字为五种：古诗集二十卷，律诗集十五卷，著五言、七言、歌行篇曲皆归之诗；内集二十卷，诸议论、辩说、传记、书序、古赋、四言文词、箴赞、碑刻、志、行状皆归之内集；外集十五卷，诸制诰、章表、奏疏、驳议、斋文、覆谥皆归之外集；小集五卷，诸律赋、书启皆归之小集。大凡若干篇。”

曾巩弟曾宰卒于湘潭，年四十七。曾巩撰《亡弟湘潭县主簿子翊墓志铭》。

阿萨兰回鹘遣使贡于辽。

五月

国子监言补试国子监生，以九百为额，上从之。

六月

宋诏州县兴水利。

司马光奉命裁定国用。

占城贡于宋。

七月

有司奏《明天历》不效，当改。诏司天更造新历。

神宗赐王安国进士及第。《续资治通鉴》卷六六：“赐布衣王安国进士及第。安国，安石弟也，举茂才异等。有司考其所献序言为第一，以母丧不试，庐墓三年，韩绛荐其才行，召试赐及第，除西京国子教授。”关于此事，王安石有《赐弟安国及第谢表》。

辛巳，授孙觉（莘老）太子中允，仍知谏院。

苏轼与苏辙，因除父丧，而在四川。七月服除。七月二十八日，苏轼至成都，与成都学官侯溥会食嘉祐院，观佛牙。之后，苏轼作了一篇滑稽文字《油水颂》，由此文可见苏轼活泼幽默之性情。苏轼又尝推荐王箴（元直）之文于侯溥。旋回眉山。

八月

王安石与司马光争论理财。《续资治通鉴》卷六六：“癸丑。曾公亮等言河朔灾伤，国用不足，乞今岁亲郊两府不赐金帛，送学士院取旨。司马光言救灾节用，宜自贵近始，可听两府辞赐。王安石曰：‘昔常衮辞堂馔，时议以为衮自知不能，当辞位，不当辞禄。且国用不足，非当今之急务也。’光曰：‘衮辞禄，犹贤于持禄固位者，国用不足，真急务。安石言非是。’安石曰：‘所以不足者，由未得善理财之人耳。’光曰：‘善理财之人，不过头会箕敛以尽民财。民穷为盗，非国之福。’安石曰：‘不然。善理财者，不加赋而国用足。’光曰：‘天地所生财货百物，止有此数，不在民则在官。譬如雨泽，夏涝则秋旱，不加赋而国用足，不过设法以阴夺民利，其害甚于加赋。此乃桑弘羊欺汉武帝之言。’史迁书之，以见其不明耳。争论不已。”

神宗诏曰：“自今试馆职，并用策论，罢诗赋。”

孙莘老疏论邵亢，夺官降两级，除判越州，徙知通州。

欧阳修由亳州改知青州（州治在今山东益都县）。

黄庭坚九月到任汝州叶县尉，《题徐孺子祠堂》诗作于赴任前滞留乡里时。阮阅《诗话总龟》后集卷五引《胡氏评诗》：“鲁直《过平舆怀李子克》诗……《题徐孺子祠堂》诗：‘白屋可能无孺子，黄堂不是欠陈蕃。’二诗命意绝相似，盖叹知音者难得耳。”又，方东树《昭昧詹言》卷二十：“与前题同。起二句分点，三四写景，五六所谓借感自己，收切祠堂，高超入妙，即五六句中意。今人尚笑古人冷淡，则我安得不为人笑，但有志者不顾也？末句所谓兴业也，言外之妙，不可执著。……三四即老杜‘松杉’二意。”又，高步瀛《唐宋诗举要》引姚范语：“从杜公《咏怀古迹》来，而变其面貌。凡咏古诗熔铸事迹，裁对工巧，此西昆纤丽之体。若大家以自吐胸臆，兀傲纵横，岂以俪事为尚哉！”本年，黄庭坚作诗较多，《虎号南山》诗和《次韵戏答彦和》诗亦作于至叶县前。

九月

黄庭坚作《思亲汝州作》诗。胡仔《苕溪渔隐丛话》后集卷三一引《复斋漫录》：“唐朱昼《喜陈懿老至》诗云：‘一别一千日，一日十二忆。苦心无闲时，今日见玉色。’乃知山谷‘五更梦归三百里，一日思亲十二时’之句取于此。”又，曾国藩《求阙斋读书录》卷一〇：“富郑公以前宰相判汝州。山谷为叶县尉，九月至汝州，吏责其愆期，拘留至岁晚。五六句言丞相不以为罪，吏或谗之，三人成虎耳。末二句言事本极小，而传播故里，老母悬念也。”

十月

辽册李秉常为夏国王。

苏轼于十月二十六日作《四菩萨阁记》。四菩萨乃凤翔所得吴道玄所画四菩萨。

苏轼再娶。至和元年（1054），苏轼十九岁，娶眉州青神王方之女弗为妻，弗年十六岁。王弗于治平二年（1065）五月卒于京师，年二十七。六月，王弗殡于京城之西。治平四年（1067），苏轼护父丧还里。本年七月服除。十月，苏轼娶王介之幼女闰之为妻。闰之为东坡亡妻之堂妹。本年，苏轼三十三岁，闰之二十一岁。

苏轼自居丧至离眉山前及嘉祐间居丧期间，经常往来于青神瑞草桥。与王淮奇（群、子众、庆源）、杨宗文（君素）、蔡褒（子华）游。王箴（元直）亦与游。

十月以后，曾巩作有《瀛州兴造记》、《广德军重修鼓角楼记》、《戚元鲁墓志铭》、《沈氏夫人墓志铭》。

十二月

宋赐夏国主秉常诏，岁赐依旧例。

夏遣使贡于辽。

曾巩于十二月十七日作《张文叔文集序》。此外，《过介甫归偶成》诗亦作于是年。

苏轼与苏辙携家入京。兄弟二人经成都、阆中、凤翔，在长安度岁。十二月二十九日，与范纯仁（尧夫）、王颐（正甫）及弟辙会于毋清臣家，再跋《醉道士图》。三十日，苏轼在韩琦座上，观王颐、石苍舒（才翁）草书，次年作诗一首记此事。

本年

前建昌军司理参军德安王韶，诣阙上《平戎策》三篇。建议招抚西北各族部落，制服河湟，进迫西夏。神宗任韶管句秦凤经略司机宜文字。

河北（包括辽境）地大震，有半年不止者。京东的须城（今山东东平）、东阿（今东平北）与广南的潮州亦震。河溢恩州、又决冀州，北注瀛州一带。

杨绘奉诏修《起居注》，知谏院。

司马光任翰林学士兼侍读学士、权知审官院兼史官修撰。

王珪擢升为集贤殿大学士。

周敦颐因赵抃和吕公著之推荐，为广东转运判官，勤于职务，虽劳苦不辞。

吕公著言张载有古学，张载遂得召见，以为崇文院校书。

程颢因吕公著之推荐，为太子中允。

祖无择知通进银台使。

欧阳修转兵部尚书改知青州、充京东东路安抚使。

孔文仲以制举荐对策，力论王安石理财训兵之法为非，遂罢官。

欧阳修作于本年的诗歌名篇有：《忆焦陂》，作于汝阴；《升天桧》，作于亳州；《表海亭》，作于青州；《射生户》，作于青州。关于《升天桧》诗，黄震《黄氏日钞》

卷六一评曰:“其说谓老子自此乘白鹿升天,如上虞刘樊升仙木之类也。欧诗曰:‘惟能乘变化,所以为神仙。驱鸾驾鹤须臾间,飘忽不见如云烟。奈何此鹿起平地,更假草木相攀援?乃知神仙事茫昧,真伪莫究徒相传。’”

王安石本年尚有诗《禁直》、《禁中春寒》、《学士院燕侍郎画屏》、《题西太乙宫壁二首》、《怀钟山》、《寄茶叶与和甫》、《和宋太博服除还朝简诸朋旧》、《和惠思闻蝉》、《送吴龙图知江宁》、《藏春坞诗献习十四丈学士》等,以及文《乞免修实录札子》、《论孙觉令吏人写章疏札子》等。

曾巩与陈师道交往。曾巩本年五十岁,在京编校史馆书籍,为《英宗实录》检讨官。陈师道年十六,以文来谒曾巩。巩一见奇之,遂留之,陈师道遂业其门。

黄庭坚任叶县(今属河南)尉,此后在叶三年,诗歌创作丰富。

秦观二十岁,在高邮读书。

晁补之从父宦游杭州。

张耒十五岁,是年游关西。《宋史》卷四四四《张耒传》:“张耒幼颖异,十三岁能为文。”

张耒《再和马图》诗七言十六韵,首联为:“我年十五游关西,当时惟拣恶马骑。”全诗见《张耒集》卷十四。

贺铸十七岁,始离卫州游京师。

周邦彦十一岁。

画家及绘画理论家郭熙,生于是年前后,而具体生卒年不详。熙字淳夫,河阳温县人。长于山水画,留有绘画理论著作。郭熙曾为画院艺学,后升任翰林待诏直长。从宋初山水画名家李成学画,六次临摹李成《骤雨图》。今存郭熙作品约二十幅,《早春图》为其代表作。郭熙重视意境创造,提倡以诗句作画题。中国山水画具有浓厚的抒情色彩,郭熙功莫大焉。郭熙的画论专著为《林泉高致》,由《山水训》、《画意》、《画诀》、《画题》和《画格拾遗》五篇组成。

公元1069年(宋熙宁二年　辽咸雍五年　夏乾道二年　己酉)

正月

苏轼作《九马图赞》。苏轼尝过薛绍彭家,观曹将军《九马图》,作《九马图赞》。洪迈《容斋五笔》卷七:“坡公《九马赞》言:‘薛绍彭家藏曹将军《九马图》,杜子美所为作诗者也。’其词云:‘牧者万岁,绘者惟霸。甫为作诵,伟哉九马。’读此诗文数篇,真能使人方寸超然,意气横出,可谓‘妙绝动宫墙’矣。”

二月

富弼同中书门下平章事。

翰林学士吕公著奉命修《英宗实录》。

王安石为参知政事。《续资治通鉴》卷六六:“庚子。以翰林学士王安石为右谏议大夫、参知政事。初,帝欲用安石,以问曾公亮,公亮力荐之。唐介言安石不可大任。

帝曰：'卿谓安石文学不可任邪？经术不可任邪？吏事不可任邪？'介曰：'安石好学而泥古，议论迂阔，若使为政，恐多变更。'退谓公亮曰：'安石果用，天下困扰必矣。诸公当自知之。'帝又问侍读孙固曰：'安石可相否？'固对曰：'安石文行甚高，处侍从献纳之职，可矣。宰相自有度。安石狷狭少容。必欲求贤相，吕公著、司马光、韩维，其人也。'凡四问，皆以此对。帝不以为然，竟用安石。谓之曰：'人皆以卿但知经术，不晓世务。'安石对曰：'经术，正所以经世务也。但后世所谓儒者，大抵多庸人，故流俗以为经术不可施于世务耳。'神宗曰：'然则卿所设施，以何为先？'安石曰：'变风俗，立法度，今之所急也。'神宗深纳之。"

宋设立三司条例司，从制度上为变法做准备。《续资治通鉴》卷六六："甲子。设制置三司条例司，掌经画邦计，议变旧法以通天下之利，命陈升之、王安石领其事。安石素与吕惠卿善，乃言于帝曰：'惠卿之贤，虽前世儒者未易比也。学先王之道而能用者，独惠卿而已。'遂以惠卿为条例司检详文字。事无大小，安石必与惠卿谋之，凡所建请章奏，皆惠卿笔也。时人号安石为孔子，惠卿为颜子。"

宋遣使册李秉常为夏国王，是年夏改元天赐礼盛国庆。

苏轼除父丧还朝，在京任殿中丞直史官判官告院。苏轼上《议学校贡举状》，反对王安石变科举之法。

三月

苏辙论宋代积贫积弱之根源即"三冗"。苏辙作《上皇帝书》，建议去三冗以丰财。神宗即日诏对延和殿，授制置三司条例司检详文字，然苏辙与王安石论事每不合。《续资治通鉴》卷六六："癸未。以苏辙为制置三司条例司检详文字。先是，辙上疏曰：'所谓丰财者，非求财而益之也，去事之所以害财者而已。事之害财者三：一曰冗官，二曰冗兵，三曰冗费。'疏奏，帝批准中书，因召对而有是命。"

富弼入见，谓："中外之事渐有更张，此必有小人献说于陛下也。"

苏轼作《石苍舒醉墨堂》诗。《苏文忠公诗编注集成》卷六："（人生识字忧患始，姓名粗记可以休）一起突兀，自是熙宁二年诗。公自谓钱塘诗皆纵笔，诰谓实发端于此诗也。但无此一路诗，即非公之所以为人，而亦不成此集。故史家以'诗人托讽，庶几有补于国'予之，未尝稍诋之也。（骏马倏忽踏九州）状草书之神速也。"苏辙亦作有同题诗《石苍舒醉墨堂》。诰，指《苏文忠公诗编注集成》的编者王文诰（1764—？）

四月

王安石派遣侯叔献（水利专家）以及程颢等八人，察各路农田、水利、赋役。对于此事，苏辙作《议遣八使搜访遗利》，议其不便。

宰臣富弼以旱上表待罪，诏不允。

五月

本月，神宗宴紫宸殿，初用乐。

王安石于十一日，作《进戒疏》。王安石以吕诲疏论其十大罪，乞辞位，神宗奉还其奏，令视事如故。

郑獬以翰林学士罢知杭州。

祖无择离杭州，张先作《醉垂鞭》词送祖无择。时张先八十岁。

王拱辰以宣徽北院使罢判应天府。

王安石与苏轼之间发生关于变法之争。王安石建议兴学校，罢诗赋，用经义取士。时议者多主张变法，苏轼独以为不必变。陈邦瞻《宋史纪事本末》卷三七："轼自进史馆，议贡举与帝合，即日召见，问方今政令得失。轼对曰：'陛下天纵文武，不患不明，不患不勤，不患不断；但患求治太急，听言太广，进人太锐。愿镇以安静，待物之来，然后应之。'帝悚然曰：'卿三言，朕当熟思之。凡在馆阁，皆当为朕深思治乱，无有所隐。'"

六月

翰林学士吕公著为御史中丞。

七月

宋行均输法。辛巳，于淮、浙、江、湖六路，颁行均输法。六路上供物资给京师费用，须就近、就贱收购，使商贾不得擅轻重敛散之权。《续资治通鉴》卷六七："条例司言。天下财用无余，典领之官，拘于弊法，内外不相知，盈虚不相补。诸路上供，岁有常数。丰年便道可以多致而不能赢，年俭物贵难于供亿而敢不足，远方有倍蓰之输，中都有半价之鬻，徒使富商大贾，乘公私之际，以擅轻重敛散之权。今发运使实总六路赋入，其职以制置茶、盐、矾、酒税为事，军储国用，多所仰给，宜假以钱货，资其用度，周知六路财赋之有无而移用之。凡籴买、税敛、上供之物，皆得徙贵就贱，用近易远。令预知中都帑藏，年支见在之定数。所当供办者，得以从便变易蓄买以待上。令稍收轻重敛散之权，归之公上，而制其有无以便转输，省劳费，去重敛，宽农民，庶几国用可足，民财不匮。诏本司具条例以闻，而以发运使薛向领均输平准事，赐内藏钱五百万缗，上供米三百万石。议者多言不便，帝弗听。向既董其事，乃请设置官属，从之。"

七月三十日，张先、祖无择、元居中、沈振等同游杭州定山慈岩院，并在慈岩院题名。张先《和元居中风水洞上祖龙坟韵》一绝，或作于此时。

己丑，曾公亮（宣靖）上《英宗实录》。本月，韩琦上《仁宗实录》。

辽禁皇族恃势侵渔细民。

八月

天灾人祸，形势紧迫。《续资治通鉴长编拾补》：熙宁元年八月，司马光奏曰："今河决之外，加以地震，官府民居荡焉。粪壤继以霖雨，仓廪腐朽，军食且乏，何暇及民！冬夏之交，民必大困。”

黄庭坚作《流民叹》诗。此诗盖为当年灾情之实录。关于《流民叹》诗，杨慎《山谷诗纪地震》曰：“‘迩来后土中夜震，有似巨鳌复载三山游。倾墙摧栋厌老弱，冤声未定随洪流。地文划劙水觱除沸，十户八九坐鱼头。稍闻潺渊渡河口数万，河北不知虚几州！’山谷此诗作于绍圣之年，地震之异如此，而史不书。山谷之先金华人。”又，曾国藩《求阙斋读书录》卷一〇：“熙宁二年，河北于旱后又遭水灾，流民南渡，就食襄、叶间。所云‘疏远之谋’、‘老生常谈’者，山谷是时必陈救荒之策也。”

同修《起居注》范纯仁以言事多忤王安石，罢同知谏院，出知外州。《续资治通鉴》卷六七：“范纯仁前后章疏，语多激切，帝悉不付外，纯仁尽录申中书，于是在位大臣俱列名露章求罢，帝优诏答之。富弼自此不复出视事。安石乞重贬范纯仁，帝曰：‘彼无罪，姑与一善地。’己酉，命知河中府，寻徙成都路转运使。以新发不便，戒州县不得遽行。安石怒其沮格，以事左迁，知和州。未至，徙庆州。”

程颢以秘书省著作郎为太子中允、权监察御史里行。

司马光、苏辙反对新法。本月，司马光呈《上体要疏》，反对新法。苏辙上《制置三司条例司论事状》，全面批评王安石新法，并上《条例司乞外任状》，请求外调。

九月

宋推行青苗法。据《续资治通鉴》卷六七，初，陕西转运使李参，以部内粮储不足，令民估计麦粟产量之盈余，先贷以钱，俟谷熟还官，号“青苗钱”。至是，条例司言：诸路常平、广惠仓钱谷，以陕西青苗钱例，民愿预借者给之，令出息二分，随夏秋税输纳，愿输钱者随其便。如遇灾伤，许展至丰熟纳。非惟足以待凶荒之患，兼并之家亦不得乘其急以邀倍息。欲量诸路钱谷多少，分遣官掌管。诏先自河北、京东、淮南三路施行。后推行诸路。

交州贡于宋。

十月

富弼罢相为武宁军节度使，判亳州。以陈升之行礼部尚书、同平章事。

王安石与程颢之间发生争论。程颢反对卖职称。王安石认为，在特殊情况下，为了搞到金钱，也可以卖职称，这是对待王道的变通做法。《续资治通鉴》卷六七：“王安石独奏事。帝问曰：‘程颢言不可卖祠部度牒，作常平本钱，何如？’安石曰：‘颢所言自以为王道之正。臣以为颢未达王道之权也。今度牒所得，可置粟四十五万石。若凶年人贷三石，可全十五万人。如是而犹以为不可，岂可谓知权乎？’”

十一月

宋颁农田水利条约。

以韩绛同制置三司条例司。

闰十一月

宋置交子务于潞州。诏置交子务于潞州（今山西长治市）。《续资治通鉴》卷六七：“条例司言：交子之法，行于成都府路，人以为便。今河东官私苦运铁钱劳费。诸行交子之发，仍令转运司举官置务。从之。”

黄庭坚作《春近四绝句》诗。

十二月

五国部（在今哈尔滨以东，混同江以北）酋长各率所部降于辽，乃献方物。

苏轼忧怀民生，作政论文两篇。苏轼上《谏买浙灯状》，劝阻神宗勿以耳目不急之玩，夺民口体必用之资。神宗纳其言。苏轼以神宗改过不吝，遂作《上神宗皇帝书》，批评王安石变法。

冬

苏辙在京闭门谢客。有诗《南窗》。

本年

封闭黄河北流，已而河决闭口以南之许家港，泛溢大名、恩、德、沧（治今河北沧州东南）、永静（今河北东光）五州军。

紫阳真人张伯端（987—1082）入成都，遇师受内丹药物火候之诀，因始撰道教内丹经典《悟真篇》。

欧阳修本年所作诗歌，较为著名的有《留题南楼二绝》（偷得青州一岁闲）（醉翁到处不曾醒）。

兹综述苏轼出处。施宿《东坡先生年谱》：“春，至京师，除判官告院兼判尚书祠部。时王安石方用事，议改法度，以变风俗，知先生素不同已，故置之是官。五月，以论贡举法不当轻改，召对，又为安石所不乐。未几，上欲用先生修《中书条例》，安石沮之。秋，为国子监考试官，以法策为王安石所怒。冬，上欲用先生修《起居注》，安石又言不可，且诬先生遭丧贩苏木入川，事遂罢，不用。安石欲以吏事困先生，使权开封府判官。先生决断精敏，声闻益振，上疏论买灯事，上嘉纳之。又上疏论事，慷慨不屈。子由是春以上书言事，除三司条例司检详文字。”

王安石本年尚有诗《清明辇下怀金陵》、《答熊本推官金陵寄酒》、《孟子》、《商鞅》等，尚有文《举钱公辅自代状》、《论馆职札子二》等。

黄庭坚本年在叶县，所作诗篇中比较著名还有《次韵裴仲谋同年》。

秦观二十一岁。秦观少时用意作赋，渐成习惯，本年作《浮山堰赋》。

晁补之十七岁，随父居杭州，著有《钱塘七述》，为苏轼所赏，由此知名于时。

曾巩为《英宗实录》检讨官，不逾月罢出，通判越州。离京时，馆阁同舍饯送诗赋。本年所作有《熙宁转对疏》、《广德湖记》、《送傅向老令瑞安序》、《宝月大师塔铭》、《寿安县太君张氏墓志铭》。

王诜娶英宗女蜀国长公主，拜左卫将军、驸马都尉。

孙觉诏知谏院，同修《起居注》。王安石早与觉善，骤然引用，将以为助。而觉与之异议，条奏青苗法病民，由是出知广德军。

吕公著因反对王安石变法，出知颍州。

周邦彦十二岁。

王直方（1069—1109）生。晁说之《王立之墓志铭》："今城南王立之直方，非有慕于此二人，而性义实似之也。立之仕宦似二人不及远甚，不足为立之道。而子渐卒时年五十岁，子野卒年四十五岁，而立之之卒又少子野四岁，是又为二人而穷者欤！立之少知自好，乐从诸文人行游，其闻见日博而日励，欲自置于文人中，其得四方朋友日益加盛，且多喜称誉立之者，立之于朋友之善，固自一毫不掩也。立之无他嗜好，惟昼夜读书，手自传录，凡大编数十。时遐荒穷海，有先生居焉，立之身不出京师，而传彼所赋歌诗独早且多，若与彼咫尺居而手相授也。立之固岂燥热寒暑之异哉？然非其所好，虽以势利美官诱致之，莫肯自枉也。立之虽有先人园以居，而衣食才自给耳。每有宾客至，则必命酒剧饮，抵谈终日，无不倾尽，若其大有力而饶于用者。由是立之好事之名得于远迩，客有游京师而不见立之，则以为恨矣。立之尝以假承奉郎监怀州酒税，寻易州粂官，亦仅累月，投劾归待，而不复更出矣。凡十五年，处城隅一小园中，而笑傲自适如一日焉。命其园中之堂曰赋归，亭曰顿有，亦足以见其志云。一时文人多为之作赋归等诗。立之视朋友疾病死丧，力竭势穷而无厌倦意。彭城陈无己卒于京师，立之赙吊，而割田十顷以周其孤，多此类者。立之得风痺，卧病逾二年，而家事日零落，宾客来相问讯者几希。呜呼，可不惜哉！立之病中取其生平书籍图画古器，散之四方朋友无遗，则其拳拳慕义乐善独隆如此，此事殆古人所未有也。……立之大观三年三月丙寅卒，卜以四月甲午祔二夫人，葬于河南府密县义台乡进节村先茔之次。立之病卧久，说之归自关中，过其门，往问焉，形骸非平日立之，而口不能良言，或艰出一语，犹慷慨忠愤，不少惫也。且曰：'我有所作诗文，他日无咎序之，死则以道铭我。'是不可不铭，铭曰：蹈沧海深山，蹇产苦辛，以求厥志兮，孰知有高风容与。都城之士，或辖击车摩于声利之涂，以为口腹之利兮，孰与壶觞不徙席而卒岁。彼不朝夕，或疵或疠，或踬或劓兮，又孰若令名芬芳乎来裔。"

刘安上（1069—1128）生。《给事集》卷五附录薛嘉言《行状》："公讳安上，字元礼，姓刘氏，系出彭城，世为永嘉人。……与从兄舍人安节同研席，相友善，尤专勤嗜学，讲诵忘寝食。既长，俱以文行称。公逾冠首乡荐，复联名游太学，并为上舍生，选预魁选，声称籍甚，号二刘。一时贤士慕向，争与之交。赴省闱列试第二人。登绍兴四年进士第丙科，解褐调杭州钱塘尉。……卒用荐者升处州缙云县令，除登州州学教授。时舍法初行，精择师儒，国学尤极其选，遂迁博士。学行德器尤为后进尊仰，差考试贡士。学院故事，考官各进策问取旨，上皇咨重公文，亲笔选用。以车驾幸学恩授儒林郎，复改宣德郎。大观九年，除提举两浙学事，陛辞进对，风度详雅，论事合旨。既退，上皇顾近弼称其蕴藉有大臣礼。属中丞徐深荐之，留为监察御史，朝廷有所推鞫，多以属公。……十一月迁殿中侍御史。……十二月，磨勘转奉议郎。明年，用八宝恩转承议郎。三月，迁侍御史，赐五品服。……在言路三年，凡所弹射皆污秽不法、败政乱俗之尤者，其不畏强御如此。……三年八月，迁谏议大夫。逾月丁太硕人忧。……政和冬服阕，以中书舍人召。……二年用元圭恩转朝奉郎。逾年除给事中，其所献纳论驳有补时政者甚多。俄请外甚力。九月除徽猷阁待制、知寿州。四年，以上舍试所差官选号差互罢，提举亳州明道宫。复以磨勘转朝散郎，封文安县开国男，食邑三百户。五年除知婺州。……治婺凡三年，镇抚惠养，百姓德之，里人过其境，询及遗爱，则人人以手加额，至今称颂。八年移知邢州。……宣和元年六月，得请提举建州武夷山冲佑观。九月丁太孺人徐氏忧，公以介孙承重送终，恩礼有加，乡闾荣之。三年服阕，除知寿春府，累表辞免，不克。四年磨勘转朝奉大夫，进封开国伯，加食邑二百户。……六年，除知舒州。逾年请宫祠，从之，提举南京鸿庆宫。靖康元年，覃恩转朝请郎，加食邑二百户。寻复朝奉大夫、朝散大夫，以疾亏致仕，转朝请大夫。建炎二年正月终于正寝，享年六十。……公蚤与兄舍人从当世先生长者游，深得《中庸》、《大学》指归，故能以其所学发为事业，致身侍从。当巨奸朋邪，倾乱朝政，持一介孤忠，力排抵之，仅以获免。后虽历位禁闼，俄值斯人复进用事，势焰赫然，度不能抗，因恳丐外补，自是十有六年，终老于外。虽仇怨衔之刻骨，欲搜抉疵衅，冀以中伤，而卒不能。……故议者论公平生出处，以方唐太傅白公，至其夷旷淡泊，无声色之娱，文词雅正，不为纤艳浮华之语，则又未可以优劣论也。……公为文典重有法，尤工五言，晚更平淡，浑然天成，无斧斤迹。有诗五百篇、制诰杂文三十卷，藏于家。"

公元1070年（宋熙宁三年　辽咸雍六年　夏天赐礼盛国庆元年　庚戌）

正月

河北安抚使韩琦请罢青苗法。时反青苗法者甚多，理由有二。其一：官不应放钱取息。其二：抑勒（强迫摊派）扰民。

张方平以判尚书省罢知陈州。张方平辟苏辙为陈州教授。苏辙有《初到陈州诗二首》。

二月

二十七日，司马光撰《与王介甫书》，反对新法。同月，司马光以翰林学士为枢密副使，凡九辞，诏收还麃告。

因河北安抚使韩琦请罢青苗法，王安石称疾不朝，诏谕起之。时王安石五十岁。韩琦因反对青苗法，罢河北安抚使，为大名府路安抚使。

三月

司马光撰《与王介甫第二书》，不久又作《第三书》，致书王安石，反对新法。安石撰《答司马谏议书》，以"道不同"答之。神宗闻流言，谓王安石有"天变不足惧，人言不足恤，祖宗之法不足守”之言，以问安石。安石谓并无此说，惟祖宗之法亦自变旧法而来，则祖宗之法不足守，固当如此。《答司马谏议书》为中国文学史上之散文名篇。同月，孙觉、吕公著、程颢、李常上书极言新法之不便，不听，相继贬官。李常言青苗敛散不实，有旨具析，翰林学士兼知通进、银台司范镇封还诏书，以为不当，于本月坐罢职，夺本官。右正言孙觉以奉诏反复贬知广德军。

宋在科举中设立试刑法科，许有官无赃罪者试律令，《刑统》大义、断案，取其通晓者，补刑法官。

叶祖洽等八百二十九人中进士。宋始以策试进士，罢诗、赋、论三题。《续资治通鉴》卷六七：“壬子。御集英殿，赐进士明经诸科叶祖洽以下及第、出身、同出身。总八百二十九人。祖洽策言，祖宗多因循苟简之政，陛下即位，革而新之。其意在投合也。考官吕惠卿列阿时者在高等，讦直者居下。刘攽复考，悉反之。李大临、苏轼，编排上官均第一，叶祖洽第二。卢佃第五。帝令陈升之面读均等策，擢祖洽为第一。祖洽，邵武人。佃，山阴人也。苏轼谓祖洽诋祖宗，以媚时君而魁多士，何以正风化？乃拟进士策一篇献之。帝以示王安石，安石言轼才亦高，但所学不正，又以不得逞之故，其言遂跌荡至此，数请黜之。”陆佃擢进士甲科，调蔡州推官。

春

曾巩作《会稽绝句三首》及《德清县君周氏墓志铭》。

四月

欧阳修除检校太保宣徽南院使、判太原府河东路经略安抚兼牧使，兼并代泽潞麟府岚石路兵马都总管。

郑獬自杭州徙知青州。张先作《天仙子》送郑獬移青州。

御史中丞吕公著贬至颍州。

赵抃罢参知政事知杭州。

监察御史里行程颢罢为京西路同提点刑狱。

右正言李常贬通判滑州。

陈襄以侍御史知杂事罢为同修《起居注》。

程颢迁书镇宁军节度判官公事。

五月

宋罢制置三司条例司，职务划归中书。《续资治通鉴》卷六七：“甲辰，诏：‘近设制置三司条例司，本以均通天下财利。今大端已举，惟在悉力应接以见成效，其罢归中书。’”

宋夏起边衅。夏人号十万，筑闹讹堡。知庆州李复圭合蕃、汉兵出战，大败。复出兵邛州堡，又袭金汤，而夏人已去，惟杀老幼一二百人，竟以功告捷，而边衅大起。

此事为夏人于八月大举入环庆并攻大顺城之原因。

司马光奉诏令详定转对封事。

苏轼后妻王闰之生次子苏迨于京城开封。

六月

王安石于七日作《言尊号札子》。

司马光乞差范祖禹同修《资治通鉴》，许之。

辽录取进士赵庭睦等一百三十八人。

七月

欧阳修改知蔡州。

八月

西夏军扰环庆，游骑至庆州（今甘肃庆阳）城下。

陆佃言变法之弊。王安石弟子陆佃告安石：“（新法）推行不能如初意，还为扰民。”遂遣李承之赴淮南调查，承之还，言并无不便。

苏辙女宛娘生。

曾巩作《寿昌县太君徐氏墓志铭》。

九月

欧阳修到达蔡州。

曾布为崇政殿说书、通判司农司。

翰林学士司马光以上《奏弹王安石表》罢知永兴军（今陕西西安）。

马希白诗才敏捷。《辽史》卷二二《辽道宗本纪》：“［咸雍六年］九月庚戌，幸藕丝淀。甲寅，以马希白诗才敏妙，十吏书不能给，召试之。”

十月

曾巩作《馆阁送钱纯老知婺州诗序》、《越州贺提刑夏倚状》。

十一月

宋命诸道议更役法。《续资治通鉴》卷六八：“朝廷命诸道议更役法。梓州路转运使韩璹，首建并纲减役之制，纲以数计者百二十有八，衙前以人计者二百八十有三，于是省役人五百。又请裁定诸州衙簿。”

曾巩在通判越州任，兄曾晔之子曾觉卒。

十二月

宋建立保甲法。《续资治通鉴》卷六八：“乙丑。立保甲法。时王安石言：先王以农为兵，今欲公私财用不匮，为宗社长久计，当罢募兵，用民兵。乃立保甲。其法十家为保，选主户有干力者一人为保长。五十家为大保，选主户物产最高者一人为大保长。十大保为一都保，选主户有行止材勇为众所伏者为都保正，又以一人为之副。应主客户两丁以上选一人为保丁，授之弓弩，教之战阵。每一大保，夜轮五人往来巡警。遇有盗，画时声鼓，大保长以下率保丁追捕。如盗入别保，递相击鼓，应接袭逐。凡告捕所获，以赏格从事。同保犯强盗、杀人、强奸、略人、传习妖教、造蓄蛊毒，知而不告，依律五保法。”［思齐按：宋立保甲法，编组保丁，加以训练，使之防盗，起初的确有很好的群防效果，后来弊端渐渐滋生，乡民有截指断腕以避免当保丁者。］

宋行免役法。试行免募役法，使民出免役钱，本不服役者出助役钱，雇人服役。《续资治通鉴》卷六八：“戊寅。行免役法。先是，诏条例司讲立役法。条例司言：使民出钱募人充役，即先王致民财以禄庶人在官者之意。命吕惠卿、曾布相继草具条贯，逾年始成。计民之贫富，分五等输钱，名‘免役钱’。若官户、女户、寺观、单丁、未成丁者，亦等第输钱，名‘助役钱’。凡输钱，先定州若县应用顾直多少，随户等均取顾直，又增取二分以备水旱之阙，谓之‘免役宽剩钱’，用其钱募人代役。既试用其法于开封府，遂推行于诸路。”

以王安石、韩绛并同中书门下平章事，王珪参知政事。王安石有诗《题中书壁》、《中书即事》及文《辞拜相表》、《辞免屏障是监修国史表》、《谢宰相笏记》、《回谢王参政启》等。本月，王安石奉命提举编修三司令式。

宋敏求奉命详定命官、使臣过犯。

本年

辽设贤良科；禁汉民捕猎。

欧阳修六十四岁，更号六一居士，作《山斋戏书绝句二首》（蜜脾未满蜂采花）（经春老病不出门）、《嘲少年惜花》、《寄答王仲仪太尉素》等诗。

欧阳修散文名篇《泷冈阡表》作于本年。欧阳修父欧阳观卒于大中祥符三年（1010），皇祐五年（1054）护母丧归葬吉州泷冈（今江西永丰县南）时，即作有《先君墓表》，未刻石。本年，欧阳修在青州任上。《泷冈阡表》系就《先君墓表》精心修改而成。薛瑄《薛文清公读书录》：“凡诗文出于真情则工，昔人所谓出于肺腑者是也。如《三百篇》、《楚辞》、武侯《出师表》、李令伯《陈情表》、陶靖节诗、韩文公《祭兄子老成文》、欧阳公《泷冈阡表》，皆所谓出于肺腑者也，故皆不求工而自工。故凡作诗文，皆以真情为主。”归有光《欧阳文忠公文选》卷十：“顾锡畴曰：自家屋里文，亦只但写几句家常话，遂无一字不入情，无闲语不入妙，欧公集中之至文也。”孙琮《山晓阁选宋大家欧阳庐陵全集》：“善必归亲，仁人之心；褒崇祖先，孝子之思。篇中前幅表扬父母之孝节仁俭，善必归亲之意也；后幅详述膺封之隆宠，褒荣祖先之心也。仁人孝子之心，蔼然如见。”张伯行《唐宋八大家文钞》卷六：“人之子欲显扬其亲，谁无此心哉？公幼孤，承画荻之教，至于遭时居显位，使其先世锡爵受封，可谓荣矣。然古今荣亲者亦多，而以文章传其令德，垂诸百世而不朽如公者，有几人哉？述父之孝与仁，即一二事而想其生平，所以享为善之报也。”林云铭《古文析义》卷一四：“墓表请代作，与志铭同用于葬。曰，此常例也。今乃自为表于既葬六十年后，事属创见。且其文尤不易作，何也？幼孤不能通知父之行状，必借母平日所言为据，多一曲折，一难也。人生大节，莫过廉孝仁厚数端，而母以初归既不逮姑，且妇职中馈，外言不入于阃，恶从知之？二难也。母卒已十数年，纵有平日之言，亦不知今日用以表墓，错综引入，不成片断，三难也。赠封祖考，实己之显亲扬名，咏叹语稍不斟酌归美，便涉自矜，四难也。是作开口便擒‘有待’二字，随接以太夫人教言。其‘有待’处，即决以乃翁素行，因以死后之贫验其脸，以思亲之久验其孝，以治狱之叹验其仁。或反跌，或正叙，琐琐曲尽，无不极其斡旋。中叙太夫人，将治家俭薄一节重发，而诸美自见。末叙历官赠封，以赞叹语结之。句句归美先德。且以自己功名，皆本于父母之垂裕，深得立言之体。此庐陵晚年用意合作也。”吕葆中《唐宋八家古文精选》：“《泷冈阡表》本为三朝锡命记述恩荣，而推本其所志，与他墓表不同，处处要关着自身。至其称美先德，只举一二事以概，其余更不多及。立言之体固各有所当也，否则或近乎略也矣。荆川《文编》评之曰‘变正’，谓其与他墓表不同耳。”蔡世远《古文雅正》卷十：“忠孝之文使人歌泣，余每读《出师表》及《泷冈阡表》，未尝不涕涔涔下也。”姚鼐《古文辞类纂》四五：“方望溪曰：‘撇其繁复，则格愈高，义愈深，气愈充，神愈王。学者潜心于此，可知修辞之要。’”魏起泰《古文集宜》卷四：“孙月峰曰：不事藻饰，但就真意写出，而语语精绝，即闲语无不入妙。笔力浑劲，无痕迹可求。欧公文当以此为第一。倪稼咸曰：所志不过一二事，而先公之仁孝、太夫人之节俭皆足传矣。此立言之法也。至于赐爵受封，实由于归美先德，无一语自夸，尤见苦心结撰处。”

作为对司马光《与王介甫第一书》的答复，王安石作《答司马谏议书》。茅坤《唐宋八大家文钞》卷八五：“荆公之愎而自用，所以自误。”又，蔡上翔《王荆公年谱考略》卷一六：“公辨侵官、生事、征利、拒谏、致怨五事，无论其言是否，而在己无不达之情，可谓简而明矣。其谓‘人习于苟且非一日，士大夫多以不恤国事、同俗自媚于众为善’，而自任以天下之重，意实在此。”又，姚鼐《古文辞类纂》：“亦自劲悍，而不如昌黎《答吕医山人》之奇变。”刘熙载《艺概·文概》：“半山文善用揭过法，只下一二语，便可扫却他人数大段，是何简贵！”又，王文濡《评校音注古文辞类纂》卷三〇：“固由兀傲性成，究亦理足气盛，故劲悍廉厉无枝叶如此。不似上皇帝书，尚有经生习气也。”又，《古文范》下编吴闿生评：“傲岸倔强，荆公天性，而其生平志量政略，亦具见于此。”

兹综述苏轼出处。施宿《东坡先生年谱》：“春，差充殿试编排官。时御试始用策。上议差先生为考官，安石言先生所学乖异，不可考策，乃以为编排官。先生拟对以奏。八月，诏江淮湖北转运司量苏轼居丧服除往复买贩，及令李师中供析照验妄冒差借兵卒事实以闻，御使知杂谢景温劾奏故也。景温与安石联姻，安石实使之。十月，翰林学士范镇奏乞致仕，以赎先生诬罔之罪。不报，又奏，辨先生之无过，并攻安石，遂落职致仕。已而穷治，卒无所得，先生不敢自明，明年乃乞补外。子由是岁八月，以上疏论三司事议论不合，出为河南府判官。”

黄庭坚作《漫尉》、《红蕉洞独宿》诗。关于《红蕉洞独宿》，方东树《昭昧詹言》卷二十评曰：“此悼亡诗，以第二句为主。三四情景交融，切‘宿’字，所谓奇词杰句者，后半只叙情而已。”

苏轼三十五岁，在京任殿中丞直史馆判官告院，权开封府推官。作《再上皇帝书》，并作《拟进士对御试策》，继续全面系统地批评王安石变法。

苏辙三十二岁，多病，学道士服气之法。

秦观二十二岁。李常公择、孙觉莘老等论新法不便，秦观然其说。《淮海后集》卷六《李公择行状》：“是时，王荆公辅政，始作新法，谏官御史论不合者辄斥去。公上书力抵其非，以为始建三司条例司虽致天下之议，而善士犹或与之。至于均输之论兴，青苗之法立，公然取息，傅会经旨以为无嫌，则天下固已大骇，而善士亦不复与矣。时荆公之子雱与温陵吕惠卿，皆与闻国论，凡朝廷之事，三人者参然后得行。公言陛下与大臣议某事，安石不可则移而不行；安石造膝议某事，安石承诏颁焉；吕惠卿献疑，则反之。诏用某人，安石、惠卿之所可，雱不说，则又罢之。孔子曰：‘禄去公室，政在大夫，陪臣执国命。’今皆不似之邪?”

张耒十七岁。《宋史·张耒传》：“耒十七时作《函关赋》，已传人口。游学于陈，学官苏辙爱之，因得从轼游。”苏轼亦深知张耒，称赞《函关赋》其文汪洋冲淡，有一唱三叹之声。

晁补之从父于杭州新城。

陈舜俞以屯田员外郎，知山阴县。

周邦彦十三岁。

唐庚（1070—1120）生。王稱《东都事略》卷一一六《唐庚传》：“唐庚字子西，眉州丹棱人也。善属文，举进士，稍用为宗子博士。张商英荐其才，除提举京畿常平。商英罢相，庚亦坐贬，安置惠州。会赦复官，提举上清太平宫，归蜀，道病卒，年五十一。庚为文精密，通于事务，作《名治》、《察君》、《闵俗》、《存旧》等篇，学者称之。有文集二十卷。”

赵鼎臣（1070—1121?）生。《四库全书总目》卷一五五：“《竹隐畸士集》二十卷。……鼎臣字承之，卫城人，自号苇溪翁。元祐间进士，绍圣中登宏词科。宣和中以右文殿修撰知邓州，召为太府卿。……其后尝往来大名、真定间，与苏轼、王安石诸人交好，相与酬和。”

廖刚（1070—1143）生。张栻《工部尚书廖公墓志铭》：“公讳刚，字用中，顺昌县人。……自为布衣时，尝从其乡人谏议大夫陈公瓘游，又尝从侍讲杨公时问学，故其后立朝行己，具有本末。……初登崇宁五年进士第，历县主簿、州判官、录事参军、教授，凡五任，该秩调漳州司录，就除国子录，擢监察御史。……已而以亲老引外，得知兴化军。靖康初，以右正言召，未赴，遭通奉君忧，服阕，又以工部员外郎召，以母疾辞。……除福建路提点刑狱公事。未几，召为吏部员外郎，迁起居舍人，以抚贼事增一秩。……除权吏部侍郎，兼侍讲。……迁给事中，遭内艰，服阕，还琐闼旧职，时绍兴四年也。……明年迁刑部侍郎。……又明年，以久在朝列，力请外，除徽猷阁直学士，知漳州。……在郡二年，应诏上封事，乞早以建国公正皇子之号。……是岁以年将七十请谢事，时已降诏旨矣。诏书趣行，至阙，则有中司之拜。……为时宰所挤去。自公之去，言事者类皆承望，而缙绅窜逐者相继矣。公谢事三岁，以十三年正月壬寅殁于正寝，累官左朝奉大夫、封顺昌县开国男。”

维吾尔族诗人尤素甫·哈斯·哈吉甫，将其长诗《福乐智慧》奉献给喀拉汗王朝君主布格拉汗，被授以“哈斯·哈吉甫”（御前侍臣）称号。尤素甫·哈斯·哈吉甫（生卒年不详）于本年至次年之间完成其长诗《福乐智慧》，该诗正文一万三千余行。尤素甫·哈斯·哈吉甫系巴拉萨衮（故址在今吉尔吉斯斯坦共和国楚河南岸）人，后居于喀什噶尔（今新疆喀什），本年大约五十岁。

公元1071年（宋熙宁四年　辽咸雍七年　夏天赐礼盛国庆二年　辛亥）

正月

韩绛在延安使种谔袭击西夏，夏人反击，绛因此罢相。

渝州（今重庆）部夷梁承秀等反，后事败被杀。

王安石请鬻天下广惠仓田为三路及京东常平仓本，从之。正月十五日，王安石有《上元从驾至集禧观次冲卿韵》诗。

司马光在无法全面否定青苗法的情况之下，作《奏为乞不将米折青苗钱状》，欲尽量减轻农民负担。

欧阳修作《贺王相公安石拜相启》。

二月

文人性向，各有不同。据《续资治通鉴长编》卷二二〇：辛酉。司马光乃自永兴军知许州。光之章曰：“臣之不才，最出群臣之下，先见不如吕晦，公直不如范纯仁、程颢，敢言不如苏轼、孔文仲，勇决不如范镇。”又曰：“轼与文仲皆疏远小臣，乃敢不避陛下雷霆之威、安石虎狼之怒，上述对策指陈其失，隳官获谴，无所顾虑，此臣不如轼与文仲远矣。”

宋改革科举考试。宋罢进士诗赋及明经诸科，以经义、论、策试进士。王安石于此前上《乞改科条制》。变更科举考试制度之后，宋置京东西、陕西、河东、河北路学官，使之教导。

诏治吏沮格青苗法者。

女真进马于辽。

三月

文彦博对变法有异议。文彦博曰：“祖宗法制具在，不须变张以失人心。”

夏人陷抚宁（今陕西米脂西）诸城。种谔在绥德（今陕西绥德）节制诸军，闻夏人至，茫然失措，由是新筑诸堡失陷，将士歿者千余人。会庆州军叛，诏罢西师，弃啰兀城（今陕西米脂北）。

王安石作《上巳闻苑中乐声》诗。

春

曾巩作《贺熙宁四年明堂礼毕大赦表》、《进奉熙宁四年明堂绢状》。

四月

苏轼反对新法被贬。《续资治通鉴》卷六八："权开封府推官苏轼，出通判杭州。初，轼直史馆，王安石赞帝以独断专任，轼因试进士，发策以'晋武平吴，独断而克，苻坚伐晋，独断而亡，齐桓专任管仲而霸，燕哙专任子之而败，事同功异'为问。安石见之，大怒。特使御史谢景温论奏其过，穷治无所得，轼遂请外。"

王安石奉命提举编修敕。

司马光权判西京留守御史台，卜居洛阳。

苏轼出直史馆，通判杭州。

五月

诏许富弼养疾西京。

高丽恢复对宋的朝贡。《续资治通鉴》卷六八："丙午。高丽来贡。高丽为辽所阻，不通中国者四十三年。至是福建转运使罗拯，令商人黄贞，招接通好。高丽王徽，乃因贞还，移牒福建，愿备礼朝贡。拯以闻，朝议谓可结以谋辽，乃命拯谕意。徽遂遣其民官侍郎金悌等，由登州（今山东蓬莱）入贡，自是复与中国通，朝贡相继。"

六月

宋在全国全面推行免役法。

因青苗法之故，贬逐反对新法者多人。其中，苏轼通判杭州。欧阳修致仕。富弼坐沮格青苗，使落相，徙判汝州。

在千夫所指的压力之下，王安石求去，神宗皇帝固留之。

王安石为明堂大礼使，文彦博为礼仪使，王珪为桥道顿递使。王安石作诗《驾自启圣还内》，并作文《和明堂礼毕表》。

欧阳修以太子少师致仕归颍，苏辙作《贺欧阳少师致仕启》。

十三日，曾巩入齐州，十六日到任上，作《齐州谢到任表》。

七月

欧阳修退居颍州（今安徽阜阳），撰成《六一诗话》，为第一部以"诗话"命名的著作，开创了古代诗歌批评的一种新形式。

土蕃贡于辽。

层檀国（在黑衣大食境内由赛尔柱族所建立之政权，有学者认为层檀即 Zangulbar，在今非洲东部。邹代钧《中外舆地图》作桑给巴尔）始贡于宋。《宋会要辑稿》第一九九册《蕃夷七·历代朝贡篇》："熙宁四年七月五日，层檀国遣使层加尼、防援官那萨奉表贡真珠、龙脑、乳香、琉璃器、白龙黑龙涎香、猛火油、药物。"

苏轼出京赴杭州通判任。先赴陈州看望苏辙，在陈州逗留七十余日，初识张耒。并于陈州会见张方平，作《次韵张安道读杜诗》。

欧阳修于是年以太子少师致仕，退居颍州，苏轼赴杭州通判任，过颍，谒见欧阳修，作《欧阳少师令赋所蓄石屏》诗。

刘挚以监察御史里行罢监衡州盐仓。

杨绘以御史中丞贬知郑州。

八月

宋复《春秋三传》明经取士。

置洮河安抚司，使王韶领其事。

苏轼、苏辙与柳瑾交往。柳瑾（字子玉）谪官寿春，舟过陈州，两兄弟皆与晤，柳瑾以诗寄子由。两兄弟皆次韵，苏轼所作诗为《次韵柳子玉过陈绝粮二首》。苏辙作《次韵柳子玉谪官寿春舟过宛丘见寄》诗。

王安石子、前旌德县尉王雱为太子中允、崇政殿说书。王安石有文《辞男雱说书札子》、《除雱中允崇政殿说书谢表》。

张方平除南都留台，苏轼、苏辙兄弟作诗《送张公安道赴南都留台》。

曾巩作文《亡侄韶州军事判官墓志铭》、《广禄少卿晁公墓志铭》，并作诗《寄致仕欧阳少师》、《酬王徽之汴中见赠》、《寄郓州邵资政》、《喜雪二首》。

九月

苏轼、苏辙同赴颍州谒欧阳修，并陪欧阳修燕游于颍州西湖。苏轼作《陪欧阳公燕西湖》诗，苏辙作《陪欧阳少师永叔燕颍州西湖》诗。

苏轼与苏辙别于颍州，苏轼作《颍州初别子游》诗，苏辙作《次韵子瞻颍州留别》诗。

张耒作《岁暮即事寄子由先生》五言长律诗一首寄苏辙，诗见《张耒集》卷十八。

十月

宋朝重视教育，立太学三舍法。《续资治通鉴》卷六八："戊辰。立太学三舍法。初，国子生，以京朝七品以上子孙应荫者为之。太学生，以八品以下子孙及庶人之俊异者为之。试论经策义，如进士法。及帝即位，垂意儒学。自京师至郡县，既皆有学。岁时月各有试，程其艺能，以差次升舍，其最优者为上舍，免发解，及礼部试而特赐之第，遂专以此取士。又累增太学内舍生，至九百人。至是侍御使邓绾，言国家治平百余年，虽有国子监，仅容释奠斋庖，而生员无所容。至于太学，未尝营建。止假锡庆院廊庑数十间，生员才三百人。请以锡庆院为太学，仍修武王庙为右学。上以拟三王四代胶庠序学东西左右之制，乃诏尽以锡庆院及朝集院西庑，建讲书堂，斋舍直庐略具。自主判官外，增置直讲为十员。率二员共讲一经，令中书遴选，或主判官奏举。厘生员为三等。始入太学为外舍，初不限员，后定额七百人。外舍升内舍，员二百，内舍升上舍，员一百。各执一经，从所讲官受学。月考试其业，优等以次升。上舍免发解及礼部试，召试赐第。其正录学谕，以上舍生为之。经各二员，学行卓异者，主判直讲，复荐于中书奏除官。”

十月九日，神宗赐宴王安石。王安石有诗《九日赐宴琼林苑作》及文《谢东府御赐筵表》。

王安石弟、前武昌军节度推官王安国为崇文院校书。王安石作《谢弟安国得馆职表》。

苏轼作《颍州初别子由二首》。汪师韩《苏诗选评笺释》卷一：“本是直抒胸臆，读之乃觉中心莞结之至者，此汉魏人绝调也。”

十一月

苏轼到杭州通判任。时苏轼三十六岁。有诗寄苏辙。

孙觉到湖州太守任。

苏轼赴杭州途中经过镇江（今属江苏）金山寺，访宝觉、圆通二僧，夜宿作《游金山寺》诗。汪师韩《苏诗选评笺释》卷一：“一往作缥缈之音，觉自来赋金山者，极意著题，正无从得此远韵。起二句将万里程、半生事一笔道尽，恰好由岷山导江至此处海门归宿为入题之语。中间‘望乡国’句，故作羁望语以环应首尾。‘微风万顷’二句写出空旷幽静之致。忽接入‘是时江月’一段，此不过记一时阴火潜燃景象耳，思及江神见怪，而终之以归田。矜奇之语，见道之言，想见登眺徘徊，俯视一切。”纪批（卷七）：“首尾谨严，笔笔矫健，节短而波澜甚阔。”“结处将无作有，两层搭为一片。归结完密之极，亦巧便之极，设非如此挽合，中一段如何消纳。”施补华《岘傭说诗》：“‘我家江水初发源，宦游直送江入海’，确是东坡游金山寺发端，他人抄袭不得。盖东坡家眉州近岷江，故曰‘江初发源’；金山在镇江，下此即海，故曰‘送江入海’。中闻‘微风万顷’二句，的是江心晚景。收处‘江山如此’四句两转，尤见跌宕。”陈衍《宋诗精华录》卷二：“一起高屋建瓴，为蜀人独足夸口处。通篇遂全就望乡归山落想，可作《庄子·秋水篇》读。”

十二月

宋朝省诸路厢军。总各州厢兵马步指挥，凡八百四十，共为兵凡二十二万七千六百二十七人，而府界及诸司，或因事募兵之额尚不在内。

回鹘贡于辽。

苏辙作《次韵子瞻初到杭州见寄二首》诗。

除夕，王安石作诗《次韵冲卿除日立春》、《除日》。

苏轼作《腊日游孤山访惠勤惠思二僧》诗。汪师韩《苏诗选评笺释》卷一："结句'清景'二字，一篇之大旨。云雪楼台，远望之景；水清林深，近接之景。未至其居，见盘纡之山路；既造其物，有坐睡之蒲团。至于仆夫整驾，回望云山，寒日将晡，宛焉入画。'野鹘'句于分明处写出迷离，正与起五句相对照。又以'欢有余'前应'实自娱'，语语清景，亦语语自娱。而道人有道之处，已于言外得之。栩栩欲仙，何必涤笔于冰瓯雪碗。"纪批（卷七）："忽叠韵，忽隔句韵，音节之妙，动合天然，不容凑泊泊。其源出于古乐府。"

苏轼作《戏子由》诗，兄弟情谊油然生。汪师韩《苏诗选评笺释》卷一："前后平列两段，末以四句作结。宛丘低头读书而有昂藏磊落之气，别驾画堂高坐而有气节消缩之嫌。其所齐名并驱者独文章耳，而文章固无用也。中间以'画堂五丈容旂旐'对'宛丘学舍小如舟'，以'重楼跨空雨声远'对'斜风吹帷雨注面'，以'平生缩惭今不齿'对'先生不愧旁人羞'，以'坐对疲氓更鞭笞'对'门前万事不挂眼'，以'居高志下真何益'对'头虽常低气不屈'，故作喧叙相反之势，不独气节消缩者虽云自适，即安坐诵读者岂云得诗？文则跌宕昭彰，情则欷歔悒郁。"

苏轼、苏辙与柳瑾交往。柳瑾（子玉）来诗，苏轼、苏辙兄弟皆次韵。苏轼所作诗，一为《地炉》（细声蚯蚓发银瓶），一为《纸帐》（乱纹龟壳细相连），见《增刊校正王状元集注分类东坡先生诗》卷一三。苏辙所作诗，一为《和柳子玉地炉》（凿地泥床不费功），一为《和柳子玉纸帐》（夫子清贫不耐冬），见《栾城集》卷四。

本年

黄河大名新堤河决，漂溺馆陶、永济（馆陶东北）、清阳以北；又决澶州、郓州。

欧阳修本年有《寄韩子华》诗并序、《余昔留守南都，得与杜祁公唱和，诗有答公见赠二十韵之卒章云：报国如乖愿，贵耕宁买田，期无辱知己，肯逐名利迁。逮今年二十有二年，祁公捐馆亦十有五年矣，而余始蒙恩得遂退休之请。追怀平昔，不胜感涕，辄为短句，置公祠堂》、《答资政邵谏议见寄二首》。关于《寄韩子华》，《墨庄漫录》："欧阳公与韩子华、吴长文、王禹玉，同直玉堂，尝约五十八岁即致仕，子华书于柱上。后过限七年，方践前志。作诗寄子华曰：俗谚云，也卖弄得过里。"

兹综述苏轼出处。施宿《东坡先生年谱》："是年六月，先生乞补外，上批出与知州差遣，中书不可，拟通判颍州；上又批出改通判杭州。参知政事冯京荐先生直舍人院，上不答。是月先生出京，至陈时，张文定公守陈，子由为学官，至九月离陈，子由送至颍，同谒欧阳文忠公于颍上。十月，始渡淮，经行濠、楚、扬、润诸郡，与孙洙巨源、刘挚莘老、刘攽贡父会于扬。十一月，到杭。时杭守沈遘。遘去，陈襄代；襄去，杨绘代。终先生任，更三守。"

诗翁相聚诗兴发，共结洛阳耆德会。王闢之《渑水燕谈录》卷第四高逸："富韩公，熙宁四年以司空归洛阳，时年六十八。是时，司马端明不拜枢密副使，求判西台，时年五十三。二公安居冲默，不交世务。后十一年，当元丰五年，文潞公留守西京，慕唐白乐天‘九老会’，于是悉聚洛中士大夫贤而老自逸者，于韩公邸置酒相乐，凡十二人。即又命郑奂图形妙觉僧舍，各赋诗一首，时人呼之曰‘洛阳耆英会’，而司马为之序。其相聚也，用洛中旧俗，序齿不尚官，时韩公年七十九，潞公与司封郎中席汝言皆七十七，朝议大夫王尚恭七十六，太常赵丙、秘书监刘几、卫州防御使冯行已皆七十五，天章阁待制楚建中七十三，朝议大夫王慎言七十二，太中大夫张问、龙图阁直学士张焘皆七十，司马六十四，故潞公诗云：‘当筵尚齿犹多幸，十二人中第二人。’韩公《赠潞公诗》云：‘顾我年龄虽第一，在公勋德自无双。’潞公《再答韩公诗》云：‘惟公福禄并公德，合是人间第一流。’是时，宣徽使王拱辰年七十，留守大名，贻诗二公，愿与其数，凡十三人也。”

洛阳耆德会，简称“耆德会”，即洛阳耆英会，简称“耆英会”。

苏轼作《出颍口初见淮山是日至寿州》诗。汪师韩《苏诗选评笺释》卷一：“宛是拗体律诗，有古趣兼有逸趣。”纪批（卷六）：“吴体之佳者。吴体无粗犷之气即佳。”方东树《昭昧詹言》卷二十：“奇气一片。”高步瀛《唐宋诗举要》卷六引吴汝纶云：“公有古风一首，与此略同，盖自喜之甚，复约之以为近体。”又，苏轼作《泗州僧伽塔》诗。吴曾《能改斋漫录》卷七：此诗张文潜用其意，别为一诗云：“南风靡靡麦花落，豆田漠漠初垂角。山边半夜一犁雨，田父高歌待收获。雨多潇潇蚕簇寒，蚕妇低眉忧茧单。人生多求复多怨，天公供尔良独难。”又，苏轼作《龟山》诗。《苏诗选评笺释》卷二：“‘万里’句阔远，‘一庵’句静闲，妙作对偶。熙宁甲寅轼自杭倅移至密州，至元丰己未移知湖州，故云‘再过龟山岁五周’。结寓感叹，以见兵戎事往，并故垒亦不复存，不独无人记忆已也。”纪昀《苏文忠公诗集》卷一八：“霸业雄图，尚有今昔之感，而况一人之身乎？前四句与后四句映发有情，便不是吊古套语。”

黄庭坚本年所作诗，较为著名的有《过平舆怀李子先时在并州》、《谢仲谋示新诗》、《答王晦之见寄》、《戏咏江南土风》、《答龙门潘秀才见寄》、《听崇德君鼓琴》。关于《戏咏江南土风》，方回《瀛奎律髓》卷四评曰：“亦非他人所能及也。”纪昀：“益慕柳州诸作，而骨韵神采不及远矣。”袁昶《山谷外集诗注评点》：“题甚佳，诗亦翔雅。”关于《答龙门潘秀才见寄》，方东树《昭昧詹言》卷二十评曰：“起兀傲，一气涌出。三四顿挫。五六略衍。收出场。然余嫌多成空套，山谷最有此病，不足为法。如‘出门一笑大江横’亦然。”关于《听崇德君鼓琴》，袁昶《山谷外集诗注评点》：“赋物赋形以笔先笔后摄取神魄为佳，无呆砌题面者……此章首尾皆不使一直笔，亦诗家秘密法也。”黄爵滋《读山谷诗集》：“‘两忘’二语善谈琴理。”

秦观字太虚。秦观好读兵家书，作《（郭子仪）单骑见虏赋》，立志报国。本年，秦观二十三岁，字以太虚。陈师道《后山居士文集》卷十六《秦少游字序》：“秦子曰：‘往吾少时，如杜牧之强志盛气，好大而见奇，读兵家书，乃与意合，谓功誉可立致，而天下无难事。顾今二虏有可乘之事，愿效至计，以行天诛，回幽夏之故墟，吊唐晋之遗人，流声无穷，为计不朽，岂不伟哉！于是字以太虚，以道吾志。’”秦观字以太虚，非仅为此，其《反初》诗云：“昔年淮海来，邂逅安期生。谓我有灵骨，法当游太清。区中缘未断，方外道难成。一落世间网，五十还嘉平。”此五十岁时追忆出生时受道家思想之影响，字曰太虚，亦当由此也。

张耒是岁居陈，遭母丧。作《岁暮即事寄子由先生》诗（岁暮淮阳客）寄苏辙，诗载《张耒集》卷一八。

诗僧惠洪（1071—1128）**生。**释普济《五灯会元》卷一七《清凉惠洪禅师》：“瑞州清凉惠洪觉范禅师，郡之彭氏子。年十四，父母俱亡，乃依三峰靓禅师为童子，日记数千言。览群书殆尽，靓器之。十九，试经于东京天王寺，得度，从宣秘讲《成实唯实论》。逾四年，弃谒真净为归宗。净迁石门，师随至。净患其深闻之弊，每举玄沙未彻之语发其疑。凡有所对，净曰：‘你说道理邪?’一日顿脱所疑，述偈曰：‘云灵一见不再见，红白枝枝不著华。叵耐钓鱼船上客，却来平地摝鱼虾。’净见为助喜，命掌记。未久，去谒诸老，皆蒙赏音，由是名振丛林。显谟朱公彦请开发抚州北景德，后往清凉。……崇宁二年，会无尽居士张公于峡之善溪。张尝自谓得龙安悦禅师末后句，丛林畏与语，因夜话及之，曰：‘可惜云安不知此事。’师问所以，张曰：‘商英顷自金陵酒官移知豫章，过归宗见之，欲为点破。方叙悦末后语未卒，此老大怒，骂曰：此吐血秃丁、脱空妄语，不得信。既见其盛怒，更不欲叙之。’师笑曰：‘相公但识龙安口传末后句，而真药现前不能辨也。’张大惊，起执师手曰：‘老师真有此意邪?’曰：‘疑则别参。’乃取家藏云庵顶相，展拜赞之，书以授师，其词曰：‘云庵刚宗，能用能照。天鼓希声，不落凡调。冷面严眸，神光独耀。孰传其真，曲面为肖。前悦后洪，如融如肇。’大慧处众日，尝亲依之，每叹其妙悟辩慧。建炎二年五月，示寂于同安。太尉郭公天民奏赐宝觉圆明之号。”又，《宋诗纪事》卷九二：“惠洪字觉范，俗姓彭，筠州人。以医识张天觉。大观中入京，乞得祠部牒为僧，又往来郭天信之门。政和间，张、郭得罪，觉范决配朱崖。有《石门文字禅》、《筠溪集》、《天橱禁脔》、《冷斋夜话》。”

吕颐浩（1017—1139）**生。**《宋史》卷三六二《吕颐浩传》：“吕颐浩字元直，其先乐陵人，徙齐州。中进士第。父丧家贫，躬耕以赡老幼。后为密州司户参军，以李青臣荐，为邠州教授。除宗子博士，累官，入为太府少卿、直龙图阁、河北转运副使，升待制徽猷阁、都转运使。伐燕之役，颐浩以转输随种师道至白沟。既得燕山，郭药师众二万、契丹军万余，皆仰给县官，诏以颐浩为燕山府路转运使。颐浩奏……徽宗怒，命褫职贬官，而领职如故，寻复焉。进徽猷阁直学士。金人入燕，郭药师劫颐浩与蔡靖等以降。敌退得归，复以为河北都转运使，以病辞，提举崇福宫。高宗即位，除知扬州。车驾南幸，颐浩入见，除户部侍郎兼知扬州，进户部尚书。……进吏部尚书。建炎二年，金人逼扬州，车驾南渡镇江，召从臣问去留。颐浩叩头愿且留此，为江北声援。不然，敌乘势渡江，事愈急矣。驾幸钱塘，拜同签书枢密院事、江淮两浙制置使，还屯京口。金人去扬州，兼江东安抚制置使兼知江宁府。时苗傅、刘正彦为逆，逼高宗避位。颐浩至江宁，奉明受改元诏赦，会监司议，皆莫敢对。……颐浩乃与浚及诸将约，会兵讨贼。……颐浩等以勤王兵入城，都人夹道聳观，以手加额。朱胜非罢相，以颐浩守尚书右仆射、中书侍郎兼御营使，改同中书门下平章事。车驾幸建康，闻金人复入，召诸将问移跸之地，颐浩曰：‘金人谋以陛下所至为边面，今当且战且避，奉陛下于万全之地，臣愿留常、润死守。’上曰：‘朕左右不可以无相。’乃以韩世忠守镇江，刘光世守太平。驾至平江，闻杜充败绩，上曰：‘事迫矣，若何?’颐浩遂进航海之策。初，建炎御营使本以行幸总齐军政，而宰相兼领之，遂专兵柄，枢府几无所预。颐浩在位尤专恣，赵鼎论其过。四年，移鼎为翰林学士、吏部尚书。鼎辞，且攻颐浩，章十数上，颐浩求去。除镇南军节度、开府仪同三司、礼泉观使，诏以颐浩倡议勤王，故从优礼焉。奉化贼蒋琏乘乱为变，劫颐浩置军中，高宗以颐浩故，赦而招之。寻除江东安抚制置大使兼知池州。……诏以淮南民未复业，须威望大臣措置，以颐浩兼宣抚，领寿春府、滁、庐、和州、无为军。……拜少保、尚书左仆射、同中书门下平章事知枢密院事。二年，上自越州还临安。时桑仲在襄阳，欲进取京城，乞朝廷举兵为声援。颐浩乃大议出师，而身自督军北向。……［秦］桧知颐浩不为公论所与，多引知名士为助，欲倾之而擅朝权。高宗乃下诏以戒朋党，除颐浩都督江、淮、荆、浙诸军事，开府镇江。颐浩辟文武士七十余人，以神武后军及御前忠锐崔增、赵延寿二军从行，百官班送。颐浩次常州，延寿军叛，刘光世歼其众，又闻桑仲已死，遂不进，引疾求罢。诏还朝，以知绍兴府朱胜非同都督诸军事。颐浩既还，欲倾秦桧，乃引胜非为助。给事中胡安国论胜非必误大计，胜非复知绍兴府，寻以礼泉观使兼侍读。安国持录黄不下，颐浩特命检正诸房文字黄龟年书行。安国以失职求去，罢之。桧上章乞留安国，不报。侍御史江跻、左司谏吴表臣皆以论救安国罢，程瑀、胡世将、刘一止、张焘、林待聘、楼炤亦坐论桧党斥，台省一空，遂罢桧相。颐浩独秉政。……颐浩再秉政凡二年，高宗以水旱地震，下诏罪己求言，颐浩连章待罪。……侍御史辛炳、殿中常同论其罪，遂罢颐浩为镇南军节度使、开府仪同三司、提举洞霄宫，改特进、观文殿大学士。五年，诏问宰执以战守方略，颐浩条十事以献，除湖南安抚制置大使兼知潭州。时郴、衡、桂阳盗起，颐浩遣人悉平之。帝在建康，除颐浩少保、浙西安抚制置大使、知临安府、行宫留守。明堂礼成，进封成国公。八年，上将还临安，除少傅、镇南定江军节度使、江东安抚制置大使兼知建康府、行宫留守。颐浩引疾求去，除礼泉观使。九年，金人归河南地，高宗欲以颐浩往陕西，命中使召赴行在。颐浩以老病辞，且条陕西利害，谓金人无故归地，其必有意。召趣赴阙，既至，以疾不能见，乃听归。未几，卒，赠太师，封秦国公，谥忠穆。颐浩有胆略，善鞍马弓剑，当国步艰难之际，人倚之为重。自江东再相，胡安国以书劝其法韩忠献，以至公无我为先，报复恩仇为戒，颐浩不能用。”

尹焞（1071—1142）生。所以系尹焞生年于此，乃据《宋史·高宗纪》及《历代名人年谱》。《宋史》卷四二八《尹焞传》：“尹焞字彦明，一字德充，世为洛人。……少师事程颐。尝应举，发策有诛元祐诸臣议，焞曰：‘噫，尚可以干禄乎哉!’不对而出，告颐曰：‘焞不复应进士举矣。’颐曰：‘子有母在。’焞告归其母陈，母曰：‘吾知汝以善养，不知汝以禄养。’颐闻之曰：‘贤哉母也!’于是终身不就举。焞之从师，与河南张绎同时，绎以高识，焞以笃行。颐既没，焞聚徒洛中，非吊丧问疾不出户，士大夫宗仰之。靖康初，种师道荐焞德行可备劝讲，召至京师，不欲留，赐号和靖处士。……次年，金人陷洛，焞阖门被害，焞死复苏，门人舁至山谷中而免。刘豫命伪帅赵斌以礼聘焞，不从则以兵恐之。焞自商州奔蜀，至阆，得程颐《易传》十卦于其门人吕稽中，又得全本于其婿邢纯，拜而受之。绍兴四年，至于涪。……辟三畏斋以居，邦人不识其面。侍读范冲举焞自代，授左宣教郎，充崇政殿说书，以疾辞。范冲奏给五百金为行资，遣漕臣奉诏至涪亲遣。六年，始就道，作文祭颐而后行。……八年，除秘书少监，未几，力辞求去。上语参知政事刘大中曰：‘焞未论所学渊源，足为后进矜式，班列得老成人，亦是朝廷气象。’乃以焞直徽猷阁，主管万寿观，留侍经筵。……除太常少卿，仍兼说书。未几，称疾在告，除权礼部侍郎兼侍讲。时金人遣张通古、萧哲来议和，焞上疏曰……又移书秦桧……疏及书皆不报，于是焞固辞新命。九年，以徽猷阁待制提举万寿观兼侍讲，又辞。……疏上，以焞提举江州太平观。引年告老，转一官致仕。焞自入经筵，即乞休致，朝廷以礼留之。浚、鼎既去，秦桧当国，见焞议和疏及与桧书已不乐，至是得求去之疏，遂不复留。十二年，卒。当是时，学士程颐之门者固多君子，然求质直弘毅、实体力行若焞者，盖鲜，颐尝以‘鲁’许之，且曰：‘我死，而不失其正者尹氏子也。’其言行见于《涪陵记善录》为详，有《论语解》及《门人问答》传于世。”

王雱是年任太子中允、崇正殿说书，擢天章阁待制。

苏辙三十三岁，在陈州学官任，代张方平作《论时事书》。

周邦彦十四岁。

贺铸娶妻赵氏（宗室济良恪公之女）约在此年。时贺铸二十岁，初出仕，官右班殿直。

张唐英（1029—1071）**卒。**邵伯温《邵氏闻见录》卷一六：“张唐英者，天爵相兄也。丞相少受学于唐英，唐英有史才，尝作《宋名臣传》、《蜀梼杌》行于代。熙宁元年春，唐英以前御史服除还京朝，过洛，府尹同僚属出赏花，皆不见。题诗传舍云：‘先帝昭陵土未干，又闻永厚葬衣冠。小臣有泪皆成血，忍向东风看牡丹！’尹闻之，遽遗书为礼，却而不受。盖仁宗山陵初成，英宗厌代。赖唐英还朝不得归台，不然，河南尹者不免矣。”

公元1072年（宋熙宁五年　辽咸雍八年　夏天赐礼盛国庆三年　壬子）

正月

宋置京城逻卒七千余人，收罪谤议时政者。

王安石弟王安礼，以试校书郎为著作左郎、崇文院说书。

二月

因两浙水患，招募民工兴修水利。

龟兹国贡于宋。

越南南平王李日尊卒。子乾德嗣。乾德幼，母黎氏燕太妃与宦者李若吉同主国事。

柳湖春水忽生数尺。二月中，山茶复开千余朵。苏辙作《宛丘二咏并序》寄苏轼。兄轼有和诗《和子由，柳湖久涸忽有水，开元寺山茶久无花，今岁盛开，二首》。

蔡挺以龙图阁直学士为枢密副使。

三月

宋行市易法，设置市易务，收购滞销货物；商贩行头购官物可以赊欠，或由官贷给款项；官府所需货物，均由市易务供应。《续资治通鉴》卷六九：“丙午。行市易法。自王韶倡为缘边市易之说，王安石善之，以为与汉平准法同，可以制物低昂而均通之，遂用草泽魏继宗议。以内藏库钱帛，置市易务于京师。凡货之可市及滞于民而不售者，平其价市之；愿以易官物者，听以抵当。物力多少，均分赊请。相度立限，岁出息二分纳还。以户部判官吕嘉问为提举。嘉问上建置三十条。其一云：兼并之家，较固取利，令市易务觉察，申三司按置以法。帝削去此条，御史刘孝孙，言于此见陛下宽仁爱民之至。安石曰：‘孝孙称颂此事，以为圣政。臣愚窃谓此乃圣政之阙也。’自是诸州上供薕席、草芦之类，皆令计值，从民愿者市之以给用。寻改在京市易务为都提举市易司，秦凤、两浙、滁州、成都、广州、郓州六市易司皆隶焉。”

宋立殿前马步军校试法。

宋令河北民立弓箭社。

辽国崇尚佛教。《续资治通鉴》卷六九：“癸卯。辽有司奏：春、泰（今吉林白城东南）、宁江（今吉林扶余东南）三州三千余人愿为僧尼，受具足戒。许之。辽主崇佛教，僧有拜司徒、司空者，故一时习尚如此。”

二十三日，苏轼与杭州太守同往吉祥寺赏牡丹。牡丹品种上百，观赏者数万人，苏轼有《吉祥寺赏牡丹》诗。苏轼又作文《牡丹记叙》《苏轼文集》卷十，借记叙牡丹以讥刺趋炎附势之徒。黄震《黄氏日钞》卷六二：“谓牡丹草木之智巧便佞者也，形容精矣。然犹宋广平铁心石肠赋梅花自解，而身为之记。巧佞之惑人，虽明智者不免欤！”又，苏轼作《和刘道原咏史》诗。刘恕，字道原，筠州人（今江西高安），著名史学家，曾参加《资治通鉴》的编纂工作。

富弼以司空致仕，进封韩国公，归居洛阳。

沈括提举司天监。

春

苏轼作《戏子由》诗，叙苏辙学官生涯之清贫。

王安石作《壬子偶题》诗、《怀旧》诗。

四月

宋兴修水利。《续资治通鉴》卷六九：“丁卯。二股河成，深十丈，广四百尺。方浚河则稍障其决水，至是，水入于河，而决口亦塞。”

苏轼作《雨中游天竺灵感观音院》诗。汪师韩《苏诗选评笺释》卷一：“如古谣谚，精悍遒古，刺当事不恤民也。”

五月

宋实行保马法。为应付经常性的战争之需要，而实行此法。民愿养马者，官给马，或给钱使马，马如死、病，由养者赔偿。《续资治通鉴》卷六九：“丙午。行保马法。王安石始建此议。文彦博、吴充以为不便，安石持论益坚，乃诏开封府界诸县保甲愿牧马者听，仍令以陕西所市马选给之，于是曾布等上其条约。凡陕西五路义勇、保甲，愿养马者户一匹，物力高，愿养马二匹者听。皆以监牧见马给之，或官与其值，令自先市。先行于开封府，及陕西五路府界。无过三千匹，五路无过五千匹。袭逐盗贼外，乘越三百里者，有禁。岁一阅其肥瘠，死病者补偿。在府界者，免体量草二百五十束，加给以钱布。在五路者，岁免折变禄纳钱。三等以上，十户为一保，四等以下，十户为一社，以待病毙补偿者。保户马死，保户独偿。社户马死，社户半偿之。其后遂遍行于诸路。”

王安石求去位，神宗不许。

陈襄自陈州移知杭州。

六月

宋恢复设置武学，生员以百人为额。

高丽遣使贡于辽。

壬子，曾公亮致仕。

同月，王安石告谒，请解机务，帝遣臣抚温，封还表札，趣安石入见。

六月二十七日，苏轼登杭州西湖望湖楼，酒后作《六月二十七日望湖楼醉书五绝》诗。王文诰《苏文忠公编注集成》卷七：“以上八诗（此五首及《和蔡准郎中见邀游西湖三首》），随手拈出，皆得西湖之神，可谓天才。”又，纪昀评《苏文忠公编注集成》卷七：“阴阳变化开阖于俄顷之间，气雄语壮，人不能及也。”

七月

辽道宗以御书《华严经五颂》出示群臣。

宋朝经制蛮事。遣中书检正官章惇察访荆湖北路，并经制蛮事。时北江（约在沅水北）则彭氏主之，有州二十；南江则舒氏、田氏等，有州十余，皆自太祖以来受朝命隶辰州（今湖南沅陵）入贡者。及惇往经制，蛮相继纳土，始创城寨，比之内地。

苏轼在杭，七月，巡行属县。

八月

宋神宗颁布方田均税法。《续资治通鉴》卷六九：“帝患田赋不均，诏司农重定方田及均税法颁之天下。方田之法，以东西南北各千步，当四十一顷六十六亩。一百六十步为一方。岁以九月，县委令佐分地计量，随陂原、平泽而定其地，因赤淤、黑垆而辨其色。方量毕，以地及其色参定肥瘠，而分五等，以定其税。则至明年三月毕，揭以示民，一季无讼，即书户帖。连庄帐付之，以为地符。均税之法，县各以其租额税数为限，尝收蹷奇零，如米不足十合而收为升，绢不满十分而收为寸之类。今不得用。其数均摊增展，致溢旧额，凡越额增数皆禁。如瘠卤不毛，及众所食利山林、陂塘、沟路、坟墓，皆不立税。凡田方之角，立土为峰，植其野之所宜木以封表之。有方帐，有庄帐，有甲帖，有户帖，有分烟析产，典卖割移，官给契，县置簿，皆以今所方之田为正。令既具，乃以巨野尉王曼为指教官。先自京东路行之，诸路仿焉。”

诏京西分为南、北两路。

王韶击败羌族木征等，遂城武胜（今甘肃临洮）。

监试进士。

欧阳修（1007—1072）卒。《续资治通鉴》卷六九：“八月甲申。观文殿学士太子少师致仕欧阳修卒。太常初谥曰文，以配韩愈。常秩方兼太常，与修相失，乃言修有定策之功，请加以‘忠’字，实抑之也。修天资刚劲，见义勇为，放逐至于再三，志气自若。治郡简而不扰，所至民便之。或问为政宽简而事不弛废，何也？曰以纵为宽、以略为减，则政事弛废而民受其弊。吾所谓宽者，不为苛急，简者不为繁碎耳。奖引后进，如恐不及，曾巩、王安石、苏洵、洵子轼、辙，布衣屏处，未为人知，修即游其声誉，谓必显于世。为文丰约中度，其言简而明，信而通。五代以来，文体卑弱，至是一变而复于古。修殁后数日，诏求其所撰《五代史记》，后与官修《五代史》并行。”欧阳修临终赋《绝句》：“冷雨涨焦陂，人去陂寂寞。唯有霜前花，鲜鲜对高阁。”

宋神宗下诏求欧阳修所撰《五代史》。

苏轼作《祭欧阳文忠公文》。文曰：“呜呼哀哉！公之生于世，六十有六年。民有父母，国有蓍龟，斯文有传，学者有师，君子有所恃而不恐，小人有所畏而不为；譬如大川乔岳，不见其运动，而功利之及于物者，盖不可以数计而周知。今公之没也，赤子无所仰芘，朝廷无所稽疑，斯文化为异端，而学者至于用夷，君子以为无为为善，而小人沛然自以为得时；譬如深渊大泽，龙亡而虎逝，则变怪杂出，舞鰌鳝而号狐狸。昔其未用也，天下以为病；而其既用也，则又以为迟。及其释位而去也，莫不冀其复用；知其请老而归也，莫不惆怅失望而庶几于万一者，幸公之未衰，孰谓公无复有意于斯世也，奄一去而莫予追！岂厌世溷浊，洁身而逝乎？将民之无禄，而天莫之遗？昔我先君；怀宝遁世，非公则莫能致，而不肖无状，因缘出入，受教于门下者，十有六年于兹。闻公之丧，义当匍匐往救，而怀禄不去，愧古人以忸怩，缄词千里，以寓一哀而已矣！盖上以为天下恸，而下以哭其私。呜呼哀哉！尚享！”吕留良、吕葆中《晚村精选八大家古文》引楼昉：“模写小人情状，极其底蕴，介甫门下观之，能无怒乎？（楼批‘学者至于用夷’句云：‘此说王介甫。’批‘小人沛然自以为得时’句云：‘此说章子厚、吕惠卿辈，下得言语好。’）然欧阳之存亡，其关于否泰消长之运如此，非坡公笔力不能及也。”杨慎《三苏文范》卷十六引杨廷和：“前二段见欧公之存亡，关系朝廷国家否泰消长之运。第三段倒说转来，自未用而既用，即释位而请老，直至于死。第四段知两世通家之好，却两句括世道之感，朋友之怀。”郑之惠《苏长公合作》卷八：“善用长句，是太白歌行体。”茅坤选评《唐宋八大家文钞·宋大家苏文忠公文抄》卷二八：“欧阳文忠公知子瞻最深，而子瞻为此文以祭之，涕入九原矣。”吕留良、吕葆中《晚村精选八大家古文》：“只言世之无可无公，而天不憖遗，以致其哀悼之意，以仿尼父诔，其尊欧阳也至矣。今人为之，必将称颂道德功勋，何异佛头著秽?”沈德潜《唐宋八家文读本》卷二四：“朝无君子，斯文失传，为天下恸也；叙两世见之于公，哭其私也。末语收拾通体，而情韵幽咽，自然恻恻感人。”王文濡《评校音注古文辞类纂》卷七四：“大处落墨，劲气直达，读之想见古大臣之概。”

苏轼作《梵天寺见僧守诠小诗清婉可爱次韵》诗。周紫芝《竹坡诗话》：“余读东坡和梵天僧守诠小诗……未尝不喜其清绝过人远甚。晚游钱塘，始得诠诗云：‘落日寒蝉鸣，独归林下寺，松扉竟未掩，片月随行屦。时闻犬吠声，更入清萝去。’乃知其幽深清远，自有林下一种风流。东坡老人虽欲回三峡倒流之澜，与溪壑争流，终不近也。”

汪师韩《苏诗选评笺释》卷一：“峭蒨高洁，韦柳遗音。”纪批（卷八）：“庄老告退，山水方滋，晋宋以还，清音遂畅。揆以风雅之本旨，正如六经而外，别出元（玄）谈，亦自一种不可磨灭文字。后人转相神圣，遂欲截断众流，专标此种为正法眼藏，然则《三百》以下，汉魏以前作者，岂尽俗格哉？东坡之喜此诗，盖亦偶思螺蛤之意，谈彼法者，勿以藉口。”王文诰《苏文忠公诗编注集成》卷八：“此种句调，犹之盘筵中间以小食，虽亦适合，然终非一宝物也。”苏轼又作《望海楼晚景五绝》诗。

苏辙作《祭欧阳少师文》和《欧阳少师挽词》。

王安石作《祭欧阳文忠公文》、《与王子醇书之一》。

九月

延州清理出地万五千九百余顷，招汉、蕃弓箭手四千九百余人骑。

宋分淮南为东西两路。

张先遭丧子之痛。九月九日，张先子文刚卒，年仅二十七岁。

苏轼监举人考试于杭州中和堂。

王安石作《怀府园》诗。

十月

宋置熙河路，以王韶为经略安抚使，知熙州（今甘肃临洮），时河、洮、岷三州尚未收复。

杭州太守陈襄在中和堂宴送所选参加礼部进士试的考生赴考，苏轼作《送杭州进士诗序》。

曾巩仲妹夫亡，巩作《典中丞致仕王君墓志铭》。

十一月

分陕西为永兴、秦凤两路，置六路经略司。

置新化县，章惇招降梅山峒峒蛮，其地东接潭（今湖南长沙），南接韶（今湖南邵阳），西接辰（今湖南沅陵），北接鼎（今湖南桃源）、澧（今湖南澧县），籍其民四千

八百余户，田二十六万四百余亩，均定其税，使岁一输。

十二月

辽以参知政事、同知枢密院事张孝杰为北府宰相。辽景宗称孝杰勤干，数问以事，汉人中贵幸无与比者。

苏轼本年在杭州，以转运司檄监视开运盐河，之湖州相度捍堤利害，又自湖之秀。在湖时曾与孙莘老、贾耘老（收）唱和，并为孙作《墨妙亭记》。黄震《黄氏日钞》卷六二："《墨妙亭记》，知命者必尽人事，然后理足而无憾。真理到直言，可以发明孟子不立岩墙之说。"茅坤辑《苏文忠公文钞》卷二四茅坤评语："却有一种风雅。"

山谷引起东坡注意，黄庭坚在苏轼诗中首次被提及。苏轼将奉转运司檄之湖州，相度捍堤利害，寄《再用前韵寄莘老》诗孙觉（莘老），在诗中用自注的方式首次提及黄庭坚。冯应榴《苏轼诗集合注》卷八《再用前韵寄莘老》："君不见夷甫开三窟，不如长康好痴绝。痴人自得终天年，智士死智罪莫雪。困穷谁要卿料理？举头看山笏拄颊。野凫翅重自不飞，黄鹤何事两翼垂？泥中相从岂得久？今我不往行恐迟。江夏无双应未去，恨无文字相娱嬉。［公（指苏轼）自注］：黄庭坚，莘老婿，能文。"苏轼始见黄庭坚诗文于孙觉座上。此后，苏轼常为庭坚称扬。又，《苏东坡全集·前集》卷二九苏轼《答黄鲁直书》："轼顿首再拜。鲁直教授长官足下。轼始见足下诗文于孙莘老之坐上，耸然异之，以为非今世之人也。莘老言此人人知之者尚少，子可为称扬其名。轼笑曰：'此人如精金美玉，不即人而人即之，将逃名而不可得。何以我称扬为？'然观其文以求其为人，比轻外物而自重者，今之君子莫能用也。其后过李公择于济南，则见足下之诗文愈多，而得其为人益详。以其超逸绝尘，独立万物之表，御风骑气，以与造物者游，非独今世之君子所不能用，虽如轼之放浪自弃、与世阔疏者，亦莫得而友也。今者辱书尺累幅，执礼恭甚，如见所畏者。何哉？轼方以此求交于足下，而惧其不可得，岂以得此于足下乎？喜愧之怀，殆不可胜。然自入夏以来，家人辈更卧病，忽忽至今，裁答甚缓，想未深讶也。古风二首，托物引类，真得古诗人之风，而轼非其人也，聊复此韵，以为一笑。秋暑不审起居何如，未由会见，万万以时自重。"

苏轼作《和致仕张郎中春昼》诗，以和张先《春昼》诗。苏轼题孙觉归燕亭，孙觉为会，苏轼作《赠孙莘老七绝》诗七首。

冬

苏轼作《和陈述古冬日牡丹》诗，讽刺执政者争新斗巧，以新法扰民。

本年

河北大蝗。河溢大名夏津（今属山东）。

京师创道教中太一宫，以重臣提举，并以亳州太清宫为蓝本，建中太一宫衣冠之制。大约在本年前后，朝廷增神仙封号，初"真人"，次"真君"。

苏轼慧眼识补之。晁补之尝作《上苏公书》，请求谒见苏轼以受教益。晁补之作《再上苏公书》求见。晁补之终于得见苏轼，补之作《七述》，述苏轼之意。补之自见苏诗，乃知学之所趋。苏轼为补之优游讲析，不记寝食。苏轼称晁补之文博辩隽伟，绝人远甚，必显于世，由是知名。陆心源辑《柯山集拾遗》卷十二《晁无咎墓志铭》："公从皇考于杭之新城。公览钱塘人物之盛丽，山川之秀异，为之作文以志之，名曰七述。今端明苏公轼通判杭州，苏公蜀人，悦杭之美而思有赋焉。公谒见苏公，出《七述》，公读之，叹曰：'吾可以搁笔矣。'苏公以文章名一时，士争归之，得一言足以自重，而延誉公如不及，自屈辈行与公交。由此，公名籍甚于士大夫间。"

兹综述苏轼出处。后妻王闰之生三子苏过（1072—1123）于杭州。本年所作诗歌中的名篇还有《是日宿水陆寺寄北山青顺僧二首》、《六合寺冲师闸山溪为水轩》、《吴中田妇叹》、《王复秀才所居双桧二首》。《吴中田妇叹》系描写民生疾苦的现实主义佳篇，苏轼后于元祐元年作《乞不给散青苗钱斛状》："二十年间，因欠青苗，至卖田宅、雇妻女、投水自缢者，不可胜数，朝廷忍复行之欤？"清末赵克宜辑订《角山楼苏诗评注汇钞》卷三："（卖屋纳税折屋炊）透过一层，语极深至。（结二句）痛陈民隐，不嫌于尽。"

曾巩在齐州任上。所作文有《齐州北水门记》和《泰山乞雨文》，所作诗有《雾凇》、《正月六日云霁》、《二月八日北城闲步》、《芙蓉桥》、《凝香阁》、《阅武堂下新渠》、《仁风厅》、《静花堂》、《水香厅》、《芍药厅》、《鹊山亭》、《阅武堂》、《环波亭》、《西湖二首》、《早起赴行香》、《西湖纳凉》、《喜雨》、《雨后环亭次韵四首》、《到郡一年》、《去年六月焦原雨》、《酬强几圣》、《北渚亭雨中》、《趵突泉》、《金线泉》、《北池小会》、《华不住山》、《灵岩寺兼简重张老二刘居士》、《鲍山》以及《郓州新堂》等。另外，曾巩之友刘伯声卒于本年。

秦观二十四岁。高邮名人孙觉（莘老）守吴兴，秦观以亲戚为其幕僚。作《郭子仪单骑见虏赋》，又有《吴兴道中》、《陈令举妙奴诗》、《陪李公择观金地佛牙》等诗。大约在熙宁四、五年间，秦观作词《临江仙》："髻子偎人娇不整，眼儿失睡微重。寻思模样早心忪。断肠携手，何事太匆匆。　不忍残红犹在臂，翻疑梦里相逢。遥怜南埭上孤篷。夕阳流水，红满泪痕中。"

秦观于青年时期，作词还有《浣溪沙》："香靥凝羞一笑开。柳腰如最暖相挨。日长春困下楼台。　照水有情聊整鬓，倚栏无绪更兜鞋。眼边牵系懒归来。"

秦观早年所作词还有《迎春乐》："菖蒲叶叶知多少，惟有个、蜂儿妙。雨晴红粉齐开了。露一点，娇黄小。　早是肯，晓风力暴。更春关、斜阳俱老。怎得香香深处，作个蜂儿抱？"王灼《碧鸡漫志》："少游屡困京、洛，故疏荡之风不除。"《丑奴儿》："夜来酒醒清无梦，愁倚栏杆。露滴轻寒，雨打芙蓉泪不干。　佳人别后音尘悄，瘦尽难拚。明月无端，已过红楼十二间。"此词又别作晏几道词，又见《山谷琴趣外编》。

秦观及第之前所作词还有：《满园花》："一向沉吟久。泪珠盈襟袖。我当初不合、苦搁就。惯纵得软玩，见底心先有。行待痴心守。甚捻着脉子，倒把人来僝僽。
近日来、非常罗皂丑。佛也须眉皱。怎掩的众人口？待收了孛罗，罢了从来斗。从今后，休道共我，梦见也、不能得勾。”此词全用方言俗语写成。《一丛花》：“年时今夜见思思，双颊酒红滋。疏帘半卷微灯外，露华上、烟袅凉飔。簪髻乱抛，偎人不起，弹泪唱新词。　佳期谁料久参差？愁绪暗萦丝。想应妙舞清歌罢，又还对、秋色嗟咨。惟有画楼，当时明月，两处照相思。”《点绛唇》：“月转乌啼，画堂宫徵生离恨。美人愁闷，不管罗衣褪。　清泪斑斑，挥断柔肠寸。嗔人问。背灯偷揾，拭尽残妆粉。”

秦观于熙宁元丰间，所作词还有《浣溪沙》：“锦帐重重卷莫霞。屏风曲曲斗红牙。恨人何事苦离家。　枕上梦魂飞不去，觉来红日又西斜。满庭芳草衬残花。”《桃源忆故人》：“玉楼深锁薄情种。清夜悠悠谁共？羞见枕衾鸳凤。闷即和衣拥。无端画角严城动。惊破一番新梦。窗外月华霜重。听彻梅花弄。”《河传》：“乱花飞。又望空斗合，离人愁苦。那更夜来，一霎薄情风雨。暗掩将、春色去。　力枯壁尽因谁做？若说相思，佛也梅儿聚。莫怪为伊，底死萦肠惹肚。为没教、人恨处。”《望海潮》：“奴如飞絮，郎如流水，相沾便肯相随。微月户庭，残灯帘幕，匆匆共惜佳期。才话暂分携。早抱人娇咽，双泪红垂。画舸难停，翠帏轻别两依依。　别来怎表相思？有分巷帕子，合数松儿。红粉脆痕，青笺嫩约，丁宁莫遣人知。成病也因谁？更自言秋杪，亲去无疑。但恐生时注著，合有分于飞。”

是岁，黄庭坚参加学官考试，名列优等，除北京国子教授。徙任时，曾之湖州谒见其外舅孙莘老。苏轼读黄庭坚诗文，异之。

张耒应举于姑苏，受知于运判唐通直。

孙觉（莘老）为张先作《十咏图序》。张先《醉落魄》（吴兴莘老席上）一首，当作于此时。

蔡挺拜枢密副使。

刘攽约于此年判尚书考工，同知太常礼院。

李常约于此年前后为正言，知谏院。王安石与之善。

周邦彦十五岁。

葛宫（992—1072）卒。《宋诗纪事》卷八：“宫字公雅，丹阳人。大中祥符元年进士。仕至工部侍郎。立方之曾伯祖。有《青阳集》。”

释契嵩（1007—1072）卒。文莹《湘山野录》卷下：“嵩字仲灵，滕州人。诗类老杜，杨公济蟠收全集。公济深服其才，答嵩诗有‘千年犹可照吴邦’之句。”《四库全书总目》卷一五二：“《镡津集》二十二卷……就文论文，则笔力雄伟，论端锋起，实能自畅其说，亦缁徒之健于文者也。”

郑獬（1022—1072）卒。秦焴《郧溪集序》：“右内相郑公毅夫《郧溪集》五十卷。公之才行出处，俱见志铭。焴假守安陆，得公集读之，其气节高迈，议论精确，可考不诬。于《论绥州》见其计深虑远，于《论毁誉》见其居宠思危；若夫辨杨绘、救祖无择，则特立不诡随，盖晓然矣。昔孔文举谓盛孝章要是天下有名人，如公之声名赫然于世，固不在孝章下，而临事实用，夫表表如是者，使天假之年，究其设施，当如何哉！”

王无咎（1027？—1072?）卒。曾巩妹夫王无咎，字补之，大约卒于本年。梅尧臣

《答王补之书》:“适观足下十篇之作，深厚诣道，究古人之所不及，发前史之所未尽，其至乎至者矣。前日在欧阳永叔座中，已尝览足下之文，相与叹及立意之高远。思二十年时所见文章，始去对偶，其用已焉乎哉。字之未能安，稍安则谓之能文，岂在识道理，要趋向耶。如足下今日之文，当其时可谓杰出矣。况今榜中有兄弟父子雄才奥学，如曾子固、苏轼之徒，又不可拟议，是过于唐元和之人绝甚。元和时，韩退之耳。退之于今可以当吾永叔，其李翱、皇甫湜、柳子厚，未能当吾永叔之门人也。足下亦在其门人之列。仆生于是时，得遍识而遍观其进退道德，亦以乐也。又游从于其间，为幸何如。虽智不逮，不敢退避，庶几附光渐润，其有闻于后世耳。”

许景衡（1072—1128）**生**。胡寅《资政殿学士许公墓志铭》:“公讳景衡，字少伊。其先长沙人，七世祖赞，避五季之乱，徙居温之瑞安县，至公遂为名家。……中绍圣元年进士第。在选调久之，以廉勤守直，不为因循苟且。……大观中，大臣有知其名者，以为敕令所删定官。岁满书成，迁承议郎，丞少府监。久之，乞外任，除大名少尹。未行，改通判福州。……宣和岁，以监察御史召，既至，除殿中侍御史。……燕山之役，童贯为大帅，公力论不当用，且列其罪数十条，又疏谭稹罪大罚轻，时论韪之。……［王］黼素以恶其多言，至是大怒，阴以他事中伤，逐之。渊圣皇帝嗣位，即以左正言召，而中执法陈引亲避嫌，遂改太常少卿兼太子谕德。至不阅月，召试中书舍人，赐三品服。……今上登极之八日，遂以给事中召，至则除御史中丞。……拜尚书右丞。……宰相以议非己出，极力排沮，公遂请去，至于再三，志益确，上不得已，以公为资政殿学士，提举杭州洞霄宫。公罢政之明日，宰相遂下还京之诏。公以为深忧，行至瓜州，遇疾薨，实建炎二年五月二十日也，享年五十有七。……有文集三十卷。”

罗从彦（1072—1135）生。《宋史》卷四二八《罗从彦传》:“罗从彦字仲素，南剑人。以累举恩为惠州博罗县主簿。闻同郡杨时得河南程氏学，慨然慕之，及时为萧山令，遂徒步往学焉。时熟察之，乃喜曰:‘惟从彦可与言道。’于是日益以亲，时弟子千余人，无及从彦者。从彦初见时三日，即惊汗浃背，曰:‘不至是，几虚过一生矣。’尝与时讲《易》，至《乾》九四爻，云:‘伊川说甚善。’从彦即鬻田走洛，见颐问之，颐反覆以告，从彦谢曰:‘闻之龟山具是矣。’乃归卒业。沙县陈渊，杨时之婿也，尝诣从彦，必竟日乃返，谓人曰:‘自吾交仲素，日闻所不闻，奥学清节，真南州之冠冕也。’既而筑室山中，绝意仕进，终日端坐，间谒时将溪上，吟咏而归，恒充然自得焉。尝采祖宗故事为《遵尧录》。靖康中拟献阙下，会国难不果。……朱熹曰:‘龟山倡导东南，士之游其门者甚众，然潜思力行、任重诣极，如仲素一人而已。’绍兴中卒，学者称之曰豫章先生。淳祐间谥文质。”

葛胜仲（1072—1144）**生**。章倧《宋左宣奉大夫显谟阁待制致仕赠特进谥文康葛公行状》:“公讳胜仲，字鲁卿。……年十五而学成，于经史无不精通。年十六应开封举，中其选。年十九，丁内艰。二十二再试开封，为第四，主文欧阳叔弼见其《封建策》，爱叹之。绍兴三年复预开封优选。明年试南宫，时再用经义取士，知举文节林公希谓公邃于经旨，乃擢置高等，遂登是岁进士第。朝廷方兴律学，公居学才阅月，于法令贯通若素习，试为第一，国子监上其程文，乞旌擢以励众。元符二年，调杭州右司理参军。……元符三年春，公以《诗》、《书》、《礼》三经试于有司，又试宏词二科，俱为第一，特授河中府知录参军，改登仕郎。士林歆艳，见其文以为不可及，公之华问自是弥大矣。建中靖国元年，除兖州州学教授。……崇宁二年，始行三舍法于天下，朝廷以太学首善之地，故除授学官非第一流人不在选，除公学正。……崇宁三年八月，以荐者迁文林郎。是岁天子幸太学，共奏赋数千言，时四方文儒之士上歌颂文章者以千计，徽宗皇帝命中书第其优劣，公居其首。……大观元年五月，用幸学恩循承直郎，差充提举议历所检讨官。……八月，除知大宗正丞事，检讨如故。……二年，以皇帝受八宝恩转奉议郎，仍加武骑尉。宗室仲琛妄议学制，公劾之，上喜公能举职，特转乘议郎。三月，除秘书省校书郎。五月，迁尚书考工员外郎，以亲嫌改礼部员外郎。……三年六月，磨勘转朝奉郎，以议庙制与时论不合，责知歙州休宁县。……政和元年，磨勘转朝散郎，加云骑尉。三年，复召为礼部员外郎，以预议元圭，转朝请郎，未几迁吏部员外郎。思念，擢国子司业。……五年，初见太子府，以公兼太子右谕德。公每见太子，未尝不言治心修身之要，且以仁、孝、学三言各著一论献之，勉之使进，于是大蒙嘉纳。复采春秋战国以来历代太子善恶成败之迹日进数事。既久，遂成一书，号《承华诏微》云。九月磨勘转朝请大夫。六年七月，移太府少卿。……［宣和元年］复右文殿修撰，仍改宫观作自陈，继除知汝州。……三年，复显谟阁待制。四年四月，磨勘转中大夫，七月转太中大夫，徙知湖州。……宣和六年，移知邓州。……靖康元年，以渊圣皇帝即位，覃恩转通议大夫。……建炎元年，覃恩转通奉大夫。四年复集英殿修撰，再知湖州。……绍兴元年六月，转左正义大夫，冬，复显谟阁待制，提举亳州明道宫。……五年加开国伯，七年加开国侯，十三年加开国公。……天下论知人，必以公为称首。其为文汪洋雄健而复精深醇密，众制各自有体，大抵悉极其妙，所谓有不烦绳削而自合者也。于纪事尤不苟，凡子之葬其亲，非得公文识墓，则必歉然。其为诗清丽，有句法。与宾客登临宴赏，即席援笔立成。文不加点，坐者莫不惊异嗟服。……有文集八十卷、外集二十卷。又取诸史考证异同。发摘秘隐，褒善贬恶，皆古今名贤所未到者，别成一书，号《考古通论》，合若干卷。”

公元 1073 年（宋熙宁六年　辽咸雍九年　夏天赐礼盛国庆四年　癸丑）

正月

十五日，王安石上元夕从驾乘马入宣德门，为守门卫士挞伤其马。

二月

十四日，张先子文刚（字常胜）葬于乌程西北之凤凰山，王安石为作《张常胜墓志铭》。

王安石请求罢相，神宗不许，盖缘宣德门之事。王安石为此作有《谢手诏令视事表》。

苏辙重到汝阴，有诗《癸丑二月重到汝阴寄子瞻》（忆赴钱塘九月秋）、（百顷西湖十里源）。

曾巩作《齐州二堂记》、《齐州杂诗序》。

三月

余中等五百九十六人中进士。《续资治通鉴》卷六九:“壬戌。御集英殿，赐奏名进士明经诸科余中以下及第出身。同学究出身，总五百九十六人。赐及第进士钱三千缗，诸科七百缗，为期集费。中，常州人也。”张耒进士及第。关澥进士及第。刘次庄赐同进士出身。

宋设置经义局，修《诗》、《书》、《周礼》三经义，命王安石提举，吕惠卿、王雱同修撰。王雱，安石子。

孙觉(莘老)移知庐州。

春

陈襄判杭州，营妓周韶求落籍，得从，其同辈胡楚、龙靓皆有诗送之。陈师道《后山诗话》记载此事。

周邦彦本年十六岁。约在本年春，邦彦离家，旅荆州，途经武昌时，作词《宴桃源》:“尘螨一绯文绣。泪湿领巾红绉。初暖绮罗轻，腰胜武昌官柳。长昼，长昼。闲卧武昌中酒。”按:亦有刻本将本词调名作《如梦令》者。初到荆州时，作词两首。《暮山溪》:“湖平春水，藻行萦船尾。空翠扑衣襟，拊清根、游鱼惊避。晚来潮上，迤逦没沙痕，山四倚。云渐起。鸟度屏风里。　　周郎逸兴，黄帽侵云水。落日没沧州，泛一棹、夷犹未已。玉箫金管，不共美人游，因个甚，烟雾底。偏爱莼羹美。”《荔枝香近》:“照水残红零乱，风唤去。尽日恻恻清寒，帘底吹香雾。黄昏客枕无聊，细响当窗雨。看两两相依燕新乳。　　楼下水，渐渌遍、行舟浦。暮往朝来，心逐片帆轻举。何日迎门，小槛朱笼报鹦鹉。共剪西窗蜜炬。”

四月

宋置律学，命官、举人皆得入学习律令。

王安石作诗《和蔡挺枢密孟夏旦日西府书事》，作文《回文侍中启》。

苏辙改齐州掌书记。盖为李师中(诚之)所招。时苏辙三十五岁。

孙觉(莘老)自湖州移守庐州，四月与傅尧俞晤刘攽于广陵，相与观花。

己亥(二十六)，文彦博因反对新法，遂以守司徒兼侍中河东节度使判河阳。

韩维为王安石所恶，出知襄州，改许州。

六月

宋颁劝课栽桑之法，不准民户因多种桑树而升其户。

宋设军器监。

曾巩于六月一日，作《祭张唐公文》。张瓌，字唐公，张洎之孙，《宋诗纪事》卷九录其诗一首。关于张瓌，资料较少，但是在王安石诗集中直接写到张瓌的诗篇不少。

沈括奉命相度两浙路农田、水利、差役等事，并兼查访。

周敦颐（1017— 1073）卒。《续资治通鉴》卷六九：“是月，知南康军周敦颐卒。敦颐初因舅郑向任为分宁主簿，有狱久不决，敦颐至，一讯立辨。调南安司理，有囚法不当死，转运使王逵，欲深治之，敦颐力与辨，逵不听，敦颐委手板，将弃官去。曰：‘如此尚可仕乎？杀人以媚人，吾不为也。’逵悟，囚得释。调桂阳令，改知南昌。富家大姓，黠吏恶少，惴惴焉不独以得罪于令为忧，而且以污秽善政为耻。累迁至广东转运判官。病作，遂求知南康以归。至是卒。敦颐信古好义，以名节自砥砺。黄庭坚称其胸怀洒落，如风光霁月。为南安司理时，通判程珦，以其学为知道，使二子颢、颐往与之游。敦颐每令寻孔颜乐处，所乐何事？颢尝曰：‘自再见周茂叔后，吟风弄月以归。’有吾与点也之意。学者称为濂溪先生。”［思齐按：周敦颐后于南宋嘉定中谥元公。］

七月

分河北为东西两路。

八月

八月十五日苏轼在钱塘江观潮，作《八月十五日看潮五绝》。原诗为七言绝句，共五首，讥讽农田水利法，诗载《苏轼诗集》卷十。

九月

王韶击败木征等，收复河（今甘肃临夏西南）、洮（今临潭）、岷（今岷县）、宕（今宕昌）、亹（今青海门源境）。

宋征免行钱，亦称免行役钱。先是京师百物有行，官司所需，俱以责办，下逮贫民负贩，数有赔折。吕嘉问请约诸行利入厚薄，令纳钱以赋利禄，然后免行户供办官司所需物资。禁中所需百货，并下杂买场务。

尚书右司郎中、知登州李师中（诚之）来知齐州。苏辙尝与师中论刑之法。

秋

曾巩乘舟离开齐州去襄州任，作诗《离齐州后五首》，到任后作《襄州谢到任表》。

十月

神宗以复熙、河、洮、岷、叠、岩等州，御紫宸殿受群臣贺，解所服玉带赐王安石。王安石作文《谢赐玉带表》、《贺平熙河表》、《百僚贺平熙河路表》，作诗《和蔡副枢（挺）贺平戎庆捷》、《次韵王禹玉平戎庆捷》等。

十一月

王安国为著作佐郎兼秘阁校理。

十二月

高丽、夏并使贡于辽。

苏轼三十八岁，在杭州通判任，协助陈襄修复钱塘六井。施宿《东坡先生年谱》："先生在杭。二月，循行属县。冬，以转运司檄，往常、润、苏、秀赈济饥饿之民。"苏轼受运司差遣往润州（今江苏镇江），除夕夜宿常州东郊通济桥畔船上，作诗《除夕夜野宿常州城外》二首。

苏辙于除日作《题旧钟馗并引》。

本年

曾巩作《天常朱君墓志铭》。

黄庭坚在北京。

秦观二十五岁。以高邮方言作《品令》词二首。《淮海后集》卷下《品令》二首。其一："幸自得，一分索强，叫人难吃。好好地、恶了十来日，恰二今、较些不?
须管啜持教笑，又也何须肐织！衠依赖、脸儿得人惜，放软顽、道不得。"其二："掉又嫐，天然个品格，于中压一。帘儿下、时把鞋儿踢。语低低，笑咭咭。　每每秦楼相见，见了无门怜惜。人前强，不欲相沾识。把不定，脸儿赤。"焦循《雕菰楼词话》："秦少游《品令》'掉又嫐，天然个品格'，此正秦邮土音，用个字作语助，今高邮人皆然也。"

李公择知鄂州。

晁补之谒苏轼。

文人交往乐趣多。张先年八十五买妾，苏轼赠诗嘲之。《增刊校正王状元集注分类东坡先生诗》卷十五《张子野年八十五尚闻买妾述古令作诗》："锦里先生百笑狂，莫欺九尺鬓眉苍。诗人老去莺莺在，公子归来燕燕忙。柱下相君犹有齿，江南刺史已无肠。平生谬作安昌客，略遣彭宣到后堂。"张先亦有和诗。

王观约于此年前后以将士郎守大理寺丞，知扬州江都县事，作《扬州赋》上之，大蒙奖赏。

郭祥正约于此年前后知武冈县签书、保信军节度判官。

冯山约于此年前后在世。《宋史》卷三七一《冯澥传》："冯澥字长源，普州安岳人。父山，熙宁末为秘书丞，通判梓州，邓绾荐为台官，不就，退居二十年，范祖禹荐于朝，官终祠部郎中。"

《青琐高议》的作者刘斧约于此年前后在世。

曾纡（1073—1135）生。汪藻《右中大夫直宝文阁知衢州曾公墓志铭》："公讳纡，字公衮，世家抚之南丰。……丞相文肃公布之第四子也。……建中靖国元年，文肃公为二后山园陵使，用故事辟公以从事。已，左丞相韩仪公欲擢公馆阁，公白文肃公，力辞，下除太仆寺主簿。……于是左司谏江公望累数百言荐公，不敢以宰相子为嫌。……入元祐党籍，会赦，移和州。又会赦，复承奉郎，兼潭州南岳庙。文肃公殁，执丧以孝闻。服除，调监南京河南税，改签书宁国军节度判官。……除通判镇江府，会淮南漕渠不通，泗、楚州连数守罢，发运使陈亨伯密奏公知楚州。……以功加直秘阁，与部使者论事不合，移秀州。……还朝，除蔡河拨发。未几，提举京畿常平。改江南东路转运判官，陛辞升副使。罢归，得主管南京鸿庆宫，屏居湖州。建炎三年，苗傅、刘正彦反，吕、张二公檄诸州勤王，檄至湖州，守梁端会士大夫谋之，众未及言，公奋然曰：'逆顺明甚，出师无可疑者。'间数日，苗傅来取兵，公请端械系使者勿令还。……御史中丞张守白发其忠，除直显谟阁，且招简直。……明年六月，除江南东路转运副使。九月移两浙路。……再请宫祠，提举亳州明道宫。甫两月，起知抚州。……逾年，以乡郡自陈，除江南西路转运副使。明年九月，除司农少卿，改福建路提点刑狱。明年二月，进直宝文阁。诏赍文肃公《正论》手书赴阙，中道除知信州，寻移衢州。未之官，卒，春秋六十有三。公才高而识明，博极群史，始以通知古今，裨赞左右，为家贤子弟；中以文章翰墨，风流蕴藉，为时胜流；晚以精明强力，见事风生，为国能吏。……公之谪永州也，黄庭坚鲁直过焉，得公诗，读而爱之，手书于扇。公叔父肇不妄许可人，尝曰：'文章得天才，当省学问之半。吾文力学至此耳。吾家阿纡，所得超然，未易量也。'故公诗每出，人争诵之。又篆隶行草，沉著痛快，得古人用笔意，江南大牓丰碑，率公为之。"

公元1074年（宋熙宁七年　辽咸雍十年　夏天赐礼盛国庆五年　甲寅）

正月

熊本平泸州夷。梓夔路察访使熊本奏，平泸（今四川泸州）夷，得地二百四十里。于是乌蛮诸夷皆求内附，然西南用兵自此始。

二月

宋神宗诏国子监，允许出售《九经》、子、史诸书给高丽。

王安礼为馆阁校勘。

三月

辽要求宋毁撤河东路沿边戍垒，重划蔚、应、朔三州地界。

李常知湖州。

四月

郑侠上所绘《流民图》。时大旱，流民多入京，演变成为严重的社会问题。《续资治通鉴》卷七十："初，光州司法参军福清郑侠，为安石所奖拔，感其知己，思欲尽忠。秩满入都，时初行试法之令，选人中式者超京官。安石欲使以是进，侠以未尝习法辞。问以所闻，侠曰：‘青苗、免役、保甲、市易数事，与边鄙用兵，在侠心不能无区区也。’安石不答。侠退，不复见，但数以书言法之为民害者。久之监安上门，安石虽不悦，犹使其子雱来，语以试法。方置修经局，又欲辟为检讨，命其客黎东美谕意。侠曰：‘读书无几，不足以辱检讨，所以来求执经相君门下耳。而相君发言持论，无非以官爵为先，所以待士者亦浅矣。果欲援侠而成就之，取其所献利民便物之事，行其一二，使进而无愧，不亦善乎?’是时免役法初，人以为苦。虽负水、拾发、担粥、提茶之属，非纳钱者不得贩鬻。税务索市利钱，其末或重于本，商人至以死争，如是者不一。侠因东美列其事。未几，诏小夫负贩者免征，商之重者日损其七，他皆无所行。至是大旱，东北流民，扶携塞道，羸瘠愁苦，身无完衣，并城民买麻糁麦面，合米为糜，或茹木食草根，至身被锁械，而负瓦揭木，卖以偿官，累累不绝。侠知安石不可谏，乃绘所见为图，具疏诣阖门，不纳。遂称密急，发马递上之银台司。其略曰：‘去年大蝗，秋冬亢旱。麦苗焦枯，五种不入。群情惧死，方春斩伐。竭泽而渔，草木鱼鳖，亦莫生遂。灾患之来，莫知或御。愿陛下开仓廪，赈贫乏，取有司掊克不道之政，一切罢去，冀下召和气，上应天心，延万姓垂死之命。今台谏充位，左右辅弼，又皆贪猥近利，使夫抱道怀识之士，皆不欲与之言。陛下以爵禄名器驾驭天下忠贤，而使人如此，甚非宗庙社稷之福也。窃闻南征北伐者，皆以其胜捷之势，山川之形，为图来献。料无一人以天下之民，质妻鬻子，斩桑坏舍，流离逃散，皇皇不给之状，图以上闻者。臣谨案安上门逐日所见，绘成一图，百不及一，但经圣览，亦可流涕。况于千万里之外，有甚于此者哉！陛下观臣之图，行臣之言，十日不雨，即乞斩臣宣德门外，以正欺君之罪。’疏奏，帝反复观图，长吁数四，袖以入内。是夕，寝不能寐。翌日，癸酉，遂命开封体放免行钱，三司察市易，司农发常平仓，三卫县熙河所用兵，诸路上民物流散之故，青苗免役，权息追呼，方田保甲立罢，凡十有八事。民间欢叫相贺。是日，果雨。甲戌，辅臣入贺，帝出侠图及疏示辅臣，且责之。皆再拜谢。外间始知所行之由。群奸切齿，遂以侠付御史狱，治其擅发马递罪。吕惠卿、邓绾言于帝曰：‘陛下数年以来，忘寝与食，成此美政。天下方被其赐。一旦用狂夫之言，罢废殆尽，岂不惜哉！’相与环泣于帝前。于是新法一切如故，惟方田暂罢。”

司马光自洛阳上疏，请废新法及停止用兵西北。罢方田。

王安石上《乞解机务札子》请求罢相，神宗允之。王安石以吏部尚书、观文殿大学士出知江宁府。诏令王安石依旧提举详定国子监修撰经义，以韩绛为宰相，吕惠卿参知政事，遵行新法。王安石有诗《思北山》、《君难托》、《雨过偶书》、《次韵答陈正叔二首》、《阴慢慢行》、《六年》、《人间》、《独山梅花》、《忆蒋山》、《忆金陵三首》、《杂咏绝句十五首》(二、三、六、七、九、十)。

王雱为右正言、天章阁待制兼侍讲，以疾从王安石之江宁。

晏几道下狱。郑侠下狱之后，晏几道亦下狱。赵令畤《侯鲭录》卷四：“熙宁中，郑侠上书事作，下狱，悉治平时所往还厚善者，晏几道叔原皆在数中。侠家搜得叔原与侠书云：‘小白长虹又满枝，筑球场外独支颐。春风自是人间客，主张繁华得几时。’裕陵称之，即令释出。”

五月

宋罢制科。《续资治通鉴》卷七十："辛亥。罢制科。自孔文仲对策忤王安石意，因言于帝曰：进士已罢诗赋，所试事业，即与制科无异。何必复置是邪？帝然之。已而秘阁考试所言应制科陈彦古，所试六论，不识题，及字数皆不足。至是吕惠卿执政，复言制科止于记诵，非义理之学，遂诏罢之。"

苏轼游宜兴，至单锡家，得伯父奂谢蒋堂（希鲁）启真迹。于无锡道中赋《水车》诗，诗篇描写农村劳作，十分可贵。《苏轼诗集》卷十一《无锡道中赋水车》："翻翻联联衔尾鸦，荦荦确确蜕骨蛇。分畴翠浪走云阵，刺水绿针抽稻芽。洞庭五月欲飞沙，鼍鸣窟中如打衙。天公不见老翁泣，唤取阿香推雷车。"［思齐按：这种水车，俗称龙骨车，我国南方农村二十世纪七十年代仍在使用。］

六月

在沈括主持下，司天监新制浑仪、浮漏成功。

辽道宗亲自出题试进士。

王安石知江宁府到任，作《谢知江宁府第二表》。

七月

宋行手实法。时免役钱或未均，四农寺言五等丁产簿多不符。吕惠卿行手实法，设五等丁、产簿，令民申报财产，据以纳税。尺椽寸土以至鸡豚之类，无不检括。有隐匿不报者，许人告发，以查获财产三分之一赏告发人，甚为烦扰。

辽有女才子耶律常格。《续资治通鉴》卷七十："辽有女子耶律常格（旧作常哥），太师迪噜之妹也，操行修洁，自誓不嫁。能诗文，不苟作。常作文以述时政，其略曰：'君以民为体，民以君为心。人主当任忠贤，人臣当去比周。则政化平，阴阳顺。欲怀远则崇恩尚德，欲强国则轻徭薄赋，四端五典，为治教之本；六府三事，实生民之命。淫侈可以为戒，勤俭可以为师。错枉则人不敢诈，显忠则人不敢欺。勿泥空门，勿饰土木，勿事边鄙，妄费其金帛。满当思溢，安必虑危。刑法当罪则民劝善，不宝远物则贤者至。建万世磐石之业，制诸邦强横之心。欲率下则先正身，欲治远则始朝廷。'所言多切时弊，辽主虽善之而不能用。时枢密使耶律伊逊，方揽权，闻其才，屡求诗。常格遗以回文，伊逊知其讽己，衔之。"

杭守陈襄将罢任，宴僚佐于有美堂。苏轼应陈襄之命，赋《虞美人·有美堂赠述古》词（湖山信是东南美），张先亦作《虞美人·述古移南郡》词（恩如明月家家到）、《熙州慢·赠述古》词（武林郎）。

王安国（1028—1074）卒。八月十七日王安国卒，曾巩《王平甫文集序》："王平甫既殁，其家集其遗文为百卷，属予序。平甫自少已杰然以材高见于世。为文思若决河，语出惊人，一时争传诵之。其学问尤敏，而资之以不倦。至晚愈笃，博览强记，于书无所不通。其明于是非得失之理尤详，其文闳富典重，其诗博而深矣。……平甫之文，能特见于世者也。世皆谓平甫之诗宜为乐歌，荐之郊庙，其文宜为典册，施诸朝廷，而不得用于世。然推其实，千岁之日不为不多；焦心思于翰墨之间者，不为不众。在富贵之位者，未尝一日而无其人，彼皆湮灭而无传，或播其丑于后。平甫乃躬难得之姿，负特见之能，自立于不朽，虽不得其志，然其文之可贵，人亦莫得而揜也。则平甫之求于内，亦奚憾乎？古今作者，或能文不必工于诗，或长于诗不必有文，平甫独兼得之。其于诗尤自喜，其忧喜哀乐感激怨怼之情，一于诗见之，故诗尤多也，平甫居家孝友，为人质直简易；遇人豁然推腹心，不为毫发疑碍；与人交，于恩意尤笃也。其死之日，天下识与不识，皆闻而哀之。其州里、世次、历官、行事，将有待于识平甫之葬者，故不著于此云。”

王安石有《中使传宣抚问并赐汤药及抚慰安国弟亡谢表》、《王平甫墓志》。

集贤院学士宋敏求上编修《阁门仪制》。

九月

宋行置将法。开封、河北、京东西置三十七将，河东、秦凤、永兴置四十二将。每将统辖若干指挥（军事编制单位），并负责指挥、训练。

宋敏求等上《蕃夷朝贡录》。

九月八日，苏轼离杭州赴密州任。杭州杨绘饯苏轼于中和堂。张先作《劝金船·流杯堂唱和翰林主人元素自撰腔》（流泉宛转双开窦）、《更漏子·流杯堂席上作》（相君家）。苏轼作《泛金船·流杯亭和杨元素》（无情流水多情客）及《浣溪沙·自杭移密守，席上别杨元素，时重九前一日》（缥缈危楼紫翠间）。本月，苏轼与杨绘、陈舜俞、张先、李常、刘述至松江，夜置酒垂虹亭上，张先赋《定风波令》（六客词）；沈强辅作胡琴，苏轼赋《南乡子》，张先赋《木兰花》赠周、邵二妓；轼和舜俞词。又尝会碧澜堂。杨绘自杭州再入为翰林学士兼侍读。苏轼作《江城子·湖上与张先同赋，时弹筝》、《南乡子·沈强辅席上》。张先作《定风波》（次韵子瞻送元素内翰）（再次韵子瞻）。

秋

王安石作诗《金陵郡斋》、《金陵郡斋即事》。

苏轼纳妾。王朝云来归。朝云，时年二十八，杭州人。

十月

神宗诏置三司会计司。以天下户口、人丁、税物及场务、坑冶、河渡、房园之类，租额、年课，及一路钱谷出入之数，去其重复注籍，岁比较增亏。

辽颁行《史记》、《汉书》。《续资治通鉴》卷七十：“辽以知蓟州事耶律庶箴，善属文，迁都林牙。庶箴上表，乞广本国姓氏曰：‘我朝创业以来，法制修明，惟姓氏止分为二，耶律与萧而已。始太祖制契丹文字，取诸部乡里之名，续作一篇著若干卷，末臣请推广之，使诸部各立姓氏，庶几男女婚媾，有合礼典。’辽主以旧制不可遽厘，不听。”

十一月

苏轼在离开杭州赴密州途中，作词《沁园春》（孤馆灯青）寄子由，描述当时的矛盾心情。十一月三日，苏轼到权知密州任。

苏辙于十七日作文《洛阳李氏园池诗记》。

十二月

辽诏改明年为太康元年。

苏辙第三子苏远生，小名虎儿。苏轼作《虎儿》诗祝贺之，苏辙作《和子瞻嘉虎儿生》诗。

本年

自是年起，女真完颜部渐强。

兹综述苏轼出处。施宿《东坡先生年谱》：“九月，差知密州。时杭守杨绘元素召还翰苑，先生与元素同舟，过李常公择于吴兴，陈舜俞令举，张先子野皆从，刘述孝叔亦来，置酒松江垂虹亭上，此前六客也。还，与孙洙巨源、王存正仲会于润。冬十月，至密。”

曾巩作《襄州与交代孙颀启》、《岘山亭置酒》、《张伯常岘山亭晚起元韵》诗。

陈师道二十二岁，见曾巩于江汉之间，受教于巩。

秦观于扬州刘太尉家作词《御街行》。词曰：“银烛生花如红豆，这好事，而今有。夜阑人静曲屏深，借宝瑟、轻轻招手。可怜一阵白蘋风，故灭烛，教相就。　　花带雨，冰肌香透。恨啼鸟，辘辘声晓。岸柳微风吹残酒。断肠时，至今依旧。镜中消瘦。那人知后，怕你来僝僽。”赵万里编辑《绿窗新话》卷上引杨偍《古今词话》：“秦少游在扬州，刘太尉家出歌姬侑觞。中有一姝，善擘箜篌。此乐既古，近时罕有其传，以为绝艺。姝又倾慕少游之才名，颇属意。少游借箜篌观之。既而主人入宅更衣，时值狂风灭烛，姝来且亲，有仓卒之欢。且云：‘今日为学士瘦了一半。’少游因作《御街行》，以道一时之景。”

周邦彦十七岁。本年作词甚多，有《少年游》（南都石黛扫晴山）、《点绛唇》（台上披襟）、《虞美人》（廉纤小雨池塘遍）、《玉楼春》（大堤花艳惊郎目）、《一落索》（杜宇催归声苦）、《苏幕遮》（燎沉香）、《早梅芳近》（缭墙深）、《过秦楼》（水浴晴蟾）、《西河》（长安道）、《月下笛》（小雨收尘）、《风流子》（枫林凋晚叶）、《浣溪沙》（不为萧娘旧约寒）、《夜游宫》（叶下斜阳照水）、《四院竹》（浮云护月）、《六幺令》（快风收雨）、《蝶恋花》（美盼低迷情婉转）、《长相思》（好风浮）、《长相思》（沙棠舟）。

辽使萧禧来议代北地界，韩缜奉命出分划，将行，与爱妾剧饮通宵，作《凤箫吟》（锁离愁）留别。妾亦能词，作《蝶恋花》（香作风光浓著露）送之。神宗闻此事，即遣使送之同行。

陈舜俞（？—1074）卒。刘涣《骑牛歌后序》："吴顺义中，史虚白先生白海避地于星子，常骑牛往来山水间，今民间尚存史先生骑牛图。余退居庐山，出入游览，往往徒步者，盖患其以人为舆。虽慕先生所为，而尤未暇。嘉禾陈令举嘉祐间中贤良，逡巡十余年，方莅邑事，复以诋青苗利病，忤执政，名重天下，谪东市征，欣然就局。余山林独往，得以亲偵，何乐如之。时同泉石之躯，因豢双犊以遂其志。而又得咏歌之美，敢砻石以永其传。岁癸丑熙宁六年正月，江西刘涣叙于篇末。"

胡安国（1074—1138）生。《宋史》卷四三五《胡安国传》："胡安国字康侯，建宁崇安人。入太学，以程颐之友朱长文及颍川靳裁之为师。裁之与论经史大义，深奇重之。三试于礼部，中绍圣四年进士第。初，廷试考官定其策第一，宰执以无诋元祐语，遂以何昌言冠，方天若次之，又欲以宰相章惇之子次天若。时发策大要崇复熙宁、元丰之制，安国推明《大学》，以渐复三代为对。哲宗命再读之，注听称善者数四，亲擢为第三。为太学博士，足不蹑权门。提举湖南学事，有诏举遗逸，安国以永州布衣王绘、邓璋应诏。二人老不行，安国请命之官，以劝为学者。零陵簿称二人党人范纯仁客，而流人邹浩所请托也。蔡京素恶安国与己异，得簿言大喜，命湖南提刑置狱推治，又移湖北再鞫，卒无验，安国竟除名。未几，簿以他罪抵法，台臣直前事，复安国元官。政和元年，张商英相，除提举成都学事。二年，丁内艰，移江东。……靖康元年，除太常少卿，辞。除起居郎，又辞。朝旨屡趣行，至京师，以疾在告。……既试，除中书舍人，赐三品服。南仲讽台谏论其稽命不恭，宜从黜削，疏奏不下，安国乃就职。……李纲罢，中书舍人刘珏行词，谓纲勇于报国，数至败衄。吏部侍郎冯澥言珏为纲游说，珏坐贬。安国封还词头，以为'侍从虽当献纳，至于弹击官邪必归风宪。今台谏未有缄默不言之咎，而澥越职，此路若开，臣恐立于朝者各以好恶胁持倾陷，非所以靖朝著。'南仲大怒，何㮚从而挤之，诏与郡。㮚以安国素苦足疾，而海门地卑湿，乃除安国右文殿、知通州。……安国既去，逾旬，金人薄都城。……钦宗亟召安国及许景衡，诏竟不达。高宗即位，以给事中召，安国言：'昨因缴奏，遍触权贵，今陛下将建中兴，而政事弛张，人才升黜，尚未合宜，臣若一一行其职守，必以妄发，干犯典刑。'黄潜善讽给事中康执权论其托疾，罢之。三年，枢密张浚荐安国可大用，再除给事中。赐其子起居郎寅手札，令以上意催促。既次池州，闻驾幸吴、越，引疾还。绍兴元年，除中书舍人兼侍讲，遣使趣召，安国以《时政论》二十一篇先献之。论入，复除给事中。二年七月入对，高宗曰：'闻卿大名，渴于相见，何为累召不至?'安国辞谢，乞以所献二十一篇者施行。其论之目曰：《定计》、《建都》、《涉险》、《制国》、《恤民》、《立政》、《覈实》、《尚志》、《正心》、《养气》、《宏度》、《宽隐》。……寻除安国兼侍读，专讲《春秋》。……落职提举仙都观。是夕，彗出东南。右相秦桧三上章乞留之，不报，即解相印去。侍御史江跻上疏，极言胜非不可用，安国不当责。右司兼吴表臣亦言安国扶病见君，欲行所学，今无故罪去，恐非所以示天下。不报。颐浩即黜给事中程瑀、起居舍人张焘及跻等二十余人，云应天变除旧布新之象，台省一空。胜非遂相，安国竟归。五年，除徽猷阁待制、知永州，安国辞。诏以经筵旧臣，重闵劳之，特从其请，提举江州太平观，令纂修所著《春秋传》。书成，高宗谓深得圣人之旨，除提举万寿观兼侍读。未行，谏官陈公辅上疏诋假托程颐之学者，安国奏曰……奏入，公辅与中丞周秘、侍御史石公揆承望宰相风旨，交章论安国学术颇僻。除知永州，辞，复提举太平观，进宝文阁直学士。卒，年六十五。诏赠四官，又降诏加赙，赐田十顷恤其孤，谥曰文定，盖非常格也。……安国所与游者，游酢、谢良佐、杨时，皆程门高弟。良佐尝语人曰：'胡康侯如大冬严雪，百草萎死，而松柏挺然独秀者也。'安国之使湖北也，时方为府教授，良佐为应城宰，安国质疑访道，礼之甚恭，每来谒而去，必端笏立正目送之。……安国少欲以文章名世，既学道，乃不复措意。有文集十五卷，《资治通鉴举要补遗》一百卷。"

公元 1075 年（宋熙宁八年　辽太康元年　夏大安元年　乙卯）

正月

吕惠卿以郑侠多言事，指为谤讪，遣送至英州（今广东英德）编管。

宋分京东为东西两路。

张先与李常（公择）在吴兴泛舟，张先作词《泛青苔·正月十四日与公择吴兴泛舟》（绿净无痕）。

十五日，苏轼在密州过上元节，填词《蝶恋花·密州上元》（灯火钱塘三五夜），回忆杭州上元节之繁华景象，描写密州与杭州生活环境的极大不同。二十日，苏轼作词《江城子·乙卯正月二十日记梦》（十年生死两茫茫），悼念逝去十年的夫人王弗，感情真挚动人。

蔡挺罢判南京留司御史台。

二月

王安石复相，奉诏进京，舟次瓜州时作《泊船瓜洲》诗。此诗第三句"春风又绿江南岸"之炼字经过，为诗坛佳话，洪迈《容斋续笔》卷八对此有所记载。还作文《辞免除平章事昭文馆大学士二首》、《谢除昭文表》。

张先于寒食节去南园赏花，作词《木兰花·乙卯吴兴寒食》。

三月

争地界辽国遣使臣，为国家沈括绘地图。《续资治通鉴》卷七一："庚子。辽复遣萧禧来，理河东黄嵬地。命韩缜与禧议之，争辩或至夜分。禧执分水岭之说不变，留馆不肯辞，曰：必得请而后反。帝不得已，遣知制诰沈括报聘。括至枢密院阅故牍，得顷岁所议疆地书，指古长城为分界。今所争乃黄嵬山，相远三十余里。表论之，帝喜谓括曰：大臣殊不究本末，几误国事！命以画图示禧，禧议始屈。乃赐括白金千两，使行。括至辽，辽枢密副使杨遵勖来就议。括得地讼之籍数十，预使吏士诵之，遵勖有所问，则顾吏举以答。他日复问，亦如之。遵勖无以应，谩曰：数里之地不忍而轻绝好乎？括曰：师直为壮，曲为老。今北朝弃先君之大信，以威用其民，非我朝之不利也。凡六会，竟不可夺。遂舍黄嵬而以天池请。括乃还。在道图其山川险易迂直、风俗之淳庞、人情之向背，为《使契丹图》上之。拜翰林学士，权三司使。”

春

王安石奉诏进京，途经扬州，回忆青年时期往事，感慨良多，作诗《入瓜步望扬州》。其《老树》、《世故》、《偶成二首》、《和蔡枢密南都种山药法》、《和景纯十四丈三绝》等诗，均作于春夏复相之时。

四月

辽宋开边境谈判。王安石反对议疆界时向辽国退让，特地派熟悉边疆地理的科学家、知制诰沈括赴辽谈判。

苏辙游泰山，作诗四首，即《初入南山》、《四禅寺》、《灵岩寺》和《岳下》。

闰四月

卫朴修《奉元历》成，宋行沈括所上《奉元历》。

张方平以宣徽北院使判永兴军。

秦观之外舅徐成甫卒，后二日，其继室蔡氏殉焉，秦观作《徐君主簿行状》、《蔡氏夫人行状》及《蔡氏哀词》。本年，秦观二十七岁。

六月

王安石《三经新义》书成。王安石通过编教材来进行意识形态领域内的斗争，以控制知识界。进所撰《诗书周礼义》。颁行于学官，号曰《三经新义》。士子以经试于有司，必宗其说。安石又为《字说》。王安石因修《三经新义》，加尚书左仆射兼门下侍郎。王安石作文《辞仆射札子三道》、《赐左仆射表二道》、《上执政辞仆射启》和《谢除左仆射表》。苏辙就王安石撰《三经新义》一事，作诗《东方书生行》以讽刺之，诗载《栾城集》卷五，是苏辙少有的锋芒毕露的诗篇之一。

王雱加龙图阁直学士。对此，王安石作有《辟男雱授龙图札子三》。

韩琦（1008 — 1075）卒。《续资治通鉴》卷七一：“戊午。司徒兼侍中太师魏国公判相州韩琦卒。前一夕大星陨州治，枥马皆惊，帝发哀苑中，哭之恸，发两河卒为治冢，帝自为碑文，篆其首为‘两朝顾命定策元勋之碑’，赠尚书令，谥忠献，配享英宗庙廷。常令其子若孙一人官于相，以护丘墓。琦识量英伟，喜愠不见于色。论者以厚重比周勃，政事比姚崇。嘉祐治平间，再决大策，以安社稷。处危疑之际，知无不为。或谏曰：‘公所为诚善，万一蹉跌，岂惟身不自保，恐家无处所。’琦叹曰：‘是何言也！人臣事君，死生一之。至于成败，天也。岂可豫忧其不济，遂辍不为哉？’子忠彦使辽，辽主闻知其貌类父，即命工图之，其见重如此。琦天资朴忠，家无留资，尤以奖拔人才为急。公论所与，虽意所不悦，亦收用之。与富弼齐名，号称贤相，时谓之富韩云。”又，王安石作《韩忠献挽词二首》挽韩琦。苏轼作祭文《祭魏国韩令公文》。

苏轼祭常山回小猎，会猎铁沟，赋诗两首，即《和梅户曹会猎铁沟》和《祭常山回小猎》。并作词《江城子·密州出猎》（老夫聊发少年狂）。苏轼《与鲜于子骏（侁）书》：“近却颇作小词，虽无柳七郎（永）风味，亦自是一家，呵呵。数日前猎于郊外，所获颇多，作得一阕，令东州（指密州）壮士抵掌顿足而歌之，吹笛击鼓以为节，颇壮观也。写呈取笑。”诗与词中均洋溢着报国豪情。

七月

宋割地与辽。宋命韩缜赴河东与辽堪界。《续资治通鉴》卷七一：“辽主以侵地之议，起于耶律普锡，命普锡往正疆界。力争不已。帝问于王安石，安石曰：‘将欲取之，必姑与之。’以笔画其地图，依黄嵬山为界。萧禧乃去。至是遣缜往，尽举与之，东西弃地七百里。监察御史里行分宁黄廉，叹曰：‘分水画境，失中国险矣！’其后辽人果包取两不耕地，下临雁门。辽主擢普锡为南院宣徽使。”

八月

减官户役钱之半。

宋在测绘史上出现了边州木图。沈括至定州（今河北定县），尽得北边山川险易之详，胶木屑熔蜡写其山川以为图，归则以木刻而上之，自是边州始为木图。

曾巩作文《襄州宜城县长渠记》。

九月

宋立武举绝伦法。凡武举人射两石弓、马射九斗，谓之绝伦，虽程文不合格，并赐第。

王安石奉命监修国史，立武举绝伦法。同月，王安石作有《论改诗义札子》、《答手诏言改经义事札子》。

苏轼因密州牡丹忽开一朵，作词《雨中花慢》（今岁花时深院）。又作《后杞菊赋》，感叹斋厨索然；以示涟水令盛侨，侨以示张耒，耒作《菊赋》赞苏轼。

曾巩作《司封郎中孔君墓志铭》。墓主孔延之，字长源。

十月

神宗诏罢手实法。东南推行手实簿法，公私烦扰，朝廷不得已而诏罢之。《续资治通鉴》卷七一：“中丞邓绾言。凡民养生之具，日用而家有之。今欲尽令疏实，则家有告讦之忧，人怀隐匿之虑。商贾通殖货利，交易有无，或春有之而夏已荡析，或秋贮之而冬即散亡。公家簿书，何由拘录？其势安得不犯？徒使嚚讼者趋赏报怨，畏怯者守死忍困而已。遂诏罢手实法。”

吕惠卿罢政事。

章惇出知湖州，有寄东坡诗。苏轼作《和章七出守湖州二首》。其一（方章仙人出淼茫）前四句言章惇喜爱炉火，性好道而重视养生，末四句重在叙旧。其二（绛阙云台总有名）祝福其双亲俱在，情感真挚。

曾巩作文《赠大理寺丞改侍杜君墓志铭》。本年曾巩尚作有《进奉熙宁八年同天节功的疏表》、《襄州回相州韩侍中状》。

米芾游浯溪（在湖南祁阳县，西南五里）。

十一月

陈襄爱惜人才。《续资治通鉴》卷七一：“先是，知制诰邓润甫，言近者群臣专尚告讦，此非国家之美，宜登用敦厚之人，以变风俗。帝嘉纳之。居数日，敏求及襄有是命。帝尝访人材之可用者，襄对以司马光、韩维、吕公著、苏颂、范纯仁、苏轼，下至郑侠，凡三十三人。且谓光、维、公著，皆股肱心膂之臣，不当久外。侠愚直敢言，发于忠义，投窜瘴疠，朝不谋夕，愿使得生还。帝不能用。”

苏轼作《超然台记》。苏轼稍葺所居园北旧台而新之，苏辙名之曰超然台。苏轼作《超然台记》，苏辙作《超然台赋》。杨慎《三苏文范》引吕雅山云：“此篇不惟文思温雅有余，而说安遇顺性之理，极为透彻，此坡公生平实际也。故其临老谪居海外，穷愁颠越，无不自得，真能超然物外者也。”又，金圣叹《天下才子必读书》卷十五：“台名超然，看他下笔便直取‘凡物’二字，只是此二字已中题之要害。便以下横说竖说，说自说他，无不纵心如意也。须知此文手法超妙，全从庄子《达生》、《至乐》等篇取气来。”

交趾（越南）攻宋，攻陷钦州（治今广西灵山）、廉州（治今合浦）。

十二月

王安石作《敕榜交趾》及《再撰诗关雎义解》。

冬

王安石作文《与沈道元舍人书》。

本年

夏改元大安。

辽耶律乙逊擅政，谋动摇太子地位，诬皇后私通伶人赵惟一，道宗信之，族诛惟一，逼皇后萧观音（1040—1075）自杀。

辽有女作家萧观音。五鼎《焚椒录》：“懿德皇后萧氏，为北面官南面枢密使惠之少女。母耶律氏梦月坠怀，已复东升，光辉照烂，不可仰视，渐升中天，忽为天狗所食。惊寤而后生。时重熙九年五月五日己未也。母以语惠，惠曰：'此女必大贵，而不得令终，且五日生女，古人所忌。命已定矣，将复奈何？'后幼能诵诗，旁及经、子。及长，姿容端丽，为萧氏称首，皆以观音目之，因小字观音。二十二年，今上在东宫，进对燕赵国王，慕妃贤淑，聘纳为妃。……及上即位，以清宁元年册为皇后。后方出阁升座，扇开帘卷，忽有白练一段，自空吹至后褥位前，上有'三十六'三字。后问：'此何也？'左右曰：'此天书命可敦领三十六宫也。'后大喜。宫中为语曰：'孤稳压帕女古人靴，菩萨唤作耨斡么。'盖言以玉饰首，以金饰足，以观音作皇后也。"此外，萧观音还作有文《谏猎疏》、词《回心院》十首、诗《咏史》等。

萧观音擅长作词。况周颐《蕙风词话》卷三："当此如干年间，宋固词学极盛，金亦词人辈出，独辽阒如。欲求残阕断句，亦不可得。海宁周芚兮辑《辽诗话》，竟无一语涉词。丝篁辍响，兰荃不芳。风雅道衰，抑何至是？惟是一以当百，有懿德皇后《回心院》词。其词既属长短句，十阕一律。以气格言，尤必不可谓诗。音节入古，香艳入骨，自是《花间》之遗。北宋人未易克办。南渡无论，金源更何论焉。姜尧章言：'凡自度腔，率以意为长短句，而后协之以律。'懿德是词，固已被之管弦，名之曰《回心院》，后人自可接腔填词。吴江徐电发录入《词苑丛谈》。德清徐诚庵收入《词律拾遗》，庶几洒林牙之陋，弥香胆之疏。史称后工诗，善谈论，自制歌词，尤善琵琶。其于长短句，所作容不止此。北俗简质，罕见称述，当时即已失传矣。"

苏轼在密州。应严复之请，为其父太初凫绎先生诗文集作序，或为本年之事，序文题作《凫绎先生诗集叙》，该文为中国文学批评史上的名篇，一作《凫绎先生文集叙》。

黄庭坚本年作《次韵谢子高读渊明传》。袁昶《山谷外集诗注评点》："以枯淡语吸取神髓，调謇吃而意浑圆，如书家北宗，以侧锋用抽掣翻绞法取平直体势。"又作《西禅听戴道士弹琴》，黄爵滋《读山谷诗集》："亦是纵笔之作，而气力尚能包举。"

贺铸二十四岁，监赵州临城酒税。初至任三日，决滞狱三百，邑人无不骇叹。本年作《上巳怀金明池游赏》诗。

周邦彦本年十八岁，有词《齐天乐》（绿芜凋尽台城路）、《醉桃源》（菖蒲叶老水平沙）。

紫阳真人张伯端《悟真篇》成书于是年。《悟真篇》由七言四韵十六首、五言四韵一首、绝句六十四首、西江月十二首、律诗八十一首以及禅宗性道歌颂诗词三十六首组成。

人口统计。天下上户部，主户一千〇六十八万二千三百七十五，丁一千五百八十九万六千三百四十；客户五百万一千七百五十四，丁七百九十一万八百六十一。

王安中（1075—1134）生。《宋史》卷三五二《王安中传》："王安中字履道，中山阳曲人。进士及第，调瀛州司理参军、大名县主簿，历秘书省著作郎。政和间，天下争言瑞应，廷臣辄笺表贺，徽宗观所作，称为奇才。他日，特出制诏三题使具草，立就，上即草后批：'可中书舍人。'未几，自秘书少监除中书舍人，擢御史中丞。……有徐禋者，以增广鼓铸之说媚于蔡京，京奏遣禋措置东南九路铜事。……［禋］

乃安请得稀世珍异与古之宝器，乞归书艺局，京主其言，安中独论禋欺上扰下，宜令九路监司覆之，禋竟得罪。时上方向神仙之事，蔡京引方士王仔昔以妖术见，朝臣戚里寅缘关通。安中疏请自今招延山林道术之士，当责所属保任，宣召出入，必令察其所经由，仍申严臣庶往还之禁。并言京欺君僭上、蠹国害民数事。上悚然纳之。已而再疏京罪，上曰：'本欲即行卿章，以近天宁节，俟过此，当为卿罢京。'京伺知之，大惧，其子攸日夕侍禁中，泣拜恳祈。上为迁安中翰林学士，又迁承旨。宣和元年，拜尚书右丞。三年，为左丞。金人来归燕，谋帅臣，安中请行。王黼赞于上，授庆远军节度使、河北河东燕山府路宣抚使、知燕山府，辽降将郭药师同知府事。药师跋扈，府事皆专行，安中不能制，第曲意奉之，故药师愈骄。俄加检校少保，改少师。时山后诸州俱陷，唯平州为张觉所据。金人入燕，以觉为临海军节度使。其后叛金，金人攻之，觉败奔燕。金人来索急，安中不得已，缢杀之。函其首送金。郭药师宣言曰：'金人欲觉即与，若求药师，亦将与之乎？'安中惧，奏其言，因力求罢。药师自是解体，金人终以是启衅。安中以上清宝箓宫使兼侍读召还，除检校太保、建雄军节度使、大名府尹兼北京留守司公事。靖康初，言者论其缔合王黼、童贯及不几察郭药师叛命，罢为观文殿大学士、提举嵩山崇福宫。又责授朝议大夫、秘书少监、分司南京，随州居住。又贬单州团练副使，象州安置。高宗即位，内徙道州，寻放自便。绍兴初，复左中大夫。子辟章知泉州，迎安中往，未几卒，年五十九。安中为文丰润敏拔，尤工四六之制。徽宗尝宴睿谟殿，命安中赋诗百韵以纪其事。诗成，赏叹不已，令大书于殿屏，凡侍臣皆以副本赐之。其见重如此。有《初寮集》七十六卷传于世。"

徐俯（1075—1141）**生**。《宋史》卷三七二《徐俯传》："徐俯字师川，洪州分宁人。以父禧死国事，授通直郎，累官至司门郎。靖康中，张邦昌僭位，俯遂致仕。时工部侍郎何昌言与其弟昌辰避邦昌，皆改名。俯买婢名昌奴，遇客至，即呼前驱使之。建炎初，落致仕，奉祠。内侍郑谌识俯于江西，重其诗，荐于高宗。胡直孺在经筵，汪藻在翰苑，迭荐之，遂以俯为右谏议大夫。中书舍人程俱言：'俯以前任省郎遽除谏议，自元丰更制以来未之有。考之古今，非阳城、种放，则未尝不循序而进，愿姑以所应者命之。昔元稹在长庆间，擢知制诰，真不忝矣。缘其为荆南判司，命从中出，召为省郎，便知制诰，遂喧朝论，时谓荆南监军崔潭峻实引之。仅亦传俯与宦寺倡酬，称其警策，恐或者不知陛下得俯之由。'不报，俱遂罢。绍兴二年，赐进士出身，兼侍读。三年，迁翰林学士，俄擢端明殿学士、签书枢密院事。四年，兼权参知政事。宰相朱胜非言：'襄阳上流，所当先取。'帝曰：'盍就委岳飞？'参政赵鼎曰：'知上流利害，无如飞者。'俯独持不可，帝不听。会刘光世乞入奏，鼎言：'方议出师，大将不宜离军。'俯欲许之，鼎固争，俯乃求去，提举洞霄宫。九年，知信州。中丞王次翁论其不理郡事，予祠。明年，卒。俯才俊，与曾幾、吕本中游，有诗集六卷。"

公元1076年（宋熙宁九年　辽太康二年　夏大安二年　丙辰）

正月

交趾陷邕州（今广西南宁），尽屠居民，凡五万八千余口。

王安石作诗《次韵陪驾观灯》。

二月

宋命郭逵南下，并诏占城、真腊出兵合击交趾。

宗哥首领鬼章扰五牟谷（今甘肃和政南），蕃官蔺毡讷支等邀击，大破之。

三月

宗哥首领鬼章扰边。知成都府蔡延庆请发陕西兵援茂州（今四川茂汶）。

徐铎等五百九十六人中进士。《续资治通鉴》卷七一："甲戌。御集英殿，赐进士徐铎以下，并明经诸科及第出身，同学究出身，总五百九十六人。铎，邵武人也。帝以详定官陈铎等取第一甲不精，并罚铜。"张先作词《感皇恩·徐铎状元》（延寿芸香七世孙），祝贺徐铎。徐铎兄徐锐，为同榜进士。杨时中进士第。李格非举进士，有文名，与廖正一、李禧、董荣，号后四学士，以继黄庭坚、秦观、晁补之、张耒四学士。王觌登进士第，觌与苏轼友善。程建用（彝仲）登进士第，苏轼尝有简预祝其成功。

四日，文同作诗《守居园池三十咏》。苏轼作诗和之，题为《何文与可洋州园池三十首》，又作《寄题与可学士洋州池园三十首》。苏辙亦有和诗，题为《和洋州园亭三十咏》。

李常自湖州移知齐州，张先作词二首赠别，一为《天仙子·公择将行》（坐治吴州成乐土），一为《离燕亭·公择别吴兴》（捧黄封诏卷）。李常字公择。

辽萧太后去世。《续资治通鉴》卷七一："辛酉。辽太后萧氏殂，谥曰仁懿太后。太后慈惠端淑，凡正旦生辰，诸国贡币，悉赐贫瘠。初，在滦河，亲督卫士，平重元之乱。后梦重元曰：'臣骨在太子山北，不胜寒栗。'即命屋之。其慈闵类此。"

五月

贺铸作《雨余晚望》诗，时铸仍监临城酒税。

六月

宋朝许边海州军土著富民养蜑户，遇入海得珍珠，则约价以偿，使蜑户不为外夷所诱。

辽道宗出耶律乙辛为中京留守。

苏轼作诗《薄薄酒》二章。此诗语言略微俚俗，然而心态十分旷达，极见苏轼个性。如果有谁觉得自己的妻子长得不漂亮，读此诗之后将会大大地有助于调整夫妻关系，增进相濡以沫的夫妻感情，珍惜祥和的家庭生活。

贺铸作诗《赠张士元》一首，深悯其贫。

七月

朱崖军（今海南三亚市）黎人反宋。

辽道宗爱文学。《续资治通鉴》卷七一："戊辰。辽主入秋山，一日射鹿三十，宴从官，酒酣，命赋《云上于天》诗。命北府宰相耶律孝杰坐御榻旁，辽主诵《黍离》诗：'知我者谓我心忧，不知我者谓我何求。'孝杰奏曰：'今天下太平，陛下何忧？富有四海，陛下何求？'辽主大悦。"［思齐按：《黍离》为《诗经·国风·王风》中的一篇。］

八月

苏轼于中秋日，作词《水调歌头》（明月几时有）。《历代诗余》卷一一五引《坡仙集外纪》："苏轼于中秋夜，宿金山寺，作《水调歌头》寄子由云……神宗读至'琼楼玉宇'二句，乃叹曰：'苏轼终是爱君'，即量移汝州。"蔡絛《铁围山丛谈》卷四："歌者袁绹，乃天宝之李龟年也。宣和间，供奉九重，尝为吾言：东坡公尝与客游金山，适中秋夕，天宇西垂，一碧无际，加江流澒涌。俄月色如画，遂登金山山顶之妙高台，命绹歌其《水调歌头》曰：'明月几时有？把酒问青天。'歌罢，坡为起舞，而顾问曰：'此便是神仙矣！'可谓文章人物，曾千载一时，后世安所得乎！"胡仔《苕溪渔隐丛话·后集》卷三九："中秋词，自东坡《水调歌头》一出，余词尽废。"张炎《词源》："清空中有意趣，无笔力者未易到。"黄蓼园《蓼园词选》："按通首只是咏月耳。前阕是见月思君，言天上宫阙，高不胜寒，但仿佛神魂归去，几不知身在人间也。此阕言月何不照人欢洽，何似有恨，偏于人离索之时而圆乎？复又自解，人有离合，月有圆缺，皆是常事，惟望长久共婵娟耳。缠绵惋恻之思，愈转愈曲，愈曲愈深，忠爱之思，令人玩味不尽。"

秋

曾巩权知洪州军州事充江南西路兵马都钤辖。曾巩与吕升卿有隙，吕时任江西转运副使，巩为洪州知州，在吕属下，巩遂作《奏乞回避吕升卿》，要求移调他处。呈状后即准备去饶州伺候母亲并候旨。

十月

王雱（1044—1076）卒。据《宋史》卷三二七《王安石传》附《王雱》。雱字元泽，为人剽悍阴刻，无所顾忌。性敏甚，未冠，已著书数万言。年十三，得秦卒言洮、河事，叹曰："此可抚而有也。使西夏得之，则吾敌强而边患博矣。"其后王韶开熙河，安石力主其议，盖兆于此。举进士，调旌德尉。雱气豪，睥睨一世，不能作小官。作策三十余篇，极论天下事，又作《老子训传》及《佛书义解》，亦数万言。时安石执政，所用多少年，雱亦欲预选，乃与父谋曰："执政子虽不可预事，而经筵可处。"安石欲上知而自用，乃以雱所作策及注《道德经》，镂板鬻于市，遂传达于上。邓绾、曾布又力荐之，召见，除太中中允、崇政殿说书。神宗数留与语，受诏撰《诗、书义》。擢天章阁待制兼侍讲。书成，迁龙图阁直学士，以病辞不拜。安石更张政事，雱实导之。常称商鞅为豪杰之士，言不诛异议者法不行。安石与程颢语，雱囚首跣足，携妇人冠以出，问父所言何事。曰："以新法数为人所阻，故与程君议。"雱大言曰："枭韩琦、富弼之头于市，则法行矣。"安石遽曰："儿误矣。"卒时才三十三。特赠左谏议大夫。

王安石辞位，罢相，知江宁府。王安石作有《罢相出镇回谢表》。以吴充、王珪并同为中书门下平章事。

苏辙罢齐州掌书记，回京师，作《自齐州回论时事书》，上书言事。

辽诏耶律乙辛复为北院枢密使。

十一月

鬼章扰岷州（今甘肃岷县），宋将种谔等败之。

辽南京大地震。

苏轼移知河中府。

曾巩作文《秘书省著作佐郎致仕曾君墓志铭》。

十二月

宋将赵卨拔广源州，郭逵败交趾兵于富良江，获其伪太子洪真，交趾李乾德遣人请降。士兵夫三十万，冒暑至瘴地，死者过半。

王安石与太平兴国寺关系密切。奏施田与蒋山太平兴国寺。为此，王安石作文《乞将荒熟田割入蒋山长住札子》和《谢依所乞私田充蒋山太平兴国寺常住表》。

大约在十二月，苏辙至京师，寓居范镇（景仁）东园，苏辙作诗《寄范丈景仁》（京城冠盖如云屯）纪其事。苏辙至京师后，蒋夔于寒夜前来见过苏辙。蒋夔曾作诗纪其事，然夔诗已佚。苏辙作诗《次韵蒋夔寒夜见过》（都城广大漫如天）纪其事。王巩招苏辙饮酒，并作诗纪其事，然其诗已佚。苏辙作诗《次韵王巩廷评招引》（病忆故乡同越舄）纪其事。之后，苏辙于雪中欣会孙洙（巨源）舍人，并一同饮酒于王巩（定国）西堂，醉卧至三更，苏辙作诗《雪中会孙洙舍人饮王氏西堂戏成三绝》纪其事。后来，苏辙又作诗《雪中呈范景仁侍郎》（羁游亦何乐）。十二月辛亥，苏辙作诗《次韵景仁丙辰除夜》（数举除夜酒）。

冬

曾巩于南昌郡斋作《王容季文集序》。本年所作尚有《洪州谢到任表》、《洪州到任谢两府启》、《寿安县君钱氏墓志铭》等。

本年

孙觉回乡守孝。八月，秦观、僧寥陪同孙觉往访漳南道人于历阳之惠济院，浴汤泉，游龙洞，谒项羽祠，得诗三十首，《汤泉赋》一篇。本年，秦观二十八岁。

水利家侯叔献（1023—1076）卒。叔献字景仁，宜黄人，曾任权都水监丞，防治汴水水患，主持引汴人蔡工程。

兹综述苏轼出处。施宿《东坡先生年谱》:“先生在高密。按先生是年用磨勘迁祠部员外郎。九月，诏移知河中府。十一月，发高密，除夕留潍州。”

马赫穆德·喀什噶里于公元1072—1074年间撰写成用阿拉伯语解释突厥语词的大型著作《突厥语词典》，共收词目七万五千余条，本年加以修订，奉献给阿拉伯哈里发吾布拉哈斯木·穆克塔迪。马赫穆德·喀什噶里（生卒年不详），维吾尔族学者，喀什噶尔（今新疆喀什）人。他在完成学业之后赴当时伊斯兰文化中心巴格达，晚年返回故乡。大约卒于公元十一世纪末或十二世纪初。

强至（1022—1076）卒。《四库全书》卷一五二：“《祠部集》三十六卷。……大抵奏牍之文，曲折疏鬯，切中事情，多有补于世用。《杭州志》称，韩琦出镇时，上奏及他书皆至属稿。琦乞不散青苗钱，神宗阅之曰：‘此必强至之文也。’因出书以示宰臣，新法几罢。是故琦之忠诚恻怛足以感动人主，亦至文章恳挚有以助之矣。其诗沉郁顿挫，气格颇高，在北宋诸家之中，可自树一帜。观所作《送郭秀才序》，称初为乡试举首，赋出，四方皆传诵之。既得第，耻以赋见称，乃专力六经，发为文章，有举其赋者，辄颈涨面赤，恶其薄己。是其摈斥事蹊，力追古人，实有毅然以著作自命者，宜其以余事为诗，亦根柢深厚若此也。”

翟汝文（1076—1141）生。孙繁《翟氏公巽埋铭》:“公翟氏，名汝文，自公巽，润之丹阳人。……公年十四举进士，试《孔子集大成论》，词旨赡博，老儒不过也。……既登第，十年不仕，曰：‘亲老可远乎哉!’崇宁壬午，先少师捐官，公庐墓三年。……干禄京师，大臣一见奇之，曰：‘王佐才也。’除议礼局编修官。荐于徽宗，帝召对，谓蔡京曰：‘翟某器识深远，议论通明，可储东观。’拜秘书郎。……责监宿州税。大观丁亥，除著作郎。……明年秋，迁左史。渊圣皇帝出就外傅，择一时人物为官僚，首命公劝讲储宫。冬诏试词掖。……除显谟阁待制、知襄州。未行，再论降直龙图阁、知齐州。……未几，言章再论，落职知唐州。坐谢章自辨，言者挟忿肆攻不已，罢郡符，畀祠禄。政和壬辰秋，复职知陈州。明年春正月，诏迁西掖。……冬十一月，除给事中。……明年秋，除吏部侍郎，未拜，改帅合肥。逾月，移守密州。……渊圣皇帝即位，以东宫旧臣诏直翰苑。公以时事假扰，即日造朝。……时耿南仲及其子延禧以潜邸调护获恩，言听计从，坚请和戎，公言不用，请去，除显谟阁学士，守会稽。……绍兴初，天子驻跸山阴，诏复以翰林学士起公，未至，除承旨兼侍读。……逾月，除参知政事。……言官房梦卿逢［秦］桧意，抗章论公不合与宰相不协，因防秋欲以细故去位，诏以散官就第。……绍兴七年冬，以郊恩除资政殿学士，提举临安府洞霄宫。……公藏金石千卷，心画妙天下，用笔窥六朝书法之秘，尽沉着痛快遒丽劲逸之美。……张文潜赠公诗称：‘颜筋柳骨世不闻，翟公笔力回千钧。’盖实录也。……公以熙宁九年丙辰九月十一日戌时生，绍兴辛酉八月二十九日薨于平江府常熟县寓舍，享年六十有三。”

公元 1077 年（宋熙宁十年　辽太康三年　夏大安三年　丁巳）

正月

王安石于正月一日作《相鹤经》。这是一篇文笔简洁的古文，除了简述道家关于鹤的历史传说之外，还详细地描述了如何辨别丹顶鹤是否健康的方法，是保护珍稀动物的重要参考文献，见上海古籍出版社标点本《王安石全集》卷三三。并有诗《邢太保有鹤折翼，以诗伤之，家有记翎经，冥二韵而忘其诗者，因作四韵》，见同书卷七七。

王巩于其室之西建清虚堂，请苏辙作文以记之，苏辙于正月八日为作《王氏清虚堂记》。

曾巩作文《光禄寺丞通判太平州吴君墓志铭》。

二月

宋改革解盐法。盐钞买盐，流弊甚多。自此按照新盐价进行财政补贴（贴纳钱），给公据买解盐，商人买解盐，自贩卖，罢官卖。《续资治通鉴》卷七二：“戊申。三司言奉诏同制置解盐使皮公弼，详议中外所论陕西解盐钞法利害。盐法之弊，由熙河钞溢额。钞溢额，故钞价贱。钞价贱，故粮草贵。又东西南三路，通商州县权卖官，故商旅不行。如此盐法不得不改，官卖不得不罢。今欲更张前弊，必先收旧钞，点印旧盐，行贴纳之法。然后自变法日为始，尽买旧钞入官，其已请出盐，立即许人自陈。准新价贴纳钱，印盐席给公据，令条具所施行事。”

枢密副使王韶罢。

癸巳（十二日），苏轼改知徐州。苏轼时在来汴京道中。弟辙自京师来迎，会于澶、濮间，兄弟二人不见者七年。苏轼作词《满江红·怀子由作》（清颍东流）。至陈桥驿，知徐州告下。时不得入国门，乃寓居城外范镇之东园。王诜馈茶果酒食。苏轼作《与眉守黎希声三首》之三叙受命改差徐州之事。苏辙作《寄范丈景仁》诗，记见国门而不得入之情景。

十二日，以张方平为南京留守，苏辙改官著作佐郎，苏辙作《谢改著作佐郎启》。旋为张方平辟为应天府签书判官，苏辙作《谢张公安道启》。

曾巩葬其妻晁氏于建昌军南丰县龙池乡之源头。

三月

二日，王安石接提举江南路太常丞朱炎传圣旨，令视府事，作《谢朱炎传圣旨令视事表》。本年春，王安石还江宁，辞判府事，表凡三上。时王安石五十七岁。

二日，应王诜约，苏轼饮于四照亭，作词两首。一为《洞仙歌》（江南腊近），咏柳亦以咏人。一为《喜长春》（满院桃花），此词《东坡乐府》和《苏轼全集》均作《殢人娇·王都尉席上赠侍人》。三日，范镇（景仁）往西京，苏轼作《送范景仁游洛中》诗送之。镇作留别诗，苏轼复作《次韵景仁留别》诗答之。苏辙亦作诗《次韵子瞻送范景仁游嵩洛》。同日，王诜送韩幹画马，请求苏轼题跋之，苏轼遂题诗《书韩幹牧马图》。二十三日，苏轼与钱藻（纯老）、王汾（彦祖）、孙洙（巨源）、陈侗（程伯）、陈睦（子雍）、胡宗愈（万夫）、王存（郑仲）、林希（子中）、王仲修（敏甫）、弟辙同观唐代摹本《兰亭》禊帖真迹。

曾巩葬二女于南丰之源头，葬其弟曾宰于南丰龙池乡之源头。本年春，曾巩委任直龙图阁知福州。巩以母老多病，弟曾布已移知广州为由，请求改任，作有《辞直龙图阁知福州状》。

四月

苏轼乘船沿汴赴任，弟辙同行。苏轼与苏辙过南都（今河南商丘），访张方平，并同赴徐州。苏轼代张方平撰《谏用兵书》，谏勿用兵西夏。二十一日，到徐州任。田叔通、寇昌朝（元弼）、石夷庚（坦夫）相迎。苏轼上《谢上表》、《谢两府启》，答谢临郡陈荐（彦升）启。

五月

诏以欧阳修《五代史》藏秘阁。

宋改革茶法。茶叶贸易不仅关系到财政，由于在汉蕃边界地区可以茶易马，也关系到军备。改革成都路茶法，关系重大。《续资治通鉴》卷七二：“同提举成都府等路茶场公事蒲宗闵，言本司般卖解盐，已蒙改法依旧通商外，有茶法事亦相关，须至更改。每年欲起发茶四万，驮赴秦州熙河路，依市价卖，仍认定税息钱，应副博马籴买粮草，并川峡路民间食茶。许逐场依市价添减收买。每贯收息钱一分，出卖仍沿贯纳长引钱。凤州、凤翔、永兴军、环庆路州军，仍依旧为商地分，许客人于川中茶场算请兴贩。知彭州吕陶，亦言官场买茶，亏损园户，有致词诉及生喧闹。旋诏川中茶场，免收息三分。”

乙亥，曾巩作文《江州景德寺新戒坛记》。

六月

宋朝建立峒人武装保甲制度。在少数民族地区建立武装保甲制度，有利于社会治安，同时也表明了少数地区的法制进步。《续资治通鉴》卷七二：“辛丑。枢密院言，闻邕州钦州峒丁，其人颇骁勇，但训练不至，激劝无术。欲令经略司选举才武廉干之人为都司巡检等，提举训练，每季分往案阅。逐峒岁终，具武艺精强人数首领等第，给奉提举官。以武艺精强五分以上议酬奖。仍令五人附近者结一保，五保相附近者结一队，每案阅保队，各项依附。至于战斗，互相救助。勇怯分为三等，有战功或武艺出众为上等，免差役。人才矫捷为中等，免科配。余为下等，常日不妨农作，习学武艺。遇提举官案阅，即聚一村案试，毋得豫集。边境有盗贼，令首领相关报，从之。”

宋朝进行币制改革，铸大钱及折二钱。《续资治通鉴》卷七二：“壬寅。三司言铸大钱。欲乞且依旧额，今后如有添铸，乞除陕西、河北、河东外，诸路并铸小钱。又言河北西路转运司，请于邢、磁州置监鼓铸折二铁钱十万贯。今相度欲于永兴军路铸折二铁钱十万贯，欲于河北西路添铸大铜钱。并从之。”

辽国发生内乱。辽耶律伊逊（乙辛）之党，以皇后废立皆由其谋，欣欣相庆，忠良之士，斥逐殆尽，臣僚牵连被杀多人。乙辛使其党告都部署耶律撒剌等谋立太子濬，以图谗废太子，未果。继而，乙辛又使人谋杀太子，诈称病死，亦未果。辽道宗按问，无迹，乃出撒剌等，鞭护卫六人，徙于边。

苏轼、苏辙、颜复（长道）同游百步洪。苏辙作诗《陪子瞻游百步洪》诗，苏轼作诗《次韵子由与颜长道同游百步洪相地筑亭种柳》。舒焕亦次韵。又，李清臣（邦直）构亭徐诚之东南隅，苏轼名曰快哉亭。

王安石以使相为集禧观使居金陵。

七月

黄河大决于澶州（今河南濮阳附近）曹村，北流断绝，河道南移，东辉于梁山张泽泺，分为二流：一合南清河入于淮，一合北清河入于海，凡灌四十五州县，坏田逾三十万顷。

二十二日，应王诜请，苏轼为作《宝绘堂记》。苏辙作《王诜都尉宝绘堂词》，当与此同时。

邵雍（1011 — 1077）**卒。**《续资治通鉴》卷七二：“癸丑。颍州团练推官邵雍卒。雍受《易》于李之才，探颐索隐，衍伏羲先天之旨，著书十万余言。富弼、司马光、吕公著在雒，雅敬雍，为市园宅，雍命其居曰安乐窝。以荐授将作主簿，候补颍州团练推官，皆固辞。及受命，竟称疾不之官。程颐尝与议论终日，退而叹曰：‘尧夫内圣外王之学也。’”

八月

黄河决于郑州（今河南郑州市）荥泽埽。

苏轼、苏辙兄弟二人会宿逍遥堂，苏辙作诗，苏轼和之。八月四日，兄弟二人游石经院，苏轼作《记子由诗》。十五日，中秋，兄弟二人同赏月，颇有感慨。苏辙因为即将离开徐州，作词《水调歌头 · 徐州中秋》（离别一何久）与苏轼话别，苏轼亦作词《水调歌头 · 余去岁在东武，作水调歌头以寄子由。今年子由相从彭门百余日，过中秋而去，作此曲以别。余以其语过悲，乃为和之。其意以不早退为戒，以退而相从之乐为慰云》（安石在东海）和之。十六日，苏辙赴南京留守签判任，离徐州。苏轼送之出东门，等城上。苏辙作诗《初发彭城有感寄子瞻》。苏轼作诗《初别子由》。苏辙在徐州期间，认识陈师仲（传道）、陈师道（履常、无己）兄弟。二十一日，黄河水汇徐州城下，苏轼亲率军民抗洪救灾。

曾巩始赴知福州任，有文《福州谢到任表》、《道山亭记》、《徐孺子祠堂记》、《和熙宁十年南郊礼毕大赦表》。

萧罕嘉（1006—1077）**卒**。《续资治通鉴》卷七二："庚寅。辽汉人行宫都部署萧罕嘉，以从猎坠马卒。"［思齐按：萧罕嘉，一作萧韩家奴，生年不详，字休坚。契丹族涅剌部人。少好学，博览经史，精通契丹文、汉文。重熙四年，迁天成军节度使，徙彰愍宫使，与帝结为诗友。后擢翰林都林牙，兼修国史。曾与耶律庶成录遥辇可汗至重熙以来事迹，集为二十卷，并将《贞观政要》等翻译为契丹文。著有《六义》十二卷行于世。］

九月

神宗赐谥邵雍。《续资治通鉴》卷七二："九月庚戌。赠颍州团练推官邵雍秘书省著作郎，赐粟帛。以知河南府贾昌衡，言雍行义，闻于乡里，乞赠恤也。宰相吴充，请于帝，赐谥康节。雍初与常秩同召，雍竟辞不起，士大夫高之。"

九月初，苏辙至南京，见张方平。时方平以宣徽南院使、判应天府为东太一宫使居南京。苏辙到南京，王巩赠诗，苏辙次其韵。苏辙作诗《送交待刘莘老》，祷颂其前任刘挚（莘老）。九日，苏辙与王巩送刘挚离任，王巩作诗，苏辙作诗《次韵王巩九日同送刘莘老》。二十三日，张方平生日，苏辙作诗为寿。

十月

苏轼抗洪在一线，贺铸属笔记事迹。二日，京东路安抚使等奏苏轼防洪功。五日，黄河水渐退。初，水之临城下也，苏轼禁富民出城，劝禁卒尽力，筑长堤九百八十四丈，发公廪，济困穷，庐于城上，至是城全民安。通判傅裼、钤辖任某亦尽力。贺铸《庆湖遗老诗集》卷一《黄楼歌·序》亦记载了苏轼的抗洪事迹。十三日，黄河一支复故道，苏轼喜而作诗《河复》。

十一月

张载（1020—1077）**卒**。《续资治通鉴》卷七二："前同知太常礼院张载卒。载家居与诸生讲学，以《易》为宗，以《中庸》为体，以孔孟为法。其家婚丧嫁祭，率用先王之意，而傅以今礼。世称'横渠先生'。"

曾巩于二十一日作《祭王平甫文》。

十二月

占城国献驯象。

明州（今浙江宁波）刺史奏言，日本国遣僧仲回等六人贡方物。

宋诏改明年为元丰。诏铸钱司并以"元丰通宝"为文。《宋大诏令集》卷二《改元元丰元年诏》（熙宁十年十二月壬午）："朕奉承圣绪，一纪于兹。兢兢业业，罔敢暇逸。赖天之佑，年谷顺成。其因来岁之正，以新元统之号。式循典旧，对越神休。宜自明年正月朔旦改为元丰元年。"

王安石作文《万宗泉记》，并有长诗两首，总题《酬王濬贤良松泉二诗》。其中《松》诗首句云："世传寿可三松倒。"《泉》首句云："宋兴古刹今长干。"

本年

兹综述苏轼出处。施宿《东坡先生年谱》："先生正月发潍州，过青、齐二州，李公择为齐守，留月余始去。道中改知徐州，时二月也。至京师，有旨不许入国门，寓城外范蜀公园。夏四月，赴徐州，子由同行。五月，到徐。按，是年七月河决于澶州曹村下埽。八月，水汇徐州城下，涨不得泄，城将败，富民争避水，公以身率之，与城存亡，履屦策杖，亲督禁卒，筑堤捍之；水至堤下，害不及城，民心以安。按，李邦直时以京东提刑部至徐，先生与之有唱和，子由亦与。"

王安石本年所作，除上述诸篇之外，尚有诗《登宝公塔》、《重登宝公塔复用前韵二首》、《题雱祠堂》、《出定力院昨》、《赠僧》、《答韩持国芙蓉堂》、《奉酌约之见招》、《次韵约之谢惠诗》、《北山三咏》、《经局感言》等，并有文《宝文阁待制常公墓表》、《书洪范传后》、《进洪范传表》等。

秦观二十九岁。作文《寄老庵赋》、《游汤泉记》。作诗《奉和莘老》等。十月，至徐州访苏轼，正式成为门下士。在熙宁年间，秦观与僧人僧寥、显之长老、曾逢原等人相结交，以诗唱和。

张昪（992—1077）卒。昪字杲卿，韩城人，生于淳化三年，大中祥符八年进士。累官参知政事、枢密使，以彰信军节度使、同中书门下平章事判许州，改镇河阳。以太子太师致仕。熙宁十年卒，年八十六，赠司徒兼侍中，谥康节。《宋史》卷三一八作张昪，《全宋词》录其词二首。

叶梦得（1077—1148）生。《宋史》卷四四五《叶梦得传》："叶梦得字少蕴，苏州吴县人。嗜学蚤成，多识前言往行，亹亹不穷。绍圣四年，登进士第，调丹徒尉。徽宗朝自婺州教授召为议礼武宣编修官。用蔡京荐，召对。……上异其言，特迁祠部侍郎官。……［大观］二年，累迁翰林学士，极论士大夫朋党之弊，专于重内轻外，且乞身先众人补郡。……三年，以龙图阁直学士知汝州，寻落职，提举洞霄宫。政和五年，起知蔡州，复龙图阁直学士。移帅颍昌府。……时旁郡纠民输镪就糴京师，怨声载道，独颍昌赖梦得得免。李彦括公田，以黠吏告讦，籍郏城、舞阳隐田数千顷，民诣府诉者八百户。梦得上其事，捕吏按治之，郡人大悦。［杨］戬、彦交怒，寻提举南京洪庆宫，自是或废或起。待高宗驻跸扬州，迁翰林学士兼侍读，除户部尚书。……继而帝驻跸杭州，迁尚书左丞。……门下侍郎颜岐、知杭州康允之，皆嫉梦得，又与宰相朱胜非议论不协，会州民有上书讼梦得过失者，上以梦得深晓财赋，乃除资政殿学士、提举中太一宫，专一提领户部财用，充车驾巡行顿递使，赐不拜，归湖州。绍兴初起为江东安抚大使兼知建康府，兼寿春等六州宣抚使。……八年，除江东抚制置大使兼知建康府、行宫留守，又奏防江措画八事。……诏加观文殿学士，移知福州，兼福建安抚使。……上章请老，特迁一官，提举临安府洞霄宫。寻拜充新军节度使致仕。十八年，卒湖州，赠检校少保。"

杨蟠约于此年前后在世。厉鹗《宋诗纪事》卷一六："蟠字公济，章安（今浙江临海县东南）人，一作钱塘人。庆历六年进士。为密、和二州推官，以诗知名。元祐中，苏轼知杭州，蟠为通判，与轼唱酬为多。后知温、寿二州，卒。有集。"《宋史》卷四四二《杨蟠传》："欧阳修称其诗。……平生为诗数千篇。"

郭祥正、吕南公、饶节在世。

公元1078年（宋元丰元年　辽太康四年　夏大安四年　戊午）

正月

王安石为尚书左仆射、观文殿大学士、舒国公、集禧观使。此时王安石屡乞还相印。有诗《封舒国公三绝》，及文《谢特授仪同封舒国公表》、《谢依前本官充观使表》等。

张方平（安道）赠马苏辙，辙作诗《谢张安道惠马》（从事年来鬓似蓬）纪其事。

闰正月

陈安石议增边储。河东转运使陈安石与知太原韩绛讲求边储利害，议增边储。朝廷命河东十三州每年给和籴钱八万余缗，以其钱给转运司于沿边州郡市买粮草。

宋朝实行新规定，常平钱亦可输物。本来常平钱谷应输钱，民愿输谷及金帛者亦可。官立物价示民，输物不足者，可以钱足之，物与钱合算与物价等；输物多者，官依物价，偿还其余值。自此民愿输谷或金帛者亦可。

黄庭坚于北京大名府作诗《闰月访同年李夷伯子真于河上，子真以诗谢，次其韵》。李子真，字夷伯，为山谷同年，同于治平四年（1067）登进士第。

曾公亮（999—1078）卒。《续资治通鉴》卷七三："己亥。太傅兼侍中曾公亮卒，年八十。帝临哭，辍朝三日，赠太师中书令。初谥忠献，礼官刘挚驳曰：'公亮居三世，不闻荐一士，安得为忠？家累千金，未尝济一物，安得为献？'众莫能夺，改谥宣靖。及葬，御篆其碑首曰：两朝顾命定策亚勋之碑。公亮性吝啬，殖货至巨万，力荐王安石以间韩琦，持禄固宠，为世所讥。"曾公亮曾与丁度纂《武经总要》。《武经总要前集》系重要的军事科技著作，有放火药箭的记载及火炮火药的配方。

二月

日本国通事僧仲回献方物于宋。

先是，王安石于闰正月上《乞致仕表》。二月二十二日，江东转运使孙珪到王安石府邸，宣谕圣旨，以"诚请甚确，志不可夺，故罢节鉞，春时更宜慎爱者"为由，罢去节钺。自是王安石只食祠禄，居钟山，有《谢宣谕许罢节钺表》。

苏轼增筑徐州城。为防徐州水灾，经朝廷批准，开始改筑徐州外城，并在东门上修一大楼，以黄土刷墙，故名黄楼。黄楼于本年八月十二日落成。苏辙《栾城集》卷一七《黄楼赋·并叙》记之甚详。苏轼《书子由黄楼赋后》亦记此事。

十九日，寒食节，李常（公择）赴淮南西路提刑新任，路过徐州来访苏轼，苏轼作《寒食日答李公择三绝次韵》。

三月

辰（今湖南沅陵）、沅（今湖南沅江）瑶民扰宋边州。

春

本年春徐州大旱，苏轼祷雨城东石潭，作《徐州祈雨青词》，复作诗《起伏龙行·并叙》。既应，苏轼赴石潭谢雨，作词《浣溪沙·徐门石潭谢雨，道上作五首，潭在城东二十里，常于泗水增减清浊相应》五首（照日深红暖见鱼）、（旋抹红妆看使君）、（麻叶层层苘叶光）、（蔌蔌衣巾落枣花）、（软草平莎过雨新）。

黄庭坚作诗《过方城寻七叔祖旧题》。本年春山谷尝从北京至邓州，方城（今河南方城县），在邓州东北，为其途经之地。七叔祖，名黄注。

四月

宋命除九经之外，余书不得出国界。

秦观作词《南乡子》。词曰："妙手写徽真。水翦双眸点绛唇。疑是昔年窥宋玉，东邻。只露墙头一半身。　往事已酸辛。谁记当年翠黛颦？尽道有些堪恨处，无情。任是无情也动人。"

五月

黄河发生水患，塞曹村河决，新堤成，河还北流。凡用工一百九十余万，材以前二百八十九万，钱、米各三十万，堤长一百一十四里。

苏轼作词《浣溪沙·徐州藏春阁园中》（惭愧今年二麦丰）庆二麦丰收。

己卯（初五日），知应天府龚鼎臣为右谏议大夫，知青州。苏辙有《代龚鼎臣谢知青州帅表》，并有诗《送龚鼎臣谏议移守青州二首》（稷下诸公今几人）、（面山负海古诸侯）。

秦观告别苏轼，呈诗，苏轼次韵。秦观旋经南都，见苏辙，之后赴京师。《淮海集》卷四《别子瞻》："人生异趣各有求，系风捕影只怀忧。我独不愿万户侯，惟愿一识苏徐州。徐州英伟非人力，世有高名擅区域。珠树三株巨可攀，玉海千寻真莫测。一昨秋风动远情，便忆鲈鱼访洞庭。芝兰不独庭中秀，松柏仍当雪后青。故人持节过乡县，教以东来偿所愿。天上麒麟昔漫闻，河东鸑鷟今才见。不将俗物碍天真，北斗已南能几人。八塼学士风标远，无马使君恩意新。黄尘冥冥日月换，中有盈虚亦何算。据龟食蛤暂相从，请结后期游汗漫。"《苏轼诗集》卷十六《次韵秦观秀才见赠，秦与孙莘老、李公择甚熟，将入京应举》："夜光明月非所投，逢年遇合百无忧。将军百战竟不侯，伯郎一斗得凉州。翘关负重君无力，十年不入纷华域。故人坐上见君文，谓是古人吁莫测。新诗说尽万物情，硬黄小字临黄庭。故人已去君未到，空吟河畔草青青。谁谓他乡各异县，天遣君来破吾愿。一闻君语识君心，短李髯孙眼中见。江湖放浪久全真，忽然一鸣惊倒人。纵横所值无不可，知君不怕新书新。千金敝走那堪换，我亦淹留岂长算。山中既未决同归，我聊尔耳君其漫。”《栾城集》卷八《次韵秦观秀才携李公择书相访》：“济南三岁吾何求，使君后到消人忧。君言有客轻公侯，扁舟相从古扬州。致之匹马恨无力，千里相望同异域。诵诗空使四座惊，隐居未易凡人测。使君南归无限情，鸿飞携书堕我庭。此书兼置昔年客，袖中秀句淮山青。老夫强颜依府县，堆案文书本非愿。清谈亹亹解人颐，安得座右长相见？狂客吾非贺季真，醉吟君似谪仙人。末契长遭少年笑，白发应惭倾盖新。都城酒贵谁当换，尘埃垢面非良算。归来泗上苦思君，莫待黄花秋烂漫。”李公择当时为淮南西路提点刑狱。

戊午（二十五日），提举醴泉观、兵部郎中陈汝义知应天府。苏辙有《代陈汝义学士南京谢表》。

六月

苏轼为王禹偁（元之）画像作赞，亦即《王元之画像赞》，题于其碑阴，六月五日，寄禹偁曾孙汾。

贺铸作《自讼诗·元丰戊午六月滏阳城》(朝听明钟出)。

七月

辽诸路奏饭僧尼三十六万人。

八月

苏轼、苏辙，中秋见月，兄弟二人互寄诗作。苏辙作诗《中秋见月寄子瞻》(西风吹暑天益高)。苏轼作《中秋月寄子由三首》(殷勤去年月)、(六年逢此月)、(舒子在汶上)。同时，苏轼又将和诗《中秋见月和子由》(明月未出群山高)寄给苏辙。

曾巩召判太常寺，自福州去京师。曾巩在福州所作诗有《游东山示客》、《大乘寺》、《圣泉寺》、《升山灵岩寺》、《风池寺》、《上元》、《元沙寺》、《酬柳国传》、《旬休日遇仁王寺》、《乱山》、《寄献新茶》、《芳推官寄新茶》、《出郊》、《城南二首》、《寒食》、《夜出过利门》、《夜出城南祷雨》、《西楼》、《荔枝四首》、《北归三首》等；所作文有《福州拟贡荔枝状》、《荔枝录》、《福州谒诸庙文》、《福州谒夫子庙文》、《诸庙祷雨文》、《谢雨文》、《题祷雨文后》、《福州上执政书》等。

九月

庚辰（初九日），大合乐庆黄楼落成。王巩与会。并以苏辙所作《黄楼赋》刻石。苏轼尝以绢亲自书写苏辙所作《黄楼赋》。自后尝与宾客宴集黄楼。

十六日，王安石得知吕嘉问自江宁府移知润州，有诗《闻吕望之解舟》(子来我乐

只）。望之，嘉问字也。

贺铸独游郧下，作诗《故郧并序》。

秋

秦观于东归途中，过泗州入淮，作《泗州东城晚望》诗。陈衍《宋诗精华录》卷二《泗州东城晚望》：“渺渺孤城白水环，舳舻人语夕霏间。林梢一抹青如画，应是淮流转处山。”此为宋诗中的名篇。王世禛《香祖笔记》卷五：“宋牧仲中丞行赈邳徐间，于村舍壁上见二绝句，不题名氏，真北宋人佳作也。”其一绝即此诗。熙宁元丰间，秦观作诗《秋日三首》描写乡居生活，其一：“霜落邯沟积水清，寒星无数傍船明。菰蒲深处疑无地，忽有人家笑语声。”其二：“月团新碾瀹花瓷，饮罢呼儿课楚辞。风定小轩无落叶，青虫相对吐秋丝。”其三：“连卷雌蜺挂西楼，逐雨追晴意未休。安得万妆相向舞，酒酣聊罢作缠头。”

十月

苏辙与文同结亲家。十一日，苏辙长女嫁文同之子务光（逸民）。《苏轼文集》卷五一《与李公择十七首》之第五简：“迈住南京，为舍弟此月十一日嫁一女与文与可子，呼去干事。”十七日，文同知湖州，苏辙作诗《送文与可知湖州》（连持梁洋印）。

五日，苏轼跋秦观《汤泉赋》。这篇跋文即《书游汤泉诗后》，此汤泉诗即《汤泉赋》。十二日，赠吴绾（彦律）《日喻》，此为宋代散文名篇。十五日，与客观月黄楼，作诗《十月十五日观月黄楼席上次韵》（中秋天气应未殊）。十六日，与文同（与可）简，赞道潜之诗及其为人。此简即苏轼《与文与可》：“近有一僧名道潜，字参寥，杭人也。特来相见。诗句清绝，可与林逋相上下，而通了道义，见之令人萧然。有一诗与之，录呈，为一笑也。”苏轼所与之诗，当为《次韵僧潜见赠》（道人胸中水镜清）。又，本年十二月十二日，苏轼致简秦观（太虚），托道潜（参寥）转致。道潜归，有送行诗《送参寥师》，这是中国文学批评史上的名篇。《四部丛刊》影印本《集注分类东坡先生诗》卷二一《送参寥师》：“上人学苦空，百念已灰冷。剑头惟一吷，焦谷无新颖。胡为逐吾辈？文字争蔚炳。新诗如玉雪，出语便新警。退之论草书，万事未尝屏。忧愁不平气，一寓笔所骋。颇怪浮图人，视身如丘井。颓然寄澹泊，谁与发豪猛？细思乃不然，真巧非幻影。欲令诗语妙，无厌空且静。静故了群动，空故纳万境。阅世走人间，观身卧云岭。咸酸杂众好，中有至味永。诗法不相妨，此语更当请。”道潜留徐州日，苏轼尝与道潜等游戏马台；与道潜放舟百步洪之下；苏轼尝于席上命妓求道潜诗，道潜有作；道潜尝陪苏轼登黄楼；苏轼尝与道潜、张天骥月夜游百步洪东崖，题名：游倡甚乐。

本月，苏轼作《徐州上皇帝书》。论徐州为京东诸郡安危所寄，兵单俗悍，乞建立利国监冶户武装，乞移南京新招骑射两指挥于徐；并乞兼领沂州兵甲巡检公事，以此自效；陈治盗之法；并请特为京东、京西、河北、河东、陕西五路之士，别开仕进之门，以取人才。徐州任中，其主张部分得以施行。［思齐按：利国监，位于徐州东北七十余里；冶户，冶铁户。]

曾巩在洪州，作祭文《戊午十月展墓文二首》。王安国文集成，曾巩为作《王平甫文集序》。

十一月

龙图阁直学士宋敏求上《朝会仪》二篇、《令式》四十篇，诏颁行。

二十三日，王安石在钟山，作文《庐山文殊像现瑞记》。

十二月

宋兴修农田水利。《续资治通鉴》卷七三："甲辰。二府奏事，语及淤田之利。帝曰：'大河源深流长，皆山川膏腴渗漉，故灌溉民田，可以变斥卤为肥沃也。'"

神宗奋发图强，意欲收复燕幽。《续资治通鉴》卷七三："帝每愤辽倔强，慨然有收复幽燕之志。御景福殿库，聚金帛为兵费，是年始变库名。自制诗以揭之曰：'五季失图，玁狁孔炽。艺祖造邦，思有惩艾。爰设内府，基以募士。曾孙保之，敢忘厥志。'凡三十二库。后集羡赢，又揭以诗曰：'每虔夕惕心，妄意遵遗业。顾余不武姿，何日成戎捷?'"

本月，苏轼派人调查能源，于徐州之西南白土镇之北访获石炭（煤），乃作诗《石炭并引》。引曰："彭城旧无石炭。元丰元年十二月，始遣人放获于州之西南白土镇之北，冶铁作兵，犀利胜常云。"诗中有句云："岂料山中有遗宝，磊落如豎万车炭。流膏迸液无人知，阵阵腥风吹自散。"由此可知，苏轼也了解到了当地煤矿与石油和天然气伴生的情形，然而在其任中仅开采了煤炭。徐州为今日江苏之煤炭、能源、电力基地，中国矿业大学所在地，良有以也。

曾巩于江宁府接到移知明州之旨，当月十八日于真州动身，有《移明州乞至京迎侍赴任状》。又作文《洪州东门记》。

冬

王安石游北山，有诗《雪中游北山呈广州使君和叔同年》、《宿北山示行详上人》、《寄北山详大师》。本年所作尚有诗《送陈和叔并序》、《葛蕴作巫山高爱其飘逸因亦作两首》、《招吕望之使君》、《送吕望之》，尚有文《祭曾鲁公文》。

本年

神宗好道教，常日设大斋。神宗常日设大斋，命枢密直学士、提举中太一宫孙永监修删润斋醮科仪。《续资治通鉴》卷七三："［正月乙丑］权发遣三司使李承之，言近年以来，朝廷宽假，资格稍高之人，为其衰迟，或不任事，未遽令休退，故置提举管勾宫观之职，优与俸禄，不立员数。而臣僚趋闲贪禄，或精神未衰，便私避事，亦求此职。条制既宽，初未厘革。今内外宫观约百余员，无纤芥职事，岁费廪仓不下数万缗。乞今后在京宫观提举、提点、勾管官，其毋得过十五员，诸路倍之。如有除授，令依例待阙。所贵勤劳官守之人，有以区别，不虚费国用。诏自今陈请宫观等差人，年六十以上，听差，仍毋得过两次。”又，同卷：“御使台阁门，言忌日神御殿行香。自今令群臣班殿下，宰相一员，升殿、上香、跪炉。从之。”

词人张先（990 — 1078）卒。《苏东坡全集·前集》卷三五《祭张子野文》：“年月日。苏轼仅以清酌庶羞之奠，昭告于故子野郎中张丈之灵。仕而忘归，人所共蔽。有志不果，日月其逝。惟余子野，归及强锐。优游故乡，若复一世。遇人坦率，真古恺悌。庞然老成，又敏且艺。清诗绝俗，甚典而丽。搜研物情，刮发幽翳。微词宛转，盖诗之裔。坐此而穷，盐米不继。啸歌自得，有酒辄诣。我官于杭，始获拥篲。欢欣忘年，脱略苛细。送我北归，屈指默计。死生一诀，流涕挽袂。我来故国，实五周岁。不我少须，一病遽退。堂有遗像，室无留嬖。人亡琴废，帐空鹤唳。酹觞再拜，泪溢两眥。尚飨。”

刘恕（1032 — 1078）卒。恕字道原，筠州高安（今江西高安）人，博览群书，尤精史学，著有《通鉴外纪》等书，参与修《资治通鉴》，分写魏晋史事。张舜民《书秘丞墓碣后》：“元丰初年，司马温公一日谓余曰：‘子识刘恕乎?’舜民对曰：‘未也。’公曰：‘当今史学，无能出其右者。’不久，道原告卒，竟不获一见之。予思之，司马公自言四十以后，不为人撰论遗事，亲友之属，一以谢之。独为吕献可撰埋铭，及《十国纪年序》历陈刘道原事迹，二人而已。今其子义仲不鄙，俾予书墓碣。援笔之间，不胜叹息。元祐庚午岁秋月，起部北轩。”

兹综述苏轼出处。施宿《东坡先生年谱》：“先生在徐州。是年三月始识王迥子高因作《芙蓉城》诗。黄庭坚字鲁直，时为北京国子监教授，以二诗寄先生，先生始与之有酬唱。李公择罢齐过徐，留旬日而去。九月九日黄楼始成。王巩字定国，时自南京来，以张安道诗卷示先生。安道，巩妇翁也。秦观字少游，高邮人，时从先生学，后居四学士之列。僧道潜字参寥，卒由先生得诗名，皆自是始见。”

杭州知府赵抃陪少师赵概游西湖。张先同游，作词《感皇恩·安车少师访阅道大资同游湖山》（廊庙当时共代工）。[思齐按：此首调名亦作《小重山》。]

贺铸迁滏阳（今河北磁县），改官都作院，作有诗《留别田昼，田字承君，始明至明，字君义，元丰初滏阳同官也。辛未二月，邂逅于高邮，因赋此以赠别》。

黄庭坚本年所作文，较著名的有《上苏子瞻书》。本年所作诗，以下较有名。

《对酒歌答谢公静》，谢公静，名愔，谢师厚长子。《和师厚接花》，方回《瀛奎律髓》卷二七：“山谷最善用事，以孔门变化雍、由譬接花，而缴以庄子挥斤语，此‘江西’奇处。……曾文清、陆放翁、杨诚斋皆得此法。”

《和师厚郊居示里中诸君》，方回《瀛奎律髓》卷二六：“‘归鸿’……天时也。‘宿草’……人事也。亦一景对一情。上面四句用菊、山、橘、蛙四物，亦不觉冗。”

《戏赠彦深》，范大士《历代诗发 》卷二五：“才气横逸，故冗长中有灵便萧疏之趣。”袁昶《山谷外集诗注评点》：“此章多情至语，一时兴到语，音节谐畅，风度绝佳。”李原，字彦深，厚之弟，时居南阳。

《古诗二首上苏子瞻》（江梅有佳实）、（青松出涧壑），吴乔《围炉诗话》卷五：

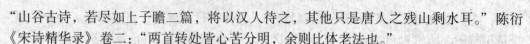

“山谷古诗，若尽如上子瞻二篇，将以汉人待之，其他只是唐人之残山剩水耳。”陈衍《宋诗精华录》卷二：“两首转处皆心苦分明，余则比体老法也。”

《同世弼韵作寄伯氏在济南兼呈六舅祠部》，世弼，名王纯亮，山谷妹夫。伯氏，山谷长兄黄大临，字元明，自号寅菴。

《伯氏到济南寄诗颇言太守居有湖山之胜同韵和》，袁昶《山谷外集诗注评点》：“写景入细。凡七律盛唐作手纯以气胜。西昆工词，西江工意，意胜亦能御词。后山、山谷之清镵隽永，终压杨刘之丰肉少骨也。”

《次韵寅菴四首》，方东树《昭昧詹言》卷二〇：“通首皆写寅菴自得之趣，而措语清高，不杂一毫尘俗气。读山谷诗，皆当以此求之。世间一切厨馔腥蝼意义语句，皆绝去，所以谓之高雅，脱去凡俗在此。”

《次韵子瞻与舒尧文祷雪雾猪泉唱和》，舒焕，字尧文，时徐州教授。

秦观三十岁，举进士未第，退居高邮，作《掩关铭》。有《叹二鹤赋》、《黄楼赋》，苏轼以为“有屈宋姿”。与苏轼、苏辙常有书信往来，探讨求学与作文之道。又有《谢曾子开（肇）书》，词作《南乡子》（妙手写徽真），诗歌《还自广陵四首》、《次韵僧寥三首》、《寄莼姜法鱼糟蟹（寄子瞻）》、《怀李公择学士》等。

大约在熙宁元丰年间，秦观还作有词《菩萨蛮》：“虫声泣露惊秋枕，罗帏泪湿鸳鸯锦。独卧玉肌凉，残更与恨长。　阴风翻翠幌，雨湿灯花暗。毕竟不成眠，鸦啼金井寒。”

程俱（1078—1144）生。程瑀《程公俱行状》：“公讳俱，字致道，衢州开化人。……［父卒］时公方年九岁，哭泣哀毁，见者咨叹。……外祖尚书邓公左丞润甫深奇之。后其家人缘左丞意奏补公假承务郎。绍圣四年，授苏州吴江县主簿。……任满，辟差舒州太湖茶场。以上书论时政罢归，时执政者方力持绍述之说以售其私，凡持正论者斥以为邪。虽被摒废，人更以为荣焉。大观初，监常州市易务，八宝恩迁通侍郎。政和元年，改宣德郎，差知泗州临淮县事。三年，召赴审查，以前上书报罢。寻主管兖州岱岳观。七年，差通判延安府。以侍亲非便，辞，改通判镇江府。俄除编修国朝会要所检阅文字。八年，兼道史检讨。宣和二年，转承议郎，赐五品服。明年，除将作监丞。时论谓公以儒术著其家，今艺学绩文，士鲜出其右。近臣亦推公长于撰著，于是以闻，徽宗即迁秘书省著作佐郎，赐上舍出身。三年，除礼部员外郎。驾幸秘书省，特旨召观书阁下，因赐御笔书画，迁朝奉郎。五年，丁母忧。七年，复除礼部员外郎。以病告老，不俟报而归，坐谪岁余。今上登极，转朝请郎。建炎三年，复为著作佐郎，再迁礼部员外郎，除太常少卿。卧家力辞，章四上，遂以直秘阁知秀州。……绍兴改元，始置秘书省，即以公为秘书少监。九月，除中书舍人，仍兼侍讲。二年，罢职，提举江州太平观。四年，差知漳州，以病辞，改提举台州崇道观。五年，复集英殿修撰。……［朝廷］谓公雅精史学，持心平实，欲使免朝参，坐局充职，其意甚厚，而公以疾力辞，乃差提举亳州明道宫。……十四年六月，疾稍侵，乞致仕，转中奉大夫。壬辰，卒于寝，享年六十有七。……公天资端方诚直，言动不妄，思虑精切，志趣高远，加以该洽深邃之学、典雅宏奥之文。自幼年未仕，人推有父风，稍任州县，即能遇事引义慷慨，论列利害。及缘上书坐谴，湮阨连年，饥寒转魄，气益坚刚，而自信愈笃，学业大成，伟然有公辅之望。”

刘一止（1078—1161）**生**。韩元吉《敷文阁直学士左朝奉郎致仕刘公行状》：“公讳一止，字行简，湖州归安人。曾大父而降，世以儒学名家。……宣和三年，始获奏名礼部，唱第廷中，少年朋从多以贵显，至公名莫不举笏相庆，公视之泊如也。得监秀州都酒务，人皆言公宜在文字之职，公不卑其官，事以办给。长吏知公名，未始以常僚待之也。秩满，为越州州学教授，时翟汝文知州事，间出所为文，属公定其稿，至以诧客曰：‘颇曾见人物如此乎？’公既代去，避地于姚江，傅崧卿来摄政，书礼致公，即劝傅公起义师以赴国家之难，至称刘琨、祖逖同寝之事，语甚激烈，傅公感慨流涕。会李参政邴得祠过郡，见公，留语终日，密荐公人物议论宜在朝廷，盖不使公知。建炎四年得用为详定一司敕令所删定官。绍兴改元，召试官职，因对策极言当世之故……上览之称善，且语近臣：‘刘某所对剀切，知治道。’欲骤用公，而执政者不怿也。除秘书省校书郎，考试两浙类试进士。……是年冬，迁监察御史，即上书论君子小人用否之辩。……明年秋，迁起居郎。……公既荷上知，其在台察，已剌口论事，至是因面对，极陈堂吏宦臣之蠹，执政植私党无忧国心，翌日遂罢为主管台州崇道观，寓德清僧舍，杜门却扫，自放于山水，而诗文益清健。阅二年，召为尚书祠部员外郎，奉神主于温州。未行，改发遣袁州，又改浙东路提点刑狱公事，加直显谟阁。秩满，除权发遣常州。未赴，召入秘书为少监。既赐对，上曰：‘知卿久外，无为卿言者也。’公顿首称谢。居两月，复为起居郎，遂迁中书舍人兼侍讲，赐服三品，时九年正月也。……九月，迁给事中，仍兼侍讲。……居所阅仅百许日，缴奏未已，用事者始嫉公，因诬公荐士失实，又罢为提举江州太平观。久之，除秘阁修撰。十五年冬，除敷文阁待制，议者希用事意，谓公辞免有讥诮，遂中格，并夺修撰。二十三年，上书请老，始复秘阁修撰致仕。九月，再除敷文阁待制。二十五年，用事者死，上更庶政，即起公赴行在。……遂进公敷文阁直学士致仕以归。绍兴二十三年十二月初四日，以疾终于家，享年八十有三。明年正月丁酉葬于乌城县澄静乡赵村后坞山之原，官至左朝奉郎，爵至长兴县开国伯，食邑至八百户。”

王宷（1078—1118）**生**。《宋史》卷三二八《王宷传》：“宷字辅道，好学．工词章。登第，至校书郎。忽若有所睹，遂感心疾，唯好延道流谈丹砂、神仙事。得郑州书生，托左道，自言天神可祈而下，下则声容与人接，因习行其术，才能什七八，须两人共为乃验。外间欢传，浸淫彻禁廷。徽宗方崇道教，侍臣林灵素自度技不如，愿与之游，拒弗许。户部尚书刘昺，宷外兄也，久以争进绝往还。神降宷家，使因昺以达，宷言其故，神曰：‘第往与之言，汝某年月日在蔡京后堂谈某事，有之否？’昺惊骇汗洽，不能对，盖所言皆阴中伤人者。乃言之帝，即召。宷风仪既高，又善谈论，应对合上旨，帝大喜，约某日即内殿致天神。林素求与共事，又弗许。或谓林素，但无令郑书生偕，宷当立败。……及是日，宷与书生至东华门，林素戒阍卒独听宷入。帝斋洁敬待，越三夕无所闻。乃下宷大理，狱成，弃市，昺窜琼州。”

陶弼（1015—1078）**卒**。黄庭坚《东上阁门使康州团练使知顺州陶君墓志铭》：“君不治细故，独以文章自喜，尤号能诗。年三十起从军，心通悟，达兵家机会，能得士死力；智度闳深，调护不虞，不见圭角，遇仓卒，大军常倚以为重。作郡县，顺民立教，当其艰勤，与吏士同甘苦，不以远朝廷故不尽心力，所历数州，夷夏斩斩，以约信为威。尝请清桂灵渠通漕湘江，军兴转粟可十倍，使者不能听。李师中在广西，乃用之，于今为功。光源酋长刘纪，数请和市太平寨，规觇国，欲生事邀功者吹嘘助之，君伐其谋。后数年，和市议下，刘彝、沈起之事起矣。顺州草创，存亡不可知，受命即上道，折箠指㧑，溪洞晏然。在军中三十年，夷险一概。使者多朝廷大吏，察治状，无以易君，故求去，辄进官重任，使遂老于桂林表里。事母孝谨，白首尽其欢。”

公元1079年（宋元丰二年　辽太康五年　夏大安五年　己未）

正月

市易钱不借于无抵押者。《续资治通鉴》卷七四：“先是市易旧法，听人赊钱，以田宅或金银为抵挡。无抵挡者，三人相保，则给之。皆出息十分之二。过期不输息，每月更罚钱百分之二。贫民取官贷不能偿，积息罚愈多。囚系督责，仅存虚数，于是都提举市易王居卿，建议以田宅金帛抵挡者，减其息；无抵挡徒相保者，不复给。己卯。诏自正月七日以前，本息之外所负罚钱悉蠲之，凡数十万缗。负本息者延期半年。众议颇以为惬。”

苏轼于初七日猎于城南，会者有雷胜等十人。经约定，参加者须以“身轻一鸟过，枪急万人呼”为韵作诗。苏轼所作诗为《人日猎城南会者十人以身轻一鸟过枪急万人呼为韵得鸟字》，又代雷胜作诗，即《将官雷胜得过字代作》。关于这次会猎，苏轼并作文《猎会诗序》叙其事。

二十五日，曾巩到明州任上，有《明州谢到任表》、《明州到任谢两府表》、《明州奏乞回避朱明之状》。

元月，秦观作《五百罗汉图记》、《与邵彦瞻简》。孙觉丁忧服除，起知苏州，以诗唱和赠别。

画家文同（1018—1079）卒。文同字与可，《苏东坡全集·前集》卷三五《祭文与可文》：“年月日。从表弟苏轼，谨以清酌庶羞之奠，致祭于故湖州文府君与可学士兄之灵曰：呜呼哀哉！与可能复饮此酒也乎？能复赋诗以自乐、鼓琴以自侑也乎？呜呼哀哉！余尚忍言之。气噎悒而填胸，泪疾下而淋衣，忽收泪以自问，非夫人之为恸而谁乎？道之不行，哀哉我无徒，岂无友朋，逝莫告余。惟余与可，匪亟匪徐，招之不来，麾之不去，不可得而亲，其可得而疏之耶？呜呼哀哉！孰能敦德秉义，如与可之和而正乎？孰能养民厚俗，如与可之宽而明乎？孰能为诗与楚词，如与可之婉而清乎？孰能齐宠辱，忘得丧，如与可之安而轻乎？呜呼哀哉！余闻讣之三日，夜不眠而坐喟：梦相从而惊觉，满茵席之濡泪，念有生之归尽，虽百年其必至。惟有文为不朽，与有子为不死。虽富贵寿考之人，未必皆有此二者也。然余尝闻与可之言：是身如浮云，无去无来，无亡无存，则夫所谓不朽与不死者，亦何足云乎？呜呼哀哉！尚飨。”

二月

初一日，苏辙作《祭文与可学士文》。初五日，苏轼作《祭文与可文》。三十日，苏轼寄《祭文与可文》与黄庭坚。黄庭坚尝致书苏轼，并寄诗《见子瞻粲字韵诗和答三人，四返不困，而越崛奇，辄次韵寄彭门三首》与苏轼。苏轼接到黄庭坚这三首诗后，作《往在东武与人往反作粲字韵四首；今黄鲁直，亦次韵见寄，复和答之》诗。

三月

时彦等六百二人中进士。《续资治通鉴》卷七四："癸巳。集英殿赐进士明经诸科，开封时彦以下及第出身，同出身，同学究出身，总六百二人。甲午。御集英殿，赐特奏名进士明经诸科，同学究出身，试将作监主簿国子门助教，长史文学助教，总七百七十八人。"晁补之进士及第，试开封及礼部别院，皆第一。刘弇、黄裳、华镇、蔡肇同登进士第。

苏轼罢徐州，以祠部员外郎、直史馆知湖州军州事。三月，离徐州，往南京，作诗《罢徐州往南京马上走笔寄子由五首》寄苏辙，苏辙作诗《和子瞻自徐移湖将过宋都途中见寄五首》答之。苏轼至南京，留半月。苏轼见张方平。苏轼晤弟苏辙。苏轼晤僧应言。熙宁十年，河决澶渊，东平危急，僧应言建策疏水，东平以安，实有功劳。苏轼晤吕熙道（希道、景纯）。二十四日，苏轼告别苏辙离开南都，过淮河，寄诗《过淮三首赠景山兼寄子由》给苏辙，苏辙作《次韵子瞻过淮见寄兼简孙奕职方三首》，孙奕，字景山。二十七日，苏轼至灵璧镇，应张硕请，作《灵璧张氏园亭记》（即《张氏兰皋园记》）。

三月苏轼自徐州移守湖州，秦观遂与偕行。过无锡，游惠山，经松江，至吴兴，途中以诗相唱酬。

春

王安石，于钟山之南营建半山园，作有诗《示元度》、《江宁府园示元度》、《示元度秘校》、《独卧三首》、《半山春晚即事》，作有词《菩萨蛮》（数家茅屋闲临水）、《渔家傲二首》（灯火已收正月半）（平岸小桥千嶂抱）等。

因修建明州城，曾巩作文《明州修城祭土神文》。

秦观作诗《次韵参寥三首》；又作诗《春日杂兴》二首（潭潭故邑井）（东方有美人），抒发失意之情。

四月

二十日，苏轼到湖州任上，作《湖州谢上表》。苏轼的前任为王安礼。当时的湖州，为吴兴郡，昭庆军节度，属于两浙路。辖六县：乌程、归安、长兴、安吉、德清、武康，治乌程、归安。时陈师锡为掌书记。钱世雄（济明）为吴兴尉。祖无颇（夷甫）或为掌书记。

四月初，秦观与参寥子同随苏轼南下，如越省亲。过江后大风留金山两日，作诗

《次韵子瞻赠金山宝觉大师》。

贺铸作有诗《喜雨，己未岁，余官滏阳，涉春旱旱，四月晦，雨始大澍，而二麦已槁死。采老农之言，赋是诗》。

五月

宋以蔡确参知政事，宰相吴充欲变新法，确以“萧规曹随”为劝，乃止。

王适（子立）、王遹（子敏）来从苏轼。苏轼与王氏兄弟赋诗游赏，苏轼作《与王郎夜饮井水》诗、《与王郎昆仲及儿子迈，绕城观荷花，登岘山亭，晚入飞英寺，分韵得月明星稀四首》。五日，遍游飞英诸寺，饱览湖州美景，作诗《端午遍游诸寺得禅字》，作文《自记吴兴诗》。苏轼与秦观等人城南泛舟，赋诗《泛舟城南，会者五人，分韵赋诗，得人皆苦炎字四首》。

孙洙（1031—1079）卒。陈襄《熙宁经筵论荐·孙洙》：“博学能文，才识通敏，所守亦端，可充文翰史臣之选。兼明事务，通晓民政。近蒙进擢修注，深厌世论。”孙洙有词名，其仅存词作《何满子·秋怨》（帐望浮生急景）、《菩萨蛮》（楼头尚有二通鼓）收入历代多种选本。

三十日，曾巩，奉命知亳州。

六月

导洛通汴工程完工，北通黄河，接运河，长五十一里。

辽放进士。《续资治通鉴》卷七四：“是月，辽放进士刘瓘等一十三人。”

秦观于六月赴会稽省亲祖父承议公，当时叔父为会稽尉。与州守陈公阙相得甚欢，游鉴湖，访兰亭，过龙瑞宫，谒大禹庙，留下不少诗篇。州守特请憩蓬莱阁，常设宴流觞亭。席间秦观除赋诗外，常乘兴填词，留下诸名篇。

《望海潮·越州怀古》：“秦峰苍翠，耶溪潇洒，千岩万壑争流。鸳瓦雉城，谯门画戟，蓬莱燕阁三休。天际识归舟。泛五湖烟月；西子同游。茂草台荒，苎萝村冷起闲愁。　何人览古凝眸，怅朱颜易失，翠被难留。梅市旧书，兰亭古墨，依稀风韵生秋。狂客鉴湖头。有百年台沼，终日夷犹。最好金龟换酒，相与醉沧州。”

《虞美人》：“行行信马横塘畔，烟水秋平岸。绿荷多少夕阳中，知为阿谁凝恨、背西风？　红妆艇子来何处？荡桨偷相顾。鸳鸯惊起不无愁，柳外一只飞去、却回头。”本首作于是年秋天。

《满庭芳》：“山抹微云，天连衰草，画角声断谯门。暂停征棹，聊共引离樽。多少蓬莱旧事，空回首、烟霭纷纷。斜阳外，寒鸦万点，流水绕孤村。　销魂。当此际，香囊暗解，罗带轻分。谩赢得、青楼薄倖名存。此去何时见也？襟袖上、空惹啼痕。伤情处，高城望断，灯火已黄昏。”本首作于是年岁末。

七月

三佛齐、詹卑国贡于宋。

乌台诗案发生。《续资治通鉴》卷七四："御史中丞李定，言知湖州苏轼，本无学术，偶中异科。初腾沮毁之论，陛下犹置之不问。轼怙终不悔，狂悖之语日闻。轼读史传，非不知事君有礼，讪上有罪，而敢肆其愤心，公为诋訾，而又应事举对，即已有厌弊变法之意。及陛下修明政事，怨不用己，遂一切毁之，以为非是。伤教乱俗，莫胜于此。伏望断自天衷，特行典宪。御使苏亶言轼近上谢表，颇有讥切时政之言，流俗翕然，争相传诵。陛下发钱以本业贫民，则曰：'赢得儿童语音好，一年强半在城中。'陛下明法以课试群吏，则曰：'读书万卷不读律，致君尧舜知无术。'陛下兴水利，则曰：'东海若知明主意，应教斥卤变桑田。'陛下谨盐禁，则曰：'岂是闻韶解忘味，尔来三月食无盐。'其他触物及事，应口所言，无一不以诋谤为主，小则镂板，大则刻石，传播中外。自以为能，并上轼印行诗三卷。御使何正臣，亦言轼愚弄朝廷，妄自尊大。诏知谏院张璪、御史中丞李定，推治以闻。时定乞选官参治，及罢轼湖州，差职员追摄。既而帝批令御史台选牒朝臣一员，乘驿马追摄。又责不管别致疏虞状，其罢湖州朝旨，令差去官赍往。"

七日，苏轼作《文与可画筼筜谷偃竹记》，提出作者必须融铸审美对象的美学思想，主张仔细观察审美对象，从而构成主观中的审美意象，以审美激情和审美想象力，追忆其所见之审美对象。《苏东坡全集·前集》卷三二《文与可画筼筜谷偃竹记》："竹之始生．一寸之萌耳，而节叶具焉。自蜩蝮蛇蚹以至于剑拔十寻者，生而有之也。今画竹者乃节节而为之，叶叶而累之，岂复有竹乎？故画竹必先得成竹于胸中，执笔熟视，乃见其所欲画者，急起从之，振笔直遂，以追其所见，如兔起鹘落，稍纵则逝矣。与可之教予如此，予不能然也，而心识其所以然。夫既心识其所以然而不能然者，内外不一，心手不相应，不学之过也。故凡有见于中而操之不熟者，平居自视了然，而临事忽焉丧之，其独竹乎？"

甲戌（初八日），张方平以太子少师致仕，苏辙作《代张方平作乞致仕表》、《代张公谢致仕表》。

七月末，苏轼因乌台诗案下诏狱，秦观去湖州探讯，不胜惆怅。

八月

始疏浚淮南运河。

十八日，苏轼赴御史台狱。苏辙作《为兄轼下狱上书》，乞纳在身官赎苏轼，不报。苏轼得罪前，苏辙尝以谨于言行为戒。苏辙得知朝廷将逮苏轼，曾遣人赴湖州报告苏轼，不及。苏轼在狱中作诗《予以事系御史台狱，狱吏稍见侵，自度不能堪，死狱中，不得一别子由，故作二诗授狱卒梁成以遗子由二首》，又作诗《御史台榆槐竹柏四首》。

秦观于八月中旬复过杭州，与参寥月夜游西湖，相与忘形。谒辩才大师于潮音堂，应邀作文《龙井记》、《龙井题名记》。又赋《观音洞》、《游杭州佛日山净慧寺》诸诗。

九月

贺铸仍官滏阳，作诗《过晁椽端智》、《待晓朝谒天庆作》。

秦观于九月复渡江去越州，继续游历该地山水名胜，欢宴达旦。秦观还写了不少文章，记叙当地历史文物，写序作跋，触物兴怀，情来神会，表现了多方面的文学才能。

秋

曾巩去亳州上任，作文《移知亳州乞至京迎侍赴任状》、《亳州谢到任表》、《亳州与南京张宣徽启》、《亳州明堂后祭庙文》、《移亳州回人贺状》、《亳州谒诸庙文》、《亳州谒夫子庙文》、《尚书都官员外郎陈君墓志铭》、《刘伯声墓志铭》、《金华县君曾氏墓志铭》。

王安石作诗《与吕望之上东岭》。

十月

太后再忆苏轼兄弟两宰相。《续资治通鉴》卷七四："乙卯。太皇太后崩，年六十四。帝侍奉太皇太后，承迎娱悦，无所不尽。后亦慈爱倍至。或退朝稍晚，必至屏扆候嘱。初，王安石当国，变乱旧章，帝至后所，后曰：'吾闻民间甚苦青苗助役，宜罢之。'帝尝有意于燕蓟，已与大臣定议，乃诣庆寿宫白其事，后曰：'吉凶悔吝生于动，得之不过南面受贺而已，万一不得，则生灵所系，未易以言。苟可取之，太祖、太宗，收复久矣，何待今日？'帝曰：'敢不受教！'苏轼以诗得罪，下御史狱，后违豫中闻之，谓帝曰：'尝忆仁宗以制科得轼兄弟，喜曰：吾为子孙得两宰相。今闻轼以作诗系狱，得非仇人中伤之乎？捃至于诗，其过微矣。'轼由此得免。及崩，帝哀慕毁瘠，殆不胜丧。"

曾巩于本月初到零璧镇访问楚汉相争遗迹，作诗《垓下》、《过零璧张氏园三首》。注：零壁镇，政和七年（1117）改县后称为灵璧县。[思齐按：改县之前，壁、璧二字经常混用，俱见史籍。]

十一月

贺铸作诗《和田录事君义咏雪》。

十二月

宋立升舍之法，增太学生名额，并立考试升舍之法。《续资治通鉴》卷七四："乙巳。御史中丞李定等，言窃以取士兼察行艺，则是古者乡里之选，盖艺可以一日而校，行则非历岁月不可考。今酌周官书考宾兴之意，为太学三舍选察补升之法。上国子监敕式令并学令，凡百四十三条，诏行之。初，太学生檀宗益，上书言太学教养之策有七。一尊讲官。二重正禄。三正三舍。四择长谕。五增小学。六严责罚。七崇师业。帝览其言，以为可行。命定与毕仲衍、蔡京、范镗、张璪同立法，至是上之。”

苏轼出狱。《续资治通鉴》卷七四：“庚申。祠部员外郎直史馆苏轼，责授检校水部员外郎，黄州团练副使，本州安置。初，御史台既以轼具狱上法寺，当徒二年，会赦当原。御史中丞李定，言轼之奸慝，今已具服，不屏之远方，则乱俗，载职从政则坏法，伏乞特行废绝。御史舒亶，又言驸马都尉王诜，收受轼讥讽朝政文字，及遗轼钱物，并与王巩往还，漏泄禁中语。窃以轼之怨望，诋讪君父，盖虽行路，尤所讳闻，而诜恬闻轼言，不以上报，既乃阴通货赂，密与燕游。至若巩者，向连逆党，已坐废停。诜于此时，同罣会议论，而不自省惧，尚相关通。案诜受国厚恩，列在近戚，而朋比匪人，志趋如此，原情议罪，实不容诛，乞不以赦论。又言收受轼讥讽朝政文字，除王诜、王巩、李清臣外，张方平而下，凡二十二人。如盛侨、周班辈，固无足论，乃若方平与司马光、范镇、钱藻、陈襄、曾巩、孙觉、李常、刘攽、刘挚等，盖皆略能诵说先王之言，辱在公卿士大夫之列。所当以君臣之义望之者，所怀如此，顾可置而不诛乎？疏奏。诜等皆特责。狱事起，诜尝属辙密报轼，而辙不以告，官亦降黜焉。轼初下狱，方平及镇皆上书救之。不报。方平书曰：传闻有使者追苏轼过南京，当属吏，臣不详轼之所坐。而早尝识其为人，其文学实天下奇才，向举制策高等，而犹碌碌无以异于流辈。陛下振拔，特加眷奖。轼自谓见知明主，亦慨然有报上之心，但其性资疏率，阙于审重，出位多言，以速尤悔。顷年以来，闻轼屡有封章，特为陛下优容。四方闻之，莫不感慨圣明宽大之德。今其得罪，必缘故态。但陛下于四海生灵，如天覆地载，无不化育。于一苏轼，岂所好恶。自夫子删诗，取诸讽刺，以为言之者足以戒。故诗人之作，其甚者以至指斥当世之事，语涉谤黩不恭，而未闻见收而下狱也。今轼但以文辞为罪，非大过恶，臣恐付之间狴牢，罪有不测。惟陛下圣度免其禁系，以全始终之赐。虽重加谴责，敢不甘心？轼既下狱，众莫敢正言者。直舍人院王安礼，乘间进曰：‘自古大度之君，不以语言谪人。轼本以才自奋，今一旦至于法，恐后世谓不能容才。’愿陛下毋庸竟其狱。帝曰：‘朕固不欲深谴，特欲伸言者路耳，行为卿贳之。’既而戒安礼曰：‘第去无泄言，轼前贾怨于众，恐言者缘轼以害卿也。’始安礼在殿庐，见李定，问轼安否状。定曰：‘轼与金陵丞相论事不合，公幸勿营解，人将以为党。’至是归舍人院，遇谏官张璪，忿然作色曰：‘公果救苏轼邪？何为诏趣其狱？’安礼不答。其后狱果缓，卒薄其罪。”

苏轼作诗《十二月二十八日蒙恩责授检校水部员外郎黄州团练副使复用前韵二首》。

秦观词作甚佳美，“山抹微云”成雅号。本月，秦观至越，客程师孟。岁暮，别程公阚（名师盟）北归，作诗并谢启，又赋《满庭芳》（山抹微云）、《南歌子》（夕露霑芳草）。苏轼、晁补之尝评《满庭芳》一阕。胡仔《苕溪渔隐丛话·后集》卷三三引《艺苑雌黄》：“程公阚守会稽，少游客焉，馆之蓬莱阁。一日，席上有所悦，自尔眷眷，不能忘情，因赋长短句，所谓‘多少蓬莱旧事，空回首，烟霭纷纷’也。其词极为东坡所称道，取其首句，呼之为‘山抹微云’君。”

王安石作诗《半山岁晚即事二首》、《己未，耿天骘著作自乌江来，予送沈氏妹于

白鹭洲，遇雪，作此诗寄天骘》等。

本年

黄庭坚本年所作诗，以下较有名。

《见子瞻灿字韵诗和答三人四返不困而愈奇崛辄次韵寄彭门三首》(公材如洪河)、(人生等尺捶)、(元龙湖海士)，三人，指东坡、段屯田及乔太博。

《次韵盖郎中率郭郎中休官二首》(仕路风波双白发)、(世态已更千变尽)，盖、郭二人，为山谷同僚。范大士《历代诗发》卷二五："清和秀健，淡然以远。"

《送杨瓘雁门省亲二首》(执戟老翁年七十)、(蜀客出衰世)。

《次韵答张沙河》。

《再次韵呈明略并寄无咎》。廖正一，字明略；晁补之，字无咎。

《次韵无咎阎子常携琴入村》。

《再和答为之》。林为之，闽人。

《赠赵言》，赵言，一通晓医道相术的方士。

《乞猫》，陈师道《后山诗话》："虽滑而可喜，千载而下，读者如新。"

《次韵答柳童叟求田问舍之诗》，方东树《昭昧詹言》卷二〇："首二句先写解释，识趣高人一等，以下又极言其得意乐趣，收足求田问舍不得已之心。"

宋敏求(1019—1079)卒。宋敏求，字次道，赵州平棘(今河北赵县)人。熟悉朝廷典章制度，家藏书三万卷。曾参编唐史。编《唐大诏令集》。著有《长安志》、《春明退潮录》。曾巩《祭宋龙图文》："嗟呼次道，公之于古今典章沿革，得之于心，山藏海积。又于旧闻，隐显纤悉，析之以口，天高日白。公在朝廷，群公百司，解惑释疑，公为蓍龟；公在太史，维僚与属，正谬辨讹，公为耳目。今公亡矣，廷有大义，闻故事者，众失其归；国有大典，考前载者，人失其师。"

辽北院枢密使耶律伊逊(乙辛)出知南院大王事。乙辛始不执政。

兹综述苏轼出处。施宿《东坡先生年谱》："先生在徐。二月，移知湖州。经从淮浙间，所至作诗，多追感旧游，盖先生昔年自京师赴杭倅，自杭守密及是，凡三往来矣。时秦观、僧寥同载，四月，至湖。七月，御史中丞李定论先生有可废之事四，御史舒亶专摘先生诗语以为讥切时政，且云：陛下发钱以本业贫民，则曰'赢得儿童语音好，一年强半在城中'。陛下明法以课群吏，则曰'读书万卷不读律，致君尧舜知无术'。陛下兴水利，则曰'东海若知明主意，应教斥卤变桑田'。陛下谨盐禁，则曰'岂是闻韶解忘味，尔来三月食无盐'。御史何正臣亦以先生为愚弄朝廷，乞行追治，上批令御史台选牒朝臣一员乘驿追摄。八月十八日，赴御史台狱。十一月二十八日结案闻奏，差遣发运三司度支副使陈睦录问，无翻异。十二月二十六日诏责授检校尚书水部员外郎黄州团练副使本州安置。按，《元祐补录·沈括传》：括先与先生同在馆阁，先生论事与时异，补外。括察访两浙，陛辞，神宗语括曰：苏轼通判杭州，卿其善遇之！括至杭，与先生论旧，求手录近诗一通，即笺贴以进云：词皆讪怼。后李定论先生诗置狱，实本于括云。先生在狱中有二诗别子由，子由时为佥书应天府判官，奏乞纳官以赎先生罪。张文定公方平、范蜀公镇皆上书救先生，不报。先生既贬，子由责监筠州盐酒税，张公、范公与李清臣、司马公光以下二十二人皆以收受诗文罚金有差，王诜、王巩皆以往还连坐。时二相吴充、王珪，充尝为先生致言于上，珪则挤之云。”

汪藻（1079—1154）**生**。孙觌《宋显谟阁学士左大中大夫汪公藻墓志铭》：“公讳藻，字彦章，姓汪氏，饶州德兴人。……公自童幼已卓越有大志，学举子业既成，得《春秋左传》、《西汉书》，读而好之，锐意寓与之并。年甫冠，徒步游太学，有司第其文，屡出诸生上，中崇宁二年进士乙科。琼林锡宴，酒半，上方赐冰，状元霍公端友属公表谢，授纸笔立就如素习，一座惊叹。调婺州观察推官。就除宣州州学教授。……改江南西路提举学事司干当公事。代还，至京师，会徽宗亲制《君臣庆会阁》诗，群臣和进，喜事者集录为一大卷。公适见之，拟和一章，属词用韵，句法清新，出众作之右，即日传布，诸公喜而称之。除九域图志所编修官，改宣教郎。遭陈国夫人之丧，免丧，除秘书省校书郎，迁著作左郎、符宝郎。是岁政和四年也。故相王黼顷与公为太学同舍，不相中，比当国，黜公通判宣州。州将俗吏，公益不乐，上书请宫祠，得提点江州太平观。寓家晋陵凡八年，终黼之世不用，累转朝奉郎。公博学强记，自六经百家太史氏之籍、先儒笺疏传注之书，兵家族谱、方言地志、星经历法、佛老之众说，与乎万里海外蛮夷异域荒怪之序录，靡不记览。山阴贺铸方回知名士也，亦寓晋陵，聚书万余卷，公日从之游，多得所未见者。凡伏腊衣食所需，尽以供笔札而录藏之。其词章明于道德，达于世务，指事析理，引物托谕，驰骋古今，贯穿经传，该被众体，盖数十万言，自成一家。公在江西，徐俯师川、洪炎、洪刍有能诗声，自负无所屈。一日，师川见公诗于僧壁，嚄唶曰：‘此我辈人也。’率二洪于舍上谒。既去，公曰：‘骚人墨客撚须琢句以鸣其不平耳，乌足尚已？’至是数年，卒以大手笔称天下。金华劝讲，石室䌷书，典册施之朝廷，乐歌荐之郊庙，鸿文硕学，暴耀一世，人知其名，家有其书，而诗律高妙，兴寄深远，亦非近世诗人之所能及。渊圣登极，召为尚书屯田员外郎，旋改礼部，进太常少卿、起居舍人。今上践祚，转朝请郎。召为中书舍人，赐三品服。……罢公为集英殿修撰，提举江州太平观。明年复召为中书舍人，擢给事中、兵部侍郎，兼侍讲、直学士院。公草高丽答诏，上顾辅臣，称公得代言之体。久之，丽人谢表之，上复成功，真拜翰林学士，以所御白团扇亲书‘紫诰仍兼绾，黄麻似六经’十字以赐，缙绅荣之。累转朝议大夫。……寻除龙图阁直学士，知湖州。……移知抚州，岁余罢为提举江州太平观。会翰林侍读学士范冲疏言：‘日历者国之大典，比诏汪某纂集，更涉岁月，稍见功绪，书未成而中止。积久散逸，后人益难措手矣。今方就闲，可降诏令依旧纂集，俾三朝文物著在方册，非小补也。’于是有旨复命公，许辟官属二员，赐史馆修撰餐钱，辞不受。书成，凡八百册，上之，上遣使赐茶药，进官二等，加中大夫，出显谟阁学士，知徽州。公前后典六州，先惠爱，重名教，有古循吏之迹。……转左大中大夫。十二年知泉州。……移知宣州，阅月改镇江府。镇江自经建炎之乱，虽书上供米率不如数，转运使按视，计仓粟之在官者尚负数万，尽扃钥而去，军食不继。……辄以便宜开发，老守重得罪不敢辞，会言者谗公而罢，论奏不已，落职永州居住。更七八年，感风痹乞致仕，不许，竟卒于永州寓舍，时二十四年六月癸未也，享年七十六。……始，公在太学与王黼有纤芥，后黼入相，嫌恨不除，竟坐废斥，而言者指公为黼党，黜居永州，累赦不宥，卒厄于穷裔以死。虽然，朝愠暮喜，乍贤乍佞，初若一閧然，曾未转盼，如潦水之归壑，而高文大册垂世传后，与古作者并列于图书之府。圣主亲揽，追录故侯，复还旧物，得丧相除，孰与公多？公之文有《浮溪集》六十卷行于世，《后集》若干卷、《裔夷谋夏录》二卷、《青唐录》三卷、《古今雅俗字》四十四篇。公尤工大小篆，得李斯、阳冰用笔意。”

王庭珪（1079—1171）生。胡铨《监簿敷文王公墓志铭》：“乾道八年岁在壬辰三月己丑泸溪先生王公卒。公讳庭珪，字民瞻。其先太原人，八世祖该，厌唐末乱，徙居庐陵郡西六十里曰河山。……元祐污尘，皇考复徙居邑之南。……公为儿时，凛然有立，年十三，潜心大业，寒暑不拥炉挥箑。既冠，通经史百家。崇宁癸未，三舍法行，公一试即为选首。……政和戊午登进士第，调衡州茶陵县丞。民俗朴陋，则秀民置之学，士咸被服其化。三年间赢书者增至数百人。……宣和末，公见祸根已萌，葺草堂，退居泸溪之上，时年未四十，弃官却扫，教授乡里，执经登堂者肩摩。人不称其官，曰泸溪先生。……初，江西盗猖獗，公著论二篇，言招安之害。李丞相帅龙兴，欲行其言，会罢去。后帅参政张公守，遂以遗逸荐公。先是，刘公大中、李公寀相继宣谕，各遣其属，访以时政民瘼，公极言以对，二公服膺。公居草堂，未尝入州府。右使王公洋出守庐陵，遣官赍书币至山中召，且虚其堂以政事，继率其僚属延诣学宫，升堂讲道，使诸生有所矜式。一时士大夫哦诗纪其盛。自是郡数以礼请，不出。公虽在畎亩，怀忧世心。绍兴戊午，某以狂瞽忤时相。壬戌秋谪岭表，士皆结舌，公独作诗送某行，有‘痴儿不了宫中事，男子要为天下奇’之句，诏江西帅沈昭远鞫治以闻，除名窜夜郎。公至贬所，人迎劳，以先睹为快，致经蹐门者屡满。时中州刺史马羽摄守，日夕就见，尊以师礼，公谓羽曰：‘公方为时用，而加礼罪人，恐与时左。’羽曰：‘某闻先生之名久矣，若以此为罪，荣耀焉。’且遣其子从学，遂等进士第。公自夜郎归，年纪八十，读书观蝇头字，率夜分始就枕。上即位之初，召对，极言时政，诏云：‘粹然耆儒，凛有直节，顷以言语文字抵牾权臣，流落排根，殆逾二纪。’召对便殿，敷奏详剀，改左承奉郎，出国子监主簿。论事与时相不合，乞去，主管台州崇道观，令所在州常加存问。乾道庚寅再被召，固辞免。诏军将给舆棹趣遣，仍具引道日申中台。明冬始到阙，引对，免拜赐坐问劳，令稍留。公以老乞还，诏云：‘王某年九十余而智识未衰，行义已固，赐对便坐，常有嘉言。’除直敷文阁，领祠，仍赐香茗缯彩。士羡其荣。公少从乡先生学《易》，晚益悟于言意之表，汉上先生朱公震、芗林居士向公子諲过公草堂，讲论经旨，尝至夜漏，尽皆叹服。文定胡公安国过公家，亦叹且云公有经济大略，文章特其余事耳，为作《易解序引》，公未尝轻视人，欲献之公车。……公学极高明，尤工诗，书有楷法，自成一家。……有《泸溪集》五十卷、《易解》二十卷、《六经讲义》十卷、《论语讲义》五卷、《语录》五卷、《杂志》五卷、《沧海遗珠》二卷、《方外书》十卷、《校字》一卷、《凤亭山丛录》一卷。……隆兴甲申，某被员侍读，于榻前论人物及公，云：‘王某虽老，宰相才也。’盖用狄梁公荐张柬之语，上不以为过。逮庚寅冬，某应诏举诗人，再以公为举首，且奏云：‘周必大深知其人。’必大端人也。上雅记前语，肯首久之，然上之知公深矣。”

公元 1080 年（宋元丰三年　辽太康六年　夏大安六年　庚申）

正月

初一日，苏轼离京师赴黄州。经过陈州，苏轼见文同（与可）飞白，作文《文与可飞白赞》。十一日，苏辙自南都来陈相别。十四日，苏轼与苏辙分别。苏轼又与文同子文逸民告别，作《陈州与文郎逸民饮别携手河堤上作此诗》。十八日，苏轼于蔡州道上遇雪。又过新息任伋（师中）之居，留诗。又过淮河，并作诗《过淮》；至加禄镇南二十五里大许店，书戒和尚诗后，游光山净居寺，作诗《游净居寺并序》。二十日，过麻城春风岭，作诗《梅花二首》。过麻城万松亭，见熙宁间县令张毅所植松之存者不及十之三四，赋诗《万松亭并序》抒慨。至岐亭，见故人陈慥（季常），为慥所藏《朱陈村嫁娶图》题诗《陈季常所蓄朱陈村嫁娶图二首》。

吕嘉问与王安石交好。江宁府司封员外郎谪知临江军，王安石饯送，有诗《邀望之过我庐》、《送望之赴临江》。其诗《庚申游齐安院》、《庚申正月游齐安院有语云港南港北重重柳》也作于本月。

秦观自会稽还家后，日以文史自娱，并常游扬州诸名胜，有词《望海潮》。词曰："星分牛斗，疆连淮海，扬州万井提封。花发路香，莺啼人起，珠帘十里东风。豪俊气如虹。曳照春金紫，飞盖相从。巷入垂杨，画桥南北翠烟中。　　追思故国繁雄。有迷楼挂斗，月观横空。纹锦制帆，明珠溅雨，宁论爵马鱼龙。往事逐孤鸿。但乱云流水，萦带离宫。最好挥毫万字，一饮拚千钟。"

二月

章惇以翰林学士参知政事。王安石以章惇参知政事，作《贺章参政启》，旋又作《与章参政书》。

苏轼于二月一日到达黄州，作《到黄州谢表》。袁桷《清容居士集》卷四六《跋东坡黄州谢表》："昌黎公《潮州谢表》，识者谓不免有哀矜悔艾之意。坡翁《黄州谢表》，悔而不屈，哀而不怒，过于昌黎远矣。"本月作诗《初到黄州》，作自我解嘲，并以自慰。后苏轼寓居定惠院，心情逐渐好转，作诗较多，有《定惠院寓居月夜偶出》、《次韵前篇》、《安国寺浴》、《安国寺寻春》、《寓居定惠院之东，杂花满山，有海棠一株，土人不知贵也》等。

安道苏辙友谊深厚，心灵之间似有感应。苏辙贬官自南都赴筠州贬所，张方平（字安道）凄然不乐，作诗为别，苏辙有诗《追和张公安道赠别绝句一首并引》，引中录有张方平赠诗。

三月

辽道宗出皇侄淳于外，立皇孙延禧为梁王，加守太尉，兼中书令。延禧即后来之天祚帝，时年六岁。

三月乙丑，工部侍郎平章事吴充，罢为观文殿大学士，西太一宫使。

春

本年春秦观作《和黄法曹忆建溪梅花》诗，僧寥、苏轼、苏辙皆和之，后王安石书于纨扇，黄庭坚书于花光《梅树图》。

四月

宋重设监察制度。御史台言奉诏复置六察。宋监察御史分察尚书省吏、户、礼、兵、刑、工六部及朝廷各机构事务，分别称为吏察、户察、礼察、兵察、刑察、工察，统称为“六察”，察在京官司。

宋罢群牧司，复置提举买马监牧司。

吴充（1021—1080）卒。《续资治通鉴》卷七五：“观文殿大学士吴充卒，年六十，赠司空，兼侍中，谥正宪。充为相务安静，将终，戒妻子勿以私事干朝廷。世谓充心正而力不足，讥其弗能勇退云。”［思齐按：关于吴充的学行和品质，可以参考沈遘《举吴充自代状》：“臣伏睹三司盐铁副使、工部郎中行义修洁，资材博敏。其学术论议足以当顾问，其文章体用足以裁辞命。臣前尝举以自代，实所不及。伏望朝廷特赐进用，庶尽公议。”关于吴充在吏治方面“心正而力不足”的问题，可以参考《旧文正误》卷二：“孙叔易言，尝见监朱仙镇使臣云：‘少日作吴冲卿丞相直省官，亲见元丰中郭逵讨交阯，以重兵压富良江，与交人止一水隔。冲卿忌其成功，堂帖令班师。逵逗留不进，交人大入，全军皆覆，逵坐贬秩。侔储，冲卿孙也，大观中以左道伏诛，盖天报之云。’按《国史》，郭仲通以南伐得罪，诏狱穷治，后得吴丞相书云：‘安南事宜，以经久省便为佳。’时丞相已病，由是忧畏而薨，未尝下堂帖也。盖冲卿本意不欲取交州地，为得之不足守而勤供费耳。使仲通成功，丞相必受上赏，又何忌邪？况班师大事，不得旨而下堂帖，丞相且获罪不轻。详见心传所著《建炎以来系年要录》。”吴充，字冲卿。］

秦观为杭州法惠院僧法言字无择作《雪斋记》。又，秦观《龙井记》亦当作于此时。

六月

章惇奏请将水利文献刻石。《续资治通鉴》卷七五：“乙卯。参知政事章惇上《导洛通汴记》，以《元丰导洛记》为名，刻石于洛口庙。”

月初，苏轼、苏辙兄弟二人同游武昌寒溪西山。苏轼作《游武昌寒溪西山寺》、《与子由同游寒溪西山》诗，苏辙作《黄州陪子瞻游武昌西山》诗。九日，苏辙将赴筠州。苏辙离开黄州时，苏轼作诗《次韵答子由》送行。苏轼送三十里至刘郎洑。苏辙作诗《将还江州子瞻相送至刘郎洑王生家饮别》、《自黄州还江州》。苏辙至江州后，作诗《江州五咏》、《游庐山山阳七咏》，又作文《庐山栖贤寺新修僧堂记》。

七月

黄河决于澶州（今河南濮阳）之孙村、陈埽及大吴、小吴埽。

夏国集兵筑城。熙河路经略司言，西界首领禹臧、结逋药等，以译书来告：夏国集兵，将筑城于河州（今甘肃临夏西南）界，黄河之南，洮河之西。

七、八月间，曾巩自亳州移知沧州，乞朝见，作文《授沧州乞朝见状》、《移沧州过阙上疏》、《乞等时状》。

七夕，苏轼赋《菩萨蛮·七夕，黄州朝天门上二首》（画檐初挂弯弯月）、（风回仙驭云开扇）。

八月

毕仲衍上所修《中书备对》。《中书备对》为臣备君问之书，具有政府工作条例之性质。《续资治通鉴》卷七六：“庚子。检正中书户房公事毕仲衍，上所修《备对》。言周家冢宰岁终，令百官府正其治，受其会，小宰以叙受群吏之要，所谓会要者，正今中书之所宜有也。自汉至唐，旷千百年，莫知议此，故有决狱钱谷之问而不克对者，创自睿意，俾加纂集。臣捃摭故实，仅就卷秩，凡为一百二十五门，附五十八件为六卷，事多者分上中下，共为十卷。诏中书门下各录一本纳执政，仍分令诸房揭帖。初，书成，毕仲衍欲求上览，以冀功赏。帝以为此书，乃臣备君问之书，不当奏御，故有是诏。”

宋议文舞和武舞。周代雅乐分文舞、武舞两大类，宋代改进文舞和武舞，庶几增强颂扬宋代成功盛德的意义。《续资治通鉴》卷七六：“郊庙之乐，先奏文舞，次奏武舞。武舞容节六变。一变像淮扬底定，所向宜东南。四变像荆湖来归，所向宜南。五变像邛蜀纳款，所向宜西。六变象兵还振旅，所向宜北而南。今舞者非止发扬蹈厉，进退俯仰，不称成功盛德，兼失所向。又文舞容节，殊无法度，乞定二舞容节，及改所向，以称成功盛德。”

秦观，入夏得中暑疾，秋复大剧，浃月始安。有《遣疟鬼文》及《病中》、《秋夜病起怀端叔作诗寄之》二诗。

九月

宋详定官制所上以阶易官寄录新格：如中书令、侍中、同平章事为开府仪同三司，左、右仆射为特进等。

宋熙河路经略司请先团结蕃弓箭手，并颁发弓箭手编制及招募办法。

四日，王安石作《祭北山长老文》。十一日，作《答手诏言改经义事札子》。本月，吕公著为枢密副使，文彦博为太尉，王安石为特进，改封荆国公，因作《谢特进封荆国公表》、《谢加食邑表》。王安石本年所作还有《论改诗义札子》、《改撰诗义序札子》、《进字说札子》、《进字说表》、《熙宁字说序》、《进字说》、《答吕吉甫书》等文，还有诗《成字说后与曲江谭掞丹阳蔡肇同游齐安寺》。

苏轼作《卜算子》词。深秋时节，苏轼作词《卜算子·黄州定惠院寓居作》（缺月挂疏桐）。黄庭坚《豫章黄先生文集》卷二六《跋东坡乐府》：“东坡道人在黄州时作，语义高妙，似非吃烟火食人语，非胸中有万卷书，笔下无一点尘俗气，孰能至此?”

十月

辽相外放。《续资治通鉴》卷七五：“辽耶律仁杰，久在相位，贪贷无厌，时与亲戚会饮，尝曰：‘无百万两黄金，不足为宰相家。’耶律伊逊既外出，辽主渐悟仁杰奸。丁卯，出为武定军节度使。”

李德刍上《元丰郡县志》三十卷，图三卷。

十一月

曾巩上言户口与垦田。鉴于官员及郊费日增，曾巩两次上言，主张大力垦田，增加户口，并以节用为理财之要。《续资治通鉴》卷七六：“宋兴，六圣相继，与民休息，故生齿既庶，财用有余。以景德、皇祐、治平校之，景德户七百三十万，垦田一百七十万顷。皇祐户一千九十万，垦田二百二十五万顷。治平户一千二百七十万，垦田四百三十万顷。天下岁入，皇祐、治平皆一亿万以上，岁费亦一亿万以上。景德官一万余员。皇祐二万余员。治平并幕职州县官三千三百余员，总二万四千员。景德郊费六百万。皇祐一千二百万。治平一千三百万。以二者校之，官之众一倍于景德，郊之费亦一倍于景德。官之数不同如此，则皇祐、治平入官之门，多于景德也。郊之费不同如此，则皇祐、治平用财之端，多于景德也。诚诏有司案寻载籍而讲求其故，使官之数、入者之多门可考而知；郊之费用、财之多端可考而知。然后各议其可罢者罢之、可损者损之，使天下之人如皇祐、治平之盛，而天下之用、官之数、郊之费皆同于景德，二者所省盖半矣。已而再上议曰：‘陛下谓臣所言，以节用为理财之要。世之言理财者，未有及此也。’”

二十一日，黄庭坚作诗《以右军书数种赠丘十四》。丘十四：丘楫，华阳人。方东树《昭昧詹言》卷一二：“‘问谁’句倒入。‘随人’二句皆古人自道其自得处。山谷自道，所以自成一家。古人无不如此，无不快妙。亦是顺叙，收段稍佳，出题外矣。”

十二月

辽国免西京（今山西大同市）流民租赋一年。

苏辙作散文《东轩记》。此文前半部分描写小官公务繁忙的一天，系宋代文学中抒写小人物形象之妙笔，颇足玩味。后半部分抒发作者所悟之哲理，仍在儒学伦理道德中打转，批判力有所减弱。苏辙《栾城集》卷二四《东轩记》载：“余既以罪谪监筠州酒税，未至，大雨，蔑南市，登北岸，败刺史府门。监酒税治舍俯江之漘，水患尤甚。既至，弊不可处，乃告于郡，假部使者府以居。郡怜其无归也，许之。岁十二月，乃克支其欹斜，补其圮缺，辟厅事堂之东为轩，种杉二本，竹百个，以为宴休之所。然监酒税旧以三吏共事，余至，其二人者适皆罢去，事委于一。昼则坐市区鬻盐、沽酒、税豚鱼，与市人争寻尺以自效；莫归筋力疲废，辄昏然就睡，不知夜之既旦。旦则复出营之，终不能安于所谓东轩者。每旦莫出入其旁，顾志，未尝不哑然自笑也。余昔少年读书，窃尝怪颜子以箪食瓢饮，居于陋巷，人不堪其忧，颜子不改其乐。私以为虽不欲仕，然抱关击柝，尚可自养，而不害于学，何至困辱贫窭自苦如此？及来筠州，勤劳盐米之间，无一日之休，虽欲弃尘垢，解羁执，自放于道德之场，而事每劫而留之。然后知颜子之所以甘心贫贱，不肯求斗升之禄以自给者，良以其害于学故也。嗟夫！士方其未闻大道，沉酣势利，以玉帛子女自厚，自以为乐矣。及其循理以求道，落其华而收其实，从容自得，不知夫天地之为大与生死之为变，而况其下者乎？故其乐也，足以易穷饿而不怨，虽南面之王不能加之，盖非有德不能任也。余方区区欲磨洗浊污，晞圣贤之万一，滋事缺然，而欲庶几颜氏之乐，宜其不可得哉！若夫孔子周行天下，高为鲁司寇，下为乘田委吏，惟其所遇，无所不可，彼盖达者之事，而非学者之所望也。余既以谴来此，虽知桎梏之害而势不得去。独幸岁月之久，世或哀而怜之，使得归伏田里，治先人之敝庐，为环堵之室而居之，然后追求颜氏之乐，怀思东轩，优游以忘其老。然而非所敢望也。元丰三年十二月初八日眉阳苏辙记。"

苏轼作散文《画水记》。十八日，苏轼于蒲永升画后作一篇跋文《画水记》，寄惟简，惟简刻之石。《苏轼文集》卷十二《画水记》："古今画水多作平远细皱，其善者不过能为波头起状，使人至以手扪之，谓有洼隆，以为至妙矣。然其品格，特与印板水纸争工拙于毫厘间耳。唐广明中，处士孙位始出新意，画奔湍巨浪，与山石曲折，随物赋形，尽水之变，号称神逸。其后蜀人黄筌、孙知微，皆得其笔法。始，知微欲于大慈寺寿宁院壁作湖滩水石四堵，营度经隧，终不肯下笔。一日，仓皇入寺，索笔墨甚急，奋袂如风，须臾而成，作输泻跳蹙之势，汹汹欲崩星也。知微既死，笔法中绝五十余年。近岁成都人蒲永升，嗜酒放浪，性与画会，始作活水，得二孙本意。自黄居寀兄弟、李怀衮之流，皆不及也。王公富人或以势力使之，永升辄嘻笑舍去。遇其欲画，不择贵贱，顷刻而成。尝与余临寿宁院水，作二十四幅，每夏日挂之高堂素壁，即阴风袭人，毛发为立。永升今老矣，画亦难得，而世之识真者亦少。如往时董羽、近日常州戚氏画水，世或传宝之。如董、戚之流，可谓死水，未可与永升同年而语也。元丰三年十二月十八日夜，黄州临皋亭西斋戏书。"《画水记》，又作《书蒲永升画后》，文中提出重要文艺理论，即一切艺术作品不但要求形似而且要求神似。沈德潜《唐宋八大家文读本》卷二四："活水死水，可悟行文之法。中苍黄如寺一段，尤能状出神来之候。盖古今妙文，无有不成于神来者，天机忽动，得之自然，人力不与也。"

苏轼多才多艺，亦长于融贯多种艺术形式而论述文学创作的机理，又如《苏轼文集》卷六七《书黄子思诗集后》："予尝论书，以谓钟、王之迹，萧散简远，妙在笔画之外。至唐颜、柳，始集古今笔法而尽法之，极书之变，天下翕然以为宗师。而钟、王之法益微。至于诗亦然。苏、李之天成，曹、刘之自得，陶、谢之超然，盖亦至矣。而李太白、杜子美，以英玮绝世之姿，凌跨百代，古今诗人尽废。然魏、晋以来，高风绝尘，亦少衰矣。李、杜之后，诗人继做，虽间有远韵，而才不逮意。独韦应物、柳宗元，发纤秾于简古，寄至味于澹泊，非余子所及也。唐末司空图崎岖兵乱之间，而诗文高雅，犹有承平之遗风，其论诗曰：'梅止于酸，盐止于咸，饮食不可无盐、梅，而其美常在咸、酸之外。'盖自列其诗之有得于文字之表者二十四韵，恨当时不识其妙，予三复其言而悲之。闽人黄子思，庆历、皇祐间号能文者。予尝闻前辈诵其诗，每得佳句妙语，反复数四，乃识其所谓。信乎表圣之言，美在咸、酸之外，可以一唱而三叹也。予既与其子几道、其孙师是游，得窥其家集。而子思独行高志，为吏有异才，见于墓志详矣，予不复论，独评其诗如此。”

黄庭坚作诗《宿旧彭泽怀陶令》、《过致政屯田刘公隐庐》。刘公，即刘焕，字凝之。

本年

宋朝太后自出金帛，于京城建上清储祥宫，道士王太初以符箓行于宫中，遂委以营官之任，并赐号“灵慧冲寂大师”。右街道录张君善等乞请：“自今补道职，试《道德经》、《灵宝度人经》、《南华真经》等义，并宣读科筑等为兼经，依迁补僧职等官考试。”从之。

兹综述苏轼出处。施宿《东坡先生年谱》：“正月，先生出京，过陈，子由自南京来会，留三日而别。过歧亭，访陈慥。初，先生在凤翔，与陈公弼不协，先生贬黄州，公弼之子慥季常居歧亭，人谓慥必修怨，乃与先生欢然相得。先生居黄，凡四过之。二月，至黄州。四月，上文潞公书云：某始就逮赴狱，有一子稍长，徒步相随，其余守舍皆妇女幼稚。至宿州，御史符下，就家取文书，州郡望风，遣吏发卒，围舩搜取，老幼几怖死，悉取烧之。事定重复寻理，十亡其七八矣。到黄无所用心，辄复覃思于《易》、《论语》，端居深念，若有所得。五月，子由自南都来，送先生家至黄，留十日别去，赴筠州任。是冬，有答秦太虚书言：所居对岸武昌，山水绝佳。有蜀人王生在邑中，往往为风涛所隔，不能即归，则王生为杀鸡炊黍，至数日不厌。又有潘生作酒店樊口，棹小舟径至店下，村酒亦醇酽，大芋长尺余，不减蜀中。外县斗米二十，有水路可致。羊肉如北方，鱼蟹不论钱。岐亭监酒胡定之，载书万卷随行，喜借人看。黄州官曹数人，皆家善庖馔。太虚视此数事，岂不既济矣乎？展读至此，想见掀髯一笑也。先生长西蜀，名满天下，既仕中朝，历大藩，而一坐贬谪，所至辄狎渔樵。穷山水之胜，安其风土，若将终生焉，其视富贵何有哉？黄人从先生游者，潘大临邠老，弟大观仲达，何颉斯举辈，后皆有诗云。”

黄庭坚本年所作诗，较有名的还有：

《次韵答叔原会寂照房呈稚川》，晏几道，字叔原，号小山。王稚川，山谷友人。

《稚川约晚过进叔次前韵赠稚川并呈进叔》，时进叔，山谷友人。

《汴岸置酒赠黄十七》，方回《瀛奎律髓》卷二五：“亦吴体，学老杜者。注脚四句可参看。必从‘吾宗’起句，则物流‘初平’、‘叔度’黄姓事为切。若止用‘百丈’、‘暮卷’起句，则‘吾党’、‘田翁’一联亦可也。”黄十七，即黄几复。

《赠别李端叔》，李之仪，字端叔。

《池口风雨留三日》，方东树《昭昧詹言》卷二〇：“起句顺点，次句夹写夹叙，三四以物为姓，兼比。五六以人为兴。收出场入妙。此诗别有风味，一洗腥腴。”

《姨母李夫人墨竹二首》(深闺静几试笔墨)、(小竹扶疏大竹枯)。

秦观三十岁。本年在高邮闭门读书。初春，写《竹诗》抒怀。苏辙因受其兄牵连，南贬高安，途经高邮与秦观相聚。苏辙游扬州平山堂、摘星亭等名胜，赋诗《广陵五题》，秦观次韵相和。王定国因受苏轼牵连，南贬宾州，在高邮会见秦观，后有书信往来。鲜于侁（子骏）为扬州太守，秦观为作《鲜于子骏使臣生日》诗，《扬州集序》。邵彦瞻为扬州从事，与秦观以诗相唱和。苏轼谪居黄州，秦观作书问候。孙觉坐乌台诗案，徙知福州，秦观经常致书，谈亲友家与自己求学详情。黄庭坚、李端叔先后来造访，秦观称赞黄庭坚为“江南第一等人物”。

及第之前，秦观曾暂居某显贵家，有词《江城子》：“枣花金钗乐柔荑。昔曾携。事难期。咫尺玉颜，和泪锁春闺。恰似小园桃与李，随同处，不同枝。　玉笙初度颤鸾篦。落花飞。为谁吹？月冷风高，此恨只天知。任是行人无定处，重相间，是何时？”又有词《一落索》：“杨花终日飞舞。奈久长难驻。海潮虽是暂时来，却有个、堪凭处。　紫府碧云为路。好相将归去。肯如薄幸五更风，不解与、花为主？”

秦观早期词还有《阮郎归》：“宫腰袅袅翠鬟松。夜堂深处逢。无端银烛殒秋风。灵犀得暗通。　身有恨，恨无穷。星河沉晓空。陇头流水各西东。佳期如梦中。”

元丰初，秦观有词《雨中花》，词曰：“指点虚无征路，醉乘斑虬，远访西极。正天风吹落，满空寒白，玉女明星迎笑，何苦自淹尘城？正火轮飞上，雾卷烟开，洞观金碧。　重重观阁，横枕鳌峰，水面倒衔苍石。随处有、奇香幽火，杳然难测。好似蟠桃熟后，阿环偷报消息。在天碧海，一枝难遇，占取春色。”

秦观青年时期，有词《醉桃源》（自注：以阮郎归歌之亦可）：“碧天如水月如眉。城头银漏迟。绿波风动画船移。娇羞初见时。　银烛暗，翠帘垂。芳心两自知。楚台魂断晓云飞。幽欢难再期。”

乡居时，秦观有词《促拍满路花》：“露颗添花色，月彩偷窗隙。春思如中酒，恨无力。洞房咫尺，曾寄青鸾翼。云散无踪迹。罗帐薰餐，梦回无处寻觅。　轻红腻白，步步薰兰泽。约腕金环重，宜装饰。未知安否？一向无消息。不似寻常忆。忆后教人，片时存济不得。”《夜游宫》：“何事东君又去？空满院、花落飞絮。巧燕呢喃向人语。何曾衔、说伊家、些子苦。　况是伤心绪。念个人、又成暌阻。一觉相思梦回处。连宵雨、更那堪、闻杜宇！”

元丰年间，秦观有词《长相思》：“铁瓮城高，蒜山渡阔，干云十二层楼。开樽待月，掩箔披风，依然灯火扬州。绮陌南头，记歌名宛转，乡号温柔。曲槛俯清流。想花阴、谁系兰舟？　念凄绝琴弦，感深荆赋，相望几许凝愁。勤勤裁尺素，奈双鱼、难渡瓜洲。晓鉴堪羞。潘鬓点、吴霜渐稠。幸于飞、鸳鸯未老，不应同是悲秋。”

公元 1081 年（宋元丰四年　辽太康七年　夏大安七年　辛酉）

正月

宋朝派兵讨伐泸蛮乞弟。《续资治通鉴》卷七六：“春正月乙未。命步兵都虞候林广，经制泸夷。时韩存保讨泸蛮乞弟，逗扰不进，以广代之。广至阅兵合将，蒐人材勇怯三分之，日夕肄习，闲椎牛享犒，士心皆奋。遣使开晓乞弟，仍索所亡卒。乞弟归卒七人，书奏而身不至。乃决策深入，陈师泸水，率将吏东向再拜，誓之曰：‘今孤军远略，久驻贼境，退则为戮，冒死一战，胜负未可知，纵死犹有赏，愈于退而死也。与汝等戮力而进，可乎?’众皆踊跃。”

前征安南，曾建顺州，现以地瘴疠不可守，知枢密院孙固请弃之，内徙者二万户。

宋诏试进士加律义。

苏轼与道教关系甚深。正月初，与潘丙观子（紫）姑神于郭遘家，作文《子姑神记》记之，又作词《少年游》（玉肌铅粉傲秋霜），戏记子姑神之事。此外，苏轼《仙姑问答》亦记载此事。道教典籍《异苑》：紫姑，莱阳人，姓何，名媚娘，字丽卿。寿阳李景纳为妾，为大妇曹氏所嫉，正月十五夜阴杀之于厕间。上帝悯之，命为厕神。故世人以其日作其形于厕间，迎祝之，以占众事。能知祸福，谓之卜紫姑，或云坑三姑。

韩缜以龙图阁直学士同知枢密院事，以吕公著同知枢密院事。

于阗贡于宋。五部国长贡于辽。女真贡良马于辽。

二月

宋置铸钱监于秦州（今甘肃天水市）。

贺铸罢官滏阳，过元城、成安，有诗《寄杜仲观》、《魏东城成安道中寄怀冯唯逸》。

三月

乙巳，宋命官检阅九军营阵法于京城南。戊申，又大阅九军。

知制诰王安礼为翰林学士。

春

王安石作诗《独卧有怀》。《王荆文公诗》卷四刘辰翁评：“看似容易。”又作《望钟山》。《王荆文公诗》卷五刘辰翁评：“其诗每欲为萧然者，更胜思索。”

四月

河又决澶州小吴埽（今河南濮阳西），决入北流，东流淤塞。

五月

端午日，苏轼作词《少年游·端午赠黄守徐君遒》（银塘朱槛曲尘波）。黄州太守徐大受，字君遒。本月，苏轼经营东坡，马正卿为经纪之，作诗《东坡八首并叙》。自是始号东坡居士，盖慕白居易而然。又与王巩（定国）简，欲自号鳌糟陂里陶靖节；简及王诜（晋卿）。《苏轼全集》卷五二《与王定国四十一首》之十三：“近于侧左得荒地数十亩，买牛一具，躬耕其中。今岁旱，米贵甚。近日方得雨，日夜垦辟，欲种麦，虽劳苦却亦有味。临曲相逢欣欣，欲自号鏊糟陂里陶靖节，如何？”

端午龙舟竞渡，苏辙作《竞渡》诗。九日，苏辙作文《庐山栖贤寺新修僧堂记》。不久之后，苏轼作文《跋子由栖贤堂记后》称赞苏辙此记。十七日，应圣寿院僧省聪之请，作文《筠州圣寿院法堂记》。关于僧聪，苏辙另有《筠州聪禅师得法颂并叙》记载其人其事。

六月

王韶（1030 — 1081）卒，谥襄敏，官其子六人。《续资治通鉴》卷七六：“韶用兵颇有方略，每招诸将授指，不复更问，所至辄捷。尝夜卧军帐中，前部遇敌，矢石交下，呼声振山谷，侍旁者往往股栗，而韶鼾息自若。然熙河所奏，多欺诞，杀蕃部老弱，不可胜数，军以首级为功。韶交亲皆楚人，多依韶以求仕，韶分属诸将。诸将畜降羌老弱，或杀其首以应命。至是疽发背而卒。”

河北诸郡蝗灾。提举开封府界常平等事王得臣，奉命督促诸县捕蝗。

举兵易，解祸难。《续资治通鉴》卷七六：“帝初议西讨。知枢密院孙固曰：‘举兵易，解祸难。’前后论之甚切。帝意既决，固曰：‘必不得已，请声其罪，薄伐之，分裂其地，使其酋长自守。’帝笑曰：‘此真郦生之说。’时执政有请直渡河者，帝意益坚。固曰：‘然则孰为陛下任此者？’帝曰：‘吾以属李宪。’固曰：‘伐国大事而以宦官为之，士大夫孰肯为用？’上不悦。固请去，不许。它日又对曰：‘今举重兵，五路并进，而无大帅，就使成功，必为乱。’固数以大帅为言，帝谕以无其人。同知枢密院吕公著进曰：‘既无其人，不若且已。’固曰：‘公著言是也。’”

夏

秦观与觏、觌两弟学习时文，以求应举。家人贫病交迫。《淮海集》卷三十《与苏公先生简》之四：“某顿首再拜。去冬伏奉所赐教，旋又李献甫过此，甚得兴居之详，欣慰何可胜言！寻欲上状，而区区之情欲布于左右者，一日复一日，人事无间断。而自春已来，尤复扰扰。家叔自会稽得替，便道取疾，入京改官，令某士大夫还高邮。又安措亡婶灵柩在扬州，且买地，趁今冬举葬。入夏又为诸弟辈，学时文应举。而家叔至今虽已改官，尚滞京师未还。老幼夏间多疾病，更遇岁饥，聚族四十口，食不足，终日匆匆无聊赖。本欲作书详道，至今不果，甚可笑也，想公当悉此意矣。即日初寒，伏惟尊候万福。前得所赐书，承用道家方士之言，自冬至后屏去人事，室居四十九日乃出。又李漕传到成都《大慈宝藏记文》，诵书读记，想见公超然逸举于形骸埃堨外，虽欲从之，不可得也。辱诲谕，且令勉强可掬，如某者实无所有，岂敢求异于时，但长年颇惭为儿女子所嗤笑耳。得公书，重以亲老之命，颇自摧折，不复如向来简慢。尽取今人所谓时文者读之，以为亦不甚难。及试就其体作数首，辄有见推可者，因以应书，遂亦蒙见路，今复加工，如求应举时矣。但恐南省所取又不同，倘只如此，恐十有一二可得也。前寄呈《乱道》，继亦作得十数篇，未敢附上。子骏以公言，顾遇甚厚，尝令作《扬州集序》。并辩才法师见嘱，作《龙井记》，二师嘱作《雪斋记》。二集皆黄鲁直为书，已刻成，尚未寄到。今且录草去，因便却乞并此书，转到高安先生处。幸甚，幸甚！子骏以保任不当罢去。莘老复固辞不来此，亦是无聊一事也。莘老云：有两书托公择寄去，不知曾有书去否？渠云非求答，但欲知达否尔。昨过此不多日，然相聚甚款，未尝无一日不数十次及公昆仲也。虽不来扬州，为公作黄楼主人，亦是吾当中一段佳事。某来岁东归时，庶几到徐见之也。黄鲁直去年过此，出所为文，尤非昔时所见。其为人亦称是，真所谓豪杰间出之士也，但恨去速，不得与之从容。参寥在阿育王山琏老处，极得所。彼亦有书来，昨云已断吟诗，问说后来亦复破戒矣。某数日间便西行。未缘侍坐，伏乞与时自重，下慰瞻依。不宣。某再拜。”苏轼爱惜人才，十分器重秦观，但亦劝其应进士试，以获取“学历”，其忠厚如此。

七月

命集贤院学士苏颂同详定官制。

于阗遣使朝见宋神宗。

曾巩奉诏充史馆修撰，专典五朝国史。

八月

神宗诏编辑宋辽通好文书。《续资治通鉴》卷七六：“丙辰。诏自南北通和以来，国信文字，差集贤院学士苏颂编类。颂因进对，帝曰：‘朝廷与契丹通好岁久，故事仪式，遗散者多，每使人生事，无以折正。朕欲集国朝以来至昨代州定地界文案，以类编次为书，使后来得以稽据，非卿不可成。因令置局于枢密后厅，仍辟官检阅文字。’”

司马光、赵彦若上所修《百官公卿年表》十卷，《宗室世表》十卷。

交趾增入贡人员。《续资治通鉴》卷七六：“庚午。广西经略司言，交趾入贡百五十六人，比旧制增五十六人。帝令据今已到人数赴阙。后准此。”

佛泥国遣使入贡。《续资治通鉴》卷七六：“佛泥国遣使入贡。佛泥不入贡者，九百余年矣。”佛泥，即渤泥国。

苏辙差入筠州试院评定考卷，作诗《试院酬唱十一首》。放榜之后，又作诗《放榜后次韵毛守见招》。毛维瞻，字国镇，时为筠州守，生于大中祥符四年（1011），年长苏辙二十八岁，《两浙名贤录》卷四六有传。之后，苏辙作诗《送毛滂斋郎》送毛滂。毛滂（1060—1124），字泽民，小名斋郎，毛维瞻之子。毛滂当时约二十二岁，后来成为著名词人，词集名《东堂集》。

九月

王珪上《国朝会要》。

神宗阅河北保甲于崇政殿。

王安石好道教。二十九日，王安石梦高邮土山道人，并与同卧一榻，遂作诗《记梦》。题下自注云："辛酉九月二十二日夜，梦高邮土山道人赴蒋山北集云峰为长老，已而坐化。复出山南兴国寺，与余同卧一榻。探怀出片竹数寸，上绕生丝，属余藏之。余弃弗取，作诗与之。"

筠州圣祖院修成，苏辙作《筠州圣祖殿记》，记末为诗六章，章八句，刻之祠廷之右。圣祖殿，又称圣祖院。圣祖，指后稷和老子。老子为道祖。后稷为周民族之祖先，道教建立之后，亦将后稷纳入其神仙系统，以之配天。

秋

王安石作元丰组诗。本年五谷丰稔，王安石有诗《元丰行示德逢》。陈衍《宋诗精华录》卷二："音节极高亢。介甫入相未久，即逢大旱及彗星天变，本不足信者。然熙宁八年复相后，未几又去，判江宁府，直至元丰三年。介甫岂真颂扬元丰者。若曰水旱无常，幸而得雨，从此千秋万岁，五风一雨矣。末句点出帝力何有意。"方东树《昭昧詹言》卷一二："先旱后雨，颂扬耳，却以德逢作纬，便用意深曲，不同俗手。……收阔大，又以德逢纬之，章法也。"此诗的姊妹篇为《后元丰行》，亦作于本年。陈衍《宋诗精华录》卷二："次首亦专言得雨事，不能忘情于因旱被攻击也。"《王荆文公诗》卷一刘辰翁评："（歌元丰，十日五日一雨风）只此两语岂可及，不可谓无其事也，亦怪他自诧不得。（虽非社日常闻鼓）上两句自好，又著两句分疏。"须知在此之前，王安石于元丰二年（1079）作《歌元丰五首》，歌颂元丰初年社会安定、农业丰收的景象。

秦观入狱。元丰四年秋，秦观曾遭追捕，入淮南狱。周必大题跋录载秦观《与某知己简》："观自去岁入京，遭此追捕，亲老骨肉亦不敢留，乡里治生之具，缘此荡尽。今虽得生还，而仰事俯首之计萧然不给，想公闻之不能无恻然也。不知能为谋一主学处否？试望留意，幸甚！惠及银杏，尤见厚意，感悚匆遽，未有以为献者。行甫闻授宣城，是否？家叔已赴宾州渤海知县，祖父在彼幸安，但地远难得书耳。李端叔从军，都无闻耗，不知何如也。与公别未几，世间事多变如此，既可叹复可笑耳。何时展晤，以尽所怀。观再拜。"此简作于元丰五年。秦观《对淮南狱二首》亦作于元丰四年秋天，其一："一室如悬磬，人音尽不闻。老兵随卧起，漂母给朝曛。樊雉思秋野，鞲鹰望暮云。念归忘食事，日减臂环分。"其二："淮海行摇落，文书亦罢休。风霜欺独宿，灯火伴冥搜。笳动朱楼晓，参横粉堞秋。更拚飞镜破，应得大刀头。"

十月

拂菻国贡于宋（拂菻国或作拂林，宋时指处于塞尔柱突厥统治下的西亚一带）。

二十四日，王安石作诗《与道原游西庵遂至草堂宝乘寺二首》。

史馆修撰曾巩乞收采名臣高士事迹遗文，诏从之。曾巩在史馆时所作，有《史馆申请三道札子》、《英宗实录院申请札子》、《进太祖皇帝总序状》、《太祖皇帝总序》、《再乞等对状》、《尚书北员外郎李君墓志铭》、《仙源县君曾氏墓志铭》。

十二月

文彦博、张方平谏止伐西夏。文彦博以西帅溃败，将士之力已殚，百姓供馈已竭，则胜败恐不可知。张方平亦上书言西夏用兵之害，《续资治通鉴》卷七六："张方平上书，言臣闻好兵犹好色也，伤生之事非一，而好色者必死；贼民之事非一，而好兵者必亡。夫惟圣人之兵，皆出于不得已。故其胜也，享安全之福；其不胜也，必无意外之患。后世用兵皆得已而不已。故其胜也，则变迟而祸大；其不胜也，变速而祸小。是以圣人不计胜负之功，而深戒用兵之祸。何者？兴师十万，日费千金，内外骚动，殆于道路七十万家。内则府库空虚，外则百姓穷匮。饥寒逼迫，其后必有盗贼之忧；死伤愁怨，其终必致水旱之报。上则将帅拥众有跋扈之心，下则士众久役有溃败之志。变故百出，皆由用兵。至于兴事首议之人，冥谪尤重。盖以平民无故缘兵而死，怨气充积，必有任其咎者。是以圣人畏之重之，非不得已，不敢用也。"

本年

宋夏之战　是年，宋与西夏发生大战。先是西夏政变，西夏梁太后夺国君权，惠宗被囚，太后专朝政。宋以此为进攻西夏之机。六月神宗议讨伐西夏。七月，乃发动规模空前的五路大进攻。宋大军攻西夏米脂寨，诏董毡会兵讨之。宋命李宪为五路统帅，自熙河路出发，种谔出鄜延路，高遵裕出环庆路，刘昌祚出泾原路，王中正出河东路。宋军拟先取灵州（今宁夏灵武西南），直捣兴州（今宁夏银川市）。八月，诏熙河路帅李宪等："今来举功，不同凡敌，图人百年一国，甚非细事。苟非上下毕力，将士协心，何以共济？须不惜爵赏，鼓励三军之气。"显然欲一举荡平西夏。八月，种谔与李宪出界攻夏皆获胜。李宪收复兰州（今甘肃兰州旧皋兰）古城，蕃部皆降。十月，西夏米脂寨降。种谔至石州（今山西离石），西夏丢弃积年文案败走。种谔入夏州（今陕西靖边），又入银川（今陕西米脂西北）。王中正屠宥州（今陕西靖边东）。十一月，刘昌祚军夺磨脐隘（在今宁夏宁武市南百余里），遂乘胜直抵灵州城下。刘昌祚本受高遵裕节制，遵裕命其捎带后军。及遵裕至灵州，夏兵已有备，宋围城十八天竟不能克。夏人决黄河水，以灌宋营垒，又绝宋军运输线，宋军饿死者甚众，于是高遵裕军溃。种谔军亦以军粮缺乏，又值大雪，士兵溃散。王中正军屠宥州后，军粮告竭，被迫回军。李宪出击西夏，闻诸军皆败，十一月亦回熙河路。初，西夏闻宋大举兵，梁太后问策于群臣，有主迎击者，独一老将以为："不须拒之，但坚壁清野，纵其深入，聚劲兵于灵、夏，西遣骑抄绝其馈运，大兵无食，可不战而困也。"西夏果然以坚壁清野之计，挫败优势之宋军，然自此以后自身亦元气大伤。

兹综述苏轼出处。施宿《东坡先生年谱》："先生在黄州。始营东坡，自号东坡居士。盖先生初寓居定惠院，未几迁临皋亭。后复营东坡雪堂，而处其孥于临皋。七月，有旨徐州失觉察妖贼事，免取勘。"

黄庭坚本年所作诗，较著名的有：

《到官归志浩然二绝句》(雨洗风吹桃李净)、(乌乌未觉常先晓)，作于初到太和时。

《发赣上寄余洪范》，余洪范名下，黄庭坚元丰四年自太和往南安军考试，经行赣上，洪范时为赣州郡掾，与之唱和。

《赣上食莲有感》，汪薇《诗伦》卷下："山谷食莲诗，比体入妙，发端在家庭间，渐引入身世相接处，落落穆穆，甘苦自知，人意难谐，归计遂决。风人之致，倜然远矣。"黄爵滋《读山谷诗集》："比兴杂陈，乐府佳致，效山谷者谁解为此。"

《题槐安阁》，山谷自太和考试南安，过虔州作。

《秋思寄子由》，黄爵滋《读山谷诗集》："老横，在七绝中另是一格。"

《次元明韵寄子由》，方东树《昭昧詹言》卷二十："平叙起，次句接得不测，不觉其为对，笔势宏放。三四即从次句生出，更横阔。五六始入题叙情。收别有情事，亲切，言彼此皆有兄弟之思，非如前诸结句之空套也。此诗足供揣摩取法。"

《次韵寄上七兄》，七兄，即黄大临，因在群从兄弟之中排行第七，故称。

《次韵答孔毅甫》。孔平仲，字毅甫，一作毅父，临江新赣（今江西新干）人，与兄文仲（经父）、武仲（常父）俱以文名，合称"清江三孔"。

还有《再用旧韵寄孔毅甫》。

陈师道与秦观相知甚早甚深。陈师道认为，秦观是大有为之士。本年秦观三十三岁，与陈师道复见于广陵逆旅。元丰元年（1078），陈师道始识秦观于徐州。《后山居士文集》卷十六《秦少游字序》："熙宁元丰之间，眉苏公之子守徐，余以民事太守，间见如客。扬秦子过焉，丰醴备乐，如师弟子。其时余病卧里中，闻其行道雍容，逆者旋目，论说伟辩，做者属耳。世以此奇之，而亦以此疑之，惟公以为杰士。是后数岁，从吴归，见于广陵逆旅之家，夜半，语未卒，别去，余亦以谓当建侯万里外也。元丰之末，余客东都，秦子从东来。别数岁矣，其容充然，其口隐然，余惊焉，以问，秦子曰：'往吾少时，如杜牧之强志盛气，好大而见奇，读兵书乃与意合，谓功誉可力致，而天下无难事。顾今二虏有可胜之势，愿效至计，以行天诛，回幽夏之故墟，吊唐晋之遗人，流声无穷，为计不朽，岂不伟哉！于是字以太虚，以道吾志。今吾年至而虑易，不待蹈险而悔及之。愿还四方之事，归劳邑里如马少游，于是字以少游，以识吾过。尝试以语公，又以为可，于子何如？'余以谓取善于人，以成其身，君子伟之。且夫二子，或进以经世，或退以存身，可与为仁矣。然行者难工，处者易持。牧之之智得，不若少游之拙失也。子以倍人之才，学益明矣，犹屈意于少游，岂过直以矫曲耶？子年益高，德益大，余将屡惊焉，不一再而已也。虽然，以子之才，虽不效于世，世不舍子，余意子终有万里行也。如余之愚，莫宜于世，乃当守丘墓，保田里，力农以奉公上，谨身以训闾巷，生称善人，死表于道，曰：'处士陈君之墓。'或者天祚以年，见子功遂名成，奉身以还，王侯将相，高车大马，祖行帐饮。于是乘庳御驽，候子上东门外，举酒相属，成公知人之名，以为子贺，盖自此始。"公，苏轼也。

孙觌（1081—1169）生。周必大《洪庆居士集序》："公生于元丰辛酉。当大观、政和间，士惟王氏三经义、《字说》是习，而公博学笃志如韩退之，谓礼部所试可无学而能者。第进士，冠词科，笔势翩翩，高出流辈。降及知命，建康俶扰，为执法，为词臣，旋由琐闼历吏、户长贰，连守大邦。其章疏、制诰、表奏，往往如陆敬舆，明辨骏法，每一篇出，士争传诵。绍兴而后，遭值口语，斥居象郡。久之，归隐太湖上，舍蛮蜑而狎鸥鹭，去茅苇而友松菊。于是缁北堂万卷之钞，袖明光起草之手，默观物化，吟咏情性，烟波万顷纳之胸次，风云变态日接于前，如是二纪，所得不可胜计，毋怪乎笔端之衮衮也。天门划开，诉掌上达，论择次对，玺书继下。年虽耋老，亲为谢表，至于宰执、侍从、台谏，则人之一启，各出新意，其用事属辞，少壮所不逮。又后十载，当孝宗朝，尝命编类蔡京、王黼等事实，上之史官。此与伏生年九十余，诏太常往受《汉书》何异，是岂可以他人老少常理论也哉！殁既一世，其子兴国太守介宗以书谓必大曰：'先君文稿，中更兵烬，存者无几，而闽、蜀所刻，复杂翟中惠之文，大惧不足传信。今定为四十二卷，其未备者方裒次《外集》，为我序之。'忆乾道丁亥遇公阳羡，公八十有七矣，论文之余，语及前朝旧事，健论滔滔，如洪河东注，绪言缅缅，如聚茧缫丝，屡更仆不能休，然后知公非特文锋不可当，而老如赵充国，尤善为兵也。兹幸挂名集端，因具列之。近岁吏部侍郎郭公立方作《韵语阳秋》，载东坡自海南归，公方髫龀，坡命对'衡门稚子璠玙器'，公应声云'翰苑仙人锦绣肠'，坡叹曰：'真璠玙也！'以公早慧，固应有此；然坡北归实靖国辛巳，公已二十一，得非原丰乙丑自便还常，公才五岁时乎？所记讹耳。乡人既户传，亦不得而略也。公讳觌，字仲益，尝以龙图阁学士提举南京洪庆宫，故自号洪庆居士云。"

朱敦儒（1081—1159）生。《宋史》卷四四五《朱敦儒传》："朱敦儒字希真，河南人。父勃，绍圣谏官。敦儒志行高洁，虽为布衣而有朝野之望。靖康中，诏至京师，将处以学官，敦儒辞曰：'麋鹿之性，自乐闲旷，爵禄非所愿也。'固辞还山。高宗即位，诏举草泽才德之士，预选者命中书策试，授以官。于是淮西部使者言敦儒有文武才。召之，敦儒又辞。避乱客南雄州，张浚奏赴军前计议，弗起。绍兴二年，宣谕使明橐言敦儒深达治体，有经世才，廷臣亦多称其靖退。诏以为右迪功郎，下肇庆府敦遣诣行在，敦儒不肯受诏。其故人劝之曰：'今天子侧席幽士，翼宣中兴，谯定召于蜀，苏庠召于浙，张自牧召于长芦，莫不声流天京，风动郡国，君何为栖茅茹藿，白首岩谷乎！'敦儒始幡然而起。既至，命对便殿，论议明畅。上悦，赐进士出身，为秘书省正字。俄兼兵部郎官，迁两浙东路提点刑狱。会右谏议大夫汪勃劾敦儒专立异论，与李光交通。高宗曰：'爵禄所以厉世，如其可与，则文臣便至侍从，武臣便至节钺；如其不可，虽一命亦不容轻授。'敦儒遂罢。十九年，上书请归，许之。敦儒素工诗及乐府，婉丽清畅。时秦桧当国，喜奖用骚人墨客以文太平，桧子熺亦好诗，于是先用敦儒子为删定官，复除敦儒鸿胪少卿。桧死，敦儒亦废。谈者谓敦儒老怀舐犊之爱，而畏避窜逐，故其节不终云。"

陈克（1081—1137）生。旧题陈起《两宋明贤小集》卷一三六："陈克字子高，临海人。绍兴中敕令所删定官，自号赤诚居士，侨居金陵。有《天台集》。"周济《介存斋论词杂著》："子高不甚有重名，然格韵绝高，昔人谓晏、周之流亚。晏氏父子，俱非其敌。以方美成，则又拟于不伦。其温、韦高弟乎。比温则薄，比韦则悍，故当出入二氏之门。"有《赤诚词》一卷。

公元1082年（宋元丰五年　辽太康八年　夏大安八年　壬戌）

正月

宋新造浑仪成。《续资治通鉴》卷七七："乙巳。详定浑仪官欧阳发，进新造浑仪、浮漏，命集其说为《元丰浑仪法要》。”

铁骊、五国诸长贡方物于辽。

曾巩于十一日作《正月十一日迎驾呈诸同舍》诗。十五日，作诗《和御制上元观灯》、《史馆相公上元观灯》。

二月

宋将林广兵侵乌蛮乞弟无功而返。《续资治通鉴》卷七七：“乌蛮乞弟遁去，林广乃率众深入。会大雨雪浃旬，始次老人山，山形剑立，度黑崖，至鸦飞不到山，进次归来州。天大寒，军士皆冻堕指，留四日，求乞弟不可得。内侍麦文昺，问广军事，广曰：‘贼未授首，当待罪。’文昺乃出所受密诏曰：‘大兵深入讨贼，期在枭获元恶。如已破其巢穴，虽未得乞弟，亦听班师。’军中皆呼万岁。丙辰，广以众还。”

进封常乐郡公董毡为武威郡王，以会兵讨西夏故也。

宋颁《三省、枢密、六曹条制》。

三月

刘谊上书言新法不便。《续资治通鉴》卷七七：“乙酉。提举江南西路常平等事刘谊，上书言陛下所立新法，本以为民。为民有倍称之息，故为之贷钱。为民有破产之患，故为之免役。为民无联属之任，故教伍保。为民有积贷之不售，故设市易。皆良法也。行之数年，天下讼之。法弊而民病，其于役法尤甚。又言蹇周辅元立盐法以救淡食之民，今民间积盐不售，以至怨嗟。卖既不行，月钱逋负，追呼刑责，将满江西。其势若此，则安居之民，转为盗贼。其将奈何？帝以谊职在奉行法度，既有所见，自合公心陈露，辄敢张皇上书，特勒停。”

黄裳等一千四百二十七人中进士。《续资治通鉴》卷七七：“乙巳。御集英殿，赐进士明经诸科黄裳以下及第出身，同出身，一千四百二十八人。”诗人邹浩进士及第。苏轼的友人吴与为进士。［思齐按：元丰年间贡举凡三次。一在元丰二年，秦观落第后即回高邮。一在元丰五年，秦观因入诏狱而未就试。一在元丰八年，秦观进士及第。］

秦观落第后，曾西游洛阳，作诗《白马寺晚泊》。落第后所作诗，未必作于本年，姑系于此。《白马寺晚泊》：“濛濛晚雨暗回塘，远树依微不辨行。人物渐稀疏罄断，绿蒲丛底宿鸳鸯。”

录唐段秀实后并诏复其家。［思齐按：段秀实（719—783），字成公，汧阳人。唐玄宗时，举明经。弃去，从军，积功至泾州刺史兼泾原郑颍节度使。唐德宗建中四年（783），因反对朱泚称帝，遇害，追增太尉。柳宗元《段太尉逸事状》记其事，为散文名篇，载《柳河东集》卷十六。］

黄龙府女真部长附于辽。

三日，苏轼与客饮酒，并作文《书渊明饮酒诗后》。寒食节，作诗《寒食雨二首》（自我来黄州）、（春江欲入户）。清明节，徐大受（君球）分新火，因作诗《徐使君分新火》。初七日，往沙湖相田，道中遇雨，作词《定风波》（莫听穿林打叶声），至沙湖，在黄氏家，得泽州吕道人沉泥砚。得臂疾，住麻桥庞安时（安常）家治疗，留数日，愈。安时尝求书字，书之，安时赠李廷珪墨。赴蕲水，山行夜饮，中夜起行，醉卧小桥畔，题《西江月》（照野弥弥浅浪）于桥柱上。至蕲水，徐禧（占德）来访。与庞安时游清泉寺，赋《浣溪沙》（山下兰芽短浸溪）。

二十日，苏辙作文《上高县学记》。

四月

宋改官制。《续资治通鉴》卷七七："初议官制，盖仿《唐六典》，事无大小，并中书取旨，门下审覆，尚书受而行之。三省分班奏事，各行其职，而政柄并归中书。"宰相改称尚书左、右仆射，副相称尚书左、右丞。此制以后也曾几经改易。

曾巩擢中书舍人赐金紫。作文《谢中书舍人表》、《授中书舍人举刘攽自代状》、《故翰林侍读学士钱公墓志铭》。

王廷珪为尚书左仆射兼门下侍郎。

王安礼以翰林学士为尚书右丞。时官制改革，右丞为前参知政事之职，即宰相。

同知枢密院吕公著罢知定州。

苏辙作诗《雨后游大愚》。筠州东郊有大愚山，山上有真如寺。

五月

宋进攻夏国，本年有重大进展。鄜延兵攻夏兼葭芦寨（今陕西葭县）。《续资治通鉴》卷七七："种谔西讨得银、夏、宥三州，而不能守。知延州沈括请城古乌延城，以包横善，下瞰平夏，使敌不得绝沙漠。甲辰，遣给事中徐禧及内侍押班李舜举，往鄜延议之。舜举退诣政府，王珪迎谓曰：'朝廷以边事属押班，及李留后，无西顾之忧矣。'舜举曰：'四郊多垒，卿大夫之辱也。相公当国而以边事属二内臣，可乎？内臣止宜供禁廷洒扫，岂可当将帅之任？'闻者代为珪惭焉。"

董钺（义夫、毅夫）去，苏轼作词《哨遍》（为米折腰）为赠，并书，抒发思归之意。并寄朱寿昌（康叔）。本年四五月间，西蜀道士杨世昌（字子京）道士自庐山来，居留黄州几一年，苏轼得其蜜酒方，作《蜜酒歌》赠之。蜜酒，食疗佳酿也，制作方法详见《东坡志林》。次年春，苏辙作《和子瞻蜜酒歌》诗。

王安石作诗《壬戌五月与和叔同游齐安》。

六月

《两朝正史》书成。《续资治通鉴》卷七七："甲寅。监修国史王珪，上《两朝正史》一百二十卷。是书比《实录》事迹颇多，但非寇准而是丁谓，托帝诏旨，时以为讥。"

辽道宗欲立皇孙延禧为嗣，恐无以释众人之疑，乃出驸马都尉萧酬斡（娶越国公主）为国舅详稳，降皇后为惠妃。

夏，重建武昌西山九曲亭。苏辙作文《武昌九曲亭记》，苏轼作诗《戏题武昌西山王居士》。王适回筠州，苏辙作诗《迎寄王适》，苏轼作《归来引》送之。

苏辙作《武昌九曲亭记》。《栾城集》卷二四《武昌九曲亭记》：“子瞻迁于齐安，庐于江上。齐安无名山，而江之南武昌诸山，陂陀蔓延，涧谷深密。中有浮图精舍，西曰西山，东曰寒溪，依山临壑，隐蔽颂栃，萧然绝俗，车马之迹不至。每风止日出，江水伏息，子瞻杖策载酒，乘渔舟乱流而南。山中有二三子，好客而喜游。闻子瞻至，幅巾迎笑，相携徜徉而上。穷山之深，力极而息，扫叶席草，酌酒相劳，意适忘反，往往留宿于山上。以此居齐安三年，不知其久也。然将适西山，行于松柏之间，羊肠九曲而获少平，游者至此必息。倚怪石，荫茂木，俯视大江，仰瞻陵阜，旁瞩溪谷，风云变化，林麓向背，皆效于左右。有废亭焉，其遗址甚狭，不足以席众客。其旁古木数十，其大皆百围千尺，不可加以斤斧。子瞻每至其下，辄睥睨终日。一旦大风雷雨，拔去其一，斥其所据，亭得以广。子瞻与客入山视之，笑曰：‘兹欲以成吾亭耶?’遂相与营之，亭成而西山之胜始具，子瞻于是最乐。昔余少年，从子瞻游。有山可登，有水可浮，子瞻未始不褰裳先之。有不得至，为之怅然移日。至其翩然独往，逍遥泉石之上，撷林卉，拾涧实，酌水而饮之，见者以为仙也。盖天下之乐无穷，而以适意为悦。方其得意，万物无以易之。及其既厌，未有不洒然自笑者也。譬之饮食，杂陈于前，要之一饱，而同委于臭腐。夫孰知得失之所在？惟其无愧于中，无责于外，而姑寓焉。此子瞻之所以有乐于是也。”齐安，即今湖北省黄州。武昌，即今湖北省鄂州。茅坤《唐宋八大家文钞·宋大家苏文定公文钞》卷十九：“情兴心思，俱入佳处。”张伯行《唐宋八大家文钞》卷十：“苍深历落之意，读之如在目前。‘无愧于中，无责于外’，得‘乐’字本领，自是名言，可以玩味。”沈德潜《唐宋八家文读本》卷二六：“笔墨翛然。后半言乐，因乎心而不因乎境，虽未道出孔、颜之乐，而与子瞻《超然台》意，已两心相印矣。当时四海一子由，不洵然耶。”

苏轼作《鱼蛮子》诗。本年夏秋之间，苏轼作诗《鱼蛮子》，描绘渔民的劳动情形和生活状况，讽刺赋税之重。汪师韩《苏诗选评笺释》卷三：“分明指新法病民，出赋租者不如鱼蛮之乐也。忽又念及算舟车者，笔下风声凛凛。《史记·平准书》述卜式之言以结全篇，曰‘烹弘羊，天乃雨’，不更益一字而意已显。此诗结云‘蛮子叩头泣，勿语桑大夫’，亦不待明言其所以然，可称诗史。”纪昀评《苏文忠公诗集》卷二一：“香山一派。读之，宛然《秦中吟》也。”

七月

宋夏之间发生永乐之战。沈括、种谔谋逐步筑城，进逼西夏。神宗遣徐禧至鄜延。禧违括等原议，筑永乐城（今陕西米脂西）。城成，西夏大举进攻。城陷，徐禧死。沈括贬官。《续资治通鉴》卷七七：“种谔谋据横山，其志未已，遣子朴上其策。会朝廷命徐禧、李舜举至鄜延议边事。谔入对，言曰：横山延袤千里，多马宜稼，人物劲悍善战，且有盐铁之利，夏人恃以为生。其城垒皆控险，足以守御。今之兴功，当自银州始。其次迁宥州于乌延，又其次修夏州。三郡鼎峙，则横山之地衣囊括其中。又其次修盐州，则横山强兵战马、山泽之利尽归中国。其势居高，俯视兴、灵，可以直覆巢穴。及禧至延州，奏乞趣谔还，谔在道，禧已与沈括定议，先城永乐埭。乃上言：银州虽据明堂，川无定河之会，而故永乐城东南，已为河水所吞，其西北又阻天堑，实不如永乐之形势险厄。窃惟银、夏、宥三州陷没百年，一日兴复，于边将事功，实为俊伟！但建州之始，烦费不赀。若选择要会，建置堡栅，名虽非州，实有其地。旧来强塞，乃在心腹。已与沈括议，筑砦堡各六，自永乐埭至长城岭置六砦，自背冈川至布娘堡置六堡。从之。诏禧护诸将往城永乐。括移府并塞总兵为援。陕西转运判官李稷，主馈饷。”“九月甲申。永乐城成。距故银州治二十五里，赐名银川砦。徐禧等还米脂，以兵万人属曲珍守之。李稷辇金银钞帛充牣其中，欲夸示禧，以为城甫就而中已实。永乐接宥州、附横山，夏人必争之地。禧等去，夏人即来攻。曲珍使报禧，禧不之信。曰：‘彼若即来，是吾立功取富贵之秋也。’边人驰告者十数，禧乃挟李舜举等赴之。大将高永亨曰：‘城小人寡，又无水泉，恐不可守。’禧以为沮众，械送延州狱。丙戌。禧、舜举复入永乐城，夏人倾国而至，号三十万。禧登城西望，不见其际。丁亥。夏人渐逼，永亨兄永能，请及其未阵击之。禧曰：‘尔何知王师不鼓不成列?’乃以万人阵城下。坐谯门，执黄旗，令众曰：‘视吾旗进止!’贼分兵进攻抵城下。曲珍阵于小际，军不利，将士皆有惧色，遂白禧曰：‘今众心已摇，不可战，战必败，请收兵入城。’禧曰：‘君为大将，奈何遇敌不战，先自退邪?’俄夏人纵铁骑渡水，或曰，此号铁鹞子。当其半济，击之，乃可以逞。得地则其锋不可当也。禧不听。铁骑既济，震荡冲突。时鄜延选锋军最为骁锐，皆一当百，先接战，败奔入城，蹂后阵，夏人乘之，师大败。将校寇伟、李师古、高世才、夏俨、程博古，及使臣十余辈，士卒八百余人，尽没。曲珍与残兵入城，崖峻径窄，骑缘崖而上，丧马八千匹。夏人遂围城。初，沈括奏夏人逼永乐，见官兵整乃还。帝曰：‘括料敌疏矣！彼来未出战，岂肯遽退邪?必有大兵在后。’已而果然。”

宋决大吴埽堤，以泄黄河之洪水。

苏轼作《前赤壁赋》。十六日，苏轼与客泛舟赤壁，作《赤壁赋》(壬戌之秋，七月既望)。晁补之《续离骚序》：“《赤壁》前后赋者，苏公之所作也。曹操气吞宇内，楼船泛江，以谓遂无物矣。而周瑜少年，黄盖裨将，一炬以焚之。公谪黄冈，数游赤壁下，盖忘意于世矣。观江涛汹涌，慨然怀古，犹状瑜事而赋之。”俞文豹《吹剑四录》：“碑记文字铺叙易，形容难，犹之传神，面目易模写，容止气象难描模。”郑之惠《苏长公合作》卷一：“骚赋祖于屈宋，穷工极肆，若长卿者，可谓兼之。子云宏丽，益于《高唐》；《长门》凄惋，不下《九章》；又有赋事赋物，如《芜城》。《赤壁》、《恨别》两赋，亦皆原本屈宋，第语稍浮露；若文通高华，子瞻飘洒，各自擅长。世之耳食者，闻宋无赋，诋两《赤壁》不值一钱，则屈三闾不应有《卜居》、《渔父》；且文何定体，即三闾又从何出得来?”谢枋得《文章轨范》卷七：“此赋学《庄》、《骚》文法，无一句与《庄》、《骚》相似，非超然之才，绝伦之识，不能为也。潇洒神奇，出尘绝俗，如乘云御风，而立乎九霄之上，俯仰六合，何物茫茫，非惟不挂之齿牙，亦不足入其灵丹台府也。余尝中秋夜泛舟大江，月色水光与天宇合而为一，始知此赋之妙。”金圣叹《天下才子必读书》卷一五：“游赤壁，受用现今无边风月，乃是此老一生本领，却因平平写不出来，故特借洞箫呜咽，忽然从曹公发议，然后接口一句喝倒，痛陈其胸前一片空阔了悟，妙甚。”

苏轼于赤壁怀古，赋《念奴娇》（大江东去）。胡仔《苕溪渔隐丛话·前集》卷五九：“苕溪渔隐曰：东坡‘大江东去’赤壁词，语意高妙，真古今绝唱。”黄氏《蓼园词选》：“题是怀古，意是谓自己消磨壮心殆尽也。开口‘大江东去’二句，叹浪淘人物，是自己与周郎俱在内也。‘故垒’句至次阕‘灰飞烟灭’句，俱就赤壁写周郎之事，‘故国’三句是就周郎想到自己，‘人生如梦’二句总结以应起二句。总而言之，题是赤壁，心实为己而发，周郎是宾，自己是主，借宾定主，寓主于宾，是主是宾，离奇变幻，细思方得其主意处，不可但诵其词而不知其命意所在也。”

八月

黄河决于郑州原武埽，夺河水四分以上，溢入延津（旧作利津）、阳武沟、刁马河，归入梁山泊。

贺铸（方回）作诗《登黄楼有怀苏眉山》，怀念苏轼。时贺铸知徐州。

苏辙与客夜饮披仙亭，作诗《披仙亭晚饮》。

九月

曹焕自浮光（光州）来，夏秋之间过黄州，苏轼作两首绝句送之。其一送曹焕（君到高安几日回），其二次韵圆通知慎禅师（大士何曾有生死）。苏轼并有《渔家傲·赠曹光州》（些小白须何用染）赠其父光州太守曹九章。曹焕赴筠州，当为完婚。曹焕于九月初离黄，其抵筠州，约及十月。曹焕过庐山，将苏轼诗示圆通知慎禅师，知慎和之。曹焕离庐山，知慎送出门，入室而卒。曹焕至筠州，苏辙作诗《东轩长老二绝并序》。曹焕（子文）为苏辙第三女之婿。

秦观作《圆通禅师行状》，圆通怀贤，达观颖禅师之法嗣也。

十月

永乐城陷。《续资治通鉴》卷七七：“冬十月戊申朔。沈括、种谔奏永乐城陷。汉、蕃官二百三十人，兵万二千三百余人，皆没。帝涕泣悲愤，为之不食。早朝对辅臣痛哭，莫敢仰视。既而叹息曰：‘永乐之举，无一人言其不可者。’蒲宗孟进曰：‘臣尝言之。’帝正色曰：‘何尝有言？在内惟吕公著，在外惟赵卨，尝言用兵非好事耳。’初，帝之除禧也，王安礼谏曰：‘禧志大才疏，必误国事。’不听。及败，帝曰：‘安礼每劝朕勿用兵，少置狱，盖为此也。’自熙宁开边以来，凡得夏葭芦、吴保、义合、米脂、浮图、塞门六堡，而灵州永乐之役，官军熟羌义保死者六十万人，钱粟银绢以万数者，不可胜计。帝始知边臣不足任，深悔用兵，无意西伐矣。”

变法以来成果多，宋朝财政颇丰盈。宋自变法以来，虽然问题不少，但是国家税收毕竟还是增多了，于是朝廷乃诏京、淮、浙、江、湖、福建十二路，发常平钱八百万缗，输入元丰库，欲以待非常之用。

辽道宗命耶律化哥辅导梁王延禧（即后来的天祚帝）。

苏轼作《后赤壁赋》。十五日，苏轼再次游赤壁，作《后赤壁赋》。文天祥《读赤壁赋前后二首》："昔年仙子谪黄州，赤壁矶头汗漫游。今古兴亡真过影，乾坤俯仰一虚舟。人间忧患何曾少，天上风流更有否？我亦洞箫吹一曲，不知身世是蜉蝣。一笑沧波浩浩流，只鸡斗酒更扁舟。八龙写作诗中案，孤鹤来为梦里游。杨柳远烟连北府，芦花新月对南楼。玉仙来往清风夜，还识江山似旧不？"金圣叹《天下才子必读书》卷一五："前赋，是特地发明胸前一段真实了悟；后赋，是承上文从现身现境，一一指示此一段真实了悟，便是真实受用也。本不应作文字观，而文字特奇妙。"李扶九《古文笔法百篇》卷十四："盖江山者，化工之画工，忽而壮丽，忽而清奇，故大造无尽之藏，留以待泻于文人者也。然其悲乐之际，主客之间，其人之学问性情，皆流露于不觉焉，初何尝有成见存乎其间哉。前、后之名，篇中所解谓前留不结之语以待后篇，似此未免过泥。余谓雪堂之步，临皋之归，在坡仙亦自行所无事，一旦睹江山之顿改，觉风月之仍前，向之所欣，俯仰之间已为陈迹，犹不能不以之兴怀。故孤鹤一段，脱化无痕，飘然而来，戛然而去，似梦非梦，神兴俱飞。此诚能夺化工之工，泄大造之造者矣，而谓可于字句间求之也乎？先君子刺黄之属邑曰蕲，先后凡三任，余故得三至其地。岁戊寅，樊口筑堤民变，先君子奉檄平之，未折一矢，而民帖然。余读是篇，不能无貌似目瞿名同心瞿之戚矣。"

十二月

苏轼过生日，文人聚赤壁。十九日，苏轼四十七岁生日，置酒赤壁矶下，进士李委（字公达）作新曲《鹤南飞》以献。与其会者有郭遘、古耕道。苏轼赋诗《李委吹笛》。

本年

是岁，高丽王徽死，子勋嗣。

宋官制成。是年，宋官制成。设三省（中书、门下、尚书），均不置长官。宰相官改名尚书左仆射兼门下侍郎、尚书右仆射兼中书侍郎，以王珪、蔡确任之。以章惇为中书侍郎。

富弼与洛阳耆德会。本年，富弼居洛阳，与文人交往甚洽。旧题陈起《两宋名贤小集》卷四九《富郑公集》载富弼《留守太尉相公就居为耆年之会承命赋诗》诗（原注：时以守司徒致仕，年七十九）："西洛古帝都，衣冠走集地。乞为名利场，骤为耆德会。大尹吾旧相，旷怀轻富贵。日与退老游，台阁并省寺。予惭最衰老，亦许预其次。遂俗肖仪容，烂然彤绘事。闽峤访精华，鲛绡布绝艺。令复崇宴衎，聊以示慈惠。幽居近铜驼，荒弊仍湫庳。塞路移君庖，盈车载春醴。献酬互相趣，欢处不知止。商岭有四翁，晋林惟七子。较我集诸贤，盛衰何远尔。兹事实可矜，传之足千祀。"耆德会，即洛阳耆英会。

兹综述苏轼出处。施宿《东坡先生年谱》："先生在黄州。三月，往蕲水见黄安常治疾，疾愈同游清泉寺乃归。十二月，先生生日，置酒赤壁矶上，客有李委者□吹笛，作新曲《鹤南飞》以献。"

黄庭坚本年所作文，较著名的有《胡宗元诗集序》。黄庭坚本年所作诗，较著名的有：《二月二日晓梦会于庐陵西斋作寄陈适用》，黄爵滋《读山谷诗集》："前半极清绮之致，后半稍冗。"

黄庭坚作山乡纪行诗。元丰五年山谷在太和县任上，为销售官盐而深入山区穷乡，目睹人民生活之惨状，写下了《四月戊申赋盐万岁山中仰怀外舅谢师厚》、《癸丑宿早禾渡僧舍》、《宿观山》、《上大蒙龙》、《劳坑入前城》、《乙卯宿清泉寺》、《丙辰仍宿清泉寺》、《定寺宿宝石寺》、《己未过太湖僧寺得宗汝为书寄山蕷白酒长韵寄答》、《庚申宿观音院》、《辛酉憩刀坑口》、《金刀坑迎将家待追浆坑十余户山农不至因题其壁》等十余首纪行诗，为反映民生疾苦的现实主义佳篇。

黄庭坚作《登快阁》诗。方回《瀛奎律髓》卷一："为太和宰时作，吕居仁谓'山谷妙年诗已气骨成就'，是也。山谷生于庆历五年乙酉，至元丰四年辛酉作邑，三十七矣。"方东树《昭昧詹言》卷二十："起四句且叙且写，一往浩然。五六句对意流行。收尤豪放，此所谓寓单行之气于排偶之中者。姚先生（姬传）云'能移太白歌行于律诗'。愚谓小谢'冬日晚郡事隙'等篇，山谷所全本，可悟为诗之理。"

黄庭坚还有诗《彫陂》、《送徐隐父宰余干》、《和答任仲微赠别》。黄庭坚《梅花》诗作于本年前后。

周紫芝（1082 —?）生。陆心源《宋史翼》卷二七《周紫芝传》："周紫芝，字少隐，号竹坡，宣城人。家贫苦，学得诗法于张文潜、李端叔，清丽典雅，在山谷、后山派中为小宗。建炎初贡京师，应诏上书。……绍兴十二年，始以廷对第三释褐。十五年五月设六部架阁官，紫芝以迪功郎掌礼兵两部。十七年十二月，以承奉郎为枢密院编修官，旋进右宣教郎兼实录院编修官。尝和御制诗'已通灌玉亲祠事，更有何人敢造猷'，秦桧怒其讽己。二十一年闰四月知兴国军，政崇简静，终日焚香课诗而事不废。秩满乞祠，寓居九江之庐山以终。著有《竹坡诗话》一卷、《太仓稊米集》七十卷传于世。"

张伯端（987—1082）卒。张伯端于熙宁八年（1075）著《悟真篇》。《四库全书总目》卷一四六《悟真篇注疏》提要："三卷。附《直指详说》一卷。宋张伯端撰，翁葆光著，元戴起宗疏。伯端一名用成，字平叔，天台人。自云熙宁中游蜀，遇异人，传授丹诀。元丰中卒于荆湖。世俗传以为仙，以无可考验也。是书专明金丹之要，与魏伯阳《参同契》，道家并推为正宗。……葆光，字渊明，号无名子，象川人。起宗，字同甫，集庆路人，延祐中尝官绍兴儒学教授，其始末则均无可考云。"《悟真篇序》自述其写作宗旨："因念世之学仙者十有八九，而达真要者未闻一二，仆既遇真诠，安敢隐默，罄所得成律诗九九八十一首，号曰《悟真篇》。内七言四韵一十六首，以表二八之数。绝句六十四首，按《周易》诸卦。五言一首以象太乙。续添《西江月》一十二首，以周岁律。其如鼎器尊卑、药物斤两、火候进退、主客先后、存亡有无、吉凶悔吝，悉备其中关。"

公元1083年（宋元丰六年　辽太康九年　夏大安九年　癸亥）

正月

封楚三闾大夫屈平为忠洁侯。

苏轼作诗《正月三日点灯会客》、《六年正月二十五日复出东门仍用前韵》，作文《唐画罗汉赞》。

贺铸在徐州。作诗《送李阳初还汶阳》（客宦怆离群）。

二月

众兵围兰州，折锋退强敌。西夏以重兵包围兰州（今甘肃兰州市），王文郁折其锋芒而退敌。《续资治通鉴》卷七七："二月丁未朔。夏人围兰州，数十万众奄至，已据两关。李浩闭城距守。钤辖王文郁请击之，浩曰：'城中骑兵不满数百，安可战？'文郁曰：'贼众我寡，正当折其锋以安众心，然后可守。此张辽所以破合肥也。'及夜，集死士七百余人，缒城而下，持短刃突之。贼惊溃，争渡河，溺死者甚众。"

贺铸在徐州。作诗《春昼》（新蚕经浴罢）。

三月

诗僧道潜拜访苏轼，两人终生结下友谊。道潜（参寥）至黄州访苏轼，馆于东坡。道潜始见苏过，时苏过十二岁。道潜尝与苏轼同游武昌西山。苏轼喜欢道潜的诗，尝诵之。道潜留此期年，乃归。

四月

辽境大雪，平地丈余，马死者十之六七。

礼部郎中林希上《两朝宝训》。

黄庭坚作《上苏子瞻》第二书（《豫章黄先生文集》卷十九）与苏轼，并寄《食笋》诗，苏轼作诗《次黄鲁直食笋次韵》。

曾巩（1019—1083）卒。《续资治通鉴》卷七七："巩为文自成一家。少与王安石游，安石声誉未振，巩导之于欧阳修。及安石得志，遂与之异。帝尝问：安石何如人？对曰：安石文学行义，不减扬雄，以吝故不及。帝曰：安石轻富贵，何吝也？曰：臣所谓吝者，谓其勇于有为，吝于改过耳。吕公著尝言于帝曰：巩行义不如政事，政事不如文章，故不至大用。"曾巩卒后，其弟子陈师道作《妾薄命》二首以悼；秦观作《哀词》；苏辙作《曾子固舍人挽词》。

五月

西夏侵扰宋兰州（今甘肃兰州市）、鄜州（今陕西神木东北）。

初八日，绵州武都山道士杨世昌回蜀，世昌即上年传授苏轼制作蜜酒方之道士也。

苏轼作南堂诗章。苏轼于黄州临皋亭南畔增筑之南堂落成，此得蔡承禧（景繁）之力也。本月，苏轼画扇寄赠承禧，又喜而赋诗《南堂五首》。苏辙得知此事后，于六月初作《次韵子瞻临皋新葺南堂五绝》。

于初五日，苏辙作文《光州开元寺重修大殿记》，盖应光州太守曹九章之请。

六月

上月，贺铸往汲郡，经永城。本月，贺铸由汲郡返回徐州，登览快哉亭，作《快哉亭》诗（飞亭冠城隅）。

闰六月

夏宋通好。《续资治通鉴》卷七七："闰月乙亥朔。夏主秉常遣使来贡。永乐之役，夏人亦以是困敝。其西部都统昂星嵬名济，移书泾原刘昌祚，乞通好如初。昌祚以闻，帝谕昌祚答之。及入寇屡败，国用益竭，乃遣使来贡上表曰：臣自历世以来，贡奉朝廷无所亏，迨至于近岁，尤甚欢和。不意憸人诬间，朝廷特起大兵侵夺疆土城砦，因兹构怨，遂致交兵。今乞朝廷示以大义，特还所侵，倘垂开纳，别效忠勤。帝赐诏曰：'比以权强敢行废辱，朕令边臣往问，匿而不报。王师徂征，盖讨有罪。今遣使造廷，辞礼恭顺，仍闻国政，悉复故常，益用嘉纳。已戒边吏，毋辄出兵，尔亦慎守先盟。'戊寅，诏陕西河东经略司，其新复城砦校徼循，毋出二三里。夏之岁赐，悉如其旧。唯乞还侵疆，不许。"

富弼（1004—1083）卒，谥文忠。《宋史》卷三一三《富弼传》："王安石用事，雅不与弼合，弼度不能争，多称疾求退。章数十上，神宗将许之，问曰：'卿去，谁可代卿者？'弼荐文彦博，神宗默然良久，曰：'王安石何如？'弼亦默然。拜武宁节度使，同中书门下平章事，判河南，改亳州。青苗法出，弼以为如是则财聚于上，人散于下，持不行。提举官赵济，劾弼格诏旨。侍御史邓绾，又乞付有司鞫治，乃以仆射判汝州。安石曰：'弼虽责，犹不失富贵。昔鲧以方命殛，共公以象恭流，弼兼此二罪，只夺使相，何由沮奸？'帝不答。弼言：'新法臣所不晓，不可以治郡，愿归洛养疾。'许之。遂请老，加拜司空，进封韩国公，致仕。弼虽家居，朝廷有大利害，知无不言。郭逵讨安南，乞诏逵择利进退，以全王师。契丹争河东地界，言其不可许。星文有变，乞广开言路。又请速改新法，以解倒悬之急。帝虽不尽用，而眷顾不衰。"

宋朝实行南粮北调。宋在南方扩大粮食生产并且成功实现大规模的南粮北调，由此可见宋朝生产力之发达。《续资治通鉴》卷七七："江、淮等路发运司，岁漕谷六百二十万。副使蒋之奇领草事，以是月至京师入觐。帝问劳备至，赐三品服，且曰：'朕不复除官，漕事一以委卿。'之奇辞谢，因条画利病三十余事，多见纳用。"文中"岁漕谷六百二十万"指纯增量，意为比平常年份多出六百二十万石粮食。

关于蒋之奇，以下资料可供参考。由于蒋之奇在个人品质上有缺陷，一般诗文选本不收其作品，但他是一位奇才，爱国爱民，工作勤恳，尤其在中国经济管理史上有卓越贡献。《宋史》卷三四三《蒋之奇传》："蒋之奇字颖叔，常州宜兴人。以伯父枢密直学士堂荫得官。擢进士第，中《春秋》三传科，至太常博士。又举贤良方正，试六论中选。及对策，失书问目，报罢。英宗览而善之，擢监察御史。神宗立，转殿中侍御史，上谨始五事：一曰进忠贤，二曰退奸邪，三曰纳谏诤，四曰远近习，五曰闭女谒。神宗顾之曰：'斜封、墨敕必无有，至于近习之戒，孟子所谓观远臣以其所主者也。'之奇对曰：'陛下之言及此，天下何忧不治?'初，之奇为欧阳修所厚，制科既黜，乃诣修盛言濮议之善，以得御史。复惧不为众所容，因修妻弟薛良孺得罪怨修，诬修及妇吴氏事，遂劾修。神宗批付中书，问状无实，贬监道州酒税，仍榜朝堂。至州，上表哀谢。神宗怜其有母，改监宣州税。新法行，为福建转运判官。时诸道免役推行失平，之奇约僦佣费，随算钱高下均取之，民以为便。迁淮东转运副使。岁恶民流，之奇募使修水利以食流者。如扬之天长三十六陂，宿之临涣横斜三沟，尤其大也，用工至百万，溉田九千顷，活民八万四千。历江西、河北、陕西副使。之奇在陕西，经赋入以给用度，公私用足。比其去，库缗八十余万，边粟皆支二年。移淮南，擢江、淮、荆、浙发运副使。元丰六年，漕粟至京，比常岁溢六百二十万石，赐服三品。请凿龟山左肘至洪泽为新河，以避淮险，自是无覆溺之患。诏增二秩，加直龙图阁，升发运使。凡六年，其所经度，皆为一司故事。元祐初，进天章阁待制、知潭州。御史韩川孙生、谏官朱光庭皆言之奇小人不足当斯选。改集贤殿修撰、知广州。……南海饶贾货，为吏者多贪声，知其去前世牧守有情节着吴隐之、宋璟、卢奂、李勉等绘其像，建十贤堂以祀，冀变其俗。徙河北都转运使、知瀛州。……入为户部侍郎。未几，复出知熙州。夏人论和，请画封境。之奇揣其非诚心，务修守备，谨斥候，常若敌至。终之奇去，夏人不敢犯塞。绍圣中，召为中书舍人。改知开封府，进龙图阁直学士，拜翰林学士兼侍读。元符末，邹浩以言事得罪，之奇折简别之，谪守汝州。阅月，徙庆州。徽宗立，复为翰林学士，拜同知枢密院。明年，知院事。……崇宁元年，除观文殿学士、知杭州。以弃河、湟事夺职，由正议大夫降中大夫。以疾告归，提举灵仙观。三年卒，年七十四。后录其尝陈绍述之言，尽复官职。之奇为部使者十二任，六典会府，以治办称。且孜孜以人物为己任，在闽荐处士陈烈，在淮荐孝子徐积，每行部，至必造之。特以畔欧阳修之故，为清议所薄。"

七月

辽禁外官于部内贷钱取息，及使者住于民家。

丙辰（十三日），苏辙被罢去所兼筠州州学教授之职，时朱彦博为本路监司。苏轼作诗《闻子由为郡僚所捃，恐当去官》安慰之。

九月

五国部长贡于辽。

十月

夏国向宋朝请和。《续资治通鉴》卷七七："冬十月癸酉朔。夏国王秉常遣使上表，请修复职贡，乞还旧疆。安涛言地有非要害者，固宜予之。然虏情无厌，当使知吾宥过而罢兵，不可以示厌兵之意。帝乃赐秉常诏，言地界以令鄜延路移牒宥州施行，其岁赐候地界了日依旧。"

宋封孟轲为邹国公。

辽耶律伊逊私藏兵甲，且谋奔宋，辽道宗命杀之。

十二日夜，苏轼至承天寺，与张怀民游。同夜，视故人风疾，慨叹酒色害人。苏轼因所见所感作文两篇，即《记承天夜游》和《记故人病》。

贺铸作诗怀念苏轼，有《题彭城南台寺苏眉山诗刻后》。作此诗乃因传闻苏轼自黄州被召，贺铸为苏轼的处境好转而高兴。

十一月

初一日，苏辙为张梦得（偓佺）所建黄州快哉亭作文《黄州快哉亭记》。快哉亭为苏轼所命名。苏轼并作词《水调歌头·黄州快哉亭赠张偓佺》（落日绣帘卷），此见《东坡乐府》卷上，《全宋词》标题为《水调歌头·快哉亭作》。

苏辙作《黄州快哉亭记》。《栾城集》卷二四《黄州快哉亭记》："江出西陵，始得平地，其流奔放肆大；南合沅、湘，北合汉、沔，其势益张；至于赤壁之下，波流浸灌，与海相若。清河张君梦得，谪居齐安，即其庐之西南为亭，以览观江流之胜。而余兄子瞻名之曰'快哉'。盖亭之所见，南北百里，东西一舍，涛澜汹涌，风云开合。昼则舟楫出没于其前，夜则鱼龙悲啸于其下。变化倏忽，动心骇目，不可久视。今乃得玩之几席之上，举目而足。西望武昌诸山，冈陵起伏，草木行列，烟消日出，渔夫樵父之舍，皆可指数，此其所以为快哉者也。至于长洲之滨，故城之墟，曹孟德、孙仲谋之所睥睨，周瑜、陆逊之所骋骛，其流风遗迹，亦足以称快世俗。昔楚襄王从宋玉、景差于兰台之宫，有风飒然至者，王披襟当之，曰：'快哉此风，寡人所与庶人共者也?'宋玉曰：'此独大王之雄风耳，庶人安得共之！'玉之言盖有讽焉。夫风无雄雌之异，而人有遇不遇之变。楚王之所以为乐，与庶人之所以为忧，此则人之变也，而风何与焉！士生于世，使其中不自得，将何往而非病；使其中坦然，不以物伤性，将何适而非快！今张君不以谪为患，切会计之余功，而自放山水之间，此其中宜有以过人者。将蓬户瓮牖，无所不快；而况乎濯长江之清流，揖青山之白云，穷耳目之胜以自适也哉！不然，连山绝壑，长林古木，振之以清风，照之以明月，此皆骚人思士之所以悲伤憔悴而不能胜者，乌睹其为快也哉！元丰六年十一月朔日，赵郡苏辙记。"茅坤《唐宋八大家文钞·宋大家苏文定公文钞》卷十九："入宋调，而其风旨自佳。"过珙《详定古文评注全集》卷十："因'快哉'二字发一段议论，寻说到张梦得身上，若断若续，无限烟波。前半极力叙写快字，后半即谪居寻出快字意来，首尾机神一片。文致汪洋，笔力雄劲，自足与长公相雁行。"

十二月

先是，高丽王徽死，辽命其子三韩国勋权知国事，至是勋亦死。

苏辙于除夕夜作诗《除夜》（老去不自觉）。

王安石作《书湖阴先生壁》诗。此诗为王安石七绝的代表作之一。黄庭坚在太和县凡三年，本年十二月移监德州德平镇，路经江宁，与王安石会于钟山。黄庭坚因问王安石近有何诗，王安石指壁上所题《书湖阴先生壁二首》之一云："一水护田将绿绕，两山排闼送青来。"湖阴先生，指杨德逢。胡铨《跋裴季祥写王荆公石图》："'茅檐长扫静无苔，花木成畦手自栽。一水护田将绿绕，两山排闼送青来。'此介甫诗也。内侍裴季祥写为图，以遗高邮刘景仁。其妙处茅屋阒然，惟一持帚扫者，深居山居幽处，而其扫台之意自已洒落绝俗。彼扫舍人们如魏勃辈，视此拥帚者颡有泚矣。"王楙《野客丛书》卷二四："前辈用事贵出处相等，传注中用事必以传注中对。此如荆公诗'一水护田将绿绕，两山排闼送青来'，护田、排闼皆西汉语也。"

贺铸登飞鸿亭并作《飞鸿亭》诗。其《题承天寺竹轩》、《杨柳枝词》等诗歌亦为本年所作。

本年

辽放进士。《续资治通鉴》卷七七："是年，辽放进士李君裕等五十一人。"

王安石仍居钟山，本年所作还有诗《跋黄璐之画》、《题虚细花》、《示公佐》、《定林所居》、《题定林壁怀李叔时》、《真赞》、《传神自赞》、《同陈和叔北山游》、《何叔招不住》、《戏示蒋颖叔》，本年所作文还有《答蒋颖叔书》。

米芾过金陵，认识王安石于钟山，题王安石定林所居曰"昭文斋"。王安石有诗《昭文斋》和《定林院昭文斋》描述此居所。

黄庭坚自元丰四年辛酉至元丰六年癸亥，在吉州太和县令任上，凡三年，其间作文较著名的有《东郭居士南园记》。本年所作诗，较著名的有《观王主簿家酴醾》。惠洪《冷斋夜话》卷四写道："前辈作花诗，多以美女比其状，如曰：'若教解语应倾国，任是无情也动人。'（罗隐《咏牡丹》诗）诚然哉！山谷作《酴醾》诗……耐用美丈夫比之，特若出类，而吾叔渊才作《海棠》诗又不然，曰：'雨过温泉浴妃子，露浓汤饼试何郎。'意尤工也。"朱翌《猗觉寮杂记》卷上："不以妇人比花，乃用美丈夫事。不知鲁直此格亦有来历。李义山《早梅》云：'谢郎衣袖初翻雪，荀令薰炉更换香。'亦以美丈夫比花。鲁直为工。"王若虚《滹南诗话》："花比妇人，尚矣，盖其于类为宜，不独在颜色之间。山谷易以男子，有以见其好异之癖，渊才又杂而用之，亦不伦可笑。此固甚纰缪者，而惠洪乃节节叹赏，以为愈奇，不求当而求新，吾恐他日有以白皙武夫比之者矣！此花无乃太粗鄙乎？"

还有《送彦浮主簿》。黄爵滋《读山谷诗集》外集古诗："此种效退之体，固亦山谷所长。"

还有《答永新宗令寄石耳》。曾国藩《求阙斋读书录》卷十："自'荷眷私'以下，赞石耳之佳。自'吾闻'以下，言不以石耳难得之物累民。"

还有《读方言》、《太和奉呈吉老县丞》、《次韵吉老游青原将归》、《奉答李和甫代简二绝句》、《静居寺上方，南入一径，有钓台，气象甚古，而俗传谬妄意，尝有隐君子钓其上，感之作诗》、《摩诘画》、《过家》、《次韵郭明叔长歌》、《夜发分宁寄杜涧叟》。

陈师道作《妾薄命二首》。任渊《后山诗注》卷一《妾薄命二首》（后山自注曰：为曾南丰作），其一："主家十二楼，一身当三千。古来妾薄命，事主不尽年。起舞为主寿，相送南阳阡。忍著主衣裳，为人作春妍。有声当彻天，有泪当彻泉。死者恐无知，妾身长自怜。"其二："叶落风不起，山空花自红。捐世不待老，惠妾无其终。一死尚可忍，百岁何当穷。天地岂不宽，妾身自不容。死者如有知，杀身以相从。向来歌舞低，夜雨鸣寒蛬。"任渊《后山诗注目录年谱》："后山学于南丰曾巩子固。南丰卒于元丰六年，此篇必是时所作。今以压卷，亦推本其渊源所自。"蔡正孙《诗林广记》谢叠山云："元丰间，曾巩修史。荐后山有道德，有史才，乞自布衣召入史馆。命未下而曾去，后山感其知己，不愿出他人门下，故作《妾薄命》。巩，南丰人，欧阳公之客。后山尊之，号曰南丰先生。"

秦观三十五岁，乡居读书。秦观《精骑集序》记发愤读书之情形："予少时读书，一见辄能诵谙，疏之亦不甚失。然负此自放，喜从滑稽饮酒者游，旬朔之间，把卷无几日，故虽有强记之力，而常废于不勤。比数年来，颇发愤自惩艾，悔前所为，而聪明衰耗，殆不如曩时一二。每阅一事，必寻绎数终，掩卷茫然，辄复不省。故虽有勤苦之劳，而常废于善忘。嗟夫，败吾业者常此二物也。比读《齐史》，见孙搴答邢词云：'我精骑三千，足敌君羸卒数万。'心善其说，因取经传子史事之可为文用者，得若干条，勒为若干卷，题曰《精骑集》云。噫，少而不勤，无如之何矣，长而善忘，庶几以此补之。"秦瀛重编《淮海先生年谱》："先生取经、传、子、史之文选辑，得若干卷，题曰《精骑集序》，自为之序。"

吕公著知扬州，秦观上书自叙研讨两汉时人之得失，著有论朋党、霍光、李固等专论，旨在求干进。

孙觉自知应天府入为太常少卿，易秘书少监，秦观作《寄孙莘老少监》诗。曾巩卒，秦观写《曾子固哀词》。又作《泸州使君任公墓表》，代俞次皋作《御书手诏记》。

此外，元丰六年前后，秦观还作有《满庭芳·茶词》："雅燕飞觞，清谈挥尘，使君高会群贤。密云双凤，初破缕金团。窗外炉烟似动，开瓶试、一品香泉。轻淘起，香生玉尘，雪溅紫瓯圆。　　娇鬟。宜美盼，双擎翠袖，稳步红莲。坐中客翻愁，酒醒歌阑。点上纱笼画烛，花骢浓，月影当轩。频相顾，余欢未尽，欲去且流连。"

及第前，秦观尝游润州、金陵等地，作词《满庭芳》："红蓼花繁，黄芦叶乱，夜深玉露初零。霁天空阔，云淡楚江清。独棹孤蓬小艇，悠悠过、烟渚沙汀。金钩细，丝纶慢卷，牵动一潭星。　　时时，横短笛，清风浩月，相与忘形。任人笑生涯，泛梗飘萍。饮罢不妨醉卧，尘劳事、有耳谁听？江风静，日高未起，枕上酒微醒。"

元丰年间，秦观尚有词《木兰花慢》："过秦淮旷望，回潇洒，绝纤尘。爱清景风蛩，吟鞭醉帽，时度疏林。秋来政情味淡，更一重烟水一重云。千古行人旧恨，尽应分付今人。　　渔村。望断衡门。芦荻浦、雁先闻。对触目凄凉，红凋岸蓼，翠减汀蘋。凭高正千嶂黯，便无情、到此也销魂。江月知人念远，上楼来照黄昏。"《八六子》："倚危亭，恨如芳草，萋萋刬尽还生。念柳外青骢别后，水边红袂分时，怆然暗惊。　　无端天与娉婷。夜月一帘幽梦，春风十里柔情。怎奈何、欢娱渐随流水，素弦声断，翠绡香减。那堪片片飞花弄晚，濛濛残雨笼晴。正销凝，黄鹂又啼数声。"

秦观青年时期尚有词《鹊桥仙》："纤云弄巧，飞星传恨，银汉迢迢暗度。金风玉露一相逢，便胜却人间无数。　　柔情似水，佳期如梦，忍顾鹊桥归路。两情若是久长时，又岂在朝朝暮暮。"

李纲（1083—1140）生。李纶《李忠定公年谱》："［建中靖国］三年甲申，公年二十二，补国学监生第一。方先卫公之如上庠也，名在第一，而公继之，每试必上列。后公之叔弟经补入国子监，亦以魁选，时人荣之。……［大观］二年戊子，公年二十六。附试国学贡士，复首选。属闻期亲之丧，友人贻书，谓：'道路之传盖不的，免试春宫，以为亲望。'公不可。调将士郎、真州司法参军。……［政和］二年壬辰，公年三十。中莫俦榜乙科，胪传之日，上顾问再三，特旨升甲，改合入官，与学官差遣。授承务郎、相周教授，以亲庭远，易镇江。……四年甲午，公年三十二，召赴阙，三省蕃察院，除行国子正。十二月，对便殿，除尚书考工员外郎。……五年，除监察御史，兼权殿中侍御史。……未几，以论内侍建节及宰相任用堂候官入朝，以笏击其下，凡三事，罢言职，授尚书比部员外郎。……［宣和］元年己亥，公年三十七，同知贡举。六月，京城之西大水渺漫如江湖，漕运不通，畿甸之间悉罹其患，无敢言其灾异者，公上章论列，降一官，监税。再上章论六事，再降一官，与远小监当，授承务郎，监南剑州沙县税。……是年有《留别诸弟》等诗。道江南，入闽境，遂游武夷山，乘小舟泛九曲，留山中，赋诗几五十篇，又广其意而为之赋。……［七年］十二月二十四日，渊圣皇帝受内禅，公上封事。二十八日，召对，二十九日，除通直郎、兵部侍郎。再对，进《御寇用兵札子》。……［靖康元年］正月三日，门下侍郎吴公敏为行营副使，公为参谋官。四日，面除中大夫、尚书右丞。是日，宰职有奉銮舆出狩之意，公乞对，力争，故有是命。既又俾留守东京，公再求对，上乃许留。五日，除亲征行营使。……［二月］三日，罢公右丞、行营使，以蔡左丞懋代焉。种［师道］亦罢宣抚。公得止兵诏，即振旅以入城，问罢命，乃推处浴室待罪。……五日，太学生陈东与诸生千余人诣阙上书，明公与种不当罢。军民闻之，不期而集者数十万人。上遣中使召公，公固辞不敢行，宣召者络绎而至。既入对，即复尚书右丞、都大提举京城四壁守御史。十日，金人退师。十四日，除知枢密院事，封开国伯。……五月十九日，除河北东路宣抚使，辞免凡八上，上出《裴度传》以赐。二十三日受命。……进次怀州，日肄习车战，候防秋之兵集，以谋大举，而朝廷降旨，凡诏书所起之兵悉罢之。公两上疏力争，不报。而宣抚副使、制置副使、察访使至干当公事、都统制等皆承受御前处分，事得专达，进退自如，宣抚司徒有节制之名，公乃力上章乞罢。……公前后乞罢表章十余上，上许令赴阙。九月初，交宣抚职事与折公彦质。十八日，除观文殿学士，知扬州。公具札子乞核实见在军兵财务。既而言者果谓公专主战议，丧师费财，著落职，提举亳州明道宫。责授保静军节度副使，建昌军安置，再责宁江。……［建炎元年］公次长沙，闻有渊圣皇帝召命，复元官，除资政殿大学士，领开封府事，即率湖南义旅以进，时四月八日也。……五月初，次繁昌，传元帅府檄，方审都城不守，二圣播迁，号恸几绝。次太平州，睹上登宝位敕书，即上书论时事。次宝应，闻降麻告庭除正义大夫、尚书右仆射，兼中书侍郎，进封开国侯。……八月五日，迁银青光禄大夫、尚书左仆射兼门下侍郎，公未拜，时有沮张所而罢傅亮者，公争之不得，乃入表札乞去，……章三上，降麻除观文殿大学士、提举杭州洞霄宫。……十月，言者谓［公］遣弟迎贼，倾家赀犒设，坐此落职，鄂州居住。公在相位才七十有五日，既罢之后，招抚、经制司皆废，车驾遂东巡，两河郡县皆陷于贼。……二年戊申，公年四十六，在鄂州。以谪降官不许同在一州，移澧州。会有上书讼公之冤者，言者复有论列。十一月，责授军州团练副使，移万安军安置。……［三年十一月］次琼州，三日而德音放还，任便居住。……［绍兴元年］三月，提举杭州洞霄宫。九月复资政殿大学士。……［二年］二月八日，除观文殿学士、荆湖广南路宣抚使，兼知潭州、湖南路兵马钤辖。……［五年］二月，复观文殿大学士。……十月六日，除江南西路安抚制置兼知洪州。……［七年］十一月，除提举临安府洞霄宫。闻除观文殿学士李光为代，公贻书具言措置次第。公在江西，有《制置江右录》二十卷、有《赠罗伟政奉议》至《次韵徐显谟中冬教阅》诗及题跋十数篇。……［九年］二月，除荆湖南路安抚大使，兼知潭州。凡三上章，力以疾辞。四月十三日，依旧提举林安抚洞霄宫。……十年庚申，公年五十八。正月十一日，中使徐珣传宣抚问。十五日，公薨。”

公元 1084 年（宋元丰七年　辽太康十年　夏大安十年　甲子）

正月

苏轼改常州团练副使，处境有所好转。《续资治通鉴》卷七七：“辛酉。诏黄州团练副使苏轼，移汝州。帝每怜轼才，尝语辅臣曰：‘国史大事朕意欲俾苏轼成之。’辅臣有难色。帝曰：‘非轼则用曾巩。’其后巩亦不副上意。帝复有旨起轼以本官知江州，蔡确、张璪受命，王珪独以为不可。明日，改江州太平观。又明日，命格不下。于是卒出手札，徙汝州。有‘苏轼黜居思咎，阅岁滋深，人才实难，不忍终弃’之语。轼上表谢。且言有田在常州，愿得居之。帝从其请，改常州团练副使。”

二月

王安石患病，两日不言，五六旬后始愈。病中有诗《新花》、《北窗》、《望越亭》等。

三月

王安石生病尚未痊愈，有诗《与道原至景德寺》。月末，有诗《病中睡起折杏花树枝二首》、《秦淮泛舟》等。

周邦彦献《汴都赋》。《续资治通鉴》卷七七：“壬戌。诏以太学外舍生钱塘周邦彦，为试太学正。邦彦献《汴都赋》，文采可取，故擢之。”楼钥《清真先生文集序》：“钱塘周公，少负庠校隽声，未及三十作《汴都赋》，凡七千言。富哉壮哉，铺张扬厉之工！期月而成，无十稔之劳；指陈事实，无夸诩之过。赋奏，天子嗟异之，名近臣读于迩英阁，由诸生擢为学官。声名一日震耀海内，而皇朝太平之盛观备矣。”本年周邦彦二十七岁。

四月

初一日，苏轼将自黄州移汝州，赋《满庭芳》（归去来兮，吾归何处）留别雪堂邻里。兴国军守杨绘（元素）令李翔（仲览）自江南来黄州，要苏轼道兴国，遂书此词以赠。初六日，应安国寺继连之请作《黄州安国寺记》，尝题继连壁。初七日，作文《记张君宜医》，赞张君宜专以救人为事。苏轼告别黄州，道潜（参廖）作诗《留别雪堂呈子瞻》，苏轼作诗《别黄州》、《和参寥》。友人厚饷赠行，苏轼不受。之后，苏轼启程，作诗《过江夜行武昌山上闻黄州鼓角》，以寄眷恋之情。

十七日，王安石病初愈，作诗《昼寝》。本月，王安石还有诗《病起过宝觉》、《送孙师归苏州》。

五月

月初，苏轼特往筠州看望苏辙和侄子们。苏轼作诗《将至筠先寄迟适远三犹子》，苏辙有诗《次韵子瞻特来高安相别先寄迟适远却寄迈迨过遯》。初五日，苏轼在苏辙处过端午节，并与侄子们同游大愚山真如寺，有诗《端午游真如迟适逊从子由在酒局》。初八日，苏轼、苏辙兄弟别于高安，苏辙作诗《次韵子瞻留别三首》。本月末，苏轼往来庐山南北胜概，作诗：《初入庐山》、《庐山二胜并叙》（《开先漱玉亭》、《栖贤三侠桥》）、《赠东林总长老》，为东林常总（广惠）长老《题西林壁》。胡仔《苕溪渔隐丛话·前集》卷三九引《冷斋夜话》记黄庭坚评此诗云：“此老于般若横说竖说，了无剩语，非其笔端有舌，亦安能吐此不传之妙。”陈衍《宋诗精华录》卷二：“此诗有新思想，似未经人道过。”

神宗诏王安石婿蔡卞赴江宁府省视王安石疾病，王安石有《谢给蔡卞假传宣抚问表》。

春正月，吕公著知扬州。五月，秦观有《上吕晦叔书》及投卷诗。

六月

王安石晚年以所居园创办禅寺。《续资治通鉴》卷七七：“戊子。集禧观使王安石，请以所居园屋创办禅寺，乞赐名额，从之，以‘保宁禅院’为额。安石自子雱死，晚年痛悼不已，遂舍半山园宅为寺，又割田为常住以荐冥福云。（考异：《宰辅编年录》引《丁未录》云，一夕安石见雱身具桎梏，曳病足立庭下，血污呻吟，良久而灭。安石不胜父子之情，遂以所居半山园宅为寺，又割田为常住以荐冥福。李焘曰：可见安石晚年亦谬也。案，安石信道不笃，舍宅割田为其子雱荐冥福，理则有之，若所言雱死后见形，颇近稗官之说。《通鉴》不语怪，遵其例，不敢录也。”）

《太常因革礼》书成。《续资治通鉴》卷七七：“礼部言：‘欧阳修等编《太常因革礼》，始自建隆，迄于嘉祐，为百卷。嘉祐之后，阙而不录。熙宁以来，礼文制作，足以垂法万世，乞下太常，委博士接续编撰，以备讨阅。’从之。”

苏轼作《石钟山记》。初九日，苏轼子苏迈赴饶之德兴尉，苏轼送行至湖口。苏轼趁便游览鄱阳湖口石钟山，作《石钟山记》。刘克庄《后村先生大全集》卷一一〇《坡公石钟山记》：“坡公此记，议论，天下之名言也；笔力，天下之至文也；楷法，天下之妙画也。”杨慎《三苏文范》卷二：“通篇讨山水之幽胜，而中较李渤、寺僧、郦元之简陋，又辨出周景王、魏庄子之钟音，其转折处，以人之疑起己之疑，至见中流大石，始释己之疑，故此记遂为之绝调。”

七月

伊水、洛水和黄河，本年均发生特大水患。《续资治通鉴》卷七八：“秋，七月，甲辰。伊洛溢，河决元城。知大名府王拱辰言：‘河水暴至，数十万众号叫求救，而钱谷禀转运，常平归提举，军器工匠隶提刑，埽岸物料兵卒即属都水，盐运司在远，无一得专。仓卒何以济民？望许不拘常制。’诏：‘事干机速，奏覆牒禀所属不及者，如所请。’丙午。遣使赈恤，赐溺死者家钱。”

苏轼在金陵，与金陵守王宜柔（胜之）同游蒋山，苏轼作诗《同王胜之游蒋山》。王安石爱其诗句，作《和子瞻同王胜之游蒋山》诗。后来，苏轼又作《至真州再和二首》，乃和王安石诗。苏轼大约于八月十四日离开金陵，王宜柔与之同行。

苏轼过金陵，会晤王安石。苏轼赴汝州，过金陵。在金陵，苏轼时晤王安石。苏轼欲王安石言天下弊事于朝廷以救治之。王安石劝苏轼重修《三国志》。苏轼为王安石言精、神、动、静之理，王安石称叹。王安石论《雪后书北堂壁》（冻合）一联用典，苏轼赞王安石博学。王安石为苏轼传神宗偏头痛医方。二人共论扬雄。论文赋诗，彼此倾慕，相约卜邻。

八月

泸夷不复为边患。《续资治通鉴》卷七八：“八月庚午。诏知泸州王光祖，遣人招谕乞弟，许出降免罪补官。乞弟既失土，穷甚，往来诸蛮间，无所依。帝犹欲招来之，许以自新。未几，乞弟死。于是罗始党斗然、斗更等酋长，及新取生界两江夷族，请依诸姓团结，皆为义军，从之。泸夷震慑，不复为边患。”

赵抃（1008—1084）卒。《续资治通鉴》卷七八：“癸巳。衢州言太子少保致仕赵抃卒。赠太子少师，谥清献。抃和易长厚，其貌清逸，人不见其喜愠。平生不治赀业，不蓄声妓。嫁兄弟之女十数，它孤女二十余人。施德惸贫，盖不可胜计。日所为事，入夜必衣冠露立，焚香以告天，不可告，则不敢为也。其为吏，善因俗施设，宽猛不同。在处，典成都，尤为世所称道。帝每诏二郡守，必举抃为言，要之以惠利为本。知越州时，诸州皆榜衢路，禁增米价。抃独令有米者任增价粜之。于是米商辐辏，价乃更贱，人无饥者。”

贺铸作《田园乐》诗。《赋得枕上闻雁》诗亦作于本年。

中秋日，郡守吕公著宴于扬州云山阁，秦观预焉，有《中秋口号》。本月，秦观作诗《纪梦答刘全美》。刘全美后来与秦观为同榜进士。

九月

苏轼于本月下旬抵达宜兴。买田于宜兴，田近张善卷西洞天，赋《菩萨蛮》（买田阳羡吾将老）。留宿宜兴十余日后回常州。

苏辙除歙州绩溪令，作诗《将移绩溪令》、《将之绩溪梦中赋泊舟野步》。

秋

王安石移居城外秦淮小宅，有诗《题半山寺壁二首》、《示报宁长老》、《秋熟》、《诉筏》、《金陵绝句四首》、《长干释普济坐化》等。

十月

宋与交趾划分边界。《续资治通鉴》卷七八：“戊子。诏分画交趾界。以六县二峒赐之。先是交趾以追捕侬智会为辞，犯归化州。又遣其臣黎文盛，来广西办理顺安、归化境界，经略使熊本，遣左江巡检成卓典议。文盛称陪臣不敢争执，诏以文盛能遵乾德恭顺之意，赐之袍带及绢五百匹。至是乃以八隘之外保乐六县、宿桑三峒，予乾德。”

秦观作《宿金山》、《金山晚眺》二诗。

十二月

司马光修《资治通鉴》书成。《续资治通鉴》卷七八：“十二月戊辰。以端明殿学士兼翰林侍读学士司马光，为资政殿学士；校书郎前知泷水县范祖禹，为秘书省正字。并以修《资治通鉴》书成也。自治平开局，光与刘攽、刘恕、范祖禹及子康编集。前后六任，听以书局自随，给之禄秩。光于是遍阅旧史，旁采小说，抉摘幽隐，上其周威烈王二十三年，下终五代，凡一千三百六十二年，修成二百九十四卷。又略举事目年经国纬，以便检寻，为《目录》三十卷。参考群书，评其同异，俾归一途，为《考异》三十卷。合三百五十四卷。历十九年而成。至是上之，降诏奖谕，赐银帛衣带鞍马。帝谓辅臣曰：‘前代未尝有此书，过荀悦《汉记》远矣。’迁光及祖禹官，时刘恕已卒，刘攽坐废黜，故不及。后光病《目录》太简，更为《举要历》八十卷而未成。又别著《历年》二卷、《通历》八十卷、《稽古录》二十卷。”

苏轼于初一日抵泗州，谒普照塔，舍山木一峰供养，作《木峰偈》。十八日，沐浴泗州雍熙塔下，赋《如梦令》二首（水垢何曾相受）、（自净方能净彼）。二十日，赋《行香子・与泗守过南山晚归作》（北望平川）。二十四日，赋《浣溪沙》（斜风细雨作小寒）。三十日，赋《满庭芳》（三十三年，漂流江海）、《如梦令・题淮山楼》（城上层楼叠巘)。在泗州度岁，作诗《泗州除夜雪中黄师是送酥酒二首》、《章钱二君见和复次韵答之二首》，见《苏轼诗集》卷二四。

苏辙离开筠州，作诗《乘小舟出筠江二首》。经过南昌，作《滕王阁》诗。除夕夜，作诗《除夜泊彭蠡湖遇大风雪》。

王安石作《次韵王胜之咏雪》、《酬俞秀老》、《答俞秀老书》等。

本年

文人集团有瓜葛，各有个性春风生。《续资治通鉴》卷七八：“是岁，秋宴。帝感疾，始有建储意，又谓辅臣曰：‘来春建储。’其以司马光、吕公著为师保。阳武邢恕，少俊迈，喜功名，论古今成事，有战国纵横气习。从程颢学。因出入光、公著门，公著荐为崇文院校书。王安石亦爱之。恕对其子雱，语新法不便，安石闻之怒，斥知延陵县，县废不复调，浮湛陕洛间者七年，复为校书，吴充用为馆阁校勘，历史馆检讨，著作佐郎。确代充相，尽逐充所用人，恕深居惧及。帝见其《送文彦博诗》，称于确，谓恕久在观中，当迁。确不可。帝弗颜。确有机巧，知帝将擢恕，退即除职方员外郎，自是恕为确党矣。帝有复用光、公著意，确以恕为两人门下客，亟结纳之。恕亦深自附托，乃为确画策，稍收召名士，于政事微有更革。及光为资政殿学士，确知其必复用，欲自托于光，乃谓恕曰：‘上以君实为资政殿学士，异礼也。君实好辞官，确晚进’不敢进书，和叔门下士，宜以书言不可辞之故。和叔，恕字也。恕但与光子康书，致确语。康以白光，光笑而不答，亦再辞而后受之。”

兹综述苏轼出处。施宿《东坡先生年谱》：“正月，御札苏轼黜居思咎，阅岁滋深。人才实难，不忍终弃，可移汝州团练副使、本州安置。初，先生既贬，上念之不置，尝有旨以本官起知江州。明日改承议郎江州太平观。又明日命格不下，或曰王珪为之也。京师有传先生白日仙去者，上对左丞蒲宗孟嗟惜久之，至是年出手札量移。四月发黄州，自九江抵兴国，取高安，访子由，因游庐山，出九江，先生长子迈赴德兴尉，六月送之至湖口。秋七月，回舟当涂，过金陵，见王介甫，留一月而去。八月，至京口，渡淮已岁晚矣。先生初欲求田金陵，及淮上，故盘桓久至，然竟不遂。到泗，上表乞常州居住，邸吏拘微文不肯进，乃于鼓院投之，盖先生旧有田在阳羡也。”

黄庭坚本年所作文，较著名的有《毁壁》。刘壎《隐居通议》卷四：“宋至豫章宫，用功于骚甚深，其所作亦甚似，如《毁壁》一篇，则其尤似者也。朱文公为之序曰：‘《毁壁》者，豫章黄太史庭坚之所作也。太史以能诗致大名，而尤以楚辞自喜，然以其有意于奇也太甚，故论者以为不诗若也。独此篇为其女弟而作，盖归而失意于其姑，死而犹不免于水火，故其词极悲哀而不暇于作为，乃为贤于他语云。’其词曰……此词三章，一章言其失爱于姑也，二章言其死而不免于水火也，三章言其死后山川寂寥也。每章以‘归来兮消遥’句结之，卒章疑有误字。公作此词，清峭而意悲怆，每读令人情思黯然。”

黄庭坚本年所作诗，较著名的有《题宛陵张侍举曲肱亭》。贺裳《载酒园诗话》卷五：“读黄豫章诗，当取其清空平易者，如《曲肱亭》：……不甚矫揉，政自佳。”

还有《送王郎》，胡仔《苕溪渔隐丛话前集》卷二九：“苕溪渔隐曰：永叔《送原甫出守永兴》诗云：‘酌君以荆州鱼枕之蕉，赠君以宣城鼠须之管，酒如长虹饮沧海，笔若骏马驰平坂。’黄鲁直《送王郎》诗云：……近时学者，以谓此格独鲁直为之，殊不知永叔已先有也。”孙奕《履斋示儿编》卷十：“晁无咎《行路难》云：‘赠君珊瑚夜光之角枕，玳瑁明月之雕床，一茧秋蝉之丽縠，百和更生之宝香。’黄鲁直《送王郎》诗云：……此诚相若，然鲁直辞雄意婉，压倒无咎。原其句法，实有来处，得非顾况《金珰玉珮歌》云：‘赠君金珰大霄之玉珮，金锁禹步之流珠，五岳真君之秘箓，九天文人之宝书。’晁、黄得夺胎换骨之活法于此者乎？”

还有《寄耿令几父过新堂邑作乃几父旧治之地》。

陈师道本年作诗《送内》、《别三子》、《寄外舅郭大夫》、《城南寓居二首》（游子暮何归）（潭潭光明殿）、《忆少子》。另外，《宋外舅郭大夫槩西川提刑》，据《实录》，元丰七年五月，朝请郎郭槩提点成都府路刑狱。此诗未必作于本年，姑以除官岁月为次，系于此。其中，较著名者如下：

《后山诗补注》卷一《送内》：“麀麌顾其子，燕雀各有随。与子为夫妇，五年三别离。儿女岂不怀，母老妹亦笄。父子各从母，可喜亦可悲。关河万里道，子去何当归。三岁不可道，白首以为期。百亩未为多，数口可无饥。吞声不敢尽，欲怨当归谁。”梅南本墨批：“此与下一首俱自苏、李诗中来。直叙情事，字字悲惨，字字老到，乃最可传者。”

同卷，《别三子》：“夫妇死同穴，父子贫贱离。天下宁有此，昔闻今见之。目前三子后，熟视不得追。嗟乎胡不仁，使我至于斯。有女初束发，已知生离悲。枕我不肯起，畏我从此辞。大儿学语言，拜揖未胜衣。唤爷我欲去，此语那可思。小儿襁褓间，抱负有母慈。汝哭犹在耳，我怀人得知。”

秦观三十六岁。乡居读书。四月，苏轼离黄州，移汝州团练副使。秦观有《赠苏子瞻》诗，为其声名绝后先，流离路八千而叹息，庆幸其蒙君恩而稍内迁。八月两人相会于金山，秦观有《送僧归遂州》、《送佛印》诗。又为徐大正写《闲轩记》、《徐得之闲轩》诗。九月，苏轼作书推荐少游于王安石，安石复苏轼书，称誉其诗文。少游以小像求苏轼作赞。十月末，苏轼与之在淮上饮别，苏轼作《虞美人》（波声拍枕长淮晓）词相赠。

吕本中（1084—1145）生。《宋史》卷三七六《吕本中传》：“吕本中字居仁，元祐宰相公著之曾孙、好问之子。幼而敏悟，公著奇爱之。公著薨，宣仁太后及哲宗临奠，诸童稚立庭下，宣仁独进本中，摩其头曰：‘孝于亲，忠于君，儿勉焉。’祖希哲师程颢，本中闻见习熟。少长，从杨时、游酢、尹焞游，三家或有疑异，未尝苟同。以公著遗表恩，授承务郎。绍圣间，党事起，公著追贬，本中坐焉。元符中，主济阴簿，秦州士曹掾，辟大名府帅司干官。宣和六年，除枢密院编修官。靖康改元，迁职方员外郎。以父嫌奉祠。丁父忧，服除，召为祠部员外郎，以疾告去。再直秘阁，主管崇道观。绍兴六年，召赴行在，特赐进士出身，擢起居舍人兼权中书舍人。……七年，上幸建康，本中奏曰：‘当今之计，必先为恢复事业，求人才，恤民隐，讲明法度，详审刑政，开直言之路，俾人人得以尽情。然后练兵谋帅，增师上流，固守淮甸，使江南先有不可动之势，伺彼有衅，一举可克。……’内侍郑谌落致仕，得兵官。本中言：‘陛下进临江浒，将以有为，今贤士大夫未能显用，岩穴隐幽未能招致，乃起谌以统兵之任，何邪?’命遂寝。引疾乞祠，直龙图阁，知台州，不就，主管太平观。召为太常少卿。八年二月，迁中书舍人。三月，兼侍讲。六月，兼权直学士院。金使通和，有司议行人之供，本中言：‘使人之来，正当示以俭约，客馆刍粟若务充悦，实起戎心。且成败大计，初不在此，在吾治政得失、兵财强弱，愿诏有司令无伐可也。’初，本中与秦桧同为郎，相得甚欢。桧既相，私有引用，本中对还除目，桧勉其书行，卒不从。赵鼎素主元祐之学，谓本中公著后，又范仲淹所荐，古深相知。会《哲宗实录》成，鼎迁仆射，本中草制，有曰：‘合晋楚之成，不若尊王而贱霸；散刘李之党，未如明是以去非。’桧大怒，言于上曰：‘本中受鼎风旨，伺和议不成，为脱身之计。’风御史萧振劾罢之。提举太平观，卒。学者称为东莱先生，赐谥文清。有诗二十卷，得黄庭坚、陈师道句法，《春秋解》二十卷、《童蒙训》三卷、《师友渊源录》五卷，行于世。”

李清照（1084—1156?）**生**。道光《济南府志·列女传·李清照传》：“李氏名清照，号易安居士，礼部员外郎格非女，诸城翰林承旨赵明诚妻。幼有才藻，及长，适明诚。结缡未久，明诚负笈出游，清照书词锦帕送之。尝以所作词函致明诚，明诚叹息愧弗逮，谢客忘寝食者三日夜，得五十阕，杂清照词示友人陆德夫。德夫称绝佳者，正清照作也。其舅挺之相徽宗，清照献诗有云：‘炙手可热心可寒。’挺之排元祐党人甚力，格非以党籍罢，清照上诗救格非有云：‘何况人间父子情!’识者哀之。明诚好储经籍及三代鼎彝、书画、金石刻，连知莱、淄二州，竭奉入以事铅椠。清照与共校勘。明诚作《金石录》，考据精确，多足证史书之失，清照实助成之。靖康二年春，明诚奔母丧于建康，半弃所藏。其年十二月，金人陷青州，火其藏书十余屋。明诚诸城人，而家于青也。建炎二年起复，知建康府。三年，召知湖州。至行在，病卒。清照自为文祭之。既葬，清照赴台州依其弟康，辗转避难于越、衢诸州。绍兴二年，又赴杭州，所携古器物以次失去。乃为《金石录后序》，自述流离状。清照为词家大宗，尝谓词自唐、五代无合格者。宋柳永虽协音律，而语尘下。张子野、宋子京兄弟、沈唐、元绛、晁次膺，有妙语而破碎。晏元献、苏子瞻所作，似诗之句读不葺者。盖词别是一家，知之者少。晏叔原、贺方回、秦少游、黄鲁直能知之；晏苦无铺叙，贺少典重，秦即专主情致而少故实，黄尚故实而多疵病。世以为名论。”

曾几（1084—1166）**生**。陆游《曾文清公墓志铭》：“公讳几，字吉甫。其先赣人，徙河南之河南县。……未冠，从兄官郓州，补试州学为第一，教授孙勰亦赣人，异时读生程试意不满，辄曰：‘吾江西人属文不尔。’诸生初未谕。及是持公所试文，矜语诸生曰：‘吾江西人之文也。’乃皆大服。已而入太学，屡中高等，声籍甚。会兄弼提举京西南路学事，按部溺死，无后，特恩补公将仕郎。公以太夫人命不敢辞，试吏部铨，中优等，赐上舍出身，擢国子正，兼钦慈皇后宅教授。迁辟雍博士，兼编修道史检阅官。……改宣义郎，如秘书为校书郎。道士林灵素以方术得幸，尊宠用事，作符书号神霄录。自公卿以下群造其庐拜受，独故相李纲、故给事中傅崧卿及公俱移疾不行，出为应天少尹。……丁内艰，服除，主管南外宗室财用。靖康初提举淮南东

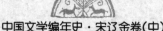

路茶盐公事。……改提举京湖北路茶盐公事。……以疾乞闲，主管临安府洞霄宫，起为福建路转运判官，未赴，改广南西路。……徙江西南路提点刑狱公事，改两浙西路。故太师秦桧用事，与虏和，士大夫议其不可者辄斥，公兄为礼部侍郎，争尤力，首斥，而公亦罢。时秦氏专国权柄未久，犹惮天下议，复除公广南西路转运副使，以慰士心，徙荆湖南路。……主管台州崇道观，起提举湖北茶盐，未赴，改广西转运判官。公虽益左迁，然于进退从容自若，人莫能窥其涯。复主崇道观，寓上饶七年，读书赋诗，盖将终焉。绍兴二十五年桧卒，太上皇帝当宁慨然，尽斥其子孙姻党，而收用耆旧与一时名士。十一月，起公提点两浙东路刑狱。公老矣而精明不少衰，去大猾吏张镐，一路称快。明年知台州。……逾年召赴行在所，力以疾辞，除直秘阁，归故官。复召，既对，太上皇帝劳问甚渥，曰：'闻卿名久矣。'公因论士气不振既久，陛下兴起之于一朝，矫枉者必过直，虽有折槛断鞅牵裾还笏若买直沽名者，愿皆优容奖激之。时太上惩秦氏专政之后，开言路，奖孤直，应诏论事者众，公惧或有以激讦获戾者，先事反复极论以开广上意。太上大悦，除秘书少监。……擢尚书礼部侍郎。……［二十七年］乃以集英殿修撰提举洪州玉龙观。又三岁，除敷文阁待制。……隆兴二年，共上章谢事，迁左通议大夫致仕。……乾道二年五月戊辰，卒于平江府逮之官舍，享年八十三，爵至河南县开国伯，食邑至七百户。……公贯通六经，尤长于《易》、《论语》。夙兴，正衣冠读《论语》一篇，迨老不废。……公治经学道之余，发于文章，雅正纯粹，而诗尤工，以杜甫、黄庭坚为宗，推而上之，由黄初、建安以极于《离骚》、《雅》、《颂》、虞夏之际。初与端明殿学士徐俯，中书舍人韩驹、吕本中游，诸公既没，公岿然独存，道学既为儒者宗，而诗益高，遂擅天下。有文集三十卷、《易释象》五卷，其他论著未诠次者尚数十卷。"

晁端友（？—1084）卒。苏轼《晁君成诗集引》："乃者官于杭，杭之新城令晁君君成讳端友者，君子人也。吾与之游三年，知其为君子，而不知其能文与诗，而君亦未尝有一语及此者。其后君既殁于京师，其子补之出君之诗三百六十篇。读之而惊曰：嗟夫，诗之旨虽微，然其美恶高下，犹有可以言传而指见者。至于人之贤不肖，其深远茫昧难知，盖甚于诗。今吾尚不能知君之能诗，则其所谓知君之为君子者，果能尽知之乎？君以进士得官，所至民安乐之，惟恐其去。然未尝以一言求于人。凡从仕二十有三年，而后改官殁。由此观之，非独吾不知，举世莫知之也。君之诗清厚静深，知其为人，而每篇辄出新意奇语，宜为人所共爱，其势非君深自覆匿，人必知之。而其子补之，于文无所不能，博辩俊伟，绝人远甚，将必显于世。吾是以益知有其实而辞其名者之必有后也。"

公元1085年（宋元丰八年　辽大安元年　夏大安十一年　乙丑）

正月

五国部长贡良马于辽。

苏轼作诗《正月一日雪中过淮谒客作二首》自述其行踪。初四日，离泗州，沿淮河而上，向汝州进发。舟至南都（今河南商丘），忽传"报可"诏旨，神宗准其放归常州居住，苏轼作文《泗岸喜题》。此前，苏轼曾于元丰七年十月十九日，十二月一日两次上表请求在常州居住。十五日，在宿州，赋《南乡子·宿州上元》（千骑试春游）。十九日，答徐州开元寺僧法明简，报得请居常州，此简即《答开元明坐主九首》之三，时已至南都。赋《满庭芳》（归去来兮，清溪无底）。王巩、黄庭坚作诗庆得请。黄庭坚所作诗为《次韵清虚喜子瞻得常州》。清虚，即王巩，巩原韵已佚。

二月

苏辙作诗《初到绩溪，视事三日，出城南谒二祠，游石照寺，偶成四小诗，呈诸同官》（《梓桐庙》、《汪王庙》、《石照二首》），诗题已述其行踪。又作《县中诸花多，交代江君所载，牡丹已过，芍药方盛，偶寄小诗》。

三月

宋神宗（1048—1085）卒。《续资治通鉴》卷七八：“戊戌。帝崩于福宁殿，年三十有八。宰臣王珪读遗制，皇太子即皇帝位，尊皇太后为太皇太后，皇后为皇太后，德妃朱氏为皇太妃，应军国事，并太皇太后权同处分，依章献明肃皇后故事。帝天性孝友，其入事两宫，侍立终日，虽寒暑不变。亲爱二弟，无纤毫之间。终帝之世，乃出居外第。总揽万机，大小必亲。御殿决事，或日昃不暇食。侍臣有以为言者，帝曰：‘朕享天下之奉，非喜劳恶逸，诚欲以此勤报之耳。’谦冲务实，终生不受尊号。时承平日久，事多舒缓，帝励精图治，欲一振其弊。又以祖宗志吞幽、蓟、灵、武，而数败兵，奋然将雪数世之耻。王安石遂以富强之谋进，而青苗、保甲、均输、市易、水利诸法，一时并兴，天下骚然，痛哭流涕者接踵而至。帝终不觉悟，方废逐元老，摈斥谏士，行之不疑。祖宗之良法美意，变坏几尽，驯至靖康之祸。”

司马光入临，老百姓欢迎。《续资治通鉴》卷七八：“司马光入临，卫士见光，皆以手加额曰：‘此司马相公也！’所至民遮道聚观，马既不得行，曰：‘公无归洛，留相天子，活百姓！’光惧，会放辞谢，遂径归洛。太皇太后闻之，诘问主者，遣内侍梁惟简，劳光，问所当先者。光乃上疏曰：‘近岁士大夫以言为讳，闾阎愁苦于下，而上不知。明主优勤于上，而下无所诉。此罪在群臣，而愚民无知，归怨先帝。臣愚以为今日所宜先者，莫若明下诏书，广开言路，不以有官无官，凡知朝政阙失，及民间疾苦者，并许进实封状，尽情极言。仍颁下诸路州军出榜晓示。在京则鼓院投下，委主判官画时进入。在外则于州军投下，委长吏即日附递奏闻。皆不得责取副本，强有抑退，群臣若有沮难者，其人必有奸恶，畏人指陈，专欲壅蔽聪明，此不可不察。’从之。”

四月

宋部分恢复旧制，诏宽保甲、保马，除元丰六年以前逋赋。

五月

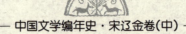

焦蹈等四百六十一人中进士。《续资治通鉴》卷七八："丙辰。赐礼部奏名进士焦蹈等，及诸科及第出身，同出身，四百六十一人。"秦观、阮阅进士及第。

三旨宰相王珪（1019—1085）卒。《续资治通鉴》卷七八："庚午。尚书左仆射兼门下侍郎岐国公王珪卒，赠太师，谥文恭。礼部言当举哀成服，诏以大行在殡，罢之。珪自执政至宰相，凡十六年，无所建明，时号'三旨宰相'，以其上殿进呈曰'取圣旨'，上可否讫云'领圣旨'，既退谕禀事者云'已得圣旨'故也。又与蔡确比，以沮司马光，而兴西师之役，为清议所抑。"

太皇太后反对新法，司马温公再度执政。《续资治通鉴》卷七八："戊午。以尚书右仆射兼中书侍郎蔡确，为尚书左仆射兼门下侍郎；知枢密院事韩缜，为尚书右仆射兼中书侍郎；门下侍郎章惇，知枢密院；资政殿学士司马光为门下侍郎。初，光以知陈州过阙，入见，太皇太后遣中使以五月五日诏书示光，光言：'诏书始末之言，固已尽善，中间逆以六事防之。臣以为人惟不言，言则入六事矣。或于群臣有所褒贬，则谓之阴有所怀。本职之外微有所涉，则谓之犯非其分。陈国家安危大计，则谓之扇摇机事之重。或与朝旨暗合，则谓之迎合已行之令。言新法不便当改，则谓之观望朝廷之意。言民间愁苦可悯，则谓之眩惑流俗之情。然则天下之事，无复可言者，是诏书始于求谏而终于拒谏也。乞删去中间一节，使人尽所怀，不忧黜罚，则中外之事，远近之情，如指诸掌矣。'至是，拜门下侍郎，光辞。二札并进，其一请厘革新法，曰：'先帝厉精求治以致太平，不幸所委之人，不足以仰副圣志，多以己意轻改旧章，谓之新法。其人意所欲为，人主不能夺，天下莫能移，缙绅士大夫望风承流，兢献策画，作青苗、免役、市易、赊贷等法。又有边鄙之臣，行险侥幸，轻动干戈，深入敌境，使兵夫数十万，暴骸于旷野。又有生事之臣，建议置保甲户马以资武备，变茶盐铁冶等法，增家业，侵街商税钱以供军需。非先帝之本志也。先帝升遐，臣奔丧至京，乃蒙太皇太后陛下特将中使，访以得失。顾天下事物至多，但乞下诏使吏民得实封上言，庶几民间疾苦，无不闻达。既而闻有旨罢修城役夫，撤巡逻之卒，止御前造作。京城之民，已自欢跃。及臣归西京之后，继闻斥退近习之无状者，戒饬有司奉法失当，过为繁扰者。罢物货场及所养户马，又宽保马年限，四方之人，无不鼓舞圣德。凡臣所欲言者，陛下略已行之，然尚有病民伤国有害无益者，如保甲、免役钱、将官三事，皆当今之急务，厘革所宜先者，别状奏闻。伏望早赐施行。'时方遣中使召光受告，光复辞。太皇太后赐以手诏曰：'先帝新弃天下，天子幼冲，此何时而君辞位邪?'且使梁惟简宣旨曰：'早来所奏备悉卿意，再降诏开言路，俟卿供职施行。'光由是不敢复辞。时民日夜引领以观新政，而议者犹以为三年无改于父之道，光慨然争之曰：'先帝之法，其善者虽百世不可变也。如王安石、吕惠卿等所建，为天下害，非先帝本意者，改之当如救焚拯溺，犹恐不及!'"

庚午，以程颢为宗正寺丞。

苏轼于二十二日至常州，上谢表，准备再次躬耕陇亩，以度余生。作诗《归宜兴留题竹西三绝句》。

六月

程颢（1033 —1085）卒。《续资治通鉴》卷七八：“丁丑。宗正寺程颢卒。颢十五六时，与弟颐和周敦颐论学，遂厌科举，慨然有求道之志，泛滥于诸家，出入于释老者几十年，返求诸六经而后得之。其言曰：‘道之不明，异端害之也。昔之害近而易知，今之害深而难辨。昔之惑人也，乘其迷暗；今之惑人也，因其高明。是皆正路之榛芜，圣门之蔽塞，辟之而后可以入道。’颢卒，文彦博表其墓曰‘明道先生’。弟颐序之曰：‘孟轲死，圣人之学不得传，先生生于千四百年之后，得不传之学于遗经，自孟子之后，一人而已。’”

诏罢新法。《续资治通鉴》卷七八：“吕公著既上十事，太皇太后遣中使谕公著曰：‘览卿所奏，深有开益，当此拯民疾苦，更张何者为先?’庚寅。公著复上奏曰：‘自王安石秉政，变易旧法，群臣有论其非便者，指以为沮坏法度，必加废斥。是以青苗免税之法行，而取民之财尽；保甲保马之法行，而用民之力竭。市易茶盐之法行，而夺民之利悉。若此之类甚众。更张须有术，不在仓卒。且如青苗之法，但罢逐年比校，则官司既不邀功，百姓自免抑勒之患。免役之法，当少取宽剩之数，度其差雇所宜，无令下户虚有输纳。保甲之法，止令就冬月农隙教习，仍委本路监司提按，既不至妨农害民，则众庶稍得安业。至于保马之法，先朝已知有司奉行之缪。市易之法，先帝尤觉其有害而无利，及福建江南等路配卖茶盐过多，彼方之民，殆不聊生，恐当一切罢去。而南方盐法，三路保甲，尤宜先革者也。陛下必欲更修庶政，使不惊物听而实利及民，莫若任人为急。’又上奏言：‘孙觉方正有学识，可以充谏议大夫。范纯仁刚劲有风力，可以充谏议大夫，或户部右曹侍郎。李常清直有守，可备御史中丞。刘挚资性端厚，可充侍御史。苏轼、王岩叟并有才气，可充谏官或言事御史。’太皇太后封公著札子，付司马光，详所陈更张利害，直书以闻。光奏：‘公著所陈，与臣言正相符合。惟保甲一事，既知其危害于民，无益于国家，当一切废罢，更安用教习?’光又奏言：‘陛下推心于臣，俾择多士。窃见刘挚公忠刚正，终始不变。赵彦若博学有父风，内行修饬。傅尧俞清立安恬，滞淹岁久。范纯仁临事明敏，不畏强御。唐淑问行已有耻，难进易退。范祖禹温良端厚，修身无缺。此六人者，皆素所熟知。若使之或处台谏，或侍讲读，必有裨益。余如吕大防、王存、李常、孙觉、胡宗愈、韩宗道、梁焘、赵君锡、王岩叟、晏知止、范纯礼、苏轼、苏辙、朱光庭，或以行义，或以文学，皆为众所推。伏望陛下纪其名姓，各随器能，临时任使。至文彦博、吕公著、冯京、孙固、韩维等，皆国之老成，可以倚信。亦令各举所知，庶几可以参考异同，无所遗逸。’”

苏轼复官。在司马光、范纯仁等推荐下，终于本月告下，苏轼复朝请郎、起知登州军州事。本月，作诗《墨花并叙》。获得任命之后，苏轼有一段快活而频繁的交友活动。崔子方与苏轼游，或为此时事，崔子方，字彦直，涪陵人也，通春秋学，尝知滁州。陈振孙《直斋书录解题》卷二著录崔子方《春秋经解》十六卷，《宋文鉴》卷二三有崔子方诗。

七月

苏轼将赴登州之前，赋《蝶恋花》(云水萦回溪上路)述怀。七月下旬，苏轼自常州赴登州。二十五日，与杜介相遇于金山，作诗《赠杜介并叙》。又作诗《送穆越州》，送别穆珣（东美）知越州。

黄庭坚至京师，以秘书省校书郎召入馆。

八月

苏轼与客登金山妙高台，命袁绹歌《水调歌头》(明月几时有，把酒问青天)。中秋前后，亦尝登妙高台，应了元（佛印）之请，作诗《金山妙高台》。二十八日，作诗《余将赴文登，过广陵，而择老移住石塔，相送竹西亭下，留诗为别》。

丁卯（初六日)，苏辙以承议郎为秘书省校书郎，作诗《初闻得校书郎示同官三绝》。

时张耒为咸平丞，闻苏辙除校书郎，为诗并招王子中。此诗即《柯山集拾遗》所载“绩溪仙翁若秋鹤”。[思齐按：王子中，乃王适（1055—1089），字子立，赵郡临城（今河北赵州）人。尝为徐州州学生，甚为苏轼所赏，苏辙以女妻之。事迹见《苏轼文集》卷一五《王子立墓志铭》，又见苏辙《栾城后集》卷二一《王子立秀才文集引》。]

贺铸病后登快哉亭，作《病后登快哉亭事》诗。又作诗《行路难》，题下小序道其行踪：“乙丑八月被外计檄召，徐郓往返千二百里，由荒山广泽，皆畏途也。而期会甚严，夜不遑息，因赋是诗，命曰行路难。”

九月

苏轼赴登州途中，过涟水军，赋《蝶恋花·过涟水军赠赵晦之》(自古涟漪佳绝地)。赵昶，字晦之。过海州，作诗《元丰七年，有诏京东淮南筑高丽亭馆，密、海二州骚然，有逃亡者。明年，轼过之，叹其壮丽，留一绝云》，诗题已述其行踪。过怀仁县，作诗《怀仁令陈德任新作占山亭二绝》，题目已示其行踪。过密州，作诗《过密州，次韵赵明叔、乔禹功》，指赵杲卿、乔叙。过常山，父老相迎，作《再过常山，和昔年留别诗》。又作诗《再过超然台赠太守霍翔》。霍翔，时任密州太守。

贺铸作《召寇元弼》诗。

秋，秦观自京归高邮经南京，作《南京妙峰亭》诗。

十月

十五日，苏轼抵登州任，进谢上表，上谢两府启。其上任乃赵偁。二十日，苏轼在登州任才五天，即以礼部郎中被召还朝。苏轼有诗《登州海市并叙》。进谢上表，作谢杜宿州启。

初八日，苏辙游杭州上天竺，有诗《寄龙井辩才法师并叙》。本月，改秘书省校书郎为右司谏。

贺铸作诗《题渊明轩》。

十一月

辽史臣进《七帝实录》。

辽册封高丽国王。

程颐为汝州团练推官，充西京国子监教授。《续资治通鉴》卷七八："丁巳。以乡贡进士程颐，为汝州团练推官，充西京国子监教授。用司马光、吕公著、韩绛之荐也。"

初二日，苏轼与子苏过同游登州延洪禅院，院僧文泰方造释迦文佛像，过乃舍所蓄乌铜鉴，时苏过十四岁。

十二月

于阗进狮子于宋朝。

月初，苏轼上《登州召还议水军状》、《乞罢登莱榷盐状》（俱见《苏轼文集》卷二六）。月末，苏轼抵京师，就礼部郎中任，秦观有贺启。时司马光、章惇不和，苏轼劝章惇尊重司马光。章惇尝为言神宗晚年文章不足用，欲复词赋取士之法。苏轼草《论给田募役状》（见《苏轼文集》卷二六）。苏轼与司马光论役法，认为免役法可去其弊而不变其法，并论给田募役法便民，但司马光不听。戊寅（十八日），苏轼除起居舍人。苏轼面辞于蔡确（持正），不许。苏轼次韵赵令铄（伯坚）致斋，惠酒诗。令铄复惠诗以就起居舍人相勉。二人又有清池酬唱。下旬，苏轼就起居舍人任，有谢启。范纯粹（德孺）守庆州，苏轼有诗送行。《苏轼诗集》卷二六《送范纯粹守庆州》："大才古难用，论高常近迂。君看赵魏老，乃为滕大夫。浮云无根蒂，黄潦能须臾。知经几成败，得见真贤愚。羽旄照城阙，谈笑安边隅。当年老使君，赤手降於菟。诸郎更何事，折箠鞭其雏。吾知邓平叔，不斗月支胡。"苏轼又与王巩（定国）、王震叔侄赓酬。周邠（开祖）赠诗，邠诗佚。苏轼次韵答之，《苏轼诗集》卷二六《次韵周邠》："南迁欲举力田科，三径初成乐事多。岂意残年踏朝市，犹如疲马畏陵坡。羡君同甲心方壮，笑我无聊鬓已皤。何日西湖寻旧赏，淡烟疏雨暗渔蓑。"苏轼与李之仪（端叔）为邻，有酬唱。《苏轼诗集》卷二六《次韵答李端叔》："若人如马亦如班，笑履壶头出玉关。已入西羌度砂碛，又从东海看涛山。识君小异千人里，慰我长思十载间。西省邻居时邂逅，相逢有味是偷闲。"苏轼尝以之仪诗呈玉堂前辈。

本年

兹综述苏轼出处。施宿《东坡先生年谱》："先生正月离泗上至南京，寻得请常州居住。时李廌方叔旧从先生学，自阳翟来南京见先生。三月六日，先生在南京，闻神宗皇帝遗诏，寻自南京赴常。五月一日，过扬州，游竹西寺。寻有旨复朝奉郎知登州。七月，自常赴登。九月，除尚书礼部郎中。冬十一月，至登州，任未旬日，诏赴阙。十二月，除起居舍人。子由是岁八月自知绩溪县除校书郎，未至，迁右司谏。"

黄庭坚本年所作诗，较著名的有《寄黄几复》。方东树《昭昧詹言》卷二十："亦

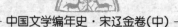

是一起浩然，一气涌出。五六一顿。结句与前一样笔法（按指《答龙门潘秀才见寄》）。山谷兀傲纵横，一气涌现，然专学之，恐流入空滑，须慎之。”陈衍《宋诗精华录》卷二：“次句语妙，化臭腐为神奇也。三四为此老最合时宜语，五六则狂奴故态矣。”

还有，《和答莘老见赠》、《以小龙团及半挺赠无咎并诗用前韵为戏》、《次韵子由绩溪病起被召寄王定国》。

另外，将黄庭坚《送舅氏野夫之宣城二首》（籍甚宣城郡）（试说宣城郡），姑系于本年。李莘，字野夫，山谷母舅李常之兄。屯田郎中李莘于元丰八年十二月知宣州。方回《瀛奎律髓》卷四《风土类》评第一首：“三四言土俗未见其奇，却是五六有斡旋，尾句稍健。彼学晚唐者有前联工夫，无后四句力量。”评第二首：“此诗中四句佳，言风土之美，而‘明’、‘簇’、‘丰’、‘卧’，诗眼也。后山谓‘句中有眼黄别驾’，是也。尾句尤有味，年丰矣，讼少矣，彼得谢公歌舞之地，以亲笔墨为事可乎？起句乃昌黎前诗体也。”陈衍《宋诗精华录》卷二：“贡毛号以风流，语妙。鸭脚、琴高当之无愧色。五句本汉诏。”

秦观三十七岁，登焦循榜进士第，作《谢及第启》。试题中有《君臣相正国之肥赋》，秦观因连押“彊、疆”两韵而引起争议，主试者以为不属重叠用韵。除定海主簿，未赴任；授蔡州教授，奉母赴蔡州。慕马少游之为人，改字少游。陈师道（无己）为作字序。秦观上书丞相王珪论荐士，以为卫青、霍去病、张汤能得人，故成就事业。蔡确任左仆射，秦观代人作贺启。吕公著之子希绩以吏部员外郎出知颍州，秦观代人作谢启。三月，神宗崩，哲宗即位。秦观作《神宗皇帝晏驾功德疏》。十月，苏轼任礼部郎中，秦观作《贺苏礼部启》。又作《代王承事乞回授一官表》。诗作有《次韵马中玉王定国还自宾州》、《题杨康公醉道士石》、《次韵邢敦夫秋怀十首》等。又作《王定国注论语序》。

朱弁（1085—1144）**生。**《宋史》卷三七三《朱弁传》：“朱弁字孝章，徽州婺源人。……既冠，入太学，晁说之见其诗，奇之，与归新郑，妻以兄女。……靖康之乱，家碎于贼，弁南归。建炎初，议遣使问安两宫，弁奋身自献，诏补修武郎，借吉州团练使，为通问副使。至云中，见粘罕，邀说甚切，粘罕不听，使就馆，守之以兵。……［绍兴二年，王］伦将归，弁请曰：‘古之使者有节以为信，今无节有印，印亦信也。愿留印，使弁得抱以死，死不腐矣。’伦解以授弁，弁受而怀之，卧起与俱。金人迫弁事刘豫，且之曰：‘此南归之渐。’弁曰：‘豫乃国贼，吾尝恨不食其肉，又忍北面臣之？吾有死耳！’金人怒，绝其饩遗以困之。弁固据驿门，忍饥待尽，誓不为屈。金人亦感动，致礼如初。久之，复欲易其官，弁曰：‘自古兵交，使在其间，言可从从之，不可从则囚之杀之，何必易其官？吾官受之本朝，有死而已，誓不易以辱吾君也。’且移书耶律绍文等曰：‘上国之威命，朝以至，则使人夕以死；夕以至，则朝以死。’又以书诀后使洪皓曰：‘杀行人非细事，吾曹遭之，命也。要当舍身以全义尔！’乃具酒食，召被掠士夫饮，半酣，语之曰：‘吾已得近郊某寺地。一旦毕命报国，诸公幸瘗我其处，题其上曰有宋通问副使宋公之墓，于我幸矣！’众皆泣下，莫能央视。弁谈笑自若，曰：‘此臣子之常，诸君何悲也！’金人知其终不可屈，遂不复强。……十三年，和议成，弁得归。……秦桧恶其言敌情，奏以初补官易宣教郎、直秘阁。有司较其考十七年，应迁数官，桧沮之，仅转奉议郎。十四年卒。”又，《宋诗纪事》卷四三：“弁字孝章，徽州婺源人。建炎初，授修武郎，借吉州团练使，副王伦使金通问，被拘凡十九年。绍兴十三年，始与洪皓、张邵南归，易宣教郎，直秘阁，主管佑神观，卒。有《品游集》、《輶轩唱和集》、《曲洧就问》、《风月堂诗话》行世。”

第二章

宋哲宗元祐元年至元符三年（1086—1100）共15年

·引　言·

《宋大诏令集》卷第二改元元祐元年御札（元祐元年正月庚寅朔）：“朕绍承大统，遹骏燕谋，於乎皇王，永世克孝。维予小子，未堪多难，业业兢兢，夙夜钦止。尚赖亲慈拥佑，神保贶临，百谷顺承，方内安乂。永惟春秋正始之义，深见天人相与之符，即位逾年，改元布政。以仆属景命，以作新斯民，顾惟守成，敢忘继序，宜自正月一日改元丰九年为元祐元年。”

《宋史纪事本末》卷四三元祐更化：“神宗元丰八年三月，帝崩。皇太子煦即位，时年十岁。太皇太后高氏临朝，同听政。……诏起司马光知陈州，光过阙入见，留为门下侍郎。……秋七月戊戌，以吕公著为尚书左丞。……公著既居政府，与司马光同心辅政，推本先帝之志，凡欲革而未遐与革而未尽者，一一举行之。又乞备置谏员以开言路，民欢呼称便。……哲宗元祐元年闰二月……以司马光为尚书左仆射兼门下侍郎。时光已得疾，而青苗、免役、将管之法犹在，西夏未降，光叹曰：‘四害未除，吾死不瞑目矣！’与吕公著书曰：‘光以身付医，以家事付子，惟国事未有所讬，今以属公。’既而诏免朝参，乘肩舆三日一入省。光不敢当曰：‘不见君，不可视事。诏令子康扶入对。辽人闻之，敕其边吏曰：‘中国相司马矣，慎无生事开边隙。’……光居政府，凡王安石、吕惠卿所建新法，划革略尽。……［司马光卒、吕公著辞位后］以吕大防、范纯仁为尚书左、右仆射兼门下、中书侍郎。大防朴厚憨直，不植党羽。纯仁务以博大开上意，忠厚革世风。二人同心戮力以相王室，太后亦倾心委之，故元祐之治，比隆嘉祐。”

《宋大诏令集》卷第二改绍圣元年御札（元祐九年四月癸丑）：“朕荷皇穹之眷命，守列圣之丕基，十年于兹，四海用乂。日听外朝之治，躬穷万物之机，眇若涉渊，未知所济。顾念祗承上帝，诞保受命。惟骏惠于先猷，以缵隆于下武，乃稽仁祖之成宪，思大文考之烈光。其因盛夏之辰，载新元统之号，庶导迎于景贶，用敷锡于群黎，宜改元祐九年为绍圣元年。布告多方，咸体朕意。”

《宋史纪事本末》卷四六绍述：“哲宗元祐八年冬十月，帝始亲政。时太后既崩，中外汹汹，人怀怨望，在位者畏惧，莫敢发言。……十二月，端明殿侍读学士苏轼乞外补，出知定州。时国事将变，轼不得入辞。……吕大防为山陵使，甫出国门，杨畏首叛大防。……［九年］二月丁未，以李清臣为中书侍郎，邓润甫为尚书右丞。润甫首陈武王能广文王之声，成王能嗣文、武之道，以开绍述，故有是命。范纯仁以时用大臣皆从中出，侍从、台谏亦多不由进拟，乃言于帝曰：'陛下亲政之初，四方拭目以观，天下治乱，实本于此。舜举皋陶，汤举伊尹，不仁者远。纵未能如古人，亦须极天下之选。'帝不纳。……三月，策进士于集英殿。李清臣发策……其意盖绌元祐之政也。苏辙谏……帝览奏大怒……［范纯仁救之，不果］辙竟落职。……及进士对策，考官第主元祐者居上，礼部侍郎杨畏复考，乃悉下之，而以主熙、丰者置前列。自是绍述之论大兴，国事遂变矣。……以曾布为翰林学士承旨。……［四月］癸丑，白虹贯日。曾布上疏，请复先帝政事，且乞改元以顺天意。帝从之，诏改元祐九年为绍圣元年。于是天下晓然知帝意所向矣。……壬戌，以章惇为尚书左仆射兼门下侍郎。时帝有绍复熙、丰之志，首起惇为相，于是专以绍述为国事，遂引其党蔡卞、林希、黄履、来之邵、张商英、周秩、翟思、上官均等居要地，任言责，协谋报复。……［绍圣元年］五月，以黄履为御史中丞。元丰末履为中丞，与蔡确、章惇、邢恕相交结，每惇、确有所嫌恶，则使恕道风旨于履，履即排击之，时谓之'四凶'，为刘安世所论而出。至是，惇复引用，俾报复仇怨，元祐旧臣无一得免者矣。"

《宋史》卷一八《哲宗纪二》："赞曰。哲宗以冲幼践祚，宣仁同政，初年召用马、吕诸贤，罢青苗，复常平，登俊良，阚言路，天下人心翕然向治，而元祐之治，庶几仁宗。奈何熙、丰旧奸枿去未尽，已而媒蘖复用，卒假绍述之言，务返前政，报复善良，驯致党籍祸兴，君子尽斥，而宋政亦弊矣。吁，可惜哉！"

王夫之《宋论》卷七哲宗四："置一说之短长，以通观一时之措施，则其治乱安危，可未成而决其必然于先，况千载而信其所以然于后，无有爽也。哲宗在位十有五年，正出自太后者凡八年，哲宗亲政以还凡六年。绍圣改元而后，其进小人，复苛政，为天下病者，勿论矣。元祐之政亦有难于复理者焉。绍圣之所为，反元祐而实效之也。则元祐之所为，矫熙丰而亦未尝不效之，且启绍圣而使可效者也。呜呼！宋之不乱以危亡者几何哉？"

又，同卷："当其时，耶律之臣主亦昏淫而不自保，元昊之子孙亦偷安而不足逞；藉其不然，靖康之祸，不能待之他日也。而契丹衰，夏人弱，正汉宣北折匈奴之时会。乃恣通国之精神，敝之于一彼一此之短长，而弗能自振。呜呼！岂徒宋之存亡哉？无穷之祸，自此贻之矣。立乎今日，以覆考哲宗之代之所为，其言洋溢于史册，以实求之，无一足当人心者。苟明于得失之理，安能兴登屋遮道之愚民同称庆快邪？"

杨万里《江西宗派诗序》："江西宗派诗者，诗江西也，人非皆江西也。人非皆江西，而诗曰江西者何？系之者也。系之者何？以味不以形也。东坡云："江瑶柱似荔子。"又云："杜诗似《太史公书》。"不惟当时闻者呒然，阳应曰诺而已，今犹呒然也。非呒然者之罪也，舍风味而论形似，故应呒然也。形焉而已矣，高子勉不似二谢，二谢不似三洪，三洪不似徐师川，徐师川不似陈后山，而况似山谷乎？味焉而已矣，酸咸异和，山海异珍，而调胹之妙，出乎一手也。似与不似，求之可也，遗之亦可也。大抵公侯之家有阀阅，岂惟公侯哉，诗家亦然。窭人子崛起委巷，一旦纡以银黄，缨以端委，视之，言公侯也，貌公侯也。公侯则公侯乎尔，遇王谢子弟，公侯乎？江西之诗，世俗之作，知味者当能别之矣。昔者诗人之诗，其来遥遥也。然唐云李、杜，宋言苏、黄，将四家之外，举无其人乎？门固有伐，业固有承也。虽然，四家者流，一其形，二其味；二其味，一其法者也。阖尝观乎列御寇、楚灵均之所以行天下者乎？行地以舆，行波以舟，古也。而子列子独御风而行，十有五日而后反，彼其于舟车，且乌乎待哉！然则舟车可废乎？灵均则不然，饮兰之露，餐菊之英，去食乎哉！芙蓉其裳，宝璐其佩，去饰乎哉！乘吾桂舟，驾吾玉车，去器乎哉！然朝闻阆风，夕不周，出入乎宇宙之间，忽然耳，盖有待乎舟车，而未始有待乎舟车者也。今夫四家者流，苏似李，黄似杜；苏李之诗，子列子之御风也；杜、黄之诗，灵均之乘桂舟、驾玉车也。无待者，神于诗者欤？嗟乎！离神与圣，苏、李，苏、李乎尔！杜、黄，杜、黄乎尔！合神与圣，苏、李不杜、黄，杜、黄不苏、李乎？然而诗可以易而言之哉？秘阁修撰给事程公，以一世儒先，厌直而帅江西，以政新民，以学赋政。如春而肃，如秋而燠，盖二年如一日也。追暇则把酒赋诗，以黼黻乎翼轸，而金玉乎落霞秋水。尝试登滕王阁，望西山，俯章江，问双井，今无恙乎？因谓曰：江西宗派图吕居仁所谱，而豫章自出也。而是派之鼻祖云仍，其诗往往放逸，非阙欤？于是以谢幼槃之孙源所刻石本，自山谷外，凡二十有五家，汇而刻之于学官，将以兴废西山章江之秀，激扬江西人物之美，鼓动骚人国风之盛。移书谂予曰：子江西人也，非乎？序斯文者，不在子其将焉在？予三辞不获，则以所闻书之篇首云。淳熙甲辰十月三日庐陵杨万里序。”

严羽《沧浪诗话·诗体》：“以时而论，则有……元祐体，苏、黄、陈公。”元好问《论诗三十首》之二七：“百年才觉古风回，元祐诸人次第来。讳学金陵犹有说，竟将何罪废欧梅？”

严羽《沧浪诗话·诗体》：“以人而论，则有……后山体，后山本学杜，其语似之者但数篇，他或似而不全，又其他则本其自体耳。”

《诗源辩体·后集纂要》卷一第二八条：“黄鲁直诸体，生涩拗僻、深晦底滞者，悉出圣俞。宋人尝谓欧公以文为诗、坡公罕逢蕴藉，此论诚当，然于鲁直则返称美之，岂以欧、苏为变、鲁直为正耶？甚矣，宋人之愈惑也。陈无己谓：‘鲁直过于用奇，不若杜之遇物而奇。’愚谓：‘太白之窈冥恍惚，子美之突兀峥嵘，乃古今至奇，鲁直不能仿佛一二，徒欲以一字一句取异于人，即使果为奇句，亦是小道，况若是乎！’”

陈师道《答秦觏书》：“仆于诗，初无师法，然少好之，老而不厌，数以千计。及一见黄豫章，尽焚其稿而学焉。豫章以谓：‘譬之以弈焉，弟子高师一著，仅能及之，争先则后矣！’仆之诗，豫章之诗也。豫章之学博矣，而得法于杜少陵，其学少陵而不为者也，故其诗近之，而其进则未也。故仆尝谓豫章之诗如其人，近不可亲，远不可疎，非其好莫闻其声。而仆负戴道上，人得易之，故谈者谓仆诗过于豫章。足下观之，则仆之所有从可知矣，何以教足下？虽然，仆所闻于豫章，愿言其详。”

《诗源辩体·后集纂要》卷一第三二条：“陈无已诗学鲁直，鲁直诗云：‘闭门觅句陈无已，对客挥毫秦少游。’陈无已平时出游，觉有诗思，便急归，拥被卧而思之，呻吟如病者，或累日而后起。其诸体怪癖少于鲁直，而深晦过之。王懋学序云：‘是集无别本，讹字颇多。’是深晦本其痼疾，而复兼以讹字为累，读者以意断之可也。”

公元 1086 年（宋哲宗赵煦元祐元年　辽大安二年　夏崇宗赵乾顺天安理定元年　丙寅）

正月

宋朝改元元祐。吴乘权等辑《纲鉴易知录》卷七二：“哲宗皇帝名煦，神宗第六子，初封延安郡王，后立为太子。在位十五年，寿二十五岁而崩。帝幼冲嗣位，高太后临朝，任用贤相，庶事修举。迨后熙、丰小人得志横行，追贬元祐正人殆无虚日，以致祸乱，而金狄之难萌，徽、钦之祸兆矣。”

辽讲《五经》大义。《续资治通鉴》卷七九：“辽主诏权翰林学士赵孝岩、知制诰王师儒等，讲《五经》大义。”

苏轼始与黄庭坚相见。《山谷全书·别集》卷六《题东坡像》：“元祐之初，吾见东坡于银台之东。”

贺铸罢官，离徐州，有诗《丙寅正月将发彭城作》。

二月

诏修《神宗实录》。《续资治通鉴》卷七九：“乙丑，命蔡确，提举修《神宗实录》。以邓温伯、陆佃并为修撰官，林希、曾肇并为检讨官。”

宋议改役法。《续资治通鉴》卷七九：“司马光奏复差役法。既得旨，知开封府蔡京即用五日限，令两县差一千余人充役，亟诣东府白光，光喜曰：‘使人人如待制，何患法之不行乎？’议者谓京但希望风旨，苟欲媚光，非其实也。……丙子。司马光言‘复行差役之初，州县不能不少有烦扰，伏望朝廷执之坚如金石，虽小小利害未周，不妨徐为改更，勿以人言轻坏利民良法。’章惇取光所奏，凡疏略未尽者，枚举而驳奏之。又尝与同列争曰：‘保甲保马，一日不罢，则有一日之害。如役法者，熙宁初以雇代差，行之太速，故有今弊。今复以差代雇，当详议熟讲，庶几可行。而限以五日，其弊将益甚矣。’吕公著言：‘光所建明，大意已善，其间不无疏略。惇言出于不平之气，专欲求胜，不顾朝廷大体。’乞选差近臣三四人，专切详定。”苏轼亦以为骤罢免役而行差役，亦将有弊。后诏韩维、吕大防、孙永、范纯仁详定役法以闻。

苏辙北上过南都，作诗《题南都留守妙峰亭》。

贺铸次永城。抵汴京。送赵德麟官陈州。有诗《京居春日遣怀》。

闰二月

尚书左仆射蔡确罢，以门下侍郎司马光为尚书左仆射兼门下侍郎。

三月

罢免役法。《续资治通鉴》卷七九：“详定役法。所言乞下诸路除衙前外诸色役人，只依现用人数定差，官户、僧道、寺观、单丁、女户出钱助役指挥勿行。从之。王安石闻朝廷变其法，夷然不以为意。及闻罢助役、复差役，愕然失声曰：‘亦罢及此乎！’

良久曰：‘此法终不可罢也。’”

宋大臣商议改革考试科目。《续资治通鉴》卷七九：“壬戌。司马光言取士之道，当以德行为先、文学为后。就文学之中，又当以经术为先、辞采为后。为今日计，莫若依先朝成法，合明经、进士为一科，立《周易》、《尚书》、《毛诗》、《周礼》、《仪礼》、《礼记》、《春秋》、《孝经》、《论语》为九经，令天下学官，依注疏讲说。学者博观诸家，自择短长，各从所好。《春秋》止用《左氏传》，其公羊、谷梁、陆淳等说，并为诸家。《孟子》止为诸子，更不试大义，应举者听自占习。三经以上，多少随意，皆须习《孝经》、《论语》。光以奏稿示范纯仁，纯仁答光曰：‘《孟子》恐不可轻，且朝廷欲求众人之长，而元宰现之，似非明夷涖众之议，不若清心以俟众论，可者从之，不可者更俟诸贤议之。如此则逸而易成，有害亦可改矣。’光欣然纳之。”

宋恢复广济河輂运。

程颐侍讲。《纲鉴易知录》卷七二：“夏四月，召程颐为崇政殿说书。颐，颢之弟也。年十八上书仁宗，欲黜世俗之论，以王道为心。治平、元丰间，大臣屡荐不起，至是，司马光、吕公著共疏其行义曰：‘伏见河南处士程颐，力学好古，安贫守节，言必忠信，动遵礼法，年逾五十，不求仕进，真儒者之高蹈，圣世之逸民。望擢以不次，使士类有所矜式。’诏以为西京国子教授，力辞；寻召为秘书郎。及入对，改崇政殿说书。颐即上疏言：‘习与智长，化与信成。陛下春秋方富，虽睿圣得于天资，而辅养之道不可不至。大率一日之中接贤士大夫之时多，亲寺人宫女之时少，则气质变化，自然而成。愿选名儒入侍劝讲，讲罢留之分直，以备访问，或有小失，随时献规，岁月积久，必能养成圣德。’”

黄庭坚于本年春作《送范德孺知庆州》诗。翁方纲《七言诗歌行钞》卷十《黄诗钞》：“三段井然，而换韵之法，前偏后伍，伍成弥缝，节奏章法，天然合笥，非经营可到。”方东树《昭昧詹言》卷十二：“自是老笔，而乏妙趣，三四句剩语不归，掷。收四句正人，阔远简尽。”又作《次韵张询斋中挽春》诗。黄爵滋《读山谷诗集》：“此首静井二句却佳，请韵尤胜。”

贺铸作诗《马上重经旧游六言》。

四月

王安石（1021—1086）卒。《续资治通鉴》卷七九：“癸巳。特进荆国公王安石卒，年六十有六。安石性强忮，自信所见，执意不回。至议变法，在廷交执不可。安石传经义，出己意，辩论辄数百言，众不能诎，甚者谓：‘天变不足畏，祖宗不足法，人言不足恤。’罢黜中外老成人几尽，多用门下儇慧少年。久之，以旱引去。洎复相，岁余罢，终神宗世不复召。安石著《日录》七十卷。如韩琦、富弼、文彦博、司马光、吕公著、范缜、吕诲、苏轼及一时之贤者，皆重为诋毁。晚居金陵，于钟山书室，多写‘福建子’三字，盖恨为吕惠卿所误也。及卒，司马光于病中闻之，亟简吕公著曰：‘介甫文章节义，颇多过人，但性不晓事而喜遂非，今方矫其失，革其弊，不幸介甫谢世，反复之徒，必诋毁百端。光以为朝廷以优加厚礼，以振起浮薄之风。’其不修怨如此。”

司马光请设经明行修科，诏许之。《续资治通鉴》卷七九：“司马光请设经明行修科。岁委升朝文武，各举所知，以勉励天下，使敦士行，以示不专取文学之意。若所举人违反名教，必坐举主毋赦。于是诏自今凡遇科举，令升朝官各举经明行修之士一人，俟登第日与升甲，罢谒禁之制。”

辽国马匹大蕃息，辽主赏赐群牧官。《续资治通鉴》卷七九：“辽自马群太保萧托辉，括群牧实数以定籍，随后柬册国，岁贡千匹，女真诸国，及铁骊诸部，岁贡良马。仍禁朔州路鬻羊马于南朝，吐浑、党项鬻马于西夏。以故牧马蕃息，多至百有余万。辽主赏群牧官，以次进阶。”

贺铸作诗《游夷门资福寺园》。

六月

宋诏：“自今科场程试，勿引用《字说》。”

夏惠宗遣使来求兰州（今甘肃兰州东）、米脂（今陕西米脂）等五寨。

七月

宋立十科取士法。《纲鉴易知录》卷七二：“秋七月，立十科举士法。司马光奏曰：‘为政得人则治，然人之才或长于此而短于彼，虽皋、夔、稷、契各守一官，中人安可求备。若指瑕掩善，则朝无可用之人；苟随器授任，则世无可弃之士。臣备位宰相，职当选官，若专引知识，则嫌于私；若止循资序，未必皆才。乞设行义纯固，可为师表；节操方正，可备献纳；知勇过人，可备将帅；公正聪明，可备监司；经术精通，可备讲读；学问该博，可备顾问；文章典丽，可备著述；善听狱讼，尽公得实；善治财富，公私俱便；练习法令，能断请谳；凡十科举士。应侍从以上，每岁于十科举三人，中书置籍记之。有事须才，执政按籍视其所举科，随事试之。有劳，又著之籍。内外官职，取尝试有效者，随科授职。所赐告命，仍具所举官姓名，其人任官无状，坐以谬举之罪。’诏从之。”

八月

宋诏复常平旧法，罢青苗钱。

九月

司马光（1019 —1086）**卒。**《纲鉴易知录》卷七二：“九月，尚书左仆射兼门下侍郎、河内公司马光卒。时两宫虚己以听光为政，光以自见言行计从，欲以身殉社稷，躬亲庶务，不舍昼夜。宾客见其体羸，举诸葛亮食少事烦以为戒。光曰：‘死生，命也。’为之益力。病革，谆谆语如梦中，皆朝廷天下事也。及薨，太后哭之恸，与帝临其丧。赠太师、温国公，谥文正。年六十八。京师人为之罢市，往吊。及如陕葬，送者如哭私亲。四方皆画像以祀。子康居丧，因寝地得腹疾，召医李积于兖，乡民闻之告积曰：'百姓受司马公恩深，今其子病，愿速往也。'积至，则康疾不可为矣。光孝友忠信，恭俭正直，居处有法，动作有礼，自少至老，语未尝妄，自言：'吾无过人者，但平生所为，未尝有不可对人言者耳。'诚心自然，天下敬信，陕、洛间皆化其德；有不善，曰：'君实得无知之乎！'光于物澹然无所好，于学无所不通，惟不喜释、老，曰：'其微言不能出吾书，其诞吾不信也。'"沈德潜《重刻司马文正公集序》："元本道德，发为功业，真足以旋转乾坤矣。即初未欲以文辞自见，而文足以辉光日月，照耀古今者，则为司马文正公一人。公尝自言，我生平无他过人，唯无不可对人言者。是公之平生本于不欺者也。盖不欺则诚，诚至则物无不动。故当日感格君父，孚信友朋，下而至于儿童走卒，妇人女子，远而及乎辽人西夏，更递而推之千秋万岁以后，无不知司马公之为天民、为大人者，洵乎理学与名臣兼备乎一身，而文章特其余事也已！尝读《宋史·韩忠献公传》中云，厚重少文如周勃，政事明敏如姚崇。夫勃与崇固皆有济世功，然比之忠献公，未必适如其量。而德潜于司马文正公，则以诸葛忠武较之，以似不同，而实相当者。公于退居洛邑以前，争夏竦谥，请建储，疏灾异，定濮王典礼。至遭王安石变制，屡争不回，决然勇退，与忠武之隐居隆中者异也。然留洛十五年，萧然无与，而天下以真宰相目之，此与忠武之躬耕南阳，隐然负王者之望者同。及乎受知元祐朝，肩荷重任，不委险艰，悉划新法。有劝公避祸者，公曰：'天若祚宋，必无此事。'此与忠武之受遗诏，辅新主，屡伐魏而不悔者同。既而以身殉国，躬亲庶务，不舍昼夜。病革，谆谆如梦中语，皆朝廷天下事。此与忠武之夙兴夜寐，食少事烦，鞠躬尽瘁，死而后已者同。而文章之抒写道术，视忠武之文可匹《伊训》、《说命》者，又适相同也。斯诚不朽之盛事也已！昔苏子瞻称公之文如金玉谷帛药石，谓其必有适于用。故自奏对札疏，以及辞赋记赞，其微者根乎天人性命，显者关乎宗社生灵，皆发乎道德功业之余，非有意于文，而不能不文者也。"

苏轼自称"待罪翰林学士"。《纲鉴易知录》卷七二："以苏轼为翰林学士。轼自登州召还，十月之间，三迁清要。寻兼侍读，每经筵进读，未尝不反复开导，觊有所启悟。尝锁宿禁中，召见便殿，太后问曰：'卿前为何官？'对曰：'常州团练副使。'曰：'今为何官？'对曰：'待罪翰林学士。'曰：'何依遽至此？'对曰：'遭遇太皇太后、皇帝陛下。'曰：'非也。'对曰：'岂大臣论荐乎？'曰：'亦非也。'轼惊曰：'臣虽无状，不敢自他途进。'曰：'此先帝意也。先帝每诵卿文章，必叹曰：奇才！奇才！但未及进用卿耳。'轼不觉哭失声，太后与帝亦泣，左右皆感涕。已而命坐赐茶，彻御前金莲烛送归院。"

黄庭坚于本年秋作《次韵王荆公题壁西太乙宫壁二首》、《有怀半山老人再次韵二首》、《送谢公丁作竟陵主簿》诸诗。

贺铸作《答陈传道》。

十月

宋朝尊崇孔子。《纲鉴易知录》卷七二："冬十月，改封孔子后为奉圣公。鸿胪卿宗翰言：‘孔子后世袭公爵，本为侍祠；今仍兼领他官，不在故乡，于名为不正。乞自今袭封之人，使终生在乡里。’诏改衍圣公为奉圣公，不预他职。添给田百顷，供祭祀外，许均瞻族人。赐国子监书，立学官以诲其子弟。宗翰，道辅子也。”

贺铸作《拟鲍溶寒宵叹》，诗载贺铸《庆湖遗老诗集》卷三。

十一月

宋科举考试立经义、词赋两科。

贺铸作《汴下晚归》，诗载贺铸《庆湖遗老诗集》卷九。

十二月

贺铸仍在汴京，有诗《送赵令畤之官陈州兼简周文清》，诗载贺铸《庆湖遗老诗集》卷六。

本年

宋河北及楚（今江苏淮安）、海（今江苏连云港市）等州水灾。

皇后孟氏误吞针止喉中，召道士刘混康以符呕出，因赐号“洞元妙通法师”，主持上清储祥宫。

黄庭坚本年所作诗，以下较著名：《和答钱穆父咏猩猩毛笔》。《王直方诗话》：“山谷《猩猩毛笔》乃篇章中《毛颖传》。”《许彦周诗话》：“凡作诗，若正尔填实，谓之点鬼簿，亦谓之堆垛死尸。能如《猩猩毛笔》诗曰：‘平生几两屐，身后五车书。’又如云：‘管城子无食肉相，孔方兄有绝交书。’精妙明密，不可加矣。当以此语反三隅也。”王士禛《分甘余话》：“咏物诗最难超脱，超脱而复精切则尤难也。宋人《咏猩猩毛笔》云：‘平生几两屐，身后五车书。’超脱而精切，一字不可移易。”

还有《题王黄州墨迹后》、《奉和文潜赠无咎篇末多见及以既见君子云胡不喜为韵》、《次韵答邢惇夫》和《次韵子瞻武昌西山》。

陈师道本年所作诗有《绝句》、《寄外舅郭大夫》、《赠二苏公》、《南丰先生挽词二首》、《暑雨》、《送江楚州》、《送江端礼》、《晁无咎张文潜见过》、《次韵答邢居实二首》。其中，以下诗篇较著名：《后山诗注》卷一《寄外舅郭大夫》：“丈人鲁诸省，明刑如皋陶。幸宽右顾忧，未惜一身遥。西南万里行，可以断绳桥。慎勿冠惠文，神母仁如尧。”

同卷，《赠二苏公》：“岷峨之山中巴江，桂椒柟栌枫柞樟。青金黄玉丹砂良，兽皮鸟羽不足当。异人间出骇四方，严王陈李司马扬。一翁二季对相望，奇宝横道䩄服箱。谁其识者有欧阳，大科异等固其常。小却盛之白玉堂。典谟雅颂用所长，度越周汉登虞唐。千载之下有素王，平陈郑毛视荒荒。后生不作诸老亡，文体变化未可量。万口一律可吃羌，妖狐幻人大陆梁。虎豹却走逢牛羊，上帝惠顾祓不祥。天门夜下龙虎章，前驱吴回后炎黄。绛旗丹毂朱冠裳，从以甲胄万鬼行。乘风纵燎无留藏，天高地下日月光。授公以柄扶病伤，士如稻苗待公秧。临流不渡公为航，如大医王治膏肓。外证已解中尚强，探囊一试黄昏汤。一洗十年新学肠，老生塞口不敢尝。向来狂杀今尚狂，请公别试囊中方。”陈衍《宋史精华录》卷二评曰：“此首中段，痛斥新学。”

同卷，《南丰先生挽词二首》，其一：“早弃人间事，直从地下游。丘原无起日，江汉有东流。身世从违里，功言取次休。不应须礼乐，始作后程仇。”其二：“精爽回长夜，衣冠出广庭。勋庸留剜琰，形象付丹青。道丧余篇翰，人亡更典刑。侯芭才一足，白首《太玄经》。”张表臣《珊瑚钩诗话》：“此二诗，后山感南丰之荐引未遂而遽旺，故其词深切。”刘壎《隐居通议》：“山谷翁作《司马文正公挽词》，后山作《南丰先生挽词》，水心作高、孝两朝挽词，皆超轶绝尘，诚可对垒。”纪昀批：“二诗俱沉著，后山之于南丰，其本分甚，故挽词不似酬应。”又批：“第一首结不佳。”

笺本《后山逸诗》卷上《除夜对酒赠少章》：“岁晚身何托，灯前客未空。半生忧患里，一梦有无中。发短愁催白，颜衰酒借红。我歌君起舞，潦倒略相同。”

秦观三十八岁。在蔡州学官任。闰二月，司马光任左仆射，范纯仁任同知枢密院事；四月，吕公著任右仆射。秦观均代人为上述三大原作贺启。三月，苏轼由起居舍人迁中书舍人；九月，苏轼除翰林学士、知制诰，秦观均作贺启。作《与鲜于学士书》，感谢其推荐自己入京。作《与徐仲车简》，贺其充任楚州州学教授。作《答傅彬老简》，论苏轼兄弟之文风。诗作有《送别刘贡父舍人二首》、《答曾存之》。龙兴节为哲宗皇帝生日，作《代蔡州进龙兴节功德疏》、《贺龙兴节表》。又有《代贺名堂礼毕表》。秦观结识蔡州兵马提辖高永亨，共论宋与西夏百年战争，准备撰写策论《论边防》。

秦观《沁园春》(宿霭迷空)作于元丰或元祐年间，姑系于此。词曰：“宿霭迷空，腻云笼日，昼景渐长。正兰皋泥润，谁家燕喜；蜜脾香少，触处蜂忙。尽日无人帘幕挂，更风递、游丝时过墙。微雨后，有桃愁杏怨，红泪淋浪。　风流寸心易感。但依依伫立，回尽柔肠。念小奁瑶鉴，重匀绛蜡，玉笼金斗，时熨沉香。柳下相将游冶处，便回首、青楼成异乡。相忆事，纵蛮笺万叠，难写微茫。”

元祐年间，秦观所作词还有《南歌子》：“愁鬓香云坠，娇眸水玉裁。月屛风幌为谁开？天外不知音耗、百般猜。　玉露沾庭砌，金风东琯灰。想看有似梦初回，只恐又抛人去、几时来。”

还有《阮郎归》，词曰：“褪花新绿渐团枝。扑人风絮飞。秋千未拆水平堤。落红成地衣。　游蝶困，乳莺啼。怨春春怎知？日长早被酒禁持。那堪更别离！”

还有《扬州梦》：“晚云收。正柳塘、烟雨初休。燕子未归，恻恻清寒如秋。小栏外、东风软，透绣帏、花蜜香稠。江南远，人何处？鹧鸪啼破春愁。　长记曾陪燕游。酬妙舞清歌，丽锦缠头。殢酒为花，十载因谁淹留？醉鞭佛面归来晚，望翠楼、帘卷金钩。佳会组，离情正乱，频梦扬州。”

还有《浣纱溪》：“漠漠轻寒上小楼。晓阴无赖似穷秋。淡烟流水画屏幽。　自在飞花轻似梦，无边丝雨细如愁。宝帘闲挂小银钩。”

还有《河传》：“恨眉醉眼。甚轻轻觑著，神魂迷乱。常记那回，小曲阑干西畔。鬓云松，罗袜划。　丁香笑吐娇无限。语软声低，道我何曾惯。云雨未谐，早被东风吹散。闷损人、天不管。”

还有《如梦令》：“门外鸦啼杨柳。春色著人如酒。睡起熨沉香，玉腕不胜金斗。消瘦。消瘦。还是褪花时候。”

还有《南歌子》：“香墨弯弯画，燕脂淡淡匀。揉蓝衫子杏黄裙。独倚玉阑无语，点檀唇。　　人去空流水，花飞半掩门。乱山何处觅行云？又是一钩新月，照黄昏。”

《画堂春》：“东风吹柳日初长，雨余芳草斜阳。杏花零落燕泥香，睡损红妆。　　香篆暗消鸾凤，画屏萦绕潇湘。暮寒轻透薄罗裳，无限思量。”

还有《蝶恋花》：“绕日窥轩双燕语。似与佳人，共惜春将暮。屈指艳阳都几许？可无时霎闲风雨。　　流水落花无问处。只有飞云，冉冉来还去。持酒劝云云且住。凭君碍断春归路。”

还有《画堂春》，词曰：“落红铺径水平池。弄晴小雨霏霏。杏园憔悴杜鹃啼。无奈春归。　　柳外画楼独上，凭阑手撚花枝。放花无语对斜晖，此恨谁知？”

还有《青门饮》（风起云间）当作于及第前后，姑系于此。词曰：“风起云间，雁横天末，严城画角，梅花三奏。塞草西风，冻云笼月，窗外晓寒轻透。人去香犹在，孤衾长闲余绣。恨与霄长，一夜熏炉，添尽香兽。　　事前空劳回首。虽梦断香归，相思依旧。湘瑟声沉，庾梅信断，谁念画眉人瘦？一句难忘处，怎忍辜，耳边轻咒。任人攀折，可怜有雪，章台杨柳。”

吕南宫（1047—1086）卒。吕南宫《上曾龙图书》：“某南城之东野寒人，少时自虑其智力蹇薄，不足以参农商工技下风，故妄意于文学。盖十五而读书，二十而思义，以为文者言词之大美，以天地之化，四时之运，人物之成世，古今之无穷，其间变故显幽，治乱盛衰，贤愚劝戒，一切藉文而后经远。其所关系如此，虽古之人处之以力行之余事，然观书契以来，特立之士，未有不善于文者也。士无志于立则已，必有志焉，则文何可以卑浅？所见既尔，故自唐虞至于近代，经子史集，说解志载，文无不求，得无不读。若是者数年，于是探索短长，补缀同异，因以心灵之所明，尝奋笔而书之，所获多矣。犹未敢遽以为至也，益取古之作者所成反复烂熟之，期于合似而止。盖年三十余矣，其所造诣初若有就。然遭值时变，当路者以能文为贱工，方且推崇马融、王肃、许慎之事业，以风场屋，而剽章掠句，补折临摹之艺，蔼然大行。以韩柳之显传，宜已不可掩，然而后生脱略，往往轻之；况于未显传者，其何以露锋而出彩？君子之道，有得于中，则外之贵贱，无以损益与我也，则某于今岂有所欠？”

龚鼎臣（1010—1086）卒。石介《送龚鼎臣序》：“山阳龚辅之学为古文，问文之旨。鲁人石介对曰：‘……辅之将学为文，厚乃性，明乃诚，粹乃职，确乎不可移也，严乎不可哗也，直呼不可曲也。一焉于圣人之道，妖惑邪乱之气无隙而入焉，于斯文也，其庶几矣。然道，知之不为难，守之为难，守之不为难，行之为难；行之不为难，久之为难。夫知之、守之、行之、久之不为难，笃之为难。知之不笃，不能守也；守之不笃，不能行也；行之不笃，不能久也；久之不笃，不能终也。守之以诚，而持之以笃，惟辅之勉矣。’辅之且往仕于孟州，因以为离别之赠云。”

陈东（1086—1127）生。《宋史》卷四五五《陈东传》：“陈东字少阳，镇江丹阳人。早有隽声，俶傥负气，不戚戚于贫贱。蔡京、王黼方用事，人莫敢指言，独东无所隐讳。所至宴集，坐客惧为己累，稍引去。以贡入太学。钦宗即位，率其徒伏阙上书。……言极愤切。明年春，贯等挟徽宗东行，东独上书请追贯还正典刑，别选忠信之人往侍左右。金人迫京师，又请诛六贼。时师成尚留禁中，东发其前后奸谋，乃谪死。李邦彦议与金和，李纲及种师道主战，邦彦因小失利罢纲而割三镇，东乃率诸生伏宣德门下上书。……军民从者数万。书闻，传旨慰谕者旁午，众莫肯去，方舁登闻鼓挝坏之，喧呼震地。有中人出，众脔而磔之。于是亟诏纲入，复领行营，遣抚谕，乃稍引去。金人既解去，学官观望，时宰议屏伏阙之士，先自东始。京尹王时雍欲尽致诸生于狱，人人惴恐。朝廷用杨时为祭酒，复东职，遣聂山诣学抚谕，然后定。吴敏欲弥谤，议奏补东官，赐第，除太学录。东又请诛蔡氏，且力辞官以归，前后书五上。既归，复预乡荐。高宗即位五日，相李纲，又五日召东至。未得对，会纲去，乃上书乞留纲，罢黄潜善、汪伯彦，不报。请亲征以还二圣，治诸将不进兵之罪，以作士气，车驾归京师，勿幸金陵。又不报。潜善辈方揭示纲幸金陵旧奏，东言纲在途中，不知事体，宜以后说为正，必速罢潜善辈。会布衣欧阳澈亦上书言事，潜善遽以语激怒高宗，言不亟诛，将复鼓众伏阙。书独下潜善所，府尹孟庾召东议事，东请食而行，手书区处家事，字画如平时，已乃授其从者曰：'我死，尔归致此于吾亲。'食已，如厕，吏有难色，东笑曰：'我陈东也，畏死即不敢言，已言肯逃死乎？'吏曰：'吾亦知公，安敢相迫？'倾之，东具冠带处，别同邸，乃与澈同斩于市。四明李猷赎其尸瘗之。东初未识纲，特以国故，至为之死，识与不识，皆为流涕。时年四十有二。……越三年，高宗感悟，追赠东、澈承事郎。东无子，官有服亲一人。……及驾过镇江，遣守臣祭东墓，赠缗钱五百。绍兴四年，并加朝奉郎、秘阁修撰，官其后二人，赐田十顷。"

俞紫芝（？—1086）卒。叶梦得《石林诗话》卷中："俞紫芝字秀老，扬州人，有高行，不娶，得浮图心法，所至翛然，而工于作诗。王荆公居钟山，秀老数相往来，尤爱重之，每见于诗，所谓'公诗何以解人愁，初日芙蓉映碧流。未怕元刘正独步，不妨陶谢与同游'是也。秀老尝有'夜深童子唤不起，猛虎一声山月高'之句，尤为荆公所赏，亟和云：'新诗比旧仍增峭，若许追攀莫太高。'秀老卒于元祐初，惜时无发明之者，不得与林和靖一流，概见于隐逸。"

沈与求（1086—1137）生。刘一止《知枢密院事沈公行状》："公讳与求，字必先，世为吴兴德清人。……及政和五年进士第，受濮阳县县学教授，以道远不便亲养，改常州州学教授。任满，授秀州司兵曹事兼推勘公事。……再岁，丁母夫人忧，服阕，除太学录。靖康改元，至京师，迁儒林郎，除太学博士。建炎初，车驾幸广陵，公始赴官，同荐改通直郎。会罢太学，除通判明州，改两浙路提举市舶。未赴，御史荐公，对便殿，除监察御史，上疏论执政过失，迁兵部员外郎。……更除殿中侍御史，被旨鞫狱江外。公还，趋行在所奏事，寻扈从至会稽，而虏寇尚留江左，公首陈追袭之计，不果用。……寻除侍御史。……寻除直龙图阁，知台州。待次累月，上思公，有旨召还，再除侍御史。……明年春，车驾幸临安，迁御史中丞。时军储窘乏，公亟陈屯田利害，为《古今集议》二卷上之，上用其言，始定营田之议。……公在言路首尾四年，凡所论列，不畏权要，颇忤时宰意，至是改除吏部尚书，兼权翰林学士，兼侍读。未几，除龙图阁学士、荆湖南路安抚使，兼知潭州。公以疾乞置闲散，改出提举江州太平观。

明年，除知镇江府，兼两浙西路安抚使。……秋八月，仍复以吏部尚书召，寻兼权翰林学士，兼侍读。九月，除参知政事。……再岁，乞奉祠，除资政殿学士、知明州。疏再上，改提举临安府洞霄宫。……车驾幸平江，明年春以提举万寿观兼侍读召，除同知枢密院事，从驾至建康，迁知枢密院事。……仅阅累月，得小疾，一夕薨，实绍兴八年六月甲子也。……公自被遇见知，历御史三院，于内外事知无不言，前后论列凡四百奏，其间如收揽主权、爱惜名器、斥逐邪佞、亲近正人，未尝不反复言之。至于纠官邪、劾赃吏、将帅得失、政事是非与州县抑配扰民、狱讼过差、监司郡守选除不当、军兴以来进战退守之策、积谷训兵之要，不可概举。"

公元 1087 年（宋元祐二年　辽大安三年　夏崇宗天仪治平元年　丁卯）

正月

宋封李乾顺为夏国王。

宋重定科举考试科目。诏曰："自今举人程试，并许用古今诸儒之说，或出己见，勿引申、韩、释氏书；勿于《老》、《列》、《庄子》出题。"

辛未（十八日），司封员外郎盛侨为国子司业，校书郎黄庭坚为著作佐郎，权知陕州陈侗为直秘阁、知梓州，苏辙草制。

辛巳（二十八日），诏中书舍人苏辙、刘攽编次神宗皇帝御制集。

三月

毛滂来京师候选，上书苏轼，希望得到提携。

四月

曾肇与文人交往。陈岩肖《庚溪诗话》卷下："元祐间，东坡与曾子开肇同居两省，扈从车驾，赴宣光殿，其略曰：'鼎湖弓剑仙游远，渭水衣冠辇路新。'又曰：'街除翠色迷宫草，殿阁清阴老禁槐。'"曾肇扈从作诗，文人次韵不少。苏辙次韵二首，即《次韵曾子开舍人四月一二日扈从二首》和《再和》。苏轼次韵二首，即《次韵曾子开从驾二首》、《再和二首》。苏颂作《次韵诸公从驾景灵宫二首》，载《苏魏公集》卷十二。范祖禹作《和子开从驾朝谒景灵宫二首》，载《范太史集》。

陈师道任徐州教授。《纲鉴易知录》卷七三："以处士陈师道为徐州教授。师道高介有节，安贫乐道，博学善文，家贫或经日不炊，晏如也。熙宁中，王氏经学盛行，师道心非其说，遂绝意进取。至是，以苏轼荐，授是职。"

戊申（二十七日），通议大夫、守尚书左丞李清臣以资政殿学士知河阳。苏辙草制，制文《李清臣以资政殿学士知河阳》，载《栾城集》卷二九。

五月

夏宋发生边争。夏人扰边。此后，七月、八月又扰边，为宋兵所败。九月，又扰镇戎军（今宁夏固原）。

经筵唱和。苏辙回忆去年为起居郎时迩英殿侍读，赋诗四绝，题为《去年冬，辙以起居郎入侍迩英，讲不愈时，迁中书舍人，虽忝冒愈深，而瞻望晴光与日俱远，追忆当时所见，作四绝句，呈同省诸公》，载《栾城集》卷一五。苏轼次韵诗，题为《轼以去岁春夏，侍立迩英，而秋冬之交，子由相继入侍，次韵绝句四首，各述所怀》，载《苏轼诗集》卷二八。时谓之经筵唱和。刘攽次韵诗，题为《次韵子由三首》（流霞饮过已忘寒）（四朝传说直言臣）（华光劝讲想天临），见《彭城集》卷一八。曾肇次韵诗，《墨庄漫录》卷七录两首，无标题。《全宋诗》卷一〇三九录两首，内容与《墨庄漫录》同，有标题，即《迩英阁侍读筵作》和《迩英阁前槐后竹，双槐极高，而柯叶拂地，状如龙蛇，或谓之凤尾槐》。黄庭坚次韵诗，题为《子瞻去岁春侍立迩英，子由秋冬间相继入侍，作诗各述所怀，余亦次韵四首》（赤壁归来入紫清）（胸蟠万卷夜光寒）（对掌丝纶罢记言）（乐天名位聊相似），见《山谷诗集注》卷七。晁补之次韵诗，题为《次韵两苏公讲筵唱和四首》（白发归联侍从荣）（李公素誉压朝端）（缵服忧勤未有言）（金玉谁人咏德音），见《鸡肋集》卷二十。张耒次韵诗，题为《次韵子由舍人先生追读迩英绝句四首》（天寒书院晓班清）（联翩右史直西垣）（冠珮皇皇拱北辰）（恭默谁聆金玉音），见《张耒集》卷三一。

苏轼答毛滂（泽民）简，勉励毛滂在文学上不断努力。此简即《苏轼文集》卷五三所载《答毛泽民七首》之一。文章写道："今时为文者至多，可喜者亦众，然求如足下闲暇自得，清美可口者，实少也。敬佩厚赐，不敢独飨，当出之知者。世间惟名实不可欺。文章如金玉，各有定价，先后进相汲引，因其言以信于世，则有之矣。至其品目高下，盖付之众口，决非一夫所能抑扬。轼于黄鲁直、张文谦辈数子，特先识之耳。始诵其文，盖疑信者相半，久乃自定，翕然称之，轼岂能为之轻重哉！非独轼如此，虽向之前辈，亦不过如此也，而况外物之进退。此在造物者，非轼事。"毛滂复上书。

六月

毛滂出都城，作诗赠二苏兄弟。诗题为《出都寄二苏》，见《东堂集》卷二。诗序云："滂去年冬去田里而西，历春度夏，出关已秋，逆旅酸苦，节物感人。此诗书一时所遇之事以自见，寄献内翰、舍人苏公，伏惟一览，幸甚。"

七月

宋诏户部修《会计录》。

甲子（十五日），诏韩维出知邓州，曾肇封还词头，命苏辙草制。

八月

苏轼玩侮程颐。《纲鉴易知录》卷七三："八月，罢崇政殿说书程颐。颐在经筵，以礼法自居，每进讲，色甚庄，继以讽谏。苏轼谓其不近人情，深嫉之，每加玩侮。于是颐门人右司谏贾易、左正言朱光庭等愤不能平，劾轼‘试馆职，策问谤讪。’殿中侍御史吕陶言：‘台谏当徇至公，不可假借事权以报私隙。’右司谏王觌言：‘轼命辞失轻重，其失小，不足考；若悉考同异，深究嫌疑，则两歧遂分，使士大夫有朋党之名，大患也。’太后然之。范纯仁亦言轼无罪，遂置不问。”

关于元祐三党。《纲鉴易知录》卷七三：“会帝患疮疹不出，颐诣宰臣问知否，且曰：‘上不御殿，太后不当独坐，人主有疾，而大臣可不知否?’翌日，宰臣以颐言问疾，由是大臣亦多不悦。御史中丞胡宗愈、左谏议大夫孔文仲、给事中顾临，遂连章力诋颐不宜在经筵，乃罢颐出管句西京国子监。时吕公著独当国，群贤咸在朝，不能不以类相从，遂有洛党、蜀党、朔党之语。洛党以颐为首（程颐河南人，故为洛党），而朱光庭、贾易为辅；蜀党以苏轼为首（苏轼蜀人，故为蜀党），而吕尚等为辅；朔党以刘挚、梁焘、王岩叟、刘安世为首（刘挚等皆河北人，故为朔党），而辅之者尤众。是时熙、丰用事之臣，退休散地，怨入骨髓，阴伺闲隙；而诸贤不悟，各为党比相訾议。惟吕大防秦人，憨直无党；范祖禹师司马光，不立党。继而帝闻之，以问胡宗愈，宗愈对曰：‘君子指小人为奸，则小人指君子为党，陛下能择中立之士而用之，则党祸息矣。’因著《君子无党论》而进。”

本月，苏辙上《论西事状》，文载《栾城集》卷四一。茅坤选编《唐宋八大家文钞》卷一二八：“此状情事本末及制胜处，元祐第一奏疏。”

九月

哲宗览吕公著于《尚书》、《论语》、《孝经》中所节取之要语。

苏辙获哲宗赏赐。甲子（十五日），以讲《论语》终篇，赐宰臣、执政、经筵官宴于东宫。苏辙有谢表，表乃《栾城集》卷四七《谢讲彻论语赐宴状二首》。

十月

宋增置市舶司于泉州（今福建泉州市）。

苏辙奉安神御于西京，先告裕陵。初四日还，过列子观，赋《御风辞》一篇。刘壎《隐居通议》卷五：“山谷先生作《枯木道士赋》，深得庄、列旨趣，自书之，笔力奇健，刻石豫章。其篇末题云：‘子由比以王事过列子祠下，作《御风词》，子瞻问文作何体，曰非诗非骚，直属韵《庄周》一篇，读者当熟读《庄周》、《韩非》、《左传》、《国语》，看其致意曲折处，久乃能自铸伟词。’此山谷语也。今得《御风词》读之，其旨趣正与《枯木道士赋》相似。”又，茅坤选编《唐宋八大家文钞》卷一四四：“多旷达之旨。”

刘攽（贡父）与其侄刘奉世（仲冯）扈驾，刘攽作诗，惜此诗已佚。苏轼次韵，题为《次韵刘贡父叔侄扈驾》（玉堂孤坐不胜清），见《苏轼诗集》卷二九。苏辙次韵，题为《次韵刘贡父从驾》（一经空记弟传兄），见《栾城集》卷一五。刘攽和韩绛（子华、康公）忆其弟维（持国）诗。韩绛回忆其弟韩维之诗已佚，而刘攽和诗仍存，即《次韵韩康公二首》（叠石疏篁浅药苗）（清汝泱泱紫逻深），见《彭城集》卷一三。苏轼次韵，题为《次韵刘贡父所和韩康公忆持国二首》（梦觉真同鹿覆蕉）（闭户端居念独深），见《苏轼诗集》卷二九。

十一月

宋以大雪，民多冻死，诏加赈济。

家安国此前来京师候选，得教授职，本月赴成都任教授。苏轼作诗送行，题为《送家安国教授归成都》，见《苏轼诗集》卷二九。苏辙作诗送行，题为《送家安国赴成都教授三绝》（城西社下老刘君）（垂白相逢四十年）（石室多年款志平），见《栾城集》卷一五。冯应榴辑注《苏轼诗集合注》卷二九："家安国字复礼，眉山人。博学，举进士不第。后随韩存宝征，乞第得官。继而诸公举之，得成都教授。故［东坡］先生［诗中］有'说剑'、'横经'、'锋镝腥'、'编简香'之句。"家，姓也。

贺铸抱病赴和州（今安徽和县）为管界巡检。本年作诗有《京居感兴》、《游雍邱燕溪馆分韵作》、《怀李易初》、《登兴国寺楼》、《乌江作度荒野岑》等。

十二月

宋朝颁布《元祐敕令式》。

苏轼学术本出《战国策》。《续资治通鉴》卷八十："丙午。赵挺之奏：'苏轼学术本出《战国策》纵横揣摩之说。近日学士院策试廖正一馆职，乃以王莽、袁绍、董卓、曹操篡汉之术为问。使轼得志，将无所不为矣。'"

本年

夏改元天仪治平。

黄庭坚本年作诗较多，比较著名的有《子瞻诗句妙一世，乃云效庭坚体，盖退之戏效孟郊、樊宗师之比，以文滑稽耳，恐后生不解，故次韵道之》。史绳祖《学斋占毕》卷二："黄鲁直次东坡韵云：'我诗如曹桧，浅陋不成邦，公如大国楚，吞五湖三江。'其尊坡公可谓至，而自况可谓小矣。而实不然，其深意乃自负而讽坡诗之不入律也。曹桧虽小，尚有四篇之诗入国风；楚虽大国，而《三百篇》绝无取焉。至屈原而始以骚称，为变风矣。"刘壎《隐居通议》卷八："此堂孙先生瑞，南丰先达名儒也，尝谓余曰：'山谷作诗有押韵险处，妙不可言。如《东坡效庭坚体》诗云：我诗如曹桧……坚城受我降。'只此一'降'字，他人如何押到此？奇健之气，拂拂意表。"

还有《咏雪奉呈广平公》，吕本中《东莱吕紫微诗话》："欧阳修尝谓东坡：'鲁直诗何处是好？'东坡不答，但极口称重黄诗。季默云：如'卧听疏疏还密密，晓看整整复斜斜'，岂是佳耶？东坡云：'此正是佳处。'"方回《瀛奎律髓》卷二一："'夜听'、'晓看'一联，徐师川有异论，东坡家子弟亦疑之，以问坡……以余味之，亦无不可。元祐诗人诗既不为杨、刘昆体，亦不为九僧晚唐体，又不为白乐天体，各以才力雄于诗。山谷之奇，有昆体之变，而不袭其组织。其巧者如作谜然，此一联亦雪谜也，学者未可遽非之。下一联‘婆娑舞’、‘顷刻花’，则妙矣。”

还有《戏呈孔毅父》。惠洪《冷斋夜话》卷四：“用事琢句妙，妙在言其用，不言其名耳。此法为荆公、东坡、山谷三老知之。……山谷曰：‘管城子无食肉相，孔方兄有绝交书。’”方东树《昭昧詹言》卷十二：“其雄整，接跌宕，俱入妙，收远韵，凡四层。”

还有《谢黄从善司业寄惠山泉》。方东树《昭昧詹言》卷十二：“起三句叙。四句空写。五六句议，二语抵一大段。七八句另一意，又抵一大段。叙、写、议虽短章而完足，转折抵一大篇。凡四层，章法好，短章之式。”黄爵滋《读山谷诗集》：“此种变律为古，自成一体，的是变格。”

还有《咏李伯时摹韩幹三马，次苏子由韵，简伯时，兼寄李德素》。方东树《昭昧詹言》卷十二：“起四句叙毕。‘绝尘’句正面议。‘缅怀’句入。‘千金’二句删。收举百钧，持重固而存之，不喘不汗。此使才骄气浮者不解。始知神龙别有种，不比凡马空多肉。”

还有《次韵子瞻和子由观韩幹马因论伯时画天马》。方东树《昭昧詹言》卷十二：“叙题章法老。‘李侯’二句逆入题。‘一日’二句棱。‘曹霸’二句议。‘论幹’四句，反复有笔势。‘翰林论诗’，言苏公亦同李论。初学须解此种，乃不妄下笔，入滑俗伧父派。沉着曲折，所谓气深稳，语意重。”

还有《次韵子瞻题郭熙画山》。翁方纲《七言诗歌行钞》卷十：“前有玉堂一幅实景作衬，故后半又于空中宕出一幅伫发远神。”方东树《昭昧詹言》卷十二：“‘黄州’四句，叙毕。‘郭熙’二句，正面。‘江村’句写。‘归雁’句顿住。‘坐思’二句入己，纬也。乃空中楼阁，妙。‘熙今’二句，驰取下二句。‘画取’二句，点出宗旨。‘但熙’二句，余情远韵，力透纸背。曲折驰骤，有江海之观，神龙万里之势。‘熙今’四句枯窘。”

还有《再答元舆》。方东树《昭昧詹言》卷十二：“起逆入，奇气杰句，跌宕有势。‘牛铎’句掷。收四句有韵，言不如归也。”

还有《题阳关图二首》、《题郭熙山水扇》、《题郑防画夹五首》、《睡鸭》、《题晁以道雪雁图》、《奉同子瞻韵寄定国》、《次韵柳通叟寄王文通》、《戏答赵伯充劝莫学书及为席子泽解嘲》和《答王道济寺丞观许道宁山水图》。

陈师道本年作诗有《丞相温公挽词三首》、《次韵答学者四首》、《次韵秦觏听鸡闻雁二首》、《嘲秦觏》、《和豫章公黄梅二首》、《答张文潜》、《九日寄秦觏》、《钜野》、《示三子》。其中，以下诗篇比较著名：《后山诗注》卷一《丞相温公挽词三首》。其一：“恭默思良弼，诗书正白工。事多违谢傅，天遽夺杨公。一代风流尽，三师礼数崇。若无天下议，美恶尽成空。”其二：“百姓归周老，三年待鲁儒。时方随日化，身已要人扶。玉几虽未晚，明堂讫受图。心知死诸葛，终不羡曹蜍。”其三：“少学真已成，终年脱著述。辍耕扶日月，起废极吹嘘。得志宁论晚，成功不愿余。一为天下恸，不敢爱吾庐。”翁方纲《石洲诗话》：“后山所作《温公挽词》三首，真有杜意，而吴不钞（按：指《宋诗钞》也）。”

同卷，《嘲秦觏》：“长铗归来夜帐空，衡阳回岩耳偏聪。若为借与春风看，无限珠玑咳唾中。”

还有《后山诗注》卷二《九日寄秦觏》：“疾风回雨水明霞，沙步丛祠欲暮鸦。九日清樽欺白发，十年为客负黄花。登高怀远心如在，向老逢辰意有加。淮海少年天下士，可能无地落乌纱。”

同卷，《示三子》：“去远即相忘，归近不可忍。儿女已在眼，眉目略不省。喜极不得语，泪尽方一哂。了知不是梦，忽忽心未稳。”此诗写父子亲情，为宋诗名篇。

秦观，三十九岁。在蔡州任学官。弟觌、觏客居京师，作小室读书。黄庭坚为取名曰“寄寂斋”，少游用孙子实韵作诗以寄。与裴仲谟以诗相唱和，作《曹虢州诗序》。曹虢州，即曹辅，字子方，号静常，海陵人，嘉祐进士，元丰年间勾当鄜延路经略公事。六月，鲜于沈侁，所《鲜于子骏行状》。夏天得肠疾，病中阅《辋川图》，喜甚，作跋文《书辋川图后》。孙固除御史中丞、门下侍郎，作文《代贺孙中丞启》、《代贺孙侍郎启》。九月，哲宗正式发太皇太后、皇太后、皇太妃册宝，少游代州守分别作祝贺受册表。

范镇（1007—1087）**卒**。苏轼《范景仁墓志铭》：“公虽以上寿贵显，考终于家，无所憾者，而士大夫惜其以道德事明主，阅三世，皆以刚方难合，故虽用而不尽。及上即位，求人如不及，厚礼以起公，而公已老，无意于世矣。故闻其丧，皆哭之哀。公清明坦夷，表里洞达，遇人以诚，恭俭慎默，口不言人过。及临大节，决大议，色和而语庄，常欲继之以死，虽在万乘之前无所屈。……其学本于六经仁义，口不道佛老申韩异端之说。其文清丽简远，学者以为师法。凡五入翰林，知嘉祐二年、六年、八年及治平二年贡举，门生满天下，显贵者不可胜数。诏修《唐书》、《仁宗实录》、《玉牒日历类编》。凡朝廷有大述作、大议论，未尝不与。契丹、高丽皆知诵公文赋。少时尝赋‘长啸却胡骑’，及奉使契丹，虏相目曰：‘此长啸公也。’其后兄子百禄亦使虏，虏首问公安否。有《文集》一百卷，《谏垣集》十卷，《内制集》三十卷，《外制集》十卷，《正言》三卷，《国朝韵对》三卷，《国朝事始》一卷，《东斋记事》十卷，《刀笔》八卷。积勋柱国，累封蜀国开国公，食邑加至二千六百户，实封五百户。……公始以诗赋为名进士，及为馆阁侍从，以文学称。虽屡谏争及论储嗣事，朝廷信其忠，然事颇秘，世亦未尽知也。其后议濮安懿王称号，守礼不回，而名益重。及论熙宁新法，与王安石、吕惠卿辩论，至废除不用，然后天下翕然师尊之。无贵贱贤愚，谓之景仁而不敢名，有为不义，必畏公知之。公既得谢，轼往贺之曰：‘公虽退而名益重矣。’公愀然不乐，曰：‘君子言听计从，消患于未萌，使天下阴受其赐，无智名，无勇功，吾独不得为此，命也夫。使天下受其害，而吾享其名，吾何心哉！’轼以是愧公。”司马光《温公续诗话》：“范景仁镇喜为诗。年六十三致仕，一朝思乡里，遂径行入蜀。故人李才元大临知梓州，景仁往道过之。归至成都，日与乡人乐饮，散财于亲旧之贫者。遂游峨眉、青城山，出荆门，凡期岁乃还京师。在道作诗凡二百五篇，其一联云：‘不学乡人夸驷马，未饶吾祖泛扁舟。’此二事他人所不能用也。”

胡松年（1087—1146）**生**。《宋史》卷三七九《胡松年传》：“胡松年字茂老，海州怀仁人。幼孤贫，母粥机织，资给使学。读书过目不忘，尤邃于《易》。政和二年，上舍释褐。……帝（高宗）决议亲征，命松年权参知政事，专治战舰，张浚专治军器。松年曰：'议论既定，力行乃有效，若今日行明日止，徒纷纷无益。'俄以疾提举洞霄宫。时居阳羡，虽居闲，不忘朝廷事，屡言和籴科敛防秋利害，帝皆嘉纳。十六年病革，呼其子曰：'大化推移，有所不免。'乃就枕，鼻息如雷，有顷，卒。人谓：不死也。年六十。松年平生不喜蓄财。每除官，例赐金帛，以军兴费广，一无所陈请。或劝其白于朝，曰：'弗请则已。白之，是沽名也。'喜宾客，奉入不足以供费，或请节用，为子孙计。松年曰：'贤而多财则损其志。况奉廪，主上所以养老臣也。'自持囊，至执政。所举自代，皆一时闻人。所荐一以至公，权势莫能夺。方秦桧秉政，天下识与不识，率以疑忌置之死地，故士大夫无不曲意阿附，为自安计。松年独鄙之，至死不通一书，世以此高之。"

公元 1088 年（宋元祐三年　辽大安四年　夏崇宗天仪治平二年　戊辰）

正月

宋朝复置广惠仓。《续资治通鉴》卷八十："春正月庚戌。复置广惠仓，从侍讲范祖禹言也。"

宋朝采取措施平抑谷价。《续资治通鉴》卷八十："庚申。诏发京西南路阙额禁军谷五十万余斛，减价出粜，至麦熟日止，以雪寒物价翔踊也。"

五国部长贡于辽。

哲宗诏广南西路，许生黎悔过自新。

正月己酉朔，苏辙除日宿斋。元日赋三绝句寄苏轼，题为《三日上辛祈谷，除日宿斋户部右曹，元日赋三绝句，寄呈子瞻兄》，见《栾城集》卷一五。苏轼有和诗，题为《和子由除夜元日省宿致斋三首》，见《苏轼诗集》卷三十。

秦观于初春作诗《次韵太守向公登楼眺望二首》。其一："茫茫汝水抱城根，野色偷春入烧痕。千点湘妃枝上泪，一声杜宇水边魂。遥怜鸿隙陂穿路，尚想元和贼负恩。粉堞女墙都已尽，恍如陶侃梦天门。"其二："庖烟起处认孤村，天色清寒不见痕。车辋湖边梅溅泪，壶公祠畔月销魂。封疆尽是春秋国，庙食多怀将相恩。试问李斯长叹后，谁牵黄犬出东门。"向公，即向宗回，字子发，开封人。

二月

宋朝推行科举改革。《续资治通鉴》卷八十："癸巳。诏殿试经义诗赋，人并试策一道，从赵挺之请也。"又，《续资治通鉴》卷八十："乙巳。知贡举苏轼同孙觉、孔文仲言。每一试，进士诸科，及特奏名约八百余人。旧制礼部已奏名，至御试而黜者甚多；嘉祐始尽赐出身；近杂犯亦免黜落，皆非祖宗本意。进士升甲，本为南试第一人，唱名近下，方特升之，皆出一时圣断。今礼部十人以上别试，国子开封解试，武举第一人，经明行修进士，及该特奏而预正奏者，定著于令，遂升一甲，则是法在有司，恩不归于人主。甚无谓也。今特升者约已四百五十人，又许例外遽减一举，则当复增数百人。此曹垂老无它望，布在州县，惟务黩货以为归计。残民败官，无益有损。议者不过谓以广恩泽，不知吏部以有限之官待无穷之吏，户部以有限之财禄无用之人。而所至州县，举罹其害。谓之恩泽，非臣所识也。愿断自圣意，止用前命，仍诏考官量取一二十人，委有学问词理优长者，即许出官，其余皆补文学长史之类，不理选限。于是诏定特奏名考取进士入四等以上，诸科入三等以上，通在试者计之，勿得取过全额之半。后遂著为令。”

贺铸发陈留，舟行次灵璧，作《东阳欢·调寄清商怨》、《商春怨·调寄满江红》二词。

三月

韩绛（1012—1088）卒。《续资治通鉴》卷八十：“三月丙辰。司空致仕康国公韩绛卒，谥献肃。绛喜延接士大夫，与王安石善，其后颇异，因数称司马光可大用。然终以党安石复得政，清议少之。”又，《宋大诏令集》卷五六《韩绛拜相制》（熙宁七年四月丙戌）：“……韩绛，受材宏博，涉道深醇。知略足以经远猷，忠嘉足以任大事。而自与谋帷幄，正位钧衡，抗论在前，义无曲学。宣力于外，劳不辞难，质于佥言，属乃旧德。官宰司之重，实赖于谟明，总史观之华，更资余良直。赋之多邑，衍以真封，并示褒章，允为异数。於戏！百姓尚困，惟在厚厥生；四夷未斌，当使服吾化。勉辅丕丕之业，以成晏晏之风。可特授依前行尚书吏部侍郎、同中书门下平章事、监修国史，加食邑一千户，食实封四百户，改赐推忠协谋佐理功臣。”又，欧阳修《送韩子华》诗：“嗟我久不见韩子，如读古书思古人。忽然相逢又数日，笑语反不共一樽。谏垣尸居职业废，朝事汲汲劳精神。子华笔力天马足，驽骀千百谁可群？嗟予老钝不自笑，尚欲疾走追其尘。子华有时高坛駭我听，荣枯万物移秋春。所以不见令我思，见之如饮玉醴醇。叩门下马忽来别，高帆得风披飞云。离怀有酒不及写，别后慰我寓于文。”此诗传神写貌，为宋诗中之名篇。

李常宁等一千一百二十二人中进士。《续资治通鉴》卷八十：“己巳。赐进士李常宁等，并诸科及第出身，共一千一百二十二人。……甲戌。增新释褐进士钱百万，酒五百壶，为期集费。”

贺铸抵金陵，游览名胜古迹，作诗《游金陵雨花台》、《寓泊金陵寻王荆公陈迹》、《同王克慎宿清凉寺》。又作词《掩萧斋》（落日蓬莱朱雀街）、《金凤钩》（江南又叹流寓）。

夏人扰边，为宋边将所败。

四月

贺铸于初七日游法惠寺，十日游泉石平疴汤泉，皆有诗纪行。

辽国重视斯文，召使讲论《尚书》。《续资治通鉴》卷八十：“癸卯。辽主西幸，时耶律俨为枢密直学士，召使讲《尚书·洪范》。俨仪冠秀整，辽主数对群臣称其才俊。”

五月

辽道宗命燕国王延禧写《尚书·五子之歌》。

丙午朔，苏轼与苏辙于文德殿转对。苏辙作诗，标题为《五月一日同子瞻转对》，见《栾城集》卷一五。苏轼次韵，标题为《次韵子由五月一日同转对》，见《苏轼诗集》卷三十。[思齐按：转对，百官轮次奏事，言时政阙失。]

七月

辽册封李乾顺为夏国王。

贺铸于十五日游宝泉山慧日寺，十六日游黄叶岭，有诗。

八月

宋朝罢吏试断刑法。《续资治通鉴》卷八十：“丙戌。罢吏试断刑法。”

五日，苏轼与苏辙、孙敏行（子发）、秦观游相国寺，观王诜墨竹，苏轼有题名石刻在相国寺佛殿之外。元祐三年，秦观被召至京师，从翰林苏先生过兴国浴室院。秦观在京为忌者所中，复引疾归蔡州。苏轼尝有诗赠相国寺僧湛庵主，标题为《碣石庵戏赠湛庵主》，见《苏轼诗集》卷三十。

九月

己未（十六日），李常（公择）为御史中丞，苏轼与黄庭坚简，以此为喜。时苏轼卧病不起，张耒、晁补之去看望过他。这封书简即《苏轼文集》卷五二所载《与黄鲁直书》之三，其中写道：“前日文潜、无咎见临，卧病久之，闻欲牵公见过，所深愿也。……公择舅作宪，甚可喜，因见，为道区区。”

贺铸游乌江汤泉，遇僧法芝，作《寄僧诗序》。

十月

宋罢新创诸堡寨。《续资治通鉴》卷八十：“丙戌。罢新创诸堡寨。”

贺铸游乌江腰疼山浮图，有诗纪行。

十一月

初一日，苏轼直玉堂，诏赐宫烛法酒，苏轼作诗，标题为《卧病逾月，请郡不许，复直玉堂，十一月一日锁院，是日苦寒，诏赐宫烛法酒，书呈同院》，见《苏轼诗集》卷三十。苏辙次韵，标题为《次韵子瞻十一月旦日锁院赐酒及烛》，见《栾城集》卷一六。甲辰（初二日），苏辙上《论开孙村河札子》、《再论回河札子》、《三论回河札子》。关于《论开孙村河札子》，茅坤编选《唐宋八大家文钞》卷一四七评曰：“利害明悉。”关于《再论回河札子》，《唐宋八大家文钞》卷一四七评曰：“子由所论回河，已而一一皆验。”

十二月

初一日，苏辙作《伯父墓表》。伯父，苏涣也。初七日，苏轼和苏辙同访王巩（定国），小饮清虚堂。夜归，苏轼和苏辙各赋诗一篇，苏轼诗标题为《兴龙节侍宴前一日，微雪，与子由同访王定国，小饮清虚堂。定国出数诗，皆佳，而五言尤奇。子由又言昔与孙巨源同过定国，感念存没，悲叹久之。夜归，稍醒，各赋一篇，明日朝中以示定国也》，见《苏轼诗集》卷三十。苏辙诗标题为《雪中访王定国感旧》，见《栾城集》卷一六。初八日龙兴节，尚书省赐宴上，苏轼与苏颂论李沆。苏轼认为，真宗所以信李沆，在沆以才识济之以无心。同日，苏轼与王巩论陈执中。苏轼认为，执中虽俗吏，以其举人以才，亦有可贤处。节日致语口号，乃苏轼所撰。［思齐按：兴龙节，十二月初八日，为宋哲宗生日。］

闰十二月

宋朝颁布《元祐敕令格式》。

宋朝颁行《元祐会计录》。《续资治通鉴》卷八一：“户部尚书韩忠彦、侍郎苏辙、韩宗道言：本部近编成《元祐会计录》，大抵一岁天下所收钱谷金银币帛等物，未足以支一岁之出，臣等愿明赐本部一岁看详，量加裁损，二圣以身率之，大臣以身先之，则谁不信服？奏入。诏户部取索应干财用，于诸班诸军料钱衣粮赏给特支依旧外，其余浮费，并行裁省，节次以闻。”

本年

苏轼热爱学生，“苏门四学士”之称谓已经出现。黄庭坚、秦观、晁补之、张耒同在秘阁任职，集于苏轼门下，号“苏门四学士”。苏轼《答张文潜书》：“仆老矣，使后生有得见古人之大全者，正赖黄鲁直、秦少游、晁无咎、陈履常与君等数人耳。如闻君作太学博士，愿益勉之。‘德犹如毛，民鲜克举之，我仪图之，爱莫之助。’”又，苏轼《答李昭玘书》：“独于文人胜士，多获所欲，如黄庭坚鲁直、晁补之无咎、秦观太虚、张耒文潜之流，皆世未之知，而轼独先知之。今足下又不见鄙，欲相从游。岂造物者专欲以此乐见厚也耶？然此数子者，挟其有余之资，而骛于无涯之知，必极其所如往而后已，则亦将安所归宿哉。惟明者念有以反之。”又，吴曾《能改斋漫录》卷十一：“子瞻、子由门下客最知名者，黄鲁直、张文潜、晁无咎、秦少游，世谓之四学士。至若陈无已，文行虽高，以晚出东坡门，故不若四人之著。故陈无已著《佛指记》云‘余以词义，名次四君，而贫于一代’是也。晁无咎诗云：‘黄子似渊明，城市亦复真。陈君有道举，化行闾井淳。张侯公瑾流，英思春泉新。高才更难及，淮海一髯秦。’当时以东坡为长公，子由为少公。陈无已答李端叔云：‘苏公之门，有客四人。黄鲁直、秦少游、晁无咎，则长公之客也。张文潜，则少公之客也。’又，《次韵黄楼诗》云：‘一代苏长公，四海名未已。’又云：‘少公作长句，班扬安可疑。’谓二苏也。然四客各有所长，鲁直长于诗、辞，秦、晁长于议论。鲁直与秦少章书云：‘庭坚心醉于《诗》与《楚辞》，似若有所得。至于议论文字，今日乃当付之少游、及晁、张、无己，足下可从此四君子一一问之。’其后张文潜《赠李德载》诗亦云：‘长公波涛万顷海，少公峭拔千寻麓。黄郎萧萧日下鹤，陈子峭峭霜中竹。秦文倩丽若桃李，晁论峥嵘走珠玉。’乃知人才各有所长，虽苏门不能兼全也。”

黄庭坚本年作赋两篇，一为《苏李画枯木道士赋》，一为《东坡居士墨戏赋》，俱见《豫章黄先生集》卷一。因为黄几复卒于元祐三年，《黄几复墓志铭》之作，或在本年，姑系于此。

黄庭坚本年所作诗，较著名的有《观伯时画马礼部试院作》。惠洪《天厨禁脔》卷下《促句换韵法》引此诗："此诗三句三叠而止，其法不可过三叠，然促两叠则俱用平声，或用侧声。"王楙《野客丛书》卷二十："其诗三句一换，三叠而止，《禁脔》谓之促句换韵。仆又观当时名公如鲍夷白亦多此作，渔隐第言鲁直有此一篇，而不知其他。或者又谓唐人亦有此体。以仆考之，非止唐人，其苗裔盖出于《三百篇》之中，如《素冠》之诗是也。"方东树《昭昧詹言》卷十二："起三句极言供奉之陋，当一传。收入题神化，极言贫困。此是在试院作。"

还有《题伯时画严子陵钓滩》，元祐三年在试院中作。

还有《戏答陈季常寄黄州山中连理松枝二首》。陈慥，字季常。

还有《次韵子瞻送李豸》，李豸，即李廌，字方叔，著有《济南集》。

还有《次韵子瞻以红带赐王宣义》。方东树《昭昧詹言》卷十二："一起跌宕，言贫不可归。二句不归，掷。三句曲，曲折好。'临翁无'三字掷。'当今'句言不用要我。收衰了。"

还有《听宋宗儒摘阮歌》。方东树《昭昧詹言》卷十二："起先叙人。三四赘语，不紧健。'落魄'句无味，掷。'手挥'一段写，未妙，太漫。末三句以己收。"王辰《诗录》："通篇绝肖长吉。"叶矫然《龙性堂诗话》初集："黄庭坚有《听戴道士弹琴》及《听宋宗儒摘阮歌》，亦复杰出者。……二诗点缀工巧，足继唐响，东坡、尧臣咸不及也。"

还有《题竹石牧牛》。吕本中《东莱吕紫微诗话》："或称鲁直'桃李春风一杯酒，江湖夜雨十年灯'，以为极至。鲁直自以此尤砌合，须'石吾甚爱之……牛斗残我竹'，此乃可言至耳。"吴景旭《历代诗话》卷五九："余观此诗机致圆美，只将竹石牛三件顿挫入神，自成雅调。"

还有《送谢宣城笔》。袁文《瓮牖闲评》卷五："世多病此诗既押十虞韵，鱼虞不通押，殆落韵也。殊不知此乃古人诗格。昔郑睹官与僧齐己、郑损辈共定今体诗格云：'凡诗用韵有数格，一曰葫芦，一曰辘轳，一曰进退。葫芦韵者，先二后四；辘轳韵者，双出双入；进退韵者，一进一退，失此则缪矣。'今此诗前二韵押十虞字，乃双出双入，得非所谓辘轳韵乎？非太史之误也。"

还有《忆邢惇夫》。王若虚《滹南诗话》卷三："《吊邢惇夫》云：'眼看白壁埋黄壤，何况人间父子情。'既下'何况'字，须有他人犹痛悼之意，乃可。"

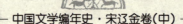

还有《老读浣花溪图引》。黄爵滋《读山谷诗集》:“老杜一生心事,写到十足,洵是知己,他人无此实落。”

秦观四十岁。在蔡州学官任上。被召回京师,以应制科,上进策三十篇。当时程颐与苏轼交恶,形成洛党与蜀党。少游属于蜀党,遭受排挤。抑郁之情见于《次韵张文潜病中见寄》一诗之中。本年作诗文较多,比较重要的有诗《和东坡红鞓带》、《次韵太守向公登楼眺望二首》、《送望元龙赴泗州粮料院》、《拟郡学试东风解冻》、《赠蹇发誓翊之》等,文《俞紫芝字序》、《裴秀才跋尾》等。

陈师道本年作诗有《呜呼行》、《秋怀示黄预》、《送张支使》、《送杜侍御陕西转运》、《送杨侍禁兼寄颜、黄二公二首》、《送外舅郭大夫夔路提刑》、《雪后黄楼寄负山居士》。其中,以下诗篇比较著名:《后山诗注》卷二《雪后黄楼寄负山居士》:“林庐烟不起,城郭岁将琼。云日明松雪,溪山进晚风。人行图画里,鸟度醉隐衷。不尽山阴兴,天留忆戴公。”负山居士,张仲连。

孔文仲(1038—1088)**卒**。周必大《三孔先生集叙》:“本朝人物,至元祐而盛。其兄弟杰然,则有临江之孔氏,曰文仲,字经父;曰武仲,字常父;曰平仲,字毅父,先圣四十八代孙也。居家孝悌,行已谨信,莅官敬,事上忠,其行美矣。冠礼部,冠国学,登高第,应制举。经父自谏垣入词掖,常历师儒,掌内外制;毅父尤精史学,更践中外,天下共称其文,号曰‘三孔’。今才百余年,而集稿散佚罕传,诚故郡之阙典也。庆元四年,太守濡须王蘧(委)实来,政修教明,瞻乔木而慕先贤,既奠谒其像于学宫,又博访遗文而刻之,虽曰存一二于千百,然读之者知为有德之言,而非雕篆之习也。总成若干卷,属必大以叙。……宋庆元五年四月甲戌,少傅、观文殿大学士致仕、益国公周必大序。”又,曾敏行《独醒杂志》卷四:“孔经甫文仲为台州司户日,范蜀公举应制科。经甫对策,极言青苗、免役之害,语大忤直。宋次道为初考,以入三等。王禹玉复考,降一等。韩持国详定,从初考。王荆公见而恶之,密启于上,以御批点之,遂下诏发还本任。孙给事固封还制书,极言其不可。经甫将归,往见蜀公,公叹息其不遇。经甫曰:‘苟不负科目及公知人之鉴足矣,不敢以穷达为念也。’公甚壮之,谓之曰:‘君气节如此,无替古人。惟不替今日之志,则某之所愿也。’经甫元祐中为谏议大夫,果以抗直为时所推重云。”[思齐按:清江三孔,字中“父”字,常与“甫”通用。]

公元1089年(宋元祐四年　辽大安五年　夏天仪治平三年　己巳)

正月

以夏人通好,宋诏边将勿扰夏边生事。

高丽贡于辽。

二月

吕公著(1018—1089)**卒**。《纲鉴易知录》卷七三:“公著薨,年七十二,太皇太后见辅臣泣曰:‘邦国不幸,司马公既亡,吕司空复逝。’帝亦悲感,即诣其家临奠,赠太师，封申国公，谥正献。公著自少讲学，即以治心养性为本，平居无疾言遽色，于声利纷华，泊然无所好。简重清洁，盖天禀然。其识虑深敏，量宏而学粹，于事善决，苟便于国，不以利害动其心。与人交，出于至诚，好德乐善，见士大夫以人物为意者，必问其所知，与其所闻参互考实，以达于上。每议政事，博采众善以为善，至所当守，则毅然不可回夺。神宗尝言：‘其于人才不欺，如权衡之称物。’尤能避远声迹，不以知人自处。王安石博辨骋辞，人莫敢亢，公著独以精识约言服之。安石尝言：‘疵吝每不自胜，诣长者即废。’其敬服如此。”又，汪应辰《题申温蜀三公唱和诗》：“吕申公知河阳，司马温公、范蜀公并访之，此其临岐倡和词也。既去，申公榜其所馆为礼贤堂云。方三公同时法从，光华台阁，然名未卓然暴白。会王安石纷更法度，莫不极力争之。温公除枢密副使，以言不见听，迄不受命。蜀公年六十三矣，亦请致仕而归。安石大怒，既落职，又自为制词丑诋之。申公自御史中丞出知颍州，安石亦改制词加之罪，而天下更以为荣焉，于是翕然仰望之，如泰山北斗矣。元祐初，温公、申公对秉钧轴，而天下复安。蜀公累召不起，谓所亲曰：‘吾所欲为者，君实皆已为之矣，又安用出？’盖其出处未尝不同者，乃如此人也。乡人求此词，因手录以遗之，且书其后，庶几诵其词，想其风流人物，或者为之兴起也。”

三月

辽道宗命析津（今北京市）、大定（今辽宁宁城西）二府精选举人以闻。辽自清宁后，五京、诸州各建孔子庙，颁《五经》传疏，至是又诏学者当穷经明道。

苏颂等奏请撰进汉唐故事。《续资治通鉴》卷八一：“甲戌。苏颂等奏，撰进汉唐故事，分门增修。诏以《迩英要览》为名。”

宋朝制造浑天仪。

四月

宋科举考试分经义、诗赋两科试士。《纲鉴易知录》卷七三：“夏四月，分经义、诗赋为两科试士，罢明法科。尚书省请复诗赋与经义兼行，解经通用先儒传注及己说。又言旧明法最为下科，今中者即除司法，叙名反在及第进士上，非是。乃诏立经义、诗赋两科，罢试律义。”

五月

回鹘贡良马于辽。

蔡确车盖亭赋诗。《纲鉴易知录》卷七三：“确失势日久，复怀怨望，在安州尝游车盖亭，赋诗十章。知汉阳军吴处厚与确有隙，上之，以为皆涉讥讪，其用郝处俊上元间谏高宗欲传位武后事以斥东朝，语尤切害。于是台谏言确怨谤，乞正其罪。执政议置确于法，范纯仁、王存度以为不可，力争之。文彦博欲贬确岭峤，纯仁闻之，谓吕大防曰：‘此路自乾兴以来，荆棘近七十年，吾辈开之，恐自不免。’大防遂不敢言。

越六日，贬确英州别驾，新州安置。确至新州，未几卒。”［思齐按：此指蔡确《夏日登车盖亭十绝》，各种诗话多有提及。厉鹗《宋诗纪事》卷二二《夏日登车盖亭》，其一：“公事无多客亦稀，朱衣小吏不须随。溪潭直上虚亭里，卧展柴桑处士诗。”其二：“一川佳景疏帘外，四面凉风曲槛头。绿野平流来远棹，青天白雨起灵湫。”其三：“纸屏石枕竹方床，手倦抛书午梦长。睡觉宛然成独笑，数声渔笛在沧浪。”其四：“静中自足胜炎蒸，入眼兼无俗物憎。何处机心惊白鸟，谁人怒剑逐青蝇。”其五：“西山仿佛见松筠，日日来看色转新。闻说桃花岩石畔，读书曾有谪仙人。”其六：“风摇熟果时闻落，雨滴余花亦自香。叶底出巢黄口闹，波间逐队小鱼忙。”其七：“来结芳庐向翠微，自持杯酒对清晖。水趋梦泽悠悠过，云抱西山冉冉飞。”其八：“矫矫名臣郝甑山，忠言直节上元间。古人不见清风在，叹息思公俯碧湾。”其九：“溪中曾有戈船士，溪上今无佩犊人。病守翛然唯坐啸，白鸥红鹤伴闲身。”其十：“喧豗六月浩无津，行见沙洲束两滨。如带溪流何足道，沉沉沧海会扬尘。”］又，蒋一葵《尧山堂外纪》：“蔡确以弟硕赃败，谪守安州。夏日登车盖亭，作此十绝。时吴处厚知汉阳军，笺注以闻。其略云：五篇涉讥讽：‘何处机心惊白鸟，谁人怒剑逐青蝇’，以讥谮谮之人；‘叶底出巢黄口闹，波间逐队小鱼忙’，讥新近用事之人；‘睡起宛然成独笑’，方今朝廷清明，不知确笑何事？‘矫矫名臣郝甑山，忠言直节上元间’，按：郝处俊，封甑山公，唐高宗欲逊位天后，处俊上疏谏，此事正在上元三年，今皇太后垂帘，遵用章宪明肃故事，确指武后以比太后；‘沉沉沧海会扬尘’，谓人寿几何，尤非佳语。宣仁盛怒，令确分晰，终不自明，遂贬新州。”

贺铸作《历阳十咏》，诗载《庆湖遗老诗集》卷三。

六月

夏遣使贡于宋。

八月

宋敕郡守贰以四善三最课县令，吏部岁上肩司考察知州状。

九月

辽道宗以契丹、汉人风俗不同，国法不可异施，命耶律乙辛等更定条制。

十月

苏辙上《神宗御制集》九十卷。

十一月

东坡爱杭州，修建西湖堤。《续资治通鉴》卷八一：“甲午。知杭州苏轼言。浙西艰食已甚，今岁两浙水乡种麦绝少，深恐来年必有饥馑盗贼之忧。转运司上供额赋，及补填旧欠，共一百六十余万石。乞且起一半或三分之二，诏须留上供米三之一，由是米不翔贵，复得赐度牒百道，易米以救饥者。明年方春，即减半粜常平米。又作飦粥药，济活者甚众。杭濒海，水泉咸苦。唐刺史李泌始导西湖作六井，民以足用。及白居易复浚西湖，引水入运河，溉田且千顷。然湖水多葑，自唐及钱氏，岁辄浚治。宋兴，废之，葑积为田而水无几矣。运河失湖水之利而取给于江，湖水游河泛滥阛阓。三年一浚，为居民大患，六井亦几废。轼始至，浚茆山、盐桥二河，以茆山一河专受江潮，以盐桥一河专受湖水，复以余力修治六井，民稍获其利。轼曰：若去葑田积之湖中为长堤，以通南北，则葑田去而行者便矣。乃取救荒之余，复请于朝，得度牒以募役者。堤成，南北径十三里，植芙蓉杨柳于其上，望之如画图，杭人名曰苏公堤。”

十二月

宋朝减鄜延等路戍兵归营。

本年

李弥逊（1089—1153）**生。**《筠溪李公家传》：“公讳弥逊，字似之。……八代祖澄仕为温州永嘉令，遂迁于闽，居福州连江县。……公弱冠擢上舍，冠多士。……登大观三年进士第，历单州司户。丁少师府君忧，除丧调郓州阳谷簿。政和四年二月，除国朝会要所检阅文字。十二月引见上殿，改授承奉郎，迁秘书省校书郎，充编修六典检阅文字。六年七月，除为提举河东路学事，未赴。九月，授尚书礼部员外郎，七年正月，守尚书司封员外郎。十一月视明堂颁事。八年四月擢起居郎。时奸党用事，以上封事剀切，八月贬知雅州庐山县。九月，改奉嵩山祠，斥废隐居凡八年。宣和七年十二月知冀州。……靖康元年七月召对，为卫尉少卿，有旨冀州防御有劳，进秩二等。九月，以论奏有忤，与郡，十一月差知筠州。……［二年］四月，准大元帅府札子，除公江东路转运判官，就领郡事。……建炎元年六月，除职，改充淮南路转运副使，训词褒谕。……七月遭鲁国太夫人艰，解官。建炎四年服除，四月赴太平观祠。绍兴二年三月祠满知饶州。三年三月乞崇道观祠。五月召对便殿。……再除郡，进宝文阁，知吉州。……七年五月，召为尚书左司员外郎，八月除起居郎。……九月试中书舍人。……八年二月，试户部侍郎。……时秦桧再相，惟公与吏部侍郎晏公敦复有忧色，八月公上疏乞外甚力，诏不允。……九年春，公凡再上书恳归田里，以徽猷阁直学士知筠州，改知漳州。……十年请祠，归隐连江西山，榜其别业为筠庄，自号筠溪真隐。时权臣诛除异己者，众臣贤士相望落南。公日戒家人置装束担，以俟岭海之命。……［十二年］十一月，言者轮在宰职则赵鼎、王庶，在侍从则曾开、李某，是四人者，同心并力，或因求对，或缘上章，必欲力沮和议，于是公与曾公开并落职。公处之裕如，初无几微忿怼之意，晚岁著诗有曰‘十年去国心常赤’，可见公惓惓忧国之志。公去国十五年，不通时宰，不请磨勘，不乞任子，不序封爵，终其身焉。二十三年二月三日，公终于寓居萧先寺。……三十一年，朝廷知公忠节，诏追复敷文阁待制，其制词云：

‘人臣守坚正之论，陈于王前；朝廷有优渥之恩，公于身后。’公学问纯正，操行端方，为人衎易，与人无忤，处大事临大节，不为利回威怵，凛然有不可犯之色。……公之治临漳，考亭先生朱公熹后至为郡，为文祭公曰：‘绍兴之初，公在迩列。力阚和议，见忌权臣。出守此邦，治行亦著。竟以谗口，去郡卧家。人怀其忠，建此遗烈。’……胡忠简之贬也，人虽高其节，皆惮权臣，莫敢与通，公独至其家，为之经纪其行，且书十事以赠。”

刘攽（字贡父，1023—1089）卒。《四库全书总目》卷一五三：“《彭城集》四十卷。……史称攽未冠通五经，博览群书，沈作喆《寓简》亦曰：‘国朝六经之学，自贾文元倡之，而原父兄弟为最高。’司马光修《资治通鉴》，自辟所属，极天下之选，而任《史记》、前、后《汉书》者，攽也。其知兖、亳二州，亦不能奉行新法，黜监衡州盐仓。哲宗初，起知襄州，入为秘书少监，钱勰草制，极称其词艺之富。后以直龙图阁出知蔡州，孙觉、胡宗愈、苏轼、范百禄交荐之，言攽博记能文章，政事侔古循吏，身兼数器，守道不回，乃召拜中书舍人。苏轼草制，称其能读典、坟、丘，索之书，悉知汉、魏、晋、唐之故。其没也，曾巩祭文有曰：‘强学博敏，超绝一世，肇自载籍，孔、墨百氏。太史所录，里闻野记。延及荒外，阴阳鬼神，细大万殊，一载以身。下至律令，老吏所疑，故事旧章，盈廷不知，有问于子，归如得师。直贯旁穿，水决矢飞。一时书林，众俊并驰，满堂贤豪，视子麈挥’云云。盖一时廷评士论，莫不共推。即朱子于元祐诸人，自洛党以外，多所不满，而《语录》云：‘贡父文字，工于摹仿，学《公言》、《仪礼》，亦复称之。’岂非攽学问博洽，词章奥雅，有不可遏抑者乎?”又，刘攽《为人以文章与知己书》：“某七岁好诗，至今垂三十年，日夜之所积习，精力之所追击，旁观经史，下协声律，纸墨所存，不下千首。虽当世多贤，不敢仰希一二，而上追古人之作，窃以为无甚大愧。夫击辕叩角之歌，词甚俚质，而贤君采之，故下情达而幽滞得出也。又况感激时事，吟咏国政，奖善而刺恶，有敦厚之风也？世无诗官，畏陷诽谤之罪，故不敢露己，时就闲僻，窃寄拊抃而已。”

文人聚会，西园雅集。是岁，李公麟（伯时）作《西园雅集图记》，绘苏轼等有姓名十七人雅集西园之状，米芾为之记。《宝晋英光记》补遗《西园雅集图记》：“李伯时效唐小李将军，为著色泉石云物，草木花竹，皆绝妙动人，而人物秀发，各肖其形，自有林下风味，无一点尘埃气，不为凡笔也。其为乌帽黄道服，捉笔而书者，为东坡先生。仙桃巾紫裘而坐观者，为王晋卿。幅巾青衣，据方几而凝伫者，为丹阳蔡天启。捉椅而视者，为李端叔。后有女奴，云鬟翠饰，倚立自然，富贵风韵，乃晋卿之家姬也。孤松盘郁，上有凌霄缠络，红绿相间，下有大石案，陈设古器，瑶琴，芭蕉围绕，坐于石盘旁，道帽紫衣，右手倚石，左手执卷而观者，为苏子由。团巾茧衣，手秉蕉箑而熟视者，为黄鲁直。幅巾野褐，据横卷画渊明《归去来》者，为李伯时。披巾青服，抚肩而立者，为晁无咎。跪而捉石观画者，为张文潜。道巾素衣，按膝而俯视者，为郑靖老。后有童子执灵寿杖而立，二人坐于盘根古桧下，幅巾青衣，袖手侧听着，为秦少游。琴尾冠紫道服摘阮者，为陈碧虚。唐巾深衣，昂首而题石者，为米元章。幅巾袖手而仰观者，为王仲至。前有鬅头顽童，捧古砚而立，后有锦石桥竹径缭绕于清溪深处，翠阴茂密中，有袈裟坐蒲团而说无生论者，为圆通大师。旁有幅巾褐衣而谛听者，为刘巨济。二人并坐于怪石之上。下有激湍潨流于大溪之中，水石潺湲，风竹乡吞，炉烟方袅，草木自馨，人间清旷之乐，不过于此。嗟夫，汹涌于名利之域而不知退者，岂易得此耶！自东坡而下，凡十有六人，以文章议论，博学辨识，英辞妙墨，好古多闻，雄豪绝俗之姿，高僧羽流之杰，卓然高致，名动四夷。后之览者，不独图画之可观，亦足仿佛其人耳。”实为十七人。

苏辙使辽。十月，苏辙奉命离京师赴辽国，充任宋朝派出的“北朝皇帝生辰国信使”，前去辽国祝贺辽道宗耶律洪基生辰。苏轼作诗《送子由使契丹》送行，见《苏轼诗集》卷三一。苏辙作诗《次韵子瞻相送使胡》，见《栾城集》卷一六。苏辙行进的路线为：过相州、莫州、雄州、白沟驿，至辽国境，过桑干河，抵达燕京，离开燕京，过西山、古北口，途中经过杨业（继业）庙。之后，苏辙行进于燕山之中，过会仙馆，出燕山。苏辙至中京之南时，曾访奚人所居。之后，苏辙至惠州，经过木叶山，至中京，祝贺辽国主生辰。本次出使，苏辙作诗极多，主要有纪行诗《奉使契丹二十八首》，即《次莫州通判刘泾韵二首》、《赠知雄州王崇拯二首》、《赠右番赵士郎》、《古北口道中呈同事二首》、《绝句二首》、《过杨无敌庙》、《燕山》、《赵君偶以微恙乘驼车而行戏赠二绝句》、《会仙馆二绝句》、《出山》、《奚君》、《惠州》、《神水馆寄子瞻兄四绝》、《木叶山》、《虏帐》、《十日南归马上口占呈同事》、《伤足》、《春日寄内》和《渡桑干》，俱见《栾城集》卷一六。此外，苏辙还了解到，契丹盛传“三苏”文，甚喜“三苏”文。

黄庭坚《小山集序》当作于本年。此外，元祐间所作文，《松菊亭记》较著名。本年所作诗，较著名的有《六月十七日昼寝》。

陈师道本年作诗有《谢人寄酒》、《从苏公登后楼》、《送苏公知杭州》、《送秦觏二首》、《和江秀才献花三首》、《次韵李节推九日登南山》、《别负山居士》、《送赵教授》。其中，以下诗篇比较著名：《后山诗注》卷二《次韵李节推九日登南山》：“平林广野骑台荒，山寺钟鸣报夕阳。人事自生今日意，寒花只作去年香。巾欹更觉霜侵鬓，语妙何妨石作肠。落木无边江不尽，此身此日更须忙。”方回《瀛奎律髓》：“《重九》诗自老杜之后，便当以杜牧之《齐山》诗为亚，已入变体诗中。陈简斋一首亦然。陈后山二首［思齐按：一首指《次韵李节推九日登南山》，另一首指此即《九日寄秦觏》。］，诗律瘦劲，一字不易轻下，非深于诗者不知，亦当以亚老杜可也。”

秦观四十一岁。在蔡州学官任上。三月，苏轼出知杭州。七月到任所，少游弟少章从之。孙觉病归高邮，有诗赠少游，少游次韵酬答。当年作诗有《次韵裴秀才上太守向公二首》、《送蔡子襄用蔡子骏韵》等。六月，范纯仁罢知尹昌府，荐少游具备著述之才，堪充馆职。少游呈上进策进论五十篇，并作《上许州范相公书》。秦观在蔡州学官任上所作诗中有名篇《赠女冠畅师》：“瞳仁剪水腰如束，一幅乌纱裹寒玉。飘然自有姑射姿，回看粉黛皆尘俗。雾阁云窗人莫窥，门前车马任东西。礼罢晓坛春日静，落红满地乳鸦啼。”蔡正孙《诗林广记》后集引《桐江诗话》：“畅姓，惟汝南有之。其族尤奉道，男女为黄冠者，十之八九。时有女冠畅道姑，姿色妍丽，神仙中人也。少游挑之不得，乃作诗云。”陈衍《宋诗精华录》卷二评曰：“末韵不著一字，而浓艳独至。《桐江诗话》以此道姑为神仙中人，殆不虚也。”

公元1090年（宋元祐五年　辽大安六年　夏天仪治平四年　庚午）

正月

苏辙奉使赴辽国之后，南归。二十三日经过相州时，祭扫韩琦（忠献）之墓。约摸回至京师，得知次女之婿王适（子立）已卒，哭之失声。之后，作文《王子立秀才文集引》。王适卒于元祐四年十月二十五日，享年三十五。苏轼有《王子立墓志铭》，见《苏轼文集》卷一五。

二十五日，秦觌（少章），归省其亲，苏轼作《太息·送秦少章》饯行，称赞秦觌之兄秦观及张耒之学识。文载《苏轼文集》卷六四："孔北海与曹公论盛孝章云：'孝章实丈夫之雄者也。游谈之事，依以成声。今之少年喜谤前辈，或讥评孝章，孝章要为有天下重名，九牧之人，所共称叹。'吾读至此，未尝不废书太息也，曰嗟夫，英伟奇异之士不容于世俗也久矣！虽然，自今观之，孔北海、盛孝章犹在世，而向之讥评者与草木同腐久矣。昔吾举进士，试于礼部，欧阳文忠公见吾文，曰：'此我辈人也，吾当避之。'方是时，世以剽裂为文，聚而见讪，且讪公者所在城市。曾未数年，忽焉如潦水之归壑，无复见一人者，此岂复待后世哉。今吾衰老废学，自视缺然，而天下士不吾弃，以为可以与于斯文者，犹以文忠公之故也。张文潜、秦少游此两人者，士之超逸绝尘者也，非独吾云尔。二子亦自以为莫及也。士骇于所未闻，不能无异同，故纷纷之言，常及吾与二子，吾策之审矣。士如良金美玉，市有定价，岂可以爱憎口舌贵贱之欤？少游之弟少章，复从吾游，不及期年，而议论日新，若将施于用者。故归省其亲，且不忍去。呜呼，子行矣，归而求诸兄，吾何加焉。作《太息》一篇，以饯其行，使藏于家，三年而后出之。"又，仲天贶、王箴（元直）将归蜀，与秦觌同行，苏轼作诗送行，标题为《仲天贶、王元直自眉山来见余，钱塘留半岁，既行，作绝句五首送之》，见《苏轼诗集》卷三二。

二月

宋诏都水使者吴安特提举修减河水。

夏宋划分边界。《纲鉴易知录》卷七三："夏人来归永乐所获吏士百四十九人，遂诏以宋米脂、葭芦、浮图、安疆四砦还之（葭芦，今陕西米脂县东北。浮图砦，在今陕西延安县附近。安疆砦，在今甘肃庆阳县西北）。夏得地益骄。"

文彦博致仕。《续资治通鉴》卷八一："初，文彦博复居政府，期年，即求去。诏曰：西伯善养老，而太公自至。鲁缪公无人子思之侧，则长者去之。公自以为谋，则善矣。独不为朝廷惜乎？又曰：唐太宗以干戈之时，尚能请李靖于既老，而穆宗、文宗以燕安之际，不能用裴度于未病。治乱之效，于斯可见。彦博读诏潸然，不敢言去，复留四年。至是请去不已。庚戌，诏以太师开府仪同三司护国军山南西道节度使致仕，令所司礼备册命。壬子，彦博乞免册礼，从之。"苏辙为文彦博致仕撰制文多篇，见《栾城集》卷三三、卷三四。文彦博致仕，苏辙于甲子（二十九）日饯之于玉津园，并赠诗《送文太师致仕还洛三首》，见《栾城集》卷一六。

潞公风采惊辽使，异人精炼胜少年。《纲鉴易知录》卷七三："文彦博致仕。彦博复居政府，无岁不求去。会殿中侍御史贾易言：'彦博至和建储之议不可信。'太后命付史官，彦博益求罢，乃以太师、充护国军、山南西道节度等使致仕，命有司备礼册命，宴饯于玉津园。先是，辽使耶律永昌来聘，苏轼馆之。于永昌入觐，见彦博于殿门外，却立改容，曰：'此潞公邪?'问其年，曰：'何壮邪?'轼曰：'使者见其容，未闻其语。其总理庶务，虽精炼少年有不如；其贯穿古今，虽专门名家有不逮。'永昌拱手曰：'天下异人也。'"

苏辙于丁酉（初二日）作《中太一宫祈雨青词》。青词见《栾城集》卷三四，云："维元祐五年，岁次庚午，二月丙申，二日丁酉，嗣天子臣名谨遣入内，内侍省内东头供奉官李永言，请道士三七人，于中太一宫真室殿，开启祈雨道场，谨上启元始天真、太上道君、太上老君混元上德皇帝：……"［思齐按：这里所谓青词，乃一种道教文书］之后，又进呈《语录》。［思齐按：《语录》当为北朝君臣交往纪录。奉使回，进呈《语录》为当时的一项规定。］又上《北使还论北边事札子五道》，一为《论北朝所见于朝廷不便事》，二为《论北朝政事大略》，三为《乞罢人从内亲从官》，四为《乞随行差常用大车》，五为《乞立差马及驼日限》，俱见《栾城集》卷四二。

三月

女真贡于辽。

苏颂以翰林学士承旨为尚书左丞。

本年春，杭州大旱，饥荒严重，苏轼奏请朝廷减价粜常平米，派人做稀粥、药剂，率医生分坊治病，并出资黄金五十两，帮助修建了病坊名安乐坊。晚春，苏轼作词《南歌子》（日薄花房绽）。春末，苏轼戏送张天骥归彭城。阮阅《诗话总龟·前集》卷三六引《纪诗》："徐州云水诗人张天骥，不远千里，见朱定国于钱塘，爱其中风物，遂欲徙家居焉。春尽思归，以诗戏之云：'羡公飘荡一孤舟，来作钱塘十日游。水洗禅心都眼净，山供石笔总眉愁。雪中乘兴真聊尔，春尽思归都罢休。何时却寻朱处士，种鱼万尾橘千头。'"此诗即《次韵送张山人归彭城》，见《苏轼诗集》卷三二。又，应陈直方之妾嵇氏之请，苏轼作词《江城子》（玉人家在凤凰山）。

赵瞻（1019—1090）卒。范祖禹《同知枢密院赵公神道碑》："元祐三年四月，登进辅臣，以尚书户部侍郎赵公为枢密直学士、签枢密院事。明年六月，拜中大夫、同知院事。五年三月丙寅，薨于位，年七十有二。……公所著《春秋论》三十卷，《史记牴牾论》五卷，《唐春秋》五十卷，奏议十卷，文集二十卷，《西山别录》一卷。"［思齐按：瞻，字大观，其先亳州人，后徙凤翔，谥懿简。］

四月

苏轼作诗《真觉院有洛花，花时不暇往，四月十八日与刘景文同往赏枇杷》，见《苏轼诗集》卷三二。苏轼之交往，于诗题可见。二十八日，苏轼兴工开西湖，祭祷吴山水仙龙神。祷文为《开湖祭祷吴山水仙五龙三庙祝文》，见《苏轼文集》卷六二。父老欢悦，苏轼作词《南歌子》（古岸开青葑）以抒怀。二十九日，苏轼作《杭州乞度牒开西湖状》，见《苏轼文集》卷三十。

五月

五日，端午节，苏轼作词《南歌子·杭州端午》（山与歌眉敛）。同日，作《申三省起请开湖六条状》，状见《苏轼文集》卷三十。二十一日，作文《题张子野诗集后》："张子野诗笔老妙，歌词乃其余技耳。《华州西溪》云：'浮萍破处见山影，小艇旧时闻草声。'与余和诗云：'愁似鳏鱼知夜永，懒同蝴蝶为春忙。'若此之类，皆可以追配古人。而世俗但称其歌词，昔周昉画人物，皆入神品，而世俗但知有周昉仕女，皆所谓未见好德如好色者欤？元祐五年四月二十一日。"（《苏轼文集》卷六八）本月末，苏轼作词《贺新郎》（乳燕飞华屋）。曾季狸《艇斋诗话》："东坡《贺新郎》，在杭州万顷寺作。寺有榴花树，故词中云石榴。又是日有歌者昼寝，故词中云：'渐困倚、孤眠清熟'其真本云'乳燕栖华屋'，今本作'飞'字，非是。"

壬辰（二十八日），以苏辙为龙图阁直学士、御史中丞。

秦观除太学博士。二十六日，罢新除，改为校正秘书省书籍。其时，秦观自蔡州奉召来京师。

七月

苏轼于七日作词《鹊桥仙·七夕和苏坚》（乘槎归去）。本月，作诗《安州老人食蜜歌》，赠僧仲殊。仲殊为承天寺僧，居钱塘，知来往于苏杭间。汪师韩《苏诗选评笺释》卷五："游戏三昧，掣电机锋，合之以成绝世奇作。昔轼尝引佛言'譬如食蜜，中边皆甜'之语，以论陶、柳诗，谓人食五味，知其甘苦皆是，能分别其'中边'者，百无一二也。如此篇，其如诗中之'中边皆甜'者乎！"翁方纲《石州诗话》卷三："《安州老人食蜜歌》结四句云：'因君寄与双龙饼，镜空一照双龙影。三吴六月水如汤，老人心似双龙井。'亦若韩《石鼓歌》起四句句法，此可见起结一样音节也。然又各有抽放平仄之不同。"

贺铸游乌江广圣寺。

八月

给事中兼侍讲范祖禹上《帝学》八篇。

九月

宋诏恢复集贤院学士。

秋，太湖泛滥，苏轼连章上书，以便为来年救灾做好准备。本月，开浚西湖功竣，苏轼作祷文《谢吴山水神五龙三庙祝文》，见《苏轼文集》卷六二。工程包括疏浚茅山、盐桥二河，以及修六井，筑长堤等。

秋，张耒（文潜）病，作诗呈苏辙。此诗即《卧病月余呈子由》，见《张耒集》

卷二二，苏辙作《次韵张耒学士病中》答之，见《栾城集》卷一六。张耒病愈，又作诗，原诗已佚。苏辙复作《次韵张君病起二首》，见《栾城集》卷一六。苏辙次子适（仲南）有诗卷，张耒尝题诗《观苏仲南诗卷》，见《张耒集》卷三一。张耒和苏轼，互有唱酬，比如《张耒集》卷三二《和苏轼春雪八首》，又如《张耒集》卷三十《和苏仲南邵湖会饮三首》，再如《张耒集》卷二五《和苏仲南柳湖会饮》等。

十月

宋诏导河水入汴。

二十六日，苏轼与叶温叟（醇老）、张璹（全翁）、元之、侯临（敦夫）同游南屏寺。僧谦出茗，白如玉雪。蔡瑫出墨，黑如漆，遂论茶墨。《苏轼文集》卷七十《记温公论茶墨》："司马温公尝曰：'茶与墨政相反。茶欲白，墨欲黑；茶欲重，墨欲轻；茶欲新，墨欲陈。'予曰：'二物之质诚然，然亦有同者。'公曰：'谓何？'予曰：'奇茶妙墨皆香，是其德同也。皆坚，是其操同也。譬如贤人君子，妍丑黔皙之不同，其德操韫藏，实无以异。'公笑以为是。元祐五年十月二十六日，醇老、全翁、元之、敦夫、子瞻，同游南屏寺。寺僧谦出奇茗如玉雪。适会三衢蔡熙之子瑫出所造墨，黑如漆。墨欲其黑，茶欲其白，物转颠倒，未知孰是？大众一笑而去。"

十一月

高丽遣使贡于辽。

十二月

六日，贺铸自历阳当利口放舟至沙夹，数日至金陵。望日，自秦淮城信马出城，投宿清凉寺。返金陵途中作诗《放舟下江留寄王元胥》、《舟次金陵寄历阳王掾相》等。

本年

辽国放进士七十二人。《续资治通鉴》卷八一："辽放进士文充等七十二人。"

毛滂受知于苏轼。毛滂（泽民）大约于本年罢法曹掾，赋《惜分飞》词，苏轼赏其词。《唐宋诸贤绝妙词选》卷六选毛滂此篇，调下注明毛滂秩满辞去，一下云："是夕宴客，有妓歌此词。坡问：'谁所作？'妓以毛法曹对。坡语坐客曰：'郡僚有词人不及知，某之罪也。'翌日，折简追还，留连数月，泽民因此得名。"

陈师道本年作诗有《次韵春怀》、《黄梅五首》、《田家》、《巨野二首》、《别叔父录曹》、《出清口》、《泛淮》、《猴马并引》、《徐氏闲轩》、《寄豫章公三首》。其中，以下诗篇比较著名：《后山诗注》卷二《田家》："鸡鸣人当行，犬鸣人当归。秋来公事急，出处不待时。昨夜三尺雨，灶下已生泥。人言田家乐，尔苦人得知。"

同卷，《泛淮》："冬暖仍初日，潮回更下风。鸟飞云水里，人语橹声中。平野容回顾，无山会有终。倚墙聊自逸，吟笑不须工。"

秦观四十二岁。春季仍在蔡州学官任上。二月，文及甫任工部侍郎，代为写谢表，以诗《和工部侍郎新章》相答。代知蔡州王存作《谢历日表》，以诗《正仲左丞生日》贺友人生辰。孙觉卒于高邮，作《孙莘老挽词》四首。另有《滕达道挽词》二首。三月，有《次韵宋履中近谒大庆退食馆中》诗。五月，因范纯仁荐，被召至京师，应制科，除太学博士，校对黄本书籍。之后，林次中奉使契丹，刘仲平出倅郓州，同舍友人置酒饯行，有诗。因同门友人李廌（方叔）馈笋，以诗与范祖禹（纯夫）、邓忠臣（慎思）相唱和。离蔡州时作词《水龙吟》。九月，李公择病卒，为作《行状》。同年有《庆禅师塔铭》。秦观《水龙吟》："小楼连远横空，下窥绣毂雕鞍骤。朱帘半卷，单衣初试，清明时候。破暖轻风，弄晴微雨，欲无还有。卖花声过尽，斜阳院落，红成阵，飞鸳甃。　　玉佩丁东别后。怅佳期，参差难又。名缰利锁，天还知道，和天也瘦。花下重门，柳边深巷，不堪回首。念多情担忧，当时皓月，向人依旧。"

在蔡州学官任上，秦观尚有词《南歌子》："玉漏迢迢尽，银潢淡淡横。梦回宿酒未全醒，已被临鸡催起、怕天明。　　臂上妆犹在，襟间泪尚盈。水边灯火渐人行。天外一钩残月、带三星。"

元祐后期，秦观有词《虞美人》："碧桃天上栽和露，不是凡花数。乱山深处水萦洄，可惜一枝如画、为谁开？　　轻寒细雨情何限！不道春难管。为君沉醉又何妨，只怕酒醒时候、断人肠。"

陈与义（1090—1139）生。张嵲《陈公资政墓志铭》："陈氏本居京兆，亡其世系所出，后迁眉之青神。……公讳与义，自去非，自其太王父历官中朝，始又迁洛，古今为洛人。公资卓伟，自为儿童时，已能作文辞，致名誉，流辈敛衽，莫敢与抗矣。登政和三年上舍甲科，授文林郎、开德府教授，除辟雍录。丁内艰，服除，为太学博士，著作佐郎，司勋员外郎，擢符宝郎，谪监陈留酒。始公为学官，居馆下，辞章一出，名动京师，诸贵要人争刻之。时为宰相者横甚，强欲知公，不且得祸，公为其荐达。宰相败，用是得罪。既王室始骚，丁外艰，避地襄、汉，转徙湖、湘间，逾岭峤。久之，召为兵部员外郎。以绍兴元年夏至行在所，为起居郎，兼中书舍人，兼掌内制，天下以为任职。拜吏部侍郎，以病剧辞，改礼部。后以徽猷阁直学士知湖州，召为给事中，驳议详雅。又以病告，为显谟阁直学士，提举江州太平观。被召，会宰相时不乐公者，复用为中书舍人。服以朝，且以状言，有诏不许。既谢，上谕曰：'朕当自以卿为内相。'九月，驾幸平江。十一月，拜翰林学士、知制诰。明年正月，为参知政事。三月，从幸建康。是岁，绍兴七年也。明年春，扈跸回临安，以疾请去，凡五请而后许，以资政殿学士特转太中大夫，知湖州。陛辞，上劳问甚渥，且云：'姑遂雅志，行复用卿矣。'于是公疾益侵，遂请闲，提举临安府洞霄宫。是年冬，疾大甚，十一月某甲子，薨于乌敦之僧舍，年四十九。讣闻，赠某官，令有司给葬事，以某年月日葬某所。公清慎靖一，与人语，唯恐伤之，遇有可否，必微示端倪，终不正言极议。然容状俨恪，不妄笑言。世皆知其以文字擅声当世，而其谋略议虑，自过绝于人。参大政日浅，每思以道德辅朝廷之阙失，张施措置，务欲遵主威而振纲纪，调娱补察甚众。平居与人接，谦下甚，然内刚不可犯。……公尤邃于诗，体物寓兴，清邃超特，纡余闳肆，高举横厉，上下陶、韪、韦、柳之间。公之外王父，邓公之季子也，自号存诚子，善行草书，高视一世，其书过清，世俗莫知。公初规模其外家法，晚亦变体，出新意，姿态横出，片纸数字，得之者咸藏弆之。”

洪兴祖（1090—1155）生。《宋史》卷四三三《洪兴祖传》：“洪兴祖字庆善，镇江丹阳人。少读《礼》至《中庸》，顿悟性命之理，绩文日进。登政和上舍第，为湖州士曹，改宣教郎。高宗时在扬州，庶事草创，选人改制军头司引见，自兴祖始。召试，授秘书省正字，后为太常博士。上疏乞收人心，纳谋策，安民情，壮国威。又论国家再造，一宜以艺祖为法。绍兴四年，苏、湖地震，兴祖时为驾部郎官，应诏上疏，具言朝廷纲纪之失，为时宰所恶，主管太平观。起知广德军。……一新学舍，因定从祀，自十哲曾子而下七十有一人，又列先儒左丘明而下二十有一人。擢提点江东刑狱，知真州。州当病虫，疮痍未瘳，兴祖始至，清福一年租，从之。……徙知饶州，先梦持六刀，觉曰：‘三刀为益，今倍之，其饶乎？’已而果然。是时秦桧当国，谏官多桧门下，争弹劾以媚桧，兴祖坐尝作故龙图阁直学士程瑀《论语解序》，语涉怨望，编管昭州。卒，年六十有六。明年诏复其官，直敷文阁。兴祖好古博学，自少至老，未尝一日去书。著《老庄本旨》、《周易通义》、《古文孝敬序赞》、《离骚楚辞考异》行于世。”

孙觉（1028—1090）卒。《苏轼文集》卷十一《妙墨亭记》：“熙宁四年十一月，高邮孙莘老自广德移守吴兴，其明年二月，作妙墨亭于府第之北，逍遥堂之东，取凡境内汉以来古文遗刻以实之。吴兴自东晋为善地，号为山水清远，其民足于鱼稻蒲莲之利，寡求而不争，宾客非特有事于其地者，不至焉。故凡守郡者，率遗风流啸咏投壶饮酒为事。自莘老之至，而岁适大水，上田皆不登，湖人大饥，将相率亡去。莘老大振廪劝分，躬自抚循劳来，出于至诚。富有余者，皆争出谷以佐官，所活至不可胜计。当是时，朝廷更方化立法，使者旁午，以为莘老当日夜治文书，赴期会，不能复雍容自得如故事。而莘老益喜宾客，赋诗饮酒为乐，又以其余暇，网络遗逸，得前人赋咏数百篇，以为《吴兴新集》，其刻画尚存而僵仆断缺雨荒陂野草之间者，又皆集于此亭。是岁十二月，余以事至湖，周览叹息，而莘老求文为记。或以谓余，凡有物必归于尽，而恃形以为固者，尤不可长，虽金石之坚，俄而变坏，至于功名文章，其传世垂后，尤为差久，今乃以此托于彼，是久存者反求助于速坏。此既昔人之惑，而莘老又将深檐大屋以锢留之，推是意也，其无乃几于不知命也夫。余以为知命者，必尽人事，然后理足而无憾。物之有成必有坏，譬如人之有生必有死，而国之有兴必有亡也。虽知其然，而君子之养身也，凡可以久生而缓死者无不用；其治国也，凡可以存存而救亡者无不为，至于不可奈何而后已：此之谓知命。是亭之作否，无足争者，而其理则不可以不辨。故具载其说，而列其名物于左云。”

公元 1091 年（宋元祐六年　辽大安七年　夏天祐民安元年　辛未）

正月

初七日，苏轼与钱勰、江公著（晦叔）、柳雍一同拜访龙井寺僧元净（辩才），题名。江公著知吉州，苏轼作诗词送行，诗即《送江公著知吉州》，见《苏轼诗集》卷三三，词乃《渔家傲·送吉守江郎中》（送客归来灯火尽）。钱勰赴瀛州，苏轼作词《临江仙·送钱穆父》（一别都门三改火）送行。十五日，苏轼游伽蓝院，作词《浣溪沙》（雪颔霜染不自惊）寄袁毂（公济），序云："公守湖，辛未上元日，作会于伽蓝中。时长老法惠在坐，人有献剪彩花者，甚奇，谓有初春之兴，作《浣溪沙》二首，因寄袁公济。"袁毂倅杭后，移知处州。同日，又作诗《次韵刘景文路分上元》，见《苏轼诗集》卷三三，诗后自注："予旧欲卜居庐山，景文近买宅江州。"同日，戏法颖沙弥。《苏轼文集》卷七二《法颖》："法颖沙弥，参寥子之法孙也。七八岁，事师如成人。上元夜，予作乐于寺，颖坐一夫肩上。予谓曰：'出家儿亦看灯耶?'颖愀然变色，若无所容，啼呼求去。自尔不复出嬉游。今六七年矣，后当嗣参寥者。"十八日，叶温叟（醇老）罢转运副使，继任者为王晳（微之）。苏轼作词《浣溪沙·送叶醇老》（阳羡姑苏已买田）送叶温叟。二十六日，苏轼除吏部尚书。苏轼知杭州时，杨蟠（公济）继袁毂为杭州通判，两人倡酬居多。杨蟠早有诗名，著有诗集《西湖百咏》，并有"文章太守"之称。苏轼次韵杨蟠梅花，作《次韵杨公济奉议梅花十首》、《再和杨公济梅花十绝》，俱见《苏轼诗集》卷三三。又，苏轼作诗《谢关景仁送红梅栽二首》，见《苏轼诗集》卷三三。又，唐坰（林父）赴鄂州，苏轼作《游宝云寺，得唐彦猷为杭日送客舟中手书一绝句，云："山雨霏微不满空，画船来往疾轻鸿，谁知独卧朱帘里，一榻无尘四面风。"明日送彦猷之子坰赴鄂州，州中遇微雨，感叹前事，因和其韵，作两首送之，且归其书唐氏》，见《苏轼诗集》卷三三。又，苏轼作《次韵仲殊雪中游西湖二首》，见《苏轼诗集》卷三三。

秦观于二十一日除秘书省正字。

本月，贺铸曾客居金陵，为张氏藏《兰亭序》作跋。拟离金陵时，作诗《题金陵天庆观阜轩》、《再酬僧讷兼清凉和上人》、《阻风白鹭洲招讷上人》等。

二月

杨康国评价苏辙之性格。《纲鉴易知录》卷七三："以刘挚为尚书右仆射兼中书侍郎，苏辙为尚书右丞，王岩叟签书枢密院事。辙除命既下，右司谏杨康国奏曰：'辙之兄弟，谓其无文学则非也，蹈道则未也。其学，乃学为仪、秦者也。其文率务驰骋，好作为纵横捭阖，无安静理。陛下若悦苏辙文学而用之不疑，是又用一安石也。辙以文学自负，而刚很好胜，则与安石无异。'不报。"

贺铸舟次广陵，偕友游金山，召米芾不至。之后，小游扬州，有诗《扬州叙游二月作》，有词《鹧鸪天》、《鸳鸯语》、《问歌频》。之后，过高邮，舟泊泗洲。

刘挚为尚书右仆射兼中书侍郎。

三月

史官范祖禹等上《神宗实录》。

冯涓等九百五十七人中进士。《续资治通鉴》卷八二："壬午。赐礼部奏名进士冯涓等，及诸科及第出身，九百五十七人。"本年，宗泽进士及第。此外，李昕、鲍慎由（钦止）、刘棠（君美）周行己登进士第，此数人均关涉苏轼。

苏轼离开杭州，前往京师赴任。苏轼告别杭州，杭人约苏轼复来，甚德轼之政。马瑊（忠玉）、刘季孙（景文）等西湖饯行。瑊赋《木兰花令》及诗赠行。王明清《玉照新志》卷一："东坡被召赴阙，中玉席间作词，云：'来时吴会犹残署。去日武林春已暮。欲知遗爱感人深，洒泪多于江上雨。欢情未举眉先聚。别酒多斟君莫诉。从今宁忍看西湖，抬眼尽成断肠处。'"苏轼赋《木兰花令·次马仲玉韵》（知君仙骨无寒暑）以和之。［思齐按：马瑊，字忠玉，元刊本《东坡乐府》卷上作马仲王。］苏轼亦有和诗《次韵答马忠玉》，见《苏轼诗集》卷三三，而马忠玉原诗已佚。季孙亦赋诗赠行，苏轼有和作《次韵刘景文西湖席上》，见《苏轼诗集》卷三三，而刘季孙原诗已佚。六日，在巽亭，作《八声甘州·寄参寥子》（有情风万里卷潮来）别道潜。同日，苏轼作诗《予去杭十六年而复来，留二年而复去，平日自觉出处老少粗似乐天，虽才名相远而安分寡求，亦庶几焉，三月六日来别南北山诸道人，而下天竺惠净师以丑石赠行，作三绝句》。

苏轼守杭日，曾作《二鱼说》以自警。《苏轼文集》卷六四《二鱼说》，序云："予读柳子厚《三戒》而爱之，又尝悼世之人，有妄怒而招悔、欲盖而弥彰者。游吴，得二鱼于海之滨人，亦似之。作《二鱼说》，非意乎续子厚者，亦聊以自警云。"

《河之鱼》："河之鱼，有豚其名者。游于桥间，而触其柱，不知违去。怒其柱之触己也，则张颊植鬣，怒腹而浮于水。久之莫动，飞鸢过而攫之，磔其腹而食之。好游而不知止，因游以触物，而不知罪己，乃妄肆其忿，至于磔腹而死，可悲也夫。"

《海之鱼》："海之鱼，有乌贼其名者。呴水而水乌戏于岸间，惧物之窥己也，则呴水以避物。乌疑而视之，知其鱼也而攫之。呜呼，徒知自蔽以求全，不知灭迹，以其鱼为食者之所窥，哀哉！"

为怀念苏轼守杭日之德政，李廌尝为组诗歌颂之，数称苏轼为至人。《济南集》卷一《送杭州使君苏内相先生，某用先生旧诗"方丈仙人出渺茫，高情犹爱水云乡"为韵，作古诗十四章》：

其一："至人本无我，与世初无方。强从金銮游，聊永示行藏。忠清秉全德，日月可争光。振衣千载上，临世濯沧浪。"

其二："至人孰可测，跨世富英量。千龄遘至运，万古真遐想。三台接布武，万乘拱函丈。辞荣明光殿，乞身青天上。"

其三："世人期公浅，云是真谪仙。愿公老台鼎，白首冠貂蝉。为之乃固有，弗为愈知贤。清风不可挹，高高薄云天。"

其四："纷纷競干禄，汩汩第谋身。先生独任重，忧道仍忧民。精诚贯白日，孤忠横北辰。求之千载上，古亦鲜若人。"

其五："平生史犹直，往往展禽黜。青衫窜长沙，华鬓谒宣室。重光照八极，命世真贤出。奈何江湖去，独为苍生恤。"

其六："道德富瀛海，百谷输浩渺。云梦吞什伯，坐映黄陂小。斯文再炳蔚，精义凌缥缈。典谟追灏噩，协气充四表。"

其七："周公非汲汲，仲尼岂皇皇。吾道无若人，熟能相维纲。古今异伦轨，英风自相望。下民今喁喁，造物太茫茫。"

其八："造物虽茫茫，至壬自嚣嚣。虽稽具瞻意，欲全千仞高。富贵一敝屣，功名两鸿毛。独知退为乐，可怜夸者劳。"

其九："公去吾道辱，公来吾道荣。生民系休戚，国势随重轻。先生如九鼎，坐折奸宄萌。天若为平治，用舍若为情。"

其十："先生若蓍龟，万事可告犹。勋业轻黄屋，得贤方解忧。念昔汇征日，民瘼庶有瘳。莫赋归去来，衮衣或能留。"

其十一："吴越控岛夷，东南一都会。淫风久倡靡，懦俗无慷慨。除弊在躬行，报政可立待。类非俗吏能，千龄树遗爱。"

其十二："迩臣均劳逸，放面乃毗倚。细人怙权宠，补外习为耻。余杭股肱郡，湖山真信美。意雅如望之，肯效倪若水。"

其十三："小人虽嗜学，岁月空屡勤。同门尽鸳鸯，登瀛校书芸。嗟余老西河，索居久离群。从龙从上下，愧彼油油云。"

其十四："四海李元里，龙门多俊良。英英郭有道，一揖遂生光。画艦凌云波，仙舟水云乡。此心徒皦皦，千里共苍苍。"

秦观作诗《春日五首》。秦观游西园，作诗《春日五首》，其一："幅巾投晓入西园，春动林塘物物鲜。却憩小庭才日出，海棠花发麝香眠。"其二："一夕轻雷落万丝，霁光浮瓦碧参差。有情芍药含春泪，无力蔷薇卧晓枝。"其三："裌衣新著倦琴书，散策池塘反照初。翠碧黄鹂相续去，荇丝深处见游鱼。"其四："春禽叶底引圆吭，临罢黄庭日正长。满园柳花寒食后，旋钻新火一爇炉香。"其五："金屋旧题烦乙字，蜜脾新采赖蜂臣。蜻蜓蛱蝶无情思，随例颠忙过一春。"第二首尤其脍炙人口。陈衍《宋诗精华录》卷二评曰："遗山记'有情'二语为'女郎诗'。诗者，劳人、思妇公共之言，岂能有《雅》《颂》而无《国风》，绝不许女郎作诗耶?"元好问（字裕之，号遗山）《论诗三十首》之二十四："有情芍药含春泪，无力蔷薇卧晚枝。拈出退之《山石》句，始知渠是女郎诗。"

四月

夏人扰熙河、兰岷、鄜延三路。

用人讲才干，官职不轻授。《续资治通鉴》卷八二："辛丑。诏：大臣堂除差遣，非行能卓异者，不可轻授，仍探访遗材以备擢任。"

五月

二十六日，苏轼自杭州到达京师。二十九日，苏轼受翰林学士承旨告命。苏轼寓居苏辙之东府。两家团圆，相处甚乐。本年八月初五日，苏轼曾作诗回忆兄弟俩三十年来的情谊。《苏轼诗集》卷三三《感旧诗并叙》，叙云："嘉祐中，予与子由同举制策，寓居怀远驿，时年二十六，而子由二十三耳。一日秋风起，雨作，中夜翛然，始有感慨离合之意。自尔宦游四方，不相见者，时尝七八。每夏秋之交，风雨作，木落草衰，辄凄然有此感，盖三十年矣。元丰中，谪居黄冈，而子由亦贬筠州，尝作诗以纪其事。元祐六年，予自杭州召还，寓居子由东府，数月复出领汝阴，时予年五十六矣。乃作诗，留别子由而去。”诗云：“床头枕驰道，双阙夜未央。车毂鸣枕中，客梦安得长。新秋入梧叶，风雨惊洞房。独行残月影，怅焉感初凉。筮仕记怀远，谪居念黄冈。一往三十年，此怀未始忘。扣门呼阿同（子由，一字同叔），安寝已太康。青山映华发，归计三月粮。我欲自汝阴，径上潼江章。想见冰盘中，石蜜与柿霜（予请东川而归。二物，皆东川所出）。怜子遇明主，忧患已再尝。报国何时毕，我心久已降。”

六月

翰林学士苏轼罢。《纲鉴易知录》卷七三：“翰林学士苏轼罢。初，轼以论事为众所忌，赵挺之、王觌攻之，遂出知杭州。未几，召还，侍御史贾易复劾轼元丰末在扬州闻先帝厌代作诗，及草吕惠卿制，皆诽怨先帝，无人臣礼。御史中丞赵君锡亦继言之。太后怒，罢易知宣州，君锡知郑州。吕大防请并轼两罢，乃出轼知颍州，寻改知扬州。”

道教之上清储祥宫成，诏苏轼撰碑文。苏轼于六月丙午作《上清储祥宫碑》，碑文载《苏轼文集》卷十七。

回鹘贡方物于辽。

黄庭坚丁母忧。

八月

苏轼出知颍州，苏迨及苏过随行。

秦观作词《南歌子》赠朝云，苏轼亦赋《南歌子》（云鬓裁新绿）答之。阮阅《诗话总龟》后集卷三五引《艺苑雌黄》：“朝云者，东坡侍妾也。尝令就秦少游乞词。少游作《南歌子》赠之云：‘霭霭迷春态，溶溶媚晓光。不应容易下巫阳。只恐翰林前世、是襄王。　暂为清歌驻，还因暮雨忙。瞥然归去断人肠。空使兰台公子、赋《高唐》。’”

陈师道为颍州州学教授。

九月

宋命岁出内库缗钱五十万，以备边费。

日本国遣使贡于辽。

辩才（1011—1091）卒。己卯（三十日），名僧元净（辩才）卒。元净生前曾度弟子若干人，四方学者不可以数计，颇能以其道教化吴越。十月庚午（十五日），塔成，苏辙作文记其事迹，《栾城后集》卷二四《龙井辩才法师塔碑》：“浙江之西有大法师号辩才，以佛法化人，心具定慧，学具禅律，人无贤不肖，见之者知遵其道，奉其教。居上天竺，说法齐众者二十年。退居龙井，燕居行道者十年。元祐六年岁在辛未九月乙卯无疾而灭。吴越之人失其所归依，奔走号慕，如佛灭度。相与讣于淮南，请于扬州太守苏公子瞻以志其塔。公曰：‘吾固知师矣，予弟子由虽未尝识师，而其知师不在吾后，吾为汝请。’辙以公命不敢辞。师姓徐氏，名元净，字无象，杭之於潜人，家世喜为善。客有过其乡者，指其居以语人曰：‘是有佳气郁郁上腾，当生奇男子。’师生而左肩肉起如袈裟絛，八十一日乃灭。其伯祖父叹曰：‘是宿世沙门也，慎毋夺其愿，长使事佛。’八十一者殆其算也，及师之终，实八十有一。”

十月

辽命燕国王延禧为天下兵马大元帅。《续资治通鉴》卷八二：“辽命燕国王延禧为天下兵马大元帅，总北南院枢密使事。”

苏轼与陈师道同游西湖。苏轼作词《木兰花令》（霜余已失长淮阔），次欧阳修韵以怀念恩师欧阳修。陈师道亦赋《木兰花令》（湖平木落摇空阔），见《后山集》卷二四。

十一月

宋颁行《天祐观天历》。

刘挚罢相。乙酉（初一日）太中大夫、守尚书右仆射、兼中书侍郎刘挚，为观文殿学士，知郓州。

为赵令畤改字德麟，苏轼作《赵德麟字说》，见《苏轼文集》卷十。安定郡王赵世准（君平）以黄柑酿酒，名之曰“洞庭春色”，其侄赵令畤得之以饷。苏轼作《洞庭春色赋》，见《苏轼文集》卷一。苏轼又作《洞庭春色》诗，见《苏轼诗集》卷三四。之后，苏轼又为赵令畤作《秋阳赋》，讽其学问知世艰难，赋见《苏轼文集》卷一。

苏轼梦中论《左传》，东坡文章功夫深。《苏轼文集》卷六六《记梦中论左传》：“元祐六年十一月十九日，五更，梦数人论《左传》云：‘《祈招》之诗固善语，然未见所以感切穆王之心、已其车辙马迹之意者。’有答者曰：‘以民力从王事，当如饮酒，适于饥饱之度而已。若过于醉饱，则民不堪命，王不获没矣。’觉而念其言似有理，故录之。”

十二月

张方平（1007—1091）卒。《苏轼文集》卷十四《张文定公墓志铭》：“仁宗皇帝在位四十二年，搜揽天下豪杰，不可胜数。既自以为股肱心膂，敬用其言，以致太平，而其任重道远者，又留以为三世子孙百年之用，至于今赖之。孔子曰：‘惟天为大，为尧则之。’天下未尝一日无士，而仁宗之世独为多士者，以其大也。贾谊叹细德之显微，知凤鸟之不下，闵沟渎之寻常，知吞舟之不容，伤时无是大者以容己也。故尝窃论之。天下大器也，非力兼万人，其孰能举之？非仁宗之大，其孰能容此万人之英乎！盖即位八年，而以制策取士，一举而得富弼，再举而得公。公姓张氏，讳方平，字安道。……公晚自谓乐全居士，有《乐全集》四十卷、《玉堂集》二十卷、《注仁宗乐书》一卷。”

本年

夏改元天祐民安。

陈师道本年作诗有《赠秦觏兼简苏迨二首》、《次韵秦少游春江秋野图二首》、《幼岭》、《绝句》、《赠欧阳叔弼》、《观兖国文忠公家六一堂图书》、《送苏迨》、《送黄生兼寄二谢二首》、《次韵苏公西湖徙鱼三首》、《次韵苏公观月听琴》、《次韵苏公涉颍》、《再次韵苏公示两欧阳》、《次韵苏公劝酒与诗》、《次韵苏公督两欧阳诗》、《次韵苏公题欧阳叔弼息斋》、《次韵苏公竹间亭绝句》、《寄僧寥》。其中，以下诗篇比较著名：《后山诗注》卷二《次韵秦少游春江秋野图二首》，其一：“翰墨功名里，江山福贵人。倏看双鸟下，已负百年身。”其二：“江清风偃木，霜落雁横空。若个丹青里，犹须著此翁。”

同卷，《赠欧阳叔弼》：“早知汝阴多能事，晚以诗书托下僚。大府礼容宽懒慢，故家文物尚嫖姚。只降忧患供谈笑，敢望功言答圣朝？岁历四三仍此地，家余五一见今朝。”题下原注：“欧阳叔弼，名棐，六一居士第三子，家于颍州。”

秦观四十三岁。在京师，供职秘书省。弟秦觏登进士第，授仁和县主簿，少游作诗送之。二月，刘挚为尚书右仆射，作诗赠尚书左丞苏颂怀旧，少游以诗相和。时苏辙为尚书右丞。三月，在贵戚宴席上赋诗：《次韵王仲至侍郎》、《清明前一日李观察席上得风字》。五月末，苏轼被召回京，任翰林学士承旨、知制诰兼侍读。七月，少游由博士迁正字。苏门师弟子相聚，少游作词《南歌子·赠东坡侍妾朝云》（霭霭迷春态）。八月，贾易诋少游‘不检’，罢正字，依旧校对黄本书籍。苏轼以龙图阁学士知颍州。九月，哲宗幸上清储祥宫，少游作诗《次韵蒋颖叔南郊祭告上清储祥宫》。辨才法师圆寂，少游以诗悼念。十月，驾幸太学，少游有诗。十一月，中书侍郎傅尧俞卒，少游作挽词二首。

元祐年间，秦观处于顺境，春风得意。受世风影响，秦观先后创作《调笑令十首并诗》，以便与达官贵戚、同门师友宴饮时劝酒佐欢。兹录如下：

一　王昭君

诗曰：汉宫选女适单于，明妃敛袂登毡车。玉容寂寞花无主，顾影低徊泣路隅。行行渐入阴山路，目送征鸿入云去。独抱琵琶恨更深，汉宫不见空回顾。

曲子：回顾，汉宫路。捍拨檀槽鸾对舞。玉容寂寞花无主，顾影偷弹玉筯。未央宫殿知何处，目送征鸿南去。

二　乐昌公主

诗曰：金陵往昔帝王州，乐昌主第最风流。一朝随兵到江上，共抱凄凄去国愁。越宫万骑鸣箫鼓，剑拥玉人天上去。空携破镜望红尘，千古江枫笼辇路。

曲子：辇路，江枫路。楼上吹箫人在否？菱花半壁香尘汙，往日繁华何处？旧欢新爱谁是主，啼笑两难分付。

三　崔徽

诗曰：蒲中有女号崔徽，轻似南山翡翠儿。使君当日最宠爱，坐中对客常拥持。一见裴郎心似醉，夜解罗衣与门吏。西门寺里乐未央，乐府至今歌翡翠。

曲子：翡翠，好容止。谁使庸奴轻点缀。裴郎一见心如醉，笑里偷传深意。罗衣中夜与门吏，暗结城西幽会。

四　无双

诗曰：尚书有女名无双，蛾眉如画学新妆。姊家仙客最明俊，舅母唯只呼王郎。尚书往日先曾许，数载睽违今复遇。闻朔襄王二十年，当时未必轻相慕。

曲子：相慕，无双女。当日尚书先曾许。王郎明俊神仙女，肠断别离情苦。数年睽恨今复遇，笑指襄江归去。

五　灼灼

诗曰：锦城春暖花欲飞，灼灼当庭舞柘枝。相君上客河东秀，自言那复傍人知。妾身愿为梁上燕，朝朝暮暮长相见。云收月堕海沉沉，泪满红绡寄肠断。

曲子：肠断，绣帘卷。妾愿身为梁上燕，朝朝暮暮长相见。莫遣恩迁情变。红绡粉泪知何限？万古空空传遗怨。

六　盼盼

诗曰：百尺楼高燕子飞，楼上美人颦摧眉。将军一去音容远，只有年年旧燕归。春风昨夜来深院，春色依然人不见。只余明月照孤眠，唯望旧恩空恋恋。

曲子：恋恋，楼中燕。燕子楼空春日晚。将军一去音容远，空锁楼中深怨。春风重到人不见，十二阑干倚遍。

七　莺莺

诗曰：崔家有女名莺莺，未识春光先有情。河桥兵乱依萧寺，红愁绿惨见张生。张生一见春情重，名曰拂墙花树动。夜半红娘拥抱来，脉脉惊魂若春梦。

曲子：春梦，神仙洞。冉冉拂墙花树动，西厢待月知谁共？更觉玉人情重。红娘深夜行云送，困軃钗横金凤。

八　采莲

诗曰：若耶溪边天气秋，采莲女儿溪岸头。笑隔荷花共人语，烟波渺渺荡轻舟。数声水调红姣完，棹转舟回笑人远。肠断谁家游冶浪，尽日踟蹰临柳岸。

曲子：柳岸，水清浅。笑折荷花呼女伴。盈盈日照新妆面，水调空传幽怨。扁舟日暮笑声远，对此令人肠断。

九　烟中怨

诗曰：鉴湖楼阁与云齐，楼上女儿名阿溪。十五能为绮丽句，平生未解出幽闺。谢郎巧思诗裁剪，能使佳人动幽怨。琼枝璧月结芳期，斗帐双双成眷恋。

曲子：眷恋，西湖岸。湖面楼台侵云汉。阿溪本是飞琼伴，风月朱扉斜掩。谢郎巧思诗裁剪，能动芳怀幽怨。

十　离魂记

诗曰：深闺女儿娇复痴，春怨春恨那复知。舅兄惟有相拘意，暗想花心临别时。离舟欲解春江暮，冉冉香魂逐君去。重来两身复一身，梦觉春风话心素。

曲子：心素，与谁语？始信别离情最苦。兰舟欲解春江暮，精爽随君归去。异时携手重来处，梦觉春风庭户。

秦观元祐年间所作词尚有：《减字木兰花》：“天涯旧恨，独自凄凉人不问。欲见回肠，断尽金炉小篆香。　　黛蛾长敛。任是春风吹不展。困倚危楼。过尽飞鸿字字愁。”

还有《木兰花》：“秋容老尽芙蓉院。草上霜花匀似翦。西楼促坐酒杯深，风压绣帘香不卷。　　玉纤慵整银筝雁。红袖时笼金鸭暖。岁华一任委西风，独有春红留醉脸。”

邓肃（1091—1132）**生**。《宋史》卷三七五《邓肃传》：“邓肃字志宏，南剑沙县人。少警敏能文，美风仪，善谈论。李纲见而奇之，相唱和，为忘年交……入太学，所与游皆天下名士。时东南贡花石纲，肃作诗十一章，言守令搜求扰民，用事者见之，屏出学。钦宗嗣位，召对便殿，补承务郎，授鸿胪寺簿。金人犯阙，肃奉命诣敌营，留五十日而还。张邦昌僭位，肃义不屈，奔赴南京，擢左正言。……肃在谏垣，遇事感激，不三月凡抗二十疏，言皆切至，上多采纳。会李纲罢，肃奏曰：‘纲学虽正而术疏，谋虽深而机浅，固不足以副圣意，惟陛下尝顾臣曰：“李纲真以身殉国者。”今日罢之，而责词甚严，此臣所以有疑也。’……执政怒，送肃吏部，罢归居家。绍兴二年，避寇福唐，以疾卒。”

又，《中吴纪闻》卷六：“初，勔之进花石也，聚于京师艮岳之上。以移根自远，为风日所残，置之未久，即槁瘁，时时欲一易之，故花纲旁午于道。一日内宴，诨人因以讽之。有持梅花而出者，诨人指以问其徒曰：‘此何物也？’应之曰：‘芭蕉。’有持松桧而出者，复设问，亦以‘芭蕉’答之。如是者数四，遂批其颊曰：‘此某花，此某木，何为俱谓之芭蕉？’应之曰：‘我但见巴巴地讨来，都焦了。’天颜亦为之少破。太学生邓肃，有《进花石诗》，大寓规谏之意，至今传于世。”

《宋诗钞补·栟榈集钞》载邓肃《花石诗十一章并序》：

臣闻：功足以利一国者，当享一国之乐；德足以被四海者，当受四海之奉。恭惟皇帝陛下，至仁之所濡，神道之所化，覃乎无外，不可量数，如一元默运，万物自春，岂特宜人？使由其道，虽鸟兽鱼鳖，莫不咸若，是其所享，宜如何哉？虽移嵩岳以为山、决江海以为沼、竭东风之所披拂者，以为台榭之观，且不足以奉圣德之万一。区区官吏，则以根茎之细、块石之微，挽舟而来，动数千里。窃窃然自谓：其神剜鬼划，冠绝古今，若真足以报国者？是特一方之物奉天子，曾不以天下之物奉天子也。臣今有策，欲取率土之滨，山石之绣者，花木之奇者，不间大小，尤可以骇心动目，毕置陛下圃中，若天造地设，曾不烦唾手之劳。盖其策为甚易，而天下初弗知也。臣独知之，喜而不寐，谨成古诗十有一首，章四句，以叙其所欲言者，虽越俎代庖，固不胜诛。然春风鼓舞之下，则候虫时鸟亦不约而自鸣耳。惟陛下留神，幸甚幸甚。

蔽江载石巧玲珑，雨过嶙峋万玉峰。舻尾相衔贡天子，坐移蓬岛到深宫。

浮花浪蕊自朱白，月窟鬼方更奇绝。缤纷万里来如云，上林玉彻酣春色。

守令讲求争效忠，誓将花石扫地空。那知臣子力可尽，报上之德要难穷。

天为黎民生父母，胜景只须尽寰宇。岂同臣庶作园池，但隔墙篱分尔汝。

皇帝之圃浩无涯，日月所照同一家。北连幽蓟南交趾，冬及蟠木西流沙。

是中嵩岳摩星斗，下视群山真佩偻。千年老木娇龙蛇，天风夜作雷霆吼。
三月和风塞太空，天涯海角競庆红。不知花卉何远近，六合内外俱春容。
圣主胸襟包率土，天锡园池乃如许。坐观块石与根茎，无奈卑凡不足数。
饱食官吏不深思，务求新巧日孳孳。不知均是圃中物，迁远而近盖其私。
近惟圣德高舜禹，以圃岂尝分彼此。世人用管妄窥天，水陆驱驰烦赤子。
安得守令体宸衷，不复区区踵前踪。但为君王安百姓，圃中无日不春风。

［思齐按：《宋诗纪事》卷四二录有邓肃《花石诗》，仅四首，即之一、之二、之五和之十一。］

张元幹（1091—1170 后）生。厉鹗《宋诗纪事》卷四五："元幹字仲宗，长乐人，向伯恭之甥。绍兴中，坐送胡邦衡词，得罪除名。有《芦川归来集》。"又，陆心源《宋史翼》卷七："张元幹字仲宗，长乐人，自号芦川居士。在政、宣间以乐府擅名。［胡］铨贬新州，元幹作《贺新郎》一阕送之，词极悲愤，坐是除名。"

公元1092年（宋元祐七年　辽大安八年　夏天祐民安二年　壬申）

正月

黄庭坚护母丧归里。

苏轼于二十八日改除知扬州。

二月

宋防西夏进攻。宋命陕西、河东于边防要地增筑守御成砦。本年，宋夏边境紧张。五月，宋筑定远城。八月，又命西边诸路严备。十月，夏扰环州（今甘肃环县）诸砦。

苏轼推荐赵令畤入馆阁不果。初五日，苏轼荐赵令畤入馆阁，不从。苏轼与范祖禹简，报此事，盛称令畤。十五日夜，苏轼与王夫人、赵令畤小酌聚星堂，苏轼赋《减字木兰花》（春庭月午）。本月，苏轼遣赵令畤祭佛陀波利，作祝文《祭佛陀波利祝文》，乞雨雪不作，祝文见《苏轼文集》卷六二。雪霁，苏轼上《乞赐光梵寺额状》，状见《苏轼文集》卷三四。赵令畤尝以苏轼在颍州与陈师道等人唱酬，编为《汝阴唱和集》。苏轼尝为赵令畤言鬼诗、哦诗，论笔、茶、墨等。大约在此期间，苏轼尝以校阅之《陶渊明集》付赵令畤。苏轼离开颍州时，弓允（明父）为之送行；陈师道作《送苏迨》诗，见《后山诗注》卷三；赵令畤为之饯行，苏轼赋诗话别。话别诗乃《赵德麟饯饮湖上舟中对月》、《和赵德麟送陈传道》，见《苏轼诗集》卷三四。［思齐按：陈传道，乃陈师道之兄。］

三月

关于程颐之进退，苏辙和范祖禹意见分歧。《纲鉴易知录》卷七三："春三月，以程颐直秘阁、判西京国子监，继而罢之。颐服阕，三省拟除馆职、判检院，苏辙进曰：'颐入朝，恐不肯静。'太后纳之，遂差管句崇福宫。颐亦恳辞，讫不就职。范祖禹言：

‘颐经术行义，天下共知，司马光、吕公著岂欺罔者邪！但草茅之人，未习朝廷事礼则有之，宁有他故如言者所指哉！乞召劝讲，必有补圣明。’不听。”

苏轼赴扬州任。苏轼自颍起行，舟行经濠州。初三日，苏轼作诗《上巳日与二子迨过游涂山荆山记所见》，见《苏轼诗集》卷三五。晁补之时为扬州通判，闻苏轼知扬州，以诗相迎，苏轼有和作《次韵晁无咎学士相迎》，见《苏轼诗集》卷三五。庄绰《鸡肋集》卷一三《东坡先生移守广陵，以诗往迎，先生以淮南旱，书中教虎头祈雨法，始走诸祠，即得甘泽，因为贺》：“去年使君道广陵，吾州空市看双旌。今年吾州欢一口，使君来为广陵守。麦如栉发稻立锥，使军忧民如己饥。似闻维舟祷灵塔，如丝气伤淮西脽。随轩膏泽人所待，风伯何知亦前戒。虎头未用沉沧江，龙尾先看挂清海。危霖功业在傅岩，如何白首拥彤幨。世上谗夫乱红叶，天教仁政满东南。青袍文人老州佐，干世无成志消惰。封章去国人恨公，醉笑从公神许我。琼花芍药岂易逢，如淮之酒良不空。一醽孤鸿烟雨曲，平山堂上快哉风。”苏轼乘舟，行至楚州。自颍州行至此，沿途常屏去兵卒，访问民间疾苦。苏轼会晤楚州太守周豫，豫出舞鬟，苏轼赋《南歌子》（绀绾双盘髻）（琥珀装腰佩）二首赠之。苏轼作《淮阴侯庙碑》，碑文见《苏轼文集》卷一七，又尝题字紫极宫。二十六日，苏轼到扬州任，有谢表及谢执政启。苏轼《韩文公庙碑》成，简告王滁、蔡朝奉，寄碑文与吴复古（子野）。

苏轼爱惜人民力，罢除扬州万花会。张邦基《墨庄漫录》卷九：“扬州产芍药，言其妙者不减于姚黄、魏紫。蔡元长知维扬日，效洛阳，亦作万花会。其后岁岁循习而为，人颇病之。元祐七年，东坡来知扬州，正遇花时，吏白旧例，公判罢之，人皆鼓舞欣悦。作书报王定国云：‘花会，检旧案，用花千万朵，吏缘为奸，乃扬州大害，已罢之矣，虽煞风景，免造业也。’公之为政，惠利于民，率皆类此，民到于今称之。”《苏轼文集》卷七二《以乐害民》：“扬州芍药为天下冠，蔡延庆为守，是作万花会，用花千余万枝。既残诸园，又吏因缘为奸，民大病之。予始至，问民疾苦，遂首罢之。万花会，本洛阳故事，而人效之，以一笑乐为穷民之害。意洛阳之会，亦必为民害也，会当有罢之者。钱惟演为洛守，始置驿贡花，识者鄙之。此宫妾爱君之意也。蔡君谟始加法造小团茶贡之，富彦国曰：‘君谟乃为此耶？’”

四月

哲宗始备六礼立孟皇后。《纲鉴易知录》卷七三：“夏四月，始备六礼，立皇后孟氏。后，洺州人，马车都虞候元之孙。帝年益壮，太皇太后谕执政曰：‘孟氏女能执妇礼，宜正位中宫。’命学士草制。又以近世礼仪简略，诏翰林、台谏、给、舍与礼官，议策后六礼以进。遂命吕大防兼六礼使，帝御文德殿册为皇后。太皇太后语帝曰：‘得贤内助，非细事也。’既而叹曰：‘斯人贤淑，惜福薄耳！异日国有事变，必此人当之。’”

宋考核官吏。《续资治通鉴》卷八二：“甲戌。立考察县令课绩法。以德义有闻、清慎明著、公平可称、恪勤匪懈为四善。又分治事之最、劝课之最、抚字之最为三最。仍通取善最分为三等。”

颍州西湖治成，赵令畤将诗作寄给苏轼。苏轼次韵三首，分别题为《轼在颍州，与赵德麟同治西湖，未成，改扬州，三月十六日湖成，德麟有诗见怀，次其韵》、《次韵德麟西湖新成见怀绝句》、《再次韵德麟西湖新成见怀绝句》，俱见《苏轼诗集》卷三五。

五月

女真节度使和哩布卒。《续资治通鉴》卷八二："是月，辽生女直部和哩布（旧作劾里钵）卒。和哩布生十一子，其著者，长曰乌雅舒（旧作吴雅舒），次曰阿古达（旧作阿骨打），曰乌奇迈（旧作吴乞买），曰栋摩，曰扎喇（旧作查剌）。和哩布病笃，呼弟英格（旧作盈哥）谓曰：'乌雅舒柔善。若办集契丹事，阿古达能之。'遂卒。母弟颇拉淑（旧作颇剌淑）袭为节度使。和哩布严重多智，每战未尝被甲。初建官属统诸部，其官长皆称贝勒。颇拉淑机敏善辩，尤能知辽人国政民情，每白事于辽，听者皆信服不疑。"

晁补之随斋消暑。二十四日，诸文人会于晁补之（无咎）随斋，主人汲泉置大盆中，渍白芙蓉，坐客翛然，无复有病暑意。苏轼赋《减字木兰花》（回风落叶）纪其事。

苏轼始作诗追和陶渊明，本月作《和陶饮酒二十首》，见《苏轼诗集》卷三五。

六月

浙西飓风成灾，苏轼心怀百姓。浙西遭受淫雨飓风之灾，苏轼请求朝廷暂停催还淮南东、西、两浙路诸欠赋，给民众一条活路。否则，他宁愿挨降职之处分，到小地方任职。《苏轼文集》卷四八《上吕仆射论浙西灾伤书》："轼顿首上书门下仆射相公阁下：轼近上章，论浙西淫雨飓风之灾。伏蒙恩旨，使与监司诸人议所以为来岁之备者。仅已条上二事。轼才术浅短，御灾无策，但知叫号朝廷，乞宽减额米，截赐上供。言狂计拙，死罪！死罪！然三吴风俗，自古浮薄，而钱塘为甚。虽室宇华好，被服粲然，而家无宿舂之储者，盖十室而九。自经熙宁饥疫之灾，与新法聚敛之害，平时富民残破略尽，家家有市易之欠，人人有盐酒之债，田宅在官，房廊倾倒，商贾不行，市井萧然。譬如久羸久病之人，平时仅自支持，更遭风寒暑湿之变，便自萎顿。仁人君子，当意外将护，未可以壮夫常理期也。今年，钱塘卖常平米十八万石，得米者皆叩头诵佛云：'官家将十八万石米，于乌鸢狐狸口中，夺出数十万人，此恩不可妄也。'夫以区区战国公子，尚知焚券市义，今以十八万石米易钱九万九千缗，而能活数十万人，此岂下策也哉！……今者若蒙施行，即乞一时行下。轼窃度事势，若不且用愚计，来岁恐有流殍盗贼之忧。或以其狂浅过计，事难施用，即乞别除一小郡，仍选才术有余可以坐消灾沴者，使任一路之责。幸甚！幸甚！干冒台重，伏纸栗战。不宣。"同卷《扬州上吕相公论税务书》："又轼自入淮南界，闻二三年来，诸郡税务刻急日甚，行路咨怨，商贾几于不行。有税物者既无脱遗，其无税物及虽有不多者，皆不与点检，但多喝税钱，商旅不肯认纳，则苛留十日半月。人船既众，赀用坐竭，则所喝惟命。州郡转运司皆力主，此辈无所告诉。窃闻东南物货，全不通行，京师坐至枯涸。若不及相公在位，救解此患，恐遂滋长，至于不可救矣。只如扬州税额，已增不亏，而数小吏为虐不已。原其情，盖为有条许酒税监官分请增剩赏钱。此元丰中一小人建议，羞污士风，莫此为甚。如酒务行此法，虽世人所耻，犹无大害。若税务行之，则既增之外，刻剥不已，行路被其虐矣。轼旦夕欲上此奏，乞罢之。亦望相公留念。轼已买田阳羡，归计已成，纷纷多言，深可悯笑。但贪及相公在位，求治绳墨之外，故时效区区，庶小有益于世耳。不宣。”

夏人遣使乞援于辽。

宋浑天仪象成。

七月

宋命修《神宗正史》。

八月

陈师道致书苏轼，论大臣如何言事。陈师道写信给苏轼，论述居官位者应当如何言事之道理。陈师道《后山集》卷九《上苏公书》：“近见赵承议，说得阁下书，欲复申理前所举刺文广狱事，闻之未以为然。……君子之于事，以位为限，居位而不言则不可，去位而言则又不可。其言之者义也，其不言者亦义也。阁下前为颍州，言之可也。今为扬首而为颍事，其亦可乎？岂以昔尝言之而不置也，此取胜之道也。近岁士大夫类皆如此，以为成言，而非阁下之所当为也。苟不公言而私请之，又不如已也。天下之事行之不中理使人不平者，岂此一事，阁下岂能尽争之耶！争之岂能尽如人意也！徒使呫呫者以为多事耳。尝谓士大夫视天下不平之事，不当怀不平之意，平居愤愤，切齿扼腕，诚非为己，一旦当事而发之，如决江河，其可御也！必有过甚覆溺之忧。”

九月

许安仁从苏轼学诗。在扬州，许安仁（仲山）从苏轼学诗。许𫖮《彦周诗话》：“季父仲山在扬州时，事东坡先生，闻其教人作诗曰：‘熟读《毛诗·国风》与《离骚》，曲折尽在是矣。’仆尝以谓此语太高，后年益亦长，乃知东坡先生之善诱也。”

晁咏之见知于苏轼。晁咏之，字之道，晁补之从弟也。晁补之荐咏之于苏轼，苏轼称咏之为奇才。《宋史》卷四四四《晁咏之传》：“苏轼守扬州，补之倅州事，以其诗文献轼，轼曰：‘有才如此，独不令我一识面耶？’乃具参军礼入谒，轼下堂挽而上，顾坐客曰：‘奇才也。’”

十月

辽国平息叛乱。《续资治通鉴》卷八二：“准布（一作阻卜）部长玛古苏叛，杀辽金吾（官名）图古寺（旧作吐古斯）。辽主（道宗）命奚六部呼哩耶律郭三发诸番兵讨之。”

十一月

“元祐四友”，苏轼为首。苏轼与钱勰（穆父）、蒋之奇（颖叔）、王钦臣（仲至）唱和。人称钱、蒋、王与苏轼为“元祐四友”。四友之说，见陆游《老学庵续笔记》（涵芬楼《说郛》卷四）。

本年

辽放进士五十一人。

苏轼宦海闹沉浮，二年之间阅三州。苏轼在两年中调动频繁，不禁发出了“二年阅三州”的感叹。《苏轼诗集》卷三六《送芝上人游庐山》：“二年阅三州，我老不自惜。团团如磨牛，步步踏陈迹。岂知世外人，长与鱼鸟逸。老芝如云月，炯炯时一出。比年三见之，常若有所适。逝将走庐阜，计阔道愈密。吾生如寄耳，出处谁能必。江南千万峰，何处访子室。”王注次公曰：“先生以元祐六年离杭，召为翰林承旨，是年又出守颍州，七年徙扬州。此诗乃七年作也，故云‘二年阅三州’。”

秦观四十四岁。在京秘书省供职。上巳日，诏赐馆阁官酒。三月中旬，少游与同僚二十余人同游金明池、琼林苑，宴于国夫人园，席上赋诗。六月，苏辙为门下侍郎；九月，苏轼还朝，任兵部尚书、侍读学士。道士姚丹元来京，苏轼、苏辙、秦观均以诗相赠。十一月，哲宗祭天地于南郊。苏轼为卤簿使，秦观有《进南郊庆成诗并表》，两人以诗酬答钱勰（穆父）之赋南郊。本年，秦观有《送冯梓州序》、《李状元墓志铭》、《录壮愍刘公遗事》。年末，苏轼以端明殿学士、翰林侍读学士任礼部尚书，秦观有贺启。

陈师道本年作诗有《北渚》、《东阡》、《八月十日二首》、《迎新将至漕城暮归遇雨》、《即事》、《斋居》、《中秋夜东刹赠仁公》、《十五月夜》、《胡士彦挽词二首》、《送赵承议（令畤）》、《寄李学士（格非）》、《雪》、《晚出》、《寄晁载之兄弟》、《寄答王直方》。其中，以下诗篇比较著名：《后山诗注》卷三《即事》：“老觉山林可避人，正须麋鹿与同群。却嫌鸟语犹多事，强管阴晴报客闻。”

还有，《后山诗注》卷四《雪》：“初雪已覆地，晚风仍积威。木鸣端自语，鸟起不成飞。寒巷闻惊犬，邻家有夜归。不无残败絮，未易泣牛衣。”方回《瀛奎律髓》：“句句如瘦铁屈蟠。”

吕大临（1040—1092）卒。《宋史》卷三四〇《吕大临传》：“大临字与叔，学于程颐，与谢良佐、游酢、杨时在程门号“四先生”。通六经，尤邃于《礼》。……元祐中为太学博士，迁秘书省正字。范祖禹荐其好学修身如古人，可备劝学，未及用而卒。”厉鹗《宋诗纪事》卷二六《吕大临》：“大临字与叔，大钧之弟。受学伊川之门。登进士，监凤翔府司竹监。元祐中除太学博士，迁秘书省正字。有《玉溪集》。”金履祥《濂洛风雅》卷五吕大临《春静》诗：“花气自来深户里，鸟声常在远林中。斑斑叶影垂新荫，夜夜丝光入素空。”

公元 1903 年（宋元祐八年　辽大安九年　夏天祐民安三年　癸酉）

正月

宋颁高丽所献《黄帝针经》。

蔡确（1037—1093）卒。《续资治通鉴》卷八二：“甲申。英州别驾蔡确卒。”《宋史》卷四七一《蔡确传》：“确在安陆，尝游车盖亭，赋诗十章，知汉阳军吴处厚上之，以为皆涉讥讪，其用郝处俊上元间谏高宗欲传位天后事，以斥东朝，语尤切害。于是左谏议大夫梁焘、右谏议大夫范祖禹、左司谏吴安诗、右司谏王岩叟、右正言刘安世，连上章乞确罪。诏确具析，确自辨甚悉。安世等又言确罪状著明，何待具析，此乃大臣委曲为之地耳。遂贬光禄卿、分司南京，再责英州别驾，新州安置。……确后卒于贬所。”

元日立春，秦观、王钦臣有诗，苏轼次韵。秦观时任馆职，秦瀛重编《淮海先生年谱》：“元日立春，先生作绝句三首。故事，立春日翰苑供诗帖子。”秦观诗即《元日立春三绝》（此度春非草草回）（发春献岁偶然同）（摄提东直斗杓寒），见《淮海集》卷十。苏轼诗即《次韵秦少游王仲至元日立春三首》（省事天公厌两回）（己卯嘉辰寿阿同）（北苑传呼陛楯郎），见《苏轼诗集》卷三六。苏轼尚有诗《次韵王晋卿奉诏押高丽宴射》，见《苏轼诗集》卷三六，王诜（晋卿）诗已佚。十四日，庆上元节，苏轼有诗《上元侍饮楼上三首呈同列》（淡月疏星绕建章）（薄雪初消野未耕）（老病行穿万马群），见《苏轼诗集》卷三六。苏辙作《次韵子瞻上元扈从观灯二首》（虏去边城少奏章）（春来有意乞归耕），仅就苏轼前两首诗次韵，见《栾城后集》卷一。秦观作《次韵东坡上元扈从三绝》（赭华黼底望龙章）（端门瑞阙郁峥嵘）（仗下番夷各一群），见《淮海集》卷十。

二月

高丽遣使向宋朝买书。《续资治通鉴》卷八二：“二月己巳。高丽遣使买历代史及《册府元龟》等书，礼部尚书苏轼言，宜却其请；省臣许之。轼又疏陈五害，极论其不可。且曰：‘汉东平王请诸子及太史公书，犹不肯与。今高丽所请，有甚于此。其可与乎?’诏：书籍曾经买者，听。”本月，苏轼三次上奏，论高丽买书利害，乞不得卖与。《苏轼文集》卷三五《高丽买书利害札子三首》之三：“臣前所论奏高丽入贡，为朝廷五害，事理灼然，非复细故。近又检坐见行《编敕》，再具论奏，并不蒙朝廷详酌利害，及《编敕》法意施行，但检坐《国朝会要》，已曾赐予，便许收买。窃缘臣所论奏，所计利害不轻，本非为有例无例而发也。事诚无害，虽无例亦可；若其有害，虽百例不可用也。而况《会要》之为书，朝廷以备检阅，非如《编敕》一一皆当施行也。臣只乞朝廷，详论此事，当遵行《编敕》耶？为当检行《会要》而已？臣所忧者，文书积于高丽，而流于北虏，使敌人周知山川险要边防利害，为患至大。虽曾赐予，乃是前日之失，自今止之，犹贤于接续许买，荡然无禁也。又，高丽人入朝，动获所欲，频岁数来，驯致五害。如此之类，皆不蒙朝廷省察，深虑高丽人复来，遂成定例，须至再三论奏。兼今来高丽人已发，无可施行。取进止。”［思齐按：苏轼很有国家安全意识，值得我们学习。世界各国竞争剧烈，情报工作尤须加强。］

三月

辽攻阻卜失利。

范百禄罢。十四日，太中大夫、中书侍郎范百禄罢为资政殿学士、知河中府。此事关涉苏轼兄弟。徐松《宋会要辑稿》第一〇六册《职官》七八之二七：“八年三月七日，光禄大夫、尚书右仆射兼中书侍郎苏颂，罢观文殿大学士、集禧观使。制书以颂权从政路，进执宰衡，未曾期年，屡求归老。初，侍御史贾易，坐言事出。既叙，复为京西路转运副使，经郊祀恩赦，乃与苏州范谔对移。讼［颂］言：易论不避权贵，号为‘敢言’，更赦除州，非是。论于帝前，未决，而杨畏、来之邵，劾颂稽留制书。颂即抗章待罪，坚以老病为辞，故有是命。十四日，太中大夫、中书侍郎范百禄罢为资政殿学士、知河中府。先是，右仆射苏颂以稽留诏书罢政，言者论百禄实位中书，岂有同罪异罚之理。且百禄援引亲党，与苏轼、苏辙结为朋比，徇私害政，故有是命。”

二苏有过，御史连疏，川人太盛，差除不当。《续资治通鉴长编》卷四八二本年三月甲辰纪事：“门下侍郎苏辙奏。臣近以御史董敦逸，言川人太盛、差知梓州冯如晦不当，指为臣过，遂具札子，及面陈本末。寻蒙德音，宣谕深查敦逸之妄，而以臣言为信。臣德望浅薄，言者轻相诬罔，若非圣明在上，心知斜正，所在则孤危之，纵难以自安。窃详敦逸所言，谓冯如晦事，乃其前状所言之一，则其余事不可不辨，遂其一一付外施行。复蒙再三宣谕，以谓其他别无事实。伏惟圣恩深厚，知臣愚拙，曲加庇护，仰含恩造，死生不忘！然臣忝备执政，知人言臣过恶而默然不辨，实难安职。陛下爱臣虽深，而不令臣得知敦逸所言，臣窃有所未喻也。若敦逸所言，果中臣病，何惜时辰引去，以谢朝廷。若敦逸所言非实，亦使臣略加别白，然后出入左右，粗免愧耻。如不蒙开允，非所以为爱臣也。所有董敦逸言臣章疏，伏乞早赐付三省施行。敦逸前奏不传（此初十日所奏）。后奏云。臣近具奏，乞减杀川人太盛之势，及乞广为体访等事，已尘圣览，今采众言，有合开陈下项。一、访闻苏轼、苏辙、范百禄辈，各有奏举，及主张差除之人，惟苏轼为多。或是亲知，及其乡人，有在要近，有在馆职，有为教官，有作监司，有知州军，不可以数考，是致仕路有不平之叹。中书省、尚书、吏部，须籍姓名，乞指挥供具，便见员数之多寡、事势之何如。”

秦观本年春作诗《春日偶题呈钱尚书》，此为宋诗名篇。诗曰：“三年京国鬓如丝，又见新花发故枝。日典春衣非为酒，家贫食粥已多时。”钱尚书，即钱勰。钱勰次韵二首，其一：“藏室委蛇咏素丝，春风初动万年枝。如何愁叹无行路，却似袁安卧雪时。”其二：“春雪惟添鉴里丝，慵将泪眼看花枝。蹒跚伏枕呻吟日，枉过还家一笑时。”之后，意犹未尽，钱勰又添二十八字：“辄送米二石：儒馆悠闲盖取颐，校酬犹自困朝饥。西临余禄无多子，稀薄才堪作淖糜。”

四月

西夏国派人来宋朝谢罪，表示愿意以兰州（今甘肃兰州市）易塞门、安原二砦。宋朝却其请求。

黄河水四出，坏东郡（今河南濮阳）浮梁，幅员数百里，漂没屋舍。

七月

丙子（初一日），以范纯仁为右仆射兼门下侍郎。

八月

宋遣使按视京东西、河北、淮南诸路水灾。

苏轼丧妻。初一日，苏轼妻王闰之卒。明日，苏轼作文致祭。殡于京师。苏辙与张耒均作祭文。苏轼与杨济甫简，报闰之丧。友人慰疏，苏轼复简。

十二日，以吕大防荐，秦观以秘书省正字充编修官。

九月

宋太皇太后高氏去世，哲宗亲政。

苏轼出知定州。戊子（十三日），苏轼以端明殿学士兼翰林侍读学士、吏部尚书知定州。九月十四日，苏轼来到东府，赋诗与苏辙告别。此诗即《苏轼诗集》卷三七《东府雨中别子由》："庭下梧桐树，三年三见汝。前年适汝阴，见汝鸣秋雨。去年秋雨时，我自广陵归，今年中山去，白首无归期。客去莫叹息，主人亦是客。对床定悠悠，夜雨空萧瑟。起折梧桐枝，赠汝千里行。归来知健否？莫忘此时情。"赴定州前，苏轼留简别朱长文（伯原）。苏轼又与道潜简，叙来日赴定。吴安诗（传正）赠予苏轼张遇易水供堂墨一丸而别。钱勰（穆父）、米黻（元章）向苏轼赠诗并致简。九月二十七日，苏轼离京赴任。陈师锡（伯修）、常安民（希古）、欧阳棐（叔弼）、张耒（文潜）、李廌（方叔）、王寔（仲弓）及诸馆职饯送苏轼于惠济。[思齐按：张遇，五代易水人，善制墨，墨面多龙纹，宫中用来画眉，称为画眉墨。宋朝时，蔡襄说世间以歙州李庭珪墨为第一，张遇为第二。]

唐庚（子西）谒苏轼。《春渚记闻》卷六《观书用意》："唐子西云：先生赴定武时，过京师，馆于城外一园子中。余时年十八，谒之。问近观甚书，予对以方读《晋书》。猝问其中有甚亭子名，予茫然失对。始悟前辈观书，用意如此。"

十月

哲宗亲政，国事将变。《纲鉴易知录》卷七三："冬十月，帝始亲政，诏内侍刘瑗等复入内给事。太后既崩，中外汹汹，人怀顾望，在位者畏惧，莫敢发言。翰林学士范祖禹虑小人乘闲害政，上疏曰：'陛下方揽庶政，延见群臣，此国家隆替之本，社稷安危之机，生民休戚之端，君子小人进退消长之际，天命人心去就离合之时也，可不畏哉！先后有大功于宗社，有大德于生灵，九年之间始终如一。然群小怨恨，亦不为少。必将以改先帝之政，逐先帝之臣为言以事离间，不可不察也。惟剖析是非，神拒邪说，有以奸言惑听者，付之典刑，痛惩一人以警群慝，则恬然无事。此等既误先帝，又欲误陛下，天下之事，岂堪小人再破坏邪！'时苏轼方具疏将谏，及见祖禹奏，曰：'经世之文也。'遂附名同进而毁己草。疏入，不报。会有旨诏内侍刘瑗等十人复职，祖禹又谏曰：'陛下亲政以来，未闻访一贤臣，而所召乃先内侍，四海必谓陛下私于近习，不可。'弗听。"

辽赈济西北路贫民。辽道宗命广积贮以备水灾。

二十三日，苏轼到定州，进谢上表，上谢执政启。定州治安喜县，距东京一千一百二十里。定州前任太守为赵偁。

十一月

贺铸过四洲、盱眙，闻扬子江潮不应，辍山阴之行，改之海陵访亲。有诗《夏夜雨晴遣怀》、《留别米雍邱二首》、《宝应夜泊》等。

十二月

哲宗欲再相章惇。《续资治通鉴》卷八三："［礼部侍郎杨畏］上疏言神宗更法立制，以垂万世，乞赐讲求以成继述之道。疏入，帝即召对，询以先朝故臣，孰可召用者。畏遂列上章惇、安焘、吕惠卿、邓温伯、李清臣等行义，各加品题，且密奏万言，具陈神宗所以建立法度之意，及王安石学术之美，乞诏章惇为相。帝深纳之。"

宋仿《唐六典》修官制。

宋出钱粟十万以赈济灾民。

本年

"苏黄"之称谓出现于本年。大约自本年起，人们并称苏轼与黄庭坚为"苏黄"。《嵩山文集》卷十八《跋鲁直尝新柑帖》："元祐末有'苏黄'之称。渐不平之。或曰：苏公自有芍药之评，恐未必然也。靖康元年十一月二十二日，箕山晁说之题。"邵伯温《邵氏闻见录》卷二一引黄庭坚语："今日江西君子曰'苏黄'者，非鲁直本意。"

秦观四十五岁，供职秘书省。上元，苏轼作《扈从》三绝，少游和之。蒋之奇（颖叔）由户部侍郎出知熙州，少游有《送蒋颖叔帅熙河》、《次韵出省马上有怀蒋颖叔》诗，苏轼、钱勰亦有赠诗。少游叹穷，作《春日偶题呈钱尚书》（又作《春日偶题呈上尚书丈丈》）、《观辱户部钱尚书和诗赏禄米再成二章上谢》二诗，钱勰以诗相答。四月，作文《祖氏先茔芝记》。六月，由校对黄本迁正字，授左宣德郎，作《谢馆职启》。八月，吕大防荐为编修官，修《神宗实录》，遂呈《辞史官表》。有《次韵黄冕仲寄题顺兴步云阁》、《和黄冕仲寄题延平冷风阁》诗。王定国之侄王震（子发）守南都，为作《南京妙峰亭》、《南都新亭寄王子发》诗。此外，尚有《寄题赵侯澄碧轩》诗。九月，太皇太后崩，作《葛宣德墓铭》。哲宗亲政，朝政巨变，苏轼出知定州，朝士相送。冬，秦观作《送李端叔从辟中山》。元祐年间，秦观处于顺境，春风得意。元祐后期，秦观供职秘书省，能见到宫廷所藏古代著名法帖，陆续著有仓颉、仲尼、李斯、钟繇、王羲之、怀素等九篇书论，具有独到见解和文献价值。

陈师道本年作诗有《寄侍读苏尚书》、《寄亳州林待制（希）》、《卧疾绝句》、《南轩绝句》、《独坐》、《寄送定州苏尚书》、《寄答李方叔（廌）》、《智宝院后搂怀胡元茂》。胡元茂，即胡士彦。

吴处厚（？—1093?）卒。吴处厚，生年不详，邵武（今属福建）人，大约卒于本年。吴处厚《青箱杂记序》：“余自筮仕，未尝废书，又喜访问，故闻见不觉滋多。况夫遇事裁量，动成品藻，亦辄记录，以为警劝，而所记皆丛脞不次，题曰《青箱杂记》，凡十一卷。元祐二年春正月寅日谨序。”

李侗（1093—1163）生。朱熹《延平先生李公行状》：“先生讳侗，字愿中，姓李氏，南剑州剑浦人。……既冠，游乡校有声称。已而闻郡人罗仲素先生得河洛之学于龟山杨文靖公之门，遂往学焉。罗公清介绝俗，虽里人鲜克知之。见先生从游受业，或颇非笑。先生若不闻，从之累年。受《春秋》、《中庸》、《语》、《孟》之说，从容潜玩，有会于心，尽得其所传之奥。罗公少然可，亟称许焉。于是退而屏居山田，结茅水竹之间，谢绝世故，余四十年，箪瓢屡空，怡然自适。中间郡将学官闻其名而招致之，或遣子弟从游受学，州郡士子有以矜式焉。晚以二子举进士，试吏旁郡，更请迎养，先生不得已为一行。自建安如铅山，访外家兄弟于昭武，过其门弟子故人于武夷潭溪之上，徜徉而归。会闽帅玉山汪公以书礼车乘来迎，盖将相与讲所疑焉，先生因往见之。至之日疾作，遂卒于府治之馆舍，是年七十有一，隆兴元年十月十有五日也。……熹先君子吏部府君亦从罗公问学，与先生为同门友，雅敬重焉。尝与沙县邓迪天启语及先生，邓曰：‘愿中如冰壶秋月，莹澈无瑕，非吾曹所及。’先君子深以为知言，亟称道之。”

王之道（1093—1169）生。王之道《相山集》卷三十附尤袤《赠故太师王公神道碑》：“公幼颖悟，八岁通一经。弱冠贡辟雍，与兄之艺、弟之深同登宣和六年进士第，缙绅荣之，榜其所居堂曰‘三桂’。时太平久，用事者开边隙，公知必乱，对策极言，考官恶其直，置之下列。建康初，调和州历阳城。……摄令乌江。……以循资丐罢，率二亲还乡，率族党保胡避山，使其弟之深守之。公以兵法部其丁壮，转战于外，且诱乡民运粟于山，能致一半者与其半。……时所在盗贼蜂起，杀人如麻，独在胡避者皆得免。未几丁母忧，镇抚使赵霖以便宜起公摄乡郡，公拊摩疮痍，招集流冗，境内帖然。……霖以公守胡避功闻于朝，改承奉郎，就差充镇抚司参谋官。……丁父忧，服除，通判滁州。时方议和，公移书吏部魏公闶、谏议曾公统，言辱国非便，又上书陈敌有可胜者五，且缴所与二公书，大忤宰相秦桧意，责监南雄州溪塘镇盐税。会赦不果行，异议者率得重谴，公遂绝意仕进，卜居相山之下，自号相山居士，以诗酒自娱，凡二十年。桧死，起知信阳军。……除湖南转运判官。村寇李金窃发，诸司蒙蔽不以闻。公至摄帅事，乞兵于朝，贼偶归巢穴，宪遽奏贼就招抚，朝廷信之，追还所遣兵，人情忧惧。公檄宪：‘贼若果降，当诣郴公参，如自去自来，后必为患。’檄未至郴而贼作，宪惧罪，即报挡路，以贼之再发檄于‘公参’之一语，言者不察，劾公，罢。已而朝廷知其非，宪与二郡守俱镌责，公前枉尽白，而竟不复出矣，遂以朝奉大夫致仕。……以乾道五年六月朔日终于家。……有文集三十卷，藏于家。呜呼，读其书可以见公之学，考其始终大节可以知公之心，观其子孙繁衍盛大，又可证天之报施为不诬也。”

公元1094年（宋元祐九年、绍圣元年　辽大安十年　夏天祐民安四年　甲戌）

正月

夏国遣使贡于宋。

阻卜别部侵辽。

贺铸本月在海陵，作《题海陵寓舍诗二首》。

二月

邓润甫首开绍述。《纲鉴易知录》卷七三：“春二月，以李清臣为中书侍郎、邓润甫为尚书左丞。润甫首陈武王能广文王之声，成王能嗣文、武之道，以开绍述，故有是命。范纯仁以时用大臣皆从中出，侍从、台谏亦多不由进拟，乃言于帝曰：‘陛下亲政之初，四方拭目以观，天下治乱，实本于此。舜举皋陶，汤举伊尹，不仁者远。纵未能如古人，亦须极天下之选。’帝不纳。”

三月

九百七十五人中进士。《续资治通鉴》卷八三：“丁酉。赐礼部奏名进士诸科九百七十五人及第出身。”

宋朝政局，发生巨变。《纲鉴易知录》卷七三：“三月朔，日食。不尽如钩。吕大防罢。策进士。罢门下侍郎苏辙。廷试进士，李清臣发策曰：‘今复词赋之选而士不知劝，罢常平之官而农不加富，可差可募之说杂而役法病，或东或北之论异而河患滋，赐土以柔远也而羌夷之患未弥，驰利以便民也而商贾之路不通。夫可则因，否则革，惟当之为贵，圣人亦何有必焉！’其意盖绌元祐之政也。苏辙谏曰：‘夫见策题，历诋近岁行事，有绍复熙宁、元丰之意。臣谓先帝设施，盖有百世不可改者。元祐以来，上下奉行，未尝失坠。至于事或失当，何世无之！父作于前，子救于后，前后相继，此则圣人之孝也。汉武帝外事四征，内兴宫室，财用匮竭，于是修盐铁、榷酤、均输之政，民不堪命，几至大乱。昭帝委任霍光，罢去烦苛，汉室乃定。陛下若轻变九年已行之事，擢任累岁不用之人，怀私忿而以先帝为辞，大事去矣。’帝览奏，大怒曰：‘安得以汉武比先帝！’辙下殿待罪，众莫敢救，范纯仁从容言曰：‘武帝雄才大略，史无贬辞，辙以比先帝，非谤也。’邓润甫越次进曰：‘先帝法度，为司马光、苏辙坏尽。’纯仁曰：‘不然，法本无弊，弊则当改。’帝曰：‘人谓秦皇、汉武。’纯仁曰：

‘辙所论，事与时也，非人也。’帝为之少霁。竟落辙职，出知汝州。及进士对策，考官第主元祐者居上；礼部侍郎杨畏复考，乃悉下之，而以主熙、丰者置前列，遂拔毕渐为第一。自是绍述之论大兴，国事遂变矣。”

辽国书肆出现《大苏小集》。春，张舜民使辽，问范阳书肆刻售苏轼《大苏小集》。张舜民，字芸叟。王阚之《渑水燕谈录》卷七：“张芸叟奉使大辽，宿幽州馆中，有题子瞻《老人行》于壁者。闻范阳书肆亦刻子瞻诗数十篇，谓《大苏小集》。子瞻才名重当代，外至夷虏，亦爱服如此。芸叟题其后云：‘谁题佳句到幽都，逢着胡儿问大苏。’”

秦观作《江城子》词。作者被贬出京，作《江城子》：“西城杨柳弄春柔。动离忧，泪难收。犹记多情，曾为系归舟。碧野朱桥当日事，人不减，水空流。　韶华不为少年留。恨悠悠。几时休？飞絮落花时候、一登楼。便作春江都是泪，流不尽，许多愁。”

秦观作《风流子》词。秦观坐党籍，被罢免，贬出京，在外听候指挥，亲老年高，同舟南行。在由汴京往杭州的路上，作《风流子》：“东风吹碧草，年华换、行客老沧州。见梅吐旧英，柳摇新绿；恼人春色，还上枝头。寸心乱，北随云黯黯，东逐水悠悠。斜日半山，暝烟两岸；数声横笛，一叶扁舟。　青门同携手，前欢记，浑似梦里扬州。谁恋断肠南陌，回首西楼。算天长地久，有时有尽；奈何绵绵，此恨难休。拟待倩人说与，生怕人愁。”

四月

苏轼贬知英州。壬子（十一日），苏轼落端明殿学士、翰林侍读学士，依前左朝奉郎知英州。同日，范纯仁上疏乞贷苏轼，不听。时宰有加害意。赵令畤坐罚金。《山谷诗集注》卷十七《跋子瞻和陶诗》：“子瞻谪岭南，时宰欲杀之。饱吃惠州饭，细和渊明诗。彭泽潜在人，东坡百世士。出处虽不同，风味乃相似。”《宋史》卷二四四《赵令畤传》：“轼被窜，令畤坐交通轼罚金。”

宋改元祐为绍圣。《纲鉴易知录》卷七三：“诏改元。曾布上疏，请复先帝政事，且乞改元，以顺天意。帝从之，改元祐九年为绍圣元年。于是天下晓然知帝意所向矣。”任命章惇为尚书左仆射兼门下侍郎。惇为相，蔡卞、蔡京等人亦入朝任要职。命翰林学士承旨曾布修神宗正史。则降元祐诸旧党。诏：“免役法依元丰八年现行条约施行。”闰四月，罢十科取士法。复置天下义仓。

讲官之第一，要数范祖禹。《纲鉴易知录》卷七三：“罢翰林学士范祖禹。时帝欲相章惇，祖禹言惇不可用，帝不悦。祖禹遂乞郡，乃知陕州。祖禹在迩英，守经据正，献纳尤多。每当讲前夕，必正衣冠如在上侧，命子弟侍，先按讲其说，开列古义，参之时事，言简而当，义理明白，苏轼称为讲官第一。”

秦观作《望海潮》词。本年四月，改元绍圣，秦观重游汴京西郊名园金明池、琼林苑，感慨之余，赋词《望海潮·洛阳怀古》：“梅英疏淡、水澌溶泄，东风暗换年华。金谷俊游，铜驼巷陌，新晴细履平沙。长记误随车。正絮翻蝶舞，芳思交加。柳下桃溪，乱分春色到人家。　西园夜饮鸣笳。有华灯碍月，飞盖妨花。兰苑未空，行人渐老，重来是事堪嗟。烟暝酒旗斜。但倚楼极目，时见栖鸦。无奈归心，暗随流水到天涯。”

秦观作《虞美人》词。初夏，离京去杭州途中，作《虞美人》：“高城望断尘如雾，不见联骖处。夕阳村外小湾头，只有柳花无数送归舟。　琼枝玉树频相见。只恨离人远。欲将幽恨寄青楼，争奈无情江水、不西流。”

秦观作《满庭芳》词。初夏，待命扬州时，作《满庭芳》：“晓色云开，春随人意，骤雨才过还晴。古台芳榭，飞燕蹴红英。舞困榆钱自落，秋千外、绿水桥平。东风里，朱门映柳，低按小秦筝。　多情。行乐处，珠钿翠盖，玉辔红缨。渐酒空金榼，花困蓬瀛。豆蔻梢头旧恨，十年梦、屈指堪惊。凭阑久，疏烟淡日，寂寞下芜城。”底本调下附注：“此词正少游所作，人传王观撰，非也。”花庵本调下题作《春游》。

闰四月

二苏兄弟遇道途，依依不舍相惜别。苏轼于陈留赴英州途中，书赠杨明（子微）。《苏轼文集》卷七一《书赠杨子微》：“故人杨济甫之子明字子微，不远数千里，来见仆与子由。会子由有汝海之行，仆亦迁岭表，子微追击仆于陈留，留连不忍去。欲作济甫书，行役倦甚，不果。可持是示济甫，此即书也，何必更作？子微笃学有文，自言知数术，云仆必不死岭表。若斯言有征，当为写《道德经》相偿，此纸所以志也。绍圣元年闰四月十八日新英州守苏轼书。”杨明自蜀来，欲见苏轼与苏辙。杨明见到了苏轼。至于杨明是否见到苏辙，无明确记载。苏轼旋抵汝州，与苏辙相晤。苏轼题诗汝州龙兴寺吴画壁。此诗即《苏轼诗集》卷三七《子由新修汝州龙兴寺吴画壁》。苏辙分俸七千，给予苏轼之子苏迈等人，使之得以就食于宜兴。苏轼与苏辙分别。

五月

权臣害国家，四凶俱出现。《纲鉴易知录》卷七三：“以黄履为御史中丞。元丰末，履为中丞，与蔡确、章惇、邢恕相交结，每惇、确有所嫌恶，则使恕道风旨于履，履即排击之，时谓之‘四凶’，为刘安世所论而出。至是，惇复引用，俾报复仇怨，元祐旧臣无一得免者矣。”

宋诏进士专习经义。罢制举，置宏词科。

敌烈部侵辽边。

高丽国王云死，遣使告于辽。

本月，贺铸闻苏轼谪英州，赋诗记述当时心情。贺铸《庆湖遗老诗集》拾遗《闻眉山苏轼谪守英州作》：“岭首登临楚粤分，披巾先洗得南薰。座隅鹏鸟敢要赋，溪下鳄鱼知畏文。酒洗黄茅瘴时雨，啸驱碧落洞中云。高才何假江山助，来拟区区咏五君。”

六月

恢复新法，除《字说》之禁。

辽禁边民与蕃部为婚。

苏轼谪惠州。甲戌（初五日），来之邵等疏苏轼诋斥先朝，诏谪惠州。施宿《东坡先生年谱》卷下：“六月，御使来之邵等复言：先生自元祐以来，多托文字讥斥先朝，虽已责降，未厌舆论，责授宁远军节度副使，惠州安置。是月，先生至当涂，始被惠州之命，遣家还阳羡，独与幼子过同行。”《宋大诏令集》卷二百六《苏轼散官惠州安置制》（绍圣元年六月甲戌）：“左承议郎新差知英州苏轼。元丰间，有司奏苏轼罪恶甚众，论法当死，先皇帝特赦而不诛，于轼恩德厚矣。朕初嗣位，政出权臣，引轼兄弟，以为己助，自谓得计，罔有悛心。忘国大恩，敢以怨报。若讥朕过失，何所不容；仍代予言，诬低圣考。乖父子之恩，害君臣之义。载于行路，犹不戴天；顾视士民，复何面目。乃至交通阉寺，矜诧倖恩，市井不为，缙绅所耻，尚屈典章，但从降黜。今言者谓轼指斥宗庙，罪大罚轻，国有常刑，非朕可赦，宥尔万死，窜之遐服。虽轼辩足惑众，文足饰非，自绝君亲，又将奚怼。保尔余息，毋重后悔。可特责授宁远军节度副使、惠州安置。”

甲戌（初五日），苏辙降授左朝议大夫、知袁州。

七月

旧臣遭打击。《纲鉴易知录》卷七三：“秋七月，夺司马光、吕公著等赠谥，贬吕大防、刘挚、苏辙、梁焘等官，诏谕天下。黄履、张商英、上官均、来之邵等交章论司马光等变更先朝之法，畔道逆理。章惇、蔡卞请发光、公著冢，斫棺暴尸。帝问许将，将对曰：‘此非盛德事也。’帝乃止。于是追夺光、公著赠谥，仆所立碑，夺王岩叟赠官，贬大防为秘书监，挚为光禄卿，辙为少府监，并分司南京。”

阻卜诸部侵犯辽国边境，尽掠西路群牧马去，辽耶律石柳以兵追击，尽获所掠而还。

苏黄彭蠡相会。十三日，苏轼为黄庭坚铜雀砚作铭。时苏轼与黄庭坚相会于彭蠡之上。相会凡三日。《苏轼文集》卷一九《黄鲁直铜雀砚铭》：“漳滨之埴，陶氏我厄。受成不化，以与真隔。人亡台废，得反天宅。遇发丘陇，复为麟获。累然黄子，玄岂尚白。天实命我，使与其迹。”铭文感慨深沉，与当时二人处境有关。

苏辙遭贬。丁巳（十八日），降授左朝议大夫、知袁州苏辙守本官，试少府监，分司南京，筠州居住。

八月

恢复新法，罢广惠仓，复免行钱。

苏轼作《秧马歌》。苏轼在贬途中，亦有较多诗作。过庐陵时，见曾安止（移忠）。安止出所作《禾谱》，苏轼惜其不谱农器，乃作《秧马歌》附其末。歌赞秧马效率高、节省劳力。歌载《苏轼诗集》卷三八。秧马，插秧机械。由此可见宋代农业科技发达之一斑。《苏轼文集》卷六八《题秧马歌后四首》之四："吾尝在湖北，见农夫用秧马行田中，极便。顷来江西作《秧马歌》以教人，罕有从者。近读《唐书·回鹘部族黠吉斯传》，其人以木马行水上，以板荐之，以曲木支腋下，一蹴则百余步，意殆与秧马类欤？聊复记之，以告江南人也。"

苏轼过惶恐滩。初七日，苏轼初入赣，过惶恐滩。《苏轼诗集》卷三八《八月七日初入赣过惶恐滩》："七千里外二毛人，十八滩头一叶身。山忆欢喜劳远梦，地名惶恐泣孤臣。长风送客添帆腹，积雨浮舟减石鳞。便合与官充水手，此生何止略知津。"

苏轼在虔州论为文之道。苏轼之贬所途中，曾在虔州居留。苏轼尝与虔州通判俞括游崇庆院，俞括以诗文求教，苏轼作答，并论为文之道。《苏轼文集》卷五九《答虔倅俞括》："轼顿首资深使君阁下：前日辱访，宠示长笺，及诗文一编，伏读数日，废卷拊掌，有起予之叹。孔子曰：'辞达而已矣。'物故有是理，患不知，知之患不能达之于口与手。所谓文者，能达是而已。文人之盛，莫如近世，然私所敬慕者，独陆宣公一人。家有公奏议善本，顷侍讲读，尝缮写进御，区区之忠，自谓庶几于孟轲之敬主，且欲推此学于天下，使家藏此方，人挟此药，以待世之病者，岂非仁人君子之至情也哉！今观所示议论，自东汉以下十篇，皆欲酌古以驭今，有意于济世之用，而不志于耳目之观美，此正平生所望于朋友与凡学道之君子也。然去岁在都下，见一医工，破艺而穷，慨然谓仆曰：'人所以服药，端为病耳，若欲以适口，则莫如刍豢，何以药为？今孙氏、刘氏皆以药显，孙氏期于治病，不择甘苦，而刘氏专务适口，病者宜安所去取，而刘氏富倍孙氏，此何理也？'使君斯文，未必售于世。然售与不售，岂吾侪所当挂口哉，聊以发一笑耳。进宣公奏议，有一表，辄录呈，不须示人也。余俟面谢，不宣。"

九月

辽将进讨阻卜，乘天大雪，击败磨古斯。

苏辙于二十五日到达贬所筠州，有谢表。时州守为柳平，柳平怜苏辙远来，吏民相与安之。

十月

初二日，苏轼到责授宁远军节度副使、惠州安置贬所，上谢表。苏轼暂时寓居合江楼。时詹范为州守，萧世京为广南东路提举常平。十八日，苏轼迁居嘉祐寺。二十三日，苏轼作《浣溪沙》（罗袜空飞洛浦尘），序云："绍圣元年十月二十三日，与程乡令侯晋叔、归善簿谭汲同游大云寺，野饮松下，仍设松黄汤，作此阕。余家近酿酒，名之曰'万家春'，盖岭南万户酒也。"

十一月

苏轼作诗《十一月二十六日松风亭下梅花盛开》（春风岭上淮南村）、《在用前韵》（罗浮山下梅花村）（俱见《苏轼诗集》卷三八）。本月，作诗赠朝云。朝云为苏轼妾，在苏轼落难时，独与之相厮守。《苏轼诗集》卷三八《朝云诗》序云："世谓乐天有鬻骆马放杨柳枝词，嘉其主老病，不忍去也。然梦得有诗云：春尽絮飞留不住，随风好去落谁家。乐天亦云：病与乐天相伴住，春随樊子一时归。则是樊素竟去也。余家有数妾，四五年相继辞去，独朝云者，随予南迁。因读乐天集，戏作此诗。朝云姓王氏，钱唐人。尝有子曰幹儿，未期而夭云。"诗云："不似杨枝懋了天，恰似通德伴伶玄。阿奴络秀不同老，天女维摩总解禅。经卷药炉新活计，舞衫歌扇旧因缘。丹成逐我三山去，不作巫阳云雨仙。"

十二月

佞史谤书。《纲鉴易知录》卷七三："蔡卞进《神宗实录》，于是祖禹及赵彦若、黄庭坚等并坐诋诬，降官，安置永、澧、黔州；迁卞为翰林学士。初，吏部侍郎陆佃预修《实录》，数与祖禹等争辩，大要是安石，为之晦隐。庭坚曰：'如公言，盖佞史也！'佃曰：'尽用君意，岂非谤书乎？'至是佃亦落职。言者又以吕大防监修《神宗实录》，徙安州居住。"

宋朝实行新的金融政策，申严铜钱出外界法。

辽改明年元曰寿昌。

漳河决溢，水浸洺（今河北永年东）、磁（今河北磁县）等州。

本年

道士陈景元卒，年七十。景元字太初，自称"碧虚子"，建昌南城人。师事张无梦，得老氏心印。撰有《道德真经藏室纂微》、《南华真经章句音义》、《冲虚至德真经释文补遗》、《西升经集注》、《元始无量度人上品妙经四注》、《高士传》等遗世。

京师瘟疫，洛水溢，太原（今山西太原市）地震，河北大水，发粟赈济之。

黄庭坚本年所作文以《家诫》较著名。

秦观四十六岁。哲宗决意绍述熙宁新政，本年四月改元绍圣。执政成员吕大防、范纯仁、刘挚、苏辙先后遭贬谪。苏轼自定州徙英州，再贬惠州。黄庭坚黔州安置。张耒徙宣州。晁补之谪监信州酒税。春末，秦观离京前以词抒愁苦，作词《望海潮》（梅英疏淡）、《江城子》（西城杨柳弄春柔）、《风流子》（东风吹碧草）、《虞美人》（高城望断尘如雾）等。这些作品均为宋词名篇，词风由清丽宛美转为感伤忧郁，颇有西方感伤主义（sentimentalism）诗歌之韵味。在前往处州途中，作诗《赴杭倅至汴上作》、《艇斋》、《送酒与泗州太守》、《题金华山寺壁》、《精思》等。词作还有《满庭芳》（晓色云开）。途中作《答丁彦良书》、《书丁彦良明堂议后》。另外，还写有求助信件。

秦观有诗《再遣朝华二首》，其一："月露茫茫晓柝悲，玉人挥手断肠时。不许重向灯前泣，百岁终当一别离。"其二："玉人前去却重来，此度分携更不回。肠断龟山离别处，夕阳古塔自崔嵬。”该诗又作《别侍儿朝华二首》。朝华，姓边氏。俞弁《逸老堂诗话》卷上：“秦少游侍儿朝华，年十九。少游欲修真，遣朝华归父母家，使之改嫁。既去月余，父复来云：‘此女不愿嫁。’少游怜而归之。明年少游倅钱塘，谓华曰：‘汝不去，吾不得修真矣。’临别作诗云（略）。未几，遂窜南荒。余友唐子畏阅《墨庄漫录》，偶见此事，以诗嘲少游云：‘淮海修真黜朝华，他言道是我言差。金丹不了红颜别，地下相逢两面沙。’……语意新奇，如醉后啖一蛤蜊，颇觉爽口。”

陈师道本年作诗有《元日》、《放怀》、《绝句》、《送伯兄赴吏部改官》、《寄张文潜舍人》、《后湖晚坐》、《春兴·次韵回山人赠沈东老二首》、《送孝忠二首》、《以拄杖供仁山主二首》、《项城道中寄刘令使修溪桥》、《碓磨寨》、《寄张宣州》、《送伦化主》、《西湖》、《别月华严》、《送吴先生谒惠州苏副使》、《别圆澄禅师》、《别观音山主》、《离颍》、《湖上》、《舟中二首》、《规禅停云斋》。其中，以下诗篇比较著名：《后山诗注》卷四《绝句》：“此生精力尽于诗，末岁心存力已疲。不共卢王争出手，却思陶谢与同时。”陈衍《宋诗精华录》卷二评曰：“此亦学杜。”

同卷，《后湖晚坐》：“水净偏明眼，城荒可当山。青林无限意，白鸟有余闲。身致江湖上，名成伯季间。目随归雁尽，坐待暮鸦还。”方回《瀛奎律髓》：“沧江万古流不尽，白鸟双飞意自闲。东坡赏欧公诗，谓敌老杜。后山三四一联，尤简而有味，不致身于庙堂，而致身于江湖之上。‘名成伯季间’，谓在苏门六君子中，亚于黄而高于晁、张也。”

同卷，《春兴》：“东风作恶不成寒，野水穿沙自作滩。细草无端留客卧，繁枝有意待人看。”陈衍《宋诗精华录》卷二评曰：“此学杜而却似荆公之学杜者。”

同卷，《送吴先生谒惠州苏副使》：“闻名欣识面，异好有同功。我亦惭吾子，人谁恕此公？百年霜白鬓，万里一秋风。为说任安在，依然一秃翁。”

同卷，《舟中二首》：“恶风横江江卷浪，黄流湍猛风用壮。疾如万骑千里来，气压三江五湖上。岸上空荒火夜明，舟中坐起待残更。少年行路今头白，不尽还家去国情。”

张嵲（1094—1146?）生。《宋史》卷四四五《张嵲传》：“张嵲字巨山，襄阳人。宣和三年，上舍选中第，调唐州方城尉，改房州司刑曹。刘子羽荐于川、陕宣抚使张浚，辟利州路安抚司干办公事，以母病去官。……［绍兴五年］召试，除秘书省正字。……七年，迁校书郎兼史馆校勘，再迁著作郎。……既而何掄以刊改《神宗实录》得罪，语连嵲，出为福建路转运判官。……九年，除司勋员外郎，兼实录院检讨官。金人叛盟，上命两省、卿监、郎曹各草檄以进，独取嵲所进者，播之四方。十年，擢中书舍人，升实录院同修撰。……未几，右正言万俟卨论嵲为侍从日荐引非才，以酬私恩，边报始至，托疾家居，由是罢去。顷之，起知衢州，除敷文阁待制。为政颇尚严酷，岁满，得请提举江州太平兴国宫。时方修好息兵，朝廷讲稽古礼文之事，嵲作《中兴复古诗》以进。上将召用，会疽发背卒，年五十。”

韩昉（1094—1161）生。《金史》卷一二五《韩昉传》：“韩昉字公美，燕京人。仕辽，累世通显。……天庆二年，中进士第一，补右拾遗，转史馆修撰。累迁少府少监、乾文阁待制。加卫尉卿、知制诰，充高丽国信使。……明年，加昭文馆直学士，兼堂后官。再加谏议大夫，迁翰林侍讲学士。改礼部尚书，迁翰林学士，兼太常卿、修国史、尚书如故。昉自天会十二年入礼部，在职凡七年。当是时，朝廷方议礼，制度或因或革，故昉在礼部兼太常甚久云。除济南尹，拜参知政事。皇统四年，表乞致仕，不许。六年，再表乞致仕，乃除汴京留守，封郓国公。复请如初，以仪同三司致仕。天德初，加开府仪同三司，薨，年六十八。……昉虽贵，读数未尝去手，善属文，最长于诏册，作《太祖睿德神功碑》，当世称之。"

王棠（？—1094）卒。《续资治通鉴》卷八四："甲午。辽南府宰相王棠卒。棠博古善属文，乡贡礼部廷试皆第一，练达朝政，临事不殆，在政府修明法度，人许其不愧科名云。"

公元 1095 年（宋绍圣二年　辽寿昌元年　夏天祐民安五年　乙亥）

正月

宋朝规定，进士登科者可以请试，为朝廷草诏告、章表、赦敕、檄书、露布、戒谕之类。

辽赈奉圣州（今河北涿鹿）贫民饿。

初十日，晁补之自齐州降通判南京。以在扬州时尝修摘星楼之故。时苏轼在惠州，以为晁补之贬官乃己所累。《苏轼文集》卷五二《答张文潜四首》之二："某启：屏居荒服，真无一物为信。有桄榔方杖一枚，前此土人不知以为杖也。勿诮为陋，收其远意尔。荔枝正出林下，恣食亦一快也。罗浮曾一游，每出劳人，不如闭户之有味也。术不辍服。无咎竟坐修造，不肖累之夜，愧怍。家有婢，能造酒，极佳，全似王晋卿家碧香，但乏可与饮者耳。罗浮有道士邓守安，虽朴野，养练有功，至行清苦，常欲济人，深可钦爱。见邀之在此，又颇集医药，极有益也。曾子开、陆农师俱不免，以知默定非智力所能避就也。小儿承问，不欲令拜状烦览也。"

苏轼与邓道士交往。初二日，苏轼作诗寄道士邓守安。《苏轼诗集》卷三九《寄邓道士并引》，引云："罗浮山有野人，相传葛稚川之隶也。邓道士守安，山中有道者也。尝于庵前，见其足迹长二尺许。绍圣二年正月二日，予偶读韦苏州《寄全椒山中道士》诗云：今朝郡斋冷，忽念山中客。涧底束荆薪，归来煮白石。遥持一樽酒，远慰风雨夕。落叶满空山，何处寻行迹。乃以酒一壶，依苏州韵，作诗寄之。"诗云："一杯罗浮春，远饷采薇客。遥知独酌罢，醉卧松下石。幽人不可见，清啸闻月夕。聊戏庵重任，恐非本无迹。"

苏轼请罢香草药。十二日，章楶除知广州。苏轼尝与章楶简，请奏朝廷罢香草药。《名贤氏族言行类稿》卷二六《章楶传》附苏轼与章楶简："屡承下访刍荛，不肖岂复有所见出公之意表者。但窃闻一事，公会用香药，皆珍异之物，极为番商坐贾之苦。盖近岁始造此例，公若一奏罢之，虽不悦者众，然于阴德非小补也。某与公皆高年，实无复丝毫有求于人者，所孜孜慕望，唯及物之功，以资前路，不厌多尔。非质夫岂出此言，千万裁察。"

二苏兄弟，观灯作诗。十五日，惠州太守詹范置酒观灯，苏轼作诗。此诗即《苏轼诗集》卷三九《上元夜·惠州作》（前年侍玉辇，端门万枝灯）。苏辙次韵，此即《栾城后集》卷二《次韵子瞻上元见寄》（谁怜东坡老，独看南海灯）。

二月

高丽遣使贡于辽。

宋出内库钱帛二十万帮助河北赈济饥民。

恢复新法，复保甲法。

贺铸离开海岭，赴京时，过盱眙，泊归山。

苏轼开始修炼道法。自初一日起，苏轼习道家龙虎铅汞说，调息练功，以百日为期，并作书寄苏辙，见《苏轼文集》卷七三《龙虎铅汞说》。

三月

黄庭坚作词《醉蓬莱》(对朝云叆叇)。

苏轼作《和陶归田园居》诗。初四日，应詹范请，苏轼与王原、赖仙芝等人一同游览白水山佛迹寺，归来之后，苏轼和陶渊明《归田园居》。《苏轼文集》卷七一《题白水山》："绍圣二年三月四日，詹使君邀予游白水山佛迹寺，浴于汤泉，风雨悬瀑之下，登中岭，望瀑从所出。出山，肩舆节行观山，且与客语。晚休于荔浦之上，曳杖竹阴之下。时荔枝累累如芡实矣。父老指以告予曰：'是可食，公能携酒复来?'意欣然许之。同游者柯常、林抃、王原、赖仙芝。詹使君名范，予盖苏轼也。"诗见《苏轼诗集》卷三九《和陶归田园居六首并引》。

苏轼次韵守钦《拟寒山十颂》八首。《苏轼诗集》卷三九《次韵定慧钦长老见寄八首并引》，引曰："苏州定慧长老守钦，使其徒卓契顺来惠州，问予安否，且寄《拟寒山十颂》。语有璨、忍之通，而诗无岛、可之寒。吾甚嘉之，为和八首。"

程之才，字正辅，为苏轼之表兄，时任广南东路提点刑狱。之才将来惠州，苏轼命苏过舟次相迎。约于初五日，之才来，苏轼与之款语甚欢。之才子十郎同行。之才出《桃花诗》，苏轼有和作，即《苏轼诗集》卷三九《次韵正辅表兄江行见桃花》。约于初六日，程之才赠贶甚厚。约于初十日，苏轼追饯程之才于博罗。夜半，之才起行，苏轼有二诗记述此事，诗即《苏轼诗集》卷三九《追饯正辅表兄至博罗赋诗为别》、《再用前韵》。

秦观在处州，作《千秋岁》词，至衡阳出示孔平仲。词曰："水边沙外，城郭春寒退。花影乱，莺声脆。飘零疏酒盏，离别宽衣带。人不见，碧云暮合空相对。　忆昔西池会。鹓鹭同飞盖。携手处，今谁在?日边清梦断，镜里朱颜改。春去也，飞红万点愁如海。"

还有《好事近·梦中作》："春路雨添花，花动一山春色。行到小溪深处，有黄鹂千百。　飞云当面化龙蛇，夭矫转空碧。醉卧古藤阴下，了不知南北。"东坡跋尾："供奉官莫君沔官湖南，喜从迁客游，尤为吕元钧所称；又能诵少游事甚详。为予诵此词至流涕，乃录本使藏之。"鲁直跋少游《好事近》："少游醉卧古藤下，谁与愁眉唱一杯？解作江南断肠句，只今惟有贺方回。”胡仔《苕溪渔隐丛话前集》卷五十引《冷斋夜话》言，本年春，秦观在处州作此词。秦观遭贬后，尚作有以下诸篇。

《如梦令》：“幽梦匆匆破后。妆纷乱痕沾袖。遥想酒醒来，无奈玉消花瘦。回首。回首。绕岸夕阳疏柳。”

《浣溪沙》：“霜缟同心翠带连。红绡四角缀金钱。恼人香爇是龙涎。　枕上忽收疑是梦，灯前重看不成眠。又还一段恶姻缘。”

四月

宋诏依元丰条制置律学博士。

辽讨阻卜别部获捷。

女真遣使贡于辽。

苏轼推广秧马。《苏轼文集》卷六八《题秧马歌后四首》之一：“惠州博罗县令林君抃，勤民恤农，仆出此歌以示之。林君喜甚，躬率田者制作阅试，以为背虽当如覆瓦，然须起首尾如马鞍状，使前却有力。今惠州民皆已施用，甚便之。念浙中稻米几半天下，独未知为此，而仆又有薄田在阳羡，意欲以教之。适逢衢州进士梁君琯过我而西，乃得指示，口授其详，归见张秉道，可备言范式尺寸及乘驭之状，仍制一枚，传之吴人，因以教阳羡儿子，尤幸也。本欲作秉道书，又懒，此间诸事，可问梁君具详也。试更以示西湖智果妙总禅师参寥子，以发万里一笑，尤佳也。绍圣二年四月二十三日轼书。”

陈师道丁母忧。

苏轼初食荔枝，并作诗，见《苏轼诗集》卷三九《四月十一日初食荔枝》。汪师韩《苏轼选评笺释》卷六：“绛罗红纱语，不露刻镂之迹，而形容备至，可谓约而尽矣。江鳐河豚之比，特以其同为异味，非有深意。”纪昀批《苏文忠公诗集》卷三九，评开端：“生香真色涌现毫端，非此笔不能写此果。”评结尾：“结乃无聊中自慰之语，宋人诗话以失之太豪少之，所谓以词害意，食荔枝何由搀入省愆悔过语耶?”

黄庭坚于二十三日到达黔州贬所。苏轼修简相慰。《苏轼文集》卷五二《答黄鲁直五首》之四：“某启：方惠州遣人致所惠书，承中途相见，尊候甚安。即日想已达黔中，不慎起居如何，风土何似？或云大率似长沙，审尔，亦不甚恶也。惠州久已安之矣。度黔亦无不可处之道也。闻行橐无一钱，途中颇有知义者，能相济否？某虽未至此，然亦近之矣。水到渠成，不须预虑。数日来苦痔疾，百药不效，遂断肉菜五味，日食淡面两碗，胡麻、茯苓麨数杯。其戒又严于鲁直。虽未能作自誓文，且日戒一日，庶几能修之。非特愈痔，所得多矣。子由得书，甚能有味于枯槁也。文潜在宣极安，少游谪居甚自得，淳父亦然，皆可喜。独元老奄忽，为之流涕。病剧久矣，想非有远谪也。隔绝，书吻难继，惟倍祝宝爱。不宣。”

五月

宋整顿学校，命蔡卞详定国子监三学及外州州学制。

苏轼赋词赠朝云。初四日，苏轼赋《殢人娇·赠朝云》（白发苍颜）、《浣溪沙·端午》（轻汗微微透碧纨）赠朝云。

苏轼作《荔枝叹》。本年五六月之间，苏轼名篇《荔枝叹》成。《苏轼诗集》卷三九《荔枝叹》："十里一置飞尘灰，五里一堠兵火催。颠坑仆谷相枕藉，知是荔枝龙眼来。飞车跨山鹘横海，风枝露叶如新采。宫中美人一破颜，惊尘溅血流千载。永元荔枝来交州，天宝岁贡取之涪。至今欲食林甫肉，无人举觞酹旧游。我愿天公怜赤子，莫生尤物为疮疣。雨顺风调百谷登，民不饥寒为上瑞。君不见武夷溪边粟粒芽，前丁后蔡相笼加。争新买宠各出意，今年斗品充官茶。吾君所乏岂此物，致养口体何陋耶。洛阳相君忠效家，可怜亦进姚黄花。"汪师韩《苏诗选评笺释》卷六："'君不见'一段，百端交集，一篇之横奇在此。诗本为荔枝发叹，忽说到茶，又说到牡丹，其胸中郁勃有不可以已者，惟不可以已而言，斯至言至文也。"查慎行《初白庵诗评》卷中："耳闻目见，无不供我挥霍者。乐天讽喻诸作，不过就题还题，那得如许开拓。"方东树《昭昧詹言》卷十二："起三句写，有笔势。四句倒入叙。'永元'句逆入叙，结上。'我愿'二句，删好。小物而原委详备，所谓借题。章法变化，笔势腾掷，波澜壮阔，真太史公之文。《腹鱼》不多矣。"

六月

宋整顿俸禄。元祐初减定除正任以下俸禄递损，物数不多，哲宗命现行条令，皆罢去，并依元丰旧制。

宋命汇集熙宁、元丰青苗条约以示天下。

九月

宋订立常平仓规，宋命府界（开封界）诸路常平，并依元丰七年现行条制。

辽汉合力备阻卜。辽命西京（今山西大同）炮人、弩人教西北路汉军，以备阻卜。

程之才与苏轼交往。八月，广惠一带飓风为灾，《苏轼文集》卷一有《飓风赋并引》，《宋史·苏过传》谓赋乃过作。重九之后，广南东路提刑程之才视察风灾，将至惠州，苏轼以诗迎之。之才至惠，苏轼与晤。之才旋东按，归途复经惠，苏轼与之有诗篇往来。

苏轼作《江月五首》。本月下半月，苏轼作《江月五首》。《苏轼诗集》卷三九《江月五首并引》，引曰："岭南气候不常。吾尝曰：菊花开时乃重阳，凉天佳月即中秋，不须以日月为断也。今岁九月，残暑方退，既望之后，月出愈迟。予尝夜起登合江楼，或与客游丰湖，入栖禅寺，扣罗浮道院，登逍遥堂，逮晓乃归。杜子美云：四更山吐月，残夜水明楼。此殆古今绝唱也。因其句作五首，仍以'残夜水明楼'为韵。"

苏轼和陶《贫士》诗。《苏轼诗集》卷三九《和陶贫士诗七首并引》，引曰："余迁惠州一年，衣食渐窘，重九伊迩，樽俎萧然。乃和渊明《贫士》七篇，以寄许下、高安、宜兴诸子侄，并令过同作。"

十月

河南府（今河南洛阳市）地震。

十月初，苏轼作和陶诗。《苏轼诗集》卷三九《和陶己酉岁九月九日并引》，引曰："十月初吉，菊始开，乃与客作重九，因次韵渊明《己酉岁九月九日》一首。胡广饮菊潭而寿，然《李固传·赞》云：其视胡广，犹粪土也。"本月，苏轼为朝云赋词《三部乐》（美人如月）。本月，苏轼又作和陶诗，《苏轼诗集》卷三九《和陶读山海经并引》，引曰："渊明《读山海经》十三首，其七皆仙语，余读《抱朴子》有所感，用其韵赋之。"

十一月

范纯仁高风亮节。《纲鉴易知录》卷七三："时吕大防等窜居远州，会明堂赦，章惇豫言此数十人当终身无徙。纯仁闻之忧愤，欲申理，所亲劝其无触怒，万一远斥，非高年所宜。纯仁曰：'事至于此，无一人敢言，若上心遂回，所系大矣，如其不然，死亦何憾！'因上言：'大防等所罪，亦因持心失恕，好恶任情，违老氏好还之戒，忽孟轲反尔之言。然牛、李之祸，数十年沦胥不解，岂可尚遵前轨！愿断自渊衷，原放大防等。'疏奏，章惇大怒，遂落观文殿大学士，徙知随州。"

女真遣使进马于辽。

辽以高丽王昱有疾病之故，命其子颙权知国事。

苏轼夜梦与人论神仙道术。事见《苏轼诗集》卷三九《十一月九日，夜梦与人论神仙道术，因作一诗八句，颇记其语，录呈子由弟，后四句不甚明了，今足成之耳》。

十二月

宋复置六察。宋复置监察御史三人，分领六察（察户、礼、吏、工、刑、兵，谓之六察），不言事。

宋编元祐以来臣僚章疏及申请文字，以存录其诋毁先朝。

贺铸卧病盱眙淮上舟中，有诗《岁暮舟居卧病怀寄金陵和上人》等。

苏轼经营药圃，种植人参、地黄、枸杞、甘菊、薏苡。经营菜圃。经常独出寻幽。《苏轼诗集》卷三九《小圃五咏》、《雨后行菜圃》、《残腊独出二首》等诗篇皆岁末作。

本年

苏州（今江苏苏州）地震。

辽放进士陈衡有等百三十人。

沈括（1031—1095）卒。元丰五年，夏攻陷永乐，沈括坐首议筑此城贬官。沈括博学多闻，于天文、数学、地质、物理尤为擅长。曾修《奉元历》，改进浑仪，创造了新的浮漏及测量日影之铜表；撰写著名的《浮漏》、《景表》、《浑仪》三仪。在数学上创造了"隙积术"和"会圆术"。著有《梦溪笔谈》。

黄庭坚本年所作文，《黔南道中行记》较著名。本年所作诗，较著名的有：《题大云仓达观台》六首、《竹枝词》二首、《和答元明黔南赠别》。

陈师道本年作诗有《答晁以道》、《病起》、《九月九日魏衍见过》、《别黄徐州》、《次韵答晁无斁》、《次韵无斁偶作》、《次韵无斁偶作二首》、《古墨竹并序》、《次韵晁无斁除日书怀》。其中，以下诗篇比较著名：《后山诗注》卷五《答晁以道》："转走东南复帝城，故人相见眼偏明。十年作吏仍糊口，两地为邻阙寄声。冷眼尚堪看细字，白头宁复要时名？熟知范叔寒如此，未觉严公有故情。"陈衍《宋诗精华录》卷二评曰："此学杜有得之作。"

同卷，《病起》："今日秋风里，何乡一病翁！力微须杖起，心在与谁同？灾疾资千悟，冤亲并一空。百年先得牢，三败未为穷。"

同卷，《别黄徐州》："姓名曾落荐书中，刻画无盐自不工。一日虚声满天下，十年从事得途穷。白头未觉功名完，青眼常蒙今昔同。衰病又为今日别，数行老泪洒西风。"

秦观四十七岁。在处州。春天，作词《千秋岁》（水边沙外）、《好事近》（春路雨添花）。诗歌有：《题雾中壁》、《处州闲题》、《文英阁二首》、《处州水南庵二首》、《题法海平阇黎》。

彭汝砺（1047—1095）卒。《四库全书总目》卷一五三："《鄱阳集》二十卷。史称汝砺命词雅正，有古人风，而诗笔亦谐婉可讽。瞿佑《归田诗话》尝极推其情致缠绵。王士祯《居易录》亦引其《梅花诗》中'哮湘此日堪肠断，随处幽香著莫人'之句，以证朱淑真词、耶律楚材诗内'著莫'二字之所出。在北宋诸人中，固亦褎然一作手矣。张舜民《画墁录》载汝砺于临殁作偈，有'从今后莫打这鼓'之语，盖其学实出于禅，故集中多与僧往还酬答之作。然汝砺立朝侃直，风节凛然，凡所论谏，皆关国是，其晚耽禅悦，盖亦自行其所得，故不必以一格绳人，遽为汝砺病也。"

李格非于本年召为校书郎，并撰《洛阳名园记》一卷。《洛阳名园记》卷末《洛阳名园记论》："论曰：洛阳处天下之中，挟殽渑之阻，当秦陇之襟喉，而赵魏之走集，盖四方必争之地也。天下常无事则已，有事则洛阳必先受兵。予故尝曰：'洛阳之盛衰，天下治乱之候也。'方唐贞观、开元之间，公卿贵戚开馆列第于东都者，号千有余邸。及其离乱，继以五季之酷，其池塘竹书，兵车蹂践，废而为丘墟；高亭大树，焰火焚燎，化而为灰烬，与唐共灭而俱亡者，无余处矣。予故尝曰：'园圃之废兴，洛阳盛衰之候也。'且天下之治乱，候于洛阳之盛衰而知；洛阳之盛衰，候于园圃之废兴而得，则《名园记》之作，予岂徒然哉？呜呼！公卿大夫方进于朝，放乎一己之私意以自为，而忘天下之治忽，欲退享此乐，得乎？唐之末路是矣。"本文亦作《书〈洛阳名园记〉后》，南宋时人颇推重此文。陈振孙《直斋书录解题》卷八："《洛阳名园记》一卷，礼部员外郎李格非文叔撰，记开国以来公卿家园圃之盛。其末言天下治乱之候，在洛阳之盛衰，洛阳盛衰之候，在名园之兴废，使人感慨。"楼昉《崇古文诀》卷三二："园囿何关世道轻重？所以然者，兴废可以占盛衰，可以占治乱。盛衰不过洛阳，而治乱关于天下。斯文之作，为洛阳，非为园囿；为天下，非为洛阳也。文字不过二百字，而其中该括无限盛衰治乱之变。意有含蓄，事存鉴戒，读之令人感叹。"

公元 1096 年（宋绍圣三年　辽寿昌二年　夏天祐民安六年　丙子）

正月

苏轼渐渐以居惠为乐，新年作诗多篇，抒写其喜欢惠州的心情。《苏轼诗集》卷四十《新年五首》。其一：“晓雨暗人日，春愁连上元。水生挑菜渚，烟湿落梅村。小市人归尽，孤舟鹤踏翻。犹堪慰寂寞，渔火乱黄昏。”其二：“北渚集群鹭，新年何所之。尽归乔木寺，分占结巢枝。生物会有役，谋生各及时。何当禁毕弋，看引雪衣儿。”其三：“海国空自暖，春山无限青。冰溪纷瘴雨，雪菌到江城。更待轻雷发，咸萃冻笋生。丰湖有藤菜，似可敌莼羹。”其四：“小邑浮桥外，青山石岸东。茶枪烧后有，麦浪水前空。万户不禁酒，三年真识翁。结茅来此住，岁晚有无同。”其五：“荔子几时熟，花头今已繁。探春先拣树，买夏欲论园。居士常携客，参军许叩门。明年更有味，怀抱带诸孙。”本月，作和陶诗篇较多，见《苏轼诗集》卷四十《和陶咏二苏》、《和陶咏三良》、《和陶咏荆轲》。

二月

宋出元丰库缗钱四百万，于陕西、河东买粮，以备边储。

二十日为苏辙之生日。子远作颂，亦赋菖蒲花开。兄苏轼赠送苏辙香合。《栾城后集》卷二《石盆种菖蒲，甚茂，忽开八九华，或言此华寿祥也。远因生日作颂，亦为赋此》：“石盆攒石养菖蒲，沮洳沙泉韭叶铺。世说花开难值逾，甜酱寿考报勤劬。心中本有长生药，根底暗添无限须。更而屈蟠增瘦硬，它年病老要相扶。”

三月

尚书省火灾两次。

剑南东川地震。

苏轼继续作和陶诗。《苏轼诗集》卷四十《和陶移居二首并引》，引曰：“去岁三月自水东嘉祐寺，迁居和江楼，迨今一年。多病鲜欢，颇怀水东之乐。得归善县后隙地数亩，父老云：此古白鹤观也。意欣然，欲居之，乃和此诗。”本年春尚有《和陶桃花源》，见《苏轼诗集》卷四十，引曰：“世传桃源事，多过其实。考渊明所记，止言先世避秦乱来此，则渔人所见，似是其子孙，非秦人不死者也。又云杀鸡作食，岂有仙而杀者乎？旧说南阳有菊水，水甘而芳，居民三十余家，饮其水，皆寿，或至百二三十岁。蜀青城山老人村，有见五世孙者，道极险远，生不识盐醯，而溪中多枸杞，根如龙蛇，饮其水，故寿。近岁道稍通，渐能制五味，而寿益衰，桃源盖此比也欤。使武陵太守得而至焉，则已化为争夺之场久矣。尝愿天壤间，若此者甚众，不独桃源。予在颍州，梦至一官府，人物与俗间无异，而山川清远，有足乐者。顾视堂上，榜曰仇池。觉而念之，仇池武都氏故地，杨难当所保，余何为居之。明日，以问客。客有赵令畤德麟者，曰：‘公何问此，此乃福地，小有洞天之附庸也。杜子美故云：万古仇池穴，潜通小有天。’他日工部侍郎王钦臣仲至谓余曰：‘吾尝奉使过仇池，有九十九泉，万山环之，可以避世，如桃源也。'"

苏轼妾王氏朝云过生日，苏轼作致语口号。《苏轼诗集》卷四六《王氏生日致语口号》，致语曰："人中五日，知织女之再来；海上三年，喜花枝之未老。事协紫衔之梦，欢倾白发之儿。好人相逢，一杯径醉。伏以某人女郎，苍梧仙裔，南海贡余。怜谢端之早孤，潜炊相助；叹张镐之没兴，遇酒辄欢。采杨梅而朝飞，擘青莲而暮返。长新玉女之年貌，未厌金膏之扫除。万里乘桴，已慕仲尼而航海；五丝绣凤，将从老子以俱仙。东坡居士，樽俎千峰，笙簧万籁。聊设三山之汤饼，共倾九酝之仙醪。寻香而来，苒天风之引步；此兴不浅，炯江月之升楼。"口号曰："罗浮山下已三春，松笋穿阶昼掩门。太白犹逃水仙洞，紫箫来问玉华君。天容水色聊同夜，发泽肤光自鉴人。万户春风为子寿，坐看沧海起扬尘。"

四月

辽赈济西北边饥。

苏轼食太守东堂将军树荔枝，作诗《食荔枝二首并引》。引曰："惠州太守东堂，祠故相陈文惠公。堂下有公手植荔枝一株，郡人谓之将军树。今岁大熟，尝啖之余，下逮吏卒。其高不可致者，纵猿取之。"陈尧佐，字希元，仁宗朝参知政事，卒谥文惠。诗二首，其一："丞相祠堂下，将军大树旁。烟云骈火实，瑞露酌天浆。烂紫垂先熟，高红挂远扬。分甘遍铃下，也到黑衣郎。"其二："罗浮山下四时春，卢橘杨梅次第新。日啖荔枝三百颗，不辞长作岭南人。"第二首诗，七集本重收，题作《惠州一绝》。

苏轼反复迁居。二十日，苏轼复迁居嘉祐寺，作诗记之。《苏轼诗集》卷四十《迁居并引》，引曰："吾绍圣元年十月二日至惠州，寓居合江楼。是月十八日，迁于嘉祐寺。二年三月十九日，复迁于合江楼。三年四月二十日，复归于嘉祐寺。时方卜筑白鹤峰之上，新居成，庶几安其少乎？"

六月

本月，东新桥、西新桥落成，苏轼作《东新桥》和《西新桥》两诗记之。《苏轼诗集》卷四十《两桥诗并引》，引曰："惠州之东，江溪合流，有桥，多废坏，以小舟渡。罗浮道士邓守安，始作浮桥。以四十舟为二十舫，铁锁石碇，随水涨落，榜曰东新桥。州西丰湖上，有长桥，屡作屡坏。栖禅院僧希固筑进两岸，为飞楼九间，尽用石盐木，坚若铁石，榜曰西新桥。皆以绍圣三年六月毕功，作二诗落之。"

七月

以蔡京为翰林学士承旨。

宋命依照元丰旧制，职事官以行、守、试三等定禄秩。

令熙河立王韶庙。

贺铸卧病，手校《陶靖节集》，并作《题陶靖节集后》诗。

初五日，苏轼侍妾朝云病卒，苏轼作诗词悼之。《苏轼诗集》卷四十《悼朝云并引》，引曰："绍圣元年十一月，戏作《朝云》诗。三年七月五日，朝云病亡于惠州，葬之栖禅寺松林中，东南直大圣塔。予既铭其墓，且和前诗以自解。朝云始不识字，晚忽学书，初有楷法。盖尝从泗上比丘尼义冲学佛，亦略闻大义，且死，诵《金刚经》四句偈而绝。"诗曰："苗而不秀岂其天，不使童乌与我玄。驻景恨无千岁药，赠行惟有小乘禅。伤心一念偿前债，弹指三生断后缘。归卧竹根无远近，夜灯勤礼塔中仙。"苏轼《雨中花慢》："嫩脸羞蛾，因甚化作行云，却返巫阳。但有寒灯孤枕，皓月空床。长记当初，乍谐云雨，便学鸾凰。又岂料、正好三春桃李，一夜风霜。　丹青□画，无言无笑，看了慢结愁肠。襟袖上，犹存残黛，渐减余香。一自醉中忘了，奈何后思量。算应负你，枕前珠泪，万点千行。"

八月

宋复置检法官。

初三日，苏轼葬朝云于栖禅山寺。苏轼为作墓志铭，寺僧为建六如亭。初九日，苏轼视朝云墓。苏轼荐朝云，作疏。《苏轼文集》卷六二《惠州荐朝云疏》："千佛之后，二圣为尊。号曰楼至如来，又曰狮子吼佛。以薄伽梵力，为执金刚身。护化诸方，大济群品。为悯海隅之有罪，久住河源之栖禅。屡显神通，以警愚浊。今兹鳖园，实在丰湖。像设具严，威灵如在。轼以罪谪，迁于炎荒。有侍妾王朝云，一生辛勤，万里随从。遭时之役，遘病而亡。念其忍死至焉，欲托栖禅之下。故营幽室，以掩微躯。方负浼渎精蓝之愆，又虞惊触神祇之罪。而既葬三日，风雨之余，灵迹五踪，道路皆见。是知佛慈之广大，不择众生之细微。敢荐丹诚，恭修法会。伏愿山中一草一木，皆被佛光；今夜少香少花，遍周法界。湖山安吉，坟墓永坚。接引亡魂，早生净土。不论幽显，凡在见闻。俱证无上之菩提，永脱三界之火宅。"苏轼又与章楶（质夫）简，报朝云之逝。章楶有简相慰，苏轼复答简。

贺铸于初九日抵江夏宝泉监官舍，作《题宝泉官舍壁诗序》。

九月

辽徙乌古敌烈部于乌纳水，以扼北边要冲。

苏轼重九作诗。九月九日，苏轼与詹范、方子容及临翁等，登白鹤山强醉，苏轼作诗《丙子重九二首》，见《苏轼诗集》卷四十。

十月

学校举子之文，其弊自龚原始。《纲鉴易知录》卷七三："以龚原为国子司业。原少师王安石，安石之改学校法常引原自助，原亦为尽力，及为司业，遂请以安石所撰《字说》、《洪范传》及王雱《论语、孟子义》刊板传学者。故学校举子之文，靡然从之，其弊自原始。”

高丽遣使贡于辽。

夏国攻打宋边境。夏兵自长城一日驰至金明寨（今陕西安塞县北），夏国主乾顺与其母督战，遂陷金明。

贺铸作《怀寄周元翁（敦颐）十首》，自述病由。

秦观南迁桂阳，过江夏，贺铸隔江不及见，以诗《寄别秦观少游》寄秦观。

秦观在贬谪郴州途中夜泊湘江，作词《临江仙》。词曰：“千里潇湘挼南浦，兰桡昔日曾经。月高风定露华清。微波澄不动，冷浸一天星。　独倚危樯情悄悄，遥闻妃瑟泠泠。新声含尽古今情。曲终人不见，江上数峰青。”

还有《阮郎归》词：“潇湘门外水平铺。月寒征棹孤。红妆饮罢少踟蹰。有人偷向隅。　挥玉筯，洒真珠。梨花春雨余。人人尽道断肠初。那堪肠已无。”

还有《如梦令》词：“遥夜沉沉如水。风紧驿铃深闭。梦破鼠窥灯，霜送晓寒侵被。无寐，无寐。门外马嘶人起。”本篇作于是年冬。

十一月

章惇上重修《神宗实录》。

苏轼咏梅悼朝云，为赋《西江月》词。词曰：“玉骨那愁瘴雾，冰姿自有仙风。海仙时遣探芳丛，倒挂绿毛幺凤。素面常嫌粉涴，洗妆不退唇红。高情已逐晓云空，不与梨花同梦。”

贺铸在江夏编所作诗为九卷，名曰《庆湖遗老诗集前集》，并撰《自序》。《自序》：“铸生于皇祐壬辰。始七龄，蒙先子专授五七言声律，日以章句自课。迄元祐戊辰（三年，1088）中间盖半甲子，凡著之稿者，何啻五六千篇。前此率三数年一阅故稿，为妄作也，即投诸炀灶，灰灭后已者屡矣。年发过壮，志气日衰落，吟讽虽夙所嗜，亦颇厌调声俪句之烦。计后日所赋亦寡，而未必工于前，念前日之爨烬为妄弃也，始裒拾其余而缮写之。后八年，仅得成集，以杂言转韵、不拘古律者为歌行第一卷，以声义近古、五字结句者为古体诗第二、第三、第四卷，以声从唐律、五字结句者为近体诗第五卷，以声从唐律、七字结句者为近体长句第六、第七卷，以不拘古律、五字二韵者为五言绝句第八卷，以声从唐律、七字二韵者为七言绝句第九卷。随篇叙其岁月与所赋之地者，异时开卷，回想陈述，喟然而叹，莞尔而笑，犹足以起予狂也。倘梦境患身，未遽坏灭，嗣有所赋，断自己卯岁（元符二年，1099），别为《后集》云。”注：《后集》至南宋已散佚，其子贺廪辑为《后集补遗》一卷。

十二月

夏献宋俘于辽。

蔡京上新修《太学敕令式》。

二十五日，苏轼作诗和陶。《苏轼诗集》卷四十《和陶岁暮作和张常侍并引》，引曰：“十二月二十五日，酒尽，取米欲酿，米亦竭。时吴远游、陆道士皆客于余，因读渊明《岁暮和张常侍》诗，亦以无酒为叹，乃用其韵赠二子。”

除夕，秦观在郴州，作《阮郎归》。词曰：“湘天风雨破寒初。深沉庭院虚。丽谯吹罢小单于。迢迢清夜徂。　　乡梦断，旅魂孤。峥嵘岁又除。衡阳犹有雁传书。郴阳和雁无。”

阿骨打有大志。《续资治通鉴》卷八四：“辽生女真节度使英格（旧作盈歌），[思齐按：即金穆宗]，节度使颇拉淑之母弟也。颇拉淑没，英格嗣。以兄和哩卓（旧作劾者）子萨哈（旧作撒改）为国相。是岁，赫舍哩（旧作纥石烈）部阿苏（旧作阿疏）穆都哩（旧作毛睹禄）阻兵为难，英格自往伐之。阿苏诉于辽，辽遣使止英格勿攻，英格留萨哈守阿苏城而还。会阿闼版等阻五国鹰路，执杀辽捕鹰使者，辽诏英格讨之。阿闼版等据险立栅，方大寒，乃募善射者，揉劲弓利矢攻之，数日，入其城，出辽使者数人归之。英格兄子阿古大（旧作阿骨打）[思齐按：即金太祖]，善射，有大志。辽大国舅帐萧谐里（旧作解里）啸聚为盗，有众数千，奔女直。结英格为乱，因命英格图之。英格斩谐里，遣阿古大献首级于辽，余悉留不遣。辽人无如何，乃进英格及阿古大官以慰之。”

本年

女真人获得铁器，完颜部悄然兴起。初，居于按出虎水（今黑龙江哈尔滨市东南阿什河）之女真完颜部逐渐强大。完颜部自邻族传入铁器，以造弓箭与甲胄，迅速提高狩猎生产及作战能力。女真人各部之间及与辽、高丽交换，亦日益频繁。及乌古乃受辽“生女真节度使”称号，完颜部与其他女真部形成部落联盟。劾里钵弟颇拉淑任国相。又战败纥石烈部。劾里钵死，弟颇拉淑继任联盟长。纥石烈麻产，招纳逃亡，营建营堡。颇拉淑命乌雅束（劾里钵长子）、阿骨打（劾里钵次子）讨平之。擒麻产献于辽，故阿骨打及颇拉淑弟盈歌，皆受辽“惕隐”称号。颇拉淑死，盈歌继任联盟长，称“节度使”。

陈师道本年作诗有《次韵无斁雪后二首》、《赠魏衍三首》、《赠寇国宝三首》、《次韵春怀》、《河上》、《题柱二首并序》、《蝇虎》、《陶朱公庙》、《次韵晁无斁夏雨》、《寄无斁》、《次韵别张芸叟（舜民）》、《宿深明阁二首》、《东山谒外大夫墓》、《次韵晁无斁冬夜见寄》、《寒夜有怀晁无斁》、《除夜》。其中，以下诗篇比较著名：《后山诗注》卷五《赠寇国宝三首》其一：“承家从昔如君少，得士于今孰我先？口拟说诗心已解，世间快马不须鞭。”其二：“往岁黄童今寇君，高文要学亦多问。留年看举天南翼，过目先空冀北群。”其三：“虎子堕地气食牛，雀儿浴处欲何求。可奈我衰才亦尽，正须二子与同游。”

同卷，《题柱二首并序》，序云：“永安驿廊冻柱有女子题诗云：‘无人解妾心，日夜长如醉。妾不是琼奴，意与琼奴类。’独而哀之，作二绝句。”其一：“桃李摧残风雨春，天孙河鼓隔天津。主恩不与妍华尽，何限人间失意人！”其二：“从昔婵娟多命薄，如今歌舞更能诗。孰知文雅河阳令，不削琼奴柱下题。”

同卷，《东山谒外大夫墓》：“土山宛转屈苍龙，下有槃㮣盖世翁。万木刺天元自直，从篁侵道更须东。百年富贵今谁见？一代功名托至公。少日拊头期类我，暮年垂泪向西风。”

同卷，《次韵晁无斁东夜见寄》：“寒窗冷夜欲生尘，短枕长衾却自亲。老子形骸从薄暮，先生意气尚青春。覆杯不待回丹颊，危坐犹能作直伸。城郭山林两无得，暮年当复几沾巾？”

秦观四十八岁。春在处州贬所。王明清《挥麈录》：“秦少游贬监处州酒税，在任。西浙运使胡宗哲观望罗织，劾其败坏场务，始送郴州编管。”行前有诗《留别平阇黎》。途经庐山，有《白鹤观》诗，《梦中题维摩诘像赞》。十月，将过洞庭湖，作《祭洞庭文》。之后，夜泊湘江，作《临江仙》（千里潇湘接南浦）。抵衡州时，于孔毅甫宴席上赋词《阮郎归》（潇湘门外水平铺）。冬，途中赋词《如梦令》（遥夜沉沉如水）。诗作有《题郴阳道中一古寺壁二绝》。岁末至郴州贬所，除夕夜，作词《阮郎归》（湘天风雨破寒初）。

王安礼（1035—1096）卒。《四库全书总目》卷一五三：“《王魏公集》八卷。……安石兄弟三人，惟安国数以正议见绌。其文集亦泯没不传。安礼位稍通显，史称其以经济自任。而阔略细谨，故其生平，一以知湖、润两州与倡女共饭论罢，一以贪论罢。屡踬屡起，盖亦跅弛于法度之外者。然其知制诰时，因彗星见，极言执政大臣不察上惠养元元之意，用力殚于沟瘠，取利就于园夫，其语皆以讥刺新法，则于大体尚能持正，故未可以一概贬之矣。……内外制草颇典重可观，叙事之文亦具有法度。至于沈季良、元绛诸志碑，尤足补史传之阙。以视安石，虽规模稍隘，而核其体格，固亦约略相似也。”

李格非本年为著作郎。

公元1097年（宋绍圣四年　辽寿昌三年　夏天祐民安七年　丁丑）

正月

宋朝颁布内外学制。《续资治通鉴》卷八五：“春正月丙戌朔。班内外学制。”

宋夏发生冲突。《续资治通鉴》卷八五：“甲午。泾原路钤辖王文振败夏人于没烟峡。”本年宋夏边争继续。二月，夏扰绥德城（今陕西绥德）。三月，夏侵麟州（今陕西神木东北）。又至葭芦城（今陕西佳县），为宋将击走。四月，宋兵入夏边，破洪州（今陕西靖边南），入盐州（今宁夏盐池北）及宥州（今陕西靖边东）。

宋朝规定降人子孙不得本州居住。《续资治通鉴》卷八五：“丙午。诏应绍圣二年十二月十五日类定姓名责降人子孙弟侄，各不得住本州。其邻州内子孙，仍并与次路远分合入差遣，已授未赴并见任人，并罢。”

苏轼作道诗。月初，苏轼赠陈守道诗，之后复作《辨道歌》。二诗之旨在于阐述道家龙虎铅汞之说，见《苏轼诗集》卷四十《赠陈守道》：“一气混沦生复生，有形有心即有情。共见利欲饮食事，各有爪牙头角争。争时怒发霹雳火，险处即在嵌岩坑。人伪相加有余怨，天真丧尽无纯诚。徒自取先用极力，谁知所得皆空名。少微处士松柏寒，蓬莱真人冰玉清。山是心兮海为腹，阳为神兮阴为精。渴饮灵泉水，饥食玉树枝。

白虎化坎青龙离，锁禁姹女关婴儿。楼台十二红玻璃，木公金母相东西。纯铅真汞星光辉，乌升兔降无年期。停颜却老只如此，哀哉世人迷不迷。”同卷《辨道歌》：“北方正气名驱邪，东郊西应归中华。离南为室坎为家，先凝白雪生黄芽。黄河流驾紫河车，水精池产红莲花。赤龙腾霄惊盘蛇，姹女含笑婴儿呀。十二楼瞰灵泉窪，华池玉液阴交加。子驰午前无停茶，三田聚宝真生涯。龟精凤髓填谽谺，天地骇有鬼神嗟。一丹休别内外砂，长修久饵须升遐。肠中澄结无余柤，俗骨变换颜如葩。哀哉世人争齿牙，指伪为真正为哇。轻肥甘美形骄奢，谲诡诈妄言矜夸。游鱼在网兔在罝，一气顿尽犹呕哑。余生所托诚栖槎，九原枯骨如乱麻。胡不断众如镆铘，空余利名交撑拏。胡不腾踏如文蜗，可惜贪爱相漫洿。真心道意非不嘉，餐金闲暇非虚哗。何须横议相疵瑕，众口并发鸣群鸦。安知聚散同于下，自缠如茧居如蜗。日怀真喜甘笼篓，其去死地犹猎豭。吾恨尔见有所遮，海波或至惊井蛙。乌轮即晚蟾影斜，吾时俱睹超云霞。”十九日，苏轼复以诗歌形式之修炼口诀示吴复古（子野）。同卷《海上道人传以神守气诀》：“但向起时作，还于作处收。蛟龙莫放睡，雷雨直须休。要会无穷火，尝观不尽油。夜深人散后，惟有一灯留。”又作诗戏吴子野，同卷《吴子野绝粒不睡，过作诗戏之，芝上人、陆道士皆和，予亦次其韵》：“聊为不死五通仙，终了无生一大缘。独鹤有声知半夜，老蚕不死已三眠。怜君解比人间梦，许我时逃醉后禅。会与江山成故事，不妨诗酒乐新年。”芝上人，即法芝（昙秀）。陆道士，即陆惟忠。吴复古往桂管曹辅处，陆惟忠往河源冯祖仁处。苏轼尝与二人及程儒游逍遥堂、罗浮道院，尝为吴复古远游庵作铭，尝与陆惟忠论韩、柳诗。

苏轼于白鹤峰筑新居。白鹤峰新居欲成，夜过翟逢亨秀才，作诗抒发安于惠州之意，见《苏轼诗集》卷四十《白鹤峰新居欲成夜过西邻翟秀才二首》。其一：“林行婆家初闭户，翟夫子舍尚留关。连娟缺月黄昏后，飘渺新居紫翠间。系闷岂无罗带水，割愁还有剑铓山。中原北望无归日，林火村舂自往还。”其二：“瓮间毕卓防偷酒，壁后匡衡不点灯。待凿平江百尺井，要分清暑一壶冰。他日莫寻王粲宅，梦中来往本何曾。”同卷还有《白鹤山新居，凿井四十尺，遇磐石，石尽乃得泉》：“海国困蒸溽，新居利高寒。以彼陟降劳，易此寝处干。但苦江路峻，常惭汲腰酸。圪圪烦四夫，峣峣斲层峦。弥旬得寻丈，下有青石盘。终日但迸火，何时见飞澜。丰我粲与醪，利汝椎与钻。山石有时尽，我意殊未阑。今朝僮仆喜，黄土复可转。晨瓶得雪茹，暮瓮停冰湍。我生类如此，何适步艰难。一勺亦填词，曲肱有余欢。”新居上梁，作上梁文，有终焉之意。《苏轼文集》卷六四《白鹤新居上梁文》：“鹅城万里，错居二水之间；鹤观一峰，独立千岩之上。海山浮动而出没，仙圣飞腾而往来。古有斋宫，号称福地。鞠为茂草，奄宅狐狸。物有废兴，时而隐显。东坡先生，南迁万里，侨寓三年。不起归欤之心，更作终焉之计。越山斩木，溯江水以北来；古邑为邻，绕牙墙而南峙。送归帆于天末，挂落月于床头。方将开逸少之墨池，安稚川之丹灶。去家千岁，终同丁令之来归；有宅一区，聊及扬雄之住处。今者既兴百堵，爰驾两楹。道俗来观，里闾助作。愿同父老，宴乡社之鸡豚；已戒儿童，恼比邻之鹅鸭。何辞一笑之乐，永结无穷之欢。儿郎伟，抛梁东，乔木参天梵释宫。尽道先生春睡美，道人轻打五更钟。儿郎伟，抛梁西，袅袅虹桥跨碧溪。时有使君来问道，夜深灯火乱长堤。儿郎伟，抛梁南，南江古木荫回潭。公笑先生垂白发，舍南亲种两株柑。儿郎伟，抛梁北，北江江水摇山麓。先生亲筑钓鱼台，终朝弄水何曾足。儿郎伟，抛梁上，璧月珠星临蕙帐。明年更起望仙台，缥缈空山隘云仗。儿郎伟，抛梁下，凿井疏畦散邻社。千年枸杞夜长号，万丈丹梯谁羽化。伏愿上梁之后，山有宿麦，海无飓风。气爽人安，陈公之药不散；年丰米贱，林婆之酒可赊。凡我往还，同增福寿。”十四日，白鹤新居成，苏轼自嘉祐寺迁入。新居之成，方子容（南圭）助以帑，邻里亦助作。白鹤峰新居，门外橘花，墙头荔子，舍南种柑。有堂有轩，可谓江山之观，杭越胜处。林行婆、翟逢亨所居在西。嘉靖《广东通志》卷十九《古迹·惠州》：“东坡故居：在白鹤峰上。宋苏轼谪惠，卜居于此。”

二月

二十一日，周彦质（之文）去，苏轼赋诗赠行。《苏轼诗集》卷四十《循守临行出小鬟复用前韵》：“学语雏莺在柳荫，临行呼出翠帷深。通家不隔同年面（自注：二守同年家），得路方知异日心。趁著春衫游上苑，要求国手教新音。岭梅不用催归骑，截镫须防旧所临。”同卷《和陶答庞参军六首并引》，引曰：“周循州彦质，在郡二年，书问无虚日。罢归过惠，为余留半月。既别，和此诗追送之。”又赋《减字木兰花》（琵琶绝艺）赠彦质小鬟。苏轼与王古（敏仲）简以举荐彦质，因彦质附致。

宋复榷茶法。《续资治通鉴》卷八五：“己卯。复元丰榷茶法。”

宋诏科举考试罢《春秋》科。

宋朝廷再贬元祐旧党。《纲鉴易知录》卷七三：“流吕大防、刘挚、苏辙、梁焘、范纯仁等于岭南，贬韩维等三十人官。大防道卒。三省言：‘吕大防等为臣不忠，罪与司马光等不异，顷朝廷虽尝惩责，而罚不称愆；生死异罪，无以垂示万世。’遂贬大防、刘挚、苏辙、梁焘、范纯仁，安置于循、新、雷、化、永五州；刘奉世安置柳州；韩维落职致仕，再谪均州安置；王觌、韩川、孙升、吕陶、范纯礼、赵君锡、马默、顾临、范纯粹、孔文仲、王钦臣、吕希哲、吕希纯、吕希绩、姚缅、吴安诗、秦观十七人远州居住；王攽落职，致仕；张耒、晁补之、贾易，并监当官；朱光庭、孙觉、赵禼、李之纯、杜纯、李周并追夺官秩。叶涛当制，文极丑诋，闻者切齿，时焘已卒。大防行至虔州信丰而卒，天下惜之。继而苏轼自惠州徙昌化军，范祖禹自贺州徙宾州，刘安世自英州徙高州。纯仁时因疾失明，闻命怡然就道。或谓近名，纯仁曰：‘七十之年，两目俱丧，万里之行，岂其欲哉！但区区之爱君，有怀不尽，若避好名之嫌，则无为善之路矣。’诸子欲以与司马光议役法不同为请，冀得免行，纯仁曰：‘吾用君实荐，以致宰相，昔同朝论事不合则可，汝辈以为今日之言则不可也。有愧心而生，不若无愧心而死。’其子乃止。每戒子弟不可小有不平，闻诸子怨章惇，必怒止之。及在道，舟覆于江，纯仁衣尽湿，顾诸子曰：‘此岂章惇为之哉！’”

东坡与儿孙相聚。十四日，苏轼与子苏迈、孙箪、符等相聚于惠州。《苏轼诗集》卷四十《和陶时运四首并引》，引曰：“丁丑二月十四日，白鹤峰新居成，自嘉祐寺迁入。咏渊明《时运》诗云：斯晨斯夕，言息其庐。似为余发也，乃次其韵。长子迈，与余别三年矣，挈携诸孙，万里远至，老朽忧患之余，不能无欣然。”

苏辙再遭贬谪。二十八日，苏辙责授化州别驾，雷州安置。张耒、晁补之亦谪降，秦观自郴州编管移横州编管。

闰二月

许将谏诛元祐诸臣。《纲鉴易知录》卷七三：“闰月，以曾布知枢密院事，林希同知院事，许将为中书侍郎，蔡卞、黄履为尚书左、右丞。布初附章惇，觊惇引居同省，故草惇制极其称美，复赞绍述甚力；惇忌之，处于枢府，由是稍不相能。时章惇、蔡卞同事罗织，贬谪元祐诸臣，欲举汉、唐故事诛戮党人。帝以问将，将对曰：‘二代固有之，但祖宗以来未之有。本朝治道所以远过汉、唐者，以未尝辄戮大臣也。’帝深然之。”

苏轼再遭贬谪。甲辰（十九日），苏轼责授琼州别驾，移昌化军安置。

三月

何昌言等六百〇九人中进士。《续资治通鉴》卷八五：“癸亥。赐礼部奏名进士新淦何昌言等，及诸科及第出身，共六百九人。”本榜中，叶梦得、胡直儒、寇国宝、葛胜仲、刘安上进士及第。

宋朝廷打击司马光旧党。《续资治通鉴》卷八五：“壬午。中书舍人、同修国史蹇序辰言：‘前日追正司马光等罪恶，实状具明。乞选官将奸臣所言所行事状，并取会类编，人为一本，分置三省、枢密院，以示天下后世之大戒。’从之。章惇、蔡卞请命序辰及直学士院徐铎主其事，由是搢绅之祸，无一得脱者。”又，《纲鉴易知录》卷七三：“三月，诏中书舍人蹇序辰等编类司马光等章疏。章惇议遣吕升卿、董必察访岭南，将尽杀流人。帝曰：‘朕遵祖宗遗志，未尝杀戮大臣，其释勿治。’惇志不快。于是中书舍人蹇序辰上疏言：‘司马光等变乱典刑，改废法度，其章疏案牍散在有司；若不汇编而藏之，岁久必致沦弃。愿选官类编，人为一帙，置之二府（中书、枢密），以示天下后世之大戒。’章惇、蔡卞请即命序辰及直学士院徐铎编类。由是缙绅之士，无得脱祸者矣。卞党薛昂、林自又乞毁司马光《资治通鉴》板；太学博士陈瓘因策士引神宗所制序以问，昂、自议沮，得免。”

秦观郴州词。秦观作《踏莎行》词：“雾失楼台，月迷津渡。桃源望断无寻处。可堪孤馆闭春寒，杜鹃声里斜阳暮。　　驿寄梅花，鱼传尺素。砌成此恨无重数。郴江幸自绕郴山，为谁流下潇湘去？”此词被誉为千古名篇。东坡绝爱此词尾两句，自书与扇云：“少游已矣，虽万人何赎！”

还有《点绛唇》词：“醉漾轻舟，信流引到花深处。尘缘相误，无计花间住。烟水茫茫，千里斜阳暮。山无数，乱红如雨，不记来时路。”

还有《鼓笛慢》词：“乱花丛里曾携手，穷艳景，迷欢赏。到如今，谁把雕鞍锁定，阻游人来往？好梦随春远，从前事，不看思想。念香闺正杳，佳欢未偶，难留恋，空惆怅。　　永夜婵娟未满，叹玉楼、几时重上？那堪万里，却寻归路，指阳关孤唱。

苦恨东流水，桃源路、欲回双桨。仗何人，细与丁宁问呵，我如今怎向?”

还有《如梦令》词：“池上春归何处?满目落花飞絮。孤馆悄无人。梦断月堤归路。无绪，无绪。帘外五更风雨。”

还有《如梦令》词：“楼外残阳红满。春入柳条将半。桃李不禁风，回首落英无限。肠断，肠断。人共楚天俱远。”

以上词作俱为宋词名篇，因为作于秦观编管郴州时期，所以统称为“郴州词”。

四月

宋命成都府路产茶州军复行禁榷。

苏轼离开惠州。十五日，苏轼赠别长子苏迈，嘱咐苏迈慎言语，节饮食。苏轼以家累托方子容（南圭)。十七日，苏轼得琼州别驾、昌化军安置告命。惠州太守方子容携告命来。十九日，苏轼与苏过离开惠州，与家人痛苦诀别。李思纯之子光道送行。惠州人盛赞苏轼浩然之气。途经梧州时，苏轼有诗。《苏轼诗集》卷四一《吾谪海南，子由雷州，被命即行，了不相知。至梧乃闻尚在藤也。旦夕当追及，作此诗示之》：“九疑连绵属衡湘，苍梧独在天一方。孤城吹角烟树里，落日未落江苍茫。幽人拊枕坐叹息，我行忽至舜所藏。江边父老能说子，白须红颊如君长。莫嫌琼雷隔云海，圣恩尚须遥相望。平生学道真实意，岂与穷达俱存亡。天其以我为箕子，要使此意留要荒。他年谁作舆地志，海南万里真吾乡。”汪师韩《苏轼选评笺释》卷六：“水天景色，离合情怀，一种缠绵悱恻之情，极排解乃极沉痛。”

吕大防（1027—1097）卒。《续资治通鉴》卷八五：“己亥。舒州团练副使、循州安置吕大防卒。大防赴循，至虔州信丰而病，语其子景山曰：‘吾不复南矣，吾死汝归，吕氏尚有遗种。’遂卒。年七十一。其兄大忠请归葬，许之。大防身长七尺，声音如钟，自少持重无嗜好，过市不左右游目，燕居如对宾客。每朝会，威仪翼如，神宗常目送之。与大忠及大临同居论道，考礼冠婚丧祭，一本于古，关中言礼乐者，推吕氏。”

五月

文彦博（1006—1097）卒。《纲鉴易知录》卷七三：“夏五月，潞公文彦博卒。彦博逮事四朝，任将相五十年，名闻四夷。平居接物谦下，尊德乐善唯恐不及。其在洛也，洛人邵雍、程颐兄弟，皆以道自重，宾接之如布衣交；立朝端重，公忠直谅，临事果断，有大臣之风。功成退居，朝野倚重，卒年九十二。追复太师，谥忠烈。”

辽西北路诏讨使斡特剌讨阻卜，破之。

十一日，苏轼、苏辙相遇于藤州。自是同行至雷州。在藤州时，苏轼为江月楼题榜。兄弟二人共食汤饼。

六月

辽道宗命罢诸路驰驿贡新。

宋朝进行边备，于熙河进筑西平寨。

太原（今山西太原）地震。

二苏兄弟俱遭贬，奔波同至雷州城。《苏轼诗集》卷四一《和陶止酒并引》，引曰："丁丑岁，予谪海南，子由亦贬雷州。五月十一日，相遇于藤，同行至雷。六月十一日，相别，渡海。余时病痔呻吟，子由亦终夕不寐。因诵渊明诗，劝余止酒。乃和原韵，因以赠别，庶几真止矣。"诗曰："时来与物逝，路穷非我止。与子各意行，同落百蛮里。萧然两别驾，各携一稚子。子室有孟光，我室惟法喜。相逢山谷间，一月同卧起。茫茫海南北，粗亦足生理。劝我师渊明，力薄且为己。微痾坐杯酌，止酒则瘳矣。望道虽未济，隐约见津涘。从今东坡室，不立杜康祀。"

七月

苏轼到达贬所儋州。初二日，苏轼到达昌化军（儋州），上谢表。潘大临（邠老）、贺铸闻苏轼谪儋州，有诗怀之，陈师道亦有作。贺铸《庆湖遗老诗集》拾遗《潘邠老出十数诗，皆有怀苏儋州者，因赋二首，丁丑四月江夏作》，其一："人烟寂绝鬼门关，更指儋州杳莽间。三四月间天漏雨，东南地尽水浮山。依迷春草鸰原失，想象秋风鹤驭还。回羡河阳贤父子，雪堂曾伴十年闲。"其二："旧隐江城东复东，堂前杨柳付春风。游船白雪兴中曲，俄失黄粱梦后翁。儋耳吉音无雁石，峨眉爽气属狙公。不应更广穷愁志，悟取平生坐底穷。"潘诗不见。《后山集》卷四《怀远》（任渊原注：此诗属东坡）："海外三年谪，天南万里行。生前只为累，身后更须名。未有平安报，空怀故旧情。斯人犹如此，无复涕纵横。"苏轼始至，居桄榔林下，作庵，且为之铭。《苏轼文集》卷十九《桄榔庵铭并叙》，叙曰："东坡居士谪于儋耳，无地可居，偃息于桄榔林中，摘叶书铭，以记其处。"十三日，苏轼夜梦，《苏轼诗集》卷四一《夜梦并引》，引曰："七月十三日，至儋州十余日矣，澹然无一事。学道未至，静极生愁。夜梦如此，不免以书自怡。"诗曰："夜梦嬉游童子如，父师检责惊走书。计功当毕春秋余，今乃粗及桓庄初。怛然悸寤心不舒，起坐有如挂钩鱼。我生纷纷婴百缘，气固多习独此偏。弃书事君四十年，仕不顾留书绕缠。自视汝与丘孰贤，《易》韦三绝丘犹然，如我当以犀革编。"

八月

宋出元丰库缗钱四百万，付陕西广买粮。

五国部长贡于辽。

苏轼于中秋夜，赋《西江月》，怀念弟弟苏辙。词曰："世事一场大梦，人生几度新凉？夜来风叶已鸣廊，看取眉头鬓上。　酒贱常愁客少，月明多被云妨。中秋谁与共孤光，把盏凄然北望。"

本月作和陶诗六首，劝汉族和黎族和睦相处，种树、勤耕以致富裕。《苏轼诗集》卷四一《和陶劝农六首并引》，引曰："海南多荒田，俗以贸香为业。所产粳稌，不足于食，乃以薯芋杂米作粥糜以取饱。予既哀之，乃和渊明《劝农》诗，以告其有知者。”其一：“咨尔汉黎，均是一民。鄙夷不训，夫岂其真。怨愤劫质，寻戈相因。欺谩莫诉，曲自我人。”其二：“天祸尔土，不麦不稷。民无用物，珍怪是直。播厥熏木，腐余是穑。贪夫污吏，鹰挚狼食。”其三：“岂无两天，眂眂平陆。兽踪交缔，鸟喙谐穆。惊麕朝射，猛豨夜逐。芋羹薯糜，以饱耆宿。”其四：“听我苦言，其福永久。利尔耝耜，好尔临隅。斩艾蓬藋，南东其亩。父兄搢挺，以抶游手。”其五：“天不假易，亦不汝匮。春无遗勤，秋有厚冀。云举雨决，妇姑毕至。我良孝爱，袒跣何愧。”其六：“逸谚戏侮，博弈顽鄙。投之生黎，俾无冠履。霜降稻实，千厢一轨。大作尔社，一醉醇美。”

九月

贺铸作诗《江夏八咏》。

苏辙题寓居东亭、东楼。《栾城后集》卷二《寓居二首·东亭》：“十口南迁粗有归，一轩临路阅奔驰。世人不惯频回首，坐客相谙便解颐。惭愧天下善知识，增添城外小茅茨。《华严》未读河沙偈，偃仰明窗手自披。”时苏辙迁居吴国鉴宅。王象之《舆地纪胜》卷一一八《雷州·人物》：“吴国鉴：海康人，为太庙斋郎。绍圣中，苏辙贬雷州，僦国鉴宅居。为创一小阁。”侄儿苏过有次东亭韵，《斜川集》卷三《东亭》：“闭眼黄亭想万归，此心久已息纷驰。幽居正喜门罗雀，晨起何妨笏拄颐。三山咫尺承明远，世路榛芜谁与披。”苏轼尝有简与张逢，请照拂弟弟苏辙。

十月

贺铸创作《玉钩环歌》。《庆湖遗老诗集》卷一《玉钩环歌》，序曰：“诸王孙士泞澄源，以苍王环螳螂钩见贶，助饰野服。因以珉玉盘、博山大户、成氏箭、建琖、龙茶五物并此歌为报。丁丑十月江夏赋。”

十一月

程颐编管涪州。《纲鉴易知录》卷七三：“编管程颐于涪州。颐时放归田里，帝一日与辅臣语及元祐政事，曰：‘程颐妄自尊大，在经筵多不逊。’于是言者论程颐与司马光同恶相济，削籍窜涪州（治涪陵县，即今重庆涪陵区），河南尹李清臣即日迫遣。”

十二月

蔡京、章惇迫害忠臣。《续资治通鉴》卷八五：“帝谕曰：‘朕遵祖宗遗志，未尝诛杀大臣，刘挚等，可释勿治。’然京、惇极力锻炼不少置，而焘先卒［于化州］。后七日，挚亦卒［于新州］。众皆疑两人不得其死。挚教子弟，先行实而后文艺，每曰士当以器识为先，一号为文人，无足观矣。”

梁焘（1034—1097）卒。《宋史》卷三四二《梁焘传》：“焘自立朝，一以援引人物为意。在鄂作《荐士录》，具载姓名。客或见其书，曰：‘公所植桃李，乘时而发，但不向人开耳。’焘笑曰：‘焘出入侍从，至位执政，八年之间，所荐用之不尽，负愧多矣。’其好贤乐善如此。”

刘挚（1030—1097）卒。《四库全书总目》卷一五三：“《忠肃集》二十卷，宋刘挚撰。……挚忠亮骨鲠，于邪正是非之介辨之甚严，终以见愠群小，贬死荒裔。其为御史时，论率钱助役之害，至王安石设难相诘，而挚反复条辨，侃侃不挠，今其疏并在集中。他若劾蔡确、章惇诸疏见于《宋史》者，亦并存无阙。其所谓修严宪法、辨别淄渑者，言论风采，犹可想见，故不独文词畅达，能曲鬯情事已也。至集中有《论韩琦定策功疏》，颇论王同老攘功冒赏之罪，而《道山清话》遂谓文彦博再入，挚于帘前沿王同老札子皆彦博教之，乞下史官改正，宣仁不从，彦博因力求退。今考此事，史所不载，而集中有《请彦博平章重事疏》，其推重之者甚至，尤足以证小说之诬。盖当时党论交讧，好恶是非，率难凭据。幸遗集具在，得以订正其是非，于论世知人之学，亦不为无补矣。”

黄庭坚移戎州。《续资治通鉴》卷八五：“甲辰。涪州安置黄庭坚移戎州，避部使者亲嫌也。”

本年

敕江宁府即以道士刘混康所居潜神庵为元符观。敕江宁府句容县三茅山经箓宝坛与信州龙虎山、临江军阁皂山，三山鼎峙，辅化皇图。亳州太清宫道士贾善翔作《犹龙传》、《高道传》。善翔字鸿举，蓬州人，善讲《度人经》。别有《太上出家传度仪》、《南华真经直音》行于世。

两浙旱饥，诏命以粟赈贷。

宋朝进行全国人口统计。户部主户一千三百六万八千七百四十一，丁三千三十四万四千二百七十四；客户六百三十六万六千八百二十九，丁三百六万七千三百三十二。

张耒谪监黄州酒税矾务。

黄庭坚本年所作文，以《与洪甥驹父》较著名。本文为中国文学批评史上的名篇。黄庭坚强调“自作语最难”。这牵涉到“无一字无来处”这一江西诗派的信条。对此，尚有以下材料可供参考。李之仪《杂题跋》：“作诗字字要有来处，但将老杜诗细考之，方见其功。若无来处，即为乱道亦可也。王舒王解字云：诗从言从寺，寺者法度之所在也。可不信哉！”陆游《老学庵笔记》卷七：“今人解杜诗，但寻出处，不知少陵之意初不如是。且如《岳阳楼诗》：‘昔闻洞庭水……’此其可以出处求哉？纵使字字寻得出处，去少陵之意亦远矣。盖后人原不知杜诗所以妙绝古今者在何处，但以一字亦有出处为工。如《西昆酬唱集》中诗，何曾有一字无出处者，便以为追配少陵，可乎？且今人作诗，亦未尝无出处，渠自不知，若为之笺注，亦字字有出处，但不妨其为恶诗耳。”潘德舆《养一斋李杜诗话》卷二：“按《东皋杂录》云：‘或问荆公：杜诗何故妙绝古今？’荆公云：‘老杜固尝言之：读书破万卷，下笔如有神。’余考‘破’字之义，张氏迩求谓识破万卷之理……愚以张氏为近之，惟其识破万卷之理，故能无一字无来处，而又能陶冶点化也。元氏遗山云：‘子美之妙，元气淋漓，随物赋形，谓无一字无来处可，谓不从古人中来亦可。’遗山之说尤兼该无流弊。今人诗非空疏则饾饤，未尝不读杜也，亦考遗山此说也？又程氏桀曰：‘韩文杜诗号不蹈袭者，然无一字无来处。大抵文字中自立语最难，用古人语又难，须是用古而又不露筋骨。’王氏世懋云：‘杜子美出，而百家稗官都作雅音，牛溲马勃咸成郁致。子美之后，欲令人毁靓妆，张空拳，必不能也。然病不在故事，故所以用之何如耳。’予以荆公、遗山、程氏、王氏四说互证山谷，前辈金针，殆已度尽。”

秦观四十九岁。春在郴州贬所。《宋皇通鉴长编纪事本末》卷一〇二：“绍圣二年二月庚辰诏谓：郴州编管秦观，移送横州编管，其吴安诗，秦观所在州，差得力职员押伴前去，经过州军交割，仍仰所差人常切照管，不得别致疏虞！”秦观形同罪犯。形势险恶如此。本年所作词《踏莎行》（雾失楼台）、《点绛唇》（醉漾轻舟）、《鼓笛慢》（乱花丛里曾携手）、《如梦令》（池上春归何处），《如梦令》（楼外残阳红满），俱为宋词名篇，所谓秦观“郴州词”以下诗篇也。

陈师道本年作诗极多，有《寄邓州杜侍郎（兹)》、《寄提刑李学士》、《寄杜择之》、《次韵晁无斁春怀》、《寄晁无斁》、《别宝讲主》、《还里》、《答魏衍黄预勉予作诗》、《老柏三首并序》、《魏衍见过》、《次韵萤火》、《次韵夏日江村》、《次韵观月》、《次韵夏日》、《夏日有怀》、《送杜择之》、《杨夫人挽词》、《柏山》、《答颜生》、《送刘主簿（义仲)》、《触目》、《晚望》、《送高推官》、《和黄预感秋》、《和颜生同游南山》、《僧慧僧和同往南山》、《柏》、《谢端砚》、《捕狼》。

其中，以下诗篇比较著名：《后山诗注》卷六《寄晁无斁》：“稍听春鸟语叮咛，又见官池出断病。雪后踏青谁与共，花间著语老犹能。笑谈莫倦寻常听，山院终同一再登。今日已知他日恨，抢榆况得及飞腾。”

同卷，《次韵夏日》：“江上双峰一草堂，门闲心静自清凉。诗书发家功名薄，麋鹿同群岁月长。句里江山谁指顾，舌端幽渺致张皇。莫欺九尺须眉白，解醉佳人锦瑟旁。”

朱松（1097—1143）生。周必大《朱公神道碑》：“公讳松，字乔年，世家婺源。……公生以绍兴四年，儿时出语惊人。未冠力学，由郡庠贡京师，文体清新，耻于蹈袭。政和八年上舍登第，以迪功郎调建州政和尉。丁父忧，服除，再调南剑州尤喜尉，监泉州井石镇。诗文名四方，他文浑涵流转，惟意所适，然谓于道为远，益取经子史传，考其兴衰治乱，欲应时合变，见之事业。又因师友浦城萧顗子庄、剑浦罗从彦仲素，而德龟山杨文靖公河洛学问之要，拳拳服膺，每疑卞急害道，取佩韦之说名斋自警。在尤溪，闻靖康北狩，大恸几绝，自是奔走卑冗，假禄养亲，无仕进意。绍兴初，监察御史胡士将抚谕入闽，公袖书告之……士将奇其才，归荐于朝。会前执政谢公克家守泉南，亦露章荐公学问，不宜滞管库，遂召试馆职。策问中兴难易，公乞顺人心、任贤才、正纲纪，累数千言，辩论精博，高宗嘉奖，除秘书省正字。四年二月，进左从政郎。赵忠简公以元枢都督诸路军马，约公入幕，公以亲疾辞。寻丁母忧，七年服阕，上巳进都金陵。九月，再召对……特改左宣教郎，除校书郎。……八年三月，迁著作佐郎。御史中丞常同荐公可任大事，四月复赐对，……擢尚书度支员外郎，兼史馆校勘，刊修蔡卞所改《哲宗实录》，公用力为多。历司勋及吏部员外郎，史职如故。

实录成，迁左奉议郎，磨勘转承议郎。赵忠简公罢相，秦忠献公当国，决意媾和，公与史官胡珵、凌景夏、常明，范如圭合奏。……秦方恶公异议，参知政事李方又力援公。属金使再至，许归河南地，公请用汉制，命廷臣杂议。又言二三大将握重兵，将有尾大之患，请复武举，储将帅，选骁勇，补周卫，择守帅，壮藩维，兴太学，明大伦，以倡节义。规模大率类此，秦滋不乐，讽言者论公怀异自贤，出知饶州，十年春也。未上，请主管台州崇道观。和议俄变，秦仓皇不知所措，有郎官代作自解之奏曰：'伊尹告成汤，德无常师，主善为师。臣前赞议和，今请北伐，是皆主善为师。如其不济，则陈力就列，不能止者，当遵孔圣之训。'秦大喜，擢郎官为右史，而不暇问所引皆误也。是时秘书省寓法慧寺，大书于门云：'周任为孔圣，太甲作成汤。'秦大怒，疑出于馆职，相继汰去而引用其党，公遂不可出矣。祠满再任，命下而卒，十三年三月辛亥也，享年四十有七。……其将终也，手书与所善胡宪原仲、刘勉之致中、刘子翚彦冲，属其子熹，使往受业，其后遂以奥学高文，推重当世。……公平生所为文友《韦斋集》十二卷行于世，《外集》十卷藏于家。吏部侍郎徐自言少多与前辈游，逮识公及张戒定夫，始得为文之法，欲为公集序，未及成而文士傅自得实为之，谓公诗高洁幽远，其文温婉典裁，非溢美也。"

李格非本年为礼部员外郎。

公元 1098 年（宋绍圣五年、元符元年　辽寿昌四年　夏天祐民安八年　戊寅）

正月

传国玉玺成闹剧，改元元符有因由。《纲鉴易知录》卷七四："元符元年春正月，得秦玺于咸阳。咸阳县民段义，于刘银村修舍，得古玉印，其文曰'受命于天，既寿永昌'，上之。诏蔡京等辨验，京以为秦玺。遂命曰'天授传国受命宝'。帝御大庆殿受宝，行朝会礼，诏赐义绢二百匹，授右班殿直。（传国玺者，秦之前以金银为方寸玺，秦得和氏璧，乃以玉为之，在六玺之外，李斯篆其文曰'受命于天既寿永昌'，号曰传国玺。汉高定三秦，子婴献之；王莽篡逆，就元后取之；莽败，王宪得之；李松入长安，斩宪取玺，送上更始，更始以奉赤眉，赤眉立刘盆子，盆子奉上光武。后董卓作乱，掌玺者投诸井中，孙坚入洛讨卓，见井中有五色光，坚浚井得玺，袁术僭逆，乃拘坚妻夺之，术死为徐璆所得以上献帝，然后汉以传魏，魏以传晋。后刘曜入洛阳执怀帝取玺，曜又为石勒所得。冉闵灭勒得玺，闵败，玺存于闵大将军蒋幹，其后谢尚得之于幹，以晋穆帝永和八年还建康，晋元兴三年又为桓元僭逆而得；元败，刘裕得之。齐萧道成篡宋复得玺，萧衍篡齐为梁又得之。其后盗窃玺而归之于齐，又其后陈得之于梁，隋得之于陈，而秦王世民又得之于窦建德妻曹氏。厥后唐昭宣帝四年遣使奉册宝如朱梁，则是温得之矣。又晋得传国宝者，乃唐僖宗广明元年，黄巢入长安，魏州僧得传国宝以为常玉，将鬻之，或识其为传国宝，乃诣行台献之，后梁主以为盗窃以迎唐，而石晋灭唐，唐主从珂携传国宝登玄武楼自焚死，玺至此盖已亡矣。由是后之得国者各自为之，故晋作受命宝，其文曰'受天明命惟德永昌'，周又更作二宝，

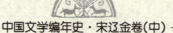

今《纲目》大书‘元符元年春正月，得秦玺于咸阳’者，所以深著蔡京愚惑哲宗之罪也。)”

辽徙阻卜贫民于山前，以改善其生活环境。

二月

宋攻夏于塞外，宋筑兴平城。三月，米脂寨（今陕西米脂）成，又筑熙河通会关。十月，夏扰平夏城（今陕西靖边北)，宋军御之，大捷。

二十日，苏辙六十岁生日，兄苏轼以沉香山子寄弟苏辙，并作《沉香山子赋》，见《苏轼文集》卷一。苏辙作《和子瞻沉香山子赋》，见《栾城后集》卷五。

三月

三月三日，上巳日，苏轼作诗写海南风情。《苏轼诗集》卷四二《海南人不作寒食，而以上巳上冢，予携一瓢酒，寻诸生，皆出矣，独老符秀才在，因与饮之醉，符盖儋人之安贫守静者也》：“老鸦衔肉纸飞灰，万里家山安在哉？苍耳林中太白过，鹿门山下德公回。管宁投老终归去，王式当年本不来。记取城南上巳日，木棉花落刺桐开。”

苏轼作《众妙堂记》。十五日，苏轼为众妙堂作记。《苏轼文集》卷十一《众妙堂记》：“眉山道士张易简教小学，常百人，予幼时亦与焉。居天庆观北极院，予盖从之三年。谪居南海，一日梦至其处，见张道士如平昔，汛治庭宇，若有所待者，曰：‘老先生且至。’其徒有诵《老子》者曰：‘玄之又玄，众妙之门。’予曰：‘妙一而已，容有众乎？’道士笑曰：‘一已陋矣，何妙之有？若审妙也，虽众可也。’因指洒水薙草者曰：‘是各一妙也。’予复视之，则二人者手若风雨，而步中规矩，盖涣然雾除，霍然云消。予惊叹曰：‘妙盖至此乎？庖丁之理解，郢人之鼻斲，信矣！’二人释技而上，曰：‘子未睹真妙，庖、郢非其人也。是技与道相半，习与空相会，非无挟而径造者也。子亦见夫蜩与鸡乎？夫蜩登木而号，不知止也。夫鸡俯首而啄，不知仰也。其固也如此。然至蜕与伏也，则无视无听，无饥无渴，默化于荒忽之中，候祠于毫发之间，虽圣知不及也。是岂技与习之助乎？’二人者出，道士曰：‘子少安，须老先生至而问焉。’二人者顾曰：‘老先生未必知也。子往见蜩与鸡而问之，可以养生，可以长年。’广州道士崇道大师何德顺，学道而至于妙者也。故榜其堂曰众妙。书来海南，求文以记之。因以梦中语为记。绍圣元年三月十五日，蜀人苏轼书。”[思齐按：明成化成宗刊本东坡七集《后集》卷十五《众妙堂记》结尾云：“独书梦中语以示之，戊寅三月十五日。”由此可知，《众妙堂记》作于本年即绍圣五年（戊寅，1098)，而非绍圣元年（甲戌，1094)。茅坤辑《苏文忠公文钞》卷二五茅坤评：“公非由南海后，亦不能为此文。”《古文眉诠》卷六九：“一则《南华真经》，其神化，其物化，海南所进如此。要与论千手眼，仍一副鼻息。”]

癸酉（二十四日)，苏辙移循州安置。

秦观在横州，赋《醉乡春》抒怀。词曰：“唤起一声人悄，衾枕梦寒窗晓。瘴雨过，海棠开，春色又添多少。　　社瓮酿成微笑，半缺椰瓢共舀。觉倾倒，急投床，醉乡广大人间小。”苏轼爱其句，恨不得其腔。

李清照本年十五岁。春三月，作《春残》诗：“春残何事苦思乡，病里梳头恨发长。梁燕雨多终日在，蔷薇风细一帘香。”陆昶《李朝名媛诗词》卷七：“清照诗不甚佳，而善于词，隽雅可诵。即如《春残》绝句‘蔷薇风细一帘香’，甚工致，却是词语也。”

四月

章惇等进《神宗帝纪》。

宋诏学官增习两经。

六月

宋朝改元元符。《宋大诏令集》卷二《改元符元年诏》（绍圣五年五月丙寅）：“朕统承圣序，绍述先猷，克享天心，屡蒙嘉贶。甘露荐降，灵光属天。申赐无疆，神玺自出。顾德菲薄，荷帝博临。敕命之几，惟圣时宪。严恭寅畏，惧不克胜。思大神休，以协瑞应。其易统年之号，用昭受命之符，宜自绍圣五年六月朔改为元符元年。”

夏人败于宋，遣使求援于辽。

宋遣官分至鄜延、泾原、河东、熙河按验所筑城寨。

翰林学士承旨蔡京等上《常平、免役敕令格式》。

循州告下，苏辙离开雷州，时冒大暑。逊（远）同行。

七月

宋朝廷窜范祖禹、刘安世于远州。《纲鉴易知录》卷七四：“秋七月，再窜范祖禹、刘安世于化、梅州，祖禹寻卒。初，章惇怨范祖禹、刘安世尤深，必欲置诸死地。至是，讽蔡京并陷二人以罪，诏徙祖禹于化州，安世于梅州。安世至贬所，章惇将必置之死，擢土豪为转运判官，使杀之。判官承意疾驰，未至梅三十里，呕血而死，安世获免。”

宋京师地震。

八月

宋熙河兰岷路复为熙河兰会路。

苏辙于本月至循州。寓城东圣寿寺，倾橐易民居。与道士廖有象交往。《栾城后集》卷二十一《书白乐天集后二首》之一：“元符二年夏六月，予自海康再谪龙川，冒大暑，水陆行数千里，至罗浮。水益小，舟益庳，惕然有瘴暍之虑，乃留家于山下，独与幼子远葛衫布被，乘叶舟，秋八月而至。既至，庐于城东圣寿僧舍，闭门索然，无以终日。欲借书于居人，而民家无蓄书者，独西邻黄氏世为儒，粗有简册，乃得

《乐天文集》阅之。”《栾城第三集》卷三《龙川道士》（原注：廖有象）：“昔我迁龙川，不见平生人。倾囊买破屋，风雨庇病身。颀然一道士，野鹤堕鸡群。飞明间巷中，少与季子亲。刺口问生事，褰裳观运斤。俯仰忽三年，愈久意愈真。送我出重岭，长揖清江滨。方营玉皇宫，栋宇期一新。成功十年后，脱身走中原。见公心自足，徒步非我勤。我归客箕颍，昼日长掩关。仆夫忽告我，门有万里宾。问其所从来，笑指南天云。心知故人道，惊喜不食言。我老亦不堪，惟有二顷田。年年种麦禾，仅能免饥寒。君来亦何为，助我耕且耘。嗟古或有是，今世非所闻。”

九月

苏轼作文记述海南风土。《苏轼文集》卷七一《书海南风土》：“岭南天气卑湿，地气蒸溽，而海南为甚。夏秋之交，物无不腐坏者。人非金石，其何能久。然儋耳颇有老人，年百余岁者，八九十者不论也。乃知寿夭无定，习而安之，则冰蚕火鼠，皆可以生。吾尝湛然无思，寓此觉于物表，使折胶之寒无所施其冽，流金之暑无所措其毒，百余岁岂足道哉！彼愚老人者，初不知此如蚕鼠生于其中，兀然受之而已。一呼之温，一吸之凉，相续无有间断，虽长生可也。庄子曰：‘天之穿之，日夜无隙，人则固塞其窦。’岂不然哉。九月二十七日，秋霖雨不止，顾视帏帐，有白蚁升余，皆已腐烂，感叹不已，信手书。时戊寅岁也。”

黄庭坚于重九日作词《念奴娇》（断虹霁雨）。

十月

范祖禹（1041—1098）卒。《续资治通鉴》卷八五：“甲午。昭州别驾化州安置范祖禹卒。祖禹平居恂恂，口不言人过，至遇事别白是非，不少借隐。在迩英献纳尤多，尝进《唐鉴》十二卷，深明唐三百年治乱，学者遵之，目为《唐鉴》公云。”

十一月

夏复遣使求援于辽。

本年

综述苏轼之境况。施宿《东坡先生年谱》卷下：“初，朝廷遣吕升卿、董必察访广东西，谋尽杀元祐党人，曾布争于上，以升卿与二苏有切骨之怨，不可遣，乃罢。升卿犹遣董必使广西。时先生在儋，僦官舍数椽以居止，必遣人逐出，遂买地城南，为屋五间，士人畚土运瓦以助之，屋成居其下，食芋饮水著书以为乐，处之泰然，无迁谪意。必卒奏知雷州张逢馆置二苏，且为子由修宅。诏苏辙移循州，张逢勒停。”

黄庭坚本年所作文，以《南园遁翁廖君墓志铭》较著名。

秦观五十岁。上年秋至本年秋，秦观在横州贬所。诗作有《宁浦书事》六首、《月江楼》二首、《反初》、《冬蚊》，词作有《满庭芳》（碧水惊秋）、《醉乡春》（唤起一声人悄)。《续资治通鉴长编》卷五〇二:“元符元年九月庚戌,追官勒停。横州编管秦观特除名,永不收叙,移送雷州编管。”本年冬天,秦观被押送至雷州。

绍圣末或元符初,秦观作《满庭芳》:“碧水惊秋,黄云凝暮,败叶零乱空堦。洞房人静,斜月照徘徊。又是重阳近也!几处处,砧杵声催。西窗下,风摇翠竹,疑是故人来。　　伤怀,增畅旺,新欢易失,往事难猜。问篱边黄菊,知为谁开?谩到愁须殢酒,酒未醒,愁已先回。凭栏久,金波渐转,白露点苍苔。”

陈师道本年作诗有《和魏衍元夜同登黄楼》、《和元夜》、《和魏衍同游阻风》、《和魏衍同登快哉亭》、《登快哉亭》、《招黄魏二生》、《春夜》、《和三日》、《登燕子楼》、《和魏衍三日二首》、《答魏衍惠朱樱》、《和魏衍闻莺》、《和黄生春尽游南山》、《楝花》、《和黄充实榴花》、《和黄预久雨》、《和黄预病起》、《何郎中出示黄公草书四首》、《和黄预感怀》、《陈留市隐者》、《寄泰州曾侍郎(肇)》、《答颜生见寄》、《和黄预七夕》、《赠郑户部》、《九日不出魏衍见过》、《和魏衍移沛》、《送河间令》、《次韵何子温祈晴二首》、《寄潭州张芸叟二首》、《送曹秀才》、《送王元均贬衡州兼寄元龙二首》、《杜侍郎挽词三首》、《黄预挽词三首》、《秋怀四首》、《送法宝禅师》、《赠赵奉议》。

其中,以下诗篇比较著名:《后山诗注》卷六《登快哉亭》:“城与清江曲,泉流乱石间。夕阳初隐地,暮霭已依山。度鸟欲何想?奔云亦自闲。登临兴不尽,稚子故须还。”

还有,《后山诗注》卷七《陈留市隐者有引》,引曰:“陈留市有工力,随其所得为一日费。父子日饮于市,负醉以归,行歌道上,女子抵手为节。有问之者,不对而去。江季公以为达,为作传。倩予赋之。”诗曰:“陈留人物后,疑有隐屠耕。斯人岂其徒,满腹一杯羹。婷婷小家子,与翁同醉醒。薄暮行且歌,问之讳姓名。子岂达者欤,槁竹聊一鸣。老生何索引,稍稍声过情。闭门十日雨,吟作饥鸢声。诗书工发冢,刀茶得养生。飞走不同穴,孔突不暇黔。”

孔武仲(1042—1098)卒。苏辙《次韵孔武仲学士见赠》:“先君耽读书,日夜论今古。虽复在家人,不见释手处。意求五车尽,未惜双目苦。蓬莱倚霄汉,简册充栋宇。学成擅囷仓,落笔走风雨。破笼闭野鹤,短草藏文虎。鬓须忽半白,儿女无复乳。知君不能荐,愧我终何补。偶来相就谈,日落久未去。归安得新诗,佳句烂如组。古风弃雕琢,遗味比乐府。且复调埙篪,泠然五音举。”

韩维(1017—1098)卒。程颐《上韩持国执政书》:“家兄学术才行,为时所重,自朝廷至于草野,相知何啻千数。今将归葬伊川,当求志述,以传不朽。然念相知才虽多也,能知其道者鲜矣;有文者亦众也,而其文足以发明其志意,形容其德美者则鲜矣;能言者非少也,而明尊德重,足以取信于人者则鲜矣。如是,志之作其易哉?颐窃谓智足以知其道学,文足以彰其才德,沿足以取信后世,莫如阁下。……愿该雄文,以光窀穸,俾伯夷不泯于西山,展季得显于东国,则死生受赐,子孙敢忘?”

胡寅(1098—1156)生。胡寅字明仲,学者称“致堂先生”,著有《致堂斐然集》三十卷,简称《斐然集》。章颖《斐然集序》:“皇宋作兴,文治灿然,百余年间,贤人君子所以推明乎是者,固矣昭昭乎心目之间。遏人欲之横流,彰天理于既泯,士生斯时,抑何幸也!兵戈纷纭,天下学者涣散而莫之统一,文定胡先生始以《春秋》鸣,而其子致堂继之，见于辞章，著于赋咏，陈于论谏，莫非极治乱之几，谨名分之辨，黜斜而兴正，尊王而贱伯。明义利之分，辨枉直之实，取而诵之，凿凿乎五谷之可以疗饥，断断乎药石之可以治疾。由其言以推其行事，即其文以究其用心，使其功化得尽显于时，则拨乱而反正，三光明于上，民物育于下，犹反掌也。世方交兢于利禄之途，交胜负于得失之际，滔滔驰骛，不可救止。古之圣贤所以孳孳焉者，固已与之背驰矣。此余之所以中夜而起，抱书而叹也。三山郑君肇之持节湖湘，得是文于致堂之犹子大时，遂取而刊之木。夫致堂之为是文，夫岂知后世有扬子云哉？盖其露蕴奥而寓诸言，发愤懑而形诸书，有不得已焉者。郑君之好尚，亦岂为文章之美哉？天理之明，人心之正，是书其标的也。"

周葵（1098—1174）**生**。周葵，字立义，晚年自号惟心居士，常州宜兴县（今属江苏）人。宣和六年擢进士甲科。隆兴元年六月，等待参知政事。著有《圣传诗》二十篇、奏议五卷、文集三十卷，已佚。韩元吉《祭周资政文》："淳熙元年岁次甲午六月丙辰朔二十三日戊寅，门生朝散大夫、充敷文阁待制、知婺州军州事韩某，谨以清酌庶羞之奠，致祭于政大资政先生周公之灵。惟公劲直之气闻于世，温恭之色见于面。校书天禄，早立块而不群；执法殿中，遂干霄而直上。方簪笔而入侍，竟剖符而出藩。初无悟于龙鳞，上圣之知甚宠；中仅脱于虎口，权臣之怒已深。流落十年，崎岖一节。运逢庚化，起闾里以来归，志则尽忠，入朝廷而见疾。将焉往而不黜，曾何病于弗容？精金百炼而益刚，长河九折而逾驶。天子初览于庶政，驿书所召者四人。嘉其敢言，趣以论事。盖士方兢于谋利，公独指为不然；时方急于用兵，公独诋为未可。致宸衷之简在，由诚意之尽输。果从武部之班，亟上政途之峻。窃欲自治，以扶未危，边锋不战而侵消，庙论弗咸而旋定。进退不迫，驰张可观，稍均琳馆之燕闲，犹课海邦之治行。盖未替股肱之眷，乃时以筋力为辞。公虽倦而卧家，士犹倚以辅国。挂轩车而不出，睨簪裳其若遗，久安泉石之游，犹冀松乔之寿。老成遽失，殄瘁兴嗟。某顷以顽疎，夙成顾遇。涖官曹于幕府，既荷品题；列掾属于中台，实资陶冶。慨一违于墙仞，恍九换于岁躔。逮纡郡绂而来，未致尺属之敬。抚甘棠之旧憩，正尔驰怀；动宿草之新悲，何期郧涕。虽素车白马之已后，岂斗酒只鸡之敢忘？情见乎词，公其亮此。呜呼哀哉！"

曹勋（1098—1174）**生**。《宋史》卷三七九《曹勋传》："曹勋字公显，阳翟人。父组，宣和中以阁门宣赞舍人为睿思殿应制，以占对开敏得幸。勋用恩补承信郎，特命赴进士廷试，赐甲科，为武吏如故。靖康初，为阁门宣赞舍人、勾当龙德宫，除武义大夫。从徽宗北迁，过河十余日，谓勋曰：'不知中原之民推戴康王否？'翌日，出御衣书领中曰：'可便即真，来救父母。'并持韦贤妃、邢夫人信，命勋间行诣王。又谕勋：'见康王第言有清中原之策，悉举行之。毋以我为念。'又言：'艺祖有誓约藏之太庙，不杀大臣及言事官，违者不祥。'勋自燕山遁归。建炎元年七月，至南京，以御衣所书进入。高宗泣以示辅臣。勋建议募死士航海入金国东京，奉徽宗由海道归，执政难之，出勋于外，凡九年不得迁秩。绍兴五年，除江西兵马副都监，勋以远次为请，改浙东，言者论其不闲武艺，专事请求，竟夺新命。十一年，兀术遣使议和，授勋成州团练使，副刘光远报之。及淮，遇兀术，遣还，言当遣尊官右职持节而来，盖欲亟和也。勋还，迁忠州防御使。金使萧毅等来，命勋为接伴使。未几，落阶官为容州观察使，充金国报谢副使，召入内殿，帝洒泣，谕以恳请亲族之意。及见金主，正使何铸伏地不能言，勋反复开谕，金主首肯许还梓宫及太后。勋归，金遣高居安等卫送太后至临安，命勋充接伴使。迁保信军承宣使、枢密副都承旨。二十九年，拜昭信军节度使，副王纶为称谢使。时金主亮已定侵淮计，勋与纶还，言邻国恭顺，和好无他，人讥其妄。孝宗朝加太尉、提举皇城司、开府仪同三司。淳熙元年卒，赠少保。”

公元 1099 年（宋元符二年　辽寿昌五年　夏永安元年　己卯）

正月

宋出金帛二百万，以备陕西边储。

立春日（十二日），苏轼赋《减字木兰花·己卯儋耳春词》（春牛春杖）。十三日，广州舶信到，苏轼得柴胡等药，书杜甫之诗及柴胡者，并录卢仝诗，以排遣心中之懑。《苏轼文集》卷六七《书卢仝诗》：“卢仝诗云：‘何时得去禁酒国。’吾今谪岭南，万户酒家，有一婢昔尝为酒肆，颇能伺候冷暖。自今当不乏酒，可以日饮无何，其去禁酒国矣。”同卷《书杜子美诗》：“‘崔郎有病士，书信有柴胡。饮子频通汗，怀君想报书。亲知天畔少，药味峡中无。归楫生衣卧，春欧洗翅呼。酒闻上急水，早作耻平途。万里皇华使，为僚记腐儒。’此杜子美诗也。沈佺期《回波》诗云：‘姓名虽蒙齿录，袍笏未易牙绯。’子美用‘饮子’对‘怀君’，亦‘齿录’、‘牙绯’之比也。广州舶信到，得柴胡等药，偶录此诗遣闷。己卯正月十三日，久旱微雨，荫翳未快。”上元夜，苏轼作文纪事。《苏轼文集》卷七一《书上元夜游》：“己卯上元，予在儋州，有老书生数人来过，曰：‘凉月嘉夜，先生能一出乎？’予欣然从之。步西城，入僧舍，历小巷，民夷杂揉，屠沽纷然。归舍已三鼓矣。舍中掩关熟睡，已再鼾矣。放杖而笑，孰为得失？过问先生何笑，盖自笑也。然亦笑韩退之钓鱼无得，更欲远去，不知走海者未必得大鱼也。”走海者未必得大鱼，颇具哲理之言也。立足小地方扎实努力，也能实现人生之价值。

二月

宋诏许高丽国王遣使宾贡。宋邻边各族及邻国士人，可以提出申请，经批准之后，得参加科举考试，称为“宾贡”。

宋败夏兵，夏国向宋谢罪（谢侵扰之罪），宋却其使。宋将败夏兵于神堆（今陕西米脂西）。夏告辽为宋所败以求援。三月，宋筑环庆路定边城。辽使来，为夏人请缓师。

春日，苏轼尝独行，遍至黎子云、黎威、黎徽、黎先觉之舍，遇符林，黎家儿童口吹葱叶迎送。又尝负大瓢，行歌田间，与老妪共语，作诗记之。《苏轼诗集》卷四二《被酒独行，遍至子云、威、徽、先觉四黎之舍三首》，其一：“半醒半睡问诸黎，竹刺藤梢步步迷。但寻牛矢觅归路，家在牛栏西复西。”其二：“总角黎家三四童，口吹葱叶送迎翁。莫作天涯万里意，溪边自有舞雩风。”其三：“符老风情奈老何，朱颜渐尽鬓丝多。投梭每困东邻女，换扇惟逢春梦婆（自注：是日复见符林秀才，言换扇之事）。”赵令畤《侯鲭录》卷七：“东坡老人在昌化，尝负大瓢行歌于田间，有老妇年七十，谓坡云：‘内翰昔日富贵，一场春梦。’坡然之。里人呼此媪为“春梦婆”。

二十日，苏辙六十一岁生日。兄苏轼以黄子木拄杖为寿有诗，见《苏轼诗集》卷四二《以黄子木拄杖为子由生日之寿》。苏辙次韵，见《栾城后集》卷二《次韵子瞻寄黄子木杖》。

四月

宋朝加强西北边备。宋筑鄜延、河东路暖泉等寨，又筑威城；五月，筑鄜延路金汤城；建西安州（今宁夏海原西）。

苏辙著有专书《龙川略志》八卷。二十九日，苏辙作《龙川略志引》：“予自筠徙雷，自雷徙循，二年之间，水陆几万里，老幼百数十指，衣食仅自致也。平生家无尤物，有书数百卷，尽付之他人。既之龙川，虽僧庐道室，法皆不许人。裒囊中之余五十千以易民居，大小十间，补苴弊漏，粗芘风雨。北垣有隙地可以就蔬，有井可以灌，乃与子远荷 钼其间。既数月，韭、葱、葵、芥，得雨坌出，可葅可芼，萧然无所复事矣。然此郡人均衰少，无可晤语者。有黄氏老，宦学家也，有书不能读。时假其一二，将以寓目，然老衰昏眩，亦莫能久读。乃杜门闭目，追思平昔，恍然如记所梦，虽十得一二，而或详或略，盖亦无足记也。远执笔在旁，使书之于纸，凡四十事，十卷，命之《龙川略志》。元符二年孟夏二十九日。”

五月

苏辙所作专书《龙川别志》十卷，完成于本月。本年七月二十二日，苏辙为之作《龙川别志序》：“予居龙川为《略志》，志平生之一二，至于所闻于人，则未暇也。然予年将五十起自疏远，所见朝廷遗老数人而已，如欧阳公永叔、张公安道皆一世伟人，苏子容、刘贡父博学强识，亦可以名世，予幸获与之周旋，听其所请说，后生有不闻者矣。贡父尝与予对直紫微阁下，喟然太息曰：‘予一二人死，前言往行堙灭不载矣。君苟能记之，尚有传也。’时予方苦多事，懒于述录，今谪居六年，终日燕生，欲追考昔日所闻而炎荒无士大夫，莫可问者，年老衰耄，得一忘十，追惟贡父之言，慨然悲之，故复记所闻，为《龙川别志》，凡四十七事，四卷，元符二年孟秋二十二日。”

六月

黄河决于内黄口，东流断绝。

七月

河北河涨，没民田庐。

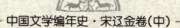

邈川首领瞎征，性好杀戮，部族离心。河南诸羌多附杓拶，据溪哥城。瞎征攻杀

杓拶。宋将领兵趋邈川，八月瞎征自青唐（今青海乐都境）至河州（今甘肃临夏西南）降于宋。

八月

章惇等进《新修敕令式》。

太原（今山西太原）地震。

宋筑会州（今甘肃靖边东北）城。

九月

夏人向宋谢罪。

青唐酋长以城降宋。

皇后废立事大，关乎文人进退。《纲鉴易知录》卷七四：“二年秋八月，子茂生。九月，立贤妃刘氏为皇后。窜右正言邹浩于新州（治新兴县，即今广东新兴县）。妃多才艺，有盛宠。既构废孟后，章惇与内侍郝随、刘友端相结，请妃正位中宫。时帝未有储嗣，会妃生子茂，帝大喜，遂立焉。浩以书论事，帝亲擢为右正言，露章劾章惇不忠慢上之罪，未报而立刘后。浩上疏言：‘贤妃与孟后争宠，而孟后废。今乃立之，殊累盛德，乞追停册礼。’帝曰：‘此祖宗故事，岂独朕邪！’盖指真宗立刘德妃也。浩对曰：‘祖宗大德，可法者多矣，陛下不之取，而效其小疵邪！’帝变色，持其章踌躇，若有所思，因付于外。明日章惇诋其狂妄，除名勒停，羁管新州。尚书右丞黄履进曰：‘浩以亲被拔擢之故，敢犯颜纳忠，陛下遽出之死地，人臣将以为戒，谁为陛下论得失乎？幸与善地。’不听。初，阳翟田画议论慷慨，（阳翟，即今河南禹县）与浩以气节相激励。刘后立，画谓人曰：‘志完（邹浩，字志完）不言，可以绝交矣！’浩既得罪，画迎诸途。浩出涕，画正色责之曰：‘使志完隐默官京师，遇寒疾不汗，五日死矣，岂独岭海之外能死人哉！（岭海谓广东）愿君毋以此举自满，士所当为者，未止此也。’浩茫然自失，谢曰：‘君赠我厚矣！’浩之将论事也，以告其友宗正寺簿王回，回曰：‘事有大于此者乎？子虽有亲，然移孝为忠，亦太夫人素志也。’及浩南迁，人莫敢顾，回敛交游钱与浩治装，往来经理，且慰安其母。逻者以闻，逮诣赵瑜，众为之惧，回居之晏如。御史诘之，回曰：‘实尝预谋，不敢欺也。’因诵浩所上章，几二千言。狱上，除名停废，回即徒步出都门。行数十里，其子追及，问以家事，不答。又有曾诞者，尝三以书劝浩论孟后事，浩不报。及浩废，诞作《玉山主人对客问》，以讥浩不能力谏孟后之废，而俟朝廷举过乃言，谓‘不知几’云。”

黄庭坚于重九日作词《鹧鸪天》（黄菊枝头生晓寒）。又作文《与王周彦长书》。

闰九月

宋置律学博士员。

“二蔡”、“二惇”的称谓出现。《纲鉴易知录》卷七四：“置看详诉理局。安惇言：

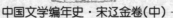

‘陛下未亲政时，奸臣置诉理所，凡得罪熙、丰之间者，咸为除雪，归怨先朝，收恩私室。乞取公案，看详从初加罪之意，复依断施行。’蔡卞劝章惇置局，命中舒舍人蹇序辰及安惇看详。由是重得罪者八百三十家，士大夫或千里会逮，天下怨疾，有‘二蔡、二惇’之谣。(二蔡，蔡京、蔡卞。二惇，章惇、安惇。)”

宋将败西蕃，隆赞降。诏青唐为鄯州（今青海西宁），邈川为湟州（今青海乐都）。

琼州人向苏轼求学。本月，琼州人姜唐佐（君弼）来儋州向苏轼求学。二人相往还，至明年三月。苏轼有诗文谈及姜唐佐求学之事。《苏轼文集》卷六七《书柳子厚诗后》：“己卯闰九月，琼士姜君来儋耳，日与予相从。至庚辰三月乃以赠行，书柳子厚《饮酒》、《读书》二诗以见别意。子归，吾无以遗，惟一事，日相与往还耳。二十一日书。”又，《苏轼文集》卷五七《与姜唐佐秀才六首》之一：“某启：特辱远觃，意甚勤重，衰朽废放，何以获此，悚荷不已。经宿起居佳胜。长笺词义兼美，穷陋增光。病卧。不能裁答，聊奉手启。”之二：“某启：昨日辱夜话，甚慰孤寂。示字，承起居安胜。奇荈佳惠，感服至意，当同啜也。适睡，不即答，悚息。某顿首。”

苏辙作《春秋传引》。初八日，苏辙作《春秋传引》。《颍滨先生春秋集解引》：“予少而治《春秋》，时人多师孙明复，为孔子作《春秋》，尽一时之事，不复信史，故尽弃之，传无所复取。愚以为左丘明《鲁史》也，孔子本所据依，以作《春秋》，故事必以丘明为本。杜预有言，丘明授经于仲尼，身为国史，躬览载籍，其文缓，其旨远，将令学者原始要终，寻其枝叶，究其所穷，优而柔之，使自求之，厌而沃之，使自趋之，若江海之浸，膏泽之润，涣然冰释，怡然理顺，斯言得之矣。至于孔子之所予夺，则丘明容不明尽，故当参以《公》、《谷》、啖、赵诸人。然昔之儒者，各信其学，是己而非人，是以多窒而不通。老子有言，学不学，复众人之所过，以辅万物之自然而不敢为。予窃思此语，故循理而言，言无所系，理之所致，如水流东西曲直，势不可常，要之于通而已。近岁，王安石以宰相解经，行之于世，至《春秋》漫不能通，则诋以为断烂朝报，使天下士不得复学。呜呼，孔子之遗言而凌灭至此，非独介甫之妄，亦诸儒解经不明之过也。故予始自熙宁，谪居高安，览诸家之说而裁之以义，为《集解》十二卷，及今十数年矣。每有暇辄取观焉，得前说之非，随亦改之。绍圣之初，迁于南方，至元符元年，凡三易地，最后卜居龙川之白云桥。杜门无事，凡所改定，亦复非一，览之洒然而笑，盖自谓无憾矣。南荒士人无可与论说者，故谓子逊：‘仰之弥高，钻之弥坚，瞻之在前，忽焉在后，此孔子之不可及，而颜子之所太息也，而况于予哉！安知后世不复有能规予者，其余昔之诸儒，或庶几焉耳！汝能传予说，使后生有闻焉者，千载之绝学傥在于是也。’二年闰九月八日志。”

十月

郑总（清叟）秀才过海来拜访苏轼，苏轼以诗赠之。《苏轼诗集》卷四二《赠郑清叟秀才》：“风涛战扶胥，海贼横泥子。胡为犯二怖，博此一笑喜。问君奚所欲，欲谈仁义耳。我才不逮人，所有聊足已。安能相付与，过听君误矣。霜风扫瘴毒，冬日稍清美。年来万事足，所欠惟一死。澹然两无求，滑净空棐几。”

十一月

宋许民耕垦河北黄河退滩地，免租税三年。

宋命诸州置教授者，依照太学三舍法考选生徒。

十二月

夏宋通好。《续资治通鉴》卷八六：“十二月庚子。夏人屡败，遣其臣令能威明结（旧作嵬明济）等，来谢罪，且进誓表。诏许其通好，岁赐如旧。自是，西垂民少安。”

苏过作《大人生日》组诗。十九日；苏轼生日，儿子苏过作诗祝寿。《斜川集》卷三有《大人生日》七首。这七首诗作于不同的时间，括号内为作年。录如下：

其一（作于 1100 年）：“七年野鹤困鸡群，匪虎真同子在陈。四海澄清待今日，五朝光辅属何人。从来令尹元无愠，岂独原生不病贫。天欲斯民跻仁寿，卧龙宁许久谋身。”

其二（作于 1099 年）：“未试陵云百日仙，此生固已速邮传（自注：公在海南，四方传有白日上升事）。阴功何止千人活，法眼要求一大缘。枕上轩裳真昨梦，腹中梨枣是归田。他时汉殿观遗鼎，犹记曾陈柏寝年。”

其三（作于 1094 年）：“昔将直道破群纤，走出宁逃此日谗。塞马未还非叟病，莫邪偶弃岂铅铦。长生有道因辞宠，造物无私独兴谦。从此轩裳真敝屣，世间出世固难兼。”

其四：“一封已责被敷天（自注：扬州论积欠事），十万饥民粥与饘。不待丹砂锡难老，自凭阴德享长年。寿绦固已占黄发，珠火还应养寸田。况是玉皇香案史，御风骑气本泠然。”

其五：“勿惊髀减带围宽，寿骨巉然正隐颧。不待期颐祝难老，固知穮蓘自丰年。僵松再蔚千龄叶，眢井新飞百尺泉。坐想山神无伎俩，却应造物报其天。”

其六：“畴昔东华典秘藏，于今晻暧水云乡。欲知万里雷霆谴，要与三山咫尺望。世上功名难复记，洞中仙籍已难量。仇池何用追仙驭，香案仍归侍玉皇。”

其七（作于 1096 年）：“穷寓三年瘴海滨，箪瓢陋巷与谁邻。维摩示疾原非疾，原宪虽贫岂是贫。纺妪固尝占异梦，肉芝还以献畸人。”

本年

夏改元永安。

世人皆云东坡死，自作《书谤》辟谣传。京师、广州皆传苏轼死去，苏轼愤而作《书谤》。《苏轼文集》卷七一《书谤》：“吾昔谪居黄州，曾子固居忧临川，死焉。人有妄传吾与子固同日化去，如李贺长吉死时事，以上帝召也。时先帝亦闻其语，以问蜀人蒲宗孟，且有叹息语。今谪海南，又有传吾得道，乘小舟入海，不复返者。京师皆云。儿子书言之。今日有从广州来者，云太守柯述言吾在儋耳，一日忽失去，独道服在耳，盖上宾也。吾平生遭口与巫术，盖生时与韩退之相似，吾命在斗、牛间，而身宫亦在焉。故其诗曰：‘我生之辰，月宿南斗。’且曰：‘无善名以闻，无恶声以扬。’今谤吾者，或云死，或云仙。退之之言，良非虚耳。”

黄庭坚本年所作诗，较著名的还有《次韵黄斌老所画横竹》、《用前韵谢子舟为余作风雨竹》、《寄题荣州祖元大师此君轩》。

秦观五十一岁。在雷州贬所。其时苏轼早已贬邛州，苏辙徙循州。三人隔海相望，时通音讯。诗作有《雷阳书事》三首、《海康书事》十首、《饮酒诗》四首。

陈与义十岁，已能作文章。张嵲《陈公资政墓志铭》：“公资卓伟，自为儿童时已能作文辞，致名誉，流辈欽衽，莫敢与抗矣。”

陈师道在徐州。本年作诗有《元日雪二首》、《次韵黄生》、《雪后》、《送张蕲县》、《送何子温移亳州三首》、《送詹司业》、《西郊二首》、《寄亳州何郎中二首》、《寄答泰州曾侍郎》、《送提刑李学士移使东路》、《和郑户部宝集丈室二首》、《隐者郊居》、《览胜亭》、《何太冲挽词二首》、《送大兄兼寄赵团练》、《寄襄州程大夫》、《送检法赵奉议》、《送建州郑户部》、《送张秀才》、《晁无咎画山水扇》、《奉陪赵大夫游衡山》、《寄曹州晁大夫（端仁）》、《送冯翊宋令》、《嗟哉行》、《夜句三首》、《送孝忠落解南归》、《寄单州张朝请》、《谢宪台赵使惠米》、《和赵大夫鹿鸣宴集》、《和朱智叔鹿鸣席上》、《酬智叔见赠》、《再酬》、《敬酬智叔三赐之辱兼戏扬理曹二首》、《酬智叔见戏二首》、《送智叔令咸平》、《九月九日夜雨留智叔》、《九月九日与智叔雕堂宴集夜归》、《城南夜归寄赵大夫》、《席上劝客酒》、《戏寇君二首》、《绝句四首》、《骑驴二首》、《寿安县君挽词》、《寄曹州晁大夫》、《寄题披云楼》、《绝句》、《寄黄充》、《寄张大夫》、《怀远》、《答田生》、《早起》、《和黄充小雪》、《寄张学士（舜民）》、《谢赵使君送乌薪》、《雪中寄魏衍》、《宋澶州录曹宋参军》、《和范教授同游桓山》。

其中，以下诗篇比较著名：《后山诗注》卷九《绝句四首》其一：“秋床归卧不缘愁，病与衰谋作老仇。数树直青能尔瘦，一轩残照为谁留？”其二：“芒鞋竹杖最关身，散发披衣不待人。三两作邻堪共活，五千插架未为贫。”其三：“昏昏嗜睡元非病，续续题诗不奈闲。作意买山还得笑，多方拔白却成斑。”其四：“书当快意读易尽，客有可人期不来。世事相违每如此，好杯百岁几回开？”

还有，《后山诗注》卷十《谢赵使君送乌薪》：“欲落未落雪迫人，将尽不尽冬压春。风枝冰瓦有去鸟，远坊穷巷无来人。忽闻叩门声遽速，惊机透篱犬升屋。使君传教赐薪炭，妓围那解思寒谷。老身曲直不足匀，冷窗冻壁作春温。定知和气家家道，不独先生雪塞门。”

同卷，《和范教授同游桓山》：“送客寻山已自仙，行谈坐笑复忘年。平郊走马斜阳里，破屋传杯积水边。洗壁留名题岁月，登高著句记山川，风流幕下诸公子，缩手吟边更觉贤。”

李清照十六岁。有词两首。《点绛唇》：“蹴罢秋千，起来慵整纤纤手。露浓花瘦，薄汗沾衣透。　见客入来，袜刬金钗溜。和羞走，倚门回首，却把青梅嗅。”《鹧鸪天》：“暗淡轻黄体性柔，情疏迹远只香留。何须浅碧青红色，自是花中第一流。
梅定妒，菊应羞。画栏开处冠中秋。骚人可煞无情思，何事当年不见收？”

公元 1100 年（宋元符三年　辽寿昌五年　夏永安元年　庚辰）

正月

哲宗卒，徽宗立。《纲鉴易知录》卷七四：“庚辰，三年春正月，帝崩，端王佶即位，太后权同听政，赦。帝崩，无子，皇太后向氏哭谓宰臣曰：‘国家不幸，大行皇帝无嗣，事须早定。’章惇抗声曰：‘在礼律当立母弟简王似。’太后曰：‘老身无子，诸王皆神宗庶子，莫难如此分别。’惇复曰：‘以长则申王佖当立。’太后曰：‘申王有目疾，不可。于次则端王佶，当立。’惇曰：‘端王轻佻，不可以君天下。’言未毕，曾布叱之曰：‘章惇未尝与臣商议，如皇太后圣谕极当。’蔡卞、许将相继曰：‘合依圣旨。’太后又曰：‘先帝尝言端王有福寿，且仁孝。’于是惇默然。乃召端王入即位于柩前。群臣请太后权同处分军国事，后以长君辞；帝泣拜移时，乃许之。端王，神宗第十一子也。”

苏轼闻赦。庚辰，大赦天下。十三日，苏轼赋诗抒闻赦后之心情。《苏轼诗集》卷四三《和陶始经曲阿》：“虞人非其招，欲往畏简书。穆生责醴酒，先见我不如。江左古弱国，强臣擅天衢。渊明堕诗酒，遂与功名疏。我生值良时，朱金义当纡。天命适如此，幸收废弃馀。独有愧此翁，大名难久居。不思牺牛鬼，兼取熊掌鱼。北郊有大赉，南冠解囚居。眷言罗浮下，白鹤返故庐。”

本月，苏轼还有诗描写五色雀。《苏轼诗集》卷四三《五色雀并引》，引曰：“海南有五色雀，常以两绛者为长，进止必随焉。俗谓之凤凰云。久旱而见则雨，潦则反是。吾卜居儋耳城南，尝一至庭下。今日又见之进士黎子云及其弟威家。既去，吾举酒祝曰：‘若为吾来者，当再集也。’已而果然，乃为赋诗。”诗曰：“灿灿五色羽，炎方凤之徒。青黄缟玄服，翼尾两绂朱。仁心知闵浓，常告雨霁符。我穷惟四壁，破屋无瞻乌。惠然此灿者，来集竹与梧。镪鸣如玉佩，意欲相嬉娱。寂寞两黎生，食菜真臞儒。小圃散春物，野桃陈雪肤。举杯得一笑，见此红鸾雏。高情得飞扬，未易握粟呼。胡为去复来，眷眷岂属吾。回翔天壤间，何必怀此都。”

苏过有和作。《斜川集》卷一《五色雀和大人韵》：“神雀来何琮，飞鸣自为徒。尊卑有定分，众色敢乱朱。与公作信念，禬禳陋桃符。南迁不见棚，屡集升平乌。翩然自灵物，岂惟眷庭梧。年来翟公门，寂寞谁与娱。瓜田岂故侯，环堵真前儒。虽知非天穷，险阻殆切肤。海南夷僚窟，安得此异雏。似为三足使，仙子倘见呼。定知隐几人，嗒焉非昔吾。不愿宴西瑶，东华返旧都。”

苏轼与黎子云兄弟过从甚密，应其兄弟之请，题字甚多。苏轼尝与黎子云论农事，《苏轼文集》卷七三《马眼糯说》：“黎子云言：‘海南秫稻，率三五岁一变。’顷岁儋人最重铁脚糯，今岁乃变为马眼糯。草木性理有不可知者。如欧阳公言，洛中牡丹，时出新枝者，韩缜《花谱》乃有三百余品，若随人意所欲为者，可奇也夫。”［思齐按：此说有助于水稻种之选育。海南之风土相宜，适合作稻种选育基地。］

二月

元祐旧党，稍见收用。《纲鉴易知录》卷七四：“以韩忠彦为门下侍郎，黄履为尚书右丞。忠彦入对，陈四事，曰广仁恩，开言路，去疑似，戒用兵。太后纳之。自是，忠直敢言、知名之士，稍见收用。”

辽出绢赐五京贫民。

苏轼著文作回忆，刘攽戏弄王安石。《苏轼文集》卷七二《刘贡父戏介甫》：“王介甫多思而喜凿，时出一新说，已而悟其非也，则又出一言而解释之。是以其学多说。尝与刘贡父食，辍箸而问曰：‘孔子不彻姜食，何也?’贡父曰：‘《本草》：生姜多食损智。道非明民，将以愚之。孔子以道教人者也，故不彻姜食，将以愚之也。’介甫欣然而笑，久之，乃悟其戏己也。贡父虽戏言，然王氏之学实大类此。庚辰二月十一日，食姜粥，甚美，叹曰：‘无怪吾愚，吾食姜多矣。’因并贡父言记之，以为后世君子一笑。”

大约在元符三年三月之前，黄庭坚曾作文，记道臻师画墨竹一事。《豫章黄先生文集》卷十六《道臻师画墨竹序》：“墨竹出于近世，不知其所师承。初吴道子作画，超其师杨惠之，于山川崖谷、远近形势、虎豹蛇龙，至于虫蛾草木之四时，日月列星风雨水或雷霆之神物，军陈战斗斩馘奔之象，运笔作卷，不加丹青，已极形似。故世之精识博物之士，多藏吴生墨本，至俗子乃衒丹青耳。意墨竹之师近出于此。往时天章阁待制燕肃始作生竹，超然免于流俗。近世集贤校理文同极其变态，其笔墨之运疑鬼神也。韩退之论张长史喜草书，不治他技，所遇于世，存亡得丧，亡聊补平，有动于心，必发于书；所观于物，千变万化，可喜可愕，必寓于书。故张之书不可端倪，以此终其身而名后世。与可之于竹，殆犹张之于书也。嘉州石洞讲师道臻，刻意尚行，欲自振于溷浊之波，故以墨竹自名。然臻过与可之门，而不入其室，何也？夫吴生之超其师，得之于心也，故无不妙。张长史之不治他技，用智不分也，故能入于神。夫心能不迁于外物，则其天守全，万物森然出于一镜，岂待含墨吮笔，槃礴而后为之哉！故余谓臻：欲得妙于笔，当得妙于心。臻问心之妙，而余不能言，有师范道人出于成都六祖，臻可持此往问之。”［思齐按：西方文论，有大家迈耶·阿伯拉姆斯（Meyer Abrams，(912—)，著《镜与灯：浪漫主义文论及批评传统》(1953)，亦论及“万物森然出于一镜”之道理。中西文论，如斯双璧，妙也。然晚于黄山谷，八百余年。］

三月

徽宗诏求直言，崔鶠日食上疏。《纲鉴易知录》卷七四：“三月，诏求直言。以四月朔日当食，诏求直言。筠州推官崔鶠上书曰：‘毁誉者，朝廷之公议。故责授朱崖军司户司马光（绍圣四年二月，追贬司马光朱崖军司户），左右以为奸，而天下皆曰忠。今宰相章惇，左右以为忠，而天下皆曰奸。此何理也？赏谬罚滥，佞人徜徉，如此，而国不乱，未之有也。小人譬之蝮蝎，其凶忍害人根乎天性，随遇必罚。天下无事，不过贼陷忠良，破碎善类；至缓急危疑之际，必有反复卖国，跋扈不臣之心。比年以来，谏官不论得失，御史不劾奸邪，门下不驳诏令，共持暗默，以为得计。夫股肱耳目，治乱安危所系，而一切若此，陛下虽有尧舜之聪明，谁将使言之，谁使行之！夫四月，阳极盛、阴极衰之时，而阴干阳，故其变为大。惟陛下畏天威，听明命，大运乾纲，大明邪正，则天意解矣。’帝览而善之，以为相州教授。”

羌人攻邈川。宋将王赡留鄯州（今青海西宁），纵所部剽掠，羌众离心。心牟等结诸族帐反，王赡破之，杀羌人甚众。沁罗结聚众千人围邈川（今青海乐都），夏人十万助之，城中甚危，宋援兵至，围始解。王赡弃青唐（今青海西宁），羌复合兵攻邈川。乃以蕃部州首领分知湟、鄯二州。

黄庭坚作《与王观复书》。二十四日，黄庭坚作书与王观复。《豫章黄先生文集》卷十九《与王观复书》三首之一：“庭坚顿首启：蒲元礼来，辱书勤恳万千，知在官虽劳勩，无日不勤翰墨，何慰如之！即日初夏，便有暑气，不审起居何如？所送新诗皆兴寄高远，但语生硬不谐律吕，或词气不逮初造意时，此病亦只是读书未精博耳。长袖善舞，多钱善贾，不虚语也。南阳刘勰尝论文章之难云：‘意翻空而易奇，文征实而难工。此语亦是沈谢辈为儒林宗主时，好作奇语，故后生立论如此。好作奇语，自是文章病，但当以理为主，里得而辞顺，文章自然出群拔萃。观杜子美到夔州后诗，韩退之自潮州还朝后文章，皆不烦绳削而自合矣。往年尝请问东坡先生作文章之法，东坡云：‘但熟读《礼记》、《檀弓》，当得之。’既而取《檀弓》二篇读数百过，然后知后世作文章不及古人之病，如观日月也。文章盖自建安以来好作奇语，故其气象衰苶，其病至今犹在，唯陈伯玉、韩退之、李习之，近世欧阳永叔、王介甫、苏子瞻、秦少游，乃无此病耳。公所论杜子美诗，亦未及其趣，试更深思之。若入蜀下峡年月，则诗中自可见，其曰：‘九鑚巴巽火，三蜇楚祠雷’，则往来两川九年，在夔府三年可知也，恐更须改定乃可入石。适多病少安之余，宾客妄谓不肖有东归之期，日日到门，疲于应接。蒲元礼来告行，草草具此。世俗寒温礼数，非公所望于不肖者，故皆略之，三月二十四日。”此文为中国古代文论史上之名篇。申说为文宜自然天成的道理。

本月，黄庭坚作《庞安常伤寒论后序》：“庞安常自少时善医方，为人治病，处其生死多验，名倾江淮诸医。然为气任侠，斗鸡走狗，蹴鞠击毬，少年豪纵事无所不为。博弈音技，一公所难，而兼能之。家富，多后房，不出户而所欲得。人之以医聘之也，皆多陈其所好，以顺适其意。其来也病家如市，其疾已也，君脱然不受，谢而去之。中年乃屏绝戏弄，闭门读书，自神农、黄帝经方，扁鹊《八十一难》、《灵枢》、《甲乙》，葛洪所综缉百家之言，无不贯穿。其简策纷错，黄素朽蠹，先师或失其读；学术浅陋，私智穿凿，曲士或窜其文。安常悉能辩论发挥，每用以视病，如是而生，如是而不治，几乎十全矣。然人以病造，不择贵贱贫富，便斋曲房，调护以寒暑之宜，珍膳美馔，时节其饥饱之度，爱其老而慈其幼，如痛在己也。未尝轻用人之疾，尝试其所不知之方，盖其轻财如粪土而乐义，耐事如慈母而有常，似秦汉间游侠而不害人，似战国四公子而不争利，所以能动而得意，起人之疾，不可缕数，它日过之，未尝有德色也。其所论著《伤寒论》，多得古人不言之意，其所师用而得意于病家之阴阳虚实，今世所谓良医，十不得其五也。余始欲掇其大要，论其精微，使士大夫稍知之，适有心腹之疾，未能卒业。然未尝游其庭者，虽得吾说而不解，诚加意读其书，则过半矣。故特著其行事，以为后序云。其前序海上道人诺为之，故虚右以待。元符三年三月豫章黄庭坚序。”庞安常为名医。《苏轼文集》卷七三《单庞二医》、《庞安常善医》两篇文章，亦言及庞安常。

四月

诏知太原府蔡京，依前翰林学士承旨。

李清臣、蒋之奇就任朝廷要职。《纲鉴易知录》卷七四："以韩忠彦为尚书右仆射兼中书侍郎，李清臣为门下侍郎，蒋之奇同知枢密院事。"

范纯仁、苏轼等复官。《纲鉴易知录》卷七四："复范纯仁等官，徙苏轼等于内郡。纯仁在永州，遣中使赐以茶药，谕之曰：'皇帝在藩邸，太皇太后在宫中，知公先朝言事忠直，今虚相位以待，不知目疾如何？用何人医之？'纯仁顿首谢。徙居邓州；在道，拜观文殿大学士、中太乙宫使。制词有曰：'岂惟尊德尚齿，昭示宠优；庶几鲠论嘉谋，日闻忠告。'纯仁闻制，泣曰：'上果用我矣，死有余责。'既又遣中使趣入觐。纯仁乞归养疾，帝不得已许之。每见辅臣，问：'安否？'且曰：'范纯仁得一识面足矣！'轼自昌化移廉，徙永，更三赦，复提举玉局观，未几，卒于常州。轼与弟辙师父洵，为文如行云流水，初无定质，虽嬉笑怒骂之辞，皆可书而诵之。自为举子至出入侍从，必以爱君为本，终归谠论，挺挺大节，但为小人忌恶，不得久居朝耳。"

李清照本年十七岁，作词二首。《浣溪沙》："莫许杯深琥珀浓，未成沉醉意先融。疏钟已应晚来风。瑞脑香消魂梦断，辟寒金小髻鬟松。醒时空对烛花红。"《渔家傲》："雪里已知春信至，寒梅点缀琼枝腻。香脸半开娇旖旎。当停机，玉人浴出新妆洗。造化可能偏有意，故教明月玲珑地。共赏金尊沉绿蚁。莫辞醉，此花不与群花比。"

李清照作诗《浯溪中兴颂诗和张文潜》二首。其一："五十年功如电扫，华清宫柳咸阳草。五坊供奉斗鸡儿，酒肉堆中不知老。胡兵忽自天上来，逆胡亦是奸雄才。勤政楼前走胡马，珠翠踏尽香尘埃。何为出战辄披靡，传置荔枝多马死。尧功舜德本如天，安用区区纪文字。著碑铭德真陋哉，乃令神鬼磨山崖。子仪光弼不自猜，天心悔祸人心开。夏商有鉴当深戒，简册汗青今俱在。君不见当时张说最多机，虽生已被姚崇卖。"其二："君不见惊人废兴传天宝，《中兴碑》上今生草。不知负国有奸雄，但说成功尊国老。谁令妃子天上来，虢秦韩国皆天才。花桑羯鼓玉方响，春风不敢生尘埃。姓名谁复知安史，健儿猛将安眠死。去天尺五抱瓮峰，峰头凿出开元字。时移事去真可哀，奸人心丑深如崖。西蜀万里尚能反，南内一闭何时开？可怜孝德如天大，凡使将军称好在。呜呼，奴婢乃不能道辅国用事张后尊，乃能念春荠长安作斤卖。"[思齐按：原诗非张文潜而为秦观所作。清·王敬之刻《淮海集·补遗》有诗《题浯溪中兴颂》(玉环妖雪无人扫)。]

五月

蔡卞免职。《纲鉴易知录》卷七四："蔡卞有罪免。卞专托绍述之说，上欺天子，下胁同列。凡中伤善类，皆密疏建白，然后请帝亲札付外行之；章惇虽巨奸，然犹在其术中。至是，龚夬确论惇、卞之恶，未报；而台谏陈师锡、陈次升、陈瓘、任伯雨、张庭坚等论卞罪浮于惇，乞正典刑以谢天下。乃出知江宁，台谏论之不已，遂以秘书少监分司池州。"

追复文彦博等官职。《纲鉴易知录》卷七四："追复文彦博、王珪、司马光、吕公著、吕大防、刘挚等三十三人官。(从韩忠彦之言也)”

六月

秦观作《江城子》词。二十五日，与苏轼相别于海康，作词《江城子》：“南来飞燕北归鸿。偶相逢。惨愁容。绿鬓朱颜，重见两衰翁。别后悠悠君莫问，无限事，不言中。　　小槽春酒滴珠红。莫匆匆。满金钟。饮散落花流水、各西东。后会不知何处是，烟浪远，暮云重。”

李格非棹舸送张耒。邵祖寿《张文潜先生年谱》元符三年：“六月望日，黄州罢官，率儿秬与潘仲达同游匡山，过樊口，李文叔棹小舸相送。”

七月

奉皇太后诏，罢同听政。

八月

宋出内库金帛二百万买粮，充陕西边储。

秦观（1049—1109）卒。十二日，秦观卒于藤州。《宋诗钞·淮海集钞》作者小传：“秦观，字少游，一字太虚，扬州高邮人。豪俊慷慨，溢于文词。举进士不中，盛气好奇，读兵家书。见苏轼于徐，为《黄楼赋》，轼以为有屈宋才，介其诗于王安石，亦谓清新如鲍谢。轼勉以应举为亲养，始登第筮仕。元祐初，轼以贤良方正荐于朝，除秘书省正字，兼国史院编修官，日有研墨器币之赐。稍胜出，坐党籍，出判杭州，以增损《实录》，贬监处州酒税。使者承风旨，伺过失，无所得，则以谒告写佛书为罪，削秩编管横州，徙雷州。徽宗放还，至藤州，出游光华亭，为客道梦中长短句，索水饮，笑视水而卒。朱子谓渠诗合下，得句便巧。吕居仁云：‘少游过岭后诗，自成一家。’故当时于苏门并称秦、晁。晁以气胜，则灏衍而新崛；秦以韵胜，则追啄而渟泓。要其体格在伯仲，而晁为雄大矣。”又，潘是仁《秦少游诗集六卷小引》：“学士在宋朝为伟丈夫，中年老于迁徙，多江湖节烈之风，无夜雨牢骚之气。及卒，子瞻呜咽三复于简牍，有以也夫！何独于诗歌，无论小词皆纤妍宛委，非条上之素手，亦城中之高髻，其所传销魂句子，别有一王孙芳草者耶？外史载学士将度岭南，酒炉间一青绡子能为金缕，唱者半学士词，学士许以执巾焉，未几闻学士死，一恸而绝。嗟夫，学士终身之节概，乃有时柔之而死。子不官喑呜叱咤之泣虞，神仙封禅之望，帐中顾情，以地出手。学士进而立大节，退而赋《闲情》，庸何伤！然则嘉隆诸公黜宋音于李唐，譬解佩带之垂罗，而悉命被深衣之板褶，不第昧乎诗，抑且乖乎人情矣。”

九月

章惇免职。《纲鉴易知录》卷七四：“九月，章惇有罪免。惇为相，专图复怨，引蔡卞、林希、黄履、来之邵、张商英等居要地，任言责，由是正人无一得免死者；屡兴大狱，以陷忠良，天下嫉之。及兼山陵使，灵轝陷泥沼中，逾宿而行。台谏丰稷、陈次升、龚夬、陈瓘等劾其不恭，免知越州。”

诏修《哲宗实录》；修《神宗正史》。

宋官吏俸禄，复均给职田。

本月，黄庭坚为大雅堂作记。《豫章黄先生文集》卷十七《大雅堂记》：“丹稜杨素翁，英伟人也，其在肘间乡党有侠气，不少假借人，然以礼仪不以财力称长雄也。闻余欲尽书杜子美两川夔峡诸诗，刻石藏蜀中好文喜事之家，素翁灿然向余，请从事焉。又欲作高屋广楹庥此石，因请名焉，余名之曰大雅堂，而告之曰：由杜子美以来四百余年，斯文委地，文章之士，随世所能，杰出时辈，未有升子美之堂者，况家室之好耶！余尝欲随欣然会意处，笺以蜀语，终以汩没世俗，初不暇给。虽然，子美诗妙处乃在无意于文，夫无意而意已至，非广之以国风雅颂，深之以《离骚》、《九歌》，安能咀嚼其意味，闯然入其门耶！故使后生辈自求之，则得之深矣。使后之登大雅堂者，能以余说而求之，则思过半矣。彼喜穿凿者，弃其大旨，取其发兴于所遇林泉、人物、草木、鱼虫，以为物物皆有所讬，如世间商度隐语者，则子美之诗委地矣。素翁可并刻此于大雅堂中，后生可畏，安知无涣然冰释于斯文者乎！元符三年九月涪翁书。”

十月

程颐决意致仕。《纲鉴易知录》卷七四：“冬十月，复以程颐判西京国子监。颐既受命，即谒告，欲迁延为寻医计。既而供职，门人尹焞深疑之。颐曰：‘上初即位，首被大恩，不如是则何以仰承德意！然吾之不能仕，盖已决矣，收一月之俸焉，然后为吾所欲尔。’未几，致仕。”

安惇、蹇序辰、章惇之结局。参《纲鉴易知录》卷七四：“安惇、蹇序辰有罪除名，放章惇于潭州。惇既罢知越州，陈瓘等以为责轻，复论‘惇在绍圣中置看详元祐局，凡于先朝语言不顺者，加以钉足、剥皮、斩颈、拔舌之刑，其惨刻如此。看详之官如安惇、蹇序辰等，受大臣讽喻，迎合绍述之意，傅致语言，指为谤讪，遂使朝廷纷纷不已。考之公论，宜正典刑。’于是二人一并除名，放归田里，而贬惇武昌节度副使。”

蔡京之结局。参《纲鉴易知录》卷七四：“蔡京有罪免。削林希官，徙知扬州。中丞丰稷论希奸状，帝未纳，台谏陈瓘、江公望等相继言之，帝亦不听。稷曰：‘京在朝，吾属何面目居此！’复力论之，始出知永兴军，言者不已，乃夺职居杭州。”

林希之结局。参《纲鉴易知录》卷七四：“右司谏陈祐复论林希绍圣初党付权要，词命丑诋之罪。乃削端明殿学士，徙知扬州。”

韩忠彦、曾布入朝廷要职。《纲鉴易知录》卷七四：“以韩忠彦、曾布为尚书左、右仆射兼门下、中书侍郎。布初附章惇，凡惇所为，多布建白；及不得同省，始与乖异。及帝即位，锐意图治，延进忠鲠，布因力排绍圣之人而去之。及拜相，其弟翰林学士肇引嫌出知陈州。言于布曰：‘兄方得君，当引用善人，翊正道以杜惇、卞复起之萌。而数月以来，所谓端人吉士，继籍去抄，所进以为辅佐、侍从、台谏，往往皆前日事惇、卞者，一旦势异今日，必首引之以为固位计，思之可为恸哭。异时惇、卞纵未至，一蔡京足以兼二人，可不深虑乎？’布不能从。”

五国诸部长贡于辽。

宋罢平准务。

谢举廉，字民师，新淦（今江西新干）人，谒见苏轼。苏轼有诗示之。苏过有次韵举廉诗。曾敏行《独醒杂志》卷一：“谢民师名举廉，新淦人，博学工词章，远近从之者尝数百人。民师于其家置讲席，每日登座讲书一通。既毕，诸生各以所疑来问，民师随问随答，未尝稍倦。日办时果两盘，讲罢，诸生啜茶食果而退。东坡自岭南归，民师袖书及旧作遮谒，东坡览之，大见称赏，谓民师曰：‘子之文，正如上等紫磨黄金，须还子十七贯五百。’遂留语终日。民师著述极多，今其族摘坡语，名曰《上金集》者，盖其一也。尝有稿本数册，在其婿陈良器处，予少从良器学，屡获观焉。”[思齐按：谢举廉所著《上金集》和《蓝溪集》，均已佚。《全宋诗》卷一一五〇仅录得谢民师诗三首。]

又，《苏轼诗集》卷四三《往年宿瓜步梦中得小绝录示谢民师》：“吴赛蒹葭空碧海，隋宫杨柳只金堤。春风自恨无清水，吹得东风竟日西。”苏过《斜川集》卷三《次韵谢民师》：“老鹤过海仍将雏，澹然如将没齿疏。人生如寄何足道，富贵贫贱隙白驹。漂流仅以虞夫子，饥坐弦歌古儋耳。不堪秦岭望家山，敢有玉关生入理。广文才名三十年，困穷直到寒无毡。将军夜行遭醉尉，曲逆解衣尝刺船。岂知雷雨来新渥，归路江山宛如昨。饥人但觉秕糠美，忧患始知田舍乐。梦中犹记鱼相濡，庄叟屡困监河枯。聊因兢病歌归欤，宁复灿烂悲穷途。岂知笃学真为己，不从世好惟耽此。作诗颇似建安风，取友更同鲍叔义。我闻得士朝廷尊，搢绅所寄惟斯文。象犀珠玉本安用，犹使四海争趋奔。高人处世诚难矣，绝俗惊愚空自眯。坐令瑚琏废清庙，涧毛何由荐天子。我羡平生马少游，不愿沟渎容吞舟。夜光明月请自闼，按剑或恐疑轻投。”

十一月

宋朝诏改明年为靖中建国元年。《纲鉴易知录》卷七四：“十一月，诏改元。时议以元祐、绍圣均有所失，欲以大公至正消释朋党，遂诏改明年元为建中靖国，由是邪正杂进矣。”

苏轼作《与谢民师推官书》。苏轼北归途中，行至峡山寺，作书答谢举廉，论为文之关键在于辞达。《苏轼文集》卷四九《与谢民师推官书》：“轼启：近奉违，亟辱问讯，具审起居佳胜，感谢深矣。轼受性刚简，学迂材下，坐废类年，不敢复齿缙绅。自还海北，见平生亲旧，惘然如隔世人，况与左右无一日之雅，而敢求交乎？数赐见临，倾盖如故，幸甚过望，不可言也。所示书教及诗赋杂文，观之熟矣。大略如行云流水，初无定质，但常行于所当行，常止于不可不止，文理自然，姿态横生。孔子曰：‘言之不文，行之不远。’又曰：‘辞达而已矣。’夫言止于达意，疑若不文，是大不然。求物之妙，如系风捕影，能使是物了然于心者，盖千万人而不一遇也。而况能使了然于口与手者乎？是之谓辞达。辞至于能达，则文不可胜用矣。扬雄好为艰深之词，以文浅易之说，若正言之，则人人知之矣。此正所谓雕虫篆刻者，其《太玄》、《法言》皆是类也。而独悔于赋，何哉？终身雕虫，而独变其音节，便谓之经，可乎？屈原作《离骚经》，盖风雅之再变者，虽与日月争光可也。可以其似赋而谓之雕虫乎？使贾谊见孔子，升堂有余矣，而乃以赋鄙之，至与司马相如同科！雄之陋，如此比者甚众。可与知者道，难与俗人言也。因论文偶及之耳。欧阳文忠公言文章如精金美玉，市有定价，非人所能以口舌定贵贱也。纷纷多言，岂能有益于左右。愧悚不已。所须惠力法雨堂字。轼本不善作大字，强作终不佳，又舟中局迫难写，未能如教。然轼方过临江，当往游焉。或僧有所欲记录，当作数句留院中，慰左右念亲之意。今日已至峡山寺，少留即去。愈远。惟万万以时自爱。不宣。”杨慎《三苏文范》卷十二引陈献章云：“此书大抵论文。曰‘行云流水’数语，此长公文字本色。至贬扬雄之《太玄》《法言》为雕虫，却当。”杨慎《三苏文范》卷十二引冯梦祯云：“长公论文，多以其人重。指雄为雕虫，美原之《离骚》近《风》《雅》，盖以莽大夫与沉汨罗者，忠佞何啻霄壤也。”茅坤编选《宋大家苏文忠公文钞》卷十：“此书所论文然，却是苏长公文章本色。”吕留良等《晚村精选八大家古文》：“论文到精妙处，亦唯东坡能达。”沈德潜编选《唐宋八大家文》卷二三：“贬扬以伸屈贾，议论千古。前半‘行云流水’数言，即东坡自道其行文之妙。”[思齐按：文学古籍刊行社版《经进东坡文集事略》卷四六作《答谢民师书》。]

本月，陈师道（履常）除秘书省正字。苏轼答其兄师仲（传道）简，赞其兄操守，见《苏轼文集》卷五三《答陈传道》之四。

十二月

宋诏修《国朝会要》。

京师印本《东坡集》行世。《邵氏闻见后录》卷十九：“苏仲虎言：有以澄心纸求东坡书者。令仲虎取京师印本《东坡集》诵其中诗，即书之。至‘边城岁暮多风雪，强压香醪与君别’，东坡阁笔怒目仲虎，云：‘汝便道香醪。’仲虎惊惧，久之，方觉印本误以‘春醪’为‘香醪’也。”

黄庭坚本月发戎州。临行时作诗《次韵杨明叔见饯十首》，序曰：“杨明叔从予学问，甚有成，当陆无知音，求为泸州从事而不能得。予蒙恩东归，用‘蛟龙得云雨，雕鹗在秋天’作十诗见饯，因用其韵以别。”

本年

兹综述苏轼出处。施宿《东坡先生年谱》卷下：“二月，先生以登极恩移廉州安置。同时化州别驾循州安置苏辙移永州，追官勒停人雷州编管秦观移英州，承议郎添差监复州在城盐酒税张耒通判黄州，承议郎监信州酒税晁补之佥书武宁军判官，涪州别驾戎州安置黄庭坚为宣议郎添差鄂州在城盐税。四月，先生以生皇子恩诏授舒州团练副使永州居住。又诏苏辙濠州团练副使移岳州，张耒与知州，晁补之与堂除通判，黄庭坚与奉议郎堂除佥判，秦观英州别驾移衡州，皆先生党人也。按，先生五月始被廉州之命，六月，发昌化，渡海，与秦少游别于海康。七月，至廉。八月，自廉历容、藤，与长子迈向期于广州，须骨肉至乃行。十一月，诏复朝奉郎提举成都府玉局观，在外州军任便居住。命下日已至英州，始与郑侠介夫相会于英，岁晏留韶，不发。”

黄庭坚于元符间在戎州时所作文，较著名的还有《书幽芳亭》。本年所作诗，较著名的有《再次韵兼简履中南玉三首》、《送石长卿太学秋补》。

秦观猝死于藤州。元月哲宗崩，徽宗即位，向太后临朝。苏轼内徙永州，苏辙内徙岳州居住。秦观复选德郎，放还衡州。与苏轼相会于雷州。师生相见，秦观喜而赋《江城子》（南来飞燕北归鸿），秦观又出《自作挽词》，两人啸咏而别。秦观作《和陶渊明归去来辞》，于七月起行。八月，秦观卒于藤州。

陈师道本年作诗极多。有《早春》、《徐仙书三首》、《寄酬咸平朱宣德（智叔）》、《咸平读书堂》、《绝句二首》、《春怀示邻里》、《归雁二首》、《和寇十一晚登白门》、《谢寇十一惠端砚》、《再和寇十一二首》、《与寇赵约丁堂看花以疾不赴有诗用其韵》、《和寇十一同游城南阻雨还登寺山》、《三月二十二日榴花盛开戏作绝句》、《和寇十一雨后登楼》、《答寇十一惠朱樱》、《双樱绝句》、《谢赵生惠芍药三绝句》、《寄邻绝句》、《寄寇十一》、《和酬魏衍》、《触目绝句》、《元符三年七月蒙恩复除棣学喜而成诗》、《送姚先生归宜山三绝》、《上赵使君》、《送郑祠部》、《和寇十一同登寺山》、《谢孙奉职惠胡德墨》、《登寺山》、《答寄魏衍》、《拱翠堂》、《赠田从先》、《别乡旧》、《和李使君九日登戏马台》、《与魏衍寇国宝田从先二侄分韵得坐字》、《和黄生出游三绝句》、《盘马山》、《烂石村》、《别叔父昆山丞》、《从寇生求茶库纸绝句》、《黄楼绝句》、《酬颜生惠茶库纸》、《黄楼》、《答黄生》、《寒夜》（闭户风将雨）、《赠周秀才二首》、《五字相送至湖陵》、《湖陵与刘生别》、《寄藤县李奉议》、《住雁》、《寓目》、《野望》（霜叶红于染）、《寄单州吕侍讲（希哲）》、《寄赔县姜承议》、《寄兖州张龙图（文潜）二首》、《家山晚立》、《寒夜》（一夜风澎浪）、《雁二绝句》、《山口》、《晚泊》、《夜雨》、《宿合清口》、《宿泊口》、《野望》（山开两岸柳）、《宿柴城》、《颜市阻风二首》、《晚坐》、《寒夜》（留滞常思动）、《绝句》、《礼武台坐化僧》、《晚兴》、《宿齐河》、《别刘郎》、《赵岩》、《鸡笼镇》、《除官》、《题王平甫帖》。

其中，以下诗篇比较著名：《后山诗注》卷十《春怀示邻里》：“断墙著雨蜗成字，老屋无僧燕作家。剩欲出门追语笑，却嫌归鬓逐尘沙。风翻蛛网开三面，雷动蜂巢趁两衙。屡失南邻春事约，只今容有未开花”

同卷，《归雁二首》，其一：“弧矢千夫志，潇湘万里秋。宁为宝筝柱，肯作置书邮。远道勤相唤，羁怀误作愁。聊宽稻粱意，宁负网罗忧。”其二：“作计胸怀早，为生去住频。固为阴岭雪，不尽洞庭春。巧作斜行字，催归去国人。知时如有信，决起亦相亲。”

同卷，《和寇十一晚登白门》：“重门杰观屹相望，表里山河自一方。小市张灯归意动，轻衫当户晚风长。孤臣白首逢新政，游子青春见故乡。富贵本非吾辈事，江湖安得便相忘。”

同卷，《谢赵生惠芍药三绝句》：“九十风光次第分，天怜独得殿残春。一枝剩欲簪双髻，未有人间第一人。”

《后山诗注》卷十一《和李使君九日登戏马台》：“登高能赋属吾侪，不用传杯击钵催。九日风光堪落帽，中年怀抱更登台。江山信美因人胜，黄菊逢辰满意开。二谢风流今复见，千年留句待君来。”

笺本《后山诗注》卷上《登鹊山》：“小试登山脚，今年不用扶。微微交济泺，历历数青徐。朴俗犹虞力，安流尚禹谟。终年聊一快，吾病失医庐。”

张舜民（约1034—1100）卒。《四库全书总目》卷一五四：“《画墁集》八卷。……舜民为人忠厚质直，慷慨喜论事。叶梦得《岩下放言》称其尚气节而不为名，北宋人物中殆难多数。其初从高遵裕西征灵夏，无功而还，舜民作诗有‘灵州城下千枝柳，总被官军斫作薪’，及‘白骨似沙沙似雪，将军休上望乡台。’之句，为转运判官李察所奏，谪监郴州酒税。其后起为台官，浸至通显，而议论雄迈，气不少衰。崇宁初，又以谢标讥谤坐贬。晁公武称其文豪纵有理致，最刻意于诗。晚作乐府百余篇，自序云：‘年逾耳顺，方敢言诗，百世之后，必有知音者。’其自矜重如此。周紫芝《太仓稊米集》有《书舜民集后》一篇，称世所歌东坡南迁词‘回首夕阳红尽处，应是长安’二语，乃舜民过岳阳楼作。又舜民《题庾楼》诗有‘万里秋风吹鬓发，百年人事倚栏杆’之句，世或载之东坡集中。盖由其笔意豪健，与苏轼相近，故后人不能辨别，往往误入轼集也。”

第三章

宋徽宗建中靖国元年至钦宗靖康元年（1101—1126）共26年

·引　言·

《宋大诏令集》卷二《改建中靖国元年御札》（元符三年十一月甲子）：“朕丕承祖宗，奉若天命，思建皇极，嘉靖庶邦。盖尝端好恶以示天下，本中和而立政，日慎一日，期月于兹。稽历数在躬之文，念春秋谨始之义，肇新元统，国有典常，是遵逾岁之期，以易纪年之号。岂惟昭示朕志，永绥斯民，庶几仰协灵心，导迎景福。宜自来年正月一日改为建中靖国元年。布告多方，咸体朕意，故兹札示，想宜知悉。”

《宋史纪事本末》卷五七《二帝北狩》：

钦宗建康元年（丙午，1126）十一月辛酉，帝如青城粘没喝军。先是，京城既陷，何㮚欲亲率都民巷战，金人宣言议和退师，乃止。帝闻金人欲和而退，命何㮚及济王栩使其军以请成，粘没喝、斡离不曰：“自古有南即有北，不可相无也。今之所议，期在割地而已。”戊午，何㮚还，言金人欲邀上皇出郊。帝曰：“上皇惊忧而疾，必欲之出，朕当亲往。”自乙卯雪不止，是日霁，夜有白气出太微，彗星见。庚申，日出如血，无光。辛酉，帝如青城，何㮚、陈过庭、孙傅等从，奉表请降。以金遣二酋还报云：“其主欲立贤君，宜族中别立一人为宋国主，仍去帝号。”帝默然。

十二月壬戌朔，帝留青城。粘没喝遣萧庆入城，居尚书省，检视府库帑藏，凡朝廷之事，必先关白。

癸亥，帝至自金营，士庶及太学士迎谒，帝掩面大哭曰：“宰相误我父子！”观者无不流涕。

帝诣延福宫朝太上皇，奏曰：“金人以别立贤君为言，可且以弟康王为主，以延祖宗社稷。”时康王母韦妃在侧，言曰：“金人必不止于立贤，祸有不可胜言者。”时，金遣使来索金一千万锭，银二千万锭，帛一千万匹，于是大括金银。定京师米价，劝粜以赈民，纵民伐紫筠馆花木以为薪。

丙寅，金人索京城骡马，御马而下七千匹悉归之。又索少女一千五百人，充后宫祗应，宫嫔不肯出宫，赴池水死者甚众。

遣刘韐、陈过庭、折彦质等为割地使，如河东、北，割地以畀金。又分遣欧阳珣等二十人持诏往。珣至深州城下，痛苦谓城上人曰：“朝廷为奸臣所误至此，吾已办死来矣！汝等宜勉为忠义报国！”金人怒，执送燕，焚杀之。

时范致虚会陕西兵十万人入援，至颍昌，闻汴京破，西道总管王襄南遁，致虚独与西道副总管孙昭远、环庆帅王似、西河帅王倚帅步骑号二十万，赴汴。出武关，至邓州千秋镇，金将娄室以精骑冲之，皆不战而溃。王似、王倚、孙昭远等留陕府，致虚收余兵入潼关。

二年（丁未，1127）春正月丁卯朔，帝朝太上皇于延福宫。粘没喝遣其子真珠同虏八人入贺。帝命济王栩如金营报谢。

壬辰，遣聂昌、耿南仲出割两河地降金。民坚守，不奉诏。

庚子，金人索金帛急，且再邀帝至营。帝有难色，何㮚、李若水以为无虞，劝帝行。帝乃命孙傅、谢克家辅太子监国，而与㮚、若水等复如青城。合门宣赞舍人吴革白㮚曰：“天文帝座甚倾，车驾若出，必堕虏计。”㮚不听。帝初成，百姓数万人挽车驾曰：“陛下不可出。”号泣不与行，帝亦泣下。范琼曰：“皇帝旦出，暮即返矣。”百姓投瓦砾击之，琼遂以刃断挽者之手。车驾至郊，张叔夜犹叩马而谏，帝曰：“朕为生灵之故，不得不亲往。”叔夜号恸再拜，众皆哭。帝回首以字呼之曰：“嵇仲努力！”

丙午，割地使刘韐至金营，金人使仆射韩正馆之僧舍，谓韐曰：“国相知君，今用君矣。”韐曰：“偷生以事二姓，有死不为也。”正曰：“军中议立异姓，欲以君为正代。与其徒死，不若北去取富贵。”韐仰天大呼曰：“有是乎！”乃手书片纸曰：“忠臣不事二君，必死矣！”使亲信持归，报其子子羽等，即沐浴更衣，酌卮酒而缢。燕人叹其忠，瘗寺西冈上。

帝自如青城，都人日出迎驾，粘没喝、斡离不留不遣。太学生徐揆诣南熏门，以书抵二酋，请车驾还阙，其略曰：“昔楚庄王入陈，欲以为县，申叔时谏，复封之。后世君子莫不多叔时之善谏，楚子之从谏，千百载之下，犹想其风采。本朝失信大国，背盟致讨，元帅之职也；都城失守，社稷几亡而存，元帅之德也；兵不血刃，市不易肆，生灵几死而活，元帅之仁也，离楚子存陈之功，未能有过。我皇帝亲屈万乘，两造辕门，越在草莽，国中喁喁，跂望属车之尘者屡矣。道路之言，乃谓以金银未足，故天子未返，揆窃惑之。今国家帑藏既空，编民一妾妇之饰，一器用之微，无不输之公上，商贾绝迹不来，京邑区区，岂足以偿需索之数。有存社稷之德，活生灵之仁，而以金帛之故，质留君父，是犹爱人之子弟，而辱其父祖，与不爱无择，元帅必不为也。愿推恻隐之心，存始终之惠，反其君父，班师振旅，绥以时日，使求之四方，然后遣使奉献，则楚封之功不足道也。”二酋见之，使以马载揆至军诘难，揆厉声抗论，为其所杀。

金主吴乞买得帝降表，遂废帝及太上皇帝为庶人。知枢密院事刘彦宗请复立赵氏，不许。

时金人根括津搬，络绎道路。上遣使归云：“朕拘留在此，候金银数足，方可还。”于是再增侍从郎中二十四员，再行根括，又分遣搜掘戚里、宗室、内侍、伎术之家，凡八日，得金三十万八千两、银六百万两、表段一百万，诏令权贮纳。时根括已申了绝，二月军前取过。教坊人及内侍蓝忻等言：“各有窖藏金银，乞搜出。”二酋怒甚。于是开封府复立赏限，大行根括，凡十八日，城内复得金七万、银一百四十万、表段四万，纳军前。二酋以金银不足，杀提举官梅执礼等四人，余各杖数百。乃下令曰："根括已正典刑，金银尚或未足，当纵兵。"于是再括。

丁巳，金人索郊天仪制及图籍。

戊午，金人索大成乐器、太常礼制器用以至戏玩图画等物，尽置金营，凡四日，乃止。

二月辛酉朔，帝在青城。

丙寅，金人堑南熏门路。

丁卯，金人邀上皇出城，诣军前。上皇将行，张叔夜谏曰："皇帝一出不复归，陛下不可再出。臣当率励精兵，护驾突围而出，庶几侥幸于万一。天不祚宋，死于封疆，不犹胜生陷于夷狄乎！"上皇迟疑未行，欲饮药，为范琼所夺。琼遂逼上皇与太后御犊车出宫。郓王楷及诸妃、公主、驸马、六宫有位号者皆行，独元祐皇后孟氏以废居私第获免。初，金人以内侍邓述所具诸王、皇孙、妃、主名，檄开封尹徐秉哲尽取之。秉哲令坊巷五家为保，毋得藏匿，前后凡得三千余人，秉哲率令衣袂相联属而往。

金人逼帝及上皇易服，李若水抱帝哭，诋金人为狗辈。金人曳若水出，击之，败面，气结仆地。粘没喝令铁骑十余守视之，曰："必使李侍郎无恙。"若水绝不食，或勉之曰："事无不可为者，公今日顺从，明日富贵矣。"若水叹曰："天无二日，若水宁有二主哉！"其仆亦慰解之曰："公父母春秋高，若少屈，冀得一归觐。"若水叱之曰："吾不当复顾家矣！"

金人又逼上皇召皇后、太子，孙傅留太子不遣。统制吴革欲以所募士微服卫太子溃围而出，傅不从，而密谋匿之民间，别求状类太子者及宦者二人杀之，并斩十数死囚，持首送之，绐金人曰："宦者欲窃太子出，都人争斗杀伤，误中太子，因率兵讨定，斩其为乱者以献。"苟不已，则以死继之。越五日，无肯承其事者。吴幵、莫俦督胁甚急，范琼以危言詟卫士，遂拥皇后、太子共车而出。傅曰："吾为太子傅，当同死生。"遂以留守事付王时雍，从太子出。百官军吏奔随太子号哭，太子亦呼云："百姓救我！"哭声震天。至南熏门，范琼力止傅，金门守者曰："所欲得太子，留守何预？"傅曰："我，宋之大臣，且太子傅也，当死。"随宿门下以待命。

若水在金营旬日，粘没喝召问立异姓状，若水骂之。粘没喝令拥去，若水反顾，骂益甚。监军挝破其唇，噀血复骂，至以刃裂颈断舌而死。金人相与言曰："辽国之亡，死义者十数，南朝惟李侍郎一人。"

三月丁卯朔，帝在青城。

夏四月庚申朔，金人以二帝及太妃、太子、宗戚三千人北去。斡离不胁上皇、太后与亲王、皇孙、驸马、公主、妃嫔及康王母韦贤妃、康王夫人邢氏等由滑州去，粘没喝以帝、后、太子、妃嫔、宗室及何㮚、孙傅、张叔夜、陈过庭、司马朴、秦桧由郑州去，而归冯澥、曹辅、路允迪、孙觌、张澄、谭世绩、汪藻、康执权、元可当、沈晦、黄夏卿、邓肃、郭仲荀等于张邦昌。百官遥辞二帝于南熏门，众痛哭，有仆绝者。凡法驾、卤簿、皇后以下车辂、卤簿、冠服、礼器、发物、大乐、教坊乐器、祭器、八宝、九鼎、圭璧、浑天仪、铜人、刻漏、古器、景灵宫供器，太清楼、秘阁、三馆书，天下府、州、县图及官吏、内人、内侍、伎艺工匠、倡优、府库蓄积，为之一空。

上皇离青城，顶青毡笠，乘马，后有监军随之。自郑门而北，每过一城，辄掩面号泣。至代，工部员外郎滕茂实号泣迎谒，茂实盖尝副路允迪出使者。粘没喝逼茂实胡服，茂实力拒之。茂实请侍旧主俱行，粘没喝不许。帝遂由代渡太和岭至云中。

初，张叔夜闻金人议立异姓，谓孙傅曰："今日之事，有死而已。"移书二酋，请立太子以从民望。二酋怒，追赴军中，被掳北去。叔夜在道中，惟时饮水。度白沟，御者曰："过界河矣。"叔夜乃矍然起，仰天大呼，遂不复语，扼吭而死。何㮚、孙傅至燕山，亦相继死。

金人以太上皇及帝以素服见阿骨打庙，遂见金主于乾元殿。金主封太上皇为昏德公，帝为重昏侯。未几，徙之韩州。令下之后，尽空其城，命晋康郡王孝骞等九百余人至韩州同处，给田十五顷，令种莳以自给。惟秦桧不与徙，依挞懒以居，挞懒亦厚待之。

[思齐按：以上俱为原文，因文章长而段落多，故未于首尾两端加引号。]

《宋史》卷二二《徽宗本纪赞》："迹徽宗失国之由，非若晋惠之愚、孙皓之暴，亦非有曹、马之篡夺，特恃其私智小慧，用心一偏，疏斥正士，狎近奸谀。于是蔡京以獧薄巧佞之资，济其骄奢淫佚之志。溺信虚无，崇饰游观，困竭民力。君臣逸豫，相为诞谩，怠弃国政，日行无稽。及童贯用事，难产、勤远，稔祸速乱。他日国破身辱，遂与石晋、重贵同科，岂得诿诸数哉！昔西周新造之邦，召公犹告武王以不作无益害有益，不贵异物贱用物，况宣、政之为宋，承熙、丰、绍圣椓丧之余，而徽宗又躬蹈二事之弊乎？自古人君玩物而丧志，纵欲而败度，鲜不亡者，徽宗甚焉。故特著以为戒。"

夏文彦《图绘宝鉴》卷三："徽宗万机之暇，惟好书画，兴学校艺，如取士法。丹青卷轴，具天纵之妙，有晋唐风韵。尤善墨花石，作墨竹，紧细不分，浓淡一色。焦墨聚密，微露白道，自成一家，不蹈袭古人轨辙。尤注意花鸟，点睛多用墨漆，隐然豆许，高出缣素，几欲活动。画后押字用'天水'及'宣和'、'政和'小玺志，或用瓢印虫鱼篆文。"

张宁《宋徽宗诗画跋》："徽宗优于翰墨，其所画多山林物致，与此卷类，诗亦殊有荒闲衰谢之思，岂心画所形，遂成诗画谶哉！人君一日万机，而能游心文艺，过于声色淫巧远矣，第不如明良之歌、山龙之绘为更重大耳。此所以为元主所诮也。"

爱新觉罗弘历《宋徽宗》："多能无不精，君道失之深。亲邪如弗胜，去正曾莫谂。党祸过汉唐，贤臣都在禁。锐意文太平，天神欺已甚。艮岳纲花石，红熏依碧沁。是皆足乱国，那更开边祲。童贯明攻辽，马政暗通金。既复背金盟，南侵流血浸。北宋匪亡钦，致亡徽合任。"

《宋稗类钞》卷二："徽宗登极之初，皇嗣未广。有方士言京城东北隅地协堪舆，但形势稍下。倘稍增高之，则皇嗣繁衍矣。上遂命培其冈阜，使稍加于旧，而果有多男之应。自后海内乂安，朝廷无事，上颇留意苑囿。政和间，遂即其地大兴工役。筑山号寿山艮岳。命宦者梁师成专董其事。时有朱勔者，取浙中珍异花木竹石以进，号曰花石纲。专置应奉局于平江，所费动以亿万计。调民搜岩剔薮，幽隐不置。异花异木，曾经黄封，护视稍不谨，则加之以罪。斫山辇石，虽江湖不测之渊，力不可致者，百计以出之，至名曰神运。舟楫相继，日夜不绝。广济四指挥，尽以充挽士，犹不给。时东南监司郡守，二广市舶，率有应奉。又有不待旨，但进物至都，计会宦者以献者。大率灵壁太湖诸石，二浙奇竹异花，登莱文石，湖湘文竹，四川佳果异木之属，皆越海渡江，凿城郭而至。后上亦知其扰，稍加禁戢，独许朱勔及蔡攸入贡。竭府库之积聚，萃天下之技艺，凡六载而成，亦呼为万岁山。奇花美木。珍禽异兽，莫不毕集。飞楼杰观，雄伟瑰丽，极于此矣。越十年，金人攻城。大雪盈尺，诏令民任便斫伐为薪。是日百姓奔往，无虑十万人。台榭宫室，悉皆拆毁，官不能禁也。”

《宋史》卷二三《宋钦宗本纪赞》：“帝在东宫，不见失德。及其践祚，声技音乐一无所好。靖康初政，能正往黼、朱勔等罪而窜殛之，故金人闻帝内禅，将有卷甲北旆之意矣。惜其乱势已成，不可救药。君臣相视，又不能同力协谋，以济斯难，惴惴然媾和之不暇。卒致父子沦胥，社稷芜茀。帝至于是，盖亦巽懦而不知义者欤！享国日浅，而受祸至深，考其所自，真可悼也夫！真可悼也夫！”

李纲《渊圣皇帝东宫赐詹事李诗御书跋尾》：“渊圣皇帝毓德东宫，十有一年，仁孝恭俭，敷文四方，平居无所嗜好。惟以文翰自娱，未尝暇逸，观所书《道德经》、少陵诗与太子詹事李诗帖，其玩意篇籍，尊礼师傅，谦光日新之德，可谓盛矣。使当承平，为继体守文之主，周之成康、汉之文景，何以远过？惜乎炎运中微，金人孔炽，嗣大宝于国步艰难之中，谋夫不臧，卒蒙大难。此忠臣义士所以夙夜痛心而泣血也。岁在丙辰，臣蒙恩来帅豫章，僚属许忻出前数书相示，翰墨之如新，想威颜之在望，怅日月之易逝，悼銮舆之未还，感愤激切，不知所云。绍兴六年七月二十二日，具位臣李纲谨跋。”

楼钥《恭题钦宗御画十八学士图》：“呜呼，钦宗游戏翰墨而为此，固为万世法。由今观之，岂不为臣子万世之痛哉？抑闻后世人君能用材者无如太宗，然许敬宗乃得预，议者谓如摘瓜手耳，取之既多，其中不容无滥。此又足为世戒。故并载之。”

王夫之《宋论》卷八《徽宗》一：“徽宗之初政，灿然可观，韩忠彦为之，而非韩忠彦之能为之也。未几而向后殂，任伯雨、范纯礼、江公望、陈瓘以次废黜，曾布专，蔡京进，忠彦且不能安其位而罢矣。锐起疾为而不能期月守，理乱之枢存乎向后之存没，忠彦其能得之于徽宗乎？循已覆之轨者倾，仗非其所仗者踬。以仁宗之慈厚居心，而无旁窥怀妬之小人，然且刘后殂，而张耆、夏竦不能复立于廷，王德用、章德象以与刘后异而急庸。若高后晨陨，群奸夕进，攻击元祐，不遗余力，前事之明鉴，固忠彦等所在目方新者。仍拥一母后以取必于盛年佻达之天子，仗者非所仗也。则邢恕、章惇、蔡卞虽已窜死，岂无继者？祸烈于绍圣，而朕士播弃终身，以恣噂沓之狂夫动摇社稷，后车之覆，甚于前车，亦酷矣哉？”

王夫之《宋论》卷九《钦宗》一：“靖康之祸，则王安石变法以进小人，实为其本。而蔡京之进，自以书画玩好介童贯投徽宗之好，因躐大位，引群小导君于迷，而召外侮。其以绍述为名，奉安石为宗主，绘形馆阁、配食孔庙者，皆假之以弹压众正，售其佞幸之私而已矣。夫安石之修申、商之术，以渔猎天下者，固期以利国而居功，非怀私而陷主于淫惑，此其不可诬者也。安石之志，岂京之志，京之政，抑岂安石之政哉？故当靖康之初，欲靖内以御外，追其祸本，则蔡京、王黼、童贯、朱勔乱于朝，开衅于边，允当之矣。李邦彦、白时中、李棁、唐恪之流，尸位政府，主张割地，罢入卫之兵，撤大河之防者，皆京、贯辈同气相求、因缘以进者也。出身狭邪，共习嬉淫，志茶气枵，抱头畏影，而蕲以苟安，岂复之有安石之所云云者？师京、贯之术，以处凶危，技尽于请和，以恣旦夕之佚乐而已。京、贯等虽渐伏其罪，而所汇引之宵人，方兴未殄。则当日所用为国除奸者，唯昌言京、贯之为祸本，以斥其党类，则国本正，而可进群贤以决扶位定倾之大计，唯此而可以为知本矣。骨已冷，党已散，法已不行，事势已不相谋之安石，其为得为失，徐俟之安平之后而追争之，未为晚也。舍当前腹心之蛊，究以往谋蘖之生，龟山、崔鶠等从而和之，有似幸国之危以快其不平之积者。而政本之地丛立者皆疲茸淫荡之纤人，顾弗问也。则彼且可挟安石以自旌曰：'吾固临川氏之徒也。弹射我者，元祐之苗裔，求伸其屈者，非有忧国之忧者也。'荧主听，结朋党，固宠利，坏国事，恶能复禁哉?"

关于江西诗派，陆九渊《陆象山全集》卷七《与程帅》写道："伏蒙宠贶《江西诗派》一部二十家，异时所欲寻绎而不能致者，一旦充室盈几，应接不暇，名章杰句，焜耀心目，执事之赐，伟哉！诗亦尚矣，原于《赓歌》，委于《风》《雅》，《风》《雅》之变，壅而溢焉者也。湘累之《骚》，又其流也。《子虚》、《长杨》之赋作，而《骚》几亡矣。黄初而降，日以澌薄。唯彭泽一源，来自天稷，与众殊趣，而淡泊平夷，玩嗜者少。隋、唐之间，否亦极矣。杜陵之出，爱君悼时，追蹑《骚》《雅》，而才力宏厚，伟然足以镇浮靡，诗家为之中兴。自此以来，作者相望。至豫章而益大肆其力，包含欲无外，搜抉欲无秘，体制通古今，思致极幽眇，贯穿驰骋，工力精到，一时如陈、徐、韩、吕、三洪、二谢之流，翕然宗之，由是江西遂以诗社名天下，虽未极古之源委，而其植立不凡，斯亦宇宙之奇诡也。开辟以来，能自表见于世若此者，如优昙花时一现耳，曾无几时，而篇帙寖就散逸，残编断简，往往下同会之籍，放弃于鼠壤酱瓿，岂不悲哉！网罗搜访，出隋珠和璧于草莽泥滓之中，而登诸箧椟，干霄照乘，神明焕然。执事之功，何可胜赞。是诸君子亦当相与舞抃于斗牛之间，揖箕翼以为主人寿。某亦江西人也，敢不重拜光宠。"

关于二陈，胡应麟《诗薮》外编卷五写道："二陈五言古皆学杜，所得惟粗强耳，其沉郁雄丽处，顿自绝尘。无己复参鲁直，故尤相去远。"又，"宋之学杜者，无出二陈：师道得杜骨，与义得杜肉；无己瘦而劲，去非赡而雄；后山多用杜虚字，简斋多用杜实字。"

关于三洪（四洪）兄弟，黄庭坚《洪氏四甥字序》写道："洪氏四甥，其治经皆承祖母文城君讲授。文城贤智，能立洪氏门户，如士大夫，盖尝以义训甥之名曰朋、刍、炎、羽，其友为之易名，往往不似经意，舅黄庭坚为发其蕴而字之。江发岷山，其盈滥觞，及其至于楚国，万物并流，非夫有本而溢之者众邪？夫士也不能自智，其灵龟好贤乐善，以深其内，则十朋之龟，何由至哉！故朋之字曰龟父。秋黄騄耳之驹，一秣千里，御良而志得，食君场苗，蹇蒙同轩，其在空谷，生刍一束，不知场谷之美也。能仕能止惟其才，可仕可止惟其时，何常之有哉？故刍之字曰驹父。火炎高丘，珉石共尽，和氏之璞，王者之器，温润而泽，晏然于焚如之时，盖火不炎无以知玉，事不难无以知君子，故炎之字曰玉父。鸿云飞而野啄，去来不缪其时，非其意不自下，故其羽可用为仪，非夫好高之士，操行洁于秋天，使贪夫清明，懦夫激昂者何足以论鸿之志哉！故羽之字曰鸿父。既字之，又告之曰：曾子曰：'未得君而忠臣可知者，孝子也；未有治而能仕可知者，修士也。'二三子舍幼志然后能近老成人，力学然后切问，学问之功有加，然后乐闻过。乐闻过，然后执书册以见古人，执柯以伐柯，古人岂真远哉？"陈振孙《直斋书录解题》卷二十："《西渡集》一卷。……洪氏兄弟四人，其母黄鲁直之妹，不淑早世，所为赋《毁璧》者也。龟父举进士不第。其季羽、鸿父坐上书元符入籍，终其身。刍、炎皆贵，而刍靖康失节贬废。羽诗不传。"姚勉《书洪玉父奏稿后》："江西龟、驹、玉、鸿之四洪，犹江东封、胡、羯、末之四谢也。生恨晚，不及识前贤。宝祐癸丑，幸得与徽献公四世子孙述为同年生，暇日出公在思陵时奏稿，某拜手读，曰：噫！此前辈文章也。意忠实而语精简，今之葩华其文以举子策体为奏对者，视此愧矣。里后学姚某谨书。"《四库全书总目》卷一五六："《西渡集》两卷、《补遗》一卷。……炎与兄朋、刍、弟羽，号曰'四洪'。皆黄庭坚之甥，受诗法于庭坚。羽元符中以上书入党籍，不幸早卒，篇章散佚，故吕本中《江西宗派图》仅列刍、炎、朋三人。"

关于二林兄弟（林敏功、林敏修），《江西诗派小序·二林》写道："二林诗极少，曾端伯作《高隐小传》，云有诗文百二十卷，今所存十无一二。兄弟皆隐君子，不但以诗重。"《江西诗社宗派图录·林敏功林敏修》："敏功，字子仁，蕲春人。年十六，预乡荐，下第归，叹曰：'轩冕富贵，非吾愿也。'杜门不出者三十年。弟敏修，字子来。俱以诗赋相高。元符末，蔡远度荐之，累征不起。政和中，赐号高隐处士。子仁《寄均父诗》'饶三落拓我迂疏'，饶三指德操也，子仁殆借以自况焉耳。山谷《寄立之》云：'林处士诗甚佳，碧落碑屋赝本也。'二林诗文凡千余篇，号《松坡集》。"

关于三僧（饶节、祖可、善权），《江西诗派小序·三僧》写道："三僧中，如璧诗轻快似谢无逸，亦欠工。祖可熟读书，诗料多，无蔬笋气，僧中一角麟也。善权与可相上下。"《瀛奎律髓汇评》卷四七善权《寄致虚兄》："方回评曰：江西派中三僧：倚松老人饶德操，僧号如璧，诗最高，足与吕居仁对垒。祖可正平，善权巽中，二人齐名，世称瘦权、癞可。"又，任渊注《后山诗注》卷十二《和饶节咏周昉画李白真》："君不见，浣花老翁醉骑驴，熊儿捉辔骥子扶。金华先伯哦七字，好事不复千金摹。青莲居士亦其亚，斗酒百篇天所借。英姿秀骨尚可似，逸气高怀那得画。周郎韵胜笔有神，解衣磐礴未必真。一朝写此英妙质，似悔只识如花人。醉色欲尽玉色起，分明尚带金井水。乌纱白纻真天人，不用更着山岩里。平生潦倒饱丘园，禁省不识将军尊。袖手犹怀脱靴气，岂是从来骨相屯。仰视云空鸿鹄举，眼前纷纷那得顾。是非荣辱不到处，正恐朝来有新句。勿言身后不要名，尚得吴侯费百金。江西胜士与长吟，后来不忧身陆沉。"

关于二谢兄弟（谢逸、谢薖），陈师道《送黄生兼寄二谢二首》之二写道："城西梁谢俱能文，穰丞精悍吾所闻。每读吾诗得人意，使不能文已可人。我昔谢公门下士，早年妄作功名意。如今老寄颍河东，九泉虽深愧此公。"（任渊注《后山诗注》卷三）《江西诗社宗派图录·谢逸谢薖》："逸字无逸，临川人，布衣而名重缙绅。……从弟邁，字幼盘，食贫嗜古，乐志不仕，自号竹友，以诗文媲美其兄，世称‘二谢’。居仁云：‘谢康乐诗规模宏大，为一世冠，玄晖诗清新独出，又自有过人者。无逸似康乐，幼盘似玄晖，真足追配古人。’山谷读其《与老仲元》诗，大惊曰：‘使在馆阁，晁张流也，恨未识之耳。’一日惠洪过溪堂，见无逸所居一室，生涯如庞蕴，少君方炊，稚子宗野汲水，无逸诵书扫除，见师放帚，大笑曰：‘聊复尔耳。’相与饭菽，作偈而还。朱世英闻而和之。东邻有宁生者，年二十余，以镂刻佛像为业。俄游京师，因其役得将士郎归家，日华裾细马，闾里聚观，门弟子不怿者累月，岂非伤无逸负出世之才，年未五十，一命不沾而殒，曾宁工之不若乎？噫唏，不识天下之为宁工者比比也。崇观间，欲求二谢之高风劲节，当世有几人哉？《溪堂》、《竹友》二集，系门人所编，长短句尤天然工妙，今诗余所载，仅剑首一吷耳。”

关于二潘，张耒《柯山集》卷十八《潘大临文集序》写道：“士有闻道于达者，一会其意，涣然不疑，师其道，治其言，终身守之而不变，甚者或因是以取谤骂悔吝，而不悔其心，视世之乐无足以易之者，亦可谓有志之狷士矣。彼其心以为不有得于今，必有知于后，故甘心而不辞。夫既已尽弃世俗目前之所乐，而独待乎寂寥不可知之后世，则亦可悲矣。予友潘大临，字邠老其人也。邠老故闽人，后家黄州。崇宁中，予以罪谪黄州，与邠老为邻。邠老少学为人，则已不能合其乡人，众不悦之。邠老独与当世知名者游，往往屈辈行与之交。尝举于有司，与千百人偕进偕退，无知其才而力振之于困者。后予蒙恩去黄，居于淮阴，闻邠老客死蕲春，予为之太息出涕。政和之初，邠老之子憨既免丧，拜予于宛丘，出其先人之文章若干卷，求予为序。予知邠老为详，义不得辞，而自视亦世之穷士也，其势力何足振邠老于无闻，未必不夺邠老之文而并弃之也，而邠老生死之不遇如此。”又，张耒《戏二潘》：“眊矂柯山客，还家只醉眠。桂堂浑忘却，蝉室故依然。未用临书卷，聊因办酒钱。所欣家有弟，乡校首称贤。”《江西诗社宗派图录·潘大临潘大观》：“潘大临字邠老，黄冈人，才性明敏，凡经史百家之书，无不融贯，善属文，而尤匠心于诗。元丰中，寓齐安，得句法于坡公。次弟大观，字仲达。俱以词翰名家。山谷诵其五言句，觉翰墨之气如虹，犹足贯日。”

关于陈与义，葛胜仲《陈去非诗集序》写道：“世言诗能穷人。唐李太白号谪仙，然以乐府忤妃子，卒阨穷不振。刘梦得坐种桃句，黜刺连州。白乐天坐《新井》篇，黜佐湓浦。孟浩然、贾浪仙辈俱有能诗声，然以诗忤明皇、宣宗，终坎壈州县。故言诗能穷人者，取是为左验。予谓诗非惟不能穷人，且能达人。今夫穷阎挟策之士，生右文世，病碌碌无以自表见尔，使其能以词艺达细毡之视，而被华衮之褒，则途辙之升，一岁九迁不为锐，孰谓诗人例当穷哉。参知政事西洛陈公讳与义，少踔厉不群，篇籍之在世者无不读，既读辄记不忘。政和三年以上舍解褐，分教辅郡，益沉酣书传，大肆于诗文。天分既高，用心亦苦，务一洗旧常畦径，意不拔俗，语不惊人，不轻出也。宣和中，徽宗皇帝见其所赋《墨梅》诗，善之，亟命召对，有见晚之嗟。遂登册府，擢掌符玺，向进用矣。会兵兴抢攘，避地湘广，泛洞庭，上九疑、罗浮，虽流离困阨，而能以山川秀杰之气益昌其诗，故晚年赋咏尤工。缙绅士庶争传诵，而旗亭传舍摘句题写殆遍，号称‘新体’。今天子梦想名士，以台郎召还，以诗文被简注，遍掌内外翰，无几何，遂以器业预政。所谓诗能达人，公殆其一也。彼有旌‘殿阁微凉’

之句而亲题禁苑，赏‘春城飞花’之句而擢守宣城者，诚么么不足道。”

关于徽宗皇帝，《纲鉴易知录》卷七四写道：“徽宗皇帝，名佶，神宗第十一子。初封端王。哲宗无嗣，向太后立之。在位二十五年，为金人所虏，寿五十四岁而殂。帝机巧多技，大兴土木，穷极淫乐，天变民怨。盗贼虽平，反复不省，屏忠任奸，约金灭辽，寻为金欺，虏帝北行，封昏德公，殂五国城。”

公元 1101 年（宋徽宗赵佶建中靖国元年　辽寿昌七年、天祚帝耶律延禧乾统元年　夏永安三年　辛巳）

正月

范纯仁（1027— 1101）卒。《纲鉴易知录》卷七四：“高平公范纯仁卒。纯仁疾革，口占遗表，劝帝清心寡欲，约己便民，绝朋党之论，察邪正之归，毋轻议边事，易逐言官，辨明宣仁诬谤。且云：‘盖尝先天下而忧，期不负圣人之学，此先臣所以教子，而微臣资以事君者也。’卒，赠开府仪同三司，谥忠宣。纯仁性夷易宽简，不以声色加人，谊之所在，则挺然不少屈。尝曰：‘吾平生所学，得之忠恕二字，一生用不尽，以至立朝事君，接待僚友，亲睦宗族，未尝须臾离此也。’每戒子弟曰：‘人虽至愚，责人则明。虽有聪明，恕己则昏。苟能以责人之心责己，恕己之心恕人，不患不至圣贤地位也。’”又，《四库全书总目》卷一五三：“《忠宣文集》二十卷、《奏议》二卷、《遗文》一卷、《附录》一卷、《补编》一卷，两淮马裕家藏本。……文集凡二十卷，前五卷为诗，后十二卷皆杂文，其末三卷为国史本传及李之仪所撰行状，皆其侄孙之柔刊集时所附入也。前有嘉定五年楼钥序，后有之柔及知永州沈圻、廖视、永州教授陈宗道四跋。又《奏议》二卷，自治平元年为殿中侍御史，至元祐八年再相，前后所奏封事凡七十三首。又《遗文》一卷，载纯仁文七首，附以其弟纯礼文二首、纯粹文十九首，乃其裔孙能浚据旧本重加删补。又《附录》一卷，为诸贤论颂十三首。《补遗》一卷，载纯仁尺牍一首，附以制词题跋等十二首，亦能浚所编定。”

辽道宗（耶律洪基，1032—1101）卒。《纲鉴易知录》卷七四：“辽耶律洪基死，孙延禧立。是为天祚皇帝，［二月］改元乾统。”又，《辽史》卷二六《道宗本纪赞》：“道宗初即位，求直言，访直道，劝农兴学，救灾恤患，灿然可观。及乎谤讪之令既行，告讦之赏日重，群邪并兴，谗巧竞进，贼及骨肉，皇基寖危，众正沦胥，诸部反侧，甲兵之用无宁岁矣。一岁而饭僧三十六万，一旦而祝发三千，徒勤小惠，蔑计大本，尚足于论治哉！”

宋财政吃紧，入粟可注官。《续资治通鉴》卷八七：“己卯。命河、陕募人入粟，免试注官。”

苏轼作过岭诗。月初，发南雄州。至大庾岭，抵龙光寺，留诗珪首座。赠岭上老人诗。岭上梅花已经开过，赋诗。《苏轼诗集》卷四五《东坡居士过龙光，求大竹做肩舆，得两竿。南华珪首座方受请为此山长老，乃留一偈院中，须其至授之，以为他时语录中第一句》：“斫得龙光竹两竿，持归岭北万人看。竹中一滴曹溪水，涨起西江十八湾。”同卷，《赠岭上老人》：“鹤骨霜髯心已灰，青松合抱手亲栽。问翁大庾岭头住，曾见南迁几个回?”同卷《赠岭上梅》:“梅花开尽百花开,过尽行人君不来。不趁青梅尝煮酒,要看细雨熟黄梅。”苏轼至岭巅,见从前题诗,触景生情,次韵一首,寓召用之望。《苏轼诗集》卷四五《余昔过岭而南,题诗龙泉钟上,今复过而北,次前韵》:“秋风卷黄落,朝雨洗绿净。人贪归路好,节近中原正。下岭独徐行,艰险未敢忘。遥知叔孙子,已致鲁诸生。”过岭之后,复赋诗章。《苏轼诗集》卷四五《过岭二首》,其一:“暂住南冠不到头,却随北雁与归休。平生不作兔三窟,今古何殊貉一丘。当日无人送临贺,至今有庙祀潮州。剑关西望七千里,乘兴真为玉局游。”其二:“七年来往我何堪,又试曹溪一勺甘。梦里似曾迁海外,醉中不觉到江南。波生濯足鸣空涧,雾绕征衣滴翠岚。谁遣山鸡忽惊起,半岩花雨落毵毵。”初五日,至南安。在南安,遇刘安世(器之)。时已精力不济,鬓发脱尽。中旬,离开南安。十五日后,至浮石,留题显圣寺。《苏轼诗集》卷四五《留题显圣寺》:“渺渺疏林集晚鸦,孤村烟火焚王家。幽人自种千头橘,远客来寻百结花。浮石已干霜后水,焦坑闲试雨前茶。只疑归梦西南去,翠竹江村绕白沙。”同卷,《予初谪岭南,过田氏水阁,东南一峰,丰下锐上,里人谓之鸡笼山,予更名独秀峰。今复过之,戏留一绝》:“倚天蟾绝玉浮图,肯与彭郎作小姑。独秀江南知有意,要三二别四三壶。”

苏轼作虔州诗。下旬,苏轼至虔州。以赣水不足,乃少留,作诗较多。其中,较著名的如下:

《苏轼诗集》卷四五《郁孤台(自注:再过虔州,和前韵)》:“吾生如寄耳,岭海亦闲游。赣石三百里,寒江尺五流。楚山微有霰,越瘴久无秋。望断横云峤,魂飞咤雪洲。晓钟时出寺,暮鼓各鸣楼。归路迷千嶂,劳生阅百州。不随猿鹤化,甘作贾胡留。只有貂裘载,犹堪买钓舟。”同卷,《虔守霍大夫、监郡许朝奉见和,复次前韵》:“大邦安静治,小院得闲游。赣水雨已涨,廉泉春未流。同烹贡茗雪,一洗瘴茅秋。秋思生莼鲙,寒衣待橘洲。扬雄未有宅,王粲且登楼。老景无多日,归心梦几州。敢因逃酒去,端为和诗留。旧箧藏新语,清风自满舟。”同卷,《次韵阳行先(自注:用郁孤台韵)》:“室空惟法喜,心定有天游。摩诘原无病,须洹不入流。苦嫌寻直枉,坐待寸田秋。虽未麒麟阁,已逃鹦鹉洲。酒醒风动竹,梦断月窥楼。众谓元德秀,自称阳道州。拔葵终相鲁,辟谷会封留。用舍俱无碍,飘然不系舟。”

黄庭坚作文《题魏郑公砥柱铭后》。文曰:“余平生喜观《贞观政要》,见魏郑公之事太宗,有爱君之仁,有责难之义,其智足以经世,其德足以服物,平生欣慕焉。吾友杨明叔,知经术,能诗,善属文,为吏干公家如己事,持身洁清,不以夏畦之面事上官,不以得上官之面陵其下,可告以魏政公之事业者也,故书此铭遗之。置砥柱于座旁,亦自有味。刘禹锡云:‘世道剧颓波,我心如砥柱。’夫随波上下,若水中之凫,既不可以为人师表,又不可以为人臣作则,砥柱之文在旁,并得两师焉。虽然,持砥柱之节以事人,上官之所不悦,下官之所不附,明叔亦安能病此而改其节哉!建中靖国元年正月庚寅,系船王市,山谷老人烛下书,泸州史子山请镵诸石。”庚寅,二十九日。

二月

辽改元乾统。《续资治通鉴》卷八七："壬辰朔。辽改元乾统，大赦。诏为耶律伊逊所诬陷者，复其官爵；籍没者，出之；流放者，还之。"

宋增河北边境储备。《续资治通鉴》卷八七："乙巳。出内库及诸路常平钱各百万，备河北边储。"

三月

李清照本年十八岁，在汴京适赵明诚。新婚燕尔，李清照作词《减字木兰花》："卖花担上，买得一枝春欲放。泪染轻匀，犹带彤霞晓露痕。　怕郎猜道：奴面不如花面好。云鬓斜簪，徒要教郎比并看。"又作词《浣溪沙》："绣面芙蓉一笑开。斜飞宝鸭衬香腮。眼波才动被人猜。　一面风情深有韵，半笺娇恨寄幽怀。月移花影约重来。"明·赵世杰《古今女史》卷十二："摹写娇态，曲尽如画。"婚后，夫妇志同道合，共赏文物。

五月

苏颂（1020—1101）卒。二十日，苏颂卒于润州。汪藻《浮溪集》卷十七《苏魏公文集序》："所贵于文者，以能明当世之务，达群伦之情，使千载之下，读之者如出乎其时，如见其人也。若乎善立言者不然，文虽同乎人，而其所以为文，有非人之所得而同者。孟子七篇之书，叙战国诸侯之事，与夫梁齐君臣之语，其辞极于辩博，若无以异乎战国之文也。扬子之书数万言，言秦汉之际为最详，简雅而闳深，若无以异乎西汉之文也。至其推性命之隐，发天人之微，粹然一归于正，使学者师用，比之六经，则当时所谓仪、秦、杜钦辈，岂惟无以望其门墙，殆冠履之不侔也。宋兴百余年，文章之变屡矣。杨文公倡之于前，欧阳文忠公继之于后，至元丰、元祐间，斯文几于古而无遗恨矣，盖吾宋极盛之时也。于是丞相魏国苏公出焉，以博学洽闻，名重天下者五十余年，卒用儒宗位宰相，一时高文大册，悉出其手。故自熙宁以来，国家大号令，朝廷大议论，莫不于公文见之。然公事四帝，以名节始终，其见于文者，岂空言哉？论政之得失，则开陈反复，而极于忠。论民之利病，则援据该详，而本于恕。有所不言则已，既言于上矣，举天下荣辱是非莫能移其所守。可谓大臣以道事君者也。若其讲明经术之要，练达朝廷之议，下至百家九流，律历方技之书，无不探其源，综其妙者，在公特余事耳。此所以一话言，一章句，皆足以垂世立教，革浇浮而已媮薄，与轲、雄之书，百世相望，而非当时韩墨名家者所能仿佛也。公元丰中，受诏为《华夷鲁卫录》，书成，序之以献。神宗读之曰：'说卦文也。'今考其书，信然，则公之他文可知矣。公殁四十年，公之子携，始克集公遗文，得诗若干，表奏章疏志铭杂说若干，使藻预观焉。藻少习公文，以不获拜公为恨者也。今乃尽得其书读之，可谓幸也。故谨识其端，而归其书于苏氏。绍兴九年三月十五日，显谟阁学士左中大夫提举江州太平观汪藻序。"

辽天祚帝（耶律延禧）即位。《续资治通鉴》卷八七："辽主初立，即罢围场之禁。宋魏国王和啰噶（旧作和鲁斡，今改）请曰：'天子巡幸为大事，虽在谅闇，不可废也。'辽主以为然，复命有司从备巡幸。六月庚寅朔，辽主如庆州。戊戌，辽以南府宰相额特勒（旧作斡特剌，今改）兼南院枢密使。庚子，辽上道宗尊谥曰仁圣大孝文皇帝，追谥懿德皇后为宣懿皇后。壬寅，辽以宋魏国王和啰噶，为天下兵马大元帅。”

七月

阻卜、铁骊贡于辽。

苏轼（1037—1101）**卒**。二十八日，苏轼卒。卒前，苏轼思念弟辙。诸子、维琳、钱世雄在侧。遗言葬汝州。

黄庭坚《上苏子瞻书》。书曰：“庭坚齿少且贱，又不肖，无一可以事君子，故尝望见眉宇于众人之中，而终不得备使令于前后。伏惟阁下学问文章，度越前辈；大雅岂弟，博约后来；立朝以直言见排摈，补君辄上最课，可谓声实于中，内外称职。凡此数者，在人为难兼，而阁下所蕴，海涵地负，此特所见于一州一国者耳。惟阁下之渊源如此，而晚学之士不顾亲炙光烈，以增益其所不能，则非人之情也。借使有之，彼非用心于富贵荣辱，故日暮计功，道不同不相为谋；则愚陋是已，无好学之志，‘訑訑于既已知之’者耳。庭坚天幸，早岁闻于父兄师友，已立乎二累之外；独未尝得望履幕下，以齿少且贱，又不肖耳。知学以来，又为禄仕所縻，闻阁下之风，乐得教而未尝得者也。今日窃食于魏，会阁下开幕府在彭门，传音相闻，阁下又不亦未尝及门过誉斗筲，使有黄钟大吕之重。盖心亲则千里晤对，情异则连屋不相往来，是理之必然者也，故敢坐通书于下执事。夫以少事长，士交于大夫，不肖承贤，理故有数，似不当如此。恭惟古之贤者，有以国士期人，略去势位，许通书者，故窃取焉。非阁下之岂弟，单素处显，何特不可，直不敢也，仰冀知察。故又作《古风》诗二章，赋诸从者。《诗》云：‘我思古人，实获我心。’心之所期，可为知者道，难为俗人言，不得于今人，故求之古人中耳。与我并世，而能获我心，思见之心，宜如何哉！《诗》云：‘既见君子，我心写矣。’今则未见而写我心矣！春候暄冷失宜，不审何如？伏祈为道自重。”

茅维《万历本宋苏文忠公全集叙》：“自古文士之见道者，逼退眉山苏长公其人，读其文而可概也。在昔论文者，咸以梁《昭明文选》为指南，而长公独非之。盖其书出，而士习益趋于文，而文日降。譬之曦薄虞渊，驳泄尾闾，质丧旨淆，莫之能挽者。以隋炀之不君，特患文之无节，史氏嘉之，殆骎骎乎启唐风之一变。五季承唐之靡，而宋复振智，以绍唐之元和。其间庐陵先鸣，而眉山、南丰为辅。卒之世人所附，萃于长公，而庐陵不自功矣。然文之变也，变则创，创则离，离其章而壹其质，是为唐宋之复古。故狗名之士，求其离而瑕之，哓哓然援古以自多，将谓越唐、宋而逼秦、汉，其合者直章焉尔，而质不唐、宋若也，奚其古？先大夫患之，辑唐、宋八家行于世，而眉山氏居其三。则尝授诸维曰：‘吾以长公合八家，姑举其要，要以长公成一家，必举其赢，然吾已矣，小子维识之。’昔长公被逮于元丰间，文之秘者，朋游多弃去，家人恐怖而焚之者，殆无算。逮高宗嗜其文，汇集而陈诸左右，逸者不复收矣。迄今遍搜楚、越，并非善本，既嗟所缺，复憾其讹。丐诸秣陵焦太史所藏阁本《外集》。太史公该博而有专嗜，出示手板，甚核。参之《志林》、《仇池笔记》等书，增益者十之二三，私加刊次，再历寒燠而付之梓。即未能复南宋禁中之旧，而今之散见于世者，庶无挂漏。为总集七十五卷，各以类从，是称《苏文忠公全集》云。盖长公之文，犹夫云霞在天，江河在地，日遇之而日新，家取之而家足，若无意而意合，如无法而法随，其亢不迫，其隐无讳，澹而腴，浅而蓄，其不诡于正，激不乖于和，虚者有实功，泛者有专诣，殆无位而摅隆中之抱，无史而毕龙门之长，至乃羁愁濒死之际，而居然乐香山之适，享黔娄之康，偕柴桑之隐也者，其文士能乎哉！噫！世能穷长公于用，而不能穷长公于文；能不用长公，而不能不为长公用。当其纷然而友，粲然而布，弥宇宙而亘今古，肖化工而完真气，无一不从文焉出之，而读之澹乎若无文也，长公其有道者欤！又尝语人以文之旨，第举夫子所谓‘辞达而已矣’。盖文止乎达，而达外无文，原六艺而垂万代，旨其蔽之哉，彼所指离不离者抑末耳。在昭明固云‘老、庄、管、晏之书，以意为宗，不以文为本’者，无庸进退之也。若长公者，非其亚耶？藉令起昭明以进退其文，吾知难乎为政矣。则不佞是役也，盖不徒以先大夫之成命在。万历丙午元日，吴兴茅维谟。”

宋孝宗《苏轼文集序》：“成一代之文章，必能立天下之大节。立天下之大节，非其气足以高天下者，未之能焉。孔子曰：‘临大节而不可夺，君子人欤？’孟子曰：‘我善养吾浩然之气，以直养而无害，则塞乎天地之间。’养存之于身，谓之气，见之于事，谓之节。节也，气也，合而言之，道也。以是成文，刚而无馁，故能参天之化，关盛衰之运。不然，则雕虫篆刻，童子之事耳，乌足与论一代之文章哉！故赠太师谥文忠苏轼，忠言谠论，立朝大节，一时廷臣无出其右。负其豪气，志在行其所学，放浪岭海，文不少衰，力斡造化，元气淋漓，穷理尽性，贯通天人，山川风云，草木华实，千汇万状，可喜可愕。有感于中，一寓之于文，雄视百代，自作一家，浑涵光芒，至是而大成矣。朕万机之余，紬绎诗书，他人之文，或得或失，多所取舍。至于轼所著，读之终日，亹亹忘倦，常置左右，以为衿式，可谓一代文章之宗也欤！”

赵克宜《角山楼苏轼评注汇钞自序》：“诗之变态，在苏为已极。其磅礴浩瀚，一往莫御之势人皆见之；其动中要害，不烦言而已解者，或未尽识也。其曲折刻露，无微不入之致，其落想超妙，来无端去无迹者，或未尽识也。故见以为豪，而不知其静；见以为雄，而不知其幽；见以为奇快，而不知其深至：皆未足语于苏之全体也；若其隶事运古，信手挥霍，犹陶朱、猗顿之滥用金布，非如贫家子称贷取资，览者尤未易识所从来。则甚矣，苏诗之难读也。克宜少而习焉。长益反复研究，久之而始得其趣，又久之而知非一善之可名，而向之循诵习传，随声附和，目为佳篇者，顾往往非公极诣，且适足以为病焉，未尝不叹朱紫之眩明，雅正之乱聪，而娄旷之不逢其人也。今夫五谷之美，尽人所知也。然而稂莠不去，则黄茂不呈；秕糠不除，则精凿不见。故芟夷簸揉之用，为嘉种所不可无。然则说诗尤是已。说苏诗者不一家，唯纪评为最备，其去取散见于全集。金在沙中，或未能快学者之心目。不揣缪妄，鳞次其佳篇，而余从刊落。全载纪评，兼采众说，而以鄙见参之。苟有发明，不嫌其琐。又辑诸家之注，删芜补缺，开卷了然，其为众口所传诵，不足云佳者，别为附录，庶几相校而观，妍媸自见，不致骇怪于去取失伦。又有他人之作误入集中者，亦类聚而别附焉。方今人尚风雅，服膺公集者尤多。顾或震眩于如海之才，莫敢议其缺失，则公诗之真不出。

高明之士，甫见累字率句，轻加讥贬，因而全集屏弃不观，其为累于公滋大。即注家之缴绕不休，令观者一典未终，昏然欲睡，亦有妨于探讨之功。区区之见，诚欲祛此三失，使全集之菁华不为糟粕所掩，而从事于公诗者易为力焉。若夫徐疾甘苦之数，轮扁所不能自言，今以固陋窥测匠心，明知无当。然而一管之窥，而星辰见焉；一蠡之测，而沦涟见焉。虽未足尽其高深，要不得谓天与海不在是也，宜亦后之观者所不废也。咸丰二年季夏之月，小楼赵克宜序。”

元好问《新轩乐府引》：“唐歌词多宫体，又皆极力为之，自东坡一出，情性之外不知有文字，真有一洗万古凡马空气象；虽时作宫体，亦岂可以宫体概之？人有言乐府本不难作，从东坡放笔后便难作，此殆以工拙论，非知坡者。所以然者，《诗三百》所载，小夫贱妇幽忧无聊赖之语，特猝为外物感触，满心而发，肆口而成者尔；其初果欲被管弦，谐金石，经圣人手，以与《六经》并传呼？小夫贱妇且然，而谓东坡翰墨游戏、乃求与前人角胜负，误矣！自今观之，东坡胜处，非有意于文字之为工，不得不然之为工也。坡以来，山谷、晁无咎、陈去非、辛幼安诸公，俱以歌词取称；吟咏情性，流连光景，清壮顿挫，能起人妙思；亦有语意拙直，不自缘饰，因病成妍者。皆自坡发之。”

八月

裁减冗浮。宋命诸路转运、提举司及诸州、军有遗利可以讲求及冗员浮费当裁减者，详议以闻。

晁补之出知河中府。本月，晁补之罢吏部员外郎，出知河中府。事涉二苏兄弟。《宋史》卷三五一《管师仁传》：“擢右正言、左司谏。论苏轼、苏辙深毁熙宁之政，其门下士吏部员外郎晁补之辈不宜在朝廷，逐去之。”

十月

苏辙和子瞻《归去来词》。《栾城后集》卷五《和子瞻归去来词并引》，引曰：“昔予谪居海康，子瞻自海南以《和渊明归去来》之篇要予同作，时予方再迁龙川，未遑也。辛巳岁，予既还颍川，子瞻渡海浮江，至淮南而病，遂没于晋陵。是岁十月，理家中旧书，复得此篇，乃泣而和之。盖渊明之放，与子瞻之辩，予皆莫及也，示不逆其遗意焉耳！”词曰：“归去来兮，归自南荒又安归？鸿乘时而往来，曾奚喜而奚悲？曩所恶之莫逃，今虽欢其足追？蹈天运之自然，意造物而良非。盖有口之必食，亦无形而莫衣。苟所赖之无几，则虽丧其亦微。吾驾非良，吾形弗奔。心游无垠，足不及门。视之若穷，挹焉则存。俯仰衡茅，亦有一樽。既饭稻与食肉，抚箪瓢而愧颜。感乌鹊之夜飞，树三绕而未安。有父兄之遗书，命却扫而闭关。知物化之如幻，盖舍物而内观。气有习而未忘，痛斯人之不还。将筑室乎西廛，堂已具而无桓。归去来兮，世无斯人谁与游？龟自闭于床下，息眇绵乎无求。阅岁月而不移，或有为于深忧。解刀剑以买牛，拔萧艾以为畴。蓬累而行，捐车舍舟。独栖栖于图史，或以佞而疑丘。散众说之纠纷，忽冰溃而川流。曰吾与子二人，取已多其罢休。已矣乎，私人不朽惟知时，时不我知谁为留？岁云往矣今何之？天地不吾欺，形影尚可期。向东廪之亿秭，知春垄之耘耔。视白首之章韨，信稚子之书诗。若妍丑之已然，岂复临镜而自疑？”

十一月

宋以西蕃赊罗撒为西平军节度使、邈川首领。

宋改元崇宁。《续资治通鉴》卷八七：“庚辰。祀天地于圜丘，赦天下，改彰信军为兴仁军，昭德军为隆德军，改明年元曰崇宁，以曾布主绍述，从其请也。”

邓洵武荐蔡京。《纲鉴易知录》卷七四：“以邓洵武为给事中兼侍讲。洵武为其巨浪，尝因对言：‘陛下乃神宗子。今相忠彦，乃琦之子。神宗行新法以利民，琦尝论其非。今忠彦更神宗之法，是忠彦能继父志，陛下为不能也。必欲继志述事，非用蔡京不可。’又曰：‘陛下方绍述先志，群臣无助者。’乃作《爱莫助之图》以献。（爱莫助之，《诗·大雅·烝民篇》辞。言心诚爱之，而恨其不能有以助之也）其突如《史记》年表，列旁行七重，别为左右，左曰元丰，右曰元祐。自宰相、执政、侍从、台谏、郎官、馆阁、学校各为一重，左序绍述者，执政中惟温益一人，余不过三四，若赵挺之、范致虚、王能甫、钱遹之属而已。右序举朝辅相、公卿、百执事，咸在以百数。帝出示曾布，而揭去左方一姓名。布请之，帝曰：‘蔡京也。洵武谓非相此人不可，以与卿不同，故去之。’布曰：‘洵武既与臣见异，臣安敢与议！’明日改付温益，益欣然奉行，请相蔡京而籍异论者。于是善人皆不见容，而帝决意相京矣。乃进洵武中书舍人、给事中兼侍读。”

十二月

蔡京交结童贯，朝廷启用蔡京。《续资治通鉴》卷八七：“戊戌。提举洞霄宫蔡京，复龙图阁直学士，知定州。供奉官童贯，开封人，性巧媚，善测人主微旨，先事顺承，以故得幸。及使三吴，访书画奇巧，留杭累月。京与之游，不舍昼夜。凡所画屏障扇带之属，贯日以内达禁中，且附言语论奏于帝所，由是属意用京。左阶道录徐知常，以符水出入元符皇后所。太学博士范致虚，与之厚，因荐京才可相。知常入宫言之。已而宫妾宦官，合词誉之，遂起京知定州。”

苏辙与黄庭坚多书信往来。苏轼致书黄庭坚叙忧患，黄庭坚慰书。《豫章黄先生文集》卷十九《寄苏子由书三首》之二：“流落七年，蒙恩东归，至荆州病几死，失一弟一妹及亡弟二子，早衰气索，非复昔时人也。惟本疏懒，鞭策不前，以是未尝得附动静。忽奉十二月二十四日所赐教，存问劝重，伏审忧患之余，台候万福，开慰无量。端明二丈，人物之冠冕，道德文章，足以增九鼎之重，不谓遂至于此，何胜殄瘁之悲。况手足之情，平生师友之地，荼毒刲割之怀，何可堪忍，奈何！所赖诸子有所立，而季子文学，几于斯人之不亡也。庭坚病起荒废，恐不能办事，欲引去而未敢。太平遂请，义当一往。来夏秋间，若病不再做，尚可祈见。无阶承教，临书仰怀。”

本年

传旨采集太湖石，以修奉景灵西宫。朝廷命人下苏、湖（今江苏湖州）二州，采集太湖石四千六百枚。此为后日花石纲之先声。

西夏立国学，以提倡汉学，设置教授，收学员三百人，建养贤务，以供生活。

河东地震，京畿蝗灾，两浙、湖南、福建旱灾。

综述苏轼出处。施宿《东坡先生年谱》卷下："正月，先生自韶至南雄，渡岭，经行南安，与刘安世器之相遇，同舟至江州，同游庐山。五月，次当涂、金陵、真州。时米芾元章为发运管勾，日来会。初，先生决计与子由同居颍昌，俄闻时论已变，自度不可居近地，遂居常州。六月，至常，病甚，乞致仕，表大略云：臣素有薄田在常州宜兴县，粗了饘粥，所以崎岖万里，奔归常州，以尽余年。五月间行至真州，瘴毒大作，乘船至润，昏不知人者累日，今已至常，百病横生，全不能食者二十余日，自料必死，欲望朝廷哀怜，许臣守本官致仕。一请而获，以七月二十八日公薨于常州城中，葬于汝州郏城县。公年六十六。"

黄庭坚本年所作文，较著名的有《题魏郑公砥柱铭后》、《承天院塔记》等。此外，尚有《跋亡弟嗣功列子册》一文，作于靖中建国元年至崇宁元年正月寓居荆州之时。

《承天院塔记》："绍圣二年余以史事得罪，窜黔中，道出江陵，寓成天，以补纫春服。时住持僧智珠方撤旧僧伽浮图于地，瓦木如山，而嘱余曰：'成功之后，愿乞文记之。'余笑曰：'作记不难，故成功为难耳。'后六年，余蒙恩东归，则七级浮图岿然立于风雨之上矣。因问其事缘，珠曰：'此虽出于众力，费以万缗，鸠工于丁丑，而落成于壬午，其难者既成功矣，其不难者敢乞之。'余曰：'诺。'谨按：承天禅院僧伽浮图作于高氏有荆州时，既坏而主者非其人，枝撑以度岁月。有知进者住持十八年，守旧而已。智珠初闻心法于清凉奇道者，而自闽中来，则佐知进主院事，道俗欣欣，皆曰：'起废扶倾，惟此道人能之。'于是六年作而新之者过半。知进没，众归珠而不释，此浮图遂崇成耳。僧伽本起于盱眙，于今宝祠遍天下，其道化乃溢于异域，何哉？岂释氏所谓愿力普及者乎？儒者尝论，一佛祠之费，盖中民万家之产，实生人谷帛之蠹，虽余亦谓之然。然自余省事以来，观天下财力屈竭之端，国家无大军旅勤民丁赋之政，则蝗旱水溢，或疾疫连数十州，此盖生人之共业，盈虚有数，非人力所能胜者耶？然天下之善人少，而不善人常多，王者之刑赏以治其外，佛者之祸福以治其内，则与世教岂小补哉？儒者常欲一合而轨之，是真何理哉！因珠来乞文，记其化缘，故并论其事。智珠古田人，有智略而无心，与人无崖岸，又不为翕翕然，故久而人益信之。买石者邹永年，篆额者黄乘，作记者黄庭坚，立石者冯諴。"

《跋亡弟嗣功列子册》："《列子》书实有合于释氏，至于深禅妙句，使人读之三叹，盖普通中事不自葱岭传来，信矣。亡弟嗣功读此书，至于溃败，犹缉而读之，其苦学好古，后生中殆未之见也。绍圣中，余自缮治而藏之，少年辈窃取玩之，又毁裂几不可挟，唐坦之复为辑之。智兴上人喜异闻，故以遗之。"

黄庭坚本年所作诗，以下诸篇较著名。

《戏题巫山县用杜子美韵》："巴俗深留客，吴侬但忆归。直知难共语，不是故相违。东县闻铜臭，江陵换夹衣。丁宁巫峡雨，慎莫暗朝晖。"方回《瀛奎律髓》卷四三："此出峡诗。起句有石本作'巴俗殊亲我，吴侬但忆归'，细味则改本为佳。'直知难共语，不是故相违’，此老杜句法。巴人相留，非不用情，乃不可与语，所以去之。此有深意。‘东县闻铜臭’者，蜀人用铁钱，过巫山始用铜钱。山谷旧改此句，谓乃退之‘照壁喜见蝎’之意。予以为即班超‘生入玉门关’之意也。‘江陵换夹衣’，纪时序，亦见天气渐佳。尾句殊工，有忧时之意。建中改纪，熙丰之党不乐，想是已见萌芽，必亦有所深指，谓不可以云雨蔽太阳也。”

《跋子瞻和陶诗》：“子瞻谪岭南，时宰欲杀之。饱吃惠州饭，细和渊明诗。彭泽千载人，东坡百世士。出处虽不同，风味乃相似。”

《病起荆江亭即事十首》，其一：“翰墨场中老伏波，菩提坊里病维摩。近人积水无鸥鹭，时有归牛浮鼻过。”其二：“维摩老子五十起，大圣天子初元年。传闻有意用幽仄，病看不能朝日边。”其三：“禁中夜半定天下，仁风义气彻修门。十分整顿乾坤了，复辟归来道更尊。”其四：“成王小心似文武，周召何妨略不同。不须要出我门下，实用人材即至公。”其五：“司马丞相昔登庸，诏用元老超群公。杨绾当朝天下喜，断碑零落卧秋风。”其六：“死者已死黄雾中，三事不属两苏公。岂谓高才难驾御，空归万里白头翁。”其七：“文章韩杜无遗恨，草诏陆贽倾诸公。玉堂端要直学士，须得儋州秃鬓翁。”其八：“闭门觅句陈无已，对客挥毫秦少游。正字不知温饱未，西风吹泪古藤州。”其九：“张子耽酒语蹇迟，闻道颍州又陈州。形模弥勒一布袋，文字江河万古流。”其十：“鲁中狂士邢尚书，本意扶日上天衢。惇夫若在镌此老，不令平地生崎岖。”

《次韵中玉水仙花二首》，其一：“借水开花自一奇，水沉为骨玉为肌。暗香已压酴醾倒，只比寒梅无好枝。”其二：“淤泥解作白莲藕，粪壤能开黄玉花。可惜国香天不管，随缘流落小民家。”

《王充道送水仙花五十枝，欣然会心，为之作咏》：“凌波仙子生尘袜，水上轻盈步微月，是谁招此断肠魂？种作寒花寄愁绝。含香体素欲倾城，山礬是弟梅是兄。坐对真成被花恼，出门一笑大江横。”方东树《昭昧詹言》卷二十：“起四句奇思奇句。‘山礬’句奇句。‘坐对’句用杜。收句空。遒老。”翁方干《七言诗三昧举隅》：“不特‘山礬是弟梅是兄’是着色相语也；即‘含香体素欲倾城’亦已是着色相语也。惟其用此等着色相语，所以末二句更觉破空而行，点睛飞去耳。此淮阴侯背水阵，所谓‘此在兵法，故诸君不识’者也。或乃套袭其体物语以为工丽，则笨伯矣。……杜诗：‘江上被花脑不拆，无处告诉只癫狂。’此在江畔步行，特为寻花而出，所以癫狂被花恼也。今乃静中欣然会心，似无被花恼之讥矣，而孰知坐对乃真犯此病哉？此其所以卷却前半，消纳通身也。愈见前半之黏，愈见末句之脱。”

陈师道本年所作诗较多，有《和李文叔退朝》、《和谢公定雨行逢卖花》、《酬王立之二首》、《送谢朝请赴苏幕》、《和谢公定观秘阁文与可枯木》、《和饶节咏周昉画李白真》、《谢王立之送花》、《和参寥明发见邻家花二首》、《和张奉议赠舅氏庞大夫》、《和舅氏公退言怀》、《钦圣宪肃皇后挽词二首》、《钦慈皇后挽词二首》、《大行皇太后挽词二首》、《追尊皇太后挽词二首》、《王察院挽词二首》、《赠吴氏兄弟三首》、《和吴子副智海斋集》、《舅氏新斋》、《上晁主客》、《和鲜于大受崇先观饯别曾元忠》、《答王立之》、《又过田承君》、《赠石先生》、《送晁无咎出守蒲中》、《题明发高轩过图》、《送

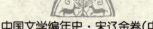

欧阳叔弼知蔡州》、《送晁尧民守徐》、《送王定国通判河南》。

公元1102年（宋崇宁元年　辽乾统二年　夏贞观元年　壬午）

正月

河东地震。《纲鉴易知录》卷七四："壬午，崇宁元年，春正月，河东地震（太原等十一郡地震弥旬，昼夜不止，坏城壁屋宇，人畜死者甚众）。"

二月

宋追封孔鲤为泗水侯，孔伋为沂水侯。

三月

宋以知大名府蔡京为翰林学士承旨，兼修国史。

童贯制御器于苏杭。《纲鉴易知录》卷七四："三月，命宦者童贯制御器于苏杭。童贯置局于苏、杭，造作器用，曲尽其巧。牙角、犀玉、金银、竹藤、装画、糊抹、雕刻、织绣诸色匠，日役数千。而材物所须，悉科于民，民力重困。"

辽天祚帝惩治耶律乙辛之党。辽天祚帝命耶律阿苏等治耶律之党。命诛耶律乙辛党，徙其子孙于边。

李清照本年十九岁。是春，作词《如梦令》："昨夜雨疏风骤。浓睡不消残酒。试问卷帘人，却道海棠依旧。知否，知否？应是绿肥红瘦。"李攀龙《草堂诗余隽》卷二眉批："语新意隽，更有丰情。"评语："写出妇人声口，可与朱淑真并擅词华。"

五月

诏籍元祐元符党人。《纲鉴易知录》卷七四："夏五月，罢韩忠彦知大名府。忠彦为相，召还流人，进用忠谠之士，张庭坚、陈瓘、邹浩、龚夬、江公望、常安民、任伯雨、陈次升、陈君锡、张舜民等皆居台谏，翕然称为得人。然与曾布不协。至是，左司谏吴材、右正言王能甫附布，论忠彦变神考之法度，逐神考之人材，遂罢知大名府。复追贬司马光等四十四人官。诏籍元祐、元符党人，陆佃罢。诏元祐、元符末今来责降人，除韩忠彦曾任宰相，安焘曾任执政，王觌、丰稷见任侍从官外，苏辙、范纯礼、刘奉世等凡五十余人，并令三省籍记，不得与在京差遣。又诏司马光等二十一人子弟毋得官京师。佃与曾布比，持论近恕，每欲参用元祐人才，尝曰：'今天下之势，如人大病向愈，当以药饵辅养之，须其安平；苟为轻事改作，是使之骑射也。'会御使欲更惩元祐余党，佃言之于帝曰：'不宜穷治。'乃下诏云：'元祐诸臣，各已削秩，自今无所复问，言者亦勿辄言。'揭之庙堂，言者用是论佃名在党籍，不予穷治，正恐自及耳。遂罢知亳州，卒。"

六月

宋诏仿《唐六典》修神宗所定官制。

黄庭坚作词《木兰花令》。词曰："凌歊台上青青麦，姑孰堂前余翰墨。暂分一印管江山，稍为诸公分皂白。　　江上依旧云空碧，昨日主人今日客。谁分宾主强惺惺，问取矶头新妇石。"

闰六月

辽策试贤良。《续资治通鉴》卷八七："庚申，辽策试贤良。礼部郎中刘辉，对策多中时病，擢史馆修撰。辉善属文，疏简有远略，时称得人。未几卒。"

七月

蔡京为相。《纲鉴易知录》卷七四："秋七月，以蔡京为右仆射兼中书侍郎。制下之日，赐坐延和殿，命之曰：'神宗创法立制，先帝继之，两遭变更，国是未定，朕欲上述父兄之志，卿何以教之?'京顿首谢曰：'敢不尽死!'"

宋焚元祐法。《纲鉴易知录》卷七四："焚元祐法，置讲议司于都省（蔡京用熙宁条例司故事，即都省置讲议司，自为提举讲议）。"

宋置市舶司。宋置市舶司于杭（今浙江杭州）、明（今浙江宁波市）二州。《续资治通鉴》卷八八："诏杭州、明州置市舶司。"

宋复置春秋博士。

阻卜侵辽。

李格非罢东京提刑。乙酉，籍记元祐党人十七人，李格非名在第六。

八月

宋命兴学贡士。《续资治通鉴》卷八八："甲戌。诏天下兴学、贡士，建外学于国南。蔡京请天下州县并置学。州置教授二员，县置小学。县学生选考升诸州学。州学生每三年贡太学。至则附试，别立号。考分三等，入上等，补上舍。入中等，补下登上舍。入下等，补内舍。余居外舍。诸州军解额，各以三分之一充贡士。州给常平，或系省田宅充养士费。县用地利所出，及非系省钱。凡州县学生，曾经公私试者，复其身。如有孝悌睦姻，任恤中和，若行能优异，为乡里所推者，县上之州，免试入学。州守贰及教授询审无谬，即保任入贡。不实者坐罪。京又请外学以待州县学之贡士，乃诏即京城南门外，相地营建。外圆内方，为屋千百七十二楹，是为辟雍太学，专处上舍生、内舍生。而外学则处外舍生。初贡至皆入外学，经试补入上舍、内舍，始得进处太学。太学外舍，亦令出居外学。其敕令格式，悉用太学见制。于是上舍至二百人，内舍六百人，外舍三千人。凡州学上舍生升舍，以其秋即贡入辟雍。长史集阖郡官，及提学官，具宴设以礼教遣。限岁终即集阙下。自川广福建入贡者，续其路食，以学钱给之。奏入，诏悉如其法施行。"

九月

宋立元祐奸党碑。《纲鉴易知录》卷七四："九月，立党人碑于端礼门。籍元符末上书人，分邪正等黜陟之。时元祐、元符末群贤，贬窜死徙者略尽，蔡京犹未惬意，乃与其客强浚明、叶梦得籍宰执司马光、文彦博、吕公著、吕大防、刘挚、范纯仁、韩忠彦、王珪、梁焘、王岩叟、王存、郑雍、傅尧俞、赵瞻、韩维、孙固、范百禄、胡宗愈、李清臣、苏辙、刘奉世、范纯礼、安焘、陆佃，曾任待制以上官苏轼、范祖禹、孔文仲、孔武仲、朱光庭、孙觉、鲜于侁、贾易、邹浩等，余官程颐、秦观、张耒、晁补之、黄庭坚、孔平仲等，内臣张士良等，武臣王献可等，凡百二十人，等其罪状，谓之奸党，请御书刻石于端礼门。京等复请下诏籍元符末日食求言章疏及熙宁、绍圣之政者，付中书定为正上、正中、正下三等；邪上、邪中、邪下三等。于是钟世美以下四十一人为正等，悉家旌擢；邓考甫以下五百余人为邪等，降责有差。又诏降责人不得同州居住。"

李清照上诗救父。九月，书元祐、元符党人姓名，刻石端礼门。据《长编纪事本末》卷一二一，李格非名在余官第二十六。张琰《洛阳名园记序》："文叔在元祐官太学，建中靖国用邪党，窜为党人。女适赵相挺之子，亦能诗，上诗赵相救其父云：'何况人间父子情!'识者哀之。"营救未成功。未几，李格非贬象郡。

十一月

十三日下雪，苏辙作五言仄韵诗。《栾城后集》卷三《十一月十三日雪》："南方霜露多，虽寒雪不作。北归亦何喜，三年雪三落。我田在城西，禾麦敢嫌薄？今年陈宋灾，水旱更为虐。闭田斯不仁，逐熟自难却。饥寒虽无患，尚可省盐酪。飞蝗昨过野，遗种遍陂泺。春阳百日至，闹若蚕生箔。得雪流土中，及泉尽鱼跃。美哉丰年祥，不待炎火灼。呼儿具樽酒，对妇同一酌。误认屋瓦鸣，更愿闻雪脚。"

乡僧赠苏辙滇马。《栾城后集》卷四《施崇宁寺马并引》，引曰："予自龙川还颍川，安于闲放，不畜车马。僧悟缘自成都来，为予致一滇马，甚骏。曰：'闻公归自南方，家无良驷，此可以备登山之乘。'予愧其意，不能却也。然马入吾厩，辄苦多病，意其非吾物也。西临僧道和禅席之盛，乡闾之所奔走。乃祝之曰：'俾尔为和马，归依佛法乘，病或已乎？'因为诗以示和。"诗曰："南归闭门万事了，病卧常多起常少。未用田间下泽车，何须枥上追风骠。乡人记我少年日，滇马为致风前鸟。三年伏枥人共怪，马不能言心可晓。坐驰千里气蟠结，日食生刍空自笑。主人自是箕颍人，谁复为送洮泯道？支公慧眼识审骏，山下泉甘足芳草。法流一洗百病消，翘足长鸣且忘老。"

十二月

宋废除元祐学术政事。《续资治通鉴》卷八八："丁丑。诏诸邪说陂行非先圣之书，并元祐学术政事，不得教授学生，犯者屏出。"

陈瓘有先见之明。《纲鉴易知录》卷八八："十二月，追谥哲宗子茂为献愍太子，窜邹浩于昭州。初，邹浩召自新州入对，帝首及谏立后事，奖叹再三，询谏草安在？对曰：'已焚之矣。'退告陈瓘，瓘曰：'祸其在此乎！异时奸人妄出一缄，则不可辨矣。'蔡京用事，乃使其当伪为浩疏，有'刘后杀卓氏而夺其子以为己出，欺人可矣，讵可以欺天乎'之语，帝诏暴其事，遂追册茂为太子，而窜浩于昭州。"

本年

阿古达（阿骨打）击败萧哈里（萧海里）。《续资治通鉴》卷八八："辽萧哈里之亡人，女直克展部也。遣其族人额特勒，结和于英格，曰：'愿与太师为友，同往伐辽。'英格执额特勒。会辽命英格捕讨哈里，遂送额特勒于辽。募兵，得甲千余。阿古达（旧作阿骨打，今改）喜曰：'有此甲兵，何事不可图？'盖前此女直甲兵之数，未尝满千也。军次混同水，与哈里遇。时辽追哈里兵数千，攻之不能克。英格谓辽将曰：'退尔军，我当独取哈里。'辽将许之。阿古达策马突战，哈里中流矢堕马下。执而杀之，大破其军。英格自是知辽兵之易与也。"

夏改元贞观。

黄庭坚本年所作诗，以下诸篇较著名。

《蚁蝶图》："蝴蝶双飞得意，偶然毕命网罗。群蚁争收坠翼，策勋归去南柯。"

《雨中登岳阳楼望君山二首》，其一："投荒万死鬓毛斑，生入瞿塘滟滪关，未到江南先一笑，岳阳楼上对君山。"其二："满川风雨独凭栏，绾结湘娥十二鬟。可惜不当湖水面，银山堆里看青山。"山谷跋："崇宁之元年正月二十三夜发荆州，二十六日至巴陵，数日阴雨，不可出。二月朔旦，独上岳阳楼，太守杨器之、监郡黄彦并来，率同游君山，行二十里螺蚌中乃至。见住持僧年八十，跛曳而出，登其绝顶，环望积水数百里，实壮观也。"两诗均为宋诗名篇。

《自巴陵略平江入通城，无日不雨，至黄龙奉谒清禅师，继而晚晴，邂逅禅客戴道纯，款语作长句呈道纯》："山行十日雨沾衣，幕阜峰前对落晖。野水自添田水满，晴鸠却唤雨鸠归。灵源大士人天眼，双塔老师诸佛机。白发苍颜重到此，问君还是昔人非？"

《题胡逸老致虚庵》："藏书万卷可教子，遗金满籝常作灾。能与贫人共年谷，必有明月生蚌胎。山随宴坐画图处，水作夜窗风雨来。观水观山皆得妙，更将何物污灵台？"

《送密老住五峰》："我穿高安过萍乡，七十二渡绕羊肠。水边林下逢衲子，南北东西古道场。五峰秀出云雨上，中有宝坊如侧掌。去与青山作主人，不负法昌老禅将。栽松种竹是家风，莫嫌斗绝无来往。但得螺师吞大象，从来美酒无深巷。"

《新喻道中寄元明用觞字韵》："中年畏病不举酒，孤负东来数百觞。唤客煎茶山店远，看人获稻午风凉。但知家里俱无恙，不用书来细作行。一百八盘携手上，至今犹梦绕羊肠。"

《题落星寺四首》，其一："星官游空何时落，着地亦化为宝坊。诗人昼吟山入座，醉客夜愕江撼床。蜜房各自开牖户，蚁穴或梦封侯王。不知青云梯几级，更借瘦藤寻上房。”其二：“岩岩匡俗先生庐，其下宫亭水所都。北辰九关隔云雨，南极一星在江湖。相粘蚝山作居室，窍凿混沌无完肤。万鼓春撞夜涛涌，骊龙莫睡失明珠。”其三：“落星开士深结屋，龙阁老翁来赋诗。小雨藏山客坐久，长江接天帆到迟。燕寝清香与世隔，画图妙绝无人知。蜂房各自开牖户，处处煮茶藤一枝。”其四：“北风吹倒落星寺，吾与伯伦俱醉眠。螟蛉蜾蠃但痴坐，夜寒南北斗垂天。”《山谷外集诗注》卷八：“四诗非同时所作，后人类聚于此，故诗语有重复，不可知其岁月。”《湖口人李正臣蓄异石九峰，东坡先生名曰壶中九华，并为作诗，后八年自海外归湖口，石已为好事者所取，乃和前篇以为笑，实建中靖国元年四月十六日。明年当崇宁之元五月二十日，庭坚系舟湖口，李正臣持此诗来。石既不可复见，东坡亦下世矣。感叹不足，因次前韵》：“有人夜半持山去，顿觉浮岚暖翠空。试问安排华屋处，何如零落乱云中？能回赵璧人安在？已入南柯梦不通。赖有霜钟南席卷，袖椎来听响玲珑。”

《观化十五首并序》原注：“熙宁元年罢太平州后，自荆州居家作。”序曰：“南山之役，偶得小诗一十五首，书示同怀，不及料简诠次。夫吾与我若有境，吾不见其边；忧与乐相过乎干，不知其所以然，此其物化欤？亦可以观矣。故寄名曰观化。”其一：“柳外花中百鸟喧，相媒相和隔春烟。黄昏寂寞无言语，恰似人归锁管弦。”其二：“生涯潇洒似吾庐，人在青山远近居。泉响风摇苍玉珮，月高云插水晶疏。”其三：“山回路转水深深，欲问津头谷鸟吟。隔岸野花随意法，小蹊犹忆去年寻。”其四：“风烟漠漠半阴晴，人道春归不见形。嫩草已侵冰面绿，平芜还破烧痕青。”其五：“一原风俗异衣裘，流落来从绵上州。未到清明先禁火，还依桑下系千秋。”其六：“故人去后绝朱弦，不报双鱼已来年。临笛风飘月中起，碧云为我作愁天。”其七：“菰蒲短短未出水，渺渺春湖如冻云。安得酒船三万斛，棹歌长入白鸥群。”其八：“不知喜事在谁边，风结灯花何太妍。恐是邻家醅瓮熟，竹渠今夜滴春泉。”其九：“柳似罗敷十五余，宫腰舞罢不胜扶。年年折在行人手，为问春风管得无。”其十：“红罗步障三十里，忆得南溪踯躅花。马上春风吹梦去，依稀人摘雨前茶。”其十一：“竹笋初生黄犊角，蕨芽已作小儿拳。试挑野菜炊香饭，便是江南二月天。”其十二：“身入醉乡如避秦，醒时尘世百端新。塞鸿过尽无家信，海燕归来思故人。”其十三：“身前身后与谁同，花落花开毕竟空。千里追奔两蜗角，百年得意大槐宫。”其十四：“淘沙邂逅得黄金，莫便沙中着意寻。指月向人认不讳，清霄印在碧潭心。”其十五：“花开岁岁复年年，病眼看花隔晚烟。春去明明红紫落，清风明月是春前。”

《武昌松风阁》：“依山筑阁见平川，夜阑箕斗插屋椽，我来名之意适然。老松魁梧数百年，斧斤所赦今参天。风鸣娲皇五十弦，洗耳不须菩萨泉。嘉二三子甚好贤，力贫买酒醉此筵。今夜雨鸣到晓悬，相看不归卧僧毡。泉枯石燥复潺湲，山川光辉为我妍。野僧早饥不能饘，晓见寒溪有炊烟。东坡道人已沉泉，张侯何时到眼前？钓台惊涛可昼眠，怡亭看篆蛟龙缠。安得此身脱拘挛，舟载诸友长周旋。”

《次韵文潜》：“武昌赤壁吊周郎，寒溪西山寻漫浪。忽闻天上故人来，呼舡凌江不待饷。我瞻高明少吐气，君亦欢喜失微恙。年来鬼祟覆三豪，词林根柢颇摇荡。天生大才竟何用？只与千古拜图像。张侯文章殊不病，历险心胆元自壮。汀洲鸿雁未安集，风雪牖户当塞向。有人出手办兹事，政可隐几穷诸妄。经行东坡眠食地，拂拭宝墨生楚怆。水清石见君所知，此是吾家秘密藏。”

周邦彦有词《一寸金》（州夹苍崖）。

陈师道（1053—1102）卒。《续资治通鉴》卷八七：“秘书省正字陈师道，性孤介，与赵挺之为友婿，而素恶其人。适预郊祀，天寒甚，衣无绵，其妻就假于挺之家。师道问所从得，却去不肯服，遂中寒疾，乙卯卒。《考异》：‘据魏衍撰《彭城先生集》记，则除正字在元符三年，其卒在建中靖国元年十二月二十九日，当从之。’”［思齐按：建中靖国元年十二月二十九日，即公元 1102 年 1 月 19 日。］

《朱子语类》卷一三九：“后山文字极法度，几于太法度了。然做许多碎句子，是学《史记》。”陈师道有《后山集》二十四卷。

又，元好问《论诗绝句三十首》：“池塘春草谢家春，万古千秋五字新。传语闭门陈正字，可怜无补费精神。”

又，《宋诗钞·后山诗钞序》：“初学于曾，后见黄鲁直诗，格律一变。鲁直谓其读书如禹之治水，知天下之脉络，有开有塞，至于九川涤源，四海会同者。作文知古人关键。其诗深得老杜之法，今之诗人不能当也。任渊谓读后山诗如参曹洞禅，不犯正位，切忌死语，非冥搜旁引，莫窥其用意深处，因为作注。盖法严而力劲，学赡而用变，涪翁以后，殆难与敌也。”

又，纪昀《后山集序钞》：“考江西诗派一山谷、后山、简斋配享工部，谓之一祖三宗。而左祖西崑者则掊击抉择，身无完肤，至今呶呶向诟厉。其五言古刬削艰苦，出入于郊岛之间，意所孤诣，殆不可攀。其生硬杈枒，则不免江西恶习。七言古多效昌黎，而间杂以涪翁之格，语健而不免粗，气劲而不免直，喜以拗折为长，而不免少开合变动之妙。篇什特少，亦自知非所长耶？五言律苍劲瘦硬，实逼少陵，其间意僻语涩者亦往往自露本质。然胎息古人，得其神髓，而不自掩其性情。此后山所以善学杜也。七言律嵚崎磊落，矫矫独行，惟语太率而意太竭者是其短。五、七言绝则纯为少陵《遣兴》之体，合格者十不一二矣。大抵绝不如古，古不如律，律又七言不如五言。弃短取长，要不失为北宋巨手。向来循声附和，誉者务掩其所短，毁者并没其所长，亦不颠耶？”

章楶（1027—1102）卒。《苏轼文集》卷十一《思堂记》：“建安章质夫筑室于公堂之西，名之曰思。曰：‘吾将朝夕于是。凡吾之所为，必思而后行，子为我记之。’嗟夫，余天下之无思虑者也。遇事则发，不暇思也。未发而思之，则未至。已发而思之，则无及。以此终身，不知所思。言发于心而冲于口，吐之则逆人，茹之则逆余。以为宁逆人也，故卒吐之。君子之于善也，如好好色。其于不善也，如恶恶臭。岂复临事而后思，计议其美恶，而避就之哉！是故临义而思利，则义必不果；临战而思生，则战必不力。若夫穷达得丧，死生祸福，则吾有命矣。少时遇隐者曰：‘孺子近道，少思寡欲。’曰：‘思与欲，若是均乎？’曰：‘甚于欲。’庭有二盎以蓄水，隐者指之曰：‘是有蚁漏。’‘是日取一升而弃之，孰先竭？’曰：‘必蚁漏者。’思虑之贼人也，微而无间。隐者之言，有会于余心，余行之。且夫不思之乐，不可名也。虚而明，一而通，安而不懈，不处而静，不饮酒而醉，不闭目而睡。将以是记思堂，不亦缪乎？虽然，言个有当也。万物并育而不相害，道并行而不相悖，其所谓思者，岂世俗之营营于思虑者乎?《易》曰无思也,无为也。我愿学焉。《诗》曰思无邪。质夫以之。元丰元年正月二十四日记。"

李清臣(1032—1102)**卒**。王志坚《四六法海》卷四:"李清臣,字邦直,魏人。韩魏公闻其名,以兄之子妻之。尝草《魏公行状》,神宗见之,曰:'良史才也!'召为国史编修官。历官通显,起身穷约,能以俭自持。然志在利禄,一意欲取宰相。绍圣初,廷试进士,发策自为绍述之论,国是遂变。然与章惇、曾布不协,率为所陷,竟不如愿以死。"《增刊校正王状元集注分类东坡先生诗》卷十七《答李邦直》:"美人如春风,着物物未知。羁愁似冰雪,见子先流澌。子从徐方来,吏民举熙熙。扶病出见之,知我一何衰。知我久慵倦,起我以新诗。诗词如醇酒,盎然重四肢。径饮不觉醉,欲和先昏疲。西斋有蛮帐,风雨夜纷披。放怀语不择,抚掌笑脱颐。别来今几何,春物已含姿。柳色日夜暗,子来竟何时。徐方虽云了,东山禁游嬉。又无狂太守,何以解忧思。闻子有贤妇,华堂咏螽斯。盍不倒囊橐,卖剑买蛾眉。不用教丝竹,唱我新歌词。"

陆佃(1042—1102)**卒**。陆佃,大诗人陆游之祖父也。《四库全书总目》卷一五四:"《陶山集》十四卷。……佃本受学于王安石,故《埤雅》及《尔雅新义》,多宗《字说》。然新法之议,独断断与安石争,后竟入元祐党籍。安石之没,佃在金陵,为文祭之,推崇颇过。然但叙师友渊源,而无一字及国政。……盖其初误从安石游,故牵于旧恩,文字之间,不能不有所假借;至于事关国计,则毅然不以私废公,亦可谓刚直有守者矣。……方回《瀛奎律髓》称胡宿与佃诗格相似。宿诗传者稍多,佃诗则不概见。惟《诗林万选》载其《送人之润州》一首,《瀛奎律髓》载其《赠别吴兴太守中父学士》一首,《能改斋漫录》载其《韩子华挽诗》一联而已。今考《永乐大典》所载,篇什颇伙,大抵与宿并以七言近体见长,故回云然。厥后佃之孙游以诗鸣于南宋,与尤袤、杨万里、范成大并称,虽得法于茶山曾几,然亦喜作近体,家学渊源,殆亦有所自来矣。"

刘弇(1048—1102)**卒**。罗良弼《跋龙云集后》(《龙云集》卷末附):"龙云先生其可谓间世而杰出者矣!先生自为举子时,已卓诡不凡,文艺出诸老先生右。甫壮,首乡荐,擢进士第,继中博学鸿词科。元符改元,进《南郊大礼赋》,君相动色,以为相如、子云复出。即除秘书省正字,稍迁著作佐郎,骎骎向用矣。高丽传诵其文,方请于朝,将待以宾师之位,而降年不永,竟卒于官。其平生所为文,散漫莫考,蒲城所锓,才二十有五卷耳。雄篇大册,尚多不着。良弼惜其流落,冥搜博房,得(略)。六百三十一篇,为三十有二卷,而先生之文略尽矣。先生尝语:南丰文,如白玉田,种种浑朴;如青翰客,风采秀举;如天骥蹋影,神理飒洒;如乔松弄芝,真率径尽;如炙輠连环而不穷也;如疾搜者之扼熊羆而绝貙貙也;如锯齿错列,初如龃龉,而卒乎其相承也;如荀生之辨车辋,叔向之辨劳薪,易牙之辨畎渑,而不可以非道入者。吾固谓先生之文如此。先生讳弇,字伟明,吉之安成人。所居龙云乡,故以'龙云'名集。"又,周必大《龙云集序》(《龙云集》卷首):"庐陵郡自欧阳文忠公以文章续韩文公正传,遂为本朝儒宗;继之者龙云刘公也。公讳弇,字伟明,居安福县之龙云乡。文忠薨于颍,公方冠,不及从之游。然斯文未丧,何害为韩门籍、湜也。……顷尝与乡人论公之文,如《南郊赋》气格近先汉,已为泰陵简擢;诗、书、序、记,往往祖述韩、柳，间或似之；铭志丰腴，规摹文忠，读者可以自得。至于才学出处，具载李彦弼志铭，罗氏跋语，皆月旦评之，不可易者也。”又，《四库全书总目》卷一五五：“《龙云集》三十二卷。……其文不名一格，大都气体宏整，词致丰腴。周必大作是集序，谓其‘醧经饫史，吞吐百氏，为足继欧阳修之后，而上接韩文’。则推许未免溢分。《宋史》本传称其‘铲削瑕类，卓诡不凡’。庶几近其实矣。诗虽才地稍弱，要亦峭拔不俗，异于庸音之足曲也。”

公元 1103 年（宋崇宁二年　辽乾统三年　夏贞观二年　癸未）

正月

蔡京为相。《纲鉴易知录》卷八八：“温益卒。以蔡京为左仆射兼门下侍郎。二月，尊元符皇后刘氏为皇太后。”

二月

置诸路茶场，于茶场榷茶。《续资治通鉴》卷八八：“丙子。置诸路茶场。茶自嘉祐通商，至熙宁中李稷稍复榷法，而利复归于官。及是，蔡京请荆湖、江、淮、两浙、福建七路，仍旧禁榷官买。即产茶州军，随所置场。申商人园户私易之禁。商人买茶贮于笼篰，官为抽盘第叙收息讫，批引贩卖。岁入百万缗以进御。自此盗贩公行，民滋病矣。”

二十日，苏辙生日，作诗。该诗颇能见出苏辙的人生态度：不满意朝廷只给他一个吃饭的地方，希望有所作为，自信其命在世间而不是在天上。《栾城后集》卷三《癸未生日》：“我生本无生，安有六十五？生来逐世法，妄谓得此数。随流登中朝，失脚堕南土。人言我当喜，亦言我当惧。我心终颓然，喜惧不入故。归来二顷田，且夫种禾黍。或疑颍川好，又使汝南去。汝南亦何为？均是食黍处。儿言生日至，可就瞿昙语。平生不为恶，今日安所诉？老聃西入胡，孔子东归鲁。我命不在天，世人汝何预？”

蔡州教授任亮送苏辙千叶牡丹，苏辙作诗记之。《栾城后集》卷三《谢任亮教授送千叶牡丹》：“花从单叶成千叶，家住汝南疑洛南。乱剥浮苞任狼藉，并偷春色恣醺酣。香浓得露久弥馥，头重迎风似不堪。居士谁知已离畏，金槃剪送病中庵。”

三月

适逢春暖花开，苏辙喜而作诗，其诗气象自佳。《栾城后集》卷三《万蝶花》：“谁唱残春蝶恋花，一团粉翅压枝斜。美人欲香钗头差，又恐惊飞鬓似鸦。”

同卷，《春尽·三月二十三日立夏》：“春风过尽百花空，燕坐笙箫起灭中。树影连天开翠幕，鸟声入耳当歌童。《严楞》十卷几回读，法酒三升是客同。试问临僧行乞在，何人闲暇似衰翁？”

苏辙作《六孙名字说》。《栾城后集》卷二一《六孙名字说》：“予三子，伯曰迟，仲曰适，叔曰逊。始各一子耳，余年六十有五，而三人各复二子，于是予始六孙。昔予兄子瞻名其诸孙，借以竹名，故名迟之子，长曰简，幼曰策。《易》曰：'《乾》以易知，《坤》以简能。易则易知，简则依从。易知则有亲，易从则有功。有亲则可久，有功则可大。可久则贤人之德，可大则贤人之业。'故简之字曰业。《乾》之策二百一十有六，《坤》之策一百四十有四。《易》之始，未有策也。文王演而重之，然后策可见。故策之字曰演。适之子，长曰籀，幼曰範。书起于篆，而究于隶，史籀始篆，篆隶皆成于滋也。故籀之字曰滋。範，法也。王良与嬖奚乘，不获一禽。曰：'我为之範，驰驱终日不获一。为之诡遇，一朝而获十。我不贯与小人乘，请辞。'故範之字曰御。逊之子，长曰筠，幼曰筑。始予得罪于朝而放于筠，逊从而筠生，《传》曰：'礼之于人，如松柏之有信也，如竹箭之有筠也，皆其坚者也。'故筠之字曰坚。孔子曰：'譬如为山，未成一篑，止，吾止也。譬如平地，虽覆一篑，进，吾往也。'为山者必筑，前无所见，则未成一篑而止。苟有见矣，则虽覆一篑而进，进而不止，虽山可成也。故筑之字曰进。予盖老矣，而三子方壮，将复有子，而予不及见乎则已矣，如犹及见焉，则又将名之，竢其长而示之，使知名之之意焉可也。"

李清照本年二十岁。是春，作词《怨王孙·春暮》："帝里春晚，重门深院。草绿阶前，暮天雁断。楼上远信谁传？恨绵绵。　　多情自是多沾惹，难拼捨。又是寒食也。秋千巷陌人静，皎月初斜，浸梨花。"陆昶《历朝名媛诗词》卷十一："易安以词擅长，挥洒俊逸，亦能琢炼。最爱其'草绿阶前，暮天雁断'，极似唐人。"

四月

宋焚毁党人著作。《续资治通鉴》卷八八："乙亥。诏：苏洵、苏轼、苏辙、黄庭坚、张耒、晁补之、秦观、马涓文集，范祖禹《唐鉴》、范镇《东斋纪事》、刘攽《诗话》，僧文莹《湘山野录》等印板，悉行焚毁。"

追毁程颐出身文字，伊川迁居龙门之南。《纲鉴易知录》卷七四："除故直秘阁程颐名。言者希蔡京意，论颐'学术颇僻，素行谲怪，专以诡异，聋瞽愚俗'。乃追毁颐出身文字，其所著书，令监司严加觉察。范致虚又言：'颐以邪说诐行，惑乱众停，而尹焞、张绎为之羽翼，乞下河南，尽逐学徒。'颐于是迁居龙门之南，止四方学者曰：'尊所闻，行所知，可矣，不必及吾门也。'"

六月

强令士子入新学。《续资治通鉴》卷八八："六月庚申。诏：元符末上书进士，类多诋讪，令州郡遣入新学。依太学自讼斋法，候及一年，能革心自新者，许将来应举。其不变者，当屏之远方。"

宋军收复湟州，朝廷贬斥多人。《续资治通鉴》卷八八："诏童贯监洮西军。六月，贯及安抚王厚复湟州，贬韩忠彦等官有差。论弃湟州罪，贬忠彦为磁州团练副使，安焘为郴州团练副使，曾布为贺州别驾，范纯礼为静江军节度副使，夺蒋之奇三秩，凡预议者贬黜有差。"

夏国王李干顺复请娶辽公主。

七月

徽宗诏赐道士刘混康封号。《续资治通鉴》八八："庚子。赐茅山道士刘混康，号葆真观妙先生。"

赵明诚负笈出游，李清照作词相送。伊世珍《琅嬛记》："易安结褵未久，明诚即负笈出游，易安殊不忍别，觅锦帕书《一剪梅》词以送之。"李清照《一剪梅》："红藕香残玉簟秋，轻解罗裳，独上兰舟。云中谁寄锦书来？雁字回时，月满西楼。花自飘零水自流，一种相思，两处闲愁。此情无计可消除。才下眉头。却上心头。"杨慎批点《草堂诗余》引钟人杰评："此词低回宛折，兰香玉润，即六朝才子，恐不能拟。"

九月

诏令兴建崇宁寺。《续资治通鉴》卷八八："癸巳。令天下郡皆建崇宁寺。"

宋禁宗室与党人子孙通婚。《续资治通鉴》卷八八："九月壬午。诏宗室不得与元祐奸党子孙及有服亲为婚姻。内已定，未过礼者，并改正。"

诏刊石元祐党人姓名。《续资治通鉴》卷八八："臣僚上言，近出使府界，陈州士人有以端礼门石刻元祐奸党姓名问臣者，其姓名虽尝行下，至于御笔刻石，则未尽知。近在畿甸且如此，况四远乎！乞特降睿旨，以御书刻石端礼门姓名下外路州军，于监司长吏厅立石刊记，以示万姓。从之。"

安民不忍刻党人碑。《纲鉴易知录》卷七四："九月，令州县立党人碑。蔡京又自书奸党为大碑，颁予郡县，令监司长吏厅皆刻石。有长安石工安民当镌字，辞曰：'民，愚人，固不知立碑之意。但如司马相公者，海内称其正直，今谓之奸邪，民不忍刻也！'官府怒，欲加之罪，民泣曰：'被役不敢辞，乞免镌安民二字于石末，免得罪后世。'闻者愧之。"

十月

吐蕃贡于辽。

英格卒。《续资治通鉴》卷八八："是月，辽生女直部节度使英格卒。兄子乌雅舒，袭节度使。初，诸部各有信牌驰驿讯事。英格用阿古达（阿骨打）议，擅置信牌者罪之。由是号令始一，兵力益强。"

初三日，苏辙赋《将归》。时罢祠禄，有《三不归行》。《栾城后集》卷三《将归二首·十月初三日作》，其一："久客初何事？言归似有名。滕滕且随俗，落落竟无成。病苦医犹厌，囊空身自轻。家人惊别后，无限白须生。"其二："为客不满岁，还家见两孙。遥知临竹户，相对引瓢樽。老罢那嫌瘦，心宽尚喜存。风波随出游，何幸免惊奔？"

同卷，《三不归行》："客心摇摇若悬旌，三度欲归归不成。方春欲归我自懒，秋冬欲归事自变。问我欲归定何时，天公默定人不知。孔公晚岁将入楚，盘桓陈蔡行且住。

昭王已死不复南，意欲归老父母邦。卫灵父子无足取，姑尔息肩竢东鲁。三桓岂知用圣人，哀公亦自不能臣。冉求一战却齐虏，请君召师君亦许。归来闭户理诗书，弁冕时出从大夫。梦见周公已不复，老死故国心已足。孔公愈老愈屯邅，故我未及门下贤。乡邦万里不能往，妻孥近寄颍川上。依嵩架颍结茅茨，自问此志于何期？汝南一寓岁行复，来年归去栽松竹。"

十一月

谢良佐（1050—1103）卒。《四库全书总目》卷九二："《上蔡语录》三卷。……宋曾恬、胡安国所录谢良佐语，朱子又为删定者也。良佐字显道，上蔡人，登进士第。建中靖国初，官京师，召对忤旨，出监京西竹木场，复坐事废为民。事迹具《宋史》道学传。"《宋元学案》卷二四《上蔡学案》："上蔡在程门中英果明决，其论仁以'觉'，以'生意'；论诚以'实理'，论敬以'常惺惺'，论穷理以'求是'，皆其所读的，以发明师说者也。"又，《宋元学案》卷二四《上蔡学案·语录》："学者且须穷是理。物物皆有理，穷理则能知人之所为，知天之所为。知天之所为，则与天为一。与天为一，无往而非理也。穷理则是寻个是处。有我不能穷理，人谁识真我？何者为我？理便是我。穷理之至，自然不勉而中，不思而得，从容中道。曰：理必物物而穷之乎？曰：必穷其大者，理一而已。一处理穷，触处皆通。"

十二月

臣僚改名字，以避奸党嫌。《续资治通鉴》卷八八："丁巳。诏臣僚姓名，有与奸党人同者，并令改名。从权开封府吴拭奏请也。时改名者五人，朱绂、李积中、王公彦、江潮、张铎。"

本年

辽国放进士。《续资治通鉴》卷八八："是岁，辽放进士马恭回等百三人。"

黄庭坚本年所作诗，以下诸篇比较著名。

《寄贺方回》："少游醉卧古藤下，谁与愁眉唱一杯？解作江南断肠局，只今惟有贺方回。"

《鄂州南楼书事四首》，其一："四顾山光接水光，凭栏十里芰荷香。清风明月无人管，并作南楼一味凉。"其二："画阁传觞容十客，透风透月两明轩。南楼盘礴三百尺，天上云居不足言。"其三："势压湖南可长雄，胸吞云梦略从容。北船未尝睹巨利，复阁重楼天际逢。"其四："武昌参佐幕中画，我亦来追六月凉。老子平生殊不浅，诸君少住对胡床。"

《追和东坡题李亮功归来图》："今人常恨古人少，今得见之谁谓无？欲学渊明归得赋，先学摩诘画成图。小池已筑鱼潜力，隙地仍栽芋百区。朝市山林俱有累，不居京洛不江湖。"

公元1104年（宋崇宁三年　辽乾统四年　夏贞观三年　甲申）

正月

安化蛮向宋朝廷投降。《续资治通鉴》卷八八："春正月己卯，安化蛮降。"安化，今广西河池北。

宋铸造当十大钱，又铸九鼎。《续资治通鉴》卷八八："戊子，铸当十大钱。"《纲鉴易知录》卷七四："命方士魏汉津定乐，铸九鼎。"

县学增加员额。《续资治通鉴》卷八八："壬辰。增县学弟子员。大县五十人，中县四十人，小县三十人。"

赐蔡攸进士出身。《续资治通鉴》卷八八："甲午。赐蔡攸进士出身。攸，京长子也。元符中，监在京裁造院。帝时为端王，每退朝，攸适趋局，遇诸途，必下马拱立。王问左右，知为攸，心善之。及即位，遂有宠。至是，自鸿胪丞赐进士出身，拜秘书郎。"

皇帝锐意制作，以便文饰太平。《续资治通鉴》卷八八："帝锐意制作，以文太平。蔡京复每为帝言，方今泉币所积，赢五千万，和足以广乐，富足以备礼。帝惑其说，而制作营筑之事兴矣。至是，京擢其客刘昺为大司乐，付以乐政。"

初五日，苏辙自汝南还颍川，赋诗以志。《栾城后集》卷三《还颍川·甲申正月五日》："昔贤仕不遇，避世游金马。嗟我独合围，不容在田野？敍区寄汝南，落泊反长社。东西俱畏人，何时可安者？故庐已荆榛，遗壠但松槚。颓龄迫衰暮，旧物一已舍。安能为妻孥，辛苦问田舍？平生事瞿昙，心外知皆假。归休得溟渤，坐受百川泻。何人识造物，未听相陶冶？"

二月

坑冶金银，皆输内藏。《续资治通鉴》卷八八："庚申。令天下坑冶金银，悉输内藏。"

三月

宋设置文绣院。《续资治通鉴》卷八八："三月辛巳。置文绣院。"

宋军控御西夏边面。《续资治通鉴》卷八八："童贯自京师还至熙州。凡所措置，与王厚皆不异，于是始议大举。是日，厚、贯帅大军发熙州，出篩金平。陇右都护高永年，为统制诸路蕃汉兵将随行，知兰州张诫为同统制。厚恐夏人援助青唐，于兰、湟州界侵扰，及河南蕃贼，亦乘虚窃发，骚动新边，牵制军势，乃遣知通远军潘逢，权领湟州；知会州姚师闵，权领兰州；控御夏国边面。别遣知河州刘仲武，统制兵将驻安强寨，通往来道路。由是措置完密，无后顾之忧，大军得以专力西向。"

苏辙次迟韵千叶牡丹二首。《栾城后集》卷三《次迟韵千叶牡丹二首》，其一："溴上名园似洛滨，花头种种斗尖新。共传青帝开金屋，欲遣姚黄比玉真。秦岭犹应篆诗句，杜鹃直恐降天神。老人发少花头重，起舞敧斜酒力匀。"其二："老人无力年年懒，世事如花种种新。百巧从来知是妄，一机何处定非真？园夫漫接曾无种，物化相乘岂有神？毕竟春风不拣择，随开随落自云云。”

李清照本年二十一岁。是春，作词《玉楼春·红梅》：“红酥肯放琼瑶碎，探著南枝开遍未？不知蕴藉几多时，但见包藏无限意。　道人憔悴春窗底，闲损阑干愁不倚。要来小看便来休，未必明朝风不起。”赵明诚官京师，搜集书画奇器，夫妇赏玩。

四月

宋朝大举经营河湟地区。《续资治通鉴》卷八八：“庚戌。王厚、童贯率大军次湟州。诸将狃于累胜，多言青唐易与，宜径往取之。厚曰：‘不然。青唐诸羌，用兵诡诈。若不出弓兵分道而进，不足以张大声势，折贼奸谋。且湟州之北有胜铎谷，西南有胜宗隘、汪田丁零宗谷。而中道出绥远关，断我粮道，然后诸部合势，夹攻渴驴岭宗哥川之间，胜负未可知也。’于是定议，分出三路，厚与贯率三军，由绥远关渴驴岭，指宗哥城。都护高永年，以前军由胜铎谷沿宗河之北。别将张诫，同招纳官王端，以其所部由汪田丁零宗谷，沿宗河之南，期九日会于宗哥城下。是日，贯犹以诸将之言为然，先趋绥远。用冯瓘统选锋，登渴驴岭。候骑言青唐兵屯岭下者甚众，贯止绥远。翼日，厚以后军至。始下渴驴岭，磎赊罗撒遣般次迎于路，窃觇虚实，劳而遣之，诫曰：‘归语尔主，欲降宜亟绝。大军至，锋刃一交，将无所逃矣。’般次还报，以为我军不甚众，初不知分而进也。磎赊罗撒喜曰：‘王师若止如此，吾何虑哉？’以其众据朴江古城。俄闻三路兵集，遽退二十里。宗哥城之东，地名葛陂汤。有大涧数重，可恃而战，贼遂据之。是夕，中军宿于河之南鹞子隘之左。永年军于丁零宗口。壬子。厚、贯遣选锋五将前行。中军渡河而北，继永年之后。张诫夹河而行。日未出，至贼屯所。贼众五六万人，据地利列阵。张疑兵于北山下，其势甚锐。厚命冯瓘统选锋五将与贼对阵。王亨统策选锋继其后。永年驰前视贼，未知所出。厚谓贯曰：‘贼以逸待劳，其势方炽。日渐高，士马饥，不可少缓。宜以中军越前军，傍北山整阵而行，促选锋入战，破贼必矣。’既行，谍者言：磎赊罗撒与其用事酋长罗巴等谓众曰：‘彼张盖者，二太尉也。为我必取之！’贯欲召永年问贼势，厚曰：‘不可。恐失支梧。’贯不听。及永年至，揽辔久之，无一语。厚谓永年曰：‘两军相当，胜负在顷刻间。君为前军，将久此何邪？’永年惶恐驰去。时贼军与我选锋相持未动，磎赊罗撒以精兵数千骑自卫，登其军北高阜之上，张黄屋，列大旆，指挥贼众。其北山下疑兵，望见厚与贯引中军傍山欲来奔冲。厚遣游骑千余登山，潜攻其背。贼觉而遁，游骑追击之。短兵接，中军伐鼓大噪。永年遽挥选锋突阵。贼少却，张诫以轻骑涉河，捣其中坚。取磎赊罗撒之旆及其黄屋，乘高而呼曰：‘获贼酋矣！’诸军鼓声震地，会暴风从东南来，尘大起，贼军不得视。我军士乘势奋击，自晨至午，贼军大败，追北三十余里。磎赊罗撒单骑趋宗哥城，城闭不纳，遂奔青唐。诸将争逐之。几及，会暮而还。是日，斩首四千三百一十六，降俘三千余人。大首领多罗巴等，被伤逃去，不知所在。宗哥城中伪公主瞎叱木兰毡兼，率酋首以城归顺。宗哥城旧名龙支城，取兵将守之。是夕，合军于城之南。翼日，胜宗首领钦厮鸡，率众来降。甲寅。厚、贯入安儿城。乙卯。

引大军至鄯州。伪龟兹公主青宜结牟，及其酋豪李河温，率回纥于阗般次诸族，大小首领等，开门出降。鄯州平。初，溪赊罗撒败于宗哥，夜至青唐，谋为守计，部族莫肯从之者。翼日，挈其长妻逃入溪兰宗山中。厚遣冯瓘统轻锐万骑，由州南青唐谷入。贼复觉之，遁于青海之上。追捕不获。丙辰。下林金城，西去青海约二百里，置兵将守之。己未。王厚等帅大军入廓州界，大首领洛施军令结，率其众降。辛酉。厚入廓州，驰表称贺。大军驻于城西。河南部族，日有至者。厚谕以朝廷抚存恩意，宗哥战败所诛祸福之因，戒其不得妄作，自取屠戮，皆唯诺听命。诏：王厚、童贯，提兵出塞，曾未数月，青唐一国，境土尽复。其以厚为胜武军留后、熙河兰会经略安抚使，兼知熙州；贯为景福殿使、襄州观察使，依旧勾当内东门司。丁卯。群臣以尽复青唐故地贺。己巳。曲赦陕西。庚午。王厚过湟州，沿兰州大河，并夏国东南境上，耀兵巡边，归于熙州。"

五月

宋诏改鄯州为西宁州。《续资治通鉴》卷八八："甲申。改鄯州为西宁州，仍为陇右节度。"

六月

王安石配孔子。《纲鉴易知录》卷七四："夏六月，图熙宁、元丰功臣于显谟阁。以王安石配享孔子。辟雍初成，诏：'荆国公王安石，孟轲以来一人而已，其以配享孔子，位次孟轲。'吏部尚书何执中请开学殿，使都人纵观。"

宋设置书、画、算学。《续资治通鉴》卷八九："壬子。置书、画、算学。其生皆占经以试。其取士法，略如太学上舍三等。推恩以通仕、登仕、将仕郎为次。"

诏复定元祐元符党籍。《续资治通鉴》卷八九："戊午。诏复定元祐、元符党人，及上书邪等者，合为一籍，通三百九人，刻石朝堂，余并出籍，自今毋得复弹奏。元祐奸党，文臣曾任宰臣执政官司马光等二十七人，待制以上官苏轼等四十九人，余官秦观等一百七十六人，武臣张巽等二十九人，内臣梁惟简等二十九人，为臣不忠、曾任宰臣王珪、章惇。壬戌。蔡京奏奉诏令，臣书元祐奸党姓名，恭唯皇帝嗣位之五年，旌别淑慝，明信赏罚，黜元祐害政之臣，靡有佚罚。乃命有司夷考罪状，第其首恶，与其附丽者以闻。得三百九人。皇帝书而刊之石，置于文德殿门东壁，永为万世子孙之戒。又诏臣京书之，将以颁之天下。臣敢不对扬休命、仰承陛下孝悌继述之志？谨书元祐奸党名姓，仍连元书本进呈。于是诏颁之州县，令皆刻石。"

吐蕃贡于辽。《续资治通鉴》卷八九："癸亥。吐蕃遣使贡于辽。"

七月

宋颁行《崇宁方田敕令格式》。《续资治通鉴》卷八九："辛卯。蔡京等言：自开阡陌，使民得以田私相贸易，富者恃其有余，厚立价以规利；贫者迫于不足，薄移税以速售。富者莫非膏腴而赋调反轻，贫者所存瘠薄而赋调反重。因循至今，其弊愈甚。熙宁初，神宗灼见此弊，遂诏有司讲究方田利害作法而推行之。盖以土色肥硗，别田之美恶，定赋之多寡，方为之帐，而步亩高下丈尺不可隐；户给之帖，而赋调升合尺寸无所遗。以卖买则民不能容其巧，以推收则吏无所措其奸。邦财自此丰，民赋自此省。五路州县，有经方田者，至今公私以为利。遭元祐纷更，美意良法，未遍于天下。今检会熙宁方田敕，推广神考法意，删去重复，取其应行者为《崇宁方田敕令格式》，乞付三省颁降施行。从之。"

二十六日，苏辙做一梦，醒来以诗记之。《栾城后集》卷三《记梦·七月二十六日》："长鱼三尺困横盆，送入清流喜欲奔。报我金匙仅盈尺，掷还聊喜不贪存。"

八月

《续资治通鉴》卷八九："甲辰。蔡京登上《神宗正史》。"

九月

宋别置斋舍以养材武之士。《续资治通鉴》卷八九："壬辰。诏诸路州学，别置斋舍，以养材武之士。"

宋朝财政出现了问题，储积空而转般之法坏。《续资治通鉴》卷八九："初，东南六路粮斛，自江浙起纲，至于淮甸，以及真、扬、楚、泗，为仓七，以聚畜军储。复自楚、泗置汴纲，般运上京。以江淮发运使董之。故常有六百万石，以供京师，而诸仓常有数年之积。诸郡告歉，则折纳上等价钱，谓之额斛。计本州岁额以仓储代输京师，谓之代发。复于丰熟以中价收籴，谷贱则官籴不至伤农。饥歉则纳钱，民以为便。本钱岁增，兵食有余。及蔡京求羡财以供侈费，乃以其姻家胡师文为发运使，以籴本数百万缗充贡，擢户部侍郎。自是，继者效尤，时有进献而本钱竭。本竭则不能增籴，储积空而转般之法坏矣。"

十月

夏人骚扰泾原地区。《续资治通鉴》卷八九："初，蔡京使王厚招夏卓罗右厢监军仁多保忠。厚言：保忠虽有归意，而下无附者。章数上不听，京责厚愈急，厚乃遣弟诣保忠，还为夏逻者所获，遂追保忠赴牙帐。厚以保忠纵不为夏所杀，亦不能复领军政，使得之，一匹夫耳，何益于事？京怒，必令以金币招之。夏乃点兵延、渭、庆三路，各数千骑，遣使求援于辽。朝议：命西边能招致夏人者，毋问首从，赏同斩级。又以陶节夫经制陕西、河东五路，在延州，大加招诱。夏主遣使巽请，皆拒之，且令杀其放牧者。夏人遂寇泾原。戊午。围平夏城。河西节度使赵怀德等出降。夏人又入镇戎军，掠数万口而去。于是羌酋溪赊罗撒合兵逼宣威城。知鄯州高永年出御之。行三十里，为羌人所执。多罗巴谓其下曰：'此人夺我国，使我宗族漂泊无处所。'遂杀之，探其心肝以食焉。溪赊罗撒复焚大通河桥。新疆大震。事闻，帝怒，亲书五路将帅刘仲武等十八人姓名，敕御史侯蒙往秦州逮治。蒙至秦，仲武等囚服听命。蒙谕之曰：‘君辈皆侯伯，毋庸以狱吏辱君，第以实对。’狱既具，蒙奏言：‘汉武帝杀王恢，不如秦穆公赦孟明。今羌杀吾一都护，而使十八将由之而死，是自艾其支体也。欲身不病，得乎？’帝悟，释不治。唯王厚，坐逗留，责授郢州团练使。”

十一月

宋取士皆由学校升贡。《续资治通鉴》卷八九：“时虽设辟雍太学，以待士之升贡者，然州县犹以科举贡士。蔡京以言：丁亥诏天下取士，悉由学校升贡。其州郡发解，凡试礼部法并罢。而每岁试上舍生，则差知举如礼部法云。”

黄庭坚作文《题自书卷后》。文曰：“崇宁三年十一月，余谪处宜州半岁矣。官司谓余不当居官城中，乃以是月甲戌抱被入宿子城南余所僦舍喧寂斋。虽上雨傍风，无有盖障，市声喧愦，人以为不堪其忧，余以为家本农耕，使不从进士，则田中农舍如是，又可不堪其扰耶？既设卧榻，焚香而坐，与西邻屠牛之机相直。为资深书此卷，实用三钱买鸡毛笔书。”［思齐按：李资深，黄庭坚之友。］

十二月

宋复封孔子后为衍圣公。《续资治通鉴》卷八九：“复封孔子后奉圣公端友，为衍圣公。”

本年

是岁，诸路大蝗。

安惇（1042—1104）卒。《续资治通鉴》卷八九：“同知枢密院事安惇卒，赠特进。后二年，惇长子郊擢福建转运判官。登对归，与客言穆若之容，不合相法，当有播迁之厄。客告其语，坐指斥行舆诛。流其弟邦于涪州，而追贬惇单州团练副使。其祀遂绝。”［思齐按：安惇曾参与迫害元祐诸臣，被祸者七八百人。］

苏辙作《春秋传》成。

黄庭坚本年所作文，较著名的有《题自书卷后》等。

还有《题李白诗草后》：“余评李白诗如黄帝张乐于洞庭之野，无首无尾，不主故常，非墨工椠人所可拟议。吾友黄介读李杜优劣论，曰：‘论文政不当如此。’余以为知言。及观其稿，书大类其诗，弥使人远想慨然。白在开元至德间，不以能书传，今其行草殊不减古人，盖所谓不烦绳削而自合者欤。”

此外，黄庭坚文章中，作年失考而又较为著名者尚有：

《书家弟幼安作草后》：“幼安弟喜作草，携笔东西家，动辄龙蛇满壁，草圣之声誉满江西。来求法于老夫，老夫之书，本无法也。但观世间万象，如蚊蚋聚散，未尝一事横于胸中，故不择笔墨，于纸则书，纸尽则已，亦不计较工拙与人之品藻讥弹，譬如木人，舞中节拍，人叹其工，舞罢则又萧然矣。幼安然吾言乎？”

《跋东坡水陆赞》:“东坡此书,圆劲成就,所谓‘怒猊抉石,渴骥奔泉’,恐不在会稽之笔,而在东坡之手矣。此数十行又兼《董孝子碣》、《禹庙诗》之妙处。士大夫多讥东坡用笔不合古法。彼盖不知古法从何出尔!杜周云:‘三尺安出哉!前王所是以为律,后王所是以为令。’予尝以此论书,而东坡绝倒也。往时柳子厚、刘禹锡讥评韩退之《平淮西碑》,当时道听途说者亦多以为然,今日观之,果何如耶?或云:东坡作戈,多成病笔,又腕着而笔卧,故左秀而右枯。此又见其管中窥豹,不识大体。殊不知西施捧心而颦,虽其病处,乃自成妍。今人未解爱敬此书,远付百年,公论自出,但恨封德彝辈无如许寿及见之耳。余书自不工,而喜论书。虽不能如京生辈左规右矩,形容王氏,独得其义味,旷百世而与之友,故作决定论耳。”

《论语断篇》:“《论语》一书,孔子之门人亲受圣言,虽经秦事,简编断缺,然而文章条理,可疑者少。由汉以来,师承不绝。比诸传记,最有依据,可以考六经之同异,证诸子之是非,学者所当尽心。夫趋名者于朝,趋利者于市,观义理者于其会,《论语》者,义理之会也。凡学者之于孔氏,有如问仁,有如问孝,问政、问君子者众矣。所问非有更端,而所对每不一。盖圣人之于教人,善尽其材,视其学术之弊,性习之偏,息黥补劓之功深矣。古之言者,天下殊途而同归,百虑而一致,学者倘不于领会,恐于义理,终不近也。近世学士大夫知好此书者已众,然宿学者尽心,故多自得,晚学者因人,故多不尽心。不尽其心,故使章分句解,晓析诂训,不能心通性达,终无所得。荀卿曰:‘善学者通伦类。’盖闻一而知一,此晚学者之病也;闻一以知二,故可以谓之善学。由此以进,智可以至于闻一知十。由此以进,智可以至于一以贯之。一以贯之,圣人之事也。由学者之门第至圣人之奥室,其途虽甚长,然亦不过事事反求诸己,忠信笃实,不敢自欺,所行不敢后其所闻,所言不敢过其所行,每鞭其后,积自得之功也。夫不仕无义也。子使漆彤开仕,对:‘吾斯之未能信’,孔子说。漆彤开在圣人之门,闻义虽甚高,至于反身以自诚,则未能笃信其心。未能笃信,则事至而不能无惑。以不能无惑之心适事,而欲应变曲当,不可得也。此漆彤开所以不愿仕也。先王礼制,兴道之人皆有三年之爱于其父母,而宰予欲于期祥之中食稻衣锦,引天下至薄之行,自以为安。渐渍孝弟之说不为不久,岂其无所忌惮,吐不仁之言至于如此?盖若宰予者,其先受之质薄,自其自诚内观,实见三年为哀已忘,而勉强为之者,将欲加厚其质而不可得,故不敢少自隐匿,方求孔子之至言,以洗雪其邪心,以穷受薄之地,不暇恤人之议已也。岂其不仁者欲见于一时之言,而近仁者将载于终身之行?古之学者所自得于内而不恤其外,凡如此也。此所以有讲有学,有朋友切磨以相发明,非为文章可传后世,辩论可屈众人而发也,其所闻于师与自得于心者如此。方其学于师也,不敢听以耳而听之以心,于其反诸身也,不敢求诸外而求之内。古乐与诸君讲学,以求养心寡过之术。士勇之不作久矣,同与诸君勉之。”

黄庭坚又作词《千秋岁》,序云:“少游得谪,尝梦中作词云:‘醉卧古藤下,了不知南北。’竟以元符庚辰死于藤州光华庭上。崇宁甲申,庭坚窜宜州,道过衡阳,览其遗墨,始追和其《千秋岁》词。”词云:“苑边花外,记得同朝退。飞骑轧,鸣珂碎。齐歌云绕扇,赵舞风回带。严鼓断,杯盘狼藉犹相对。　　洒泪谁能会?醉卧藤阴盖。人已去,词空在。兔园高宴悄,虎观英游改。重感慨,波涛万顷珠沉海。”

又作《虞美人·宜州见梅作》:"天涯也有江南信,梅破知春近,夜阑风细得香迟,不道晓来开遍向南枝。　　弄粉花应妒,飘到眉心住。平生个里愿杯深,去国十年老尽少年心。"

黄庭坚所作诗,以下诸篇比较著名:

《赠惠洪》:"数面欣羊胛,论诗喜雉膏。眼横湘水暮,云献楚天高。堕我玉麈尾,乞君宫锦袍。月清放舟舫,万里渺云涛。"

《书摩崖碑后》:"春风吹船著浯溪,扶藜上读《中兴碑》。平生半世看墨本,摩崖石刻鬓成丝。明皇不作苞桑计,颠倒四海由禄儿。九庙不守乘舆西,百官已作乌择栖。抚军监国太子事,何乃趣取大物为?事有至难天幸尔,上皇局蹐还京师。内间张后色可否,外间李父颐指挥。南内凄凉几苟活,高将军去事尤危。臣结《春秋》二三策,臣甫《杜鹃》载拜诗。安知忠臣痛至骨,世上但赏琼琚词。同来野僧六七辈,亦有文士相追随。断崖苍藓对立久,冻雨为洗前朝悲。"张戒《岁寒堂诗话》:"张文潜与鲁直同作《中兴碑》诗,然其工拙不可同年而语。鲁直自以为入子美之室,若《中兴碑》诗,则真可谓入子美之室矣。"曾季狸《艇斋诗话》:"山谷《浯溪碑》诗有史法,古今诗人不至此也。张文谦《浯溪》诗止是事,持语言。今碑本并行,愈觉优劣易见。张诗比山谷,真小巫见大巫也。"

《到桂州》:"桂岭环城如雁荡,平地苍玉忽嶒峨。李成不在郭熙死,奈此百嶂千峰何。"

《寄黄龙清老三首》,其一:"万山不隔中秋月,一雁能传寄远书。深密伽陀枯战笔,真诚相见问何如。"其二:"风前橄榄星宿落,日下桄榔羽扇开。昭默堂中有相忆,清秋忽遣化人来。"其三:"骑驴觅驴但可笑,非马喻马亦成痴。一天月色为水好,二老风流只自知。"

陈与义本年曾游杭州,并赋《木犀诗》。《陈与义集》卷二二《十三日再赋二首,其一以赞使君是日对花赋此韵诗,落笔纵横,而郡中修水战之具,方大阅于燕公楼下也。其一自叙所感,忆年十五,在杭州始识此花,皆三丈高木,尝赋诗焉》,由诗题可知此事。陈与义少时所作,惟见此题,惜原诗已佚。

公元 1105 年(宋崇宁四年　辽乾统五年　夏贞观四年　乙酉)

正月

宋置熙河兰湟路。《续资治通鉴》卷八九:"春正月庚午朔。改熙河兰会路,为熙河兰湟路。丙戌。筑谿哥城。"

宋恢复水磨茶。《续资治通鉴》卷八九:"乙未。尚书省言,水磨茶场,系元丰旧法,不可罢,欲并存留,但罢官差人动磨召磨六十户。承认岁课三十万缗,每月均纳。从之。"

宋立武学法。

蔡卞罢。《纲鉴易知录》卷七四:"春正月,蔡卞罢。卞居心倾邪,一意妇翁王安石所行为至当。以兄京晚达,而位在上,致已不得相,故二府政事,时有不合。至是京请以童贯为制置使,卞言不宜用宦者,必误边计。京于帝前诋卞,卞求去,遂出知河南府。"

二月

宋颁布方田法。《续资治通鉴》卷八九："乙卯，班方田法。"

宋朝规定招降与斩级同赏。《续资治通鉴》卷八九："庚申。诏西边用兵法，能招羌人者，与斩级同赏。"

闰二月

宋改铸夹锡钱。《续资治通鉴》卷八九："甲申。置陕西、河东、河北、京西监，铸当二夹锡铁钱。自太祖以来，闽、蜀、陕西多用铁钱，每十文当铜钱一文。至是，河东转运判官洪中孚，言辽、夏以铁钱为兵器，若杂以锡、铅，则脆而不可用，故有是诏。"

辽嫁公主于夏。《续资治通鉴》卷八九："夏屡遣使请昏于辽。至是辽封族女为成安公主，嫁夏国主李乾顺。"

赵怀德降宋。《续资治通鉴》卷八九："河西节度使赵怀德来降。己丑。御端门受之。授感德军节度使，封安化郡王。壬辰。曲赦熙河兰湟路。"

吕惠卿因引喻失当而降官。《续资治通鉴》卷八九："诏知大名府吕惠卿提举洞霄宫。惠卿再上表，乞弟谅卿出籍。表词有：'明昭先烈，以推美于泰陵；阔略微文，用保全于蔡邸。'言者论其引谕失当，特责之。"

三月

宋设置青海马监。《续资治通鉴》卷八九："三月壬寅。置青海马监。"

苏辙于二十三日作《喜雨》诗。《栾城后集》卷四《喜雨·三月二十三日》："夺官分所甘，年来禄又绝。天公尚怜人，岁贡禾与麦。经冬雪屡下，根须连地脉。庖厨望饼饵，瓮盎思曲糵。一春百日旱，田作龟板坼。老农泪欲夺，无麦真无食。朱明候才兆，风雷起通夕。田中有人至，膏润已逾尺。继来不违愿，饱食真可必。民生亦何幸，天意每相恤。我幸又已多，锄耒坐不执。同尔乐丰穰，异尔苦税役。时闻吏号呼，手把县符赤。岁赋幸自办，横敛何时毕！"

李清照再上诗救父。晁公武《郡斋读书志》卷四下："李氏，格非女，先嫁赵明诚，有才藻名。其舅正夫相徽宗朝，李氏尝献诗曰：'炙手可热心可寒。'"此时李格非罹党籍，仍谪居象郡。

五月

宋除党人父兄子弟之禁。《纲鉴易知录》卷七四："夏五月，除党人父兄子弟之禁。"

徽宗崇尚道教。《续资治通鉴》卷八九："赐信州龙虎山道士张继元，号虚靖先生。汉张道陵三十代孙也。张氏自是相袭为山主。传授法箓者即度为道士。"

苏辙作农事诗。苏辙晚年喜欢养蜂、养竹，均有诗记之。《栾城后集》卷四《收蜜蜂》："空中蜂队如车轮，中有王子蜂中尊。分房减口未有处，野老解与蜂语言。前人传蜜延客住，后人秉艾催客奔。布囊包裹闹如市，坌入竹屋新且完。小窗出入旋知路，幽圃首夏花正繁。相逢处处命俦侣，共入新宅长子孙。今年活计知尚浅，蜜蜡未暇分主人。明年少割助和药，惭愧野老知利源。"同卷，《养竹》："病竹养经年，生笋大如母。初番放出林，末番任供口。欲求五寸围，更听三年后。萧疏尽椽角，无复堪作帚。吾庐适营葺，便可开户牖。秀色到衣冠，清风荡尘垢。物生恨失养，养至无不厚。斧斤日摧剥，阴阳自难救。闲居玩草木，农圃即师友。养人如养竹，举目皆孝秀。"

苏辙作《和迟田舍杂诗九首》。《栾城后集》卷四《和迟田舍杂诗九首并引》，引曰："吾家本眉山，田庐之多寡，与杨子云等。仕宦流落，不复能归。中窜岭南，诸子不能尽从，留之颍川，买田筑室，赊饥寒之患。既蒙恩北还，因而居焉。然拙于生理，有无之计，一付诸子。夏五月，麦方登场，迟往从诸农夫，箪瓢銍艾，知以为乐，作诗九章，澹然有诗人之思。归而出之，为和之云。"诗其一："麦生置不视，麦熟为一来。我懒客亦惰，田荒谁使开？勤事知有获，直驾独未回。交游悉吾病，门巷多苍苔。"其二："我生无定居，投老旋求宅。未暇栋宇完，先问松筠碧。床锐日益销，车辖转生涩。东家虽告贫，鬻否犹未必。"其三："偶自十年闲，非继十人作。早岁漫云云，志大终落落。齿发已半空，头颅不难度。颜曾本吾师，终身美藜藿。"其四："至人竟安在？陶铸皆秕糠。世俗那得知，楚楚事冠裳。方醉狂正坐，吾语未可庄。天定能胜人，更看熟黄粱。"其五："平湖近西园，杖屦可以游。偶从大夫后，不往三经秋。盘中插蒲莲，菱芡亦易求。闭门具樽俎，父子相献酬。"其六："试问西寺僧，云何古佛意？别无安心法，但复饼师馈。外物来无从，往亦无所至。佛法见在前，我亦从此逝。"其七："老佛同一源，出山便异流。少小便好道，意在三神洲。子房见黄石，愿封小国留。终老预人事，断谷为吕忧。"其八："苍然涧下松，不愿世雕刻。斧斤百夫手，牵挽钱牛力。斲成华屋柱，加以缀衣饰。人心喜相贺，松心终自惜。"其九："汲汲陷有为，昏昏堕无记。湛然古井水，心在独无意。读书非求解，食黍姑自遂。幸有三男子，力田奉租税。"

六月

解池变良田。《续资治通鉴》卷八九："六月丙子。御紫宸殿，以修复解池，百官入贺。解池为水浸坏八年，至是始开四千四百余畦。"

赵挺之罢相。《续资治通鉴》卷八九："戊子。尚书右仆射赵挺之罢。初，帝以蔡京独相，谋置右辅，京力荐挺之。既相，与京争权，力陈京奸恶，且请去位以避之。遂罢为中太一宫使，留京师。"

七月

宋朝设置四辅郡。《纲鉴易知录》卷七四："秋七月，置四辅郡。右司谏姚祐请置四辅郡，以拱大畿。诏以颍昌府为南辅，升襄邑县为辅州、为东辅，郑州为西辅，澶州为北辅。各屯兵二万，重其资给。盖蔡京欲兵权归己故也。"

八月

冯澥上书遭贬斥。《续资治通鉴》卷八九："癸未。太常少卿冯澥，责授永州别驾，道州安置。先是，澥知凤翔府，上书曰：'窃以湟、廓、西宁三州，本不毛之地，在大河之外，天所限隔。陛下空数路，耗内帑，竭生灵膏血而取之，何尝得一金一缕入府库、一甲一马备行阵？而三州岁用以亿万计，仰之官也。而帑藏已空，取之民也。而膏血已竭，有司束手，莫知为计。塞下无十日之积，战士饥馁，人有菜色。今残寇游魂，未即归顺，黠羌阻命，共为唇齿，窥伺闲隙，忽肆奸侮，则兵将复用，役必再籍。残弊之后，尚安可堪？臣愚欲采前世羁縻之义，擢其酋豪，授以麾钺，第其首领等级，命官严其誓约，结以恩信，彼将畏威怀德，稽颡听命。有得地之名，无费财之患。兵革不用，樊篱永固。而又可以力折北虏之辞，旁释西羌之怨，一举而众利得，策无上于此者。'至是，诏以澥动摇国是，疑阻新民，可送吏部与远小监当。臣僚又言澥罪大责轻，未当公议，遂重责之。"

九月

宋朝廷大赦天下，元祐党人稍从内迁。《续资治通鉴》卷八九："己亥。大赦天下。诏元祐奸党，久责遐裔，用示至仁，稍从内徙。应岭南移荆湖，荆湖移江淮，江淮移近地。唯不得至四辅畿甸。"

宋朝廷制成九鼎与大晟乐。《纲鉴易知录》卷七四："八月，新乐及九鼎成。九月，帝受贺于大庆殿。九鼎成，奉安于九成宫，以蔡京为定鼎礼仪使。帝幸宫行酌献礼。鼎各一殿，中央曰帝鼎，北曰宝鼎，东曰牡鼎，东北曰苍鼎，东南曰冈鼎，南曰彤鼎，西南曰阜鼎，西曰晶鼎，西北曰魁鼎。时新制乐亦成，赐名《大晟》。置大晟府，建官属。九月，帝受贺于大庆殿，加号魏汉津虚和冲显宝应先生。帝之幸九成宫也，酌献至北方宝鼎，鼎忽破，水流溢于外，或者以为北方致乱之兆。"

黄庭坚于重九日作词《南乡子》。序曰："重阳日，宜州城楼宴集，即席作。"词曰："诸将说封侯，短笛长歌独倚楼。万事尽随风愈趋，休休，戏马台南金络头。催酒莫迟留，酒味今秋似去秋。花向老人头上笑，羞羞，白发簪花不解愁。"

另外，黄庭坚所作词中比较有名但作年失考者尚有：

《清平乐·晚春》："春归何处？寂寞无行路。若有人知春去处，换取归来同住。春无踪迹谁知？除非问取黄鹂。百啭无人能解，因风飞过蔷薇。"

《满庭芳》："修水浓青，新条淡绿，翠光交映虚亭。锦鸳霜鹭，荷径失幽苹。香渡栏杆屈曲，红妆映、薄绮疏棂。风清夜，横塘月满，水净见移星。　堪听，微雨过，媻跚藻荇，琐浮碎萍。便移转胡床，湘簟方屏。练霭鳞云旋满，声不断，檐响风铃。重开宴，瑶池雪满，山露佛头青。"龙榆生《唐宋名家词选》引夏敬观评："方之少游，灵动不足，严整有余。"

《水调歌头》："瑶草一何碧！春入武陵溪。溪上桃花无数，花上有黄鹂。我欲穿花行路，直入白云深处，浩气展虹蜺。只恐花深里，红露湿人衣。　坐玉石，欹玉枕，拂金徽。谪仙何处？无人伴我白螺杯。我为灵芝仙草，不为朱唇丹脸，长啸亦何为？醉舞下山去，明月逐人归。”

《西江月并序》，序曰：“老夫既戒酒不饮，遇宴集，独醒其旁。坐客欲得小词，援笔为赋。”词曰：“断送一生惟月，破除万事无过。远山横黛蘸秋波。不饮旁人笑我。

花病等闲瘦弱，春愁无处遮拦。杯行到手莫留餐，不道月斜人散。”

黄庭坚（1045—1105）**卒**。三十日，黄庭坚卒于宜州，年六十一。洪炎《豫章先生文集序》（《豫章先生文集》卷首）：“炎元祐戊辰、辛未岁两试礼部，皆寓舅氏鲁直廨中。鲁直出诗一编曰《退厅堂录》，云：‘余作诗至多，不足传，所可传者仅百余篇而已。’鲁直时为校书郎，稍迁佐著作，修神宗实录，与翰林学士苏公子瞻游最密，赋诗或无辍。炎既手钞《退厅录》矣，随钞录评论，引见鲁直昔尝作《退厅序》，云：‘诗非苦思不可为，余得第后始知此。今世所传录他诗，乃未第时为之者。’及后一岁，鲁直丁母夫人忧，绝不作诗。服除，以修史事罢，迁黔州、戎州，蜀士流泪劝就学，以诗教诸生焉。北归，寓荆渚，罢太平，寓江夏，皆逾岁，后进生慕学者益众，故诗益多。炎每省觐，辄钞所见，遂盈卷帙矣。然当是时，文学有禁，不敢出也。鲁直竟投宜州，自鄂、道、潭、衡、永州、靖江、宜，皆有诗，没后尽得之亲友间，而时禁益厉，又客宦卒卒少暇日，欲稍论类叙次之，亦未遑也。靖康丙午岁，前禁始除。建炎戊申岁，时鲁直之故人洪府连帅胡公少汲始属炎撰次，以刻板传世。撰次既契夙心，而外家所托，他人或不预闻，故不得辞。初，鲁直为叶县尉、北京教授、知太和县、监德平镇，诗文已无虑千数。《退厅》所录，太和止数篇，德平十得四五。入馆之后，不合者盖鲜。窃意少时所作，虽或好诗传播尚多，不若入馆之后为全粹也。今断自《退厅》而后，杂以他文，得一千三百四十有三首，为赋十，楚辞五，诗七百，铭、赞、颂二百四十，序、记、书八十，表状、文、杂著四十九，墓志碑碣四十一，题跋一百一十八，合为三十帙，分别部类，各以伦类。呜呼，亦可谓富矣！凡诗断自《退厅》始，《退厅》以前盖不复取，独取古风二篇，冠诗之首，以见鲁直受知于苏公，有所自也。他文，杂前后十取八九，独去其可疑与不合者，亦鲁直之本意也。大抵鲁直于文章，天成性得，落笔巧妙，他士莫逮，而尤长于诗。其发源以治心修性为宗本，放而至于远声利，薄轩冕，祭器致忧国忧民忠义之气，蔼然见于笔墨之外。凡句法置字律令，新新不穷，增出增奇，所谓包曹、刘之波澜，兼陶、谢之宇量，可使子美分座，太白却行者耶！苏公尝评鲁直曰：‘读鲁直诗，如见鲁仲连、李太白，不敢复论鄙事。颇若不适用，然不为无补于世。’苏公，知鲁直者，然此评则未尽。夫诗人赋咏于彼，兴讬在此，阐绎优游而不迫切，其所感寓，常微见其端，诗人三复玩味之，久而不厌，言不足而思有余，故可贵尚也。若察察言如老杜《新安》、《石壕》、《潼关》、《花门》之什，白公《秦中吟》、《乐游园》、《紫阁村》诗，则几于骂矣，失诗之本旨也。举世雷同，未必皆知鲁直。苏公真知鲁直者，又可叹如此，信乎知我知难值也！鲁直尝游灊皖，爱山谷石牛洞，意若将老焉，故自号山谷道人。谪黔、戎时，假涪州别驾，故又号涪翁，或曰涪皤。在黔中，又号黔安居士。在宜州，又号八桂老人。皆班班见于诗文。然世士言鲁直者，但曰山谷，盖以配东坡云。建炎二年十月十日中奉大夫提举西京嵩山崇福宫洪炎序。”［思齐按：本文又作《豫章黄先生退厅堂录序》］。

十月

乙丑，赵明诚除鸿胪少卿。《宋宰辅编年录》卷十一："十月乙丑朔，挺之既罢相，帝以挺之子存诚为卫尉卿，思诚为秘书少监，明诚为鸿胪少卿。挺之辞不敢当，乞收还成命，诏答不允。"

十一月

宋朝廷设置应奉局，置官员主管花石纲。《纲鉴易知录》卷七四："冬十一月，以朱勔领苏、杭应奉局及花石纲。先是，苏州人有朱冲及其子勔，俱给事蔡京所，京窜其父子名姓于童贯军籍中，皆得官。帝颇垂意花石，京讽冲密取浙中珍异以进。初致黄杨三本，帝嘉之。后岁岁增加，舳舻相衔于淮汴，号'花石纲'。乃命勔领应奉局及纲事，勔指取内帑如囊中物，每取以数十百万计。于是搜岩剔薮，幽隐不置。凡士庶之家，一石一木稍堪玩者，即领健卒直入其家，用黄封表识，使护视之。微不谨，即被以大不恭罪。及发行，必拆屋抉墙以出。人不幸有一物小异，共指为不祥，惟恐芟夷之不速。民预是役者，中家破产，或粥卖子女以供其须。斸山辇石，程督惨刻，虽在江湖不测之渊，百计取之，必得乃止。篙工舵师，倚势贪横，陵轹州县，道路以目。"

辽国禁止商贾之家应进士。《续资治通鉴》卷八九："十一月戊戌。辽禁商贾之家应进士。"

高丽国王死。《续资治通鉴》卷八九："丙辰。高丽国王容殂。子俣，遣其中书舍人金缘，告于辽。缘至辽，赐宴。将奏乐，缘曰：'臣来时，本国群臣皆服衰绖。今至上国，获蒙赐宴。臣子之情，不忍闻乐。辽主义而从之。"

关于当十钱、当五钱、当二钱。《续资治通鉴》卷八九："尚书省言，私铸当十钱，利重不能禁，深虑民间物重钱滥，乞荆湖南北、江南东西、两浙路，并改作当五钱；旧当二钱依旧。又虑冒法运入东北，宜以江为界。从之。"

十二月

苏辙于岁末作诗数首。《栾城后集》卷四《岁莫二首》，其一："岭南万里归来客，颍上六年多病身。未死谁言犹有命，尝闲岂复更尤人？眼看世事知难了，手注遗编近一新。点检平生无几恨，浊醪初熟正逢春。"其二："文章习气消未尽，般若初心老渐明。粗有《春秋》传旧学，终凭止观定无生。维摩晚亦谐生事，弥勒初犹重世名。须发来年应更白，莫留尘滓溷澄清。"同卷，《除夜》："年更六十七，旬满三百六。俯仰更何为，万事如转毂。禅心澹不起，非人自歌哭。芸芸初莫御，势尽行将复。学道道可成，定心心每足。守岁听儿曹，自笑未免俗。"

本年

章惇（1035—1105）卒。《续资治通鉴》卷八九："己未。舒州团练副使、湖州安置章惇卒。惇四子连登科，讫无显者。死之日，群妾纷争金帛。停尸数日，无人在侧，为鼠食其一指。”又，王明清《挥麈后录》：“章俞者，郇公之族子，早虽不自拘检，妻之母杨氏，年少而寡，俞与之通。已而有娠，生子。初产之时，杨氏欲不举，杨氏母勉令留之，以一合贮水，缄置其内，遣人持以还俞。俞得知云：‘此儿五行俱佳，将大吾门。’雇乳者谨视之。既长登第。始与东坡先生缔交，后送其出守湖州诗，首云：‘方丈仙人出渺茫，高情犹爱水云乡。’以为讥己，由是怨之。其子入政府，俞尚无恙。尝犯法，以年八十勿论。事见《神宗实录》。绍圣相天下，坡渡海，盖修报也。所谓燕国夫人墓，独处而无祔者，即杨氏也。”

黄庭坚本年所作诗，以下诸篇比较著名。

《和范信中寓居崇宁遇雨二首》，其一：“范侯来寻八桂路，走避俗人如脱兔。衣囊夜雨寄禅家，行潦升阶漂两屦。遣闷闷不离眼前，避愁愁已知人处。庆公忧民苗未立，旻公忧木水推去。两禅有意开寿域，晚岁筑室当百堵。它时无屋可藏身，且作五里公超雾。”其二：“当年游侠成都路，黄犬苍鹰伐狐兔。二十始肯为儒生，行寻丈人奉巾屦。千江渺然万山阻，抱衣一囊遍处处。或持剑挂宰上回，亦有酒罂壶中去。昨来禅榻寄曲肱，上雨傍风破环堵。何时鲲化北溟波，好在豹隐南山雾。”

《予去岁在长沙，数与叔度元实相从把酒，自过岭来，不复有此乐，感慨之余，戏成一绝》（自注：崇宁四年宜州作）：“玄霜捣尽音尘绝，去作湖南万里春。想见山川佳绝地，落花飞絮转愁人。”

陈与义十六岁，尝从崔鶠问作诗之要。徐度《却扫篇》卷中：“陈参政去非少学诗于崔鶠德符，尝请问作诗之要。崔曰：‘凡作诗工拙所不论，大要忌俗而异。天下书虽不可不读，然慎不可有意于用事。’去非亦尝与人言：‘本朝诗人之诗，有慎不可读者，有不可不读者。慎不可读者梅圣俞，不可不读者陈无已也。’”

公元 1106 年（宋崇宁五年　辽乾统六年　夏贞观五年　丙戌）

正月

苏辙有诗言旱灾与农业生产之关系。苏辙因降雨而喜赋一诗，悯农之情跃然纸上，并富于民俗气息。《栾城后集》卷四《喜雨》：“历时书不雨，此法存《春秋》。我请诛旱魃，天公信闻不？魃去未出门，油云裹嵩丘。濛濛三日雨，入土如膏流。二麦返生意，百草萌芽抽。农夫但相贺，漫不知其由。魃来有巢穴，遗卵遍九州。一扫不能尽，余孽未遽休。安得风雨师，速遣雷霆搜。众魃诚已去，秋成倘无忧。”

吴居厚、刘逵任朝廷要职。《纲鉴易知录》卷七四：“丙戌，五年。春正月，彗出西方，长竟天。以吴居厚为门下侍郎，刘逵为中书侍郎。”

宋朝廷诏毁党人碑。《纲鉴易知录》卷七四：“诏求直言，毁党人碑，复谪者仕籍。帝以星变，避殿损膳，刘逵请碎元祐党人碑，宽上书邪籍之禁，帝从之。夜半遣黄门至朝堂毁石刻。翌日，蔡京见之，厉声曰：‘石可毁，名不可灭也。’寻以太白昼见，赦除党人一切之禁，诏崇宁以来左降者，无问存没，稍复其官，尽还诸徙者。”

宋铸造小平钱。《续资治通鉴》卷八九：“丙午。尚书省言：当十钱，东南私铸甚多，民间买卖阻滞，其荆湖、两浙、江南、淮南路已降指挥，并改作当五行使。尚虑民间盗铸不已，其当十钱并行罢铸，仰铸小平钱。从之。”

宋朝廷赦元祐党人。《续资治通鉴》卷八九：“丁未，太白昼见，大赦天下，除党人一切之禁。应合叙用人，依该非次，赦恩与叙；应见贬责命官，未量移者，与量移；应官员犯徒罪以下，依条不以赦；降去官原减者，许于刑部投状；本部具元犯，因依闻奏未断者，并仰依令赦原减。又诏已降指挥，除毁元祐奸党石刻，及与系籍人叙复注拟差遣。深虑愚人妄意臆度，觊欲更张熙丰善政，苟害继述，必置典刑。……庚戌，三省同奉旨叙复元祐党籍曾任宰臣执政官刘挚等十一人，待制以上官苏轼等十九人，文臣余官任伯雨等五十五人，选人吕谅卿等六十七人。”

二月

甲子（初一日），雨，苏辙作诗，颇关切农业生产。《栾城后集》卷四《甲子日雨》：“一冬无雪麦方病，细雨逆春岁有望。愁见积阴连甲子，复令父老念耕桑。瘦田未足终年计，浊酒谁供清旦尝？赖有真人不饥渴，闭门却扫但焚香。”

寒食日，苏辙因新火而作诗，颇有悯农之意。同卷，《新火》：“百口共一灶，终年事烹煎。力耕饲饥饿馋，灶弊火亦烦。昨日一百五，老稚俱食寒。呼童戛枯竹，灿然吐青烟。适从何方来，荧荧百家传？性火出真空，应量曾无边。老病何所求，石瓶煮寒泉。敛为一夫用，无心固当然。”

同卷，《次韵和人咏酴醾》：“蜀中酴生醾如积，开落春风山寂寂。已怜正发醇畹暖，犹爱未开光的皪。半垂野水若如坠，直上长松勇无敌。风中娜娜应数丈，月下煌煌真一色。故园闻道开愈繁，老人自恨归无日。百花已过春欲莫，燕坐绳床空叹息。朝来满把得幽香，按头乱插铜瓶湿。一番花蕊转头空，谁能往问天台拾？”

蔡京以“惟王不会”为说。《纲鉴易知录》卷七四：“二月，蔡京有罪免。京怀奸植党，讬绍述之名，纷更法制，贬斥群贤，增修财利之政，务以侈靡惑人主，动以《周官》惟王不会为说（会，计也。《周礼》，司会岁有会，膳夫岁终则会，惟王及后、世子之膳不会）。每及前朝惜财省费者必以为陋。至于土木营建，率欲度前规而侈后观。时天下久平，京因覩帑庾盈溢，遂倡为‘丰亨豫大’之说，视官爵财物如粪土，累朝所储扫地矣。及彗星见，帝悟其奸，凡所建置，一切罢之，而免京为中太乙宫使，留京师。”

赵挺之任宰相。《纲鉴易知录》卷七四：“以赵挺之为尚书右仆射兼中书侍郎。挺之与刘逵同心辅政，然挺之多知，虑后患，每建白务开其端，而使逵举其说。初，蔡京兴边事，用兵累年。置是，帝临朝语大臣曰：‘朝廷不可与四夷生隙，衅端一开，兵连祸结，生民肝脑涂地，岂人主爱民之意哉！’挺之退谓同列曰：‘上志在息兵，吾曹所宜当顺。’时执政皆京党，但唯笑而已。”

宋朝通过辽国为中介，允许西夏以土地换取和平。《续资治通鉴》卷八九：“辽遣知北院枢密使萧德勒岱、知南院枢密使牛温舒来聘，请归侵地于夏也。先是，谍言辽人集兵甚急。及使至，人情汹汹。张康国、何执中等，俱请设备。赵挺之独曰：‘辽人书词甚逊，且遣二相臣为师，所以尊朝廷也。况所求但云元符媾和以后所侵西界而已。’帝曰：‘先帝已画封疆，今不复议。若自崇宁以来侵地可与之。’乃许辽人。”

李清照作词描写郊游。由于大赦天下，叙复元祐党人，局面略有好转，李清照心情亦好，有词描写京城郊游，表现出一片承平气象。《庆清朝》：“禁幄低张，雕栏巧护，就中独占残春。容华淡竚，绰约俱见天真。待得群花过后，一番风露晓妆新。妖娆态，妒风笑月，长殢东君。　　东城边，南陌上，正日烘池馆，竞走香轮。绮筵散日，谁人可继芳尘？更好明光宫里，几枝先向日边匀。金尊倒，拼了画烛，不管黄昏。”

三月

宋朝廷罢求直言。《续资治通鉴》卷八九：“三月丙申，诏星变已消，罢求直言。”

蔡薿等六百七十一人中进士。《续资治通鉴》卷八九：“己未，赐礼部奏名进士及第出身蔡薿等六百七十一人。”

春

苏辙评论韩驹之诗。韩驹（子苍）来看望苏辙。苏辙评论韩驹之诗歌创作成就，并与之论学。《栾城后集》卷四《题韩驹秀才诗卷》：“唐朝文士例能诗，李杜高深独到希。我读君诗笑无语，恍然重见储光羲。”又，《栾城遗言》：“公曰……韩驹诗似储光羲。”又谓，储光羲诗高处似陶潜，平处似王维。同上：“公语韩子苍云：学者观儒书。至于佛书，亦可多读，知其器能也。”曾季狸《艇斋诗话》：“韩子苍少以诗见苏黄门……人问黄门何以比储光羲，黄门云：‘见其行针布线似之。’”

四月

宋朝廷因水灾停免两浙夏税。《续资治通鉴》卷八九：“夏四月丁丑，停免两浙水灾州郡夏税。”

五月

宋颁行《纪元历》。《续资治通鉴》卷八九：“丁未，班《纪元历》，刘昺所造也。”

宋朝廷罢辟举。《续资治通鉴》卷八九：“乙卯，罢辟举，尽复元丰选法。”

六月

宋设立诸路监司互察法。《续资治通鉴》卷八九：“六月癸亥，立诸路监司互察法。庇匿不举者，罪之。乃令御史台纠劾。”

宋朝廷诏辅臣献东南守备策。《续资治通鉴》卷八九：“丁卯，诏辅臣条具东南守备策。”

七月

刘逵罢官，出知亳州。《纲鉴易知录》卷七四："刘逵罢。蔡京令其党进言于帝曰：'京之改法度，皆禀上旨，非私为之。今一切皆罢，恐非绍述之意。'帝惑其说，复有用京之心。于是京党御史余深、石公弼论逵专恣，反复引用邪党，出知亳州。"

壬寅，诏改明年为大观。

阻仆贡于辽。

宋徽宗为茅山道士刘混康加封号。《续资治通鉴》卷八九："甲寅，茅山道士刘混康，加号葆真观妙冲和先生。"

李清照于七夕作词《行香子》。词曰："草际鸣蛩，惊落梧桐，正人间天上愁浓。云间月色，关锁千重。纵浮槎来，浮槎去，不相逢。　星桥鹊驾，经年才见，想离情别恨难穷。牵牛织女，莫是离中？甚霎儿晴，霎儿雨，霎儿风。"

八月

宋夏辽关系有所改善。《续资治通鉴》卷八九："八月，以与夏通好，遣礼部侍郎刘正夫如辽报聘。正夫酬对敏博，与辽人议皆如约，帝嘉之，遂有大用之意。"

八月旦，米芾跋赵明诚所藏《集古录跋尾》。跋云："芾多识前辈，唯不识公，临纸想其风采。丙戌八月旦谨题。"

九月

初九日，苏辙独酌，作诗三首。《栾城后集》卷四《九日独酌三首》，其一："府县嫌吾旧党人，乡人畏我昔黄门。终年闭户已三岁，九日无人共一樽。白酒近令沽野店，黄花旋遣折篱根。老妻也说无生话，独酌油然对子孙。"其二："故国忘归懒问人，新居斫竹旋开门。菊生墙下不知节，酒滴床头初满樽。涨水骤来真有浪，浮云卷去自无根。凡心漫作《颍滨传》，留与他年好事孙。"其三："平昔交游今几人？后生谁复款吾门？茅檐适性轻华屋，黍酒忘形敌上尊。东圃旋移花百本，西轩恨斫竹千根。舍南赖有凌云柏，父老经过说二孙（自注：古柏孙何、仅所种）。"

苏辙作《颍滨遗老传》。本月，苏辙作《颍滨遗老传》。《栾城后集》卷十三《颍滨遗老传·下》："予居颍川六年，岁在丙戌秋九月，阅箧中旧书，得平生所为，惜其久而忘之也，乃作《颍滨遗老传》，凡万余言。已而自笑曰：'此世间得失耳，何足以语达人哉？'昔予年四十有二，始居高安，有一二衲僧游。听其言，知万法皆空，惟有此心不生不灭。以此居富贵，处贫贱，二十余年而心未尝动，然犹未睹夫实相也。及读《楞严》，以六求一，以一除六，至于一六兼忘，虽践诸相，皆无所碍。乃油然而笑曰：'此岂实相也哉？夫一犹可忘，而况《遗老传》乎？虽取而焚之，可也。'"

十月

二十三日，大雪，苏辙作诗，诉当十钱病民。《栾城第三集》卷一《丙戌十月二十三日大雪》："秋成粟满仓，冬藏雪盈尺。天意愍无辜，岁事了不逆。谁言丰年中，遭此大枭厄。肉好虽甚精，十百非其实。田家有余粮，靳靳未肯出。闾阎但坐视，愍愍不得食。朝饥愿充肠，三五本自足。饱食就茗饮，竟亦安用十？奸豪得巧便，轻重窃相易。邻邦谷如土，胡越两不及。闲民本无赖，翩然去井邑。土著坐受穷，忍饥待捐瘠。彼哉陶钧手，用此狂且愎。天且无奈何，我亦长太息。"

十一月

从大臣薛昂言，宋立武士贡法。《续资治通鉴》卷八九："乙巳，立武士贡法。从大司成薛昂等言也。"

十二月

辽封耶律俨为漆水郡王。《续资治通鉴》卷八九："辽封耶律俨为漆水郡王，余官进爵有差。俨恶枢密都承旨马人望不附己，遣南京诸宫提辖制置。"

本年

广西黎洞蛮内附。《续资治通鉴》卷八九："是岁，广西黎洞蛮韦晏闹等内附。"

陈与义十七岁，在太学。

晏几道（1030？—1106）卒。《曾巩集》卷一三《类要序》："晏元献公出东南，起童子，入秘阁读书，遂赞名，命入翰林为学士。真宗特宠待之，每进见劳问，及所以任属之者，群臣莫能及。皇太子就书学，公以选入侍。太子即皇帝位，是为仁宗。公遂管国枢要，任政事，位宰相。其在朝廷五十余年，常以文学谋议为任，所为赋、颂、铭、碑、制、诏、册、命、书、奏、议、论之文传天下，尤长于诗，天下皆吟诵之。当真宗之世，天下无事，方辑福应，推功德，修封禅，及后土、山川、老子诸祠，以报礼上下。左右前后之臣，非工儒学，妙于语言，能讨论古今，润色太平之业者，不能称其位。公于是时为学者宗，天下慕其声名。人见公应于外者之不穷，而不知公之得于内者深也。及得公所谓《类要》上中下帙，总七十四篇，凡若干门，皆公所手抄。乃知公于六艺、太史、百家之言，骚人墨客之文章，至于地志、族谱、佛老、方伎之众说，旁及九州岛之外，蛮夷荒服诡变奇迹之序录，皆批寻紬绎，而于三才万物变化情伪，是非兴坏之理，显隐细巨之委曲，莫不究尽。公之得于内者在此也。公之所以光显于世者，有以哉！观公之所自致者如此，则知士不素学而处从官大臣之列，备文儒道德之任，岂能不馁且病乎？此公之书所以为可传也。公之子知止，能守其家者也，以书属余序。余与公仕不并时，然皆临川人，故为之论次，以为公书诸首。"

公元 1107 年（宋大观元年　辽乾统七年　夏贞观六年　丁亥）

正月

宋徽宗复用蔡京。《纲鉴易知录》卷七四："丁亥，大观元年，春正月，以蔡京为尚书左仆射兼门下侍郎。吴居厚罢，以何执中为中书侍郎；邓洵武、梁子美为尚书左、右丞。三月，赵挺之罢，以何执中、邓洵武为门下、中书侍郎；梁子美、朱谔为尚书左、右丞。”

梁子美因市北珠以进官。《续资治通鉴》卷九十：“壬子，以何执中为中书侍郎，邓洵武为尚书左丞，户部尚书梁子美为尚书右丞。子美初为河北都转运使，倾漕计以奉上，至捐缗钱三百万，市北珠以进。由是诸路漕臣效尤，争进羡余矣。此珠出于女直，子美市于辽。辽嗜其利，虐女直，捕海东青以求珠，女直深怨之，而子美用是显。”

上元日，苏辙不出户外，在家作诗，抒写晚年之闲适生活。《栾城第三集》卷一《上元不出》：“春寒未脱紫貂裘，灯火催人野出游。老厌歌钟空命酒，病嫌风露怯登楼。拥抱坐睡曾无念，结客追欢久已休。试问西邻传法老，此时情味似侬不?”

二月

宋徽宗崇尚道教。《续资治通鉴》卷九十：“二月己未，诏令道士序位在僧上，女冠在尼上。”

于仙姑与虞仙姑。《续资治通鉴》卷九十：“凤翔府于仙姑，授清真冲妙先生。寻遣李瓌赍御封香往凤翔太平宫等处道场，因就宣于仙姑赴阙。又有虞仙姑者，年八十余，状貌如少艾，行大洞法。一日，帝诵《大洞经》，举首，见有仙官侍立者。蔡京尝具饭招仙姑，见大猫，治而问京曰：‘识之否? 此章惇也。’意以讽京，京大不乐。帝尝问仙姑致太平之期，对曰：‘当用贤人。’帝曰：‘贤人谓谁?’曰：‘范纯粹也。’帝以语京，京曰：‘此元祐臣僚所使!’遂逐之。于是，士大夫争言：虞仙姑，亦入元祐党矣。”

丁亥（二十日），苏辙生日，苏辙在家作诗追忆平生。苏辙少年病肺，中年病脾，自困苦之中悟出养生之道在于“处世百欲轻”。轻者，不汲汲于名利也。以下云及老聃、瞿昙，则道也者乃自老、佛来。《栾城第三集》卷一《丁亥生日》：“少年即病肺，喘作锯木声。中年复病脾，暴下泉流倾。困苦始之道，处世百欲轻。收功在晚年，二疾忽已平。来年今日中，正行七十程。老聃本吾师，妙语初自明。至哉希夷微，不受外物婴。非三亦非一，了了无形形。迎随俱不见，瞿昙谓无生。湛然琉璃内，宝月长盈盈。”

三月

八行取士与八刑之罪。《续资治通鉴》卷九十：“甲辰，诏以八行取士：养父母为孝，善兄弟为悌，善内亲为睦，善外亲为姻，信于朋友为任，仁于州里为恤，知君臣之义为忠，达义利之分为和。孝悌忠和为上，睦姻为中，任恤为下。又制为不忠不孝、不悌不和、不姻不睦、不任不恤之刑。诸犯八刑者，县令、佐，州知、通，[令]以其事自书于籍，报学。应有入学，不睦十年，不姻八年，不任五年，不恤三年，能改过自新，不犯罪而有二行之实，耆邻保伍申县，县令、佐审，听入学。在学一年，又不犯第三等罪，听齿于诸生之列。”

赵挺之（1040—1107）卒。《续资治通鉴》卷九十：“癸丑，观文殿大学士、佑神观使赵挺之卒，赠司徒，谥清宪。”

梦得入对巧设问，徽宗命为起居郎。《续资治通鉴》卷九十：“以叶梦得为起居郎。梦得附蔡京，得为祠部员外郎。蔡京罢相，赵挺之更其所行。及京再相，复反前政。梦得入对，因曰：‘陛下前日所建立者，出于陛下乎？出于大臣乎？岂可以大臣进退而有所更张也！’帝悦，故有是命。”

春

因谢人惠千叶牡丹，又移陈州千叶牡丹二本，苏辙喜而作诗。《栾城第三集》卷一《谢人惠千叶牡丹》：“东风吹趁百花新，不出门庭一老人。天女要知摩诘病，银瓶满送洛阳春。可怜最后开千叶，细数余芳尚一旬，更待游人归去尽，试将童冠浴湖滨。”

同卷，《移陈州牡丹偶得千叶二本喜作》：“小圃初开清濮岸，名花近取宛秋城。争言千叶根难认，忽发双葩眼自明。谪堕神仙终不俗，飞来鸾凤有余清。细鉏瓦砾除荆棘，未可令齐众草生。”

五月

皇子赵构（1107—1187）生。《续资治通鉴》卷九十：“乙巳，皇子构生。才人韦氏所产也，寻进韦氏为婕妤。”

六月

宋设置庭、孚二州。《续资治通鉴》卷九十：“甲子，以黎人地为庭、孚二州。”

徽宗赐上舍生及第。《续资治通鉴》卷九十：“癸酉，赐上舍生二十九人及第。”

夏

蚕眠、麦熟时节，文氏外孙入村收麦，苏辙作诗记之。《栾城第三集》卷一《蚕麦二首》，其一：“疏慵自分人嫌我，贫病可怜天养人。蚕眠已报冬裘具，麦熟旋供汤饼新。撷桑晓出露濡足，拾穗暮归尘满身。家家辛苦大作社，典我千钱追四邻。”其二：“三界人家多鲜福，一时蚕麦得难兼。鉏耰已愧非吾力，汤火尤惊取不廉。贵客争夸火浣布，贫家粗有水精盐。薄衫冷面消长夏，扪腹当知百不堪。”

同卷，《文氏外孙入村收麦》：“欲收新麦继陈谷，赖有诸孙替老人。三夜阴淫败场圃，一竿晴日舞比邻。急炊大饼偿饥乏，多博村酤劳苦辛。闭廪归来真了事，赋诗怜汝足精神。”

七月

宋括全国漏丁。《续资治通鉴》卷九十："戊子，诏括天下漏丁。"

苏辙于初一日，赋诗诉蚕妇、田父之苦。《栾城第三集》卷一《苦雨·七月朔》："蚕妇丝出盎，田父麦入仓。斯人薄福德，二事未易当。忽作连日雨，坐使秋田荒。出门陷涂潦，入室崩垣墙。覆压先老稚，漂沦及牛羊。余粮詎能久，岁晚忧糟糠。天灾非妄行，人事密有偿。嗟哉竟未悟，自谓予不戕。造祸未有害，无辜辄先伤。箪嫖吾何忧，作诗热衷肠。"

同卷，《杀麦二首》，其一："麦辛十分热，雨过三日淫。初晴尚未伏，半夜卷重阴。细筑场无隙，轻推磨有音。惊闻诸县水，一晒直千金。"其二："雨后麦多病，庚中蛾欲飞。不辞终日暑，辛脱半年饥。潦水来何暴，秋田望已微。农夫愚可念，此报定谁非！"

李清照本年二十四岁。秋天，赵明诚、李清照屏居青州。回乡不久，李清照有词《南歌子》："天上星河转，人间帘幕垂。凉生枕簟泪痕滋。起解罗衣，廖文夜何其？翠贴莲蓬小，金销藕叶稀。旧时天气旧时衣，只有情怀不似旧家时。"

九月

程颐（1033—1107）卒。《纲鉴易知录》卷七四："九月，故直秘阁程颐卒。颐于书无所不读，其学本于诚，以《大学》、《论语》、《孟子》、《中庸》为标指，而达于六经。动止语默，一以圣人为师，卒得孔、孟不传之学，为主儒倡。著《易》、《春秋传》，平生诲人不倦，故学者出其门最多，渊源所渐，皆为名士，而刘绚、李籲、谢良佐、游酢、张绎、苏昞、吕大临、吕大钧、尹焞、杨时成德尤著。世称颐为伊川先生，卒年七十五。绚力学不倦，颐每言'他人之学，敏则有矣，未易保也。若绚者，吾无忧焉'。仕终太常博士。籲，颐称其才器可大任。又言：'自予兄弟倡明道学，能使学者视仿而信从者，籲与刘绚有力焉。'仕终校书郎。良佐学问该赡，事有未澈，则颡有泚。一年复来见，颐问所进，对曰：'但去得一矜字尔。'颐喜曰：'是子可谓博学切向而近思者。'仕终监京西竹木场。酢，初与其兄醇俱以文行知名，所交皆天下士。颐见之京师，谓其资可以进道。及程颢兴扶沟讲学，酢尽弃故所习而学焉。仕终知濠州。绎，家世甚微，年长未知学，佣力于市。闻邑官传呼声，心慕之，即发愤为学，遂以文名。会颐自涪还河南，绎往受业，颐称其颖悟，尝曰：'吾晚得二士。'谓绎与尹焞也。昞，始学于张载而事二程卒业，仕为太常博士，坐元符上书邪等人，贬官饶州，卒。大钧，大防之弟，能守其师说而践履之，尤喜讲明井田兵制，谓治道必自此始。张载每叹其勇为不可及。仕终陕西转运从事。大临，大钧之弟，通六经，尤邃于《礼》，每于掇习三代遗文旧制，令可行，不为空言以拂世矫俗。仕终秘书省正字。"

李清照作词咏白菊，美人尽入咏歌中。李清照《多丽·咏白菊》："小楼寒，夜长帘幕低垂。恨潇潇、无情风雨，夜来揉损琼肌，也不思、贵妃醉脸，也不思、孙寿愁眉。韩令偷香，徐娘傅粉，莫将比拟未新奇。细看取，屈平陶令，风韵正相宜。微风起，清芬蕴积，不减酴醾。　渐秋阑、雪清玉瘦，向人无限依依。似愁凝、汉皋解佩。似泪洒、纨扇题诗。明月清风，浓烟暗雨，天教憔悴度芳姿。纵爱惜，不知从此，留得几多时。人情好，何须更忆，泽畔东篱。”况周颐《珠花簃词话》：“李易安《多丽·咏白菊》，前段用贵妃、孙寿、韩掾、徐娘、屈平、陶令若干人物，后段雪清玉瘦、汉皋纨扇、朗月风清、浓烟暗雨许多字面，却不嫌堆垛，赖有清气流行耳。‘纵爱惜，不知从此，留得几多时’，三句最佳，所谓传神阿堵，一笔凌空，通篇俱活。歇拍不妨更用‘泽畔东篱’字。昔人评《画鉴》镂金错绣而无痕迹，余于此阕亦云。”

十月

辛酉，苏州地震。

方轸弹劾蔡京。《纲鉴易知录》卷七四：“流太庙斋郎方轸于岭南。轸上书言：‘蔡京睥睨社稷，内怀不道，专以绍述熙、丰之说为自谋之计。内而执政侍从，外而帅臣监司，无非其门人亲戚。自元符末陛下嗣服，忠义之士投匦者无日无之。京分为邪等，黥配编置，不齿仕籍，则谁肯为陛下言哉！京又使子攸日以花、石、禽、鸟为献，欲愚陛下，使不知天下治乱。臣以为京必反也，请诛京。’诏宣示京，京请下轸狱，竟流岭南。”

十一月

宋朝设置黔南路。《续资治通鉴》卷九十：“南丹州地，与宜州及西南夷接壤，世为莫氏所居，自署刺史。王祖道欲取之，乃诬其酋莫公佞，阻东兰州，不令纳土，发兵讨之。擒公佞，以南丹州为观州。公佞弟公晟，结溪峒报复，侵掠城邑，杀刺史。蔡京匿不以闻。特置黔南路，领庭、孚、平、允、从、宜、柳、融、观九州道。”

十二月

丁酉，置开封府府学。

黄河水变清。《纲鉴易知录》卷七四：“十二月，黄河清。乾宁军（乾宁军，在今河北静海县西南）言：‘河清逾八百里，凡七昼夜。’诏以乾宁军为清州。”

冬

苏辙作《卖炭》、《欲雪》诗。苏辙作诗二首，诉民之苦，其诗略有白居易《卖炭翁》之意蕴。《栾城第三集》卷一《卖炭》：“苦寒搜病骨，丝纩莫能御。析薪燎枯竹，勃郁烟充宇。锡山古松栎，材大招斧斤。根槎委溪谷，龙伏熊虎踞。挑抉靡遗余，陶穴付一炬。积火变深黳，牙角犹愤怒。老翁睡破毯，正昼出无履。百钱不满篮，一坐幸至莫。御炉岁增贡，圆直中常度。闾阎不敢售，根节姑付汝。升平百年后，地力已难富。知夸不知啬，俯首欲谁诉？百物今尽然，岂为一炭故？我老或不及，预为子孙惧。”

同卷，《欲雪》：“今年麦中熟，饼饵不充口。老农畏冬旱，薄雪未覆亩。骄阳引狂风，三白知应否？久晴车牛通，薪炭家家有。惟有口腹忧，此病谁能救？达官例谋身，一醉日自富。尚应天愍人，云族朝来厚。飞花得盈尺，一麦可平取。”

苏辙作《哪吒》诗。苏辙又作诗咏哪吒，寄托了其儒道佛合一的思想。《栾城第三集》卷一《哪吒》：“北方天王有狂子，只知拜佛不拜父。佛知其愚难教语，宝塔令父左手举。儿来见佛头辄俯，且与拜父略相似。佛如优昙难值遇，见者闻道出生死。嗟尔何为独如此，业果已定磨不去。佛灭到今千万世，只在江湖挽船处。”［思齐按:哪吒乃神话人物,梵文作 Nalakuvara,多闻天王之子,佛教的保护神之一,后来写入《封神演义》,其中有些情节已见于该诗。因此,此诗在中国文学发展史上具有特殊的意义。］

本年

米芾（1051—1107）卒。程俱《题米元章墓》：“公少名黻，后更为芾，常自号襄阳漫士，盖襄阳人云。中年乐南徐山川风土之美，因家焉。历官州县，入朝为书学博士、太常博士，至尚书礼部员外郎。出守淮阳军，卒。生于皇祐之辛卯，卒于大观之庚寅。将没，预告郡吏以期日，即具棺衬，置便做，时坐卧其间，阅案牍书文檄，洋洋自若也。至期，留偈句，自谓‘来从众香国’，其归亦然。舁归葬丹徒五州山之原，遵治命也。公风神散朗，姿度瑰玮，音吐鸿畅，谈辩风生，东西晋人也。其为文词与立言命物，皆自我作故，不蹈袭前人一言，元次山、樊绍述之流也。其书奇逸飞动，法本二王，虞、褚而下不论也。为吏所至有名迹，简静爱人，人皆欢乐之。其政事了无俗吏常检，阳亢宗、元紫芝之流也。东坡苏公谓其文清雄绝俗，谓其字超妙入神。世不以为过。公乐善喜推下后进。绍圣丙子，余初识公南徐，贻书谓余李太白后身，非所拟也。如叶少蕴、关止叔方以英俊居下僚，公一面，知其为国器，见当路有气力者辄言之不置，忘其身之穷也。公既没，余他日过南徐，便觉招隐鹤林，爽气都尽。顾尝哀其所遗诗帙而藏之，为之赞云：珠玑玉石，璀璨兀硉。卮言之出，风起荡潏。变化融液，惟心之画。是千载人，不可无一。”

陈与义十八岁，在太学。

辽放进士百余人。《续资治通鉴》卷九十：“辽放进士李石等百余人。”

公元 1108 年（宋大观二年　辽乾统八年　夏贞观七年　戊子）

正月

宋徽宗受八宝于大庆殿。《纲鉴易知录》卷七四：“戊子，二年，春正月朔，受八宝于大庆殿，赦。先是，有以玉印六寸龟钮献者，文曰‘承天福，延万亿，永无极’，诏名镇国宝。至是，又得良玉工，帝名作六宝，以合秦制天子六玺之数（蔡邕《独断》曰：‘玺凡九，各有文刻，皆以玉为之，帽虎纽。一曰传国玺。一曰神玺，以镇国中，藏而不用。一曰受命玺，以封禅礼神。其所谓六玺者，皇帝行玺，以报王公书。皇帝之玺，以劳王公。皇帝信玺，以召王公。天子行玺，以报四夷书。天子之玺，以劳四夷。天子信玺，以召兵四夷。’六宝，曰皇帝行宝、皇帝之宝、皇帝信宝、天子行宝、天子之宝、天子信宝），与受命、镇国，通曰八宝。”

蔡京、童贯俱升官。《续资治通鉴》卷九十：“己未，太尉蔡京进太师，加童贯节度使、仍宣抚。”

河东河北大起义。《续资治通鉴》卷九十：“河东、河北盗起。”

苏辙将于本年二月满七十岁。《栾城第三集》卷一《戊子正旦》：“百岁行来已七分，筋骸转觉不如人。法传心地初投种，雨过花开不待春。识路一时如有得，到家诸事本费心。旧臣刍狗今无用，付与时人藉两轮。”同卷，《七十吟》：“年来霜雪上人头，我尔相将七十秋。欲去天公未遣去，久留敝宅恐难留。六窗渐暗犹牵物，一点微明更著油。近听老庐亲下种，满田宿草非鉏耰。”

二月

宋以叶梦得为翰林学士。《纲鉴易知录》卷七四：“二月，以叶梦得为翰林学士。梦得初用，蔡京荐为礼部员外郎。京罢相，赵挺之更其所行，及京再相，复反前政。梦得入对，因言：‘事不过可、不可二者而已。以为可而出于陛下，则前日不应废。以为不可而不出于陛下，则今日不可复。今徒以大臣进退为可否，无乃陛下未有了然于胸中乎！’帝悦，以为起居郎，遂位学士。”

苏辙作诗《八玺》，以讽刺朝廷受八宝之事，此诗为苏辙晚年所作诗中较好的作品，颇似白居易的风格。《栾城第三集》卷一《八玺》：“秦人一玺十五城，百二十城当八玺。元日临轩组绶新，君臣相顾无穷喜。九鼎峥嵘夏禹余，八玺错落古所无。古人鄙陋今人笑，父老不惯空惊呼。”

三月

宋朝廷颁行道场仪轨《金箓灵宝道场仪范》。《续资治通鉴》卷九十：“三月庚申，颁《金箓灵宝道场仪范》于天下。”

宋徽宗赐上舍生及第。《续资治通鉴》卷九十：“戊寅，赐上舍生十三人及第。”

初八日，李格非与齐州太守梁彦深及众多文人同游佛慧山。冯云鹓《济南金石志》二《历城石》：“大观二年三月八日，左朝散大夫知州事梁彦深纯之来，与会者六人：朝请大夫新差知濮州武安国文礼、朝奉大夫新差知金州张朴［圣□］、朝请郎李格非文叔、朝请郎向沈伯武、节度掌书记李机文渊、路是参军宋昭朗。”

李清照本年二十五岁。游溪亭，并作词纪游。《如梦令》：“常记溪亭日暮，沉醉不知归路，兴尽晚回舟，误入藕花深处。争渡，争渡，惊起一行鸥鹭。”又有词写屏居之乐。《青玉案》：“一年春事都来几，早过了，三之二。绿暗红嫣浑可事。绿杨庭院，暖风帘幕，有个人憔悴。　买花载酒长安市，争似家山见桃李？不枉东风吹客泪。相思难表，梦魂无据。惟有归来是。”［思齐按：此词多被误为欧阳修所作，各种笺评亦据此而发。］

四月

宋徽宗颁下手诏，牧马人得免租税。《续资治通鉴》卷九十：“夏四月辛巳，手诏以追述先王寓马于农之意，募人给地，免租牧马。行之期年，熙河颇见就绪，凡县、镇、寨、管、堡，官衙内，并代管句给地牧马事，佐官同管句，庶使人人各知任责。”

辽封高丽王。《续资治通鉴》卷九十：“丙申，辽封高丽国王俣，为三韩国公。”

五月

宋朝廷总会诸路州郡县文武大小学校实况。《续资治通鉴》卷九十：“提举京西南路学事路瑗言：‘臣所领八州三十余县，比诸路最为褊小，学舍乃至三千三百余区，教养生徒三千三百余人，赡学田业等岁收钱斛六万三千余贯石。窃计诸路学舍生徒田业钱斛之数。何翅数百万，此旷古所未尝有也。乞诏有司总会诸路州军县文武大小学生、并学费所入所用实数，具图册上之御府，副在辟雍，仍宣付史馆。’从之。”

溪哥城王子臧征扑哥降。《续资治通鉴》卷九十：“壬子，溪哥城王子臧征扑哥降，复积石军。臧征扑哥以兕诅扇藩族居谿哥空城。边吏谓：既能动众，必为边患。童贯欲实其事，遂会诸路进兵。乃遣知西宁州刘仲武，出奇趋谿哥城。臧征扑哥迎降，并女弱才二十八人。初，未尝有兵也。洎就擒，边吏张大其功，过为缘饰，以金纸糊桶为头冠，木椅为胡床，浅红绢为伞，种种皆非美物。捷闻，蔡京率百官称贺。诏俘臧征扑哥至京师，授正任团练使，邓州钤辖，寻死于邓州。”

苏辙怀念张方平。侄儿苏过出示其父苏轼所藏张方平（安道）元丰三年初赠诗遗墨，苏辙感叹良多，赋诗纪念之。《栾城第三集》卷一《和张公安道赠别绝句并引》，引曰：“余年十八，与兄子瞻东游京师。是时张公安道守成都，一见以国士相许，自尔遂结忘年之契。公晚事裕陵，君臣之义初不浅也。既而与用事者异议，拂衣而出，初守宛丘，次守南都，予亦以议论不合连从公游。元丰初，子瞻以诗获罪，窜居黄州，予谪监筠州酒税。公凄然不乐，酌酒相命，手写一诗为别曰：‘可怜萍梗漂浮客，自叹瓠瓜老病身。从此空宅挂尘榻，不知重扫待何人。’后七年蒙恩召还，复见公南都。自是又八年而有升沉之叹，时公薨已数年矣。及自龙川还颍川，侄过出子瞻遗墨，中有公所赠章。览之泣下不能止，乃追和之。”诗曰：“少年便识成都尹，中岁仍为幕下宾。待我江西徐孺子，一生知己有斯人。”

六月

宋朝廷又出籍元祐党人九十五人。《续资治通鉴》卷九十：“戊戌，门下中书后省左右司，复依赦看详，到韩维等九十五人，诏并出籍。”

八月

秋分，适逢晁补之五十六岁生日，李清照献寿词《新荷叶》。词云：“薄露初零，长宵共、永昼分停。绕水楼台，高耸万丈蓬瀛。芝兰为寿，相辉映，簪笏盈庭。花柔玉净，捧殇别有娉婷。　　鹤瘦松青，精神与、秋月争明。德行文章，素驰日下声明。东山高蹈，虽卿相，不足为荣。安石须起，要苏天下苍生。”

九月

诏设稽古阁，收藏经史书。《续资治通鉴》卷九十："乙丑，诏：诸路州学，有阁藏书，皆以经史为名。方今崇八行以迪多士，尊六经以黜百家，史何足言！应置阁处，赐名曰稽古。"

重阳节，赵明诚与妹婿李擢游览仰天山，李清照作词两首以思之。《忆秦娥》："临高阁，乱山平野烟光薄。烟光薄，栖鸦归后，暮天闻角。　　断香残酒情怀恶。西风吹衬梧桐落。梧桐落。又还秋色，又还寂寞。"《醉花阴》："薄雾浓雰愁永昼，玉脑销金兽。时节又重阳，宝枕纱厨，半夜凉初透。　　东篱把酒黄昏后，有暗香盈袖。莫道不销魂，帘卷西风，人比黄花瘦。"杨慎批点《草堂诗余》卷一评结二句："凄语，怨而不怒。"陈廷焯《云韶集》卷十："无一字不雅。深情苦调，元人词曲往往宗之。"

十二月

孔伋从祀孔子庙庭。

苏辙作题跋于老子《道德经》后。明刻《颍滨先生道德经解》卷末《题老子道德经后》："予年四十有二，谪居筠州，筠虽小而多古刹，四方游僧聚焉。有道全者，住黄蘗山，南公之孙也，行高而心通，喜从予游，尝与予谈道，予告之曰：'子所谈者，予于儒书已得之矣。'全曰：'此佛法也，儒者何自得之？'予曰：'不然。予忝闻道，儒者之所无，何苦强以诬之，顾诚有之，而世莫知耳。儒、佛之不相通，如胡、汉之不相谙也，子亦何由而知之？'全曰：'试为我言其略。'予曰：'孔子之孙子思，子思之书曰《中庸》，《中庸》之言曰："喜怒哀乐未发谓之中，发而皆中节谓之和。中也者，天下之大本，和也者，天下之达道。致中和，天地位焉，万物育焉。"此非佛法而何，故所从言之异耳。'全曰：'何以言之？'予曰：'六祖有言，不思善，不思乐，则喜怒哀乐之未发也。盖中者，佛性之异名，而和者，六度万行之总目也。至中极和而天地万物生于其间，此非佛法，何以当之。'全惊喜曰：'吾初不知也，今而后始知儒、佛一法也。'予笑曰：'不然，天下固无二道，而所以治人则异，君臣、父子之间，非礼法则乱，知礼法而不知道，则世之俗儒不足贵也，居山林，木食涧饮，而心存至道，虽为天师可也，而以之治世则乱，古之圣人，中心行道而不毁法而后可耳。'全作礼曰：'此至论也。'是时予方解《老子》，每出一章，辄出以示全。全辄叹曰：'皆佛说也。'予居筠五年而北归，全不久亦化去，逮今二十余年也。凡《老子解》亦时有所刊定，未有不与佛法合者，时人无可与语，思复见全而示之，故书之《老子》之末。大观二年十二月十日，子由题。"

本年

往昔涪桂渝州蛮夷，而今混一中原风气。《续资治通鉴》卷九十："涪州夷任应举、湖南杨猺再光内附。知桂州张庄奏：'安化上三州一镇诸蛮，纳土共五万余户，二十六万余人，幅员九千余里。'又奏：'宽乐州安沙州谱州四州七原等州，纳土计二万人，一十六州，三十三县，五十余峒，幅员万里。’蔡京率百官表贺，谓：‘混中原风气之数，当天下舆地之半。’进庄兼黔南经略安抚使。渝州蛮赵泰等内附，以其地为溱州。”

“折家父”之号。《续资治通鉴》卷九十：“秦州观察使、知府州折克行卒。赠武安军节度使，以其子可大为荣州团练使、知府州。克行沉勇有力，善抚士卒，在边三十年，战功最多。夏人畏其威名，号折家父。”［思齐按：折克行，字遵道，《宋史》卷二五三有传。折姓世居云中为大族，出过名将折德扆，德扆子御卿亦为名将。折克行即折德扆之曾孙、折御卿之从子。］

周邦彦有词，《绮寮怨》(上马人扶残醉)。

陈与义十九岁，在太学。

公元1109年（宋大观三年　辽乾统九年　夏贞观八年　己丑）

正月

步入晚景之后，苏辙诗作佳篇不多，然亦偶有上乘之作。《栾城第三集》卷二《上元夜适劝至西禅观灯》：“三年不踏门前路，今夜仍看屋里灯。照佛有余长自照，澄心无法便成澄。追欢狂客去忘返，入定孤僧唤不应。更到西禅何所问，隔墙鱼鼓正登登。”

同卷，《程八信孺表弟，剖符单父，相过颍川，归乡待阙，作长句》：“我生犹及见大门，中外兄弟十七人。两家门户甲乡党，正如颍川数孙陈。嗈嗈鸣雁略云汉，风吹散落天一垠。归来勉强整毛羽，饮水啄粒伤离群。东西隔绝不敢恨，死生相失常悲辛。萧萧华发对妻子，往往老泪流衣巾。仲叔已尽季亦老，双星孤月耿独存。老夫闭门不敢出，喜君三度乘朱轮。今春剖符地尤盛，不齐自古留芳尘。回车访我念衰老，挽衣把臂才逡巡。君行到官我未死，杖藜便是不速宾。一尊酌我当有问，此国岂有贤于君？（自注：兄弟中惟仆与程八、程九在耳）”程八，指程之祥，字信孺，排行第八。剖符，古时帝王授予诸侯及边地功臣的凭证。单父，地名，宋为单州，故城在今山东单县南。

周邦彦于本年春作有词《点绛唇》(辽鹤归来)。

二月

宋朝设置遵义军。《续资治通鉴》卷九十：“二月丙子朔，播州杨文贵纳土，以其地置遵义军。”

胡师文以钱铸钱。《续资治通鉴》卷九十：“庚子。臣僚上言：‘知和州胡师文，昨为发运使，独衔建议将当二铜钱改铸当十。自古积山之利以铜铸钱，不闻以钱铸钱。当二钱法与小平钱轻重相等，故私钱不禁而自止。民间便之。此神宗良法也。师文谄奉大臣，妄乱变更。将已行当二钱毁而改铸，识者痛心。’诏师文提举万寿观。”

三月

宋立海商越界法。《续资治通鉴》卷九十：“丙午，立海商越界法。”

贾安宅等六百八十五人中进士。《续资治通鉴》卷九十："乙丑，赐礼部奏名进士及第出身贾安宅等六百八十五人。小珰梁师成亦窜名进士籍中。"本榜中，孙觌、李弥逊进士及第。

张康国仰天吐舌死。《续资治通鉴》卷九十："壬申，知枢密院事张康国卒。康国始因附蔡京而进，及在枢密府，寖为崖异。时帝恶京专愎，阴令康国狙其奸，且许以相。京忌康国，遂引吴执中为中丞。执中即劾京客刘昺、宋乔年，帝嘉执中之不阿。康国曰：'是乃为逐臣地耳。'已而执中将论康国，康国先知之。旦奏事，留白帝曰：'执中今日入对，必为京论臣，臣愿避位。'既而执中对，果陈其事。帝怒黜执中知滁州。至是康国因退朝趋殿庐，暴得疾，仰天吐舌，舁至待漏院死。或疑中毒云。"

陈禾上疏劾童贯。《纲鉴易知录》卷七五："春三月，谪右正言陈禾监信州酒税。时童贯权益张，与黄经陈胥用事，中丞卢航表里为奸，缙绅侧目。陈禾曰：'此国家安危之本也。'遂上书责贯经臣怙宠弄权之罪，愿亟窜之远方。论奏未终，帝拂衣起，禾引帝衣，请毕其说，衣裾落。帝曰：'正言碎朕衣矣！'禾言：'陛下不惜碎衣，臣岂惜碎首以报陛下！此曹今日受富贵之利，陛下他日受危亡之祸。'言愈切，帝变色曰：'卿能如此，朕复何忧。'内侍请帝易衣，帝却之曰：'留以旌直臣。'翌日，贯等相率前诉，谓'国家极治'，安得如此不祥语邪！遂奏禾狂妄，谪监信州酒税。"

四月

五国部贡于辽。

林摅寡于学，不识甄盎字。《纲鉴易知录》卷七五："夏四月，林摅有罪，免。集英胪唱贡士，摅当传姓名，不识'甄盎'字，帝笑曰：'卿误邪？'摅不谢，而语诋同列。御史论其寡学，倨傲不恭，失人臣礼，黜知滁州。久之，自扬州徙大名，道过阙，为帝言：'顷使辽（熙宁四年冬林摅使辽，蔡京使其激怒以起衅，摅遂恣情不逊。辽人大怒，空客馆，绝烟火，三日乃遣还），见其国中携贰，若兼而有之，势无不可。'盖欲报其辱也。帝由是始有北伐之意。"

五月

进献卦象言易数，孟翊遭贬窜远方。《纲鉴易知录》卷七五："五月，流孟翊于远州。孟翊献所画卦象，谓宋将中微，有再受命之象，宜更年号，改官名，变庶事以厌之。帝不乐，诏窜之远方。"

端午，赵明诚与兄道甫、妹婿李擢等重游仰天山。

六月

宋朝设置纯、滋二州。《续资治通鉴》卷九十："泸州夷王募弱内附，以其地置纯、滋二州。"

郭天信深以蔡京为非。《纲鉴易知录》卷七五："蔡京有罪，免。中丞石公弼、殿中侍御史张克公劾京罪恶，章数十上，京遂罢为太一宫使。时有郭天信者，以方术得亲幸，深以京为非，每奏天文，必指陈以撼京。密白日中有黑子，帝为之恐，故罢京。”

陈朝老上书言蔡京之奸。《纲鉴易知录》卷七五：“以何执中为尚书左仆射兼门下侍郎。执中一意谨事蔡京，遂代为首相。太学生陈朝老诣阙上书曰：‘陛下知蔡京之奸，解其相印，天下之人，鼓舞幼弱更生。及相执中，中外黯然失望。执中虽不敢若京之蠹国害民，然碌碌常质，初无过人，天下败坏至此，如人一身脏腑受沴已深，岂庸庸之医所能起乎？执中夤援攀附，致位二府，亦已大幸，遽俾之经体赞元，是犹以蚊负山，多见其不胜任也。’疏奏，不省。”

七月

辽地陨霜伤稼，漕司督赋甚急。《续资治通鉴》卷九十：“是月，辽地陨霜伤稼。辽主以中京饥，命昭德军节度使耶律孟简，偕学士刘嗣昌，减价粜粟。事未毕而孟简卒。辽漕司督赋甚急，县令多系狱。宁远令康公弼上书于朝，乃释之，因免县中租赋，宁远人德之，为立生祠。”

八月

韩忠彦（1038—1109）卒。《续资治通鉴》卷九十：“己亥，宣奉大夫致仕、仪国公韩忠彦卒。”

九月

李清照本年二十六岁。十三日，赵明诚与李擢（德升）、李曜（时升）一道游览长清县灵岩寺，凡宿两日乃归。李清照作词抒写思念之情。赵明诚不虚此行，获得《唐李邕灵岩寺颂碑》。李清照《凤凰台上忆吹箫》：“香冷金猊，被翻红浪，起来慵自梳头。任宝奁尘满，日上帘钩。生怕离怀别苦，多少事，欲说还休。新来瘦，非干病酒，不是悲秋。　　休休。这回去也，千万遍《阳关》，也则难留。念武陵人远，烟锁秦楼。惟有楼前流水，应念我，终日凝眸。凝眸处，从今又添，一段新愁。”毛晋《词的》卷四：“出语自然，无一字不佳。”卓人月《古今词统》卷十二徐士俊评：“亦是林下风，亦是闺中秀。”

十一月

算学当以黄帝为先师。《续资治通鉴》卷九十：“十一月丁未，诏算学以黄帝为先师，风后等八人配飨，巫咸等七十人从祀。”

仲冬上休日，文及甫在青州观赵明诚所藏《蔡襄谢御赐书诗卷》。文及甫，元祐宰相文彦博第六子，一名及，字周卿，历官太仆卿、权工部侍郎。

十二月

十二月甲申，高丽贡于辽，奏还女真九城。

蔡京尚有余威。《续资治通鉴》卷九十："中丞石公弼言：'蔡京盘旋京师，余威震于群臣，愿持必断之决以消后悔。'侍御史洪彦章言：'京朋奸误国，公私困弊，既已上印，而偃蹇都城，上凭眷顾之恩，中怀跋扈之志，愿早赐英断，遣之出京。'侍御史毛注言：'孟翔以天文惑众，尝献蔡京诗，言涉不顺。京辄喜而受之，因以献《易》书而赐官，卒致诋诬，以冒重辟，而京不复愧耻。张怀素以地理惑众，京熟与之游从。京妻葬地卜日，怀素主之。尝同游淮左，题字刻石，后虽阴令人追毁，以掩其迹，而众所共知。以至尚书省事多不取旨，直行批下，以作陛下之威。重禄厚赏，下结人心，以作陛下之福。林摅跋扈之党，而置之政本之地。宋乔年奸雄之亲，而置之尹京之任。考之以心，揆之以事，其志有不可量者。今盘旋辇毂，久而不去，其情状已可见矣。'太学生陈朝老复书京恶十四事，乞投畀远方。皆不报。"

本年

东南大旱。《续资治通鉴》卷九十："是岁，江、淮、荆、浙、福建大旱，自六月不雨至于十月。秦凤阶成饥，发粟赈之，蠲其赋。"

辽放进士九十人。《续资治通鉴》卷九十："辽放进士刘桢等九十人。"

夏宋划界未成。

黄公度（1109—1156）生。黄公度《莆阳知稼翁文集》附林大鼐《宋尚书员外郎黄公墓志铭》："绍兴二十五年冬，益公（秦桧）薨，天子慨然收下移之权，归诸掌握，锐意求贤，锋车四出，召魏良臣、沈该，置之政事堂，以前后大魁皆掩遗于外，于是张九成、陈诚之、刘章、王佐、赵逵等以次除召，分布馆阁台省。公在一辈中最为久滞，故首被命。七年十一月受命赴阙，正月登对便殿，乞以总权纲厚风俗为今日急先务，言中时病。上喜，知公归自南海，再三劳问，公历陈远人利害，皆嘉纳之。面命除考工员外郎，朝论美其亲擢，知眷奖之渥，继见朝夕。无何，公六月得疾在告，八月二十四日卒于位，年四十八，官至朝散郎，惜哉！公姓黄，讳公度，字师宪。世为兴化军莆田人。……至绍兴八年，公又以文章魁天下士族，弟童亦在榜中高第。公解褐签书平海军节度判官厅公事。……代还，除秘书省正字。故事，第一人例以馆职召，公之除非当路意，居数月，言者论公尝贻书台官讥议时政，实未尝有书也。罢跪，主管台州崇道观。秩满，通判肇庆府。高要于百粤尤荒远，非以罪遣及资浅躐授者不至，或唁公，公笑曰：'是独不可为政也？'……部使者闻其才谞，檄公摄南恩守，至则决滞讼，除横敛，人情孚悦。……公所至，羽翼吾道如此。归未几，被召为尚书郎。考工四选咽喉，天官之剧，曾非亲加综核，依格任吏，缙绅有不胜其弊者。公期振职，不负所付，为之焦心敝力，殿最功罪，斟酌定夺，务在允平。食息之间，节宣有爽，而疾作矣。同时召用者皆叙迁超拜，而公已在告中，不任朝谒。……公为人宽和乐易，喜愠不形于色，与人交忘其短，于所厚尤眷眷如天性，士有寸长，退然下之，不喜闻人之过。讣至之日，皆相吊出涕。公负大科名，益修远业，学识淹该，词气涵浩。其议论文采，含起草之姿。陈诚之入翰苑，首荐公自代，其人望相期岂浅近者？工诗，效杜甫古律格而法句逼真。诗并杂文有一编十一卷。”又，《宋史》卷二〇八《艺文志七》：“黄公度《蒲阳知稼翁集》十二卷。”

贺铸致仕，居苏州。

陈与义二十岁，在太学。

公元1110年（宋大观四年　辽乾统十年　夏贞观九年　庚寅）

正月

徽宗以张商英为相。《纲鉴易知录》卷七五：“以余深为门下侍郎，张商英为中书侍郎，侯蒙同知枢密院事。蔡京既罢，张商英自峡州起知杭州，过阙，赐对，因奏曰：‘神宗修建法度，务以去大害，兴大利，今诚一一举行，则尽绍述之美。’遂留居政府。帝尝从容问蒙曰：‘蔡京何如人也？’蒙对曰：‘使京正其心术，虽古贤相何以加。’帝使密伺京所为，京闻而衔之。”

八行贡之弊。《续资治通鉴》卷九十：“春正月庚子朔，中丞吴执中言：‘窃闻迩来诸路，以八行贡者，如亲病割股，或对佛然顶，或刺臂出血，写青词以祷，或不茹荤，尝诵佛书，以此谓之孝。或尝救其兄之溺，或与其弟同居十余年，以此谓之悌。其女适人，贫不能自给，驱而养之于家，为善内亲。又以婿穷窭，收而教之，为善外亲。此则人之常情，仍以一事分为睦、姻二行。尝一遇歉岁，率豪民以粥食饥者而谓之恤，夫粥食饥者，乃豪民自为之，而已独谓之恤，可乎？又有尝收养一遗弃小儿，尝救一跛者之溺，而以为恤。如此之类，不可遽数。伏愿下之太学，俾长贰博士，考以道艺，别白是非，澄去冒滥，勿使妄进。申饬郡县长吏及学事司察验行实，有其人则举，无其人勿以妄贡，务在奉承诏旨，不失法意。’从之。”

丁卯，夏人入贡于宋。

胡乱引《诗经》章句，吕惠卿遭受处分。《续资治通鉴》卷九十：“吕惠卿降授正奉大夫、侍御史。毛注劾惠卿上表谢复官，用《诗·风雨》及《青蝇》、《节南山》章句，以古君子自处，而以乱世方盛时，罪不可赦。故有是命。”

苏辙同外孙文九乐新春，并作有诗数组，其中《新春五绝句》较好。《栾城第三集》卷二《同外孙文九新春五绝句》，其一：“佳人旋贴钗头胜，园夫初挑靴底芹。欲得春来怕春晚，春来会似出山云。”其二：“瓮中腊脚长忧冻，户外春风那得知？酒熟定应花未动，举瓢先对柳千丝。”其三：“菊叶萱芽初出土，冻齑冷面欲宜人。老人脾病难随汝，洗釜磨刀待晚春。”其四：“筑室恨除千本竹，及春先补百株花。各年预与园夫约，春雨晴时问汝家。”其五：“雪覆西山三顷麦，一犁春雨祝天工。麦秋幸与人同饱，昔日黄门今老农。”

同卷，《上元雪》：“上元灯火家家办，遍地琼瑶夜夜深。衲被蒙头真老病，纱笼照佛本无心。床头酒瓮恰三斗，山下麦田真百金。乞我终年醉且饱，端能拥鼻作微吟。”

二月

宋修成《大观礼书》等书籍图谱。《续资治通鉴》卷九十："戊寅，议礼局奏修成《大观礼书》二百三十一卷、《祭服制度》十六卷、《制服图》一册，据经稽古，酌今之宜，以正沿袭之误。又别为《看详》十二卷、《祭服看详》二册。诏行之。"

帝从侯蒙问蔡京如何人。《续资治通鉴》卷九十："己丑，以余深为门下侍郎，资政殿学士张商英为中书侍郎，户部尚书侯蒙同知枢密院事。帝尝从容问蒙曰：'蔡京何如人也？'蒙对曰：'使京正其心术，虽古贤相何以加！'京闻而衔之。蒙，高密人也。"

徽宗诏察方田法之弊。《续资治通鉴》卷九十："癸巳，诏方田之法，均赋惠民，访问近岁以来，有司推行怠惰，监司督察不严，贿赂公行，高下失实。可严饬所部，仍仰监司觉察。"

三月

庚子，宋招募饥民补充禁卒。

宋朝改革医、算、书、画教育。《续资治通鉴》卷九十："诏医学生并入太医局，算入太史局，书入翰林书艺局，画入翰林画图局，其学官等并罢。"

甲寅，敕所在赈恤流民。

徽宗赐上舍生及第。《续资治通鉴》卷九十："丙寅，赐上舍生十五人及第。"

四月

丙子，五国部长贡于辽。

癸未，蔡京上所修《哲宗实录》。

丁酉，徽宗诏修《哲宗正史》。

五月

壬寅，宋停僧牒三年。

宋朝设立词学兼茂科。《续资治通鉴》卷九十："甲寅，立词学兼茂科。帝以宏词科不足以致文学之士，改立此科。岁附贡士院试，去檄书而增制诰，中格则授馆职，岁不过五人。"

六月

彗星出于奎娄之间，徽宗大书商霖二字。《纲鉴易知录》卷七五："彗出奎、娄，诏直言阙失。贬蔡京为太子少保、出居杭州。余深罢。六月，以张商英为尚书右仆射兼中书侍郎。蔡京久盗国柄，中外怨疾，见商英能立异同，更称为贤，帝因人望而相之。时久旱，彗星中天。商英受命，是夕彗不见，明日雨。帝喜，因大书'商霖'（《商书·说命篇》：'若岁大旱，用汝作霖雨。'）二字赐之。"

癸未，夏国贡于辽。

甲午，阻仆贡于辽。

夏

苏辙作诗诉田家翁妪之苦。《栾城第三集》卷二《蚕麦》："春寒风雨淫，蚕麦只半熟。耕桑未尝亲，有获敢求足？临田老翁妪，囊空庾无粟。机张久乏纬，食晏惟薄粥。熟耕种未下，屡祷云不族。私忧止寒饿，王事念鞭扑。为农良未易，为吏畏简牍。闭门差似可，忍饥有余福。"

苏辙作诗自评其文学成就。《栾城第三集》卷二《题东坡遗墨卷后》："少年喜为文，兄弟俱有名。世人不妄言，知我不如兄。篇章散人间，堕地皆群英。凛然自一家，岂与余人争？多难晚流落，归来分死生。晨光迫残月，回顾失长庚。展卷得遗草，流涕湿冠缨。斯文久衰弊，泾流自为清。科斗藏壁中，见者空叹惊。废兴自有时，诗书付西京。"

七月

张商英倡言改革币制，朝廷当议榷货通商钞法。《续资治通鉴》卷九十："七月己未，张商英言：当十钱自唐以来，为害甚明。行之于今，尤见窒碍。盖小平钱出门有限有禁，故四方商旅，物货交易，得钱者必入中求盐钞，收买官告度牒，而余钱又流布在街市，故官私内外，交相利养。自当十钱行，一夫负八十千，小车载四百千，钱既为轻赍之物，则告牒难售，盐钞非操，虚钱而得实价，则难行，重轻之势然也。今欲传于内库并密院诸司借文，应于封桩金银物帛并盐铁等。下令以当十钱盗铸伪滥害法，半年更不行用。令民间尽所有于所在州军送纳，每十贯，官支金银物帛四贯文。择其伪铸者，送近便改铸小平钱。存其如样者，俟纳钱足十贯，作三贯文，各拨还原借处，然后京城作旧钱禁施行，乃可议榷货通商钞法。……八月庚午，张商英又言：陛下奋发英断，慨然欲救钱轻物重之弊。一旦发德音，下明诏，捐弃帑藏数十万缗钱宝，改当十为当三，令下之日，中外欢呼，万口一舌。然而奸邪之在内者，密倡其说曰：'不久必复，可畜以待也。'奸邪之在外者，哓民以掠美曰：'当三则亏汝，当七则中矣。'是以小民听而和之，令出五十日而犹未大孚也。伏望陛下固志不移，使正议卒行。奸邪愧服，而消其凶悍不平之气。"

初七日，苏辙作诗。《栾城第三集》卷三《七夕》："火流知节换，秋到喜身安。林鹊真安往，河桥晚未完。得闲心不厌，求巧老应难。送酒谁知我，瓢樽昨暮干。"

八月

戊寅，省内外冗官。

丁亥，行内外学官选试法。

苏辙与张舜民。张舜民（芸叟）晚年作乐府诗百余篇，寄苏辙观览，苏辙与舜民简问手战。舜民答简怜苏辙衰病，苏辙作诗寄之。《栾城第三集》卷二《寄张芸叟并引》，引曰："张芸叟侍郎编乐府诗相示，继以书问手战之故，恳恳有见怜衰病意，作小诗谢之。”诗曰：“老矣张芸叟，亲编乐府诗。才高君未见，手战我先衰。黚黵旧无对，吟哦今与谁？十年酬绝唱，欢喜得新诗。”

闰八月

辛酉，宋徽宗诏戒朋党。

九月

晁补之（1053—1110）卒。是岁，晁补之起知达州，改泗州。秋九月，卒于官舍，年五十八。晁补之《鸡肋集自序》：“夫物有质者必有文，文者质之所以辨也。平居论说讽咏，应物接事，不能无言，非虎豹犬养之异也。食之则无所得，弃之则可惜，其鸡肋乎！”又，《四库全书总目》卷一五四：“《鸡肋集》七十卷。初，苏轼通判杭州，补之年甫十七，随父端友宰杭州之新城，轼见所作钱塘《七述》，大为称赏，由是知名。后与黄庭坚、张耒、秦观身价相埒。耒尝言：‘补之自少为文，即能追步屈、宋、班、扬，下逮韩愈、柳宗元之作，促驾力鞭，务与之齐而后已。’胡仔《苕溪渔隐丛话》亦称：‘余观《鸡肋集》，古乐府是其所长，辞格俊逸可喜。’今观其集，古文波澜壮阔，与苏氏父子相驰骤，诸体诗俱风骨高骞。一往俊迈，并驾于张、秦之间，亦未知孰为先后。世传《苏门六君子文粹》，仅录其文之体近程序者数十篇，《避暑漫录》仅称其《芳仪曲》一篇，皆不足以尽补之也。”

十一月

宋徽宗诏明年改元政和。《续资治通鉴》卷九十：“十一月丁卯，祀圜丘，大赦，改明年元曰政和。”

十二月

辽诏明年改元天庆。《续资治通鉴》卷九十：“十二月己酉，辽诏明年改元天庆。”

本年

南丹州内附于宋。

辽境内发生大饥荒。《续资治通鉴》卷九十：“辽境内大饥，惟保静军马人望所治，粒食不阙，路不鸬桴。遥授人望为彰义军节度使。时谷价翔踊，宿卫士多不给。萧托斯和出私廪周之，旋召知南院枢密使事。”

李清照二十七岁，居青州。大观年间，李清照作有词《浣溪沙》（底本原注：《草堂》误作周美成词而周词不载）：“小院闲窗纯色深，重帘未卷影沉沉。倚楼无语理瑶琴。远岫出云催薄暮，细风吹雨弄轻阴。梨花欲谢恐难禁。”董其昌《便读草堂诗余》卷一：“写出闺妇心情，在此数语。”

陈与义二十一岁，在太学。

公元1111年（宋徽宗政和元年　辽天祚帝耶律延禧天庆元年　西夏崇宗赵乾顺贞观十一年　辛卯）

正月

宋朝规定学校之规模与教授之编制。《续资治通鉴》卷九一：“辛未，诏诸路州军学生不及八十人处，不置教授；若熙、丰曾置教授者，虽人少，自合存留。”

宋朝打击邪教，捣毁京师淫祠。《续资治通鉴》卷九一：“壬申，毁京师淫祠一千三十八区。”

徽宗诏告百官厉名节。《续资治通鉴》卷九一：“壬辰，诏百官厉名节。”

十六日，苏辙作诗。《栾城第三集》卷三《正月十六日》：“上元已过欲收灯，城郭游人一倍增。陌上红尘霏似雾，云间明月冷如冰。谁言世上驰驱客，老作庵中寂定僧。漏水半消灯火冷，长空无滓色澄澄。”

二月

二十日为苏辙七十三岁生日，苏辙作诗。《栾城第三集》卷三《七十三岁作》：“一生有志恨无才，久尔萧萧白发催。力学当年真自信，初心到此未应回。旧人化去浑无几，新障重生拨不开。七十三年还往否，获麟后事转难裁。”

龙川道士廖有象来看望苏辙，苏辙作二诗赠之，由此可了解道士廖有象。这两首诗，虽系苏辙晚年之作品，然气充完足，可谓佳作。《栾城第三集》卷三《龙川道士·廖有象》：“昔我迁龙川，不见平生人。倾囊买破屋，风雨庇病身。頎然一道士，野鹤堕鸡群。飞鸣闾巷中，稍与季子亲。刺口问生事，褰裳观运斤。俯仰忽三年，愈久意愈真。送我出重岭，长揖清江滨。方营玉皇宫，栋宇期一新。成功十年后，脱身走中原。见公心自足，徒步非我勤，我归客箕颍，昼日常掩关。仆夫忽告我，门有万里宾。问其所从来，笑指南天云。心知故人到，惊喜不食言。我老益不堪，惟有二顷田。年年种麦禾，仅能免饥寒。君来亦何为？助我耕且耘。嗟古或有是，今世非所闻。”

同卷，《重赠》：“出家无复家，视身等浮云。东西随风行，忽然遍九州。君居龙川城，筑室星一周。瓦屋如翚飞，象设具冕旒。弟子五六人，门徒散林丘。本为百年计，自可一世留。胡为不复顾，脱去如弊裘。万里一藤杖，来从故人游。故人病老翁，轻重恐未酬。疑君了心法，万物皆浮沤。去彼非有嫌，来此亦无求。是心摩尼珠，不受篋笥收。故人感君意，一言还信不？远行不为此，浪走非良谋。”

贫民饥欲死，肉食坐称贤。春旱，苏辙作诗，心系老百姓。《栾城第三集》卷三《春旱弥月，郡人取水邢山，二月五日，水入城而雨》：“早春时闻孽火然，刑山龙老不安眠。麦生三寸未覆垄，雨过一犁初及泉。深畏贫民饥欲死，可怜肉食坐称贤。南斋遗老知尤幸，汤饼黄齑又一年。”试比较杜甫名句：“朱门酒肉臭，路有冻死骨。”（《杜少陵集详注》卷四《自京赴秦先县咏怀五百字》）

三月

御制《政和新修五礼序》。《续资治通鉴》卷九一：“三月癸亥，御制书《政和新修五礼序》，议礼局请刻石于太常寺，许之。”

宋朝劝民增植桑柘。《续资治通鉴》卷九一：“己巳，诏监司督州县长吏，劝民增植桑柘，课其多寡为赏罚。”

邹浩（1060—1111）卒。政和元年三月初九日，邹浩卒于常州家中。陈瓘《邹公墓志》：“邹公讳浩，字志完，世为杭州钱塘人。……徙居常州晋陵，今为常州晋陵人。公元丰五年中进士第，调苏州吴县主簿，未赴，改除扬州州学教授，移雄州防御推官。知安州孝感县事，未赴，改除颍昌府府学教授。元祐七年，除太学博士。明年四月，因御史来之邵言，为襄州州学教授。绍圣三年，丁朝奉忧。服除，改宣德郎，元符元年也。哲宗召对，除右正言。明年九月，以言事除名勒停，羁管新州。今上即位，复宣德郎，添差监袁州酒税。除右正言，迁左正言、左司谏、起居舍人。明年，除通直郎，试中书舍人，赐三品服，差同修《神宗国史》。迁吏、兵部侍郎，遂乞外补，除宝文阁待制、武骑尉、文安县开国男，食邑三百户，知江宁府。寻改知杭州，未赴，责授衡州别驾，永州安置。明年正月，除名勒停，昭州居住。崇宁四年冬，移汉阳军居住。五年，复承奉郎，遂归常州。大观元年，用宝赦转宣奉郎。四年，特复直龙图阁。公自岭表还亲侧，凡六年，瘴疠岁作，今年春大病，遂不起，政和元年三月九日也，享年五十有二。”又，杨时《邹忠公奏议集序》：“道乡邹公自少以道学行义知名于世，其为人也和顺积中而英华发外，望之睟然见于颜面，不问知其为仁人君子也。其遇事接物犹虚舟，然而坚挺之姿犹精金良玉，不可磨磷。元符中用侍臣之荐擢居谏垣，从人望也。是时哲宗皇帝厉精求治，用贤如不及，一见即以公辅期之，嘉言入告，无不从者。适中宫虚位之久，大臣欲自结于嬖昵之私，为保位之谋，迎以媚合不以正。公力言之，以为公议不允，忤上旨，奸谀之徒恶其害己，相与协力，挤之于陷阱之中又下石焉，皆是也。公之章留中不下，乃伪为之，加以诋诬不实之语。如‘他人之子而杀其母’之类，流布中外，欲天下闻之若真有罪者，其为谋深矣。虽有端人正士，无敢为公辨明者。公既没，迨今二十余年，昔之奸朋凋丧略尽，而正论行焉，真伪是非，始有在矣。绍兴三年，其子柄、栩集公之奏议一编，属余为序。余于公非一朝燕游之好也，知公为尤详。其事之本末，皆余所亲闻见者，故详著之，以昭示来世，庶乎使小人知君子之善终不可诬也。公之将亡，余适还自京师，闻公疾革，未及驰担，即驰往省之，见其薾然，仅存余息，然语不及私，尤以国事为问。盖其平生以天下之重为己任，直垂绝而不忘也。每追念及之，怆然不能释。呜呼，世道凋丧久矣，不复有斯人也。工部侍郎龙图阁直学士杨时谨序。”

四月

宋立守令劝农黜陟法。

五月

解池生红盐。《续资治通鉴》卷九一："丁亥，解池生红盐。"［思齐按：解池，地名，在今山西省运城县东南。］［思齐按：由于盐中所含的微量元素之不同，盐呈不同的颜色。南方产的海盐，略带红色。北方所产盐，多为青白色。解池在北方，偶尔生出红色之盐，人们便以为祥瑞。］

七月

苏辙作《秋稼》诗。《栾城第三集》卷三《秋稼》："雨晴秋稼如云屯，豆没鸡兔禾没人。老农欢笑语行路，十年俭薄无今晨。无风无雨更一月，藜羹粟饭供四邻。天公似许百姓足，人事未可一二论。穷边逃卒到处满，烧场入室才逡巡。县符星火杂鞭箠，解衣乞与犹怒嗔。我愿人心似天意，爱惜老弱怜孤贫。古来尧舜知有否？诗书到此皆空文。"

八月

张商英罢相。《纲鉴易知录》卷七五："秋八月，张商英罢。商英为政持平，谓蔡京虽名绍述，但借以劫制人主，禁锢士大夫耳。于是大革弊事，劝帝节华侈，息土木，抑侥幸。帝颇严惮之，时称商英忠直。初，何执中与蔡京同相，凡营立皆预议。至是，恶商英出己上，与郑居中日夜酝织其短。会商英与郭天信往来，事觉，居中因讽中丞张克公论之，遂罢政出知河南府，寻贬崇信军节度副使。"

中秋，赵明诚与妹婿傅察等，登仰天山赏月。

九月

童贯使辽。《纲鉴易知录》卷七五："遣端明殿学士郑允中及童贯使辽。童贯既得志于西羌，遂谓辽亦可图，因请使辽以觇之。乃以郑允中充贺辽主生辰使，而以贯副之。或言：'以宦官为上介，国无人乎？'帝曰：'契丹闻贯破羌，故欲见之，因使觇其国，策之善者也。'遂行。"

本年李清照二十八岁，夫妇二人题名于云巢石。诸城王志修《易安居士画像题词》自注："石高五尺，玲珑透豁，上有'云巢'二隶书，其下小摩崖刻'辛卯九月德父易安同记'，现置敝居仍园竹中。"

十月

周邦彦知河中府时，有词《诉衷情》(堤前亭午未融霜)。

乌古敌烈部叛辽。《续资治通鉴》卷九一："乌尔古德呼勒部叛辽。辽主以耶律棠古为乌尔古节度使，至部，谕降之。遂出私财，及发富民积，以赈其困乏。部民大悦，加镇国大将军。"［思齐按：乌古敌烈，旧作乌尔古德呼勒。］

陈瓘一生忠且烈，留下著作《尊尧集》。《纲鉴易知录》卷七五："冬十月，羁管陈瓘于台州。贯以忤蔡京窜郴州，瓘子正汇在杭，讼京有动摇东宫迹，杭守蔡薿执送京师，阴告京，俾为计。事下开封府，并逮治瓘。尹李孝寿逼使证其妄，瓘曰：‘正汇闻京将不利社稷，传于道路，瓘岂得预知。以所不知，忘父子之恩，而植其为妄，则情有所不忍。挟私情以符合其说，又义所不为。京之奸邪，必为国祸，瓘固尝论之于谏省，亦不待今日语言间也。’内侍黄经臣莅鞫，闻其词，失声太息，谓曰：‘主上正欲得实，但如言以对可也。’狱具，正汇犹以所告失实流海上，瓘安置通州。瓘尝撰《尊尧集》，谓绍圣史官专据王安石实录改修神宗史，变乱是非，不可传信，深明诬妄，以证君臣之义。张商英为相，取其书，既上，而商英罢，瓘又徙台州。何执中起迁人石悈知台州，欲置瓘以必死。悈至，执瓘至庭，大陈狱具，将胁以死。瓘揣知其意，大呼曰：‘今日之事，岂被制旨邪？’悈失措，始告之曰：‘朝廷令取《尊尧集》尔。’瓘曰：‘然则何用许，使君知《尊尧》所以立名乎？盖以神考为尧，主上为舜，尊尧何得为罪！时相学术短浅，为人所愚，君所得几何，乃亦不为公议干犯名分乎！’悈惭，揖瓘使退。执中怒，罢悈。瓘平生论京兄弟，皆披擿其处心，发露其情慝，最所忌恨，故得祸最酷。”

马植请结女真图辽。《纲鉴易知录》卷七五：“童贯以辽李良嗣来，命为秘书丞，赐姓赵。燕人马植，本辽大族，仕至光禄卿，行污而内乱，不齿于人。童贯使辽，到卢沟，植夜见其侍史，自言有灭燕之策，因得见贯。贯与语，大奇之，载与俱归，易姓名曰李良嗣，荐诸朝。植即献策曰：‘女真恨辽人切骨，而天祚荒淫失道，本朝若自登、莱涉海，结好女真，与之相约攻辽，其国可图也。’议者曰：‘祖宗以来，虽有此道，以其地接诸蕃，禁商贾舟船不得行，百有余年矣。一旦启之，惧非中国之利。’不听。帝召问之，植对曰：‘辽国必亡。陛下念旧民遭涂炭之苦，复中国往昔之疆，代天谴责，以治伐乱，王师一出，必壶浆来迎。万一女真得志，势不侔矣。’帝嘉纳之，赐姓赵氏，以为秘书丞。图燕之议自此始。”

画学董生画山水屏风，苏辙作诗纪之，评论之。由此式可知在宋代有以书法绘画为职业者，他们奔走四方，生活艰辛。《栾城第三集》卷三《画学董生画山水屏风》：“承平百事足，鸿都无不有。策牍试篆隶，丹青写飞走。纷然四方集，狐兔萃林薮。何人知有益，长啸呼鹰狗。奔逃走城邑，惊顾念糊口。素屏开白云，称我茅檐陋。濡毫愿挥洒，峰峦映岩窦。巨石连地轴，飞布泻天漏。萦山一径通，过水微桥沟。山家烟火然，远寺晨钟叩。僧从何方来，行速午斋后。有客呼渡船，隔水惟病叟。听然发一笑，此处定真否？人生初偶然，与比谁夭瘦？厄穷妄自怜，一醉辄日富。客至亦茫然，邀我沽斗酒。”又，《栾城第三集》卷一《画叹并引》，引曰：“武宗元比部学吴道子画佛菩萨鬼神，燕肃龙图学王摩诘画山川水石，皆得其仿佛。颍川僧舍往往见之，而里人不甚贵重，独重赵、董二生。二生虽工而俗，不识古名画遗意。作《画叹》。”诗曰：“武燕朱远嗟谁识？赵、董纷纷枉得名。已笑孙、陈旧人物，至今但数汉公卿。”这是关于董生的又一记载。

十二月

女真逐渐强大。《续资治通鉴》卷九一：“辽以知黄龙府事萧乌纳（旧作兀纳，今改）为东北路统军使。上书曰：‘臣治与女直接壤，观其所为，其志非小，宜先其未发，举兵图之。’章数上，皆不听。”

苏辙再跋《老子新解》。十一日，再跋《老子新解》（即老子《道德经解》）。明刊《颍滨先生道德经解》卷末，载有一段文字，云：“予昔南迁海康，与子瞻兄邂逅于藤州，相从十余日，语及平生旧学，子瞻谓予：‘子所作《诗传》、《春秋传》、《古史》三书，皆古人所未至，惟解《老子》，差若不及。’予至海康，闲居无事，凡所为书，多所更定。乃再录《老子》书以寄子瞻，自是蒙恩北归。子瞻至毗陵，得疾不起，逮今十余年，竟不知此书于子瞻为可否也？政和元年冬，得侄迈等所编先公手泽，其一曰：‘昨日子由寄《老子新解》，读之不尽卷，废卷而叹，使战国有此书，则无商鞅、韩非，使汉初有此书，则孔、老为一，使晋、宋间有此书，则佛、老不为二，不意老年见此奇特。’然后知此书当子瞻意。然予自居颍川十年之间，于此四书复多所删改，以为圣人之言，非一读所能了。故每有所得，不敢以前说为定，今日以益老，自以为足矣，欲复质之子瞻而不可得，言及于此，涕泗而已。十二月十一日，子由再题。”

苏辙读白居易集，戏作五绝。《栾城第三集》卷三《读乐天集戏作五绝》，其一：“乐天梦得老相从，洛下诗流得二雄。自笑索居朋友绝，偶然得句与谁同？”其二：“乐天得法老凝师，后院犹存杨柳枝。春尽絮飞余一念，我今无累日无思。”其三：“乐天投老刺杭苏，溪石胎禽载舳舻。我昔不为二千石，四方异物固应无。”其四：“乐天引洛注池塘，画舫飞桥映绿杨。瀍水隔城来不得，不辞策杖看湖光。”其五：“乐天种竹自成园，我看墙阴数百竿。不共伊家斗多少，也能不畏雪霜寒。”

本年

韩驹，于政和初年，赐同进士出身。

吕本中《江西诗社宗派图》约作于本年前后。

苏辙作《卜居赋》。《栾城第三集》卷五《卜居赋并引》，引曰：“昔予先君，以布衣学四方，尝过洛阳，爱其山川，慨然有卜居意，而贫不能遂。余年将五十，与兄子瞻皆仕于朝，裒橐中之余，将以成就先志，而获罪于时，相继出走。予初守临汝，不数月而南迁，道出颍川，顾犹有厚尤，乃留一子居焉，曰：‘姑糊口于是。’既而自筠迁雷，自雷迁循，凡七年而归。颍川之西三十里有田二顷，而僦庐以居。西望故乡，犹数千里，势不能返。则又曰：‘姑寓于此。’居五年，筑室于城之西，稍益买田，几倍其故，曰：‘可以止矣。’盖卜居于此，初非吾意也。昔先君相彭、眉之间为归全之宅，指其庚壬曰：‘此而兄弟之居也。’今子瞻不幸已藏于郏山矣，余年七十有三，异日当追蹈前约。然则颍川亦非予居也。昔贡少翁为御史大夫，年八十一，家在琅琊，有一子年十二，自忧不得归葬。元帝哀之，许以王命办护其丧。谯允南年七十二终洛阳，家在巴西，遗命其子轻棺以归。今予废弃久矣，少翁之宠非所敢望，而允南旧事庶几可得。然平昔好道，今三十余年矣。老死所未能免，而道术之余，此心了然，或未随物沦散，然则卜居之地，惟所遇可也。作《卜居赋》以示知者。”赋曰：“吾将卜居，居于何所？西望吾乡，山谷重阻。兄弟沦丧，顾有诸子。吾将归居，归与谁处？

寄籍颍川，筑室耕田。食粟饮水，若将终焉。念我先君，昔有遗言：父子相从，归安老泉。阅岁四十，松竹森然。诸子送我，历井扪天。汝不忘我，我不忘先。属几百年，归扫故阡。我师孔公，师其致一。亦入瞿昙、老聃之室。此心皎然，与物皆寂。身则有尽，惟心不没。所遇而安，孰匪吾宅？西从吾父，东从吾子。四方上下，安有常处？老聃有言：夫惟不居，是以不去。”

陈与义二十二岁，在太学。

公元 1112 年（宋政和二年　辽天庆二年　夏贞观十一年　壬辰）

正月

丁丑，五国部长贡于辽。

宋徽宗下诏，禁止在佛教法事活动中参用道教神位。《续资治通鉴》卷九一：“癸未，诏释教修设水陆及祈禳道场，辄将道教神位相参者，僧尼以违制论。主者知而不举，与同罪。著为令。”

苏辙作《壬辰年写真赞》。《栾城第三集》卷五《壬辰年写真赞》：“颍滨遗氏，布裘葛巾。紫绶金章，乃过去人。谁欤丹青，画我前身，遗我后身？一出一处，皆非吾真。燕坐萧然，莫之与亲。”

苏辙作《管幼安画赞并引》。《栾城第三集》卷五《管幼安画赞并引》：“予自龙川归居颍川十有三年，杜门幽居，无以自适，稍取旧书阅之，将求古人而与之友。盖于三国得一焉，曰管幼安宁。幼安少而遭乱，渡海居辽东三十七年而归。归与田庐，不应朝命，年八十有四而没。功业不加于人，而予独何取焉？取其明于知时，而审于处己而已云耳。盖东汉之帅，士大夫以风节相尚，其立志行义贤于西汉。然时方大乱，其出而应世，鲜有能自全者。颍川荀文若以智策辅曹公，方其擒吕布，毙袁绍，皆谈笑而办，其才与张子房比。然至于九锡之议，卒不能免其身。彭城张子布，忠亮刚简，事孙氏兄弟，成江东之业。然终以直不见容，力争公孙渊事，君臣之义几绝。平原华子鱼以德量重于曹氏，父子致位三公。然曹公之杀伏后，子鱼将命，至破壁出后而害之。汝南许文休以人物臧否闻于世，晚入蜀依刘璋。先主将克成都，文休逾城出降。虽卒以为司徒，而蜀人鄙之。此四人者，皆一时贤人也。然直己者终害其身，而枉己者终丧其德。处乱而能全，非幼安而谁与哉？旧史言幼安虽老不病，著白帽布襦袴布裙。宅后数十步有流水，夏暑能策杖临水盥手足，行园圃。岁时祀其先人，絮帽布单衣荐馔馈，跪拜成礼。予欲使画工以意髣髴画之。昔李公麟善画，有顾陆遗思，今公麟死久矣，恨莫能成吾意者，故为之赞曰：幼安之贤，无以过人，予独何以谓贤？贤其明于知时，审于处己，以能自全。幼安之老，归自海东。一亩之宫，闭不求通。白帽布裙，舞雩而风。四时烝尝，馈奠必躬。八十有四，蝉蜕而终。少非汉人，老非魏人。何以命之？天之逸民。”管宁（公元 158—241）字幼安，事迹见《三国志》卷十一《管宁传》。

二月

蔡京特复太师。《续资治通鉴》卷九一："二月戊子朔，诏太子太师致仕蔡京两居上宰。辅政八年，首建绍述，勤劳百为，降秩居外，游历岁时。况元丰侍从被遇神考者，今则无几，而又累经恩霈，理宜优异。可特复太师，仍为楚国公，赐第京师。"

阿骨打意气雄豪，宴会上独不起舞。《续资治通鉴》卷九一："丁酉，辽主如春州，幸混同江钓鱼。界外生女直部长，在千里内者，以故事皆来朝。适遇头鱼宴，酒半酣，辽主临轩，命诸部长次第起舞。独阿古达（旧作阿骨打，今改）辞以不能，谕之再三，终不从。它日，辽主密谓北院枢密使萧奉先曰：'前日之燕，阿古达意气雄豪，顾视不常，可托以边事诛之，否则必诒后患。'奉先曰：'粗人不知礼义，无大故而杀之，恐伤向化之心。假有异志，蕞尔小国，亦何能为！'辽主乃止。阿古达之弟乌奇迈（旧作吴乞买，今改）等，尝从辽主猎，能呼鹿刺虎，辽主喜，辄加官爵。"

二十日，苏辙迎来自己的最后一个生日，作诗记怀。《栾城第三集》卷三《壬辰生日，儿侄诸孙有诗，所言皆过记胸中所怀，亦自作》："生日今朝是，忽忽又一年。读书真已矣，闭目但茫然。下种言非妄，开花果定圆。驱羊旧有法，视后直须鞭。"门人以《渔家傲》词为寿，苏辙有和作。《栾城遗言》："公悟悦禅定，门人有以《渔家傲》祝生日及济川者，以非其志也，乃赓和之：'七十余年成一梦。朝来寿斝儿孙奉。尤患已空无复痛。心不动，此间自有千钧重。早岁文章供世用。中年禅味疑天纵。石塔成时无一缝。谁与共？人间天上随他送。'辙笃行禅而力行之。"

周邦彦有词多篇：《锁窗寒》（暗柳啼鸦）、《蝶恋花》（爱日轻明新雪后）、《扫花街》（晓阴翳日）、《夜飞鹊》（河桥送人处）、《渡江云》（晴岚低楚甸）、《蝶恋花》（桃萼新香梅落后）、《蝶恋花》（小阁阴阴人寂后）、《蝶恋花》（蠢蠢黄金初脱后）、《蝶恋花》（晚步芳塘新霁后）、《还京乐》（禁烟近）、《绕佛阁》（暗尘四敛）、《瑞鹤仙》（暖烟笼细柳）。

三月

莫俦等七百三十人中进士。《续资治通鉴》卷九一："己卯，赐礼部奏名进士及第出身莫俦等七百三十人。"李纲于本榜进士及第。

苏辙游西湖，泛濮水，作诗。《栾城第三集》卷三《游西湖》："闭门不出十年久，湖上重游一梦回。行过闾阎争问讯，忽逢鱼鸟亦惊猜。可怜举目非吾党，谁与开樽公一杯？归去无言掩屏卧，古人时向梦中来。"

同卷，《泛濮水》："早岁南迁恨舳舻，归来平地忆江湖。半篙春水花千片，八尺轻船酒一壶。徐转城阴平野阔，稍通竹径小亭孤。前朝宰相终难得，父老咨嗟今亦无。（自注：自濮沟泛舟至曲水园，本文潞公旧物，潞公以遗贾魏公，今为贾氏园矣）"

四月

徽宗诏以十二事劝农。《续资治通鉴》卷九一："夏四月己丑，诏县令以十二事劝农于境内，躬行阡陌，程督勤惰。"

苏籀受诗教于苏辙。苏辙作《感秋扇》诗，其孙苏籀亦有作，由苏籀诗之风格可知他受诗教于苏辙。《栾城第三集》卷三《感秋扇》："团扇经秋似败荷，丹青髣髴旧松萝。一时用舍非吾事，举世炎凉奈尔何？汉代谁令收汲黯，赵人犹欲用廉颇。心知怀袖非安出，重见秋风愧恨多。"苏籀《双溪集》卷一《大父令赋旧扇》："裁纨当团扇，当暑不离手。炎凉一推迁，委掷昏尘垢。蒙蒙萦蛛网，闇闇迷远岫。人情逐时移，浪自分好丑。一朝被收录，已迫朱明候。开箧振浮埃，清风亦生袖。有爱必有憎，无新故无旧。可怜汉婕妤，涕泣将为咎。贤哉楚令尹，无欣亦无诟。"同上卷，《大父令赋捕鱼》："寒鱼不乐水，遇汕辄来依。溪边蓑笠翁，智深鱼莫知。网罟既不舍，钓竿亦罢携。萧然徒手来，一一收无遗。幽人买鱼食，心亦怜鱼痴。早知烹割苦，宁如在流澌。世人岂异词，外物常见羁。好在李斯犬，当观庄子牺。"从以上两首诗，可知苏籀受过苏辙之诗教。

五月

蔡京复议事与"书杨"。《纲鉴易知录》卷七五："夏五月，诏蔡京三日一至都堂议事。京患言者论己，乃作御笔密进，而丐帝亲书以降，谓之御笔手诏，违者以违制坐之。事无巨细，皆纪以行，至有不类帝书者，群下亦莫敢言。由是贵戚近臣争相请求，至使中人杨球代书，号曰'书杨'。京复病之，而亦不能止矣。"

久旱之后，终于下雨，苏辙作诗，言农民疾苦。《栾城第三集》卷四《喜雨诗·五月十九日夏至》："一旱经春夏已半，好雨通宵晓未受。气爽暂令多病喜，来迟未解老农忧。力耕仅足公家取，遗秉休为寡妇求。时向林间数新竹，箨龙腾上欲迎秋。"

六月

和州回鹘及阻仆贡于辽。《续资治通鉴》卷九一："庚寅，辽主清暑于南崖。甲午，和州回鹘贡于辽。甲辰，准布（编者注：即阻卜）贡于辽。"

七月

宋寻访天下遗书。《续资治通鉴》卷九一："壬申，访天下遗书。"

秋，周邦彦赴德隆府任，有词《华胥引》（川源澄映）、《尉迟杯》（隋堤路）、《忆旧游》（记愁横浅黛）。

八月

宋朝更定官名。《纲鉴易知录》卷七五："秋九月，更定官名。（蔡京率意自用，欲更置官名，以继元丰之政。乃首更开封守臣为尹牧。由是府分六曹，县分六案，内侍省职悉仿机廷之号，修六尚局，建三卫郎。遂诏：'太师、太傅、太保，古三公之冠，今为三师，古无此称，合依三代为三公，为真相之任。……更侍中为左辅，中书令为右弼，尚书左仆射为太宰兼门下侍郎，右仆射为少宰兼中书侍郎。罢尚书令及文武勋官，而以太尉冠武阶。'）"

九月

阿骨打兼并旁近部族，犯事后称疾掩盖异志。《续资治通鉴》卷九一：“阿古达（阿骨打）自混同江宴归，疑辽主知其异志，遂称兵先并旁近部族。女直赵三阿鹘产拒之，阿古达掳其家属二人，奏诉咸州详衮司，送北院枢密使萧奉先作常事以闻。辽主仍送咸州诘责，欲使自新。后数召阿古达，竟称疾不至。”

苏辙做《坟院记》。《栾城第三集》卷十《坟院记》：“旌善广福禅院者，先公文安府君赠司徒坟侧精舍也。先公既壮而力学，晚而以德行文学名于世。夫人程氏追封蜀国太夫人，生而志节不群，好读书，通古今，知其治乱得失之故。有二子，长曰轼，季则辙也。方其少时，先公、先夫人皆曰：‘吾尝有志兹世，今老矣，二子其尚成吾志乎！’辙兄弟虽少而仕，亦流落不偶，年几五十，乃始得还朝。兄气刚寡合，已入复出。辙碌碌无能轻重，五年而至尚书右丞，与闻国政，以故事得于坟侧建刹度僧，以荐先福。坟之东南四里许，有故伽蓝。陵阜相拱揖，松竹深茂，相传唐中和中任氏兄弟所捨也。辙以请于朝，改赐今牓，时元祐六年也。既三年，兄弟皆以罪废，南迁海上。又六年，蒙恩北归。兄至毗陵以病没。辙中止颍川，不能归。又五年，前执政以黜去者，皆夺坟上刹。又二年，上哀矜旧臣，手诏复还畀之。坟之西南十余步有泉焉，广深不及寻，昼夜瀵涌，清冽而甘，冬不涸，夏不溢。自辙南迁，而水日耗，至夺刹遂竭。父老来告，辙惕焉，疑获谴于幽明，彷徨不知所为。而手诏适至，泉亦滃然而复。山中人皆曰：‘诏书乃与天通耶？’辙闻之，遡阙而拜，以膺上赐。久之，乃为之记，使世世子孙，知兹刹废兴所自，以勿忘朝廷之德。政和二年壬辰九月乙卯朔六日庚申，中奉大夫、护军、栾城县开国伯赐紫金鱼袋苏辙记。”此为苏辙之绝笔。

十月

苏辙（1039—1112）卒。初三日，苏辙卒。韩元吉《苏文定公祠碑》：“歙之绩溪县西隅，有亭曰翠眉，不知其何人作也。前则二小山对出，自亭而望，娩然如眉，地势平衍，林木茂蔚。元丰末，苏文定公为县，爱其清幽，时往游焉，赋诗其上。公去而邑人思之，即亭为祠，中更党籍禁锢之余，书毁迹灭，重为寇攘至厄，井邑荡然，公之遗翰了无在者。绍兴中，好事者饰县廨一堂，名以景苏。后令曹训刻公在绩溪所为诗三十六篇于石，而摩公之像于亭。岁月寖久，栋宇弗支。淳熙十年，公之曾孙秘阁修撰谔为江南东路转运副使，按行邑中，来拜赐下，出钱付县吏，曰修之，勿以烦民也。时奉议郎宣城虞俦方衹县事，愧而谢曰：‘此令之职也。昨为令者，以频岁救荒，故未能及。俦至甫几月尔，固将及之。其敢用公之私钱？’某适以行役过县，俦道其所以，妾愿得文以为之记。其明年来曰：‘祠成就矣，辟亭为四楹，得家庙本，别绘公像于中，前为轩槛，以面两山。后为便舍，以带游者。以公之爱其处，规制仍旧，不敢侈也。’夫公之名满天下，而文章诵于四夷，功烈论议，且载信史，岂须记而后传。盖绩溪在江左，岩邑也。公之为令，仅以半载，而邑人至今乃不忘，则其道德所加，必有未施信而民信之者矣。虽然，公之对制策，当仁祖朝，已负敢言之气，而几见黜于有司，驱驰州县，不得用于台阁者逾二十年。迨东坡先生以诗得罪，公亦坐贬于筠，起废而来绩溪，则既五十矣。自是始还，曾不数年，任言责，司翰墨，以翊政路，而登门下省，则向之忌嫉于公，而蹭蹬不偶者，未足为公叹也。昔公自蜀入京师，纵观山河之雄，宫阙之壮，上书韩太尉，实自比司马迁，欲求天下之奇闻壮观，以激发其志气。顾以一县之微，一亭之小，耳目所寓，未厌而乐之，何哉？公尝有言曰：'天下之乐无穷，而以适意为悦。方其得意，万物无以易之。'其斯之谓欤？今虞君之政，惓惓慕公，而徇民之思，以志公所游之地，则绩溪者殆公之桐乡也。故某摭民之谣以为祀神之章，俾岁时酹公而歌焉。其词曰：公之居兮岷峨西，怀栾坡兮家具茨，翠眉之山兮何足以嬉。公之来兮昆仑丘，大江注兮九河流，翠眉之水兮何足以游。借公视于天壤兮等于浮沤，扰扰万类兮是惟蜉蝣，抚兹百里兮曾何异于九州。剖析狱讼兮亦吾庙谋，不为此弃兮讵为彼留。金闺兮玉堂，调神鼎兮辅岩廊。临朝汝水兮暮栖海康，荣枯贵贱兮公以为常。藐祠亭兮山之左，杉千章兮竹万个。公之去莱兮世莫可期，凄惨云车兮斯人是思。"

十一月

宋朝权罢方田。《续资治通鉴》卷九一："丁丑，御笔言方田之法，本以均税，有司奉行违戾，货赂公行，豪右形势之家，类蠲赋役而移于下户，致使流徙，常赋所入，亏额甚多，殊失先帝厚民富国之意。已降指挥，权罢方量。有诉讼赋役不均者，且依未方以前旧数；其流移人户，仰守令多方措置，招诱归业。"

徽宗受元圭于大庆殿。《纲鉴易知录》卷七五："冬十一月，受元圭于大庆殿，赦。（时民间有得玉圭来献者，帝御殿受贺，执政皆进秩）"

十二月

延福五位新宫成，东华门外赏华灯。《续资治通鉴》卷九一："丙午，宴辅臣于延福宫。初，蔡京欲以宫室媚帝，召内侍童贯、杨戬、贾详、何䜣、蓝从熙，讽以内中逼窄之状。贯等乃请于大内北拱宸门下，因延福旧名而新作之。五人分任工役，视力所致，争以侈丽高广相夸尚。各为制度，不务沿袭。及成，号'延福五位'。帝自为文以记之。每岁冬至后，即放灯自东华门以北，并不禁夜。徙市民行铺夹道以居，纵博群饮。至上元后，乃罢。谓之'先赏'。"

徽宗诏给地养马。《续资治通鉴》卷九一："癸丑，始诏诸路给地牧马。又以诸路马食，储积亦艰，沿边土旷，乘春发生，青草茂盛，诸城寨宜分番出牧，就野饱青，晚持草归，以充夜秣，则官刍可省。诏陕西诸路相度措置奏闻。"

本年

是岁，高丽入贡。

成都路蛮夷内附。《续资治通鉴》卷九一："成都路夷人董舜谘、董彦博内附，置祺、亨二州。”

王十朋（1112—1171）生。汪应辰《龙图阁学士王公墓志铭》：“公讳十朋，字龟龄，姓王氏，温州乐清人。……公少颖悟强记览，为文顷刻数千言。事亲尽孝，其居乡，进止取予必以义，后学师尊之。既入太学，多士皆推敬焉。太上皇帝躬揽权纲，更新政事，绍兴二十七年策进士于廷，诏：‘对策中有指陈时事鲠亮直切者，并置上列，无失忠谠，无尚谄谀，称朕取士之意。’既而考官以公所对进，上临，定其文为‘经学淹通，议论纯正，可第一。’及唱名则公也，议论翕然称惬。……授左承事郎，金书建康军节度判官厅公事。又诏：‘王某系朕亲擢第一人，欲试以民事，尚待远阙，可特添差绍兴府佥判。’秩满，除秘书省校书郎，寻兼王府小学教授。时北虏且畔盟，朝廷疑之，犹未敢诵言为备，公因转对，力陈其不可无备者……其他指陈，率人所难言者，公之将有言也，人皆危之，而上特开纳焉。……然大臣有不乐者，公亦数求去，除著作佐郎，罢其兼职。公以求去得迁，力辞，不许。久之，除大宗正丞，仍待次，寻得请主管台州崇道观。今上即位，出知严州。未赴间召对……除司封员外郎，建国史院编修官，又兼崇政院说书，除国子司业。……隆兴元年四月，除起居舍人，改兼侍讲，公与左史同奏史职废坏者……皆从之。越月，除侍御史，公素以刚毅正直称天下，至是人皆曰真御史矣。公益自任以当世之众，大抵以定国论、正人心为本，而去其害治者，不屑屑于细故也。……诏以公权吏部侍郎，辞不拜。乃以集英殿修撰知饶州。乾道元年七月，移知夔州，寻除敷文阁待制。三年七月，移知湖州。未几得请，提举江州太平兴国宫。才数月，起知泉州，进直学士。又移知台州，公以病力辞，且乞致仕，乃复提举太平兴国宫。七年三月，除太子詹事，诏旨敦趣，公力疾造朝。上特御选德殿，而公足弱不能趋，诏给扶减拜，且赐坐，又诏权免朝参，又遣使以告及金带就赐。共三上章乞致仕，乃诏以龙图阁直学士致仕，命下而公薨矣，实七月丙子也，享年六十。……近世为政得人心未有如公比者。公有《梅溪》前、后集五十卷，《尚书》、《春秋》、《论语》、《孟子讲义》皆指授学者，未成书也。公于文专尚理致，不为浮虚靡丽之词。其论事章疏，意之所至，展发倾尽，无所回隐，尤条鬯明白。盖自汉室专用儒术，而士或饰诈，或阿谀取容，至于守节死义，能为国重，则未必以儒名者，世遂以儒相靳。若公之学问，粹然一出于正，谨守而力行之，义之所在，疾趋径前，未尝以利害毫发顾避，更阅夷险，特立不回，施于政事，左右具宜。信乎其有本如是也。”

李清照二十九岁。

陈与义二十三岁，在太学。

辽放进士七十七人。《续资治通鉴》卷九一：“辽放进士韩昉等七十七人。”

公元1113年（宋政和三年　辽天庆三年　夏贞观十二年　癸巳）

正月

宋朝廷追封王安石和王雱。《纲鉴易知录》卷七五：“癸巳，三年，春正月，追封王安石为舒王，安石子雱为临川伯，从祀孔子庙。”

甲戌，辽禁僧尼破戒。

聚敛者之首吴居厚罢相。《续资治通鉴》卷九一："丁丑，吴居厚罢，以郑居中知枢密院事。居厚久居政府，以周谨自媚，一时聚敛者，推为称首。至是，上章告老，除武康军节度使，知洪州。"

《政和五礼新仪》成书。《续资治通鉴》卷九一："庚辰，诏议礼局新修《五礼仪注》，宜以《政和五礼新仪》为名。""四月庚戌，郑居中等奏编成《政和五礼新仪》并序例，总二百二十卷，目录六卷，共二百二十六卷。辨仪正误，推本六经，朝著官称，一遵近制，诏令颁降。"

二月

太后刘氏自杀。《续资治通鉴》卷九一："崇恩皇太后刘氏，帝以哲宗故，特加恩礼，而后颇干预外事，且不以谨闻。帝与辅臣议，将废之。辛卯，后为左右所逼，即帘钩自缢而崩，年三十五。"

辽与女真对峙，宋朝加强边防。《续资治通鉴》卷九一："甲午，以辽、女直相持，诏饬河北边防。"

宋朝规定百官奉祠禄者以三年为任。《续资治通鉴》卷九一："丁酉，诏百官奉祠禄者，并以三年为任。乙巳，赠定六朝勋臣一百十六人。"

三月

徽宗赐上舍生及第。《续资治通鉴》卷九一："癸酉，赐上舍生十九人及第。"

癸酉，复置算学。

冲虚先生。《续资治通鉴》卷九一："甲戌，左街道录徐知常，特授崇虚先生。"

安泊处士。《续资治通鉴》卷九一："辛巳，诏濮州王老志，赐号安泊处士。老志，濮之临泉人，隶东京转运司为书吏。自言常遇钟离真人，授内丹要诀。弃妻子，结草为庐，施病者药，喜与人言休咎。颇藉藉有闻，故有是命。"

女真反辽。《续资治通鉴》卷九一："女直阿古达，一日率五百骑，突至辽咸州，吏民大惊。翼日赴详衮司，与赵三等面折庭下。阿古达不屈，送所司问状。一夕遁去，遣人诉于辽主，谓详衮司欲见杀，故不敢留。自是，召不复至。"

四月

选士、俊士、贡士。《续资治通鉴》卷九一："夏四月甲申，宣义郎黄冠言：欲令天下士自乡而升之县学，自县学而升之州学，通谓之'选士'，其自称则曰'外舍生'。才之向成升于内舍，则谓之'俊士'，自称'内舍生'。又其才已成而贡之辟雍，然后谓之'贡士'，其自称亦以是。从之。"

作保和殿。《续资治通鉴》卷九一："戊子，作保和殿。总为屋七十五间。上饰纯绿，下漆以朱，无文藻绘画五采，垣墉无粉泽，以浅墨作寒林平远禽竹。左实典谟训诰经史，右藏三代彝器，东序置古今书画，西序收琴阮笔砚焉。”

闰四月

戊午，复置医学。

帝姬、宗姬、族姬。《续资治通鉴》卷九一：“丙辰，改公主为‘帝姬’，郡主为‘宗姬’，县主为‘族姬’。于是民间有无主之说。又言姬者饥也，亦用度不足之谶云。”

李洪聚众起事，肢解分示五京。《续资治通鉴》卷九一：“辽主欲以严刑威众，会李洪以左道聚众为乱，遂支解之，分示五京。”

初六日，赵明诚再过长清灵岩寺。初八日登泰山。赵明诚在泰山获得《唐登封纪号文碑》。秋，赵明诚友人刘跂登泰山，获得全本《秦泰山石刻》。

五月

宋颁《大晟乐》。《续资治通鉴》卷九一：“己酉，诏颁大晟乐于天下，旧乐遂禁。”

六月

丙辰，夏国贡于辽。

七月

礼制局讨论古今沿革。《续资治通鉴》卷九一：“己亥，诏：‘于编类御笔所置礼制局，讨论古今沿革，具画来上。朕将亲览，参酌其宜，以革千古之陋，成一代之典，庶几先王垂法后世。’崇宁以来，稽古殿多聚三代礼器，若鼎、彝、簠、簋、牺、象、尊、罍、登、豆、爵、斝、琏、觯、坫、洗，凡古制器悉出，因得见之商周之旧，始验先儒所传大讹。至是既置礼制局，乃请御府所藏，悉加讨论，尽改以从古。荐之郊庙，焕然大备。有万寿玉尊者，大犹四升器，雕琢殊绝。玉坫阔盈尺有二寸。帝每祭祀饮福，大朝会爵群臣，则用焉。其它多称是。至其制作之精，殆与古埒。自汉以来，未之有也。中书舍人翟汝文奏乞编集新礼，改正三礼图，以示后世。卒不果行。”

八月

陈与义编年诗始于本年，即本月所作《次韵谢文骧主簿见寄兼示刘宣叔》。诗曰：“断蓬随天风，飘荡去何许。寒草不自振，生死依墙堵。两途俱寂寞，众手剧云雨。坐令习主簿，下与鸡鹜伍。遥知竹林郊，未肯一时数。翩翩三语掾，智与谩相补。髯刘吾所畏，道屈空去鲁。子才亦落落，倾盖极许予。四夔照河滨，一笑宽逆旅。堂堂吾景方（张仪掾字），去作泉下土。未知我露电，能复几寒暑。思莼久未决，食荠转觉苦。我不逮诸子，要先诸子去。不种杨恽田，但观吕安圃。未知谁善酿，可作孔文举。十年亦晚矣，请便事斯语（自注：来诗有十年之约）。”（《增广笺注简斋诗集》卷一）刘辰翁评“翩翩三语掾，智与谩相补”二句：“闲语得精意，可以处世。”又评“我不逮诸子，要先诸子去”二句：“名言。”

九月

洞徽先生、通妙先生。《纲鉴易知录》卷七五：“九月，赐方士王老志号洞徽先生，王仔昔号通妙先生。濮人王老志，初为小吏，遇异人授以丹，遂弃妻子，结草庐田间，为人言休咎，多验。太仆卿王亶以名闻，时帝方向道术，乃召至京师，馆于蔡京第。尝缄书一封至帝所，启视乃昔岁中秋与乔、刘二妃燕好之语也。由是益信之，号洞徽先生。朝士多从求书，初若不可解者，卒应者十八九，其门如市，逾年而死。洪州人王仔昔，初隐于嵩山，自言遇许逊（南昌人，晋初为旌阳令，点石化金足逋赋。寻弃官归，精修山中，年一百三十六岁，举家飞升，宋封妙济真君），得大洞隐书豁落七元之法，能道人未来事。京荐之，帝召见，赐号冲隐处士，进封通妙先生。由是道家之事日兴，而仔昔恩宠寖加，朝臣戚里，夤缘关通。”

十月

道士程若清封宝箓先生。《续资治通鉴》卷九一：“冬十月戊申朔，元观法师程若清，封宝箓先生。”

徽宗阅新乐器于崇政殿。《续资治通鉴》卷九一：“乙丑，阅新乐器于崇政殿，出器以示百官。”

道士百人参加宋朝之国家典礼。《续资治通鉴》卷九一：“戊辰，诏冬祀大礼及朝景灵宫，并以道士百人，执威仪前导。”

十一月

《天真降临示见记》。《续资治通鉴》卷九一：“帝有事于南郊，蔡攸为执绥官。玉辂出南薰门，帝忽曰：‘玉津园东，若有楼台重复。是何处也？’攸即奏：‘见云间楼殿台阁，隐隐数重。’既而审视，皆去地数十丈。顷之，帝又问曰：‘见人物否？’攸即奏：‘有道流童子持幡节，盖相继而出云间。衣服眉目，历历可识。’乙酉，遂以天神降，诏告在位，作《天真降临示见记》。帝常梦被召如在藩邸时，见老君坐殿上，仪威如王者，谕帝曰：‘汝以宿命，当兴吾教。’帝受命而出。梦觉，记其事。及是冬祀，王老志亦从帝在太庙小次中。老志曰：‘陛下昔梦，尚记之乎？时臣在帝旁也。黎明出南薰门，见天神降于空中。’议者谓老志所为。道教之盛自此始。”

十二月

宋徽宗下诏书，访求道教仙经。《纲鉴易知录》卷七五：“十二月，诏求道教仙经于天下。”

辽以马人望为参知政事。《续资治通鉴》卷九一：“甲寅，辽以枢密直学士马人望参知政事。人望有操守，未尝附丽求进。至是人贺，人望愀然曰：‘得勿喜，失勿忧。抗之甚高，挤之必酷。’其畏慎如此。”

耶律俨卒。《续资治通鉴》卷九一：“丙辰，辽知枢密院事耶律俨卒。赠尚父，谥忠懿。俨颇以廉洁闻，顾不能以礼正家，藉以固宠，闻者鄙之。北院枢密使萧奉先，素与俨相结。俨死，荐其侄李处温为相，俨本姓李也。处温因奉先有援己力，倾心阿附，而贪污尤甚，凡所接引，类多小人。”

癸亥，高丽贡于辽。

乌雅舒之梦。《续资治通鉴》卷九一：“辽生女直部节度使乌雅舒，梦逐狼，屡发不能中，阿古达前射中之。旦日以所梦问僚佐，皆曰吉。兄不能得而弟得之兆也。是月，乌雅舒卒。阿古达袭位为达贝勒（旧作都勃烈，今改），辽使阿勒博（旧作阿息保，今改）往谓之曰：‘何故不告丧?’阿古达曰：‘有丧而不吊，而乃以为罪乎?’它日，阿勒博径至乌雅舒殡所阅赗马，欲取之，阿古达怒，将杀之，宗雄谏而止。宗雄本名摩啰欢（旧作谋良虎，今改），乌雅舒之长子也。”

阿古达伐辽未决。《续资治通鉴》卷九一：“阿古达欲伐辽而未决，乃之完颜部，谓都古噜纳（旧作迪古乃，今改）曰：‘辽名为大国，其实空虚。主骄而士怯，战阵无勇，可取也。吾欲举兵而西，君以为何如?’都古噜纳曰：‘以公英武，士卒乐为用。辽帝荒于畋猎，政令无常，易与也。’阿古达然之。”

本年

是岁，江东大旱。

谢逸（？—1113）卒。“《宋史翼》卷二六：“谢逸，字无逸，临川人，自号溪堂。少孤博学，工文辞，操履峻洁，再举进士不第。”至是卒。释惠洪《跋谢无逸诗》：“临川谢无逸，布衣而名重缙绅，于书无所不读，于文无所不能，而尤工于诗。黄鲁直阅其与老仲元诗曰‘老凤垂头噤不语，枯木查牙噪春鸟’，大惊曰：‘张、晁流也！’陈莹中阅其赠普安禅师诗曰‘老师登堂挝大鼓，是中那容啬夫喋’，叹息曰：‘计其魁杰，不减张、晁也。’二诗于无逸集中未为绝唱，而陈、黄已绝倒无余，惜未多见之耳。然无逸又喜论列而气长，诗尚造语而工，置于文潜、补之集中，东坡不能辨。文章如良金美玉，自有定价，殆非虚语也。余方以罪谪海外，无逸适过庐山，见吾弟超然，熟视久之，意折曰：‘吾此生复能见觉范乎?’语不成声，乃背去。后三年，吾幸蒙恩北还，而无逸乃弃余而先焉。因与超然对榻夜语及之，不自觉泪殷枕也。呜呼，无逸东邻有宁生者二十余，以镂刻为菩萨像，每过无逸，恬退趋去。俄游京师，以其役得将仕郎而还，华裾细马，闾里聚观。无逸出门值之，为避路，门弟子不怿累月。呜呼！无逸有出世之才，年未五十，一命不沾，殉倾大命，曾东邻宁木工之不若，嗟乎，惜哉！”又，《四库全书总目》卷一五五：“《溪堂集》十卷。本中尝称逸才力富赡，不减康乐。刘克庄作《江西诗派序》，则谓逸轻快有余而欠工致，颇以本中之言为失实。今观其诗，虽稍近寒瘦，然风格劲拔，时露清新，上方黄、陈则不足，下比江湖诗派则沨沨乎雅音矣。且克庄序中又称宣、政间有歧路可进身，韩子苍诸人或自鬻其极至贵显，二谢乃老死布衣，其高节为不可及。而本中《东莱诗话》亦载汪革赠逸诗云：'但得丹霞访庞老，何须狗监荐相如。新年更励于陵节，妻子同鉏五亩蔬。'则知当时兼以人品重之，不独以其诗也。"

李清照本年三十岁。作有《分得知字》诗："学语三十年，缄口不求知。谁遗好奇士，相逢说项斯？"

李清照又作有《词论》。胡仔《苕溪渔隐丛话》后集卷三三："乐府声诗并著，最盛于唐。开元、天宝间，有李八郎者，能歌擅天下。时新及第进士开宴曲江，榜中一名士，先召李，使易服隐名姓，衣冠故敝，精神惨沮，与同之宴所，曰：'表弟愿与座末。'众皆不顾。既酒行乐作，歌者进。时曹元谦、念奴为冠，歌罢，众皆咨嗟称赏。名士忽指李曰：'请表弟歌。'众皆哂，或有怒者。及转喉发声，歌一曲，众皆泣下。罗拜，曰：'此李八郎也。'自后郑卫之声日炽，流靡之变日烦。已有《菩萨蛮》、《春光好》、《莎鸡子》、《更漏子》、《浣溪沙》、《梦江南》、《渔父》等词，不可遍举。五代干戈，四海瓜分豆剖，斯文道熄。独江南李氏君臣尚文雅，故有'小楼吹彻玉笙寒'，'吹皱一池春水'之词，语虽奇甚，所谓'亡国之音哀以思'也。逮至本朝，礼乐文武大备，又涵养百余年，始有柳屯田永者，变旧声，作新声，出《乐章集》。大得声称于世，虽协音律，而词语尘下。又有张子野、宋子京兄弟，沈唐、元绛、晁次膺辈继出，虽时时有妙语，而破碎何足以名家！至晏元献、欧阳永淑、苏子瞻，学际天人，作为小歌词，直如酌蠡水于大海，然皆句读不葺之诗尔，又往往不协音律者。何耶？盖诗文分平侧，而歌词分五音，又分五声，又分六律，又分清浊轻重。且如近世所谓《声声慢》、《雨中花》、《喜迁莺》，既押平声韵，又押入声韵。《玉楼春》本押平声韵，又押上去声，又押入声。本押仄声韵，如押上声则协，如押入声则不可歌矣。王介甫、曾子固，文章似西汉，若作一小歌词，则人必绝倒，不可读也。乃知别是一家，知之者少。后晏叔原、贺方回、秦少游、黄鲁直出，始能知之。又晏苦无铺叙。贺苦少典重。秦即专主情致，而少故实，譬如贫家美女，虽极妍丽丰逸，而终乏富贵态。黄即尚故实，而多疵病，譬如良玉有瑕，价自减半矣。"

陈与义二十四岁，以上舍及第释褐，名列第三，授文林郎。八月，授开德府教授。编年诗自本年始。陈与义集中第一首诗为《次韵谢文骥主簿见寄兼示刘宣叔》。

公元1114年（宋政和四年　辽天庆四年　夏贞观十三年　甲午）

正月

宋朝廷设置道阶。《续资治通鉴》卷九一："春正月戊寅朔，置道阶六字先生，至额外鉴议，品秩比视中大夫，至将仕郎，凡二十六等。并无请给人从及不许申乞恩例。"

道士王老志加号。《续资治通鉴》卷九一："辛丑，王老志加号'观妙明真洞微先生'。"

二月

徽宗赐上舍生及第。《续资治通鉴》卷九一："二月丁巳，赐上舍生十七人及第。"

癸酉，皇长子桓（宋钦宗）生。

三月

徽宗下诏各路，通选宫观道士，进京深造。《续资治通鉴》卷九一："辛卯，诏诸路监司，每路通选宫观道士十人，遣发上京，赴左右街道录院讲习科。道声赞规，仪候习熟，遣还本处。"

四月

每月上交五万贯，水磨茶场利润高。《续资治通鉴》卷九一："甲寅，尚书省言水磨茶场，岁收钱约四百万贯以上，比旧已及三倍。不系省钱，别无支用。尚循旧例，只每季泛进，未有月进之数。今欲每月进五万贯，所收钱尚有余，不至阙少。诏依所奏，仍自今月为始。"

六月

庚午，诏小学仿太学立三舍法。

七月

障鹰官先被执，阿古达将举兵。《续资治通鉴》卷九一："辽主好畋猎，怠于政事，每岁遣使市名鹰于海上。道出生女直。侍者贪纵，征索无藝。女直厌苦之。乌舒雅尝以辽主不遣阿苏（旧作阿疏，今改）为辞，稍拒其市鹰使者。及阿古达袭节度使，相继遣普嘉努（旧作蒲家奴，今改）实古讷（旧作习古乃，今改）等索阿苏。辽主终不许。实古讷归，具言辽主骄肆废弛之状，阿古达乃召其所属，告以伐辽之故。使备冲要，建城堡，修戎器，以听后命。辽主使侍御阿勒博往诘之。阿古达曰：'我小国也，事大国不敢废礼，大国德泽不施，而逋逃是主，以此字小，能无望乎？若还阿苏，朝贡如故。苟不获已，岂能束手受制也？'阿勒博还，辽主始为备。命统军萧托卜嘉（旧作挞不夜，今改）调诸军于宁江州。阿古达闻之，使布萨哈（旧作聒呱刺，今改）复索阿苏，实观其形势。布萨哈还言辽兵多，不知其数。阿古达曰：'彼初调兵，岂能遽集如此？'复遣呼实布（旧作胡沙保，今改）往，还言唯四院统军司与宁江州军及渤海八百人耳。阿古达曰：'果如吾言。'谓诸将佐曰：'辽军知我将举兵，集诸路军备我，我必先发制之，无为人制。'众皆曰：'善！'乃入见颇拉淑（旧作颇剌淑，今改）妻富察氏（旧作蒲察氏，今改），告以伐辽事。富察氏曰：'汝嗣父兄立邦家，见可即行，吾老矣，无诒我忧，汝亦不必至是。'阿古达奉觞为寿，即奉富察氏率诸将出门。举觞东向，以辽人荒肆、不归阿苏、并已用兵之意祷于皇天后土。酹毕，富察氏命阿古达正坐，与僚属会酒，号令诸部，使博勒和（旧作婆龐火，今改）征伊兰古噜讷（旧作移懒路迪古，今改）之兵，执辽障鹰官。”

新秋，赵明诚为李清照题照。《四印斋所刻词》本《漱玉词》卷端有李清照画像，上书“易安居士三十一岁之照”，赵明诚题曰：“清丽其词，端庄其品，归去来兮，真堪偕隐。政和甲午新秋，德甫题于归来堂。”

八月

延康殿学士、述古殿直学士。《续资治通鉴》卷九一：“八月乙巳，改端明殿学士为延康殿学士，枢密直学士为述古殿直学士。”

九月

阿古达举兵伐辽，大军挺进宁江州。《续资治通鉴》卷九一：“是月，女直阿古达举兵伐辽，进军宁江州，次寥晦城。博勒和征兵后期，杖之。复遣督军诸路兵，皆会于拉林（旧作来流，今改）水，得二千五百人。申告于天地曰：‘世事辽国，恪修职贡，有功不省，而侵侮是家，今将问罪于辽，天地鉴佑之！’遂命诸将传梃而誓曰：‘汝等同心尽力。有功者，奴婢部曲，为良庶人官之。先有官者叙进。轻重视功。苟违誓言，身死梃下，家属无赦。’师将至辽界，先使宗斡（本作斡布，旧名斡本）督士卒夷堑。既渡，遇渤海军。攻左翼七穆昆（旧作谋克，今改），众少却。辽兵直抵中军。杲（本名舍音，旧作斜也）出战，哲垤先驱。阿古达曰：‘战不可易也。’遣宗斡止之。宗斡驰出杲前，控止导骑哲垤之马，杲遂与遽还。辽兵从之。耶律色实（旧作谢十，今改）坠马，辽人前救。阿古达射，救者毙。并射色实，中之。有骑突前，又射之，彻札洞胸，色实拔箭走。追射之，中其背，偾而死。宗斡与数骑陷辽军中，阿古达救之。免胄战。或自旁射之，矢拂于颡。阿古达顾见射者，一矢而毙。谓将士曰：‘尽敌而止！’众从之，勇气自倍。辽军大奔，蹂践死者十七八。萨哈在别路，不及会战，阿古达使人以战胜告，萨哈遣其子宗翰（本名尼玛哈，旧作粘没喝，亦作粘牟），及完颜希尹（本名谷绅，旧作谷神）来贺，且劝称帝。阿古达曰：‘一战而胜，遂称大号，何示人浅也！’军至宁江州，填堑攻城。宁江人自东门出邀击。尽殪之。辽统军司以闻。辽主射鹿于庆州，略不介意，遣海州刺史高先寿，统渤海军，应援而已。”宁江州，即混同军，在今吉林省扶余县东南。

十月

阿古达攻克宁江州。《续资治通鉴》卷九一：“冬十月，宁江州陷，防御使大药师努（旧作太药师奴，今改）被获，阿古达阴纵之，使招谕辽人。遂引兵还谒富察氏，以所获颁宗族耆老。初，女直部民，皆无徭役，壮者悉为兵，平居则渔畋射猎，有警则下令诸部之长。凡步骑之仗糗，皆自备焉。其部长曰贝勒（旧作孛堇，今改），行兵则称曰明安（旧作猛安，今改）、穆昆（旧作谋克，今改）。明安犹千夫长，穆昆犹百夫长也。辽主闻宁江州陷，乃召群臣议。汉人行宫副部署萧托斯和（旧作陶苏斡，今改）曰：‘女直虽小，其人勇而善射。我兵久不练，若遇强敌，稍有不利，诸部离心，不可制矣。今莫若大发诸道兵，以威厌之。’北院枢密使萧德勒岱（旧作德里底，今改）曰：‘如托斯和之谋，徒示弱耳。但发滑水兵，足以拒之。’乃以司空萧嗣先，为东北路都统，萧托卜嘉（旧作挞不夜，今改）副之，发契丹奚军三千人，中军禁兵及土豪二千人，选诸路武勇二千余人，屯出河店。”

十一月

道士王老志卒。《续资治通鉴》卷九一：“十一月辛巳，观妙明真洞微先生王老志卒。老志乞归，留之不得，寻卒，赐金以葬。”

阿骨打赢得混同之捷。《纲鉴易知录》卷七五：“十一月，辽主遣都统萧嗣先伐女真。阿骨打迎战于混同江，辽军大败。辽主闻宁江州陷，乃以司空萧嗣先为东北路都统，萧挞不也副之，帅兵屯出店河。阿骨打帅众来御，未至混同江，会夜，阿骨打方就枕，若有扶其首者三，寤而起曰：‘神明警我也。’即鸣鼓举燧而行，黎明，至混同江，与辽兵遇。会大风起，尘埃蔽天，阿骨打乘风奋击，辽兵溃，将士多死，其获免者十有七人。辽人尝言女真兵满万则不可敌，至是始满万云。”

十二月

宋朝设立广南市舶司。《续资治通鉴》卷九一：“己未，诏广南市舶司，岁贡真珠、犀角、象齿。”

辽国三州，降于女真。《续资治通鉴》卷九一：“辽宾、咸、详三州，及铁骊部，俱降于女直。铁州杨朴，尝仕辽为秘书郎，至是降于女直，说阿古达曰：‘大王创兴师旅，当变家为国，图霸天下。比者诸部兵众，皆归大王，今力可援山填海，而不能革故鼎新、册帝号、封诸蕃、传檄响应千里，自是东接海隅，南连宋，西通夏，北安远国之民，建万世之鎡基，兴帝王之社稷。行之有疑，祸如发矢。大王如何？’乌奇迈萨哈等，并以朴言为然，率官属劝进，愿以新岁元日上尊号。阿古达不许。普嘉努宗翰等进曰：‘今大功已建，若不称尊号，无以系天下心。’阿古达曰：‘吾将思之。’”

本年

张耒（1054—1114）卒。张耒殁于陈州，年六十一。彭元瑞、蒋光煦撰《知圣道斋读书跋·东湖丛记》卷一《张右史集》附张表臣《张右史文集序》：“予去冬两侍太师公相，论近世中原名士，因及苏门诸君子，自黄豫章、秦少游、陈后山、晁无咎诸文集皆已次第行世，独宛丘先生张文潜诗文散落，其家子弟死兵火，未有纂萃而诠次之者。因俾访求，始得公相汪公藻手编三十卷，颇复不全。继得浙西宪王公铁所录四十卷，续集十余卷，稍为精好。又得察院何公若数卷。最后，秘监秦公熺送示旧藏八册，不分卷。大抵总四家，凡百余卷。亟加考订，去其重复，正其讹谬，补其缺漏，定取七十卷，号《张右史集》。凡古赋三十二篇，古诗七百四首，五言律诗三百三十四首，七言诗三百三十九首，绝句诸小诗七百七首，古乐府等诗八十四首，哀挽四十一首，骚一十二篇，表状十五篇，启十三篇，文二十九篇，赞、铭、偈、疏、简、评十九篇，题跋三十一篇，传记二十一篇，序十五篇，议说二十三篇，经史等论五十七篇，书十二篇，墓志十七篇，同文馆唱和六卷，通二千七百余篇。呜呼，其盛矣哉！信君子多文之富也。公于诸人，最为死后。其文章雄深雅健，纤秾瓌丽，无所不有，晻暖宴晦者殆数十年，一旦得师相而振发之，其光明焜耀，盖将偕五纬二十八宿烂然而垂无穷矣，不其幸欤！予年十七始始先生于陈，猥蒙诱掖。其后迁谪流离，而予侍亲南北，就学应举，多不相值。曩时杂蓄先生文集殆百卷，丧乱以来，捐失皆尽。今者网罗之余固不多，然未为尽也。继自今有得，当为后集以付诸。绍兴十三年闰四月十八日，单父张表臣叙。”

孙觌制举登科。

陈与义二十五岁，在开德教官任，有诗。《增广笺注简斋诗集》卷一《题刘路宣义风月堂》：“长风将佳月，万里到此堂。天游本无待，邂逅今夕凉。北窗旧竹短，南窗新竹长。此君本无信，风月不相忘。道人方燕坐，万物凝清光。不独揖霜雪，似闻笙鹤翔。乃知一念静，可洗千劫忙。明当携麯生，往问安心方。”刘路，刘挚第四子，字斯川，时官宣义郎，故称“刘路宣义”。刘挚共有四个儿子：跂、蹈、蹟、路。刘辰翁评“长风将佳月，万里到此堂”二句：“脱用韩语，造以己意，便非众人风月。”又评“北窗旧竹短，南窗新竹长”二句：“忽忽两语，至此甚超。”又评“此君本无信，风月不相忘”二句：“又是韩意，用之愈别。”吕本中《紫薇诗话》：“刘师（斯）川，莘老丞相幼子，力学有文。尝赠舍弟诗云：‘大阮平生余所爱，小阮相逢亦倾盖。济阴未识更情亲，信手新诗落珠贝。杨氏作公谁料理，臧孙有后诚可喜。长亭水落风雨多，无酒饮君别如何！’余时为济阴主簿，大阮即知止（吕钦问）也。”

公元 1115 年（宋政和五年　辽天庆五年　金太祖完颜旻收国元年　夏雍宁元年　乙未）

正月

阿骨打称帝。《纲鉴易知录》卷七五：“乙未，五年，春正月，女真完颜阿骨打称帝，国号金。阿骨打既屡胜辽，其弟吴乞买率将佐劝其称帝，阿骨打遂于正月朔即皇帝位。且曰：‘辽以宾铁为号，取其坚也。宾铁虽坚，终亦变坏，惟金不变不坏。金之色白，完颜氏尚白，况所居按出虎水之上。’于是国号大金，改元收国，更名旻。以吴乞买为谙班勃极烈，撒改斜也为国论勃极烈。其国语谓金为按出虎，谓尊大为谙班，谓国相为国论。斜也亦阿骨打弟，撒改乌古乃之孙也。”

金主攻打黄龙府。《续资治通鉴》卷九二：“丙子，金主自将攻黄龙府，进临益州，州人走保黄龙。取其余民以归。”

晏州夷起事。《续资治通鉴》卷九二：“丙戌，泸南晏州夷卜漏等反，攻梅岭堡，陷之。晏州六县水路十二村及十州五村团思峨洞诸熟夷，素黠勇善斗，大中祥符元丰间，屡为边患。泸帅贾宗谅，武人也，喜生事，倡议需竹木扰夷，夷怨之。至是，又诬致其酋斗箇旁等罪，杖脊黥配，诸夷愤怒。卜漏遂主盟合从入寇，因上元张灯袭破梅岭堡。知寨高公老，妻，族姬也。公老尝携族姬，以金玉器与卜漏辈饮思峨洞。卜漏艳之，故来攻。公老遁去，遂略其妻及金玉，四处焚掠以归。族姬濮安懿王之曾孙，与帝服属为近。事闻，帝甚惊。时蜀久安，人巽愞不习兵。所至阙战守备，远近闻警骚动。梓州转运使赵遹，适案部次昌州，即驰至泸，而提点刑狱贾若水亦至。遹恐贼逾泸水，益难御，乃急督宗谅率兵进屯江安县，据水当贼冲。且以近边诸垒，转饷给军，储备无乏。若水摘比近巡尉兵既至，又成都利夔路援师亦集，与宗谅所部得众万余。逮贼再犯武宁乐共梅岭，宗谅出兵与贼战。官军大衄，裨将陈世基等死之。贼屡胜，愈猖獗，出没无虚日，蜀土大震。”晏州，今四川兴文县。

两国对峙业已久，辽金大战今开局。《续资治通鉴》卷九二：“辽遣行军都统耶律鄂尔多（旧作讹里朵，今改）、左副统萧伊苏（旧作乙薛，今改）、右副统耶律章努（旧作张奴，今改）、都监萧色佛埒（旧作谢佛留，今改），骑二十万、步卒七十万戍边。辽主率兵趋达噜噶（旧作达鲁谷，今改）城，此宁江州西。辽主下诏亲征，遣僧加努（旧作僧家奴，今改）持书约和，斥金主旧名，且使为属国。金主遣萨喇（旧作塞剌，今改）复书，若归叛人阿苏，遣黄龙府于别地，然后议之。庚子，进师逼达噜噶城。金主登高，望辽师若连云灌木状，顾谓左右曰：‘辽兵心贰而情怯，虽多不足畏。’遂趋高阜为阵。宗雄以右翼先驰辽左军，左军却。右翼出其阵后，辽右军皆力战，洛索（旧作娄室，今改）尼楚赫（旧作银术可，今改）冲其坚，凡九陷阵，皆力战而出。宗翰请以中军助之，金主使宗幹往为疑兵。宗雄已得利击辽右军，辽兵遂败。乘胜追蹑，至其营。会日已暮，围之。黎明，辽军溃围出。逐北至阿噜（旧作阿娄，今改）冈，辽步卒尽殪。是役也，辽人本欲屯田，且战且守，故金并得其耕具，以給诸军。”

己丑，命诸州设置医学，立贡额。

二月

渤海人古欲起义。《续资治通鉴》卷九二：“辽饶州渤海摩哩（旧作古欲，今改）等反，自称大王，辽主遣萧色拂埒等讨之。”

童贯领六路边事。《纲鉴易知录》卷七五：“以童贯领六路边事（时永兴、呼延、环庆、秦风、泾源、熙河各置经略安抚司，以贯总领之，于是西兵之柄皆属贯）。”

本年李清照三十二岁。赵明诚本年所获金石甚丰。于洛阳天津桥之故基获《汉司空残碑》，复获刘跂所遗《汉张平子残碑》，又于下邳县民处获《汉祝长严訢碑》。在青州屡获金石刻辞，于归来堂起大橱藏之，与李清照相对赏玩。

三月

何㮚等六百七十人中进士。《续资治通鉴》卷九二：“癸巳，赐礼部奏名进士出身何㮚等六百七十人。”本榜中，沈与求进士及第。

四月

宋朝廷兴建葆真宫。《续资治通鉴》卷九二："四月甲辰，作葆真宫。"

五月

金主拜天射柳。《续资治通鉴》卷九二："五月庚午朔，金主避暑于近郊。甲戌，拜天射柳。自后，每岁以五月五日、七月十五日、九月九日，拜天射柳。"

六月

宋修大伾山等三山黄河浮桥竣工。《续资治通鉴》卷九二："癸丑，以修三山河桥，降德音于河北、京东、京西路。蔡京以孟昌龄为都水使者，献议导河大伾，可置永远浮桥。谓：河流自大伾之东而来，直大伾山西而止，数里方回南东转而过，复折北而东，则又直至大伾山之东，地形水势，迫束相直，曾不十余里。且地势卑不可以成河，倚山可为马头。又有中潬正如河阳。若引使穿大伾大山，及东北二小山，分为两股而过，合于下流，因三山为趾以系浮梁，省费数十百倍。可宽河朔诸路之役。朝廷喜而从之。置提举修系永桥。所调役夫数十万，民不聊生。至是工毕。诏提举所具功力登第闻奏。又诏居山之大伾山浮桥，属濬县者赐名'天成桥'；大伾山至汶子山浮桥，属滑州者赐名'荣光桥'，俄改'荣光'曰'圣功'。御制桥铭，摩崖刻之。昌龄迁工部侍郎。方河之开也，水虽流通，然湍急猛暴。遇山稍隘，往往泛滥。近砦民夫，多被漂溺。因及通利军，后遂注成巨泺云。"

七月

金主以弟乌奇迈为安班贝勒。《续资治通鉴》卷九二："金主以弟乌奇迈为安班贝勒（旧作谙斑勃极烈，今改），以国相萨哈（旧作撒改，今改）、弟杲，并为古论贝勒（旧作国论勃极烈，今改）。"

八月

太子不爱玩好之具，摔碎大食琉璃酒器。《纲鉴易知录》卷七五："安置太子詹事陈邦光于池州。蔡京献太子大食国琉璃酒器，罗列宫廷，太子怒曰：'天子大臣不闻以道义相训，乃持玩好之具，荡吾志邪！'命左右碎之。京闻邦光实激太子，讽言者斥逐之。"

九月

黄龙府失陷于金，天祚帝亲征失败。《续资治通鉴》卷九二："九月丁卯朔，辽黄龙府陷于金。金主遣辽使萨喇还，遂班师。至混同江，径度如前。金宗翰及其弟宗弼

(本名乌珠，旧作兀术)等，遗书辽主，佯为卑哀之辞，实欲求战。辽主怒，下诏亲征。有女直伦过大军剪除之语。金主聚众剺面仰天恸哭曰：‘始与汝等起兵，盖苦契丹残忍，欲自立国，今天祚亲征，奈何！非人死战，莫能当也。不若杀我一族，汝等迎降，转祸为福。’诸军皆曰：‘事已至此，惟命是从。’”天祚亲征，后来失败。详见本年十二月。

宋攻西夏臧底河，诸军大败不以闻。《续资治通鉴》卷九二：“王厚与刘仲武，合泾原、鄜延、环庆、秦凤之师，攻夏臧底河城，败绩，死者十四五。秦凤等三将，全军万人皆没。厚惧罪重，赂童贯，匿不以闻。未几，夏人大掠萧关而去。”

十月

宋徽宗封道士王仔昔为冲隐处士。《续资治通鉴》卷九二：“冬十月癸卯，以嵩山道人王仔昔为冲隐处士。仔昔，豫章人，自言遇许逊真君，授以大洞隐书豁落七元之法，能知人祸福。王老志死后，仔昔来都下。帝知之，诏令踵老志事，寓蔡京第，因有是命。”

戊午，夏贡于宋。

十一月

小猕猴背负火炬阵前显神通，大宋军齐心协力攻破晏州夷。《续资治通鉴》卷九二：“庚辰，赵遹攻破晏周轮缚大囤，夷贼卜漏遁去，官军追获之，降者相继而至，诸囤悉平。初，王育等既攻破上下落样村及思峨州，所向若破竹，无不即下。遹遂与马觉、张思正军皆至轮缚大囤。其山崛起数百仞，周四十余里，卜漏居之，凡诸囤之奔亡者，悉归于此，共保聚据守。贼自上施矢石直瞰官军，中者即齑粉。官军以强弓弩射之，曾不能及半。兵陈四周，凡累日，将士相顾无计。泸州都巡检使种友直，山西将家子，沉密能任事。思黔州巡检田祐恭，本思黔夷所不土丁药箭手，轻趫习山险。遹乃微服乘马，命友直、祐恭从，案视形势，见山限崖壁尤陡绝，贼以险故不设备。遹乃移军当贼，而命二人率所部军于下，谓曰：‘此处崖壁，疑可以计登。且山多猱，思黔人善能捕取，汝等急办之。’信宿，友直捕得生猱数千。遹喜曰：‘事济矣。’乃悉以成算授友直，且令诸军各备云梯。视山上发火，即以进。是日，友直选所部与祐恭之众得二千余，纫麻为长炬，灌以膏蜡，使群猱背负之。暮夜，先以数辈登崖巅系绳梯数十，缒而下。众各衔枚，挈群猱，次第挽绳梯而登。鸡方唱，众已悉登。及栅，乃然炬纵猱。贼庐舍皆茅竹为之，群猱所历，火辄发。贼奔呼扑救不暇，猱益惊跳，火益炽，争前驱逐群猱。官军已破栅，鼓噪击其后，贼犹与官军力斗。遹望火发，令驻军挝鼓，俱以云梯进。贼蹂乱。官军内外相应，遂斩关环城而登。卜漏从诸酋突围而遁。遹命友直及统领官刘庆，以步骑五千追至山后，擒卜漏及诸酋长。遹自入酋境至破轮缚，凡所平州二、县八、诸囤三十余城。以其地之要害者，建置寨堡。拓地环二千余里，皆衍沃宜种植。画其疆亩，募并边之人耕之，使习战守，如西北‘弓箭社’之制，号曰‘胜兵’。”轮缚，地名，又作孟负。猱，又名狨，猕猴也。

庚寅，高丽遣子弟入宋太学。

十二月

赵遹知熙州。《续资治通鉴》卷九二："丙午，以赵遹为龙图阁直学士，知熙州。"

金兵士气振，大破辽国军。《续资治通鉴》卷九二："金主行次约罗（旧作爻剌，今改）。会诸将议，皆曰：'辽兵号七十万，其锋未易挡。吾军远来，人马疲乏，宜深沟高垒以待。'从之。丁未，金主以骑兵亲候辽军，获督饷者，知辽主以耶律章嘉努叛，西还二日矣。诸将请追击之，金主曰：'敌来不迎战，去而追之，欲以此为勇邪？'众皆悚愧，愿自效，金主曰：'诚欲追敌，约赍以往。无事餫馈。若破敌，何求不得？'众皆奋跃。追及辽主于呼卜图（旧作护卜荅，今改）冈。是役也，兵止二万，金主曰：'彼众我寡，兵不可分。视其中军最坚，其主必在焉。败其中军，可以得志。'乃使右翼先战，兵数交，左翼合而攻之。辽兵溃，金师驰之，横出其中，死者相属百余里，获舆辇、帝幄、兵械、军资，它宝物、马牛，不可胜计。金师乃还。"

本年

宋一府三州发大水。《续资治通鉴》卷九二："是岁，平江府、常、湖、秀三州水。"

夏改元雍宁。

是岁，赵明诚经常外出访古，李清照作词《浣溪沙》以抒闺情。词云："髻子伤春慵更梳，晚风庭院落梅初。淡云往来月疎疎。　玉鸭薰炉闲瑞脑，朱樱斗帐掩流苏。遗犀还解辟寒无。"沈际飞《草堂诗余》续集卷上："话头好。渊然。"周济《介存斋论词杂著》："闺秀词惟清照最优，究苦无骨。存一篇尤清出者。"清谭献《复堂词话》："易安居士独此篇有唐调，选家炉冶，遂标此奇。"

陈与义二十六岁，在开德教官任，有诗。《增广笺注简斋诗集》卷一《送吕钦问监酒受代归》："以我十金帚，逢君万斛船。要知穷有自，未觉懒相先。盆盎三年梦，篇章四海传。忽忽秣归骂，离恨满霜天。"吕钦问，正献公吕公著之孙，左司希绩之子。此诗具体作年不详，大约作于本年与次年之间，姑系于此。

公元1116年（宋政和六年　辽天庆六年　金收国二年　夏雍宁二年　丙申）

正月

高永昌称大元。《续资治通鉴》卷九二："春正月丙寅朔，辽东京有恶少年十余，乘酒执刀，逾入留守府，问留守萧保先所在，今军变请为备。保先出，刺杀之。户部使大公鼎闻乱，即摄留守事。与副留守高清明，集奚汉兵千人，尽捕其众，斩之，抚定其民。东京故渤海地，辽太祖力战二十余年，乃得之。而保先严酷，渤海苦之，故有是变。其裨将渤海高永昌，时以兵三千屯八甔口，见辽政日衰，金势方强，遂觊觎非常，诱渤海并戍卒，入辽阳据之。旬日之间，远近相应，有兵八千人，因僭称国号大元，建元隆基。辽主遣萧伊苏（旧作乙苏，今改）、高兴顺招之，永昌拒命不从。"

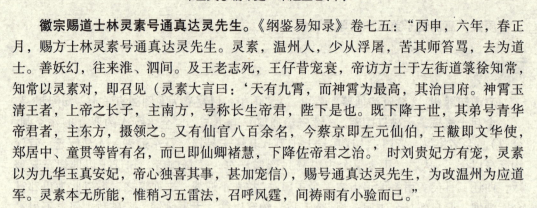

徽宗赐道士林灵素号通真达灵先生。《纲鉴易知录》卷七五：“丙申，六年，春正月，赐方士林灵素号通真达灵先生。灵素，温州人，少从浮屠，苦其师笞骂，去为道士。善妖幻，往来淮、泗间。及王老志死，王仔昔宠衰，帝访方士于左街道箓徐知常，知常以灵素对，即召见（灵素大言曰：‘天有九霄，而神霄为最高，其治曰府。神霄玉清王者，上帝之长子，主南方，号称长生帝君，陛下是也。既下降于世，其弟号青华帝君者，主东方，摄领之。又有仙官八百余名，今蔡京即左元仙伯，王黼即文华使，郑居中、童贯等皆有名，而已即仙卿褚慧，下降佐帝君之治。’时刘贵妃方有宠，灵素以为九华玉真安妃，帝心独喜其事，甚加宠信)，赐号通真达灵先生，为改温州为应道军。灵素本无所能，惟稍习五雷法，召呼风霆，间祷雨有小验而已。”

闰正月

宋朝设立道学。《纲鉴易知录》卷七五：“闰月，立道学（从林灵素之言也)。”

二月

宋朝道教改隶秘书省。《续资治通鉴》卷九二：“二月壬申，令道教改隶秘书省。癸未，诏：访闻棣州士人刘栋，蔬食葆神，虚心契道，人之隐奥，洞然照知，处方书符，每有应验。可令敦遣赴尚书省审验外，于上清宝箓宫安下。仍给路费、驿券、递马。无令失所。”

宋朝增广天下学舍。《续资治通鉴》卷九二：“丁亥，诏增广天下学舍。”

三月

宋徽宗赐道士王仔昔号通妙先生。《续资治通鉴》卷九二：“乙卯，赐王仔昔号‘通妙先生’。”

初四日，赵明诚第三次游览长清灵岩寺。［思齐按：第一次在大观元年九月十三日，第二次在大观三年端午。］

李清照本年三十三岁。是春，作词三首，忆念在长清等地访古之赵明诚。《点绛唇·闺思》：“寂寞深闺，柔肠一寸愁千缕。惜春春去，几点催花雨。　倚遍阑干，只是无情绪。人何处？连天芳树，望断归来路。”钱允治《续选草堂诗余》：“草满长途，情人不归，空搅寸肠耳。”陈廷焯《云韶集》卷十：“情词并胜，神韵悠然。”

又作《念奴娇》(亦作《壶中天·春情》)：“萧条庭院，又斜风细雨，重门须闭。宠柳娇花寒食近，种种恼人天气。险韵诗成，扶头酒醒，别是闲滋味。征鸿过尽，万千心事难寄。　楼上几日春寒，帘垂四面，玉阑干慵倚。被冷香消新梦觉，不许愁人不起。清露晨流，新桐初引，多少游春意。日高烟敛，更看今日晴未？”毛先舒《诗辨坻》卷四：“李易安《春情》‘清露晨流，新桐初引’用《世说》全句，浑妙。常论词贵开拓，不欲沾滞，忽悲忽喜，乍近乍远，所为妙耳。如游乐词，须微著愁思，方不痴肥。李《春情》词本闺怨，结云‘多少春游意’、‘更看今日晴未’，忽尔开拓，不但不为题束，并不为本意所苦。直如行云，舒卷自如，人不觉耳。”

明抄本《天机馀锦》卷二收录李清照《木兰花令》：“沉水香消人悄悄，楼上朝来寒料峭，春生南浦水微波，雪满东山风未扫。　　金尊莫诉连壶倒，卷起重帘留晚照。为君欲取更凭栏，人不如意山色好。”

四月

徽宗会道士于上清宝箓宫。《续资治通鉴》卷九二：“夏四月乙丑，会道士于上清宝箓宫。宫建于景龙门，对晨晖门，密连禁署，用道士林灵素言也。……帝心独喜其说，赐号通真先生，作上清宝箓宫，帝时登皇城，下视之。由是开景龙门，城上作复道，通宝箓宫，以便斋醮之事。”

辽讨伐叛将。《续资治通鉴》卷九二：“辽主亲征章嘉努。癸酉，败之。甲戌，诛叛党。饶州渤海平。丙子，赏平贼将士有差，而萧罕嘉努、张琳，复为贼余党所败。”

五月

宋以郑居中为太宰。《续资治通鉴》卷九二：“庚子，以郑居中为少保太宰兼门下侍郎，刘正夫为特进少宰兼中书侍郎。时蔡京大兴工役，民不聊生，变乱法度，吏无所师。居中每为帝言，帝亦恶京专，乃拜居中太宰，使伺察之。又以正夫议论，数与京异，拜为少宰。居中存纲纪，守格令，抑侥幸，振淹滞，士论翕然望治。”

金兵攻破东京，杀僭主高永昌。《续资治通鉴》卷九二：“先是，高永昌使托卜嘉求援于金，且曰：‘愿并力以取辽。’金主使呼实布（旧作湖沙补，今改）谓永昌曰：‘同力取辽，固可。东京近地，汝辄据之，以僭大号，则不可。若能归款，当授王爵。’永昌不从。金主乃遣斡鲁帅诸军攻永昌。遇辽军败之，遂取沈州。永昌闻之大惧，使家奴嗒喇（旧作铎剌，今改）诣京师，请去僭号称藩。斡鲁知其诈，遂进兵攻之。永昌遂支解呼实布等，率众拒金，遇于活水。金师既济，永昌之军，不战而却，逐北至辽阳城下。明日，永昌尽率其众与金战，大败，以五千骑奔长松岛。辽阳人执永昌妻子以城降。托卜嘉亦执永昌以献，金主命杀之。于是辽之东京州县，及南路系辽女直，皆降于金。金主诏除辽法，省赋税，置明安穆昆，以斡鲁为南路都统，沃棱（旧作斡论，今改）知东京事。”

六月

丙寅，宋颁布《中书官制格》。

辽籍诸路兵。《续资治通鉴》卷九二：“六月乙丑，辽籍诸路兵，有杂畜十头以上者，皆从军。”

夏六月晦，赵明诚再阅欧阳修《集古录跋尾》于归来堂。

七月

己未，解池生红盐。

渤海起义。《续资治通鉴》卷九二："辽主猎于秋山。春州渤海二千余户叛。东北路统军使勒兵追及，尽俘以还。"

八月

金攻陷辽保州。《续资治通鉴》卷九二："是月，金萨里罕（旧作撒离喝，今改），陷辽保州。保州本高丽地，萨里罕攻之，久不克，请济师。高丽使谓金曰：'保州本吾壤土,愿以见还。'金主曰：'尔其自取之。'金主乃益萨里罕兵,无合高丽,至是拔之。"

陈与义本月解开德教官任。在开德教官任上有诗。《增广笺注简斋诗集》卷一《次韵周教授秋怀》："一官不办作生涯，几见秋风卷岸沙。宋玉有文悲落木，陶潜无酒对黄花。天机衮衮山新瘦，世事悠悠日自斜。误矣载书三十乘，东门何地不宜瓜。"普闻《诗论》："诗家云炼字莫如炼句，炼句莫若得格，格高本乎琢句，句高则格胜矣。天下之诗，莫出乎二句：一曰意句，二曰境句。境句则易琢，意句难制；境句人皆得之，独意句不得其妙者盖不知其旨也。陈去非诗云：'一官不办作生涯，几见秋风卷岸沙。'境也。著'几见'二字，便成意句。"

陈与义解开德教官任之后，归京师。寓居东京时，作以下诸诗：

《增广笺注简斋诗集》卷二《次韵张矩臣迪功见示建除体》："建德我故国，归哉遄我驱。除道得欢伯，荆棘无复馀。满怀秋月色，未觉饥肠虚。平林过西风，为我起笙竽。定知张公子，能共寂寞娱。执此以赠君，意重貂襜褕。破帽与青鞋，耐久心亦舒。危处要进步，安处勿停车。成亏在道德，不在功利区。收视以为期，问君此何如。开尊且复饮，辞费道已迂。闭口味更长，香断窗棂疏。"张规臣、张矩臣，皆陈与义表兄弟。建除体起于鲍照，以"建除满平，定执破危，成收开闭"十二字冠于句首，共十二韵。《淮南子·天文训》："寅为建，卯为除，辰为满，巳为平，主生。午为定，未为执，主陷。申为破，主衡。酉为危，主杓。戌为成，主少德。亥为收，主大德。子为开，主太岁。丑为闭，主太阴。"

同卷，《八音歌》，其一："金张与许史，不知寒士名。石交少瑕疵，但有一麴生。丝色随染异，择交士所贵。竹林固皆贤，山王以官累。匏酌可延客，藜羹无是非。土思非不深，无屋未能归。革华虽可佞，不敢践危地。木奴会足饱，宽作十年计。"其二："金章笑鹑衣，玉堂陋茅茨。石火不须臾，白驹隙中驰。丝鬓那可避，会当来如期。竹固不如肉，飞觞莫辞速。匏竹且勿喧，听我歌此曲。土花玩四时，未觉有荣辱。革木要一声，好异乖人情。木公不可急，且复举吾觥。"八音歌，陈·沈炯为此体，以代表八类乐器的"金石丝竹，匏土革木"八字冠于句首，共八韵。

归京之后，尚作有题画诗三首。《增广笺注简斋诗集》卷一《题牧牛图》："千里烟草绿，连山雨新足。老牛抱朝饥，向山影觳觫。犊儿狂走先过浦，却立长鸣待其母。母子为人实仓廪，汝饱不惭人愧汝。牧童生来日日娱，只忧身大当把锄。日斜睡足牛背上，不信人间有广舆。"刘辰翁萍末句："信笔落此。"

同卷，《题易元吉画麞》："纷纷骑马尘及腹，名利之窟争驰逐。眼明见此山中吏，怪底吾庐有林谷。雌雄相对目炯炯，意闲不受荣与辱。掇皮皆真岂自知，坐令猫犬羞奴仆。我不是李卫公，欺尔无魂规尔肉。又不是曹将军，数肋射尔不遗镞。明窗无尘帘有香，与尔共此春日长。戏弄竹枝聊卒岁，不羡晋公车下羊。”

同卷，《题唐希雅画寒江图》：“江头云黄天酿雪，树枝惨惨冻欲折。耐寒野鸭不知归，犹向沙边弄羽衣。黄茅终日不自力，影乱弱藻相因依。惟有苍石若卧虎，不受阴晴与寒暑。舟中过客莫敢侮，闲伴长江了今古。”刘辰翁评：“虽卷中物色，首尾政自有讥，生枝作节。”

九月

徽宗亲上玉帝徽号，好道之心可谓至诚。《纲鉴易知录》卷七五：“九月，帝诣玉清和阳宫（政和三年四月作），上玉帝徽号，赦。帝奉玉册玉宝如玉清和阳宫，上玉帝尊号曰：太上开天执符御历含真体道昊天玉皇上帝。诏天下洞天福地修造宫观，塑造圣像。”

洞天福地，九鼎神奇。《续资治通鉴》卷九二：“丙申，赦天下。令洞天福地，修建宫观，塑造圣像。又禁中外，不许以龙天君、玉帝、上圣皇等为名字。癸卯，诏定鼎阁于天章阁。以方士王仔昔言，九鼎神器，宜纳之禁中，不可处外也。命蔡京为定鼎礼仪使。”

本月，金始制金牌。

十月

乌古部叛辽。《续资治通鉴》卷九二：“乌库部叛辽。辽遣中丞耶律托卜嘉招之。庚辰，乌库部降。”

十一月

夏屠泾原诸城。《续资治通鉴》卷九二：“夏人大举兵，攻泾原靖夏城。时久无雪，夏人使数万骑绕城践之，尘起涨天。乃潜穿壕为地道入城中，城遂陷，屠之而去。”

十二月

金改明年为天辅元年。《续资治通鉴》卷九二：“十二月庚申朔，金安班贝勒乌奇迈及群臣，上其主尊号，曰‘大圣皇帝’。改明年曰天辅元年。”

本年

是岁，茂州夷至永寿内附，以其地置寿宁、延宁军。

周邦彦有词《玲珑四犯》（秾李夭桃）。

公元1117年（宋政和七年　辽天庆七年　金天辅元年　夏雍宁三年　丁酉）

正月

徽宗尊崇优待道士。《续资治通鉴》卷九二：“春正月乙未，令天下道士，与免阶墀迎接衙府、宫观科配借索骚扰。郡官、监司相见，以长老法。”

徽宗以高俅为太尉。《续资治通鉴》卷九二：“庚子，以殿前都指挥使高俅为太尉。”

金兵破辽诸州。《续资治通鉴》卷九二：“是月，金军攻辽春州，辽东北面诸军，不战自溃。女、古、皮、室四部，及渤海人，皆降于金。贝勒杲，复陷泰州。”

二月

大理国主段和誉。《续资治通鉴》卷九二：“二月癸亥，以大理国主段和誉，为云南节度使、大理国王。”

林灵素弄神弄鬼，神怪事尽归徽宗。《续资治通鉴》卷九二：“甲子，招通真先生林灵素于上清宝箓宫，宣谕清华帝君降临事。初，刘混康、虞仙姑、王老志、王仔昔，皆为帝所礼。然其神怪事，多出自方士也。及灵素至，乃以事归于帝，而曰己独佐之，每自号‘小吏佐治’，故上下莫有攻其非者。然灵素实无术，徒敢为大言。是时，帝兴道教将十年，独思未有一厌服群下者。灵素因希指，造为清华帝君夜降宣和殿事，假帝告天书云箓。帝乃会道士二千余人于上清宝箓宫。俾灵素宣谕其事，左街道录傅希烈等，皆作记上之。”“辛未，诏天下：天宁万寿观，改为神霄玉清万寿宫，仍于殿上设长生大帝君、清华帝君圣像。”

宋徽宗策高丽进士。《续资治通鉴》卷九二：“丁卯，御右文殿，策高丽进士。”

林灵素讲经，千道会管饭。《纲鉴易知录》卷七五：“春二月，帝幸上清宝箓宫，命林灵素讲《道经》。时道士皆有俸，每一观给田亦不下数百千顷。凡设大斋，则费缗钱数万，贫下之人多买青布幅巾以赴，日得一饫餐，而衬施钱三百，谓之‘千道会’。且令士庶入听灵素讲经，帝为设幄其侧。灵素据高座，使人于下再拜请问，然所言无殊绝者，时时杂以滑稽媟语，上下为大哄笑，莫有君臣之礼。”

辽涞水县董宠儿起义，聚众万余，起义至三月才被击破。

三月

宋赐高丽祭器，又赐进士及第。《续资治通鉴》卷九二：“三月庚申，赐高丽祭器。高丽进士权适等四人，赐上舍及第。”

乙未，以童贯领枢密院。

春

陈与义二十八岁，在东京，有诗。《增广笺注简斋诗集》卷二《江南春》：“雨后江上绿，客愁随眼新。桃花十里影，摇荡一江春。朝风迎船波浪恶，暮风送船无处泊。江南虽好不如归，老荠遶墙人得肥。”刘辰翁评“朝风迎船波浪恶”四句：“四句情味俱足。”范大士《历代诗发》卷二六评“桃花十里影”二句：“隽妙。”同卷，《腊梅》：“智琼额黄且勿誇，回眼视此风前葩。家家融蜡作杏蔕，岁岁逢梅是蜡花。世间真伪非两法，映日细看真是蜡。我今嚼蜡已甘腴，况此有韵蜡不如。只愁繁香欺定力，薰我欲醉须人扶。不辞花前醉倒卧经月，是酒是香君试别。”

是春，雪，有诗。《增广笺注简斋诗集》卷二《次韵张元方春雪》：“云黄天为低，窗白雪初作。幽人睡方觉，帘外舞万鹤。斜斜既可人，整整亦不恶。不知来何暮，遂失梅花约。东风桃形暖，不受珠玑络。聊回万斛润，点点付藜藿。幽人无酒饮，一笑供酬酌。虽晚回复来，相期在丘壑。”同卷，《舍弟逾日不和，雪势更密，因再赋》：“密雪来催诗，似怪子不做。蔽天白漫漫，谁辨鹭与鹤。坐令天回笑，未受风作恶。急飞既繁丽，缓舞尤绰约。稍积草木上，断缟莽联络。终然要白日，印被葵与藿。满眼丰岁意，空诗信难酢。慎勿辞典衣，已不虑填壑。”

又尝小病，有诗。《增广笺注简斋诗集》卷二《杂书示陈国佐、胡元茂四首》，其一：“一官专为口，俯仰汗我颜。愿将千日饥，换此三岁闲。冥冥云表雁，时节自往还。不忧稻粱绝，忧在罗网间。绝胜杜拾遗，一饱常间关。晚知儒冠误，犹恋终南山。”其二：“杜门十日疾，因得观妄身。勿云千金躯，今视如埃尘。平生老赤脚，每见生怒嗔。挥汗煮我药，见此愧其勤。”其三：“巨源邦之栋，急士如拾珍。定知柳下锻，远胜崔、史、陈。绝交虽已隘，益见叔夜真。士要虽衣食，求仁今得仁。释之与王生，盛美俱绝伦。吾评竹林咏，未可少若人。”其四：“昔吾同年友，壮志各南溟。十年风雨过，见此落落星。秀者吾元茂，众器见鼎铏。许身稷契间，不但醉六经。时逢下车揖，慰我两眼青。勿忧事不理，伯始在朝廷。”

四月

徽宗称“教主”，愈发崇道教。《续资治通鉴》卷九二：“夏四月庚申，帝讽道录院曰：‘朕乃昊天上帝元子，为大霄帝君。睹中华被金狄之教，焚指炼臂舍身以求正觉，朕甚闵焉，遂哀恳上帝，愿为人主，令天下归于正道。帝允所请，令弟清华帝君，权朕大霄之府。朕夙昔惊惧，尚虑我教所订未周。卿等可上表章，册朕为教主道君皇帝。’于是群臣及道录院上表册之。然止用于教门章疏而不施于政事也。教主道君皇帝者，即长生大帝君，道教五主之一。所谓神化之道，感降仙圣，不系教法之内者也。辛酉，升温州为应道军节度，为林灵素也。……五月己丑，诣玉清和阳宫，上地祇徽号，诏曰：‘王者父天母地，乃者只率万邦庶黎彊为之名，以玉册玉宝，昭告上帝，而地祇未有称谓，谨上徽号曰：承天效法厚德光大后土皇地祇。诣宫上宝册仪式，一如上帝。’辛卯，命蔡攸提举秘书省，并左右道录院。……辛丑，祭地于方泽，降德音于诸路。……癸卯，改玉清和阳宫，为玉清神霄宫。……秋七月丁亥朔，令僧徒如有归心道门，愿改作披戴为道士者，许赴辅正亭陈诉，立赐度牒紫衣。”

五月

花石纲。《续资治通鉴》卷九二：“丁未，诏应监司，兼领措置起发花石。”

金禁同姓为婚。《续资治通鉴》卷九二：“金主命：自收宁江州以后，同姓为婚者，杖而离之。”

六月

童贯、梁师成升官。《续资治通鉴》卷九二：“己未，童贯加检校少傅，梁师成为检校少保，宣和殿学士蔡攸、盛章、开封府尹王革，显谟阁待制蔡儵、蔡翛，各迁官有差，皆以明堂成推赏也。”

七月

宋以市物为名，借观辽金虚实。《续资治通鉴》卷九二：“自建隆初，女直尝由苏州泛海，至登州卖马。故道虽存，久闭不通。至是，金之苏州汉儿高药师、曹孝才，及僧即荣等，率其亲属二百余人，以大舟浮海，欲趋高丽避乱。是月，为风漂达宋界驼基岛，备言：‘女直既斩高永昌，渤海汉儿群聚为盗，契丹不能制。女直攻契丹，夺其地，已过辽河之西。’知登州王师中具奏其事。朝议固欲交金以图辽，闻之甚喜。乃召蔡京及童贯等共议。即共奏：‘国初时，女直常贡奉，而太宗屡诏市马女直，其后始绝。宜降诏遵故事，以市物为名，就令访闻事体虚实。’乃诏师中选差将校七人，各借以官，用平海指挥兵船，载高药师等赍市马诏，泛海以往。”

增设提举人船所，进奉花石纲运输。《续资治通鉴》卷九二：“政和初，蔡京被召，帝戏语京子攸，谓：‘须进土，宜遂得橄榄一小株，杂诸草木进之。’当时以为珍。其后又有使臣王永从，士人俞镉，皆隶蔡攸。每花石至，动数十舟。盛章守苏州，及归作开封尹，亦主进奉。然朱勔之纲为最。四年以后，东南郡守、二广市舶，率有应奉，多主蔡攸。至是则又有不待旨者，但进物至计会诸阉人，阉人亦争取以献焉，天下乃大骚然矣。大率太湖、灵壁、慈溪、武康诸石，二浙花竹、杂木、海错，福建异花、荔子、龙眼、橄榄，海南椰实，湖湘木竹、文竹，江南诸果，登莱淄沂海错、文石，二广四川异花、奇果。贡大者越海渡江，毁桥梁，凿城郭，而置植之皆生成。异味珍苞，率以健步捷走。虽万里，用四三日即达，色香未变也。蔡京因奏陛下无声色犬马之奉，所尚者山林竹石，乃人之弃物。但有司奉行过当，可即其浮滥而惩艾之。乃作‘提举人船所’，命巨阉邓文诰领焉。又诏监司郡守等，不许妄进。其系应奉者独令朱勔、蔡攸、王永从、俞镉、陆渐、应安道六人听旨，它悉罢之。由是稍戢。未几，天下复争献如故。有增提举人船所，进奉花石纲运。所过州县，莫敢谁何。殆至劫掠，遂为大患。”

宋朝增列道教经典入国学。《续资治通鉴》卷九二：“八月丙辰朔，宣和殿大学士蔡攸奏：‘《庄》、《列》、《亢桑》、《文子》，皆著书以传后世。今《庄》、《列》之书已入国子学，而《亢桑子》、《文子》，未闻颁行。乞取其书，精加雠定，列于国子之籍，与《庄》、《列》并行。’从之。”

九月

怨军八营，乾显大营。《续资治通鉴》卷九二：“辽主自燕至阴凉河，置‘怨军八营’，募自宜州者曰‘前宜’、‘后宜’，自锦州者曰‘前锦’、‘后锦’，自乾自显者曰‘乾’曰‘显’。又有‘乾显大营’二万八千余人，屯卫州蒺藜山。”

秋九月初十日，赵明诚编《金石录》始成，刘跂为之序。赵明诚又自序《金石录》：“余自少小，喜从当世学士大夫访问前代金石刻词，以广异闻。后得欧阳文忠公《集古录》，读而贤之，以为是正讹谬，有功于后学甚大。惜其尚有漏落……于是益访求藏蓄，凡二十年而后粗备。”刘跂又序赵明诚《古器物铭碑》。

秋

是秋，陈与义作《书怀示友十首》，谓陈国佐及张元方兄弟也。《增广笺注简斋诗集》卷三《书怀示友十首》，其一：“俗子令我病，纷然来座隅。贤士费怀思，不受折简呼。城东陈孟公，久阔今何如（陈孟公谓国佐）。明月照天下，此夕与君俱。不难十里勤，畏借东家驴。似闻有老严，能作荐鹗书。功名勿念我，此心已扫除。”

其二：“张子霜后鹰，眉骨非凡曹。不肯兄事钱，但欲仆命《骚》。胡为随我辈，碌碌著青袍。相逢车马边，伎痒不得搔。”

其三：“平生诗作祟，肠肚困藿食。使我忘隐忧，亦自得诗力。绝知是余蔽，且复永今日。不如付杯酒，一笑万事毕。毛颖仅升堂，麴生真入室。”刘辰翁评：“皆以反复自笑自言，情至理尽。”

其四：“我梦钟鼎食，或作山林游。当其适宜时，略与人间侔。觉来迹便扫，我已不悲忧。人间安可比，梦中无悔尤。”刘辰翁评：“此两‘人间’转换出没，警悟奇特。”

其五：“我策三十六，第一当归田。柴门种杂树，婆娑乐余年。是中三益友，不减二仲贤。柏树解说法，桑叶能通禅。”

其六：“有钱可使鬼，无钱鬼揶揄。百年堂前燕，万事屋上乌。微官不救饥，出处违壮图。相牛岂无经，种树亦有书。如何求二顷，归卧渊明庐。曝背对青山，鸟鸣人意舒。试数门前客，终岁几覆车。”刘辰翁评“有钱可使鬼”四句：“四句可入谣言。”又评“相牛岂无经”二句：“落落有气。”

其七：“仲舒老一经，策世非索偿。瓦鼎荐疏食，但取充饥肠。伟哉贾生书，开阖有耿光。既珍亦可饱，举俗不见尝。”刘辰翁评“仲舒老一经”二句：“十字全传赞尽。”又评末句：“何其能言，与人意合，正是具眼。”

其八：“扬雄平生学，肝肾困雕镌。晚于《玄》有得，是悔赋《甘泉》。使雄早大悟，亦何事于《玄》？赖有一言善，《酒箴》真可传。”周紫芝《竹坡诗话》卷二：“扬子云好著书，固已见诮于当世，后之议者纷然，往往词费而意殊不尽。惟陈去非一诗，有议有评，而不出四十字。后之议雄者，虽累千万言，未必能出诸此也。”刘辰翁评：“每用短句，七擒七纵，读之犁然。”

其九：“萧萧十月菊，耿耿照百草。开窗逢一笑，未觉徐娘老。风霜要饱更，独立晚更好。韩公真躁人，顾用扰怀抱。”刘辰翁评末句：“节制高古，理不在多。”

其十："青青堂西竹，岁寒不缁磷。蓬蒿众小中，拭眼见长身。淡然冬日影，此处极可人。子猷幸见过，一洗声色尘。"

又有诗，同卷，《风雨》："风雨破秋夕，梧叶窗前惊。不愁黄落尽，满意作秋声。客子无定力，梦中波撼城。觉来俱不见，微月照残更。"刘辰翁评"梦中波撼城"句："造奇。"同卷，《曼陀罗花》："我圃殊不俗，翠蕤敷玉房。秋风不敢吹，谓是天上香。烟迷金钱梦，露醉木蕖妆。同时不同调，晓月照低昂。"同卷，《萤火》："翩翩飞娥掩明烛，见烹膏油罪莫赎。嘉尔萤火不自欺，草间相照光煜煜。却马已录仙人方，映书曾登君子堂。不畏月明见陋质，但畏风雨难为光。"

十月

于阗贡大玉，号曰受命宝。《续资治通鉴》卷九二："辛巳，诏以来年正月一日，祗受受命宝。时得于阗大玉，逾二尺，色如截肪，帝乃制为宝，文曰：'范围天地，幽赞神明，保合太和，万寿无疆。'篆以虫鱼，制作之工，几于秦玺，号曰'受命宝'。帝甚重之，曰：'八宝者国之神器，至于定命。乃我所自制也。'"

十二月

徽宗皇帝言天神下降。《纲鉴易知录》卷七五："冬十二月，有星如月，南行。帝言天神降于坤宁殿。"

宋朝廷修筑万岁山。《纲鉴易知录》卷七五："作万岁山。初，帝以未得嗣子为念。道士刘混康以法箓符水出入禁中，言'京师西北隅地协堪舆，倘形势加以少高，当有多男之祥。'始命为数仞冈阜，已而后宫生子渐多，帝甚喜，始信道教。至是，又命户部侍郎孟揆于上清宝箓宫东筑山，以像余杭之凤凰山，号曰万岁。"

辽金之间发生蒺藜山之战。《续资治通鉴》卷九二："甲子，金咸州都统乌楞古（旧作斡鲁固，今改）等，败辽秦晋国王淳兵于蒺藜山。淳初遗乌楞古书议和，乌楞古告于金，金主曰：'归我行萨喇（旧作赛剌，今改）及送阿苏等，则和议可成。'淳军蒺藜山。乌楞古及知东京事沃棱（旧作斡论，今改）等，进攻显州。辽怨军帅郭药师，乘夜来袭，沃棱击走之。乌楞古遂与淳战，败走。乌楞古追至额勒锦（旧作阿里真，今改）陂，遂拔显州。于是乾、懿、豪、徽、成、川、惠等州，皆降于金。辽主下诏自责，遣伊勒希巴扎拉与大公鼎诸路募兵。"

徽宗御笔将《道德经》改名。《续资治通鉴》卷九二："辛未，御笔改老子《道德经》，为《太上混元上德皇帝道德真经》。"

冬

陈与义有诗。《增广笺注简斋诗集》卷三《北风》："北风掠野悲岁暮，黄尘涨街人不度。孤鸿抱饥客千里，性命么微不当怒。梅花欲动天作难，蓬飞上天得盘桓。千年卧木枝叶尽，独自人间不受寒。"刘辰翁评论末句："本是新意，亦犯古语。"

本年

宋遭遇大旱灾害。《续资治通鉴》卷九三："是岁大旱，帝以为念。侍御史黄葆光上疏，言：'蔡京强悍自专，侈大过制，无君臣之分。郑居中、余深，依违畏避，不能任天下之责。故此，致灾。'不报，且欲再上章。京权势震赫，举朝结舌，葆光独出力攻之，京惧。中以它事贬知昭州立山县。又使言官论其附会交结，泄漏密语，诏以章揭示朝堂，安置昭州。"

道士王仔昔下狱死。《续资治通鉴》卷九三："王仔昔倨傲而戆，帝待以客礼，故遇宦者若僮奴，又欲群道士宗己。林灵素忌之，与宦者冯浩，诬以言语怨望，下狱死。"

左纬政和年间在世。

李清照本年三十四岁。

周邦彦有词。《黄鹂绕碧树》（双阙笼佳气）、《垂钓丝》（缕金翠羽）。

洪适（1117—1184）生。周必大《宋宰相魏国洪文惠公神道碑铭》："父讳皓，政和乙未进士，后徙乐平之洪岩。……公初名造，字温伯，一字景温。幼颖异，日诵书三千言。忠宣公自嘉禾司录应选使朔方，共年十三，已能任家事，率五弟三妹奉祖母及母避乱归饶。……种学积文，至忘寝食。用父出使恩补修职郎，监南岳庙，调严州录事参军、浙西提举常平司干办公事。绍兴十二年，与文安公同中博学鸿词科，宰臣进呈所试制词，高宗曰：'父在远，子能自立，可嘉，宜与升擢。'遂除敕令所删定官。后三年，翰林公亦中选，由是洪氏文名满天下。改作宣教郎，入秘书省为正字。才数月，忠宣公归自朔方，以忠信忤秦丞相桧，斥补乡郡，公亦出通判台州。将满，而中宣公以散官谪英州，台守观望，拟弹文纳当路，转示言者以为风闻，坐免官，往来岭南供子职。阅九年，秦薨，忠宣北归，亦道卒，服阕，起知荆门军。……二十八年，应诏上宽恤四事……除尚书户部郎中，总领淮东军马钱粮。……隆兴元年，就迁司农少卿。明年，召贰太长，兼权直学士院，又兼权礼部侍郎。……九月除中书舍人，内直如故。汤丞相思退免，侍御史晁公武论公草麻无谴责语，公亟请外，上曰：'公武言卿党思退，朕谓平词出朕意。'固却其章，仍徙户部侍郎矣。……虏既讲好，首命公为贺生辰使虏。……乾道元年五月，除翰林学士，仍兼中书舍人。……六月，遂除端明殿学士，签书枢密院事。……八月，以左中大夫参知政事。十二月，拜通奉大夫、尚书右仆射，同中书门下平章事，兼枢密使。公自签枢，旬月入相，感激异知，任怨革弊，以诚实不欺为主。……（二年）三月辛未，除公观文殿学士，提举江州太平兴国宫。……不数月，起知绍兴府，浙东安抚使，治得大体，复勤小物，军民安之。阅岁有半，提举临安府洞霄宫。……淳熙十一年二月辛酉，薨于正寝，前自撰遗表上之，享年六十八。……公器业早成，与人交诚实无浮礼，文华天赋，济以力学，步骤经史，新奇富赡，兄弟鼎立，自成一家。罢政后论著益多，四方传诵。"洪适著有《盘州集》八十卷，见《四库全书总目》卷一六〇。

公元1118年（宋重和元年　辽天庆八年　金天辅二年　夏雍宁四年　戊戌）

正月

定命宝。《纲鉴易知录》卷七五："戊戌，重和元年，春正月，作定命宝成。于阗上美玉，逾二尺，帝命制宝，号曰'定命宝'，合前八宝为九宝，以定命宝为首。"

辽金暂时议和。《续资治通鉴》卷九三："金杨卜言，自古英雄开国，或受禅，必先求大国册封。金主遂遣使入辽。辽耶律努克等如金议和。以萧奉先等言许之，可以弭兵故也。"

王黼为尚书左丞。《续资治通鉴》卷九三："庚戌，以翰林学士承旨王黼，为尚书左丞。黼，祥符人，美风姿，有口辩，才疏隽而寡学术，然多智善佞。初，因何执中荐，擢尚书郎。迁左司谏。张商英在相位，寖失帝意。帝遣使以玉环赐蔡京于杭，黼觇知之，因数条奏京所行政事，并击商英。及京复相，德其助己，岁中三迁为御史中丞。黼欲去执中，使京专国，遂疏执中三十罪，已而改翰林学士。会京与郑居中不和，黼复纳交居中。京由是怨之，徙为户部尚书。将陷以罪，黼以智获免，还为学士承旨，至是遂入政府。"

辽东路盗贼已蜂起，至掠民自随以充食。《续资治通鉴》卷九三："辽保安军节度使张崇，以双州二百户降金。时东路盗贼蜂起，至掠民自随以充食。"

二月

宋朝约金攻辽。《纲鉴易知录》卷七五："二月，遣武义大夫马政浮海使金，约夹攻辽。建隆中，女真尝自其国之苏州，泛海至登州卖马，故道犹存。至是，有汉人高药师者，泛海来言女真建国，屡破辽师。登州守臣王师中以闻，诏蔡京、童贯共议。命师中募人同药师等赍市马诏以往。不能达而还。帝乃复委童贯选人使之，遂使武义大夫马政同药师由海道如金。政言于金主曰：'主上闻贵朝攻破契丹五十余城，欲与通好，共行吊伐。若允许，后当遣使来议。'通金好自此始。"

三月

王昂等七百八十三人中进士。《续资治通鉴》卷九三："癸巳，令嘉王楷赴廷对。楷，帝第二子也。""戊申，赐礼部奏名进士及第及出身七百八十三人。有司以嘉王楷第一，帝不欲楷先多士，遂以王昂为榜首。"本榜中，王庭珪进士及第。

春

陈与义二十九岁，留京师。是春，尝有襄邑之行，有诗。《增广笺注简斋诗集》卷四《襄邑道中》："飞花两岸照船红，百里榆堤半日风。卧看满天云不动，不知云与我俱东。"此乃宋诗名篇。

又有诸诗，《增广笺注简斋诗集》卷四《寄新息家叔》："风雨淮西梦，危魂费九升。一官遮日手，两地读书灯。见客深藏舌，吟诗不负丞。竹林虽有约，门户要人兴。"

同卷,《年华》:"去国频更岁,为官不救饥。春生残雪外,酒尽落梅时。白日山川应,青天草木宜。年华不负客,一一入吾诗。"方回《瀛奎律髓》卷二十:"诗律高绝。"纪昀评云:"三句精诣,对亦可。"

同卷,《茅屋》:"茅屋年年破,春风岁岁来。寒从草根退,花值客愁开。时序添诗卷,乾坤进酒杯。片云无思极,日暮却空廻。"

同卷,《酴醾》:"雨过无桃李,唯余雪覆墙。青天映妙质,白日照繁香。影动春微透,花寒韵更长。风流到尊酒,犹足助诗狂。"刘辰翁评"青天映妙质"句:"不妨有朴意。"

四月

张根指责花石纲,御笔亲书终落职。《续资治通鉴》卷九三:"乙卯,御笔以淮南转运使张根,轻躁妄言,落职监信州酒税。时承平日久,锡予无藝,营缮并兴,殆无虚日,故国用益窘。帝多命臣僚,条具财计。于是中外所陈非一,根因而进节用之说。权幸以其不利于己也,莫不切齿。而大臣以赐第事,谓根议己,力谋所以中根者,于是言章交上。而帝察根之诚,不之罪也。会御前人船所,拘占直达纲船,以应花石之用。根以上供期迫,奏乞还之。重忤权幸意。且因被命督促竹石,又上言:'东南花石纲之费,官买一竹至费五十缗。本路尚然,它路犹不止此。今不以给苑囿,而入诸臣之家,民力之奉,将安所涯?愿示休息之期,以厚幸天下。'于是权幸亦怒,故有是命。"

宋设立真元节、元成节。《续资治通鉴》卷九三:"己卯,诏每岁以季秋亲祀明堂,如孟月朝献礼。以太上混元上德皇帝二月十五日生辰,为真元节。辛巳,道录院上看详释经六千余卷内,诋谤道儒二教恶谈毁词,分为九卷。乞取索焚弃,仍存此本永作证验。又林灵素上《释经诋诬道教议》一卷,乞颁降施行。并从之。""五月。乙酉,召诸路选漕臣一员,提举本路神霄宫。丁亥,以林灵素为通真达灵元妙先生、张虚白为通元冲妙先生。虚白,南阳人,通太乙六壬术,帝召管太一宫,恩赉无虚日,官太虚大夫、金门羽客,出入禁中。终日论道,无一言及时事。曰:'朝廷事,有宰相在,非余所知也。'帝每以'张胡'呼之而不名。壬辰,颁御制《圣济经》,以清华帝君八月生辰为元成节。"

五月

辽境内安生儿起义、张高儿起义。《续资治通鉴》卷九三:"辽主如纳葛泺。土贼安生儿、张高儿,聚众二十万。耶律玛格(旧作马哥,今改)等,斩生儿于龙化州,高儿亡入懿州,与霍石相合。""六月,霍石陷辽之北海州,趋义州,军帅和勒博(旧作回离保,今改)击败之。"

六月

辽四都之民降金。《续资治通鉴》卷九三："甲戌，辽通祺双辽四都之民八百余户，降于金。金主命分置诸郡，择膏腴之地处之。"

七月

辽国遣使往金国。《续资治通鉴》卷九三："辽耶律努格等，赍宋夏高丽书诏表牒至金，金乃遣呼图克昆如辽。免取质子，及上京兴中府所属州郡裁减岁帑之数，如能以兄事朕，册用汉仪，可以如约。辽于是遣努克及托实（旧作突迭，今改）如金议册礼。金留托实，遣努克还。谓之曰：'言如不从，勿复遣使。'"

八月

道教教学正规化，道学博士州官充。《续资治通鉴》卷九三："戊午，知兖州王纯，奏乞令学者治《御注道德经》，间于其中出论题。从之。庚午，诏自今学道之士，许入州县学教养，所习经以《黄帝内经》、《道德经》为大经，《庄子》、《列子》为小经，外兼通儒书，俾合为一道。大经《周易》，小经《孟子》，其在学中选人。增置士名，分入官品：元士、高士、上士、良士、方士、居士、隐士、逸士、志士。每岁试经，拨放州县学道之士。初入学为道徒，试中升贡，同称贡士。到京入辟雍，试中上舍。并依贡士法，三岁大比。许襕鞹就殿试，当别降策问，庶得有道之士，以称招延。辛未，资政殿大学士知陈州邓洵仁，奏：乞选择道藏经数十部，先次镂板，颁之州郡道录院看详，取旨施行。又乞禁士庶妇女，辄入僧寺。诏令吏部申明行下。""九月。丙戌，诏太学、辟雍，各置《内经》、《道德经》、《庄子》、《列子》博士二员。""庚寅，颁《御注道德经》，刻石神霄宫。""丁酉，用蔡京言，集古今道教事为纪志，赐名《道史》。""壬寅，诏视中大夫林灵素，视见奉大夫张虚白，并特授本品真官。先是，帝用方士言，铸神霄九鼎，名曰太极飞云洞劫之鼎、苍壶祀天贮醇酒之鼎、山岳五神之鼎、精明洞渊之鼎、天地阴阳之鼎、混沌之鼎、浮光洞天之鼎、灵光晃耀炼神之鼎、苍龟火蛇虫鱼金轮之鼎，至是始成，奉安于上清宝箓宫之神霄殿。""乙亥，给事中赵野，奏乞诸州添置道学博士，择本州官兼充。从之。""十月。壬辰，知陈州邓洵仁，奏本州学内舍生宋璃，系故翰林学士宋祁之孙，行艺清修，愿换道学内舍生。旧有撰《到道论》十篇，及近撰《神霄玉清万寿宫雅》，谨具缴奏呈。御笔：宋璃特与志士，仍许赴将来殿试。"

宋掖廷起大火。《续资治通鉴》卷九三："是月，掖廷大火。自甲夜达晓，大雨如倾，火益炽。凡爇屋五千余间，后院广圣宫，及宫人所居，几尽，死者甚众。"

九月

金求博学雄才之士。《续资治通鉴》卷九三："戊子，金主诏曰：国书诏令宜选善属文者为之。其令所在访求博学雄才之士，敦遣赴阙。"

癸巳，宋禁群臣朋党。

庚申，诏江淮荆浙闽广监司督责州县，还集流民。

秋

陈与义于是秋作诗多首。《增广笺注简斋诗集》卷四《秋雨》："萧萧十日雨，稳送祝融归。燕子经年别，梧桐昨梦归。一凉恩到骨，四壁事多违。衮衮繁华地，西风吹客衣。"方回《瀛奎律髓》卷十七："简斋五言律为雨而作者选十九首，诗律精妙，上追老杜，仰高钻坚，世之斯文自命者皆当在下风，后山之后，有此一人耳。"

同卷，《西风》："木末西风起，中含万里凉。浮云不思愁，尽日只飞扬。梦断头将白，诗成叶自黄。不关明主弃，本出涸阴乡。"

同卷，《题许道宁画》："满眼长江水，苍然何郡山？向来万里意，今在一窗间。众木俱含晚，孤云遂不还。此中有佳句，吟断不相关。"刘辰翁评论"向来万里意"二句："好。"

表兄张规臣（元东）有《水墨梅诗》，陈与义和之，作绝句五首。《增广笺注简斋诗集》卷四《和张规臣水墨梅五绝》，其一："巧画无盐丑不除，此花风韵更清姝。从教变白能为黑，桃李依然是仆奴。"其二："病见昏花已数年，只应梅蕊固宜然。谁教也作陈玄面，眼乱初逢未敢怜。"刘辰翁评"病见昏花已数年"句："来得特别。"又评末句："此世道人物变态之感也。末七字宛转三折，收拾曲尽。"其三："粲粲江南万玉妃，别来几度见春归。相逢京洛浑依旧，惟恨缁尘染素衣。"洪迈《容斋随笔》卷八："臣简斋《墨梅绝句》一篇云'粲粲江南万玉妃'云云，语意皆妙绝。"其四："含章檐下春风面，造化功成秋兔毫。意足不求颜色似，前身相马九方皋。"陈模《怀古录》卷中："使事而得活法者也。"其五："自读西湖处士诗，年年临水看幽姿。晴窗画出横斜影，绝胜前村夜雪诗。"［思齐按：此五绝为陈与义成名作。］

是秋多雨，有诗。《增广笺注简斋诗集》卷四《夜雨》："经岁柴门百事乖，此身只合卧苍苔。蝉声未足秋风起，木叶俱鸣夜雨来。棋局可观浮世理，灯花应为好诗开。独无宋玉悲歌念，但喜新凉入酒杯。"方回《瀛奎律髓》卷十七选此诗，纪昀评云："风格自好。"

同卷，《连雨不能出，有怀同年陈国佐》："雨师风伯不吾谋，漠漠穷阴断送秋。欲过苏端泥浩荡，定知高凤麦漂流。檐前甘菊已无益，阶下决明还可忧。安得如鸿六尺马，暂时相对说新愁。"

尝患眼疾，有诗。《增广笺注简斋诗集》卷四《目疾》："天公嗔我眼常白，故著昏花阿堵中。不怪参军谈瞎马，但妨中散送飞鸿。著篱令恶谁能对，损读方奇定有功。九恼从来是佛种，会如那律证圆通。"方回《瀛奎律髓》卷四四："此八句而用七事。谓诗不必用事者，殆胸中无书耳。'盲人骑瞎马，夜半临秋池'，此《世说》殷仲堪参军所做危语，仲堪眇一目，适忤之。'只见门前著篱，未见眼中安障'，此方干令以嘲李主簿。范宁武子患目疾，求方于张湛，湛戏谓此方用损读书一，减思虑二，专内视三，减外观四，早晚起五，夜早眠六。凡六物，熬以神灰，下以气簁。今刊本多误作'损续'，非也。白眼、阿堵、送飞鸿三事非僻。那律事出《楞严经》，无目可以通证。

其要，妙在用虚字以干实事，不可不细味也。”冯班云：“太堆砌，如此何得薄昆体耶？江西派承昆体之后，用事多假借扭合，往往不可通。昆体用三十六体，用事出没，皆本古法；黄、陈多杜撰，所以不及。”

十月

道官与道职。《续资治通鉴》卷九三：“癸卯，帝如上清宝箓宫，传度玉清神霄秘箓，会者八百人。时道士有俸。每一斋施，动获数十万。每一观，给田亦不下数百千顷。贫下之人，多买青布幅巾以赴，日得一饭餐及衬施钱三百。甲辰，置道官二十六等，道职八等，有诸殿侍晨校籍授经，以拟待制、修撰、直阁之名。”

十一月

己酉朔，宋朝诏改明年为宣和，大赦天下。

《新订五经字样》成书。《续资治通鉴》卷九三：“丙子，提举成都府路学事翟栖筠，奏：字形书画，咸有不易之体。学者略而不讲，从俗就简，转易偏旁，渐失本真。如期朔之类，从月；股肱之类，从肉；胜服之类，从舟；丹青之类，从丹。靡有不辨，而今书者乃一之，故幼学之士，终年诵书，徒识字之近似，而不知字之正形。愿诏儒臣重加修订，去其讹谬，一以王安石《字说》为正，分次部类，号为《新定五经字样》，颁之庠序。诏太学官集众修订。”

二十六日夜，赵明诚第三次阅欧阳修《集古录跋尾》。赵明诚又跋《唐云门山投龙诗》。

陈与义除辟雍录。作诗，《增广笺注简斋诗集》卷四《以事走郊外，示友》：“二十九年知已非，今年依旧壮心违。黄尘满面人犹去，红叶无言秋又归。万里天寒鸿雁瘦，千树岁暮鸟乌微。往来屑屑君应笑，要就南池照客衣。”

十二月

辽国大闹饥荒。《纲鉴易知录》卷七五：“冬十二月，辽大饥，人相食。”

宋马政自金还。《续资治通鉴》卷九三：“马政等还自金，与其使者俱来。是日至登州，登州遣赴阙。政与平海指挥呼庆，随高药师、曹孝才以闰月六日下海，才达北岸，为逻者所执，并其物夺之，欲杀者屡矣。已而，缚之行。经十余州，至金主所居拉林河，约三千余里。问海上遣使之由，以实对。金主与众议数日，遂质登州小校王美、刘亮等，遣索多及李庆善等，赍国书，并北珠、生金、貂革、人参、松子，同政等来报使。”

辽节度使刘宏降金。《续资治通鉴》卷九三：“时山前路大饥，乾显宜锦兴中等路，斗粟值数缣，民削榆皮食之，既而人相食。宁昌军节度使刘宏，以懿州户三千降于金，金以为千户。”

己丑，宋设置裕民局。

冬

陈与义于本年冬天作诗颇多。《增广笺注简斋诗集》卷五《十月》："十月北风吹岁阑，九衢黄土污儒冠。归鸦落日天机熟，老雁长云行路难。欲诣热官忧冷语，且求浊酒寄清欢。孤吟坐到三更月，枯木无枝不受寒。"

同卷，《题小室》："暂脱朝衣不当闲，澶州梦断已多年。诸公自致青云上，病客长斋绣佛前。随意时为狮子卧，安心懒作野狐禅。炉烟忽散无踪迹，屋上寒云自黯然。"范大士《历代诗发》卷二六："结句妙，有比兴。"

又，政和八年岁暮立春也。是春，陈与义与表兄张矩臣（元方）数相唱酬。《增广笺注简斋诗集》卷五《次韵张迪功春日》："年年春日寒欺客，近日春无一半寒。不觉转头逢岁换，便须揩目待花看。争新游女幡垂鬓，依旧先生日照盘。从此不忧风雪厄，杖藜时可过苏端。"

同卷，《又和岁除感怀用前韵》："宦情吾与岁俱阑，只有诗盟偶未寒。鬓色定从今夜改，梅花已判隔年看。高门召客车稠叠，下里烧香篆屈盘。我亦三杯聊复尔，梦回鹓鹭出朝端。"此诗作于政和八年岁除也。

本年

李清照三十五岁。

黄伯思（1079—1118）卒。陈振孙《直斋书录解题》卷一七："《东观余论》二卷。……好古博雅，喜神仙家言。自号云林子，别字霄宾。"《书史会要》卷六："黄伯思字长睿，别字萧宾，号云林子，邵武人，官至秘书郎。天资警敏，长于考古，正行草隶书皆精切。初仿欧、虞，后乃规模钟、王。笔势简远，有魏晋风气，尤精小学，凡字书讨论备尽。叶梦得云：'长睿好古，善隶、楷法，能得古人用笔意。'"王廷珪《次韵黄伯思求其祖梦升墓志铭》："妙句高文满锦囊，坐惊蓬瓮忽生光。君家人物代不乏，文采风流想未忘。千载运中逢太史，诸王殿下识黄香。江西多士传心印，又出宗支一派长。"

王寀（1078—1118）卒。王寀，字辅道，一字道辅，号南陔。洪迈《夷坚志》已卷八："曹道冲售诗京都，随所命题即就，群不逞欲苦之，乃求《浪花》诗绝句，仍以'红'字为韵。曹谢曰：'非无所能为，唯南薰门外菊坡王辅道学士能之耳，他人俱不可也。'不逞曰：'我固知其名久矣，但彼在馆阁，吾侪小人，岂容辄诣？'曹曰：'试赍佳纸币往拜求之，必可得。'于是相率修谒，下拜有请。王欣然捉笔，一挥而成。读者叹服。"厉鹗《宋诗纪事》卷三六《浪花》："一江秋水浸寒空，渔笛无端弄晚风。万里波心谁折得？夕阳影里碎残红。"朱弁《风月堂诗话》："洛阳刘伯寿筑室嵩山下，每登高顶回，则于峻极中院援笔记岁月。捐馆之年题云：'于今年若干岁，登顶凡七十四次矣。精力虽疲，而心犹未足也。'王辅道学士与其孙宣义郎元静游嵩，至中院，作一绝句示之。"《宋诗纪事》卷三六《同刘元静游嵩山峻极中院作》："烂红一点出浮沤，夜坐嵩峰顶上头。笑对僧窗谈祖德，当年七十四回游。"

韩元吉（1118—1187）生。陆心源《宋史翼》卷一四："韩元吉字无咎，开封雍邱人。门下侍郎维之元孙。兄元龙，长于治，知天台县，除司农寺主簿，升寺丞。徙居信州之上饶，所居之前有涧水号南涧。词章典丽，议论通明，为故家翘楚。尝赴词科，不利，以荫为处州龙泉县主簿，调南剑州主簿。绍兴二十八年，知建安县，用广而赋啬，乃懋迁盐鹾，以佐其费。二十九年，以辅臣荐，召至行在。三十一年，除司农寺主簿。乾道三年，除江东转运判官，以明道伊川弟子所编《师说》十卷刊置漕斋。四年，以朝散郎入守大理少卿，权中书舍人。八年，权吏部侍郎。时朝士因言张说多去国者，元吉进故事，述太祖、太宗之训以谏。九年，全礼部尚书、贺金主生辰使。凡所以觇敌者，虽驻车乞浆，下马盥手，遇小儿妇女，皆以言挑之，往往得其情。使还，奏言：'敌之强盛五十年矣，人心不附，必不能久，宜合谋定算，养成蓄力，以俟可乘之衅，不必窥小利以触其机。'孝宗然之，除吏部侍郎。淳熙元年，以待制知婺州。于郡西南隅创贡院，工筑方兴，明年移知建安府。表率端庄，加意学校，创修郡治，以军兴调发功转朝奉大夫。旋召赴行在，以朝议大夫试吏部尚书，进正奉大夫，除吏部尚书。五年，乞州郡，除龙图阁直学士，复知婺州。罢为提举太平兴国宫，爵至颍川郡公。尝寓德清之慈相寺，东莱吕祖谦其婿也，相与讲读于寺西竹林精舍，故寺中有东莱书院，嘉熙间县令章鉴创屋额曰'东莱读书堂'。元吉少受业于尹和靖之门，尝举朱子以自代，与叶梦得、陆游、沈明远、赵蕃、张浚相倡和。政事文章为一代冠冕，朱子称其诗'有中原和平之旧，无南方啁哳之音'。著有《易系辞解》、《焦尾集》、《南涧甲乙稿》。"

朱松同上舍出身。贺铸以太祖贺后祖孙，恩迁朝奉郎。

辽放进士王翚等三百人。

公元1119年（宋宣和元年　辽天庆九年　金天辅三年　夏雍宁五年　己亥）

正月

林灵素欲废除释氏。《续资治通鉴》卷九三："乙卯，诏佛改号大觉金仙，余为仙人、大士之号，僧为德士。易服饰，称姓氏。寺为宫，院为观。即住持之人，为知宫观事。所有僧录司，改为德士司。左右街道录院，可改作道德院。德士司隶属道德院。蔡攸通行提举天下州府僧正司，可并为德士司。寻又改女冠为女道，尼为女德。时林灵素欲废释氏以逞前憾，请悉更其号，故有是命。"

金人不肯受宋诏。《纲鉴易知录》卷七五："春正月，金人来聘。遣马政报之，不至而复。金人遣渤海人李善庆等持国书同马政来修好。诏蔡京等谕以夹攻辽之意。遣政同赵有开赍诏与善庆等渡海报聘。行至登州，有开死。会谍者言辽已封金主为帝，乃诏政勿行，止遣平海军校呼庆送善等归金。金主遣庆归，且语之曰：'归见皇帝，果欲结好，早示国书。若仍用诏，绝难从也。'"又，参见本年十二月"金遣宋史呼庆回国"条。

宋定取燕之计。《续资治通鉴》卷九三："戊午，以余深为太宰兼门下侍郎，王黼为特进兼中书侍郎。黼赐第城西，日导以教坊乐，供帐什器，悉取于宫，宠倾一时。时朝廷已纳赵良嗣之计，将会金以图燕。会谍云辽主有亡国之相，黼闻画学正陈尧臣善丹青，精人伦，因荐尧臣使辽，尧臣即夹画学生二人以俱，绘辽主像以归。言于帝曰：辽主望之不似人君，臣谨画其容以进。若以相法言之，亡在旦夕。幸速进兵，兼弱攻昧，此其时也。并图其山川险易以上。帝大喜，取燕云之计遂定。”

宋朝册封占城王。《续资治通鉴》卷九三：“封占城杨卜麻叠为占城国王。占城在中国西南，所统大小聚落一百五，略如州县。自上古未尝通中国，周显德中始入贡。自是朝贡不绝。然北与交趾接壤，互相侵扰。及诏封为王，始与交趾加恩均矣。”

二月

辽章萨巴（张撒八）起义。《续资治通鉴》卷九三：“辽主如鸳鸯泺，章萨巴（旧作张撒八，今改）诱中京射粮军，僭号，南面军帅耶律伊都（旧作余睹，今改）讨擒之。”

三月

京师大水，李纲贬官。《纲鉴易知录》卷七五：“夏五月，京师大水。京师茶肆佣，晨兴见大犬蹲榻旁，近视之，则龙也，军器作坊军士取而食之。逾五日，大雨如注，历七日而止，京城外水高十余丈。起居郎李纲言：‘国家都汴百五十余年矣，未尝有此异。夫变不虚生，必有感召之；灾非易御，必有消复之；望求直言，采而用之，以答天戒。’诏贬纲一官，与县去。”

辽试图笼络金主。《续资治通鉴》卷九三：“三月丁未朔，辽遣太傅萧史埒讷（旧作习泥列，今改）等，册金主为东怀国皇帝。”

童贯丧师十万人，隐其败绩以捷闻。《续资治通鉴》卷九三：“童贯令熙河经略使刘法，取朔方。法不欲行，强遣之。出至统安城，遇夏主弟察哥，率步骑三陈以当法前军，而别遣精骑登山以出其后。大战移七时，兵饥马渴，死者甚众。法乘夜遁，比明走七十里，至盍米峗。守兵追之，法坠崖折足，乃斩首而去。是役也，丧师十万。贯隐其败而以捷闻。察哥见法首恻然，语其下曰：‘刘将军前败我古骨龙仁多泉，吾尝避其锋，谓天生神将。岂料今为一小卒枭首哉！其失在恃胜轻出，不可不戒。’遂乘胜围震武。震武在山峡中，熙秦两路不能饷。至筑后三岁间，知军李明、孟清，皆为夏人所杀。至是城又将陷，察克（旧作察哥，今改）曰：‘勿破此城，留作南朝病块，’乃自引去。宣武使司以捷闻，受赏数百人。”

辛未，宋赐上舍生四十五人及第。

庚戌，蔡京等进安州所得商六鼎。赵明诚跋安州商六鼎。《金石录》卷十三《安州所献六器铭》：“右六器铭，重和戊戌岁，安州孝感县民耕地得之，自言于州，州以献诸朝。凡方鼎三，圜鼎二，甗一，皆形制精妙，款识奇古。案此铭文多者至百余字，其义颇难通，又称作父乙、父已宝彝，若非商末，即周初器也。”

陈与义三十岁，在辟雍录任。本月，有诗。《增广笺注简斋诗集》卷四《送张仲宗押载归闽中》：“翩然鸿鹄本不群，亦复为口长纷纷。去年弄影河北月，今年迎面江南云。还家不比陶令冷，持节正效相如勤。青天白日映徒御，玄发绛旆明江滨。舟前落花慰野老，浦口杜若愁湘君。遥知诗成寄驿使，万里春色当见分。赠人以言予岂敢，不忍负子聊云云。旧山虽好身无果，恐有德璋能勒文。”张仲宗即张元幹，长乐（今福建县）人，有《芦川归来集》十卷。刘辰翁评轮“翩然鸿鹄本不群”二句：“起得慨然。”胡应麟《诗薮》外编卷五：“陈去非短篇学杜，间得数语耳，无完篇。”范大士《历代诗发》卷八评论“旧山虽好慎勿过”二句：“规讽妙有含藏。”

当时，陈与义已移居南郊学官，张矩臣尝携诗见过，并同游小园，有诗。《增广笺注简斋诗集》卷五《张迪功携诗见过次韵谢之二首》，其一：“黄纸红旗意未阑，青衫俱不救饥寒。久荒三径未得返，偶有一钱何足看。世事岂能磨铁砚，诗盟聊可歃铜盘。不嫌野外时迂盖，政要相从叩两端。”其二：“黄鸡白日唱初阑，便觉杯觞耐薄寒。座上客多真足乐，床头《易》在不须看。更思深径援红蕊（是日小游园，张屡举此词），政待移厨洗玉盘。苦恨重城催兴尽，归时落日尚云端。”《即席重赋且约再游二首》，其一：“墙头花定觉风阑，墙外池深酒亦寒。马健莫愁归路远，诗成未许俗人看。钓鱼不用寻温水，濯发真如到洧盘。一笑得君天所借，尊前无地著忧端。”其二：“诗情不与岁情阑，春气犹兼水气寒。怪我问花终不语，须公走马更来看。共知浮世悲驹隙，即见平波散芡盘。得一老兵虽可饮，从今取友要须端。”

五月

丁未，宋诏德士许入道学，依道士法。

丙辰，宋击败夏人于灵武。

阻朴反辽。《续资治通鉴》卷九三：“辽准布部人叛，执招讨使耶律鄂尔多（旧作斡里多，今改)、都监萧色埒德（旧作斜里得，今改)，死之。”

六月

庄周、列御寇被封以道号。《续资治通鉴》卷九三：“甲申，诏封庄周为微妙元通真君、列御寇为致虚观妙真君，仍用册命，配享浑元皇帝。”

七月

辽杨洵卿降金。《续资治通鉴》卷九三：“辽杨洵卿、罗子韦，率众降金。金主命各以所部为穆昆。”

八月

徽宗御笔制《神霄玉清万寿宫记》。《续资治通鉴》卷九三：“丙戌，御制御笔《神霄玉清万寿宫记》，令京师神霄宫刻石记于碑，以碑本赐天下，摩勒刻石。”

金颁行女真字于国中。《续资治通鉴》卷九三：“己丑，金颁女直字于国中。女直初无文字，及获契丹、汉人，始通契丹、汉字。于是宗雄希尹等学之。宗雄因病两月，并通大小字。遂与宗幹等立法制定。凡与辽宋往来书问，皆宗雄希尹主之。金主因命希尹依仿汉人楷字，因契丹字制度，合本国语，制女直字。行之。”

九月

蔡攸开府仪同三司。《纲鉴易知录》卷七五：“加蔡攸开府仪同三司。攸有宠于帝，进见无时，与王黼得预宫中秘戏。或侍曲宴（私宴也），则攸、黼着短衫窄袴，涂抹青红，杂倡优侏儒中，多道市井淫媟浪语，以献笑取悦。攸妻宋氏出入禁掖，攸子行领殿中监，宠信倾其父。攸尝言于帝曰：‘所谓人主当以四海为家，太平为娱。岁月能几何，岂徒自劳苦！’帝深纳之，因令苑囿皆仿江浙白屋，不施五彩，多为村居野店，及聚珍禽异兽，动数千百，以实其中。都下每秋风夜静，禽兽之声四彻，宛若山林陂泽之间，识者以为不祥之兆。”

金太祖命诸路军过江屯驻。《续资治通鉴》卷九三：“金主以辽册礼使失期，诏诸路军过江屯驻。辽乃令实埒讷等先持册稿如金，而后遣使送乌陵阿赞谋持书以还。”

秋

陈与义有诗。《增广笺注简斋诗集》卷五《次韵家叔》：“衮衮诸公车马尘，先生孤唱发《阳春》。黄花不负秋风意，白发空随世事新。闭户读书真得计，载肴从学岂无人？只应又被支郎笑，从者依前困在陈。”

十一月

爱国学生邓肃，竟被放归田里。《续资治通鉴》卷九三：“太学生邓肃，以朱勔花石纲害民，进诗讽谏，诏放归田里。”

十二月

曹辅谏微行疏。《纲鉴易知录》卷七五：“帝数微行，窜秘书省正字曹辅于郴州。帝自政和以来，多微行。始民间犹未知，及蔡京谢表：‘轻车小辇，七赐临幸。’自是邸报传之四方，而臣僚阿顺莫敢言。曹辅上疏，谏曰：‘陛下厌居法宫，时乘小辇出入廛陌郊垧，极游乐而后返。臣不意陛下当宗社付托之重，玩安忽危，一至于此。夫君之与民，本以人合，合则为腹心，离则为楚、越，畔服之际，在于斯须，甚可畏也。万一当乘舆不戒之初，一夫不逞，包藏祸心，虽神灵垂护，然亦损威伤重矣，又况有臣子不忍言者，可不戒哉！’帝得疏，出示宰臣，令赴都堂审问。余深曰：‘辅小官，何敢论大事！’辅曰：‘大官不言，故小官言之。’王黼阳顾张邦昌、王安中曰：‘有是事乎？’皆应以‘不知’。辅曰：‘兹事，虽里巷小民无不知。相公当国，独不知耶！曾此不至，焉用彼相！’黼怒，令吏从辅受词，辅操笔曰：‘区区之心，一无所求，爱君而已。’退，待罪于家，遂编管郴州。初，辅将有言，知必获罪，召子绅来付以家事，乃闭户草疏。及贬，怡然就道。”

杨游立雪。《纲鉴易知录》卷七五：“召杨时为秘书郎。时，南剑将乐人。初举进士第，闻程颢兄弟讲孔、孟绝学于河、洛，调官不赴，以师礼见颢于颍昌，相得甚欢。其归也，颢目送之曰：‘吾道南矣！’及颢卒，又师事程颐于洛，盖年四十矣。一日，颐偶瞑坐，时与游酢侍立不去，颐既觉，则门外雪深一尺矣。后历知浏阳、余杭、萧山三县，皆有惠政，民思之不忘。时安于州县，未尝求闻达，而德望日重，四方之士不远千里从之游，号曰龟山先生。会蔡京客张觷言于京曰：‘今天下多故，事至此必败，宜亟引旧德老成置诸左右，庶几犹可及。’京问其人，觷以时对，京因荐之。会路允迪自高丽还，言高丽国王问龟山先生安在，乃召为秘书郎。”

金遣宋使呼庆回国。《续资治通鉴》卷九三：“呼庆留金凡六月，数见金主，执其前说，再三辩论。金主与宗翰等议，乃遣庆归，临行语曰：‘跨海求好，非吾家本心。吾已获辽人数路，其它州郡，可以俯拾。所以遣使人报聘者，欲交邻耳。暨闻使日不以书来，而以诏诏我，此已非其宜。使人虽卒，自合复遣。止遣汝辈，尤为非礼，足见翻悔。本欲留汝，念过在汝朝，非汝罪也。归见皇帝，若果欲结好，请早示国书。或仍用诏，决难从命。且我尝遣使求辽主册吾为帝，取其卤簿。使人未归，尔家来通好，而辽主册吾为东怀国，立我为至圣至明皇帝。吾怒其礼仪不备，又念与汝家已通好，遂鞭其来使，不授法驾等。乃本国守两家之约，不谓贵朝如此见侮。汝可速归，为我言其所以。’庆以是月戊戌离金主军前，朝夕奔驰。从行之人，有裂肤堕指者。”

冬

本年冬，张矩臣（元方）将赴南京幕，于坐上作诗见贻，陈与义次韵答之，又作送别诗二首。

本年冬，又作诸诗。《增广笺注简斋诗集》卷五《次韵答张迪功坐上见贻，张将赴南都任，二首》，其一：“足钱便可不须侯，免对妻儿赋百忧。一笑相逢亦奇事，平生所得是清流。谈天安用如邹子？扫地还应学赵州（是日座上谈天说佛）。南北东西底非梦？心闲随处有真游。”其二：“千首能轻万户侯，诵君佳句解人忧。梦阑尘里功名晚，笑罢尊前岁月流。世事无穷悲客子，梅花欲动忆吾州。明朝又作河梁别，莫负平生马少游。”

同卷，《宋张迪功赴南京掾二首》，其一：“士固难推挽，君其自宠珍。诗成建安字，名到斗南人。晚岁还为客，微官只为身。向来书尽熟，去不愧张巡。”其二：“岸阔舟仍啸，林空风更多。能堪几寒暑，又作隔山河。看客休题凤，将书莫换鹅。功名大槐国，终要白鸥波。”

同卷，《梅花》：“高花玉质照穷腊，破雪数枝春已多。一时倾倒东风意，桃李争春奈晚何。”

《增广笺注简斋诗集》卷六《与周绍祖分茶》：“竹影满幽窗，欲除腰髀懒。何以同岁暮？共此晴云椀。摩挲蛰雷腹，自笑计常短。异时分忧虞，小杓勿辞满。”同卷，《题画兔》：“碎身鹰犬惭何忍，埋骨诗书事亦微。霜露深林可终岁，雌雄暖日莫忘机。”

本年

贺铸再度致仕。

李清照三十六岁。

周邦彦有词《蕙兰芳引》(寒莹晚空)、《水龙吟》(素肌应怯余寒)。

郑侠(1041—1119)卒。黄祖舜《西堂先生文集序》:“祖舜为儿童时,已闻邑有郑先生之贤,而未识也。既冠,与乡贡,始获谒公而谢之,亲承诱诲,因目前辈老成之风,实政和丙申岁也。其年如京师,又八年窃第东还,则公亡矣。已而从陈直讲国材游,乃闻公出处之详,且得公所为《大庆居士自叙》而读之,有曰‘幽暗阒寂,此正祇鬼着眼处,是以不自欺于方寸’,由是知公平居克己,不愧屋漏,其学一本于诚而已。抑尝验公之所学所行,于夫居乡党、处患难,无一不合于道者,盖有所本而然。初,公在金陵,以《咏雪》诗见赏,遂游其门,及言新法不便于民,始获谴怒,公终不肯诡随,持论益坚,其笃道有守如此。与王安国议论素合,公坐对事系狱,株连及之,独能慷慨发言,使友人不敢匿其亲而有隐,其信义服人如此。自为小官,极口论大利害,虽死不顾。两遭窜贬,颠跌艰厄,初无惨沮之容,卜筑岭外,若将终身焉。则其在困穷,不改其操矣。晚岁逢恩南还,徜徉里闬,意趣超然。至于疾病易箦,了无遗恨,尚能哦诗,有‘身如过鸟在云边’之句,则又不惑于死生之际矣。公之始末,概见于此,声名虽暴于一时,道业不显于当世,君子惜之。若乃发为辞章,虽数千万言,特公之余事耳。”《四库全书总目》卷一五四著录郑侠《西堂集》十卷。

汪应辰(1119—1176)生。《宋史》卷三八七《汪应辰传》:“汪应辰字圣锡,信州玉山人。幼凝重异常童,五岁知读书,属对应声语惊人,多识奇字。家贫无膏油,每拾薪苏以继晷。从人借书,一经目不忘。十岁能诗,游乡校,郡博士戏之曰:‘韩愈十三而能文,今子奚若?’应辰答曰:‘仲尼三千而论道,惟公其然。’未冠,首贡乡举,试礼部,居高选。时赵鼎为相,延之馆塾,奇之。绍兴五年,进士第一人,年甫十八。御策以吏道、民力、兵势为问,应辰答以为治之要,以至诚为本,在人主反求而已。上览其对,意其为老成之士,及唱第,乃年少子,引见者掖而前,上甚异之。鼎出班特谢。旧进士第一人赐以御诗,及是特书《中庸》篇以赐。初名洋,与姓字若有语病,特改赐应辰。……授镇东军签判。……舍人胡寅行词曰:‘属者延见多士,问以治道,尔年未及冠,而能推明帝王躬行之本,无曲学阿世之态。’应辰少受之于喻樗,及擢第,知张九成贤,问之于樗,往从之游,所学益进。初任,赵鼎为帅,幕府事悉谘焉。……召为秘书省正字。是秦桧力主和议,王伦使还,金人欲以河南地归我,应辰上疏。……疏奏,秦桧大不悦,出通判建州,遂请祠以归。……自是凡三主管崇道观,在隐约时,胸中浩然之气凛然不可屈。张九成谪邵州,交游皆绝,应辰时通问。及其丧父,言者犹攻之,而应辰不远千里往吊,人皆危之。通判袁州……丞相赵鼎死朱崖,扶丧过郡,应辰为文祭之曰:‘世公两登上宰,皆直艰危之时;一斥南荒,遂为生死之别。事已定于盖棺,恩特容于归骨。’吏付之火。其子借三兵以归,道出衢州。章杰为守,希桧意,指应辰为阿附,为死党,符移讯鞫,遍搜行橐,求祭文不可得。……通判静江府,逾期不得代,乃沿檄归省其母,继差通判广州。……江西运判张常先笺注前帅张宗元与(张)浚诗,言于朝,其词连带者数十家,将诬以不轨而尽去之。狱既具,桧死,应辰幸而免。明年,召为吏部郎官,迁右司。……出知婺州。……寻丁内艰去，庐于墓侧。服阕，除秘书少监，迁权吏部尚书。……权户部侍郎兼侍讲。……应辰连乞补外，遂知福州。未几，升敷文阁待制，举朱熹自代。在镇二年，会朝廷谋蜀帅，乃以敷文阁直学士为四川制置使、知成都府。……暨（吴）璘死，应辰遂摄宣抚之职，蜀道晏然。……冬，入觐，陛对，以畏天爱民为言。……除吏部尚书，寻兼翰林学士并侍读。论爱民六事，庙堂议不合，不悦者众。……应辰在朝多革弊事，中贵人皆侧目。德寿宫方甃石池，以水银浮金凫鱼于上，上过之，高宗指示曰：'水银正乏，此买之汪尚书家。'上怒曰：'汪应辰力言朕置房廊与民争利，乃自贩水银邪?'应辰知之，力求去……上怪之，平江米纲至，有折阅，事上，连贬秩。力疾请祠，自是卧家不起矣。以淳熙三年二月卒于家。应辰接物温逊，遇事特立不回。流落岭峤十有七年，桧死始还朝。刚方正直，敢言不避。少从吕居仁、胡安国游，张栻、吕祖谦深器许之，告以造道之方。尝释克己之私如用兵克敌，《易》惩忿窒欲，《书》刚制于酒，惩窒、刚制皆克胜义，可不常省察乎？其义理之精如此。"

公元1120年（宋宣和二年　辽天庆十年　金天辅四年　夏元德元年　庚子）

正月

宋朝罢道学，儒道始合一。《纲鉴易知录》卷七五："庚子，二年，春正月，罢道学。林灵素有罪，放归田里。灵素初与道士王允诚共为神怪之事，后忌其相轧，毒杀允诚，遂专用事。及都城水，帝遣灵素厌胜，方步虚城上，役夫争举梃将击之，走而免。帝始厌之。然恒恣愈不悛，道遇皇太子弗敛避，太子诉于帝。帝怒，以灵素为太虚大夫，斥还故里，命江端本通判温州察之。端本廉得其居处过制罪，诏徙置楚州，命下而灵素已死。"

陈与义三十一岁。春，尚为辟雍录。元夕，尝与表兄张规臣（元东）同游，后有诗追记其事。《增广笺注简斋诗集》卷六《次韵谢表兄张元东见寄》："平生张翰极风流，好事工文妙九州。灯里偶然同一笑，书来已似隔三秋（元夕获从游）。林泉入梦吾当隐，花鸟催诗岁不留。安得清谈一陶写，令人绝忆许文休。"

二月

赵良嗣使金。《纲鉴易知录》卷七五："二月，遣赵良嗣使金。（时童贯密受旨图燕，因建议遣右文殿修撰赵良嗣往金，仍以市马为名。其实约攻辽以取燕、云之地。"）

辽金和议之断绝。《续资治通鉴》卷九三："己丑，辽以金人所定'大圣'二字，与现世称号同，遣实埒讷往议。金主怒，谓群臣曰：'辽人屡败，遣使求成，惟饰虚辞以为绥兵之计。当议进兵。'乃令威州路统军司治军旅，修器械，具数以闻。将以四月进师令色克（旧作斜河，今改），留兵一千镇守栋摩（旧作阇母，今改），以余兵来会于浑河。和议遂绝。"

三月

辽复遣使入金国。《续资治通鉴》卷九三：“（乙卯），辽复遣实埒讷以国书如金。”

徽宗赐上舍生及第。《续资治通鉴》卷九三：“三月壬寅，赐上舍生二十一人及第。”

春，陈与义与张规臣（元东）、矩臣（元方）兄弟数相唱酬，作诗较多。《增广笺注简斋诗集》卷六《若拙弟说汝州可居，已约卜一丘，用韵寄元东》：“四岁冷官桑濮地，三年羸马帝王州。陶潜迷路已良远，张翰思归那待秋。病鹤欲飞还踯躅，孤云将去更迟留。盍簪共结鸡豚社，一笑相从万事休。”

同卷，《元方用韵见记，次韵奉谢，兼呈元东二首》：“大难词源三峡流，小难诗不数苏州。了无徐生齐气累，正值宁子商歌秋。鹄飞千里从此始，骥绝九衢谁得留？岁晚烦君起我病，两篇三叹不能休。”其二：“一欢玄发水东流，两脚黄尘阅几州。王湛时须看《周易》，虞卿未敢著《春秋》。不辞彭泽腰常折，却得邯郸梦少留。有句惊人虽可喜，无钱使鬼故宜休。”

同卷，《元方用韵寄若拙弟，邀同赋，元方将讬若拙觅颜渊之五十亩，故诗中见意》：“梦中与世极周流，错认三刀是得州。拟学耕田给公上，要为同社燕春秋。囊间已办青芒屦，桑下想闻黄栗留。倘有幽人谘出处，为言无况莫来休。”

同卷，《西郊春事渐入老境，元方欲出游，以无马未果。今日得诗，又有举鞭何日之叹，因次韵招之》：“毛颖陈玄虽胜流，也须从事到青州。重吟玉搂怀崔子（近诗怀元东，有‘临风瞻玉树’之句），欲唱金衣无杜秋。官柳正须工部出，园花犹为退之留。篮舆自可烦儿辈，一笑从来樾下休。”

同卷，《答元方述怀》：“不见圆机论九流，纷纷骑鹤上扬州。令之敢恨松桂冷，君叔但伤蒲柳秋。汝海蛇盃应已悟（近闻舍弟汝州常服药），襄陵驹隙竟难留（襄邑周簿抱病不起）。来牛去马无穷债，未盖棺前盍少休。”

综述以上各篇由此可知，当时，其弟与能（若拙）及二十叔援（惠彦）均在汝州。简斋与诗，欲奉母居汝。与能则报以“汝州可居”，遂“约卜一丘”。

是时，陈与义之生母张夫人已患病，不久即病逝于汝州。又，同卷，《寄若拙弟兼呈二十家叔》：“退之送穷穷不去，乐天待富富不来。政须青山映白发，顾着皂盖争黄埃。何如父子共一壑，庞家活计良不恶。阿奴况自不碌碌，白鸥之盟可同诺。三间瓦屋亦易求，着子东头我西头。中间共作老莱戏，世上乐复有此不？问梦膏肓应已疗，归来归来勿久留。竹林步兵非俗流，为道此意思同游。”

四月

江西广东两界发生暴乱。《续资治通鉴》卷九三：“夏四月丙子，诏江西广东两界，群盗啸聚，添置武臣提刑路分都监各一员。”

陈与义于春夏之间，继丁内艰，忧居汝州。陈与义尝作六言诗二首，姑系于此。《增广笺注简斋诗集》卷六《六言二首》：“莫赋涧松郁郁，但吟陂麦青青。为妇读《刘伶传》，教儿书《宁戚》经。”其二：“种竹可侔千户，拥书不假百城。何必思之烂熟，热官无用分明。”

五月

金国伐辽。《续资治通鉴》卷九三："赵良嗣等以四月甲申至苏州，守臣高国宝，迎劳甚恭。会金主已出师，以是月壬子会青牛山，议所向。翼日，良嗣等至。金主令良嗣，与辽使实埒讷，并从军。每行数十里，则鸣角吹笛，鞭马疾驰。比明，行六百五十里。至上京，命进攻，且谓良嗣等曰：'汝可观吾用兵，以卜去就。'遂临城督战。诸军鼓噪而进，自旦及巳。栋摩以麾下先登，克其外城。留守托卜嘉以城降。良嗣等奉觞为寿，皆称万岁。是日，赦上京官民，仍诏谕辽副都统耶律伊都。"

左企弓拜中书侍郎平章事。《续资治通鉴》卷九三："辽上京已破，枢密使恐忤旨，不以时奏。辽故事，军政皆关决于北枢密院，然后奏知。至是同平章事左企弓，为辽主言之。辽主曰：'兵事无乃非卿责邪！'企弓曰：'国势如此，岂敢循例，为自全计！'因陈守备之策。拜中书侍郎平章事。"

六月

癸酉，诏开封府赈济饥民。

蔡京父子争权宠，各立门户相倾轧。《纲鉴易知录》卷七五："夏六月，诏蔡京致仕。蔡京专政日久，公论益不与，帝亦厌薄之。子攸权势既与父相轧，浮薄者复间焉，由是父子各立门户，遂为仇敌。攸别居赐地，一日诣京，竟正与客语，使避之。攸甫入，遽起握父手，为诊视状，曰：'大人脉势舒缓，体中得无有不适乎?'京曰：'无之。'攸曰：'禁中方有公事。'即辞去。客窃窥见，以问京，京曰：'君固不解此邪?此儿欲以为吾疾而罢我耳。'阅数日，果以太师、鲁国公致仕，仍朝朔望。"

甲午，诏罢礼制局，并修书五十八所。

夏

陈与义为知州葛胜仲（字鲁卿）所知，因与陈恬、富直柔诸人相识，而交游日广。《增广笺注简斋诗集》卷七《闻葛工部写〈华严经〉成，随喜赋诗》："如来性海深复深，著书与世湔蓬心。画沙累土皆佛事，况乃一字能千金。老郎居尘念不起，法中龙象人师子。前身智永心了然，结习未空犹寄此。怪公聚笔如须弥，经成笔尽手不知。凌霄题就韦诞老，愿力所到公何疑。珠函绣帙芝兰室，护持金刚竦神物。枯葵应感不足论，毛颖陶泓俱见佛。"

弟陈与能有《碧线泉》、《腊梅》诗，陈与义次韵和之。同卷，《次韵家弟碧线泉》："七孔穿针可得过，冰蚕映日吐寒波。练飞空咏徐凝水，带断疑分汉帝河。川后不愁微步袜，鲛人暗动卷绡梭。才高下视玄虚赋，对此区区转患多。"

同卷，《同家弟赋腊梅诗得四绝句》，其一："朱朱与白白，著意待春开。那知洞房里，已傍额黄来。"其二："韵胜谁能拾，色庄那得亲。朝阳一映树，到骨不留尘。"其三："黄罗作广袂，绛纱作中单。人间谁敢著?留得护春寒。"其四："一花香十里，更值满枝开。承恩不在貌，谁敢斗香来?"

八月

金议攻辽及岁帑。《纲鉴易知录》卷七五：“秋八月，金人来议攻辽及岁帑，遣马政报之。赵良嗣谓金主曰：‘燕本汉地，欲夹攻辽，使金取中京大定府，宋取燕京析津府。’金主许之，遂议岁帑。金主因以手诏付良嗣，约金兵自平地松林趋古北口，宋兵自白沟夹攻，不然不能从。因遣勃堇及良嗣还，以致其言。帝使马政报聘，书云：‘大宋皇帝致书于大金皇帝：远承示书，致罚契丹，当如来约，已差童贯勒兵相应，彼此兵不得过关。岁帑之数，同于辽。’”

十月

太尉梁师成与隐相之称号。《纲鉴易知录》卷七五：“冬十月，加内侍梁师成太尉。时帝留意礼文符瑞之事，师成善逢迎，希恩宠，帝命处殿中，凡御书号令皆出其手，多择善书吏习仿帝书，杂诏旨以出，外庭莫能辨。师成实不能文，而高自标榜，自言苏轼出子。时天下禁诵苏文，其尺牍在人间者皆毁去。师成诉于帝曰：‘先臣何罪?’自是轼之文乃稍出。以翰墨为己任，四方俊秀名士必招致门下，往往遭点污。多置书画卷轴于外舍，邀宾客纵观，得其题识合意者则密加汲引，执政、侍从可阶而升。王黼以父事之，称为恩府先生，蔡京父子亦谄附焉，都人目为‘隐相’，所领职局至数十百，阶至开府仪同三司。布衣朱梦说上书论宦寺权太重，诏编管池州。”

赵明诚论贡茶之弊。赵明诚为金石考据学家，但是他对时弊亦时有讽喻。这表现在他对古器物所作的一些题识之中，可谓托古喻今。《金石录》卷二九《唐义兴县重修茶舍记》跋：“义兴贡茶非旧也。前此，故御史大夫李栖筠实典是邦，山僧有献佳茗者，会客尝之。野人陆羽以为，芬香甘辣冠于他境，可荐于上。栖筠从之，始进万两。此其滥觞也。厥后因之，征献浸广，遂为任土之贡，与常赋之邦侔矣。每岁选匠征夫至二千人云。予尝谓后世士大夫，区区以口腹玩好之献为爱君，此与宦官宫妾之见无异，而其贻患百姓，有不可胜言者。如贡茶，至末事也，而调发之扰犹如此，况其甚者乎！……书之，可为后来之戒。”

周邦彦作词《瑞鹤仙》（悄郊原带郭）。此后，移知顺昌府时，有词《大酺》（对宿夜收）、《浪淘沙慢》（晓阴重）。

十一月

方腊起兵。《纲鉴易知录》卷七五：“睦州人方腊作乱。睦州清溪民方腊，世居县揭村，讬左道以惑众。腊有漆园，造作局屡酷取之，腊怨而未敢发。时吴中困于朱勔花石之扰，比屋致怨，太学生邓肃进诗讽谏，帝不听，放肃归田里，勔益横。腊因民不忍，阴聚贫乏游手之徒，以诛勔为名，起作乱，自号圣功，建元永乐。置官吏将帅，以巾饰为别，自红巾而上凡六等。无弓矢介胄。惟以鬼神诡秘事相煽怵。焚室庐，掠金帛子女，诱胁良民为兵。人安于太平，不识金革，闻金鼓声即敛手听命，不旬日众至数万。”

是冬，陈与义与宋唐年（字景纯）、葛胜仲及弟陈与能数相唱和。《增广笺注简斋诗集》卷七《次韵光华宋唐年主簿见寄二首》，其一："茂林当日映群贤，也唤畸人到席间。弃我便惊车辙远，怀君端合鬓毛斑。梦中犹得攀珠树，别后能忘倒玉山？遥想诗成寄来日，笔端风雨发天悭。"其二："高人主簿固非宜，天马何妨略受鞿。会有梅花堪寄远，可因莼菜便怀归。相如未免家徒壁，季子行看嫂下机。且复哦诗置此事，江山相助莫相违。"

同卷，《再用景纯韵咏怀二首》，其一："路断赤墀青琐贤，士龙同此屋三间。愁边潘令鬓先白，梦里老莱衣更斑。欲学《大招》那有赋，试谋小隐可无山？一钱留得真堪笑，未到囊空犹是悭。"其二："木枕蒲团病更宜，从教恶少事鞍鞿。元无王老又何怨？不有麯生谁与归。六日取蟾乖世用，三年刻楮费天机。只应杖屦从公处，未觉平生与愿违。"

外集《余识景纯，家弟出其诗见示，喜其同臭味也，輒用大成黄字韵，赋八句赠之》："阿奴喜气照人黄，传得新诗细作行。可爱悬知似杨柳，忘忧复不待槟榔。魏收已获崔昂誉，摩诘仍推相国长。曷不少留东阁醉，剩收篇咏作归装。"

外集《次韵景纯道中寄大成》："闻道歌行伏李绅，古来贤守是诗人。久钦乐广怀披雾，一见周瑜胜饮醇。海内期公黄阁老，尊前容我白纶巾。佳篇咀嚼真堪饱，此日何由甑有尘。"大成，葛胜仲也。

外集《景纯再示佳什，殆无遗巧，勉成二章，一以报佳贶，一以自贻》，其一："睆睆休嫌笏与绅，如公本是九包人（来诗云：还山终戴鹿皮巾）。读书只用三冬足，学道从来一色醇。太尉谈辞仍玉麈，侍中风韵更纱巾。谁言上界多官府，亦许散仙追后尘。"其二："诸公衮衮坐垂绅，谁信北风欺得人。遮眼读书何用解，发颜要酒可须醇。十年白社空看镜，万里青天一岸巾。少待奇章到三日，试将冠盖拂埃尘。"

外集《次韵宋主簿》:"九折湾中万斛舟,怪公随处得心休。未应菊径关心急,聊为鱼槎尽意留。陆子旧踪馀马顶,羊公遗碣见龟头。遥知太白无多事,醉里诗成不待搜。"

葛胜仲尝惠酒，以诗谢之，是年冬月，葛胜仲生日，陈与义以大铜瓶为寿，有诗记之。外集《某窃慕东坡以铁拄杖为乐全生日之寿，今以大铜瓶上判府待制，庶几因物以露区区，且作诗二首将之，亦东坡故事》，其一："要学东坡寿乐全，此瓶端合供儒先。铁如意畔无忧畏，玉唾壶傍耐岁年。顶似董宣真是强，腹如边孝故应便。与公剩贮为霖水，不羡宫门承露仙。"其二："不与观音伴柳枝，要令奇相解公颐。会逢白氏编数日，犹梦陶家贮粟时。安用作盘供歃血，也胜为钵困催诗。千年秀结重重绿，长映先生鬓与眉。"

十二月

方腊攻陷数州。《纲鉴易知录》卷七五："十二月，方腊陷睦、歙、杭州，诏以童贯为江、浙、荆、淮宣抚使，发兵讨之。（帝得报，始大惊，乃罢北伐之议，而以童贯为宣抚使，谭稹为两浙制置使，率禁旅及秦、晋、番、汉兵十五万讨之）"

休宁知县麴嗣复，忠于职守身殉国。《续资治通鉴》卷九三："甲申，方腊陷休宁县，知县事麴嗣复，为贼所执，胁之使降，嗣复骂贼不绝口，曰：‘何不速杀我?’贼曰：‘我休宁人也。公邑宰有善政，前后官无及公者。我忍杀公乎?’委之而去。朝廷因命嗣复知睦州，进官二等。寻为贼所伤，自力渡江，将乞兵于宣抚司。未及行而卒。”

冬

宋诏封真腊王。《续资治通鉴》卷九三：“真腊遣人来朝，诏封其主为真腊国王。”

本年

夏改元元德。

李清照三十七岁。

洪遵（1120—1174）生。周必大《同知枢密院事赠太师洪文安公遵神道碑》：“枢密讳遵，字景严，世为饶州鄱阳人。……苦学忘昼夜，词章壮丽，自成一家。绍兴十二年春，以右承务郎监南京中岳庙。冠词科，赐进士出身。高宗念其父，特除秘书省正字，复科径入馆，自公始。阁下多前辈，皆以畏友待公。明年春，文惠公继来，缙绅荣之。秦熺为秘郎少监，势焰赫赫，公守道安恬，留滞不迁。九月，忠宣去国，公求通判守常州。……移倅婺州。……升佐绍兴府，未上。十五年夏，再入为正字，摄行外制。十一月，汤枢密执法殿中，荐为御史。方赐对，而忠宣公薨。服阕，召还，……擢公起居舍人，迁郎，兼权秘书都承旨，二十八年也。明年正月，除中书舍人，赐服金紫。三十年正月，兼权礼部侍郎，迁吏部。……兼权吏部尚书。……以上是有大用意，入翰林为学士，典铨如故。……公连请去，三省拟除敷文阁直学士，上令进徽猷阁，提举江州太平兴国宫。阅三月，平江阙守，上亲用公。……三十二年夏，上将内禅，趣召公曰：‘询来期。’遂还翰苑，凡传位及登极赦，上太上尊号，追册安穆皇后并封三王制诏，皆公视草。六月，进学士承旨，兼侍读。隆兴元年知礼部贡举。……闽士揖其友，逻者指为传义，欲掖出之，公命卒业。一士赋擅场，又有对策剀切，皆傍犯名讳，公为取旨，须降等奏名。前二人林光朝、楼钥也。陈自修词科拟制，一语聱牙，被黜，公荐其才学，特与教官。其爱惜士类如此。五月，同知枢密院事。……（周）操为侍御史，将以和战不决弹公，疏未入，语漏，上徙操权吏部侍郎。公不自安，求去，上却其章，请益力，以端明殿学士再提举兴国宫。……乾道六年，起知信州。……徙公知太平州。前政郎周御史闻公来，不俟合符驰去，追饯十里。……就除知建康府，兼本道安抚司行宫留守。上谕当制舍人范成大载公治绩，且许入觐。……进资政殿学士宠其行。……属部饥，公疲精救荒，食少事多，庸医劝服矾石，鼻衄不止。暮夜江船火，近大军仓，公驰救，疾益侵，祠章三上。淳熙元年春，乃许提举临安府洞霄宫。十一月甲午，薨于里第，享年五十有五。……翰林状公遗事上太常，谥曰文安。”魏了翁《三洪制稿序》：“文惠公内外制凡十四卷、文安公二十卷，文敏公二十八卷。”

公元1121年（宋宣和三年　辽保大元年　金天辅五年　夏元德二年　辛丑）

正月

方腊又陷数州。《纲鉴易知录》卷七五：“方腊陷婺州，又陷衢州。衢州守彭汝方被执，骂贼而死，贼屠其城。”

周邦彦有词《倒犯》(霁景)、《西平乐》(稚柳苏晴)。

二月

宋江起义失败。《纲鉴易知录》卷七五：“淮南盗宋江掠京东诸郡，知海州张叔夜击降之。宋江起为盗，以三十六人横行河朔，转掠十郡，官军莫敢婴其锋。知亳州侯蒙上书，言‘江必有过人者，不若赦之，使讨方腊以自赎’。未赴而卒。又命张叔夜知海州，江至海州，叔夜使间者觇其所向，江径趋海滨，劫巨舟十余，载卤获。叔夜募死士得千人，设伏近城，而出轻兵距海诱之战，先匿壮卒海旁，伺兵合，举火焚其舟。贼闻之皆无斗志，伏兵乘之，擒其副贼，江乃降。”

三月

何涣等六百三十人中进士。《续资治通鉴》卷九四：“三月庚申，赐礼部奏名进士及第出身何涣等六百三十人。”本榜中，刘一止进士及第。

方腊遭受挫折。《续资治通鉴》卷九四：“是月，方腊再犯杭州。步军都虞候王禀等，战于城外，斩首五百级。官军与贼战于桐庐，败之，遂复睦州。”

金国欲伐辽国。《续资治通鉴》卷九四：“金人闻耶律伊都之降。夏四月乙丑朔，宗翰言于金主曰：‘辽主失德，中外立新。我朝兴师，大业既定。而根本弗除，后必为患。今乘其衅，可袭取之。天时人事，不可失也。’金主然之，命诸路戒备军事。”

贵妃刘氏薨。《续资治通鉴》卷九四：“丙寅，贵妃刘氏薨。妃本酒家保女，父宗元，以女贵为兴宁节度使。初入宫，颇被顾遇，后以事囚于患者何䜣家。杨戬奏取归，复得入宫。由才人累迁至贵妃。性颖悟，能迎旨意，又善装饰衣冠，涂饰一新，世争效之。林灵素谓帝为长生帝君，妃为九华玉真安妃。每神霄降，必别置安妃位，图画肖妃像。妃始囚何䜣家，䜣不礼焉。及得志，遂陷䜣以罪。至是薨，年三十三。”

春

李清照三十八岁。是春，有《蝶恋花》词抒写离情，词云：“暖雨和风初破冻。柳眼眉梢，已觉春心动。酒意诗情谁与共？泪融残粉花钿重。　乍试夹衫金缕缝。山枕斜欹，枕损钗头凤。独抱浓愁无好梦，夜阑犹剪灯花弄。”卓人月《古今词统》卷九徐世俊评：“此媛手不愁无香韵。近言远，小言至。”

陈与义三十二岁。春，徙宅。新居在杨景所居之北，有《谢杨工曹》诗。葛胜仲有诗见赠，陈与义有和诗。《增广笺注简斋诗集》卷七《谢杨工曹》：“借屋三间稍离尘，携书一束谩娱身。客居最负青春好，世事空随白发新。造化小儿真薄相，市朝大隐亦长贫。独无芋栗供宾客，虚辱先生赋北邻（与义新居在工曹所居之北）。”

四月

方腊被擒获。《纲鉴易知录》卷七五：“夏四月，童贯合兵击方腊，破之，执腊以归。二月，童贯、谭稹前锋水陆并进，腊乃宵遁，还清溪帮源洞。诸将刘延庆、辛兴宗、王渊等相继至，尽复所陷城。四月，贯等合兵击腊于帮源洞。腊众尚二十万，与官军力战而败，深据岩屋为三窟，诸将莫知所入。王渊裨将韩世中潜行溪谷，问野妇得径，即挺身仗戈直前，捣其穴，格杀数十人，擒腊以出。辛兴宗领兵截洞口，掠为己功，并取腊妻子及伪相方肥等五十二人，杀贼七万余人，其党皆溃。腊凡破六州五十二县，戕平民二百万，所掠妇女，自贼洞逃出，裸而缢于林中者相望百余里。”

二十五日、二十六日，着迷归纳成等游览仰天山。二十五日同游者有：卢彦承（字格之）、赵守诚（字仁甫）、赵克诚（字能甫、能父，当为明诚从兄弟）、谢克明（字叔子）。二十六日同游者有：卢格之、赵仁甫、赵能甫、谢叔子。之后，赵明诚起知莱州，具体月份史无明文。

五月

陈过庭直言。《纲鉴易知录》卷七五：“安置御史中丞陈过庭于黄州。过庭以睦寇窃发（谓方腊），尝上言：‘致寇者蔡京，养寇者王黼，窜二人则寇自平。’又言：‘朱勔父子本刑余小人，交接权近，窃取名器，罪恶盈积，宜正典刑，以谢天下。’三人撼之，至是陷以罪，责黄州安置。”

闰五月

宋徽宗诏复应奉局。《续资治通鉴》卷九四：“王黼言于帝曰：‘方腊之起，由茶盐法也。而童贯入奸言，归过陛下。’帝怒。甲戌，诏复应奉局，命黼及梁师成领之，而朱勔亦复得志矣。初，贯宣抚两浙，领董耘权作手诏，罢花石，以安人情。帝见其词，大不悦。及复应奉，贯又对帝叹曰：‘东南人家，饭锅子未稳在，复作此耶？’帝益怒，董耘由是得罪。”

六月

是月，黄河决口于恩州清河埽。

夏

是夏，十七叔陈振（字敏彦）去郑有诗，陈与义作诗三章寄之，其一以自咏。《增广笺注简斋诗集》卷七《谨次十七叔去郑诗韵，二章以寄家叔，一章以自咏》：“乡里小儿真可怜，市朝大隐正陶然。固应聊诵屈原橘，底事便歌杨恽田。广陌遥知驹款段，

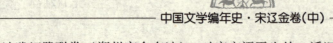

曲池犹记鹭联拳（郑州官舍有池）。对床夜语平生约，话旧应惊岁月迁（家叔书来，喜与家伯大人相会）。”其二：“蚍蜉堪笑亦堪怜，撼树无功更怫然。赋就柳州聊解祟，诗成彭泽要归田。身谋共悔蛇安足，理遣须看佛举拳。怀祖定知当晚合，次君未可怨稀迁。”其三：“镜中无复故人怜，却愧谋生后计然。叔夜本非堪作吏，元龙今悔不求田。怀亲更值薪如桂，作客重看栗过拳。万事巧违高枕卧，忧来一夕费三迁。”

九日连续下雨，有书怀诗四首，《增广笺注简斋诗集》卷七《连雨书事四首》：“九月逢连雨，潇潇隐送秋。龙公无乃倦，客子不胜愁。云气昏城壁，钟声咽寺楼。年年授衣时，牢落向他州。”其二：“风伯方安卧，云师亦少饕。气连河汉润，声到竹松高。老雁犹贪去，寒蝉遂不号。相悲更相识，满眼楚人骚。”其三：“寒人薪刍价，连天两眼愁。生涯赤藤杖，契分黑貂裘。乌鹊无言暮，蓬蒿满意秋。同时不同味，世事剧悠悠。”其四：“白菊生新紫，黄芜失旧青，俱含岁晚恨，并入夜深听。梦寐连萧瑟，更筹乱晦冥。云移过吴越，应为洗馀腥。”纪昀评第四首：“起四句沉着，结亦切实，亦阔远。”

陈恬（字叔易）与崔鶠齐名，于陈与义为前辈。陈与义因葛胜仲而认识陈恬。陈恬赋王秀才所藏梁织佛图诗，邀同赋，次韵和之。《增广笺注简斋诗集》卷八《陈叔易赋王秀才所藏梁织佛图诗，邀同赋，因次其韵》：“维摩之室本自空，忽惊满月临丹宫。稽首世尊真实相，不比图画填青红。天女之孙擅天巧，经纬星宿超庸庸。沦精如此三昧手，一念直到祇园中。意匠经营与佛会，七宝欲动声珑珑。眉间毫光放未尽，指下已带旃檀风。飞梭本是龙变化，挟大威德行神通。恍若祇洹与佛影，岂彼台像能比崇。共惟此事不思议，细看众巧无遗踪。日浮鸡园赤烂烂，天入鹫岭青丛丛。那知金臂是正倒，但觉已挫千魔锋。龙天四众俨然侍，喜满尺宅俱成功。向来八风几卷地，众宝行树无摧舂。老萧区区佛所闵，岂与十二蛲蚘同。重云之殿珠作帐，一朝入海奔雷公。幸留此像不为少，福聚万纪兼千总。馀休八叶终灰烬，坚固却赖三眠虫。似闻法猛藕丝像，当时已不随烟东。煌煌二宝照南北，各摄万鬼专其雄。龙华已耀东坡墨，惊梦不假撞洪钟。惟有兹图晦几岁，留待公句贻无穷。画沙垒土皆见佛，而况笔墨如此工。亦念众生业障厚，要与机杼聊分攻。从今俱尽未来世，买丝不绣平原容。”

赵虚中乃陈与义之朋友。赵虚中有石名“小华山”，陈与义以诗借之，《增广笺注简斋诗集》卷八《赵虚中有石名小华山，以诗借之》：“君家藏石三峰样，磅礴乾坤气象衡。贱子与山曾半面，小窗入梦慰平生。炉烟巧作公超雾，书册尚避秦皇城。病眼朝来欲开懒，借君岩岫障新晴。”

七月

黑眚见于禁中，黑汉见于洛阳。《纲鉴易知录》卷七五：“秋七月，黑眚见于禁中。元丰末，尝有物大如席，夜见寝殿上，而神宗崩。元符末，又见，哲宗崩。至大观间，渐昼见。政和以来大作，每出如列屋摧倒之声，其形仅丈余，仿佛如龟，黑气蒙之，不大了了，气之所及，腥血四洒。又或变人形，或为驴，昼夜出无时，多在掖庭及内殿，习以为常，人亦不大怖。又洛阳府畿内忽有物如人，或如犬，其色正黑，不辨眉目。始夜则掠小儿食之，后虽白昼入人家为患，所至喧然不安，谓之‘黑汉’。有力者夜执鎗自卫，亦有托以作过者，二年乃息。”

女道录、女副道录。《续资治通鉴》卷九四：“庚午，令三京置女道录、副道录，各一员。节镇置道正、副，各一员。余州置道正一员。从蔡攸奏请也。”

宋朝罢夔峡所置溪峒诸州。《续资治通鉴》卷九四：“初，夔峡广南边臣，开纳土之议，建立军州，上蠹国用，下殚民财。至是言者以为病。丁亥，诏废纯、兹、祥、亨、淇、溱、承、播、思、隆、充、孚十二州，及熙宁、遵义二军，或为县，或为堡寨。”

秋，李清照赴莱州，途经昌乐，有《蝶恋花》词寄姊妹。《蝶恋花·昌乐馆寄姊妹》：“泪揾征衣脂粉暖。四叠《阳关》，唱了千千遍。人道山长水又断，潇潇微雨闻孤馆。　　惜别伤离方寸乱。忘了临行，酒琖深和浅。若有音书凭过雁，东莱不似蓬莱远。”沈辰垣等选编《御选历代诗余》卷四十录有本篇，此词亦见于多种选本。

八月

李清照于初十日到达莱州，有诗记之。田艺蘅《诗女史》卷十一《感怀》，题下小序云：“宣和辛丑八月十日到莱，独坐一室，平生所见，皆不在目前。几上有《礼韵》，因信手开之，约以所开为韵作诗，偶得‘子’字，因以为韵作《感怀》诗。”诗云：“寒窗败几无书史，公路可怜合至此。青州从事孔方君，终日纷纷喜生事。作诗谢绝聊闭门，燕寝凝香有佳思。静中我乃得至交，乌有先生子虚子。”

十月

童贯复领陕西两河宣抚。

徽宗授道士《元一六阳神仙秘录》、《保仙秘箓》。《续资治通鉴》卷九四：“丙辰，御神霄宫，亲授王黼等《元一六阳神霄秘箓》及《保仙秘箓》。”

十一月

《道史》甫修成，又命修《道典》。《续资治通鉴》卷九四：“甲子，御笔提举道录院见修《道史》。表不虚设，纪断自天地始分。以三清为首，三皇而下，帝王之得道者，以世次先后，列于纪志，为十二篇。传分十类。又诏：自汉至五代为《道史》，本朝为《道典》。”

连缀俚言为词曲，善事中人登政府。《续资治通鉴》卷九四：“丁丑，中书侍郎冯熙载罢知亳州，以张邦昌为中书侍郎，王安中为尚书左丞，翰林学士李邦彦为尚书右丞。邦彦本银工子，俊爽美风姿，生长闾阎，习猥鄙事，应对便捷，善讴谑，能蹴鞠。每缀街市俚言为词曲，人争传之，自号‘李浪子’。以善事中人，争荐誉之，遂登政府。”

张商英（1043—1122）卒。《续资治通鉴》卷九三：“壬午，观文殿大学士提举崇福宫张商英卒，赠少保。陈瓘语人曰：‘商英非粹德，且复才疏，然时人归向之，今其云亡，人望绝矣。近观天时人事，必有变革。正恐虽有盛德者，未必孚上下之听，殆难济也。’”又，晁公武《郡斋读书志》卷一九：“皇朝张商英字天觉，登第，调官峡路。章惇察访巴蜀，风采倾动西南峡中。部使者忧之，日夕谋所以待之之礼曲尽，因求辩博之士以备燕谈。或以天觉姓名告，因檄召至夔州。惇既至，杯酒间，果以人才为问。部使者即言之，惇令召入。天觉不冠服峨巾，长揖径就坐左。惇负气敢大言，天觉辄吐言压之。惇大喜，归而荐于朝，由是召用。元祐中，为开封府推官，出使河东。绍圣初，擢御史。大观四年，长星见，蔡京罢相，乃拜右仆射。尽反京之政，召用元祐迁客，天下翕然归重，期年去位。靖康初，遂与司马温公、范文正公同日降制加赠官爵。赐谥文忠。”张商英自号无尽居士，有文集百卷。

陈与义有寿葛胜仲七言古诗一首。外集《承知府待制诞生之辰，辄广善思菩萨故事，成古诗一首，仰惟经世之外，深入佛海，而某欲讬辞，以寄款款，适获此事，发悟于心，似非偶然者，独恨荒陋，不足以侈此殊庆耳》：“岁星欲吐芒不开，昴星避次光低徊。麒麟鸑鷟纷夹侍，善思菩萨当重来。仙公风流今几岁，再讬高门瑞当世。买香趁浴惊众耸，要识此僧今我是。金粟后身何足言，释迦亲送非虚传。稽首西来大菩萨，住世小劫须千年。宰官说法聊应会，馀事文章亦三昧。世间底物堪寿公？本自金刚无可坏。”

又作诗。《增广笺注简斋诗集》卷八《次韵乐文卿北园》：“故园归计堕虚空，啼鸟惊心处处同。四壁一身长客梦，百忧双鬓更春风。梅花不是人间白，日色争如酒面红。且复高吟置馀事，此生能费几诗筒。”《瀛奎律髓》卷十三：“此诗似新春冬末之作。”纪昀云：“绝有笔力。三、四江西派，然新而不野。”又云：“纯是新春之作，不宜入之冬日。”

十二月

金国攻打辽国。《续资治通鉴》卷九四：“金宗翰复请伐辽。诸军久驻，人思自奋，马亦强健，宜乘此时进南朝取中京。辛丑，金主命杲为内外诸军都统，以昱、宗翰、宗幹、宗望、宗磐等副之。悉师渡辽而西，用伊都为前锋，取辽中京。甲辰，诏曰：‘辽政不纲，人神共弃，今命汝率大军以行讨伐。尔其择用善谋，赏罚必行，粮饷必继，勿扰降服，勿纵俘掠，见可而进，无淹师期，事有从权，无须申禀。’戊申，又诏曰：‘若克中京，所得礼乐、仪仗、图书、文籍，并先次津发赴阙。’”

壬子，宋进封广平郡王赵构为康王。

本年

宋诸路蝗灾。

周邦彦（1056—1121）卒。楼钥《清真先生文集序》：“钱塘周公少负庠校俊声，未及三十作《汴都赋》，凡七千言，富哉壮哉！极铺张扬厉之工，期月而成，无十稔之老；指陈事实，无夸诩之过。赋奏，天子嗟异之，命近臣读于迩英阁，由诸生擢为学官，声名一日震耀海内，而皇朝太平之盛观备矣。未几，神宗上宾，公亦低徊不自表禩，哲宗始置之文馆，徽宗又列秩郎曹，皆以受知先帝之故。一赋而得三朝之眷，儒生之荣莫加焉。公之殁距今八十余载，世之能诵公赋者寡，而乐府之词盛行于世，莫知公为何等人也。……其学道退然，委顺知命，人望之如木鸡，自以为喜，此又以世所未知者。乐府传播，风流自命，又性好音律，如古之妙解，顾曲名堂，不能自已。人必以为豪放飘逸，高视古人，非攻苦力学以寸进者。及详味其辞，经史百家之言盘曲於笔下，若自己出，亦何用功之深而致力之精矣。故见所上献赋之书，然后知一赋之机杼；见《续秋兴赋后序》，然后知平生之所安。《盘镜》、《乌几》之铭，可与郑圃、漆园相周旋，而《铸神》之文，则《送穷》、《乞巧》之流亚也。骤以此语人，未必遽信，惟能细读之者始知斯言之不为溢美矣。"

唐庚（1071—1121）**卒**。郑总《唐眉山先生文集序》："眉山唐先生名庚，字子西。政和中，谪宦岭南，予邂逅识之，往来相好也。其文实与道俱，观其文，则其为人不论可知。属意遣词，必存药石之道，或以箴世，或以自明，体高而妙，词严以精。或者以为殆近短涩，非也。以予观之，正如万顷之澜，浩然东下，崩腾曲折，尽水之变，终而覆之，才数百言尔。此其所以为奇。天人谈于於悬珠，四老弈棋于一局，可谓小乎！其胸中如此，使摅之世则善。然自谪而衰，连蹇以至于死，有志之士所为哀之。韩退之谓柳子厚斥不久，穷不极，其文学词章必不能自力以传于后。使子厚所得愿，为将相于一时，以此易彼，孰得孰失？必有能辩之者。……太学之士得其文，甲乙相传，爱而录之。爱之多而不胜录也，鬻书之家遂丐其本而刻焉。士方留意于时学，万音同律，始得为醇，他文若不适用，不足爱。乃今不然。嗟夫，文章果天下公器，子西诚豪杰之士，太学诚贤士之关哉！子西与予俱喜词章，山川远阻则寄语酬唱，樽酒会面则论文入微，又同好出世间法。予谓子西：'金屑虽贵，著眼成疾。文章习气，盍痛扫除？雕琢肝肾，徒劳人耳。'子西戏答曰：'吾宁尽此生笔砚间，寂然之乐，俟来世尚未晚也。'坐客嗑然而笑。呜呼！行成于思，业精于勤，用志不分，乃凝于神。子西文章，博雅超诣，执神之机为是故也。学者有意於传，则以先生为法。宣和四年五月一日序。"

张嵲上舍登科。程俱赐上舍出身。

公元 1122 年（宋宣和四年　辽保大二年　金天辅六年　夏元德三年　壬寅）

正月

春正月丁卯，以蔡攸为少保，梁师成为开府仪同三司。

金攻陷辽中京。《纲鉴易知录》卷七五："金克辽中京，辽耶律延禧杀其子晋王敖庐斡走云中。（金克中京，耶律撒八等谋立敖庐斡，事觉，辽主遣人缢杀之。敖庐斡素有人望，由是人心解体。耶律余覩引金兵逼辽主行宫，辽主率卫队五千余骑走云中。云中即云州，治云中县，今山西大同市。）"

陈与义本年三十三岁。居忧汝州，有诗。《增广笺注简斋诗集》卷八《汝州吴学士观我斋分韵得真字》："狂复转轩面，自许稷契身。静者了山林，谓是羲皇仁。不如两忘怏，内保一色醇。伟在道山杰，滞此汝水滨。大来会阔步，小憩得幽欣。一斋有琴酒，万事无缁磷。不作子公书，肯受元规尘。人言君侯痴，我知丈人真。月明泉声细，雨过竹色新。是间有真我，宴坐方申申。”

《增广笺注简斋诗集》卷九《同叔易于观我斋分韵得自字》：“小草浪出山，大隐乃居市。功名一画饼，甚矣痴儿计。倾身犯火宅，顾自以为戏。汗颜逢冰子，更复问奚自。三肃斋中人，本是青云器。虽然山上山，政尔吏非吏。肃肃床前灯，见引著胜地。世间剧寒暑，了不受锵悴。门前剥啄客，欲问观我意。但持邯郸枕，赠客一觉睡。”同卷，《观我斋再分韵得下字》：“一慵缚两角，闭户了晨夜。梦攀城西树，起造君子舍。自然出堂堂，见客披衣谢。平生功名手，嗜静如食蔗。小宅剧冰壶，中明外无罅。要知日用事，趺坐看鸟下。主人心了了，竹石亦闲暇。儿童惯看客，我车当日驾。平分斋中闲，风月不待借。还须酒屡费，不用牛心炙。”

是春旱，葛胜仲祷雨天宁寺，有应，陈与义为赋绝句二首。外集《某以雨有嘉应，遂占有秋，辄采用家弟韵赋二绝句，少赀勤恤之诚也》，其一：“云气初看龙起湫，雨声旋听熟惊秋。已教农夫歌田守，更遣虞人信魏侯（某比蒙宿戒游富家池，明日微雨犹不废出，故有是句）。”其二：“纪德刊碑不厌丰，龙眠深洞一言通。坐看绿浪摇千里，拔薤栽榆未当功。”

又有他诗与葛胜仲唱酬。外集《昨日侍巾钵，饭于天宁，蒙佳什，谨次韵》：“朱门未知禅脱义，富不期奢奢自至。二韮虽寒故是公，万羊贾祸徒封卫。我公居尘不染尘，便随一钵遗甘辛。出家虽非将相事，食菜要是英雄人。臞儒一生用心苦，何曾梦见鸡映黍。中丞惜福幸见分，晚食从公当羔豜。”

外集又有《再蒙示佳什，不敢虚辱厚赐，谨再用韵》：“先生明经今蔡义，念佛仍师大势至。食菜不待周颙书，咬断贪杀兼自卫。颜回平生拾堕尘，蓼虫食蓼忘其辛。先生种福我无祸，成佛定是同功人。两诗见戒言甚苦，恳赋黄鸡啄秋粟。从今但见懒残芋，不敢求尝鉴虚豜。”

是春，又作诗。《增广笺注简斋诗集》卷八《送秘典座胜侍者乞麦》：“一春不雨但多风，家家买龟问丰凶。天宁疏头与天通，泚笔未了云埋空。一雨三日勤老龙，陇头满眼十分丰。法中福将两英雄，自诡去立丘山功。堂头老师言语工，一诗自值三千钟。不忧乞米送卢仝，末章谨以藏胸中。”

同卷，《食虀》：“君不见领军家有鞋一屋，相国藏椒八百斛。士患饥寒求免患，痴儿已足忧不足。伯龙平生受鬼笑，无钱可使宜见渎。但当与作谪仙诗，聊复使渠终夜哭。诗中有味甜如蜜，佳处一哦三鼓腹。空肠时作不平鸣，却恨忍饥犹未熟。冰壶先生当立传，木奴鱼婢何足录。颜生狡狯还可怜，晚食由来未忘肉。”

是春，又有诸诗。《增广笺注简斋诗集》卷八《古离别》：“东门柳，年年岁岁征人手。千人万人于此别，柳亦能堪几人折。愿君遄归与君期，要及此柳未衰时。”

同卷，《腊梅四绝句》，其一：“花房小如许，铜切黄金涂。中有万斛香，与君细细输。”其二：“从来底处所？黄露满衣湿。缘憨翻得怜，亭亭倚风立。”其三：“奕奕金仙面，排行立晓晴。殷勤夜来雪，少住作珠璎。”其四：“亭亭金步摇，朝日明汉宫。当时好光景，一似此园中。”

同卷，《次韵富季申主簿梅花》："东风知君将出游，玉人迥立林之幽。欹墙数苞乃尔瘦，中有万斛江南愁。军哦新诗我听莹，句里无尘春色静。人人索笑那得禁，独为君诗起君病。欲语未语令人嗟，桃李回看眼中沙。同心不见昭仪种，五出时惊公主花。典衣重作明朝约，聊复宽君念归洛。笛催疎影日更疎，快饮莫教春寂寞。"

钱元明（字东之）教授惠泽州吕道人砚，陈与义为赋长句。《增广笺注简斋诗集》卷八《钱东之教授惠泽州吕道人砚为赋长句》："君不见铜雀台边多事土，走上觚稜荫歌舞。馀香分尽垢不除，却寄书林汙缣楮。岂如此瓦凝青膏，冷面不识奸雄曹。吕公已去泫馀泣，通谱未许弘农陶。暮年得君真耐久，摩挲玉质云生手。未知南越石虚中，亦有文章似君否。西家扑满本弟昆，趣尚清浊何年分。一朝堕地真瓦砾，莫望韩公无瘗文。"

天宁寺僧觉心数相酬赠，陈与义有诗、赋。《增广笺注简斋诗集》卷八《以石龟子施觉心长老》："老龟千年作一息，天地并入支床力。何年生此石肠儿，非皮裹骨骨裹皮。君家元绪不慎口，遂与老桑同一朽。知君游世磨不磷，往作道人之石友。道人莫欺此龟无六眸，试与话禅当点头。"

卷九《次韵天宁长老见贻》："庭柏不受寒，依然照人绿。雾收晨光发，可玩不可掬。道人方出定，不复辨羊鹿。微云度遥天，一笑立于独。嗟予晚闻道，学看《传灯录》。三生蠹书鱼，万卷今可束。毂虽已破碎，犹欲大其辐。是身堪底用，况乃五斗粟。自从识师面，日月几转毂。受师炉中烟，无处著荣辱。周妻与何肉，恨我未免俗。从今谢百世，请作龟头缩。却笑长沙傅，区区问淹速。聊将非舌言，往和无谱曲。"

外集《心老久许为作画，未果，以诗督之》："布衲王摩诘，禅馀寄笔端。试将能事迫，肯作画工难。秋入无声句，山连欲雨寒。平生梦想处，奉乞小巑岏。"

此外，陈与义与觉心之交往，亦有赋为证。《增广笺注简斋诗集》卷一《觉心画山水赋》："天宁堂中，黄面老禅，四海无人，碧眼视天。有一居士，山泽之仙，结三生之习气，口不停乎说山，聊寄答於一笑，夜乃梦乎其间。重岩复岭，蔽亏吐吞，纷应接其未了，万云忽其归屯，乱晦明於俄顷，存十二之峰峦。有木偃蹇，樵斤所难，饱千霜与百霆兮，根不动而意安。澹山椒之寒日，送万古以无言。彼飞鸟其何知，方相急而破烟。须臾变没，所见惟壁。有木上座，梦中侍侧。问上座以何见，口不能语啧啧。岂彼口之真无，悟前境之非实。管城子在傍，代对以臆，忽风雨之骤过，恍向来之所历。此其画耶？则草木禽兽皆似相识。抑犹梦耶？则已见囿于笔墨之迹矣。居士再至，问以此故。复寄答於一笑，持画疾去。"

二月

金攻陷辽北安州。《续资治通鉴》卷九四："金宗翰率偏师趋北安州。辽奚王萧锡默（旧作霞末，亦作遐买，今改）先使人绐降，已而出师围之，金兵去马殊死战，败锡默兵，追杀至暮，遂取北安州。"

陈瓘（1150？—1222）卒。《纲鉴易知录》卷七五："二月，管勾太平观陈瓘卒。或问游酢以当今可以济世者，酢曰：'四海人才，不能周知，以所识之，陈了翁其人也

(陈瓘字了翁)。'刘安世尝因瓘病，使人勉以医药自辅，曰：'天下将有赖于公，当力加保养，以待时用。'至是，卒于楚州。" [思齐按：陈瓘卒年，一作宣和六年(1124)。以上根据《纲鉴易知录》卷七五宣和四年。]

三月

金大军西进，辽天祚西走。《续资治通鉴》卷九四："金宗翰驻兵北安。遣希尹略近地，获辽护卫实纳埒，始知辽主杀其子晋王，众心益离，西北西南两路兵马，皆羸弱不可用，使人报杲曰：'辽主穷迫于山西，犹事畋猎，不恤危亡，自杀其子，臣民失望。攻取之策，幸速见谕。'杲使还报曰：'顷奉诏旨，不令便趋山西，当审详徐议。'宗翰知杲无意进取，即决策进兵，复报杲曰：'初受命虽未令便取山西，亦许便宜从事。辽人可取，其势已见。一失机会，后难图矣。今已进兵，当以大军会于何地？幸以见报。'宗幹谓杲曰：'再使来请，必非轻举，且彼发兵，不可中止。'再三言之，杲乃许会师。杲出青岭，宗翰出瓢岭，期会于羊城泺。宗望、宗弼率百骑先进。辽主闻金师将出岭西，遂趋白水泺。宗翰、宗幹以精兵六千袭之。希尹为前驱，一日三败辽师。辽主至漠北，闻金兵将近，计不知所出，萧奉先请趋夹山，辽主遂弃辎重，乘轻骑入夹山。既至，始悟奉先之不忠，怒曰：'汝父子误我至此，今欲诛汝，何益于事？恐军心忿怒，尔曹避敌苟安，祸必及我，其勿从行。'奉先下马哭拜而去。行未数里，左右执其父子，缚送于金。金人斩其长子昂，以奉先及其次子昱，械送金主。道遇辽军，夺以归国，并赐死。元妃萧氏，德勒岱（旧作德里底，今改）之姑也，谓德勒岱曰：'尔任国事，致君如此，何以生为？'德勒岱但谢罪而已，明日，辽主遂逐之，召托卜嘉（旧作挞不也，今改）典禁卫。……初，辽主走云中，留南府宰相张琳、参知政事李处温，与秦晋国王淳守燕京。处温闻辽主入夹山，命令不通，即与族弟处能，及子奭，外假怨军，内结都统萧幹，谋立淳。处温邀张琳白其事，琳曰：'摄政则可，即真则不可。'处温曰：'今日之事，天意人心已定。岂可易也。'琳不敢执，遂与诸大臣耶律达实（旧作大石，今改）、左企弓、虞仲文、曹易勇、康公弼，集番汉百官诸军，及父老数万人，诣淳府，引唐灵武故事劝进。淳不许，李奭持赭袍被之，令百官拜舞山呼。淳惊骇，再三辞不获，从之。群臣上尊号曰天锡皇帝，改元建福，以妻萧氏为德妃。妃，普贤女也。加处温守太尉，琳守太师，余与谋者授官有差。改怨军为常胜军。军旅之事悉委达实。遥降天祚为湘阴王，遂据有燕、云、平及上京、辽西之地。天祚所有，沙漠以北、西南、西北两都招讨府诸番部族而已。淳将降赦，燕京父老俱言：内库都点检刘彦良，以奸佞得幸于天祚，专导引为失德之事，其妻倡也，出入禁中。夫妇并为国害。乃枭彦良夫妇于市，然后大赦。达实，太祖八世孙，通辽、汉字，善骑射，登进士第，累擢翰林学士承旨，故称达实林牙云。"

童贯为河北、河东路宣抚使。《续资治通鉴》卷九四："命童贯为河北河东路宣抚使。睦寇初平，帝亦悔用兵。王黼独言曰：'中国与辽，虽为兄弟之邦，然百余年间，彼之所开边慢我者多矣，且兼弱攻昧，武之善经也。今而不取燕云，女直必强，中原故地，将不复为我有。'帝遂决意治兵。黼于三省置经抚房，专治边事，不关枢密。括天下丁夫，计口出算，得钱二千六百万缗以充用。黼又遗童贯书曰：‘太师若北行，愿尽死力。’会耶律淳遣使告即位，且言免岁帑，结前好，朝议谓机不可失，乃以蔡攸副贯，勒兵十五万，巡北边以应金。且招谕燕幽。攸、童骙不习事，谓功业可唾手致。入辞之日，肆言无忌，帝弗责。”

耶律淳组建瘦军。《续资治通鉴》卷九四：“辽耶律淳僭立，患本俗兵少，萧幹建议籍东西奚，及岭外南北大王诸部，得万余户。户选一人为军，谓之‘瘦军’。散处涿、易间，肆为侵掠，民甚苦之。”

李处温遥废辽主耶律延禧。《纲鉴易知录》卷七五：“三月，金袭辽军，延禧走夹山。辽燕京留守李处温等以耶律淳（延禧之叔）称帝，遥废其主延禧为湘阴王。”

郑居中主张守约。《纲鉴易知录》卷七五：“诏童贯、蔡攸等勒兵巡边，以应金。朝廷既与金约夹攻辽，以复燕、云，蔡京、童贯主之。郑居中力陈不可，谓京曰：‘公为大臣，不能守两国盟约，辄造事端，诚非庙算。’京曰：‘上厌岁币五十万故尔。’居中曰：‘公独不思汉世和戎用兵之费乎？使百万生灵肝脑涂地，公实为之。’由是议寝。及金数败辽兵，童贯乃复乞举兵，居中又言：‘不宜幸灾而动，待其自毙可也。’时睦寇初平，帝亦悔于用兵，王黼独言曰：‘中国与辽虽为兄弟之邦，然百余年间，彼之所以开边慢我者多矣。今而不取燕、云，女真即强，中原故地将不复为我有。’帝遂决意治兵。会闻耶律淳自立，乃以蔡攸副贯，勒兵十五万北巡边以应金。”

陈与义陪诸公登南楼，啜新茶，有诗多篇。《增广笺注简斋诗集》卷八《陪诸公登南楼，啜新茶，家弟出建除体诗，诸公既和，余因次韵》：“建康九醖美，侑以八品珍。除瘴去热恼，与茶不相亲。满月堕九天，紫面光璘璘。平生酪奴谤，脉脉气未申。定论得公诗，雅好知凝神。执持甘露椀，未觉有等伦。破睡及四座，愧我非嘉宾。危楼与世隔，万事不及唇。成公方坐啸，赏此玉花匀。收盃未要忙，再试擎天云。开口得一笑，兹游念当频。闭眼归默存，助发梨枣春。”

同卷，《诸公和渊明〈止酒〉诗，因同赋》：“爱河漂一世，既溺不能止。不如淡生活，吟诗北窗里。肺肝亦何罪，因此毛锥子。不如友麴生，是子差可喜。三杯取径醉，万绪散莫起。奈何刘伶妇，苦语见料理。不如一觉睡，浩然忘彼己。三十六策中，此策信高矣。政使江变酒，誓不涉其涘。尚须学王通，艺黍供祭祀。”

同卷，《以纸讬乐秀才捣治》：“古人争名翰墨薮，柿叶桑根俱不朽。固知老褚下欧阳，控御管城须好手。嫁非好时聊自强，幅则甚短惭则长。闻道蔡侯闲石臼，为借馀力生银光。”

又作诗，《增广笺注简斋诗集》卷九《述怀呈十七家叔》：“儿时学道逃悲欢，只今未免忧饥寒。浮生万事蚁旋磨，冷官十年鱼上竿。竹林步兵亦忍辱，长安闭门出无仆。门前故人拥庐儿，政坐向来甘录录。公不见古人有待良不多，利名溺人甚风波。垂露成帏仲长统，明月为烛张志和。尘中别多会日少，世事欲谈何可了。胸中万卷已无用，劝公留眼送飞鸟。两翁观光今几时（大人与家叔元丰八年同赴省试），赋归有约时已稽。未暇藏身北山北，且须觅地西枝西。愿从我翁归洗耳，不用妓女汙山水。肩舆亦莫要仆夫，自有门生与儿子。”

同卷，《寄题商洛宰令狐励迎翠楼》：“西来金衣鹤，书落汝水湄。云霞映道路，中有迎翠诗。遥知五斗粟，未办买山资。政要百尺楼，了此浮天眉。森然诗中画，想见凭栏时。朝曦与暮霭，百变皆令姿。君方领此意，簿书何急为。众手剧云雨，唯山不瑕疵。当年四老瓮，视世轻于芝。坐令山偃蹇，不受人招麾。谁欤楼中客，俯仰与山期？顾要君折腰，督邮真小儿。因之感我意，故岩归已迟。便携灵运屐，不待德璋移。”

陈恬母丧，为作挽词二首。《增广笺注简斋诗集》卷九《陈叔易学士母阮氏挽词二首》，其一：“典刑奕奕照来今，鹤发鱼轩汝水滨。避地梁鸿不偕老，弄乌莱子若为心。送丧忽见三千城，奉祱那闻五百金。妇德母仪俱不愧，碑铭知已托张林（晁说之许铭墓)。”其二：“去年披雾识儒先，欲拜萱堂未敢前。卢壶要传纱缦业，王裒忽废蓼莪篇。肩舆隔梦黄垆里，落日驱风丹旐边。佛子归真定何处，空令苦泪涨黄泉。”

春末，归洛，有诗。外集《留别葛汝州》：“平生师友尘莫数，两眼偏明向公许。一时盛德人中骥，四海知名地上虎。东序堦墀再靴板，西州杖屦三寒暑。我方庶兄汤惠休，公乃小儿杨德祖。未颁还朝尺一诏，不愧专城丈二组。为公剩买银管笔，容我时亲玉柄麈。近梦五字落珠玑，如服一丸生翅羽。别离真成惜夜烛，感叹更值歌朝雨。行看入侍玉皇案，与进不得金刚杵。劝公慎勿学孔光，荐士何妨似张禹。”

陈与义居汝三年，作诗甚多，其中与葛胜仲唱酬之作尤众，大抵《外集》之诗，凡是诗题中有“葛汝州”、“知府”、“判府”、“待制”、“大成”字样者，均系与葛胜仲唱酬之作。在《简斋诗外集》中，不能确知创作年月者，尚有以下诸篇。

《偶成古调十六韵，上呈判府，兼赠刘兴州》：“稽首苏耽仙，乘云去无迹。尚留橘井在，与世除狂疾，谁能不饮此，识味亦可录。坐令郑玄牛，亦抱荆山玉。伟哉稚川裔，神交接朝夕。游戏及小道，造化入大笔。优为吴诗父，雅命楚骚仆。岂其橘井助？本自同仙箓。坐中子刘子，知是当日客。书悬元和脚，语经建康力。先我登宫门，不数鸷鸟百。曾挹两仙袖，自然生羽翼。嗟我无长材，学架屋下屋。诗虽两牛腰，事亦几蛇足。已穷犹不悔，政荷师友德。文盟倘许予，幸不疑籍湜。”

《再用迹字韵成一首呈判府》：“风雨一叶过，黄花已陈迹。人贫交旧疏，岁暮日月疾。贪人积胡椒，智不到鬼录。那知庾郎菜，地瘦饱金玉。不如学服气，清坐了晨夕。尚馀烟月债，驱使入吟笔。晚逢葛先生，怜我出无仆。借车得时诣，谬归文字录。谈诗不知疲，或作夜半客。挥毫写珠玉，治郡盖馀力。不羡江千万，不慕李八百。愿传公句法，容我附风翼。城东刘子政，著书方满屋。昨示一篇诗，三日叹未足。仍闻供笔砚，家有樊通德（元中有侍妾，常谓某曰：‘若人有可爱处，吾尝记书中事不审，使之寻，辄能知其处。诗成或使之写，亦往往如人意’)。但恐裴公门，从此近捨湜。”

《蒙示黄磵佳诗，三读钦羡，辄继韵，仰报嘉锡》：“痴儿了官事，官事那可讫。岂知公偷闲，临水照缨绂。虽微八川雄，暴怒常至沸。倘或似山阴，清流可共祓。贪德实以济，行地不郁郁。赵洛与陶丘，相比亦仿佛。解后逢公赏，一洗伏流屈。可爱不可唾，众议那可咈。彼是公余波，本来非俗物。”

《蒙示涉汝诗，次韵》：“城南天倒影，绿浪摇十里。使君云梦胸，犹复录此水。舟行及雨霁，秋色在葭苇。烟涵翠谷润，月照金波委。知公已忘机，鸥鹭宛停峙。向来趋热士，说似颡应泚。俗子与清游，自古剧函矢。如何有双脚，受垢不受洗。异哉公殊嗜，记此两苦李。诗成堕衡门，名字污纸尾（公诗赐某及家弟也）。明当蹑公迹，佳处不待指。会逢白沙渚，我舍真可徙。鸣驺倘从来，傍舫倾我耳。”

《再和》：“洪河岂不壮，馀润弥九里。海内所咏歌，在德不在水。德人经行地，可敬及蒲苇。况有水如此，浪去剧雪委。年昔涉涛江，怒鼍如山峙。天风怖杀人，舟定舷有泚。愓然三夜梦，沙砾下飞矢。至今逢沟壑，敢照不敢洗。忽诵涉汝诗，五字拟苏李。快言击汰事，相见鱼掉尾。十年疑此乐，始悟斗柄指。使当策我足，岁月忽转徙。未办志和舟，且洗子荆耳。”

《游岘山次韵三首》，其一：“夜度一程云，平明踏山址。山神岂妒我，飞雨乱眸子。崇岳衮衮去，前杰后俊伟。晦明更百态，始望那及此。路穷得精庐，税驾咨祖始。老僧千金意，佳处相指似。先生一笑领，得句易翻水。安石未归山，却要山料理。奇哉此一端，惊世无前轨。酬山以快饮，春蕨正滋旨。一丘倘许予，高卧饱松髓。城中谩拄笏，那知有兹事。”其二：“高人买山隐，百万犹恨少。客儿最省事，有屐一生了。冬庄良不遥，十里望缥缈。萦纡并麦垄，翠浪四山绕。先生滞鹿车，去程通风沼。暂来山泉上，思与飞云杳。云北接云南，一迳绝纷扰。竹林怀风雨，目断极窈窈。从来无世尘，相对真不挠。龙儿争地出，头角已表表。先生嘱支郎，勿使斤斧夭。终当乞一杖，险路扶吾老。”其三：“转路山土屋，众山之所望。懒融不下山，揖山会虚堂。大空出盘嬉，小空时侍傍。我游瞻铁凤，力尽随木羊。石窗非人世，意欲凌风翔。巉巉窗中人，出定鬓有霜。过眼几浮烟，关身一禅床。教我安心法，入鸟不乱行。似知使君尊，起炷柏子香。陇云亦堪寄，分作我归装。好在窗前竹，伴师老苍苍。”

《再赋三首》，其一：“堂堂李杜坛，谁敢蹑其址。先生坐坛上，持钺令馀子。由来文字伯，不但表奏伟。高怀淡无嗜，寓兴或留此。平生上林手，避谤淹二始。登临意超然，笔落风雨似。事异柳司马，辛苦记山水。乐哉邦无事，那待猛政理。驾言慰吾民，不愧城门鬼。看山笑邹湛，句外寄深旨。岩树阅几客，尚馀尧时髓。抚板歌公诗，未暇知馀事。”其二：“与公赋天台，千字一何少。砚山逢巧匠，笼络六诗了。馀情到娘子，心动云缥缈。仿佛山阿人，薜荔一身绕。殷勤供泚笔，路转得龙沼。应龙喜公来，嘘气纷雾杳。忽然张盖起，知不受人扰。诗成中有画，幽情杂荒窈。从公虽一快，顾有和诗挠。是事始置之，归路迷日表。安得永兹乐，彭铿尚为夭。但愁归城中，念山令人老。”其三：“修眉如幽梦，起费西南望。终愿学柳文，买泉筑愚堂。错磨高壁翠，日日在我旁。忽在新野邹，行从泰山羊。城中瞻使君，驾鹤高驰翔。诗成堕人世，字字含风霜。平生仰止勤，不但上下床。顾许俗士驾，平参丈人行。封姨岂嗔予，震怒挟阿香。知公终可恃，不记当趋妆。清欢岂有极，夜色来苍苍。”

《均台辞二首》，其一：“小桃借春春已来，平分和气入均台。夜来台边草环绿，今朝芒生满三木。街头拍手闹千儿，齐唱《中和》《宣布》曲。使君坐啸闹如云，请酿百川寿使君。但愿使君长乐职，不须更看杓虚实。”其二：“东家西家尔盍来，听说空域人春台。决曹高卧印生绿，丛棘化为交逊木。策勋此木那可遗，动地风摇枝不曲。愿我无讼到来云，莫辞著力借寇君。借得贤侯虽尔职，但恐朝廷要人调鼎实。”

《和若拙弟得陪游后园二首》，其一：“西园冠盖坐生风，更欲长生系六龙。惟有病夫能省事，北窗三友是过从。”其二：“壮夫三箭功名手，儒士百篇藜苋肠。莫道人人握珠玉，应许字字挟风霜。”

《某用家弟韵赋绝句上浼清视，芜词累句，非敢以为诗也，愿赐一言卒相之》：“万里平生几蛇足，九州何路不羊肠。只应绿士苍官辈，却解从公到雪霜。”

《蒙知府宠示秋日郡圃佳制，遂侍杖屦，逍遥孔林水间，辄次韵四篇》：“岁月移文外，乾坤杖屦中。铿然五字律，健在百夫雄。秋入池深碧，寒欺叶递红。此间兼吏隐，端不减游嵩（客有游嵩山者，归以语公，公以不得游为恨）。”

《蒙赐佳什，钦叹不足，不揆浅陋，辄次元韵》：“退之高文仰东岱，籍湜传盟其足赖？固知法祠要龙象，先生端是毗陵派。方驾曹刘盖馀力，压倒元白聊一快。向来班门收众材，宾履费公珠几琲。三薰会有堪此事，群犬未免惊所怪。但知楼仰百尺颠，岂觉波涵千顷外。南州短簿令公喜，巍峨峨冠陆离佩。有如若士那可无，笔势已超声律界。相将问道留时日，满座真成折床会。清诗忽复堕华笺，要使握瑜夸等辈。”

《谋蒙示咏家弟所撰〈班史属辞〉长句，三叹之余，辄用元韵，以示家弟》：“《隽永》《杂俎》虽甚旨，何似三冬足文史。羡子皮囊西京书，议论逼人惊亹亹。戏为韵语纲所遗，人皆百能子千之。虽非张巡遍记诵，岂与李翰争毫厘。不带去取《隶古定》，便令景宗知去病。掇要虚烦四十篇，三卷之博能拟圣。儒林丈人摛藻春，作诗印可融心神。我亦从今悔迂学，不须更辨瓒称臣。”

《蒙再示属辞，三叹之余，赞巨丽。无地托言，辄依元韵，再成一章。非独助家弟，称谢区区，少褒之，使进学焉。亦师席善诱之意也》：“书如嘉肴要知旨，区区太冲空咏史。百年能挂几牛角，火急编摩时亹亹。柳家《文类》今无遗，可忍行事空违之。此书真是群玉府，事辞所不遗毫厘。子不见刘勰书成要人定，岂但令人愈头病。偶向车前问沈公，果符梦里随先圣。两诗入手喜生春，从今护持知有神。便可缮写持献御，注解不须烦五臣。”

《游紫逻洞》：“我不愿封万户侯，愿向紫逻从公游。郓州溪堂虢州洞，未有退之诗可留。水近山流清澈底，竹饱千霜节如此。廊庙之具千金躯，底事便著山岩里。蒲鞭挂壁一事无，环佩声中了朝晡。祝融不到林深处，客至五月怀貂狐。徇华大夫无此乐，从渠遮山用翠幙。若问此间奇绝处，但道胸中有丘壑。”

陈与义离汝归洛在归洛途中，有诗。《增广笺注简斋诗集》卷九《归洛道中》：“洛阳城边风起沙，征衫岁岁负年华。归途忽践杨柳影，春事已到芜菁花。道路无穷几倾毂，牛羊既饱各知家。人生扰扰成底事，马上哦诗日又斜。”

同卷，《道中寒食二首》，其一：“飞絮春犹冷，离家食更寒。能供几岁月，不办了悲欢。刺史葡萄酒，先生苜蓿盘。一官违壮节，百虑集征鞍。”其二：“斗粟淹吾驾，浮云笑此生。有诗酬岁月，无梦到功名。客里逢归雁，愁边有乱莺。杨花不解事，更作倚风轻。”

同卷，《龙门》：“不到龙门十载强，断崖依旧挂鞋样。金银佛寺浮佳气，花木禅房接上方。羸马暂来还径去，流莺多处最难忘。老僧不作留人意，看水看山白发长。”

同卷，《次韵谢心老以缘事至鲁山》：“禅师瓶贮几多空，欲问以书无去鸿。鲁县人迎波若杖，天宁树起吉祥风。荒山春色篇章里，快士交情笔砚中（闻师见富主簿甚款）。一日尘沙双碧眼，归时应与去时同。”

同卷，《友人惠石，两峰巉然，取杜子美“玉山高并两峰寒”之句，名曰“小玉山”》：“旧喜看书今不看，且留双眼向孱颜。从来作梦大槐国，此去藏身小玉山。暮霭朝曦一生了，高天厚地两峰闲。《旧话》诗句喧寰宇，细比真形伯仲间（家有《壶中九华》石刻）。”

同卷，《秋夜》：“中庭淡月照三更，白露洗空河汉明。莫遣西风吹叶尽，却愁无处著秋声。”

同卷，《跋外祖存诚子帖》：“乱眼龙蛇起平陆，前身羲献已黄墟。客来空认袁公额，泪迸惭无杨恽书。”

同卷，《咏蟹》：“量才不数制鱼额，四海神交顾建康。但见横行宜长躁，不知公子实无肠。”

同卷，《留别心老》：“老心霜下松，名与隆公齐。人物北斗南，佛事东院西。平生四海脚，不踏四海泥。晚说汝州禅，饱啖天宁齑。梦中与我遇，相扶两枯藜。每见眼自明，不复烦金篦。却从梦中别，未免意惨悽。它时访生死，林深路应迷。”

自汝归洛，作词《虞美人·亭下桃花盛开作长短句咏之》。词曰：“十年花底承朝露，看到江南树。洛阳城里又来风，未必桃花得似旧时红。　　燕脂睡起春才好，应恨人空老。心情虽在只吟诗，白发刘郎孤负可怜枝。”陈与义词中尚有《法驾导引三百》。序曰：“世传顷年都下市肆中，有通人携乌衣椎髻女子，买斗酒独饮，女子歌词以侑，凡有阙，皆非人世语。或记之，以问一道士，道士惊曰：“此赤城韩夫人所制《水府蔡真君法驾导引》也。’乌衣女子疑龙云。得其三而忘其六，拟作三阕。”其一：“朝元路，朝元路，同驾玉华君。千乘载花红一色，人间遥指是祥云。回望海光新。”其二：“东风起，东风起，海上百花摇。十八风鬟云半动，飞花和雨著轻绡。归路碧迢迢。”其三：“帘漠漠，帘漠漠，天淡一帘秋。自洗玉舟斟白醴，月华微映是空舟。歌罢海西流。”此大约作于靖康以前，姑系于此。

四月

金兵攻克辽国之西京。《续资治通鉴》卷九四：“金师攻辽西京，辽耿守忠救之，宗翰、宗雄、宗幹等继至。宗翰率麾下自其中冲击，使余兵去马从旁射之。守忠大败，西京遂陷。西路州县部族皆降金。辽主遂遁于额苏伦（旧作讹沙烈，今改），唯北部玛克实，赆马驼食羊焉。”

五月

种师道力谏进兵，大宋军白沟败绩。《纲鉴易知录》卷七五：“夏五月，童贯进兵击辽，败绩，退保雄州，诏班师。贬都统制种师道为右卫将军，致仕。贯至高阳关，命都统制种师道护诸将进兵。师道谏曰：‘今日之举，譬如盗入邻家，不能救，又乘之而分其室焉，无乃不可乎！’贯不听。耶律淳闻之，遣耶律大石、萧干御之。师道次白沟，辽人噪而前，师道前军统制杨可世败绩，师道退师雄州。帝闻兵败而惧，诏班师。辽使来言曰：‘女真之叛本朝，亦南朝之所甚恶也。今射一时之利，弃百年之好，结豺狼之邻,基他日之祸,谓为得计可乎?救灾恤邻,古今通义,惟大国图之。'贯不能对。种师道复请许之和，贯不纳，而密劾师道助贼。王黼怒，责授师道右卫将军，致仕。”

六月

辽改元德兴。《纲鉴易知录》卷七五：“辽耶律淳死，其妻萧氏称太后，主国事。李处温伏诛。(处温惧祸，南通童贯，欲挟萧后纳土，北通于金，欲为内应。使觉，后执处温，赐死。)”

敌烈部反辽。《续资治通鉴》卷九四：“辽主之出奔也，耶律棠古谒于倒塌岭，为辽主流涕。辽主慰止之。复拜为乌尔古部节度使。秋七月丁巳朔，德埒勒部叛辽，以五千人来犯。棠古率家奴击破之。加太子太傅。未几，棠古卒。”

七月

东南七路之害。《续资治通鉴》卷九四：“初，遣陈遘经制江淮七路，治杭州以供馈饷。遘以财用不给，倡议比较酒务。及度公家出纳钱粮，取其盈余，号‘经制钱’，遂为东南七路之害。”

本年夏，陈与义服除。七月，擢太学博士，入京。过中牟山，有诗纪行。《增广笺注简斋诗集》卷十《中牟道中二首》，其一：“雨意欲成还未成，归云却作伴人行。依然坏郭中牟县，千尺浮图管送迎。”方回《瀛奎律髓》卷十六，冯舒评：“甚好，后山犹可及，黄则千里。”其二：“杨柳招人不待媒，蜻蜓近马忽相猜。如何得与凉风约，不共尘沙一并来?”方回《瀛奎律髓》卷十六，纪昀评：“后四句意境、笔路皆佳，绰有工部神味，而又非相袭。”

八月

辽金大鱼泺之战。《续资治通鉴》卷九四：“八月己丑，金主次鸳鸯泺。闻辽主在大鱼泺，乃自将精兵万余袭之。昱、宗望率兵四千为前锋，昼夜兼行。戊戌，追击辽主于古辇驿，军士至者才千人。辽兵二万五千。方治营垒，昱与诸将议，耶律伊都曰：‘我军未集，人马疲剧，未可战也。’宗望曰：‘今追及辽主而不亟战，日入而遁，则无及矣。’遂战，短兵接。辽兵围之数重。副都统萧德默谕将士以君臣之义，士皆殊死战。辽主谓宗望兵少必败，遂与妃嫔登高阜观战。伊都指辽主麾盖以示诸将，宗望等遂以骑驰赴之。辽主望见大惊，即遁去。辽兵遂溃。宗望等还，金主曰：‘辽主去不远，盍即追之!’宗望追至鄂勒哲图（旧作乌里质铎，今改)，辽主弃辎重而遁，萧德默被执。”

入秋，多雨，陈与义有诗。《增广笺注简斋诗集》卷十《秋雨》：“尘起一月忧无禾，瓦鸣三日忧雨多。书生重口轻肝肾，不如墙角蚯蚓方长哦。少昊行秋龙洒道，风作万木皆商歌。病夫强起开户立，万箇银竹惊森罗。人间伟观如此少，依仗不觉泥及靴。菊丛欹倒未足道，老境知耐梧桐何！是事且置当务本，菜圃已添三万科。”

中秋，陈与义作诗。《增广笺注简斋诗集》卷十《中秋不见月》：“去年中秋端正月，照我霜巾万条血。姮娥留笑待今年，净洗金觥对银阙。高唐妒妇心不闲，招得封姨同作难。岂惟恨满月宫里，肠断西山吴綵鸾。却疑周生怀月去，待到三更黑如故。人间今乏赵知微，无复清游继天柱。南枝乌鹊不敢哗，倚仗三叹风枝斜。明年强健更相约，会见林间金背蟇。”

九月

宋昭谏攻辽。《纲鉴易知录》卷七五：“九月，除朝散郎宋昭名。昭上书极言辽不可攻，金不可邻，异时金必败盟为中国患，乞诛王黼、童贯、赵良嗣等。且曰：‘两国之誓，败盟者祸及九族。陛下以孝理天下，其忍忘列圣之灵乎！陛下以仁覆天下，其忍置河北之民于涂炭之中，而是肝脑涂地乎！’王黼大恶之，除昭名，编管海州。”

金使高庆裔至宋。《续资治通鉴》卷九四：“乙丑，金通议使高庆裔等见于崇德殿，奉国书以进。帝特令引上殿奏事。先是，金既袭破辽，天祚行帐仍占山后州县，忽闻童贯举兵趋燕，号二百万，金主与群臣议恐爽约，遂专遣使乘回船至登州。且自招军，乘机措置。及庆裔等进国书，因跪奏曰：‘皇帝遣使来言：贵朝海上之使屡来本国，共议契丹，已载国书。中国礼仪之乡，必不爽约。如闻贵朝又复中缀，故遣臣来聘。’赵良嗣答曰：‘皇帝闻贵朝今年正月已克中京，引兵至松亭关古北口取西京。虽不得大金报起兵日月，已知贵朝大兵起发，遂令童贯统兵以应贵朝夹攻之意。彼此不报，不在较也。’遂各退归。帝待庆裔等甚厚，屡命贵臣主宴，赐金帛不赀，至辍御茗调膏赐之，引登明堂，入龙德宫，蕃衍宅，别筑离宫，无所不至，礼过契丹数倍。庆裔，渤海人，桀黠知书史，虽外为恭顺，称恩颂德，而屑屑较求故例无虚日，如乞馆都亭驿，乞上殿奏事。朝廷以两国往来之议未定，请姑俟它日。况契丹修好之初，亦尝如此。庆裔遂出契丹例卷面证朝廷之费，请载之国书。朝廷不得已，皆从之。及赐金钱袍段，疑与夏国棉褐同，却而不受。越四日，诏金使诣太宰王黼第计事，庆裔等庭趋讫，升堂讲宾主之礼，面发回书。又明日，诏梁师成赐御筵，供具皆出禁中，仍以绣衣、龙凤茶为贶。”

高丽易王。《续资治通鉴》卷九四：“初，高丽之俗，兄终弟及。至是其王俣卒，诸弟争国，其相李资深立俣子楷。己巳，遣路允迪吊祭。先是，俣求医于朝。诏二医往，留二年而还，楷语之曰：‘闻朝廷将用兵于辽。辽，兄弟之国，存之足为边捍。女直之人，不可交也。业已然，愿二医归报天子，宜早为备。’医还奏之，帝不悦。”

赵良嗣使金。《续资治通鉴》卷九四：“甲戌，诏大中大夫赵良嗣充大金国信使，保义郎马扩副之。扩父政，充伴送使。是日，高庆裔等入辞于崇正殿，帝谕以早取燕京。良嗣将行，以国书副本及事目示马扩，扩大惊曰：‘金人方议不报师期，恐王师下燕，守官不得岁币，所以遣使通议。一则欲嗣音继好，二则视我国去就。犹未知杨可世、种师道白沟之衄，宣抚司气沮而退也。在我固当守前约。且云缘贵朝不报师期，疑海道难测，所以不俟的音，即举兵相应。今乃趣宣抚司进兵，克期下燕。如此则既于夹攻元约不爽，又绝日后轻侮之患，奈何自布露腹心，倾身倚之，大事去矣！’良嗣愕然曰：'宣抚司尽力不能取，若不以金币藉女直取之，何以得燕?'扩曰：'既知力不能取，胡不明白尽与大金，退修边备，保吾旧疆，安得贪目前小利，不虑后患，爱掌失指耶?'良嗣曰：'朝廷之意已定，不可易也。'遂出国门。"

辽两州降于金。《纲鉴易知录》卷七五："辽将郭药师以涿、易二州来降。"

九日，陈与义赏菊，作诗。《增广笺注简斋诗集》卷十《九日赏菊》："黄花不负秋，与秋作光辉。夜霜犹作恶，朝日为解围。今晨岂重九，节意入幽菲。孤芳擅天地，众卉亦已微。慇懃黄金靥，照耀白板扉。沽酒欲寿花，孔兄与我违。清坐绝省事，未觉此计非。夕英岂不腴，骚人自难肥。"

陈与义游览保真池，有诗。《增广笺注简斋诗集》卷十《游保真池上》："墙厚不盈咫，人间隔蓬莱，高柳唤客游，我辈御风来。坐久落日尽，澹澹池光开。白云行水中，一笑三徘徊。鸭儿轻岁月，不受急景催。试作弄篙惊，徐去首不廻。无心与境接，偶遇信悠哉。再来知何似，有句端难裁。"刘辰翁评"坐久日落尽"二句："佳句。"又评"试作弄篙惊"二句："世间常有此境，要人拾得。"

十月

宋攻辽失败。《纲鉴易知录》卷七五："冬十月，刘延庆及郭药师进兵攻辽。药师袭燕，败绩。延庆兵溃。"

十一月

赵良嗣如金求三州，金遣使至宋作答复。《纲鉴易知录》卷七五："十一月，金人来议燕地。十二月，遣赵良嗣复如金，求营、平、滦三州。（初朝廷与金约，但求石晋赂契丹故地，而不思平、营、滦三州，乃刘仁恭献契丹以求援者。继而王黼悔，欲并得之，金主不肯。及赵良嗣往，金主云：'今更不论元约，特与燕京、蓟、景、澶、顺、涿、易六州。'良嗣言：'元约十六州，今乃如此，信义安在!'抗辩数四，金人不从，良嗣乃与其吏李靖偕来，止许六州。帝复遣良嗣送之，且求营、平、滦三州。）"

本年冬，陈与义有诗。《增广笺注简斋诗集》卷十《次韵王尧明郊祀显相之作》："奏书初不待衡谭，奠璧都南万玉参。黄屋倚霄明半夜，紫坛承月眩诸龛。声喧大吕初终六，影动玄圭陟降三。可是天工须羯鼓，已回寒驭作春酣。"

同卷，《端门听赦咏雪》："云叶垂鸡竿，雪花眩鸾旗。一天丰年意，飘入万寿卮。茫茫玉妃班，影乱千官仪。也知楼头喜，舞态方自持。教坊可怜女，面赤婆娑时。天公一笑罢，未觉风来迟。小儒惊伟观，到笏不敢吹。归家得细说，平分遗妻儿。茅檐玉三尺，坐玩可乐饥。生活太冷淡，侑以一篇诗。"

十二月

徽宗提出收复燕幽之条件。《续资治通鉴》卷九四："戊子，金使李靖等辞于崇政殿。诏龙图阁学士赵良嗣为国信使、兼伴送，显谟阁待制周武仲副之。又领国书，又御笔付良嗣等云。平、滦颇出桑麻，金所欲得。可与契丹岁帑数目外，特加绢五万匹，银五万辆，以曲尽交欢之意。所有营、平、滦及西京地土，本朝尽行收复。”

金兵攻取辽之燕京。《纲鉴易知录》卷七五：“金克辽燕京，耶律淳妻萧氏奔天德。(于是辽五京皆为金有。金主遣骑兵送赵良嗣还，且献辽俘。)”

金复遣李靖与赵良嗣至宋。《续资治通鉴》卷九四：“甲辰，金复遣李靖、王度喇与赵良嗣等同来。良嗣至金主军前，金主谓曰：‘数年相约夹攻，而汝国不出师，复不遣报，今将若何?’良嗣对曰：‘夹攻虽是无约，据昨奉圣州军前别议，特许燕京，不论夹攻与否。今月二日，本朝于永清，击走萧幹，追至燕京，虽非夹攻，亦其意也。’金主曰：‘夹攻且无言。其平、滦等州，未尝议及，如何欲取？若必欲取平、滦，并燕京亦不与矣。’便令良嗣归馆。居四日，诏趣令南使辞归，良嗣曰：‘今合议事甚多，略未尝及，而遽令辞，何也?’萨鲁谟曰：‘皇帝已怒，遂令入辞。’以国书副本示良嗣，良嗣曰：‘自古及今，税租随地。岂有与其地而不与其税租者？可削去此事。’宗翰曰:‘燕自我得之,税赋当归我。大国熟计之。若不见与,请速退涿州之师,勿留吾疆。’于是复以国书遣良嗣及靖等。”又,参见 1123 年正月“宋金议定交燕山条件”条。

本年

万岁山更名艮岳。《续资治通鉴》卷九四：“是岁，万岁山成，御制《艮岳记》以纪其胜。万岁山始名凤凰山。后神霄降，其诗有‘艮岳排空霄’之句，因改名‘艮岳’。以山在国之艮位也。其最高一峰九十步，上有亭。界分东南二岭，直接南山。南山之外，又为小山，名曰芙蓉城，穷极窈眇。岳之北，乃所谓景龙江也。江外诸馆舍尤精。其北又因瑶华宫火，取其地作大池，名曰曲江池。东尽封邱门而止。其西自天波门桥入西直殆半里，江乃折南，又折北。折南者过阊阖门桥为复道，通茂德帝姬宅。折北者四里，属之龙德宫，帝潜邸也。其后以金芝产于万寿峰，又更名‘寿岳’云。山周十余里，运四方奇花异石置其中。千岩万壑，麋鹿成群。楼观台殿，不可胜计。最后，朱勔于太湖取巨石，高广数丈，载以大舟，挽以千夫，凿河断桥，毁堰拆闸，数月方至京师，赐号‘昭功庆成神运石’。时初得燕地故也。勔缘此授节度使。其后金兵再至，围城日久，拆屋为薪，凿石为炮，伐竹为篦篱，唯大石基址存焉。”

宋朝户部上今岁民数，凡主客户二千八十八万二千三百五十八，口四千六百七十三万四千七百八十四。

本年赵明诚李清照夫妇在莱州，清照三十九岁。明诚所获金石颇多，于莱州之南山获《后魏郑羲上碑》，又得郑道昭《登云峰山》与《北齐云峰山题记》等石刻，又得《北齐天柱山铭》、《后魏天柱山东堪石室铭》。除夕，赵明诚再题欧阳修《集古录跋尾》，题云：“壬寅岁除日，与东莱郡宴堂重观旧题，不觉怅然，时年四十有三矣。”

《宋诗纪事》卷八七李清照《晓梦》：“晓梦随疏钟，飘然蹑云霞。因缘安期生，邂逅萼绿华。秋风正无赖，吹尽玉井花。共看藕如船，同食枣如瓜。翩翩座上客，意妙语亦佳。嘲辞鬪诡辩，活火分新茶。虽非助帝功，其乐莫可涯。人生能如此，何必归故家？起来敛衣坐，掩耳厌喧哗。心知不可见，念念有咨嗟。”

陈与义本年得一子。陈与义仅有一子，名洪。

公元1123年（宋宣和五年　辽保大三年　金天辅七年　金太宗完颜晟天会元年　夏元德四年　癸卯）

正月

和勒博自立为奚国皇帝。《续资治通鉴》卷九四："春正月，丁巳。辽知北院枢密事奚王和勒博（旧作回离保，今改），即箭笴山，自立为奚国皇帝，改元天复。设奚、汉、渤海三枢密院，改东、西节度使，二王分司建官。辽主命都统耶律玛格讨之。"

王安中请知燕山府，郭药师不反故主人。《纲鉴易知录》卷七五："以王安中知燕山府，郭药师同知府事。朝廷以金人将归燕，谋帅臣守之。左丞王安中请行，王黼赞于帝，遂以安中知燕山府，郭药师同知府事。诏药师入朝，礼遇甚厚，赐以甲第、姬妾，命贵戚大臣更互设宴。又召对于后苑延春殿，药师拜庭下，泣言：'臣在虏中，闻赵皇如在天上，不谓今日得望龙颜。'帝深褒称之，委以守燕。对曰：'愿效死！'又令取天祚以绝人之望。药师变色，言曰：'天祚，故主也，国破出走，臣是以降陛下。使臣毕命他所不敢辞，若使反故主，非所以事陛下，愿以付他人。'因涕泣如雨。帝以为忠，解所御珠袍及二金盆以赐。药师出谕其下曰：'此非吾功，汝辈力也。'即剪盆分给之。"

宋金议定交燕山条件。《纲鉴易知录》卷七五："春正月，金遣使来，赵良嗣复如金。良嗣至燕，与金主议燕京、西京之地，金主曰：'若宋必欲平、滦等州，则并燕京不与。'因以答书先示良嗣。良嗣读至'燕京用本朝兵力攻下，其租税当输本朝。'良嗣因曰：'租税随地，岂有与其地而不与其租税者。'粘没喝曰：'燕京自我得之，则当归我。大国熟计，若不早见与，请速退涿、易之师，无留我疆。'于是遣李靖与良嗣偕来。靖既入对，遂见王黼。黼谓靖曰：'租税，非约也。'上意以交好之故，欲以银绢充之。靖复请去年岁帑，帝亦特许之，仍命良嗣与靖偕使。"结果，宋与金岁币四十万外，每年输燕京代税钱一百万缗。

李清照四十岁，赵明诚李清照夫妇在莱州。人日，李清照从兄李迥为李格非《廉先生序》作跋，跋云："迥昔童时，从先伯父、先考、先叔，西郊纵步三里，抵茂林修竹，溪深水静，得先生之居。谒拜先生，数幸侍侧，欣闻謦欬之余，独愧颛蒙，未有知识。但见先生云巾凫舄，羽服藤杖，身晦于林泉之间，望之如神仙中人，真古所谓隐逸者也。先生既殁，先考评其为人，先叔作序，以记名实。而太学诸生取其附于策断之末，传颂天下，儒者尊师之，迄今三十有七年矣。先生孙宗师，曾孙理、珪，更愿树之坚石，盖求不朽。后进有立，喜为之书。宣和癸卯正月人日，李迥谨题。"由此跋文，可观李清照成长环境之一斑。

二月

辽天祚帝杀德妃萧氏。《续资治通鉴》卷九四："辽德妃萧氏见辽主于四部族。辽主怒杀萧氏。萧幹奔奚。辽主择耶律达实曰：'我在，何故立淳？'达实曰：'陛下以全国之势，不能一拒敌，弃国远遁，使黎庶涂炭，即立十淳。皆太祖子孙，岂不胜乞命它人邪?’辽主无以答，赐酒食，赦其罪。”

陈与义三十四岁，在太学博士任，有诗。《增广笺注简斋诗集》卷十《游玉仙观，以“春风吹倒人”为韵，得“吹”字》：“清游天不借，破帽沙疾吹。下马榱桷鸣，未恨十里陂。风余檐铎语，坐定炉烟迟。新春碧瓦丽，古意乔木奇。黄冠见客喜，此士定不羁。但愧城中尘，浼子青松枝。人间争夺丑，我亦寄枯棋。输赢共一笑，马影催归时。”

同卷还有《归路马上再赋》：“偶然思玉仙，便到玉仙游。兴尽未及郭，玉仙失回头。成毁俱一念，今昔浪百忧。未知横笛子，亦解此意不? 春风所经过，水色如泼油。垂鞭见落日，世事剧悠悠。”刘辰翁评“世事剧悠悠”句：“情景喟然，不多不少。”

同卷，《来禽花》：“来禽花高不受折，满意清明好时节。人间风日不待春，昨暮胭脂今日雪。舍冬芜菁满眼黄，蝴蝶飞去专斜阳。妍媸都无十日事，付与梧桐一夏凉。”

同卷，《放慵》：“暖日薰杨柳，浓春醉海棠。放慵真有味，应俗苦相妨。宦拙从人笑，交疏得自藏。云移隐扶杖，燕坐独焚香。”《朱子语类》卷一四〇：“古人诗中有句，今人诗更无句，只是一直说将去。这般说去，一日作百首也得。如陈简斋诗‘乱云交翠壁，细雨湿青松’，‘暖日薰杨柳，浓荫醉海棠’，他是什么句法?”［思齐按：朱熹的意思是说，陈与义在诗歌的句法上有所突破。在诗歌领域中，宋人超越了唐人，宋调的确有胜过唐韵的地方。请看，方回《瀛奎律髓》卷二三：“此公气魄尤大，起句十字，朱文公击节，谓‘薰’字‘醉’字下得好。又何必专事晚唐?”］

同卷，《清明二绝》，其一：“街头女儿双髻鸦，随蜂趁蝶学妖邪。东风也作清明节，开遍来禽一束花。”其二：“卷地风抛市井声，病夫危坐了清明。一帘晚日看收尽，杨柳微风百媚生。”

同卷，《春日二首》，其一：“朝来庭树有鸣禽，红绿扶春上远林。忽有好诗生眼底，安排句法已难寻。”吴师道《吴礼部诗话》：“世人称宋诗人句律流丽，必曰陈简斋；对偶工切，必曰陆放翁。今（唐）子西所作，流布自然，用故事古语，融化深稳，前乎二公，已有若人矣。（子西）《春日郊外》诗：‘水生看欲倒垂杨。’绝句：‘疑此江头有佳句，为君寻取却茫茫。’简斋有‘水光忽倒树’及‘忽有好诗生眼底，安排句法已难寻’之句，非袭用其语，则亦暗合者欤?”陈衍《宋诗精华录》卷三：“已开诚斋先路。”［思齐按：诚斋，杨万里的字。］其二：“忆看梅雪缟中庭，转眼桃稍无数青。万事一身双鬓发，竹床敧卧数窗棂。”

在太学博士任上，陈与义与同官綦崈礼力救文弊，黜三舍偶俪体，去王氏之论，而尊用程氏。又为诸生陈道醇之兄陈德润作《颐轩记》。外集《颐轩记》：“余客汝州，识治狱掾陈德润，与之语，肺肝无溪壑也。奔走百僚之底，未尝一日有怠容。后官太学，而其弟道醇肄业焉。宦学万里，贫不振；天子幸学，官之，澹然不色喜。余以是愧其兄弟。道醇间语曰：‘我又有隐居不稼之兄，庐西山之下，其燕居所，榜之曰颐轩。前崖岫之嶆翠，后硐合之琮峥，烟云草木，晦明寒暑，出天地之奇变以娱轩中之人。世之得丧利害无所经其怀。我与汝州掾心不能忘也。’余面赞之曰：‘钟皓有兄不仕，皓亦逡巡难进，居官有闻。何点栖遁求志，而其子弟遗进退之节，后世莫訾焉。

而今而后，知二子之师友不在他，在颐轩尔。’于其归也，申以告之曰：‘大丈夫用世非难也，无愧子颐轩之兄为难也。其亦告子颐轩之兄：不仕非难也，行义风烈有闻于乡里，无愧乎前之山，后之磵，为难也。古之君子，居也，其仕也，其道一也而已。二子方将为轩冕所縻，异日风绩振耀，而用舍行藏，可观可纪，则颐轩之进德，已可占矣。’道醇曰：‘是盖颐轩之纪！何书之?’乃录其大略，使归书之其壁，且以告德润云。洛阳陈去非记。”

既而，徽宗见陈与义所赋《墨梅》（即《和张规臣水墨梅五绝》，省称《墨梅绝句》）诗，善之，亟命召对，有见晚之叹。除陈与义秘书省正字。

三月

左企弓献诗于金主，宋徽宗许金以岁帑。《纲鉴易知录》卷七五：“三月，遣使如金。赵良嗣至燕，谓金主曰：‘本朝徇大国多矣，岂平、滦一事不能相从邪?’金主曰：‘平、滦欲作变阵，不可得也。’遂议租税，金主曰：‘燕租六百万，止取一百万。不然，还我涿、易旧疆，我且提兵按边。’良嗣曰：‘本朝自以兵下涿、易，今乃云尔，岂无曲直邪!’且言御笔许十万至二十万，不敢擅增，乃令良嗣归报。金主谓之曰：‘过半月不至，吾提兵往矣。’时左企弓（左企弓，辽相，金人克燕时降金）尝以诗献金主曰：‘君王莫听捐燕议，一寸山河一寸金。’故金人欲背初约，要求不已。良嗣行至雄州，以金书递奏。王黼欲功之速成，乃请复遣良嗣自雄州再往，使许辽人旧岁帑四十万之外，每岁更加燕京代税钱一百万缗。金主大喜，遂遣银术可持誓书草来，许以燕京及六州来归，而山后诸州及西北一带接连山、川，不在许与之限。帝曲意从之，遣卢益、赵良嗣等持誓书往。金人又求粮，良嗣许以二十万石。”

四月

金归还燕及六州之地。《纲鉴易知录》卷七五：“夏四月，金人来归燕及涿、易、澶、顺、景、蓟之地，诏童贯、蔡攸班师。”

童贯、蔡攸入燕山府。《续资治通鉴》卷九五：“庚子，童贯、蔡攸入燕山府。燕之金帛、子女、职官、民户为金人席卷而东，损岁币数百万，所得者空城而已。或告燕人曰：‘汝之东迁，非金人意也。南朝留常胜军，利汝田宅给之耳。’燕人皆怨，因说宗翰不当与南朝全燕，宗翰因欲止割涿、易两州，金主曰：‘海上之盟，不可忘也。异日汝等自图之。’壬寅，金宗望押燕山地图至，初欲令童贯、蔡攸拜受。马扩、姚平仲其晓之，乃已。贯、攸厚赂之而还。”

辽金发生白水泺之战。《续资治通鉴》卷九五：“辛亥，童贯、蔡攸自燕山班师。金人遣人招辽主归附，辽主答书请和。既而金人部送辽之族属、辎重东行。辽主愤举族见俘，以兵五千余，决战于白水泺。宗望以千兵击败之。辽主相去百步，遁去。获其子赵王实讷埒（旧作习泥烈，今改）及辽主玺。追二十余里，尽得其从马。献玺于行在。”

五月

杨时入对。《纲鉴易知录》卷七五："五月，以杨时为迩英殿说书。时入对，言于帝曰：'熙宁之初，大臣文六艺之言以行其私，祖宗之法纷更殆尽。元祐继之，尽复祖宗之旧，熙宁之法一切废革。至绍圣、崇宁，抑又甚焉，凡元祐之政事著在令甲，皆焚之以灭其迹。自是分为二党，缙绅之祸，至今未殄。臣愿明诏有司，条具祖宗之法，著为纲目，有宜于今者举而行之，当损益者损益之，元祐、熙、丰，姑置勿问，一趋于中而已。'又言：'燕、云之师，宜退守内地，以损转输之劳，募边民为弓弩手，以杀常胜军之势。'（初，辽主募辽东人为兵，使报怨于女真，号曰怨军，以郭药师为帅，后改为常胜军；郭药师帅所部降宋）又言：'都城无高山巨浸以为阻卫，士人各异心，缓急不可倚仗，君臣警戒，正在无虞之时。'帝首肯之，除迩英殿说书。"

辽天祚帝进入夏境内。《纲鉴易知录》卷七五："辽延禧奔夏，都统萧特烈等以梁王雅里称帝。（雅里，延禧第二子。）"

六月

王黼劝帝纳张瑴，良嗣谏止事未成。《纲鉴易知录》卷七五："六月，金张瑴以平山来归。金驱辽宰相左企弓等同燕京大家富民俱东徙，燕民流离道路，不胜其苦。过平州，遂入城言于张瑴曰：'左企弓不能守燕，致吾民如是。公今临巨镇，握强兵，尽忠于辽（初，瑴为辽兴军节度副使，领平州事。金破辽入燕京，升平州为南京，命瑴判留守事），使我复归乡土，人心为公是望。'瑴遂召诸将议，皆曰：'闻天祚兵势复振，出没漠南，公若仗义勤王，奉迎天祚以图兴复，先责左企弓等叛降之罪而诛之，尽归燕民，使复其业，而以平州归宋，则宋无不接纳，平州遂为藩镇矣。及后日金人加兵，内用营、平之军，外藉宋人之援，又何惧焉？'瑴又访于翰林学士李石，亦以为然。瑴乃遣张谦率五百余骑传留守令，召左企弓等，数以十罪，皆缢杀之。瑴乃称保大三年（保大，天祚年号），榜谕燕人复业，恒产为常胜军所占者悉还之。燕民既得归，大悦。李石更名安弼，偕故三司使高党至燕京，说王安中曰：'平州形势之地，张瑴总练之才，足以御金人，安燕境，幸招致之。'安中令安弼党与至汴以闻。帝以手札付同知燕山府事詹度，第令羁縻之，而度促瑴内附，瑴乃遣张钧、张敦固持书来请降，王黼劝帝纳之。赵良嗣谏曰：'国家新与金盟，如此，必失其欢，后不可悔。'不听。"

夏

陈与义与同舍五人集葆真池上，分韵赋诗，诗成，传诵一时。《增广笺注简斋诗集》卷十《夏日集葆真池上，以"绿阴生昼静"赋诗，得静字》："清池不受暑，幽讨起予病。长安车辙边，有此荷万柄。是身惟可懒，共寄无尽兴。鱼游水底凉，鸟语林间静。谈馀日亭午，树影一时正。清风不负客，意重百金赠。聊将两鬓蓬，起照千丈镜。微波喜摇人，小立待其定。梁王今何许？柳色几衰盛。人生行乐耳，诗律已其剩。邂逅一樽酒，它年《五君咏》。重期踏月来，夜半啸烟艇。"［思齐按：由于诗题太长，习惯上简称《夏日葆真池上》。]洪迈《容斋四笔》卷十四："自崇宁以来，时相不许士大夫读史作诗，何清源至于修入令式，本意欲崇尚经学，痛沮诗赋耳。于是庠序之间以诗为讳。政和后稍复为之，而陈去非遂以《墨梅绝句》擢置馆阁。尝以夏日偕五同舍集葆真宫池上避暑，取'绿荫生静昼'分韵赋诗，陈得'静'字，其词曰云云。诗成，出示会上，皆诧为擅场。朱心仲时亲见之，云：'京师无人不传写也。'"范大士《历代诗发》卷二六："精细入微，寒毫渺然之作。"陈衍《石遗室诗话》："陈简斋五言古，在宋人几欲独步。以宋人学常健、刘昚虚及韦、柳者尠也。至《夏日葆真池上》一首，尤为压卷之作，厉樊榭平生所心摹力追者，全在此种。"

与张元幹、吕本中等游慧林寺，分韵赋诗，陈与义有作。《增广笺注简斋诗集》卷十一《游慧林寺，以"三峡炎蒸定有无"为韵，得"定"字，是日欲逃暑阁下，而守阁童子持不可》："我如东郊马，欹侧甘瘦病。今晨举足轻，起行得幽胜。抚窗唤懒融，槁面初出定。眼中无长物，坐久炉烟正。门前几乌帽，来往送朝暝。岂知帽影边，有地白日静。宝阁阴肃肃，童子色不令。年来惜违人，一笑取归径。愿言捐何肉，终岁奉清静。檐铎岂印吾？出门有馀听。"张元幹《芦川归来集》卷九《跋苏诏君楚语后》："顷来京都，一日，陈去非、吕居仁诸公同余避暑资圣阁，以'二仪清浊还高下，三伏炎蒸定有无'分韵赋诗，会者适十四人。从周诗颇佳，为诸公印可。然则阮嗣宗喜仲容，又常曰吾不如与阿戎语，方之养直，惓惓如此，不为过也。"

七月

宋朝禁元祐学术。《纲鉴易知录》卷七五："禁元祐学术。中书言'福建印造司马光等文集'，诏令毁板，凡举人传习元祐学术者以违制论。寻又诏：'苏轼、黄庭坚等获罪宗庙，义不戴天，片文只语，并令焚毁勿存，违者以大不恭论。'"

秋七月，陈与义有诸诗。《增广笺注简斋诗集》卷十一《道山宿直》："离离树子鹊惊飞，独倚枯筇无限时。千丈虚廊贮明月，十分奇事更新诗。人间路绝窗扉语，天上云空阁影移。遥想王戎烛下算，百年辛苦一生痴。"

同卷，《雨晴》："天缺西南江面清，纤云不动小滩横。墙头语鹊衣犹湿，楼外残雷气未平。尽取余凉供稳睡，急搜奇句报新晴。今宵绝胜无人共，卧看星河尽意明。"方回《瀛奎律髓》卷十七纪昀评："三、四眼前景，而写得新警。"

八月

郭药师大败萧幹于峰山。《续资治通鉴》卷九五："乙未，郭药师大败萧幹于峰山。燕京既陷，幹就奚王府，自立为神圣皇帝，国号大奚，改元天嗣。时奚人饥。幹出庐龙岭，攻破景州。又败常胜军张令徽、刘舜臣于石门镇，陷苏州，寇掠燕城。其锋甚锐，有涉河犯京师之意。人情汹汹，颇有谋弃燕者。童贯自京师移文王安中、詹度、郭药师等，且责之。已而，安中命药师击破其众，乘胜穷追，过庐龙岭，杀伤大半。从军之家，悉为常胜军所得。招降奚渤海五千余人，生擒阿噜，获辽太宗尊号宝检契丹涂金印等。幹遁去，寻为其部下巴尔喀所杀，传首河间府，詹度上之。"

辛丑，命王安中作《复燕云碑》。

中秋，赵明诚跋《唐富平尉乔卿碣》。赵明诚李清照夫妇的生活大致如下。每晚，在莱州静治堂校勘《金石录》并作题跋，李清照则充当助手。本年，赵明诚得《齐钟铭》。《金石录》卷十三："右《齐钟铭》。宣和五年，青州临淄县民，于齐故城耕地，得古器物数十种。其间钟十枚，有款识，尤奇，最多者几五百字。今世所见钟鼎铭文之多，未有逾此者。验其词，有'余一人'及'齐侯'字，盖周天子所以命锡齐侯，齐后自纪其功勋者……今余所藏，乃就钟上摹拓者，最得其真也。"又得莱州士人王无兢诸人碑。

陈与义为考官，有诗记其事。《增广笺注简斋诗集》卷十一《秋，试院将出，书所寓窗》："门前柿叶已堪书，弄镜烧香聊自娱。百世窗明窗暗里，题诗不用著工夫。"刘辰翁评末句："有省。此与'安排句法已难寻'，皆自得于文字语言之外。"

同卷，《秋日》："琢句不成鬓添丝，且擕筇杖看云移。槐花落尽全林绿，光景浑如初夏时。"

金太祖（阿骨打，1068—1123）卒。《续资治通鉴》卷九五："戊申，金主殂于行宫。年五十六。后上尊谥曰武元皇帝，庙号太祖。太祖豁达大度，知人善任，人乐为用。举兵数年，算无遗策，遂成大业。"

九月

金太宗即位丙寅，金主大赦中外，改天辅七年为天会元年。

十月

是月，宋京师地震。

空名宣头。《续资治通鉴》卷九五："壬辰，金主以空名宣头百道，给都统宗翰，许以便宜从事。"[思齐按：空名宣头，已由上司签署并加盖了公章的空白文件或委任状，填上名目即可使用。参见《续资治通鉴》卷九五："六年甲寅，金主以空名宣头五十、银牌十，给宗望。"]

张瑴为节度使。《纲鉴易知录》卷七五："冬十月，诏建平州为泰宁军，以张瑴为节度使。金人闻瑴叛，遣阇母将三千骑来讨。瑴率兵拒之于营州，阇母以兵少，不交锋而退，瑴遂妄以大捷闻朝廷，拜节度使，犒赏银绢数万。"

冬，陈与义有诗。《增广笺注简斋诗集》卷十一《十月》："十月天公作许悲，负霜鸿雁不停飞。莽连万里云一去，红尽千林秋径归。病夫搜句了节序，小斋焚香无是非。睡过三冬莫开户，北风不待芰荷衣。"方回《瀛奎律髓》卷十三："简斋诗独是格高，可及子美。"

同卷，《漫郎》："漫郎功业大悠然，拄笏看山了十年。黑白半头明镜里，丹青千树恶风前。星霜屡费惊人句，天地元须使鬼钱。踏破九州无一事，只今分付结跏禅。"

十一月

宋刊行《御注冲虚至德真经》。《续资治通鉴》卷九五：“癸亥，诏国子监刊印《御注冲虚至德真经》，颁之学者。从祭酒蒋在诚等奏请也。”

金军袭破平州城，宋杀张瑴畀金人。《纲鉴易知录》卷七五：“金人袭平州，张瑴奔燕山，平州人杀金使以拒守。阇母无功而退，金主复使斡利不督阇母攻平州。会张瑴闻朝廷犒赏将至，喜而远迎，斡离不乘其无备袭之，与瑴战于城东。瑴败，宵奔燕山，王安中纳而匿之。平州都统张忠嗣及张敦固出降金，金遣使与敦固入谕城中，城中人杀其使者，立敦固为都统，闭门固守。”

又，《续资治通鉴》卷九五：“是月，金遣宗望（即斡离不）督拣摩（即阇母）攻平州。会张瑴闻朝命将至，大喜，率官吏郊迎。金人谍知之，以千骑袭破平州，得朝廷所赐诏旨。瑴挺身走，欲间道归京师，其弟怀御笔将奔燕山。以其母为金人所得，复往投之。而瑴母及妻已为金人所戮，并得瑴弟所怀御笔。金人大怒，瑴遁燕山。郭药师留之，匿姓名，寄常胜军中。金人累檄宣抚司取瑴，宣抚司具奏。朝廷初不欲发遣，金人索之益急，王安中取貌类瑴者，斩其首，与之。金曰：‘非瑴也。’遂欲以兵攻燕。安中言：‘必不发遣，恐启兵端。’朝廷不得已，令安中缢杀之，函其首，并瑴二子送于金。燕降将及常胜军士皆泣下。郭药师曰：‘金人欲瑴即与，若求药师亦将与之乎！’安中惧，因力求罢，召为玉清宝箓宫使。以蔡靖知燕山府，张令徽等由是切齿，而常胜军亦解体矣。”

十二月

两国互贺正旦，止以二州来归。《续资治通鉴》卷九五：“乙巳，金使高居庆、杨意，来贺正旦。时以山后诸州请于金。金主新立，将许之。宗翰自云中至，言于金主曰：‘先帝初图宋协力攻辽，故许以燕地。宋人既盟之后，复请加币以求山西诸镇。先帝辞其币而复与之盟，曰：“无匿逋逃，无扰边民。”今宋数路招纳叛亡，累疏姓名索之而不肯遣。盟未期年，今已如此。万世守约，其可望乎？且西鄙未宁，割付山西诸郡，则诸军失屯据之所。将有经略，或难持久。请勿与之。’金主遂遣使，止以武、朔二州来归。”

冬

陈与义有诗。《增广笺注简斋诗集》卷十一《送王周士赴发运司属官》：“宁食三斗尘，有手不揖无诗人。宁饮三斗醋，有耳不听无味句。墙东草深兰发薰，君先梦我我梦君？小窗诵诗灯花喜，窗外北风怒未已。书生得句胜得官，风其少止尽人欢。五更月晕一千丈，明日君当泛淮浪。去去三十六策中，第一买酒鳌北风。”同卷，《翁高邮挽诗》：“万里功名路，三生翰墨身。暮年铜虎重，浮世石羊新。天地悭豪杰，山川泣吏民。空传四十诔，竟不识斯人。”

本年

宋诸路饥荒。

洪迈（1123—1202）**生**。《宋史》卷三七三《洪迈传》："迈字景卢，皓季子也。幼读书日数千言，一过目辄不忘，博极载籍，虽稗官虞初，释老傍行，靡不涉猎。从二兄试博学鸿词科，迈独被黜。绍兴十五年始中第，授两浙转运司干办公事，入为敕令所删定官。皓忤秦桧投闲，桧憾未已，御史汪勃论迈知其父不靖之谋，遂出添差教授福州。累迁吏部郎兼礼部。……除枢密检详文字。……知枢密院事叶义问出视师，奏以迈参议军事，至镇江，闻瓜州军与金人相持，遑遽失措。会建康走驿告急，义问遽欲还，迈力止之。……迁左司员外郎。三十二年春，金主褒遣左监军高忠建来告登位，且议和，迈为接伴使。……进起居舍人。时议遣使报金国聘，三月丁巳，诏侍从台谏各举可备使命者一人。初，迈之接伴也，既持旧礼折伏金使，至是，慨然请行，于是假翰林学士，充贺登位使，欲令金称兄弟敌国而归河南地。……七月，迈回朝，则孝宗已即位矣。殿中侍御史张震以迈使金辱命，论罢之。明年，起知泉州。乾道二年，复知吉州。入对，遂除起居舍人。……三年，迁起居郎，拜中书舍人兼侍读、直学士院，仍参史事。父忠宣，兄适、遵皆历此三职，迈又踵之。……六年，除知赣州，起学宫，造浮梁，市民安之。……寻知建宁府。……十一年，知婺州。……明年召对，首论淮东备边六要地……上嘉之，以提举佑神观兼侍讲，同修国史。迈初入史馆，预修《四朝帝纪》，进敷文阁直学士、直学士院。……十三年九月，拜翰林学士，遂上《四朝史》，一祖八宗百七十八年为一书。绍熙改元，进焕章阁学士，知绍兴府，过阙奏事，言新政宜以十渐为戒。……提举玉隆万寿宫。明年，再上章告老，进龙图阁学士。寻以端明殿学士致仕。是岁卒，年八十，赠光禄大夫，谥文敏。迈兄弟皆以文章取盛名，跻贵显。迈尤以博洽受知孝宗，谓其文备众体。迈考阅典故，渔猎经史，极鬼神事物之变，手书《资治通鉴》凡三。有《容斋五笔》、《夷坚志》行于世，其他著述尤多。所修《钦宗纪》多本之孙觌，附耿南仲，恶李纲，所纪多失实。"

程大昌（1123—1195）**生**。周必大《龙图阁学士宣奉大夫赠特进程公大昌神道碑》："公讳大昌，字泰之。……公颖悟殊常儿，十岁能为文。绍兴癸亥，重立太学，年甫冠矣，一试即预选，学官争为延誉。二十一年，登进士第一、左迪功郎、主吴县簿。丁正奉忧，服除，献文于朝，宰府奇之。二十六年，除太平州教授。明年，召为太学正。……（三十年）除秘书省正字，改左宣教郎。三十二年六月，孝宗受禅，擢著作左郎。……三皇子就傅，遴选官僚，九月，以公为尚书驾部员外郎，兼恭王府赞读，又兼兵部郎官。六月复兼恭邸赞读。八月，选国子司业。三年十二月，兼权礼部侍郎。一时文柄举属公，其成就人才不可计。……五年正月，兼权直学士院。……八月，除直龙图阁、江东转运副使，盖公求试民事，以乡部宠之，公引嫌改浙东提点刑狱。……七年，复徙江东运副，诏勿引嫌，公犹不自安，踰年乞祠，就徙江西路。……二年四月召为秘书少监，九月兼权中书舍人。……俄兼崇正殿说书。三年四月，除权刑部侍郎，升侍讲。五月，兼国子祭酒。……四年八月，兼给事中。五年正月，同知礼部贡举。御制《原道辨》，寻易名《三教谕》，独公与闻之。六月，进吏部右侍郎兼同修国史。……八月，兼权尚书。六年夏，正除吏部尚书。公遇事启请，知无不言。……公力请郡，是冬除敷文阁直学士，知泉州。……终更提举江西太平兴国宫。十三年秋，起知建宁府。十四年，复提举南京鸿庆宫。……绍熙元年，加宝文阁直学士，旋知明州，示将复用，遽以祠归。四年，超进龙图阁直学士。明年请老，进本阁学士致仕，皆非常典也。庆元改元十一月甲申，以疾不起，享年七十三。……呜呼，公可谓博学笃志者矣。”程大昌在南宋时期的诗经学研究中占有地位，有《诗论》一卷。《四库全书总目》卷一七：“是书本在大昌《考古编》中，故《宋志》不列其名，朱彝尊《经义考》始别立标题，谓之《诗义》。曹溶《学海类编》则作《诗论》，《江南通志》则作《毛诗辨证考》。原本实作《诗论》，则曹溶本是也。”

苏过（1072—1123）卒。弓翊清《斜川集序》：“刻莲花之巨，赏心者爱读鸿文；扬锦水之波，嗜古者争传轶事。而况贻谋忠孝，必有达人；名世子孙，岂无巨制？逸章賸句，等诸笠屐之遗；镂雪裁风，犹是娥眉之秀。廪公远徙，早滞他乡，而岭表归来，眷怀故国。一堂星聚，绵井里之馨香；三代云联，成诗歌之盛举。此渊源以续，宜附《斜川》，浩瀚无涯，益钦苏海也。想其趋庭学步，脾呬横经，捧研时多，人夸亲炙；拓残日久，我羡专家。拾珠玉之余辉，扬华绝俗；听埙篪之叠奏，奋藻惊天。极海穷边，望远而驰驱；烟墨清笳，晓角以思乡。而号召宫商，固已声叶三雍，名齐两赋矣。而画又寂寞，苦绪难申，蓬葆飘萧，深情谁告?”

游酢（1053—1123）卒。危素《游先生文集目录后记（丙子）》：“昔河南二程子之门，英才甚多，其卓然著称者，则由谢显道、尹彦明、杨中立洎先生四人而已。杨氏三传而得新安朱氏，开析遗经，张皇斯道，故杨氏之书行于世为甚盛。其余则几于散亡磨灭，岂不惜哉！始，先生在京时，程叔子一见，谓其可与适道。伯子知扶沟县事，聚邑人子弟于庠序，俾执事其间。先生欣然从之，尽弃其学而学焉。叔子尝曰：‘游君德器粹然，问学日进，政事亦绝人远甚。’则先生之所至可知矣。然则岂可使之无传哉?”

曹勋赐同进士出身。

阮阅编成诗话汇编《诗话总龟》。

公元1124年（宋宣和六年　辽保大四年　金天会二年　夏元德五年　甲辰）

正月

西夏称藩于金国。《纲鉴易知录》卷七六：“春正月，夏称藩于金，金以边地畀之。”

金国设置驿站。《续资治通鉴》卷九五：“丁丑。金始自其京师至南京五十里置驿。”

辽天祚奔逃。《续资治通鉴》卷九五：“辽主趋都统玛格军。金人来攻，弃营北遁。玛格被执，玛克实来迎，赆马、驼、羊，又率部人防卫。时侍从乏粮数日，以衣易羊。至乌古迪里部，以都点检萧伊苏知北院枢密使事，封玛克实为神裕悦王。”

陈与义本年三十五岁。春，有诗。《增广笺注简斋诗集》卷十一《柳絮》：“柳送腰支日几回？更教飞絮舞楼台！颠狂忽作高千丈，风力微时稳下来。”刘辰翁评“风力微时稳下来”句：“调笑近厚。”

同卷，《侯处士女挽词》：“畴昔翁才比太师，固应生女作门楣。人间似梦风旌出，佛子何之宰树悲。五百祝巾空繐帐，三千车乘忽荒陂。他年不共江流去，突兀张林妇德碑。”

同卷，《登天清寺塔》：“为眼不计脚，攀梯受微辛。半天拍阑干，惊倒地上人。风从万里来，老夫方岸巾。荒荒春浮木，浩浩空纳尘。夕阳差万瓦，赤鲤欲动鳞。须臾暮烟合，青魴映乔沦。万化本日驰，高处觉眼新。借问龛中仙，坐稳今几辰？俗子书漫笔，澹然不生嗔。惟有太行山，修供独殷勤。”刘辰翁评末句：“触目戏言，无伦无理，得之迭宕。”范大士《历代诗发》卷二六评“为眼不计脚”二句：“语最俚，却最趣。”

三月

金向宋索取粮食。《续资治通鉴》卷九五：“金遣使诣宣抚司，索赵良嗣所许粮二十万石。谭稹曰：‘二十万石，不易致。良嗣所许，岂足凭也！’遂不与。金人大怒。及举兵，亦以此为辞。”

夏进誓表于金国。《续资治通鉴》卷九五：“辛未，夏国王李乾顺进誓表于金。闰月戊寅朔，金赐夏国誓诏。”

闰三月

宋多处发生地震。《续资治通鉴》卷九五：“京师、河东、陕西地震。宫殿门皆摇动有声。河东、陕西尤甚。兰州诸山草木，悉没地下，而山下麦苗，皆在山上。诏右司郎中黄潜善案视，潜善不以实闻，帝意乃安，迁潜善为户部侍郎。”

陈与义除司勋员外郎，旋擢符宝郎。是春，为省闱考官，有诗。《增广笺注简斋诗集》卷十一《试院春晴》：“今日天气佳，忽思赋新诗。春光挟青色，并上桃花枝。白云浩浩去，天色青陆离。馀霏遇晚日，彩翠纷新奇。天公出变化，惊倒痴绝儿。逶迤或耐久，美好固暂时。平生一枝筇，稳处念力衰。澹然意已足，却赴青灯期。”

同卷，《试院书怀》：“细读平安字，愁边失岁华。疎疎一帘雨，淡淡满枝花。投老诗成癖，经春梦到家。茫然十年事，倚仗数栖鸦。”胡仔《苕溪渔隐丛话》前集卷五三：“陈去非诗平淡有工，如‘疏疏一帘雨，淡淡满枝花。’”

四月

宋八百〇五人中进士。《续资治通鉴》卷九五：“癸丑。赐礼部奏名进士及第出身八百五人。”

金上京新城改名会平州。《续资治通鉴》卷九五：“戊午，金以所筑上京新城，名为会平州。”

夏

陈与义作诗甚多。《增广笺注简斋诗集》卷十一《浴室观雨，以“催诗走群龙”

为韵，得“走”字》：“微云胜屋脊，欹枕看培塿。崔嵬乱一瞬，泰华入搔首。须臾万银竹，壮观惊户牖。摧击竟自碎，映空白烟走。馀飘送未了，日色在井口。去冬三寸雪，寒日澹相守。商量细细融，未觉经旬久。谁能料天工，办此颖脱手。一凉满天地，平分到庭柳。叶端啸馀风，送我一杯酒。画屏题细字，尽记同来友。俗眼之所遗，此事当不朽。”刘辰翁评“日色在井口”句:“自然语。”又评末句:“严整故好,脱严整又好。”

同卷，《夏日与同舍会葆真二首》，其一：“微官有阀阅，三赋池上诗。林密知夏深，仰看天离离。官忙负远兴，觞至及良时。荷气夜来雨，百鸟清昼迟。微风不动蘋，坐看水色移。门前争夺场，取欢不偿悲。欲归未得去，日暮多黄鹂。”刘辰翁评“微官有阀阅”二句：“好。”又评末句：“少少许，不可极。”其二：“明波影千柳，绀屋照万荷。物新感节移，意定觉景多。游鱼聚亭影，镜面散微涡。江湖岂在远，所欠雨一蓑。忽看带箭禽，三叹无奈何（是日有恶少射水禽，一箭中臆，悲鸣飞去)。”刘辰翁评末句：“古今朝士自道所不能及。”

同卷，《夏日》：“赤日可中庭，树影敛不开。烛笼未肯忙，一步九徘徊。梦中惊耳鸣，欲觉闻远雷。屋山奇峰起，欹枕看云来。变化信难料，转头失崔嵬。虽然不成雨，风起亦快哉。槐叶万背白，少振十日埃。白团岂办此，掷去羞薄才。蜻蜓泊墙阴，近人故多猜。墙西岂更热？已去却飞回。”

又有题画诸诗，《增广笺注简斋诗集》卷十二《次韵何文縝题颜持约画水墨梅花二首》，其一：“窗间光景晚来新，半幅溪藤万里春。从此不贪江路好，賸拼心力唤真真。”其二：“夺得斜枝不放归，倚窗承月看熹微。墨池雪岭春俱好，付与诗人说是非。”刘辰翁评末句：“比旧作更化。”

同卷，《又六言》：“未央宫里红杏，羯鼓三声打开。大庾岭头梅萼，管城呼上屏来。”《题持约画轴》：“日落川更阔，烟生山欲浮。舟中有闲地，载我得同游。”

同卷，《为陈介然题持约画》：“层层水落白滩声，万里征鸿小作程。日暮微风过荷叶，陂南陂北听秋声。”《梅花两绝句》，其一：“客行满山雪，香处是梅花。丁宁明月夜，人去影横斜。”其二：“晓天青脉脉，玉面立疏篱。山中尔许树，独自费人诗。”

同卷，《寄题兖州孙大夫绝尘亭二首》（原注：伯野之父)，其一：“不读《远游赋》，放怀兹地宜。云山绕窗户，万态争纷披。世故日已远，风水方逶迤。倚枝夜来雨，东山烟散迟。人间许长史，不与此心期。”其二：“景空纳浩荡，日暮生泬寥。竹声池边起，欲断还萧萧。丈人方微吟，万象各动摇。林间光景异，月出东山椒。门前谁剥啄，已逝不须邀。”刘辰翁评末句：“极是达意。”

同卷，《送善相僧超然归庐山》：“九叠峰前远法师，长安尘染坐禅衣。十年依旧双瞳碧，万里今持一笑归。鼠目向来吾自了，龟肠从与世相违。酒酣更欲烦公说，黄叶漫山锡杖飞。”

同卷，有一组休闲诗。《休日早起》：“咙咙窗影来，稍稍禽声集。闭门知有雨，老树半身湿。剧读了无味，原有非所急。蒲团着身宽，安取万户邑。开镜白云度，卷帘秋光入。饱受今日闲，明朝复羁絷。”傅自得《韦斋集序》：“故吏部员外郎韦斋朱公，建炎、绍兴间，诗声满天下，一时名公钜卿，交口称荐，词人墨客，传写讽诵如不及。予少时学诗，尝以作诗之邀扣公。公不以辈晚遇我，而许从游。间宿于闽部宪台从事官舍之东轩，夜对榻语，禅联不休。比晨起，则积雨初霁，西风凄然。公因为予举简斋‘开门知有雨，老树半身湿’，及韦苏州‘诸生时列坐，共爱风雨林’之句，且言古之诗人，贵冲口直致，盖与彭泽‘把菊东篱下，悠然见南山’同一关捩。三人者，出处穷达虽不同，诵此诗，则可见其人之萧散清远，此殆太史公所谓难与俗人言者。予时心开神会，自是始知诗之趣。”范大士《历代诗发》卷二六：“练语新隽，故能矫矫出尘。”

同卷，《夏夜》：“幽窗报夕霁，微月在屋檫。手中白羽扇，共此夜寥寥。六月天正碧，三更树微摇。缅怀山中景，兹夕感路遥。长啸送行云，可望不可招。夜阑林广发，白露濡清条。”

同卷，《棋》：“长日无公事，闲围李远棋。傍观真一笑，互胜不移时。幸未逢重霸，何妨着献之。晴天散飞雹，惊动隔墙儿。”

陈与义与耿延禧、席益饭于文纬，席益出宋汉杰画秋山属题，有诗。《增广笺注简斋诗集》卷十二《与伯顺饭于文纬，大光出宋汉杰画秋山》：“焚香消午睡，开画逢秋山。皇都马声中，有此四士闲。离离南国树，闪闪湘水湾。悠悠孤鸟去，澹澹晨辉还。机上十年蜡，未散腰脚顽。不如一诣君，坐此岩石间。远峰如修眉，近峰如堕鬟。书生饱作祟，眼乱纷斓斑。一笑遗世人，聊破千载颜。诗成即《画记》，可益不可删。”耿延禧，字伯顺。席益，字大光。文纬，不详。

七月

耶律大石西走。《续资治通鉴》卷九五：“辽主既得耶律达实（即耶律大石）兵，及居乌迪里部，又得玛克实之兵，自谓有天助，再谋出兵收复燕云。达实谏曰：‘向以全师不谋战备，使举国皆为金有，国势至此而方求战，非计也。当养兵待时而动，不可轻举。’辽主不从，达实遂杀知北院枢密事萧伊实（即萧伊苏），及博勒果，自立为王，率铁骑三百宵遁。”

辽天祚帝于夹山遭遇失败。《续资治通鉴》卷九五：“辽主在夹山，金人欲取之，以力不能入夹山为恨。辽主畏宗翰在西京扼其前，久不敢出。俄闻宗翰还上京，洛索代领军事，遂率诸军出夹山。下潼阳岭，径取天德、东胜军、宁边、云内等州，南下五州如履无人之境。洛索忽以大兵扼其归路，急击之。辽众大溃。”

李清照本年四十一岁。至此，赵明诚在青州任上已满三年。大约在本年六七月之间，赵明诚移知淄州，李清照随同前往。

陈与义有诗。《增广笺注简斋诗集》卷十二《对酒》：“新诗满眼不能裁，鸟度云移落酒杯。官里簿书无日了，楼头风雨见秋来。是非衮衮书生老，岁月匆匆燕子回。笑抚江南竹根枕，一樽呼起鼻中雷。”方回《瀛奎律髓》卷二六：“此诗中两联俱用变体，各以一句说情，一句说景，奇矣。坡词有云：‘官事何时毕，风雨外，无多日。’即前联意也。后联即与前诗‘世事纷纷’、‘春阴漠漠’一联用意亦同，是为变体。学许浑诗者能之乎？此非深透老杜、山谷、后山三关不能也。”

同卷，《后三日再赋》：“天生瘿木不须裁，说与儿童是酒杯。落日留霞知我醉，长风吹月送诗来。一官扰扰身增病，万事悠悠首独回。不奈长安小车得，睡乡深处作奔雷。”刘辰翁评“一官扰扰”句：“好。”

八月

宋朝欲引诱天祚南来。《续资治通鉴》卷九五：“辽主之在夹山也，帝欲诱致之。始遣一番僧赍御笔绢书通意，及辽主许允，遂易书为诏，许待以皇弟之礼，位燕、越二王上，筑第千间，女乐三百人。辽主大喜。[童]贯是行出太原，名为代[谭]稹交割山后地土，实以密约辽主来降，自往迎之也。辽主欲来奔，虑南朝不足恃，遂直趋山阴。”

宋朝大赦天下。《续资治通鉴》卷九五：“壬戌。以复燕、云，赦天下。”

九月

重九日，陈与义与宴东城，有诗。《增广笺注简斋诗集》卷十二《九日宜春园午憩，幕中听大光诵朱迪功诗》：“酒酣耳热不能歌，奈此一川黄菊何。卧听西风吹好句，老夫无恨幕生波。”

十月

御笔道官。《续资治通鉴》卷九五：“御笔道官可自大夫以上共带职人，并令封至朝官，许阴赎私罪为官户。”

辽主在阴山，境遇甚凄凉。《续资治通鉴》卷九五：“辽主在阴山，从者不过四千户，步骑才万余，犹纳图鲁卜部人额格之妻，以额格为本部节度使。”

十一月

丰亨豫大，国库空虚。《续资治通鉴》卷九五：“自蔡京以丰亨豫大之说，劝帝穷极侈靡，久而帑藏空竭。言利之臣，殆析秋毫。宣和以来，王黼专主应奉，括剥横赋以羡为功。所入虽多，国用日匮。至是宇文粹中上言：‘祖宗之时，国计所仰，皆有实数，量入为出，沛然有余。近年诸局务应奉司妄耗百出，若非痛行裁减，虑智者无以善后。’帝然其言。丙戌，诏蔡攸就尚书省，置讲议财利司。除茶法已有定制，余并讲究条上。攸请内侍职掌事干宫禁应裁省者，委童贯取旨。由是不急之物，无名之费，颇议裁省。”

王黼致仕。《纲鉴易知录》卷七六：“冬十一月，王黼有罪，免。(李邦彦素与黼不协，阴结蔡攸共毁之。会中丞何㮚论黼奸邪专横十五事，遂诏黼致仕，其党胡松年等皆免。)”

陈与义有诗。《增广笺注简斋诗集》卷十二《冬至二首》，其一：“少年多意气，老去一分无。闭户了冬至，日长添数珠。北风不贷节，鸿雁天南驱。乌帽亦何幸，七日守吾庐。石炉深炷火，撩乱一榻书。只可自怡悦，不堪寄张扶。”其二：“人生本是客，杜叟顾未知。今年我闻道，悲乐两脱遗。日色如昨日，味觉墉阴迟。不须行年记，异代寻吾诗。东家窈窕娘，融蜡幻梅枝。但恐负时节，那知有愁时。”刘辰翁评末二句：“忽得二语动兴。”

同卷，《西省酴醿架上残雪可爱，戏同王元忠、席大光赋诗》：“酴醿花底当年事，夜雪模糊照酒阑。北省今朝枝上雪，还指病眼作花看。”

十二月

宋诏百官遵行元丰法制。

蔡京第四次为相。《纲鉴易知录》卷七六：“十二月，诏蔡京复领三省事。（王黼既致仕，朱勔力劝用京，帝从之。京至是四当国，目昏眊不能省事，事悉决于季子絛。）”

宋饥民起事。《续资治通鉴》卷九五：“时河北、山东转粮，以给燕民。山民力疲困，重以监额科敛，加之连岁凶荒，于是饥兵并起为盗。山东有张万仙者，众至十万。又有张迪者，众至五万。河北有高托山者，号三十万。自余二三万者不可胜数。命内侍梁方平讨之。”

陈与义坐王黼累，自符宝郎谪监陈留酒税。将赴陈留，有诗寄汝州天宁寺僧觉心。《增广笺注简斋诗集》卷十二《将赴陈留寄心老》：“今日忽不乐，图书从纠纷。不见汝州师，但见西来云。长安岂无树，忆师堂前柳。世路九折多，游子百事丑。三年成一梦，梦破说梦中，来时西门雨，去日东门风。书到及师闲，为我点枯笔。画作谪官图，羸骖带寒日。他时取归路，千里作一程。饱吃残年饭，就师听竹声。”

赴陈留，至陈留，皆有诗，《增广笺注简斋诗集》卷十三《赴陈留二首》，其一：“草草一梦阑，行止本难期。岁晚陈留路，老马三振鬐。自看鞭袖影，旷野日落迟。柳林行不尽，想见春风时。点点羊散村，阵阵鸿投陂。城中那由此，触处皆新诗。举手谢路人，醉语无瑕疵。我行有官事，去作三年痴。遥闻辟谷仙，阅世河水湄。时从玩木影，政尔不忧饥。”其二：“马上摩挲眼，出门光景新。鸦鸣半陂雪，路转一林春。旧岁有三日，全家无十人。平生鸚鹉盏，今夕最关身。”

同卷，《至陈留》：“烟际亭亭塔，招人可得回？等闲为梦了，闻健出关来。日落河水壮，天长鸿雁哀。平生远游意，随处一徘徊。”刘辰翁评“烟际亭亭塔”二句：“甚未忘情。”

女人生髭，男人怀孕。《纲鉴易知录》卷七六：“都城有女子生髭，（下曰须，上曰髭）诏度为道士。都城中酒保朱氏女忽生髭，长六七寸，疏秀甚美，宛然一男子。特诏为道士。又有卖青果男子，孕而诞子。”

辽僧行均撰《龙龛手镜》，希麟著《一切经音义》。

本年

韩驹为中书舍人。

吕本中为枢密院编修。

公元1125年（宋宣和七年　辽保大五年　金天会三年　夏元德六年　西辽德宗耶律大石延庆元年　乙巳）

正月

天祚奔党项，辽国遂灭亡。《纲鉴易知录》卷七六："春正月，辽延禧入党项。（党项舒和伦部，在今山西大同以北，近内蒙古。旧臣属于辽，故请辽主临其地。）二月，至应州，金将娄室获之以归。"（辽亡。凡九世，共二百二十年。"）

又，《续资治通鉴》卷九五："党项舒和伦，遣人请辽主临其地，辽主遂趋天德。过沙漠，金兵忽至，辽主徒步出走。近侍进珠帽，却之，乘张仁贵马得脱。……二月戊戌。辽主行至应州新城东六十里，为金将洛索（即娄室）所执，辽亡。辽主之在夹山也，帝数遣使诱之，往来皆由云中。金人尽知其事。及其走舒和伦帐中，金人以未得天祚，遣使谓童贯曰：'海上元约不得存天祚，彼此得即杀之。而中国违约招徕，今又藏匿不出，我必欲得天祚也。'贯辞以无有，又遣使迫促，语大不逊。贯不得已，遣诸将出境上搜之。曰：'若遇异色目人，不问便杀，以授使人。'会金人自得天祚，事乃息。"

春，陈与义初至陈留南镇，有诗。《增广笺注简斋诗集》卷十三《客里》："客里东风起，逢人只四愁。悠悠杂唯唯，莫莫更休休。窗影鸟双度，水声船逆流。一官成一集，尽付古河头。"刘辰翁评"悠悠杂唯唯"二句："十字开合，有无涯之悲。"

同卷，《初至陈留南镇，夙兴赴县》："五更风摇白竹扉，整冠上马不可迟。三家陂口鸡喔喔，早于昨日朝天时。行云弄月翳复吐，林间明灭光景奇。川原四望郁高下，荡摇苍茫森陆离。客心户动群乌起，马影渐薄村墟移。须臾东方云锦发，向来所见今难追。两眼聊随万象转，一官已判三年痴。只将乘除了吾事，推去木枕收此诗。写我新篇作画障，不须更觅丹青师。"刘辰翁评"五更风摇白竹扉"句："除谪至官，况味次第，甚怨不伤。"又凭"推去木枕收此诗"句："好。"

陈与义寓居刘仓廨中，晚步过郑仓台上，有诗。《增广笺注简斋诗集》卷十四《寓居刘仓廨中晚步过郑仓台上》："纱巾竹杖过荒陂，满面东风二月时。世事纷纷人老易，春阴漠漠絮飞迟。士衡去国三间屋，子美登台七字诗。草绕天西青不尽，故园归计入支颐。"方回《瀛奎律髓》卷二六："以'世事'对'春阴'，以'人老'对'絮飞'，一句情，一句景，与前'客子'、'杏花'之句律令无异。但如此下两句，后面难措手。简斋胸次却会变化斡旋，全不觉难，此变体之极也。"

二月

耶律大石建立西辽。《纲鉴易知录》卷七六："耶律大石称帝于起儿漫。改元延庆，群臣上尊号曰天祐皇帝，是为西辽。"

又，《续资治通鉴》卷九五："初，耶律达实北行三日，过黑水，见白达勒达详衮崇乌鲁（旧作床吉儿，今改），崇乌鲁限马四百，驼二十，羊若干。西至哈屯（旧作可敦，今改）城，驻北庭都护府。会西鄙七州及十八部王，谕之曰：'我祖宗艰难创业，历世九主，历年二百。金以臣属，逼我国家，残我黎庶，屠翦我州邑，使我天祚皇帝蒙尘于外，日夜痛心疾首。我今仗义而西，翦我仇敌，复我疆宇。惟尔众庶，亦有思共救君父济生民之难者乎？’遂得精兵五万余。于是置官吏，立排甲，具器仗，以青牛白马祭天地祖宗，整旅而西。先遣书回鹘王必勒哈（旧作必勒哥，今改），曰：‘吾与尔国非一日之好，今我将西至大食，假道尔国，其勿致疑。’必勒哈得书，即迎至邸，大宴三日，临行献马、驼、羊，愿置子孙为附庸，送至境外。所过敌者胜之，降者安之，兵行万里，归者数国。获财畜不可胜计，军势日盛。至塔什干（旧作寻思干，今改），西域诸国举兵十万，号呼拉沙（旧作忽尔珊，今改）来拒战。两军相望二里许。谕将士曰：‘彼军虽多而无谋，攻之则首尾不救，我师必胜！’乃遣萧额哩埒（旧作斡里拉，今改）、耶律松山等将兵攻其右，萧苏拉布（旧作拉阿不，今改）、耶律穆苏（旧作木素，今改）等，将兵攻其左，自以众攻其中。三军俱进。呼拉沙大败，僵尸数十里。驻军塔什干。凡九十日，回回国王来降，贡方物。又西至奇尔爱雅（旧作起尔曼，今改），文武百官，册立达实为帝，以是月五日即位。改元延庆，号噶尔汗（旧作葛尔罕，今改）。复上汉尊号曰天祐皇帝，世谓之西辽。既而，追谥其祖曰嗣元皇帝、祖母曰宣义皇后，册元妃萧氏为昭德皇后。”

是春，陈与义作诗较多。《增广笺注简斋诗集》卷十三《游八关寺后池上》：“落日生春色，微澜动古池。柳林横绝野，藜杖去寻诗。不有今年谪，争成此段奇。殷勤雪颀老，随客转荒陂。”

同卷，还有《种竹》：“种竹不比高，摇绿当我楹。向来三家墅，无此笙箫声。皇天有老眼，为閟十日晴。护我萧萧碧，伟事邻翁惊。同林偶落此，相向意甚平。何须俟迷日，可笑世俗情。明年万夭矫，穿地听雷鸣。但恨种竹人，南山合归耕。它时梦中路，留眼记所更。苍云屯十里，不见陈留城。”

同卷，《对酒》：“陈留春色撩诗思，一日搜肠一百回。燕子初归风不定，桃花欲动雨频来。人间多待须微禄，梦里相逢记此杯。白竹扉前容醉舞，烟村渺渺欠高台。”方回《瀛奎律髓》卷十九：“简斋诗响得自是别。”纪昀评：“三、四有托寓。”

同卷，《寒食》：“草草随时事，萧萧傍水门。浓荫花照野，寒食柳围村。客袂空佳节，莺声忽故园。不知何处笛，吹恨满清尊。”

同卷，《再游八关》：“古镇易为客，了身一篮舆。贪游八官寺，忘却子公书。青青天气肃，澹澹春意初。东风经古池，满面生纾馀。卯申缚壮士，人世信少娱。时来照兹水，点检鬓与须。日暮登古原，微白见远墟。念我《遂初赋》，徘徊月生裾。悠悠不同抱，悄悄就归途。”

同卷，《感怀》：“少年争名翰墨场，只今扶杖送斜阳。青青草木浮元气，渺渺山河接故乡。作吏不妨三折臂，搜诗空费九回肠。子房与我同羁旅，世事千般酒一觞（张子房所封，乃彭城之留，而陈留庙食甚盛）。”

三月

金国始定制度。《续资治通鉴》卷九五：“金始议礼制度，正官名，定服色，兴庠序，设选举，其议皆自宗斡发之。”

陈与义尝游窦园，有诗。《增广笺注简斋诗集》卷十三《窦园醉中前后五绝句》，其一：“东风吹雨小寒生，杨柳飞花乱晚晴。客子从今无可恨，窦家园里有莺声。”刘辰翁评“客子从今无可恨”二句：“极是恨意。”其二：“海棠脉脉要诗催，日暮紫绵无数开。欲识此花奇绝处，明朝有雨试重来。”其三：“不见海棠相似人，空题诗句满花身。酒阑却度荒陂去，驱使风光又一春。”刘辰翁评末句：“无不恨恨。”其四：“三月碧桃惊动人，满园光景一时新。賸倾老子樽中玉，折尽残枝不要春。”刘辰翁评末句：“每有狂意。”其五：“一樽相属莫辞空，报答今朝吹面风。自唱新诗与明月，碧桃开尽曲声中。”刘辰翁评末句：“写得耿耿。”

同卷，还有《雨》：“沙岸残春雨，茅檐古镇官。一时花带泪，万里可凭栏。日晚蔷薇重，楼高燕子寒。惜无陶谢手，尽力破忧端。”刘辰翁评“一时花带雨”二句：“此集五言之最。”方回《瀛奎律髓》卷十七纪昀评：“深稳而清切，简斋完美之篇。”

同卷，《食笋》：“竹君家多才，楚楚皆席珍。成行着锦袍，玉色映市人。惠然集吾宇，老眼檐光新。麴生亦税驾，共慰藜藿贫。不待月与影，三人宛相亲。可怜管城子，头秃事苦辛。按谱虽同宗，闻道隔几尘？诗成聊使写，一笑惊比邻。”

四月

宋朝恢复元丰官制。《纲鉴易知录》卷七六：“复元丰官制。（诏行元丰官制，复尚书令之官，虚而不授。三公但为阶官，勿领三省事。）”

宋复州县免行钱。

初夏，陈与义有诗。《增广笺注简斋诗集》卷十三《初夏游八关寺》：“闭门睡过春，出门绿满城。八关池上柳，絮罢但藏莺。世故剧千蜩，今朝此闲行。草木随时好，客恨终难平。寺有石壁胜，诗无康乐声。扶鞍不得上，新月水中生。”刘辰翁评末句：“甚无紧要，甚未易得。”

同卷，《题酒务壁》：“野马本不羁，无奈卯与申。当时彭泽令，定是英雄人。客来两绳床，客去一欠伸。市声自杂沓，炉烟自轮囷。莺声时节改，杏叶雨气新。佳句忽堕前，追摹已难真。自题西轩壁，不杂徐、庾尘。”

六月

封童贯为广阳郡王。

刘安世（1048—1125）卒。《纲鉴易知录》卷七六：“前宝文阁待制刘安世卒。安世为章惇、蔡卞、蔡京所忌，连贬窜，极远恶地无不历之，至是卒。安世少从学于司马光，平居坐不倾倚，书不草率，不好声色货利，忠孝正直，皆取则于光。除谏官，在职累年，正色立朝，其面折廷争，或逢盛怒，则执简却立，俟威稍霁，复前抗辞，旁列者见之，蓄缩耸汗。年既老，群贤凋丧略尽，岿然独存，以是名望益重。梁师成用事，能生死人，心服其贤，求得小吏吴默常趋走前后者，使持书啗以即大用。默劝为子孙计，安世笑谢曰：‘吾若为子孙计，不至是矣。’还其书，不答。苏轼尝评元祐人物曰：‘器之真铁汉。’（安世，字器之）”

七月

金颁诏禁止买贫民为奴。《续资治通鉴》卷九五："壬申，金禁内外官宗室勿私役百姓。己卯，金主诏权势之家毋买卖贫民为奴，其胁买者一人偿十五人，诈买者一人偿二人，杖一百。甲申，金括南京官豪牧马，以等第取之，分给诸军。"

宋西北地区地震。《续资治通鉴》卷九五："是月，熙河、兰州、河东地震。熙河有裂数十丈者。兰州尤甚，仓库皆没。"

八月

耶律延禧被废为海滨王。《纲鉴易知录》卷七六："秋八月，金吴乞买废辽延禧为海滨王。（遣使以获辽主来告庆）"

陈与义秋夜咏月，有诗寄身世之慨。《增广笺注简斋诗集》卷十四《秋夜咏月》："庭树日日疏，稍觉夜月添。推愁了此段，卷我三间帘。黄花墙阴远，白发露气严。平生六尺影，随我送凉炎。踏破千忧地，投老乃自嫌。尚想采石江，宫锦映霜蟾。夜半赋诗成，起舞鱼龙兼。办此讵难事？取快端宜廉！"

九月

狐狸升御座，菜夫死狱中。《纲鉴易知录》卷七六："九月，有狐升御榻而坐。时又有都城东门外鬻菜夫，至宣德门下，释荷担向门戟手，且詈云：'太祖皇帝、神宗皇帝使我来道，尚宜速改也。'逻卒捕之，下开封狱。一夕方省，则不知向者所为，乃于狱中尽之。"

金兵大掠清化县。《续资治通鉴》卷九五："清化县榷盐场申燕山府，言：金人拥大兵前来劫掠居民，焚毁庐舍。时宣抚使蔡靖，与转运使吕颐浩、李兴权等，修葺城隍，团结人兵，以为守御之备，使银牌马入奏，兼关合属去处。而大臣谓郊礼在近，匿不以闻，恐碍推恩。奏荐事毕，措置未晚，但以大事委边臣而已。"

十月

金朝南侵大计定，宋朝泄泄如平时。《续资治通鉴》卷九五："甲辰。金主诏诸将南伐。以安班贝勒杲，兼领都元帅；贝勒宗翰，兼左副元帅；先锋经略使完颜希尹，为右监军；左金吾上将军耶律伊都，为右都监；自西京入太原。以六部路军帅达兰，为六部都统；舍音（旧作斜也，今改）副之。宗望为南路都统，拣摩副之。知枢密院事刘彦宗，兼领汉都统，自南京入燕山路。时金人部署已定，而举朝不知，遣使往来，泄泄如平时。"

傅察乃赵明诚之妹婿，宣和七年乙巳十月，充接伴金国贺正旦使，不屈遇害。《三朝北盟会编》卷二二李邴《傅察墓志》："十一月，公至燕山府，闻虏入寇，或劝其勿遽行。公曰：'衔命已出，闻难则止，如君命何！'遂行。二十一日，至蓟州韩城镇，使人失期。居数日，虏骑暴至，强公行，遇金国二太子斡离不，左右促公拜，白刃如林，公愈自立，衣冠颠顿，终不屈……公知不免，谓随行书状官侯彦等曰：'我以国故不屈，我死必矣。'"

陆游（1125—1210）生。十月十七日，陆游生于淮上。《宋史》卷三九五《陆游传》："陆游字务观，越州山阴人。年十二能诗文，荫补登侍郎。锁厅荐送第一，秦桧孙埙适居其次，桧怒，至罪主司。明年试礼部，主司复置游前列，桧显黜之，由是为所嫉。桧死，始赴福州宁德簿，以荐者除敕令所删定官。……迁大理寺司直兼宗正簿。孝宗即位，迁枢密院编修官兼编类圣政所检讨官。史浩、黄祖舜荐游善词章，谙典故，召见，上曰：'游力学有闻，言论剀切。'遂赐进士出身。……出通判建康府，寻易隆兴府。言者论游交接台谏，鼓唱是非，力说张浚用兵，免归。久之，通判夔州。王炎宣抚川陕，辟为干办公事。……范成大帅蜀，游为参议官，以文字交，不拘礼法，人讥其颓放，因自号放翁。后累迁江西常平提举。江西水灾，奏拨义仓赈济，檄诸郡发粟以予民。召还，给事中赵汝愚驳之，遂与祠。起知严州，过阙，陛辞，上谕曰：'严陵山水胜处，职事之暇，可以赋咏自适。'再召入见，上曰：'卿笔力回斡深山，非他人可及。'除军器少监。绍熙元年，迁礼部郎中兼实录院检讨官。嘉泰二年，以孝宗、光宗《两朝实录》及《三朝史》未就，诏游同修国史、实录院同修撰，免奉朝请，寻兼秘书监。三年，书成，遂升宝章阁待制，致仕。游才气超逸，尤长于诗。晚年再出，为韩侂胄撰《南园阅》、《古泉记》，见讥清议。朱熹尝言：'其能太高，迹太近，恐为有力者所牵挽，不得全其晚节。'盖有先见之明焉。嘉定二年卒，年八十五。"

是冬，陈与义作诗较多。初冬诗作有《增广笺注简斋诗集》卷十四《入城》："竹舆声伊鸦，路转登古原。孟冬郊泽旷，细水鸣芦根。雾收浮屠立，天阔鸿雁奔。平生厌喧闹，快意三家村。思生长林内，故园归不存。欲为唐衢哭，声出且复吞。"

同卷，《夜步堤上三首》，其一："世故生白发，意行无与期。平生木上座，临老始相知。月中沙岸永，岁暮河流迟。留侯庙前柳，叶尽空离离。百年信难料，賸赋奇绝诗。"其二："人间睡声起，幽子方独步。依杖看白云，亭亭水中度。十月雁背高，三更河流去。物生各扰扰，念此煎百虑。聊将忧世心，数遍桥西树。"其三："旋买青芒鞋，去踏沙头月。争教冠盖地，着此影突兀。树寒栖鸟动，风转孤管发。月色夜夜佳，人生事如髮。梦中续清游，浓露湿银阙。"

同卷，《早起》："竟夜闻落木，雨歇窗如新。披衣有忙事，檐前看归云。初阳上林端，鸦背明纷纷。我亦迫经课，日计在一晨。再烧结愿香，稍洗三生勤。群公持世故，白发到幽人。幸不识奇字，门绝车马尘。谁能共此床，竹影可与分。"

同卷，《晚步》："手把古人书，闲读下广庭。荒村无车马，日落双桧青。旷然神虑静，浊俗非所宁。逍遥出荆扉，竚立瞻郊坰。须臾暮色至，野水皆晶荧。却步面空林，远意更杳冥。停云甚可爱，重叠如沙汀。"

十一月

傅察大义凛然，被杀害于金。《纲鉴易知录》卷七六："十一月，太常少卿傅察使金，不屈，死之。察为金贺正使，至境上，遇斡离不兵，胁之使拜且降。不拜，左右捽之伏地，愈植立，反复论辩不屈，遂遇害。察，尧俞从孙也，十八登进士。蔡京常欲妻以女，拒弗答。平居恂恂然若无所可否，及仓卒徇义，闻者莫不壮之，后谥忠肃。”

陈与义作诗，又作赋。《增广笺注简斋诗集》卷十四《同杨运幹黄秀才村西买山药》：“潦缩田路宽，逶迤散腰脚。胜日三枝杖，村西买山药。岗峦相吞吐，远木互前却。天因野水明，岁暮竹篱薄。田翁领客意，发筐堆磊落。玉质缃色裘，用世乃见缚。屠门几许快，夜语寻幽约。石鼎看云翻，门前北风恶。”刘辰翁评“胜日三枝杖”二句：“无趣之区，宜有新语。”

《增广笺注简斋诗集》卷一《玉延赋》：“吾闻阳公之田，不垦不耕，爰播羸斗，可获连城。资阴阳之淑气，孕天地之至精。蜿蜒赤埴之腴，煌扈白虹之英。惊山木之润发，冒朝采之馀荣。逮百嘉之泽尽，候此玉之丰成。王公大人方以不贪为宝，辞秦玉而陋楚珩，虽三献其谁售，乃举贽于老生。老生囊中之法未试，腹内之雷久鸣。搴石鼎以自濯，揞豕腹之彭亨。春江浩其波涛，远鏧飒以松声，俄白云之涨谷，乱双眼于晦明。擅人间之三绝，色味胜而香清。捧杯盂而笑领，映户牖之新晴。斥去懒残之芋，尽弃接舆之菁。收奇勋于景刻，匕未落而体轻。凌厉八仙，扫除三彭。见蓬莱之夷路，接阊阖于初程。彼徇华之大夫，含三生之宿酲，汙之以蜂蜜，辱之以羊羹，合堂逸少之炙，同传孝仪之鲭。叹超然之至味，乃陆沉于聋盲。岂皆能于我遇，亦或卿而或烹。起援笔而三叫，驱蛇蚓以纵横，吾何与去大夫之迷迹，盖以慰此玉之不平也。”刘辰翁评：“句得赋体，有嫩有痴，盖以典型胜滑稽。”

同卷，《放鱼赋》：“仲冬良日，二客过予，请观鱼于窦氏之陂。摄衣而兴，从客往嬉。日澹寒郊，木影陆离。顾道旁之洫，异于他日，浩如潮之方滋。客曰：‘是殆水师不仁，将平地以尽鱼，空其池而寓之斯也。’至则水不肤寸矣。而百万之鳞，瀺灂声沸。金横玉偃，失剧狼狈。赤手下捕，易若拾块。翻倒窟穴，不遗细碎。问其所以得取，则输金钱以买诸窦氏。噫嘻！是鱼之爱其生，与我无异也。奈何使充牣之性命，带喚喁而就脔割，才以易一朝之费。彼任公子虽永负于一鱼，而淛河以东，苍梧以北，皆歌舞其赐。则乘除而逆计之，其得失有以相济也。聊解我衣，救尔戢戢。爰得数斗，护以微湿，岂不揞动，义生相急。将逸尔于隋沟，资淮海以供给。已趣汤而幸见赦，同伏质而偶不及。其亦知遇我之不可常，而教鲂鱮以慎出入也。不虞生异，使我辞索，遂用其言，脱鱼再厄。步驿门而左转，得渺然之平泽，其深黛黑，其浅鉴白。穷源委而四顾，知吾辈之责塞，罄一泻而莫留，乱藻荇之寒碧。乍圉圉以洋洋，忽四散而无迹。异乾鱼之还乡，类群鳄之徙宅。念宇宙之伟事，或偶成于戏剧。岂特为今日之一快，吾将候风雷于它夕也。众客忻然，三绕而退，归泚我笔，以记斯会。庶几窦氏子闻之，为来岁之戒。”刘辰翁评：“转换蜿折，不多不少，恳款浓厚，盖无一语不实，故贵。”

又作诗两首，《增广笺注简斋诗集》卷十四《同二子观取鱼于窦家池，以钱得数斗，置驿西野塘中，圉圉而逝，我辈皆欣然也》：“闭户读书生白发，闲向村东看鱼穴。曾随树影数圆波，铁面渔师肝肺别。向来痴腹负此翁，只可买放莲塘中。万事成亏等闲里，他年此地费雷风。”此诗为陆游所追和，《剑南诗稿》卷四六《闲中信笔二首，其一追和陈去非韵，其一追和王履道韵》，陆游和陈诗如下：“我看浮名如脱发，誓墓收身老岩穴。座延穷鬼心不疑，炉锤横财渠自别。乐哉今为八十翁，神交园绮商山中。烹葵剥枣及时序，烂醉黍酒歌邠风。”

同卷，《早起》：“晓寒生木枕，窗白梦难续。自起开柴扉，空庭立乔木。濛濛井气上，澹澹天容肃。尘心忽昭旷，何异居涧谷。学道审不遥，忍饥差已熟。皇天赐丰年，菜本如白玉。一简了百事，狡狯嗤颜歜。幽鸟行屋山，悠然寄吾目。”刘辰翁评：“自启开柴扉”二句：“是翁先得，每在此处。”

同卷，《招张仲宗》：“北风日日吹茅屋，幽子朝朝只地炉。客里赖诗赠意气。老来唯嬾是工夫。空庭乔木无时事，残雪疏篱当画图。亦有张侯能共此，焚香相待莫徐驱。”张仲宗，张元幹也，此时为陈留丞。方回《瀛奎律髓》卷二十一：“此‘空庭乔木无时事’一句尤奇，人所不能道者，比‘小斋焚香无是非’更高。”纪昀评：“此是江西粗调，不似简斋他作。”

同卷，《宴坐之地，籧篨覆之，名曰蓬斋》：“不须杯勺了三冬，旋作蓬斋待朔风。会有打霜风雪夜，地炉孤坐策奇功。”

同卷，《八关僧房遇雨》：“脱履坐明窗，偶至晴更适。池上风忽来，斜雨满高壁。深松含岁暮，幽鸟立昼寂。世故方未阑，焚香破今夕。”刘辰翁评末句：“太逼柳州。”

同卷，《赠黄家阿莘》：“君家阿莘如白玉，呼出灯前语录续。可怜郎罢穷一生，只今有汝照茅屋。猪生十子豚复豚，阿莘明年可当门。阶庭一笑不外索，万事纷纷何足论。”

十二月

粘没喝攻陷朔州代州，张孝纯制止童贯逃跑。《纲鉴易知录》卷七六：“十二月，童贯自太原逃归，金粘没喝陷朔、代州，遂围太原。先是，金人遣使来，许割蔚、应州及飞狐、灵丘县，帝信之，遣童贯往受地。至太原，闻粘没喝自云中南下，贯乃使马扩、辛兴宗往，使谕以交割地事。扩至，粘没喝曰：‘尔尚欲此两州两县邪？汝家别削数城来，可赎罪也！汝辈可即去。’扩还报，请贯速作备御，贯不从。既而粘没喝遣王介儒、撒离拇持书至太原，责以渝盟纳叛等事，词语甚倨。贯问之曰：‘如此大事，何不素告我？’撒离拇曰：‘兵已兴，何告为？宜速割河东、河北，以大河为界，用存宋朝宗社，乃报国也。’贯闻之气褫，不知所为，即欲假赴阙禀议为名，遁还京师。知太原府张孝纯止之曰：‘金人渝盟，大王当会诸路将士极力枝梧。今大王去，人心必摇，是以河东与金也。河东既失，河北岂可保邪！愿少留，共图报国。兼太原地险城坚，人亦习战，未必金便能克也。’贯怒，叱之曰：‘贯受命宣抚，非守土也。必欲留贯，置帅臣何为？’遂行。孝纯叹曰：‘平生童太师作几许威望，及临事，乃蓄缩畏慑，奉头鼠蹿，何面目复见天子乎！’粘没喝引兵降朔州，克代州，都巡检使李翼力战，被执，骂贼死。粘没喝遂进围太原，孝纯悉力固守。”

郭药师降金。《纲鉴易知录》卷七六：“金斡离不入檀、蓟州，郭药师以燕山叛降金，金尽陷燕山州县。”

宋朝以皇太子为开封牧。《纲鉴易知录》卷七六：“以皇太子为开封牧。帝以金师日迫为忧。蔡攸探知帝意欲内禅，引给事中吴敏入对，宰执皆在，敏前奏事，且曰：‘金人渝盟，举兵犯顺，陛下何以待之？’帝蹙然曰：‘奈何！’时东幸计已定，命李棁先出守金陵，敏退诣都堂言曰：‘朝廷便为弃京师计，何理也？此命果行，虽死不奉诏！’宰执以为言，棁遂罢行，而以太子为开封牧。”

宇文虚中诏略。《纲鉴易知录》卷七六：“诏天下勤王，许臣庶直言极谏，罢道官及行幸助局。初，宇文虚中为童贯参议官，虚中以庙谟失策，主帅非人，将有纳侮自焚之祸，上书极言之，王黼大怒，又累建防边策议，皆不报。及金人南下，贯与虚中还朝，帝谓虚中曰：‘王黼不用卿言，今事势若此，奈何！’虚中对曰：‘今日宜先降诏罪己，更革弊端，俾人心天意回，则备御之事，将帅可以任之。’帝即命虚中草诏（略曰：‘朕以寡昧之质，藉盈成之业，言路壅蔽，面谀日闻，恩幸持权，贪饕得志。缙绅贤能，陷于党籍，政事兴废，拘于纪年。赋敛竭生民之财，戍役困军旅之力，多作无益，侈靡成风。利源酤榷已尽，而牟利者尚肆诛求。诸军衣粮不时，而冗食者坐享富贵。灾异谪见而朕不悟，众庶怨怼而朕不知，追惟己愆，悔之何及！思得奇策，庶解大纷。望四海勤王之师，宣二边御敌之略，永念累圣仁厚之德，涵养天下百年之余。岂无四方忠义之人，来徇国家一日之急，应天下方镇、郡县守令，各率众勤王，能立奇功者，并优加奖异。草泽异才，能为国家建大计，或出使疆外者，并不次任用。中外臣庶，并许直言极谏’），帝览之曰：‘今日不吝改过，可便施行。’虚中又请出宫人，罢道官及大晟府行幸局及诸局务。”又，“诏熙河经略使姚古、秦风经略使种师中，将兵入援。”

李纲刺血上书。《纲鉴易知录》卷七六：“以吴敏为门下侍郎。帝东幸之意益决，太常少卿李纲谓敏曰：‘建牧之议，岂非欲委太子以留守之任乎？今敌势猖獗，非传太子以位号，不足以招徕天下豪杰。’敏曰：‘监国可乎？’纲曰：‘肃宗灵武之事，不建号不足以复邦，而建号之议不出于明皇，后世惜之。上聪明仁恕，公盍不为上言之？’翌日，敏入对，具以纲言白帝。帝即召纲入议，纲刺血上书曰：‘皇太子监国，礼之常也。今大敌入攻，安危存亡，在呼吸间，犹守常礼可乎！名分不正而当大权，何以号召天下？若假皇太子以位号，使为陛下守宗社，收将士心，以死捍敌，天下可保。’帝意遂决。明日，宰臣奏事，帝留李邦彦，语敏、纲所言；遂拜敏门下侍郎，草诏传位。”

徽宗传位太子。《纲鉴易知录》卷七六：“帝传位于太子，太子即位，尊帝为教主道君太上皇帝，皇后为太上皇后。（帝退居龙德宫，以李邦彦为龙德宫使，蔡攸、吴敏副之。）”

疆土不可以尺寸与人。《纲鉴易知录》卷七六：“以李纲为兵部侍郎。纲上书言：‘方今中国势弱，君子道消，法度纲纪，荡然无统。陛下履位之初，当上应天心，下顺人欲，攘除外患，使中国之势尊，诛锄内奸，使君子之道长，以副道君皇帝付托之意。’召对延和殿，时金议割地，纲言：‘祖宗疆土，当以死守，不可以尺寸与人。’帝嘉纳之，拜兵部侍郎。”

陈东上书请诛蔡京。《纲鉴易知录》卷七六："太学生陈东上书，请诛蔡京等人。时天下皆知蔡京等误国，而用事者多受其荐引，莫肯为帝明言之。东率诸生上书曰：'今日之事，蔡京坏乱于前，梁师成阴结于内，李彦结怨于西北，朱勔聚怨于东南，王黼、童贯又从而结怨于二虏，创开边隙，使天下势危如丝发。此六贼者，异名同罪，伏愿陛下擒此六贼，肆诸市朝，传首四方，以谢天下。'"

赵明诚除直秘阁。《宋会要辑稿·选举》卷三三宣和七年："十二月二日，诏朝散郎权发遣淄州赵明诚职事修举，可特除直秘阁。"

本年

本年李清照四十二岁。赵明诚李清照在淄州。明诚迁《唐淄州开元寺碑》。明诚得《孟姜盥匜铭》与平陆戈。

吴儆（1125—1183）生。初名偁，避秀邸讳改今名，字益恭，又字恭父，休宁人。绍兴二十七年进士，调明州鄞县尉。乾道二年，知安仁县。淳熙初，通判邕州，秩满入对，擢知州事，兼广南西路安抚都监。与朱熹、张栻、吕祖谦等道学家相友善，张栻称其"忠义果断，缓急可仗"。以亲老请祠，得主管台州崇道观。七年，起知泰州，转朝散郎致仕，遂教于乡里。淳熙十年卒，年五十九。宋理宗保祐初，追谥文肃。《四库全书总目》卷一五九，有吴儆《竹洲文集》二十卷，附《棣华杂著》一卷。

贺铸（1052—1125）卒。张耒《张耒集》卷四八《贺方回乐府序》："文章之于人，有满心而发，肆口而成，不待思虑而工，不待雕琢而丽者，皆天理之自然而情性之道也。世之言雄暴虓武者，莫如刘季、项籍。此两人者，岂有儿女之情哉？至其过故乡而感慨，别美人而涕泣，情发于言，流为泽词，含思凄婉，闻者动心焉。此两人者，岂其费心而得之哉？直寄其意耳。予友贺方回，博学业文，而乐府之词，高绝一世，携一编示予，大抵倚声而为之词，皆可歌也。或者讥方回好学能文而惟是为工，何哉？予应之曰：'是所谓满心而发，肆口而成，虽欲已焉，而不得者。'若其粉泽之工，则其才之所至，以不自知也。夫其盛丽如游金、张之堂，而妖冶如揽嫱、施之祛，幽洁如屈、宋，悲壮如苏、李，览者自知之，盖有不可胜言者矣。"又，《四库全书总目》卷一五五："《庆湖遗老集》九卷。……铸以填词名家，世传其《青玉案》词'梅子黄时雨'句，有'贺梅子'之称。然其诗亦工致修洁，时有逸气，格虽不高，而无宋人悍犷之习。《苕溪渔隐丛话》称其以《望夫石》诗得名。《诗人玉屑》称王安石赏其《定林寺》绝句。《王直方诗话》载铸论诗之言曰：'平淡不涉于流俗，奇古不临于怪僻。题咏不窘于物议，叙事不病于声律。比兴深者通物理，用事工者如己出。格见于成篇，浑然不可镌；气出于言外，浩然不可屈。'观其所作，虽不尽如其所论，要亦不甚愧其言也。陆游《老学庵笔记》曰：'贺方回状貌奇丑，俗谓之贺鬼头。喜校书，朱黄未尝去手。诗文皆高，不独工长短句也。'今其文则不可睹矣。"

李纲为兵部侍郎。

吴涛在世。

公元 1126 年（宋钦宗靖康元年　金天会四年　夏元德七年　西辽延庆二年　丙午）

正月

钦宗皇帝诏求直言。《纲鉴易知录》卷七六："名桓，徽宗太子，初封定王，金人入寇，遂受内禅，在位二年，遂陷于金，而汴宋亡矣。帝在东宫，初无失德。力遘强胡，二年入寇，逼之北行，绍兴三十年殂于五国城。丙午，钦宗皇帝靖康元年，春正月，诏中外臣庶直言得失。自金人犯边，屡下求言之诏，事稍缓，则阴沮抑之，当时有'城门闭，言路开；城门开，言路闭'之语。"

金大军继续南侵，梁方平黎阳溃败。《纲鉴易知录》卷七六："梁方平之师溃于黎阳，金人遂渡河。金斡离不陷相、浚二州，时方平帅劲旅屯于黎阳河北岸，金将迪古补奄至，方平奔溃。河南守桥者望见金兵旗帜，烧桥而遁。河北、河东路制置副使何灌帅兵二万退保滑州，亦望风迎溃，官军在河南者无一人御敌。金人遂取小舟以济。凡五日，骑兵方绝，步兵犹未渡也。旋渡旋行，无复队伍，金人笑曰：'南朝可谓无人，若以一二千人守河，我岂得渡哉！'遂陷滑州。"

六个国贼，死了三个。《纲鉴易知录》卷七六："以吴敏知枢密院事，李棁同知院事。窜王黼于永州，赐李彦死，并籍其家；放朱勔归田里。黼至雍丘（即今河南杞县，属开封府），盗杀之（开封府尹聂昌遣武士杀之）。"

宋太上皇出奔。《纲鉴易知录》卷七六："太上皇出奔亳州，遂入镇江。帝闻斡离不济河，即下诏亲征，以蔡攸为太上皇帝行宫使，宇文粹中为副使，奉上皇东行，以避敌。庚午，上皇如亳州，于是百官多潜遁。初，童贯在陕西募长大少年，号胜捷军，几万人，以为亲军，即自太原还京，适上皇南幸，贯即以是军自随。上皇过浮桥，卫士攀望号恸，贯唯恐行不远，使亲军射之，中矢而踣者百余人，道路流涕。蔡京亦尽室南行，为自全计。辛巳，上皇至镇江。"

李纲领导开封保卫战。《纲鉴易知录》卷七六："以李纲为尚书右丞、东京留守。宰执议请帝出幸襄、邓以避敌锋。行营参谋官李纲曰：'道君皇帝挈宗社以授陛下，委而去之，可乎？'帝默然。白时中谓都城不可守，纲曰：'天下城池岂有如都城者，且宗庙、社稷、百官、万民所在，舍此欲何之？今日之计，当整饬军马，固结人心，相与坚守，以待勤王之师。'帝问：'谁可将者？'纲曰：'白时中、李邦彦等虽未必知兵，然藉其号位，抚将士以抗敌锋，乃其职也。'时中勃然曰：'李纲莫能将兵出战否？'纲曰：'陛下不以臣庸懦，倘使治兵，愿以死报。'乃以纲为尚书右丞、东京留守。纲为帝力陈不可去之意，且言：'明皇闻潼关失守即时幸蜀，宗庙、朝廷毁于贼手。今四方之兵不日云集，奈何轻举以蹈明皇之覆辙乎？'会内侍奏东宫已行，帝变色，仓卒降御榻曰：'朕不能留矣。'纲泣拜，以死邀之，帝顾纲曰：'朕今为卿留。治兵御敌之事，专责之卿，勿致疏虞。'纲惶恐受命。宰臣犹请出幸不已，帝从之。纲趋朝，则禁卫擐甲，乘舆已驾矣。纲急呼禁卫曰：'尔等愿守宗社乎？愿从幸乎？'皆曰：'愿死守。'纲入见曰：'陛下已许臣留，复戒行，何也？今六军父子妻孥皆在都城，愿以死守，万一中道散归，陛下孰与为卫？敌兵一逼，知乘舆未远，以健马疾追，何以御之？'帝感悟而止，禁卫六军闻之无不悦者，皆拜伏呼万岁。乃命纲兼行营使，以便宜从事。纲治守战之具，不数日而毕。”

宋遣使议和，金议和条款，李纲谏纳币割地。《纲鉴易知录》卷七六：“金斡离不围京师，李纲力战御之。金人来议和，诏出内帑及括借市民金帛与之，遣康王构即少宰张邦昌往为质。癸酉，斡离不军抵汴城，据牟驼冈。帝召群臣议之，李邦彦力请割地求和，李纲以为击之便。帝竟从邦彦计，命虞部员外郎郑望之及高世则使其军，未至，遇金使吴孝民来，因与偕还。是夜，金人攻宣泽门，李纲御之，斩获百余人，金人知有备，又闻道君已内禅，乃还。甲戌，孝民入见，问纳张瑴事，令执送童贯、谭稹、詹度，且言曰：‘上皇朝事已往，不必计。今少帝与金别立誓书结好，仍遣亲王、宰相诣军前可也。’帝因求大臣可使者，李纲请行，帝不许，而命李棁。纲曰：‘安危在此一举，臣恐李棁怯懦，误国事也。’不听，遂命棁使金军。棁至，斡离不谓之曰：‘汝家京城，破在顷刻，所以敛兵不攻者，徒以少帝之故，欲存赵氏宗社，我恩大矣。今若欲议和，当输金五百万两，牛、马万头，表段百万匹；尊金帝为伯父，归燕、云之人在汉者；割中山、太原、河间三镇之地，而以宰相、亲王为质，送大军过河，乃退尔。’因出事目一纸付棁，遣还。棁等唯唯，不敢措一言，与金使萧三宝奴、耶律忠、王汭等偕来。凡金人所要求，皆郭药师教之也。乙亥，金人攻天津、景阳等门，李纲亲督战，募壮士缒城而下，自卯至酉，斩其酋长十余，杀其众数千人，何灌力战而死。丙子，棁至，李邦彦等力劝帝从金议，帝乃括借都城金、银及倡优家财，得金二十万两，银四百万辆，而民间已空。李纲言：‘金人所需金币，竭天下且不足，况都城乎！三镇，国之屏蔽，割之何以立国？至于遣质，则宰相当往，亲王不当往。若遣辩事姑与之议所以可不可者，宿留数日，大兵四集，彼孤军深入，虽不得所予亦将速归。此时与之盟，则不敢轻中国，而和可久也。’李邦彦等言：‘都城破在旦夕，尚何有三镇？而金币之数又不足较。’帝默然。纲不能夺，因求去。帝慰谕之曰：‘卿第出治兵，此事当徐图之。’纲退，则誓书已成，称‘伯大金国皇帝，侄大宋国皇帝’，金币、割地、遣质、更盟、一依其言。遣沈晦以誓书先往，并持三镇地图示之。庚辰，以张邦昌为计议使，奉康王构往金军为质，以求成。初，邦昌与邦彦等力主和议，不意身自为质，及行，乃邀帝署御批，无变割地议，帝不许。康王与邦昌乘筏渡濠，自午至夜始达金营。康王，道君皇帝第九子，韦贤妃所生也。”

勤王兵集结开封。《纲鉴易知录》卷七六：“以路允迪签枢密院事，如金粘没喝军；种师道帅师入援；以师道同知枢密院事，统四方勤王兵。师道至洛，闻斡离不已屯东城下，或止师道，言：‘贼势方锐，愿少驻汜水，以谋万全。’师道曰：‘吾兵少，若迟回不进，形见情露，只取辱焉。今鼓行而进，彼安能测我虚实？都人知吾来，士气自振，何忧贼哉！’揭榜沿道，言‘种少保领西兵百万来’，遂抵京西，趋汴水南，径逼敌营。金人惧，徙砦稍北，敛游骑，但守牟驼冈，增垒自卫。时师道年高，天下称为老种。帝闻其至，甚喜，开安上门，命李纲迎劳。师道入见，帝问曰：‘今日之事，卿意若何？’对曰：‘女真不知兵，岂有孤军深入人境，而能善其归乎！’帝曰：‘业已讲好矣。’对曰：‘臣以军旅之事事陛下，余非所敢知也。’遂拜同知枢密院事，充京畿、河北、河东宣抚使，统四方勤王兵及前后军，以姚平仲为都统制。师道时被病，命毋拜，许肩舆入朝。金使王汭在廷颉颃，望见师道，拜跪稍如礼。帝顾笑曰：‘彼为卿故。’师道请‘缓给金币于金，俟彼惰归，扼而歼诸河，计之上也。’李邦彦不从。”

陈与义三十七岁。正月，金人犯京师。陈与义丁外艰，去陈留。出商水，道舞阳，次南阳，有诗多首。《增广笺注简斋诗集》卷十四《发商水道中》：“商水西门路，东风动柳枝。年华入危涕，世事本前期。草草檀公策，茫茫杜老诗。山川马前阔，不敢计归时。”刘辰翁评“年华入危涕”二句：“离乱多矣，何是公之能语也。”又评“草草檀公策”四句：“经历如新，不可更读。”

同卷，《次舞阳》：“客子寒亦行，正月固多阴。马头东风起，绿色日夜深。大道不敢驱，山径费推寻。丈夫不逢此，何以知岖嵚？行投舞阳县，薄暮森众林。古城何年缺，跋马望日沉。忧事力不逮，有泪盈衣襟。嵯峨西北云，想像折寸心。”刘辰翁评“古城何年缺”二句：“自然可及。”又评“忧世力不逮”四句：“好，似夔后。”

同卷，《次南阳》：“今日东北云，景气何佳哉。我马且勿驱，当有吉语来。春寒欺客子，满意旗下杯。百年耳频热，万事首不回。卧龙今何之？有冢今半摧。空余乔木地，薄暮鸦徘徊。怀古视落日，愧我非长才。却凭破鞍去，风林生七哀。”刘辰翁评末句：“何其慷慨能言，每读堕泪。”

寓居西轩，作诗甚多，《增广笺注简斋诗集》卷十四《西轩寓居》：“牢落西轩客，巡檐费独吟。桃花明薄暮，燕子闹微阴。辛苦元吾事，淹留更此心。小窗随意写，蛇蚓起相寻。”

《增广笺注简斋集》卷十五《邓州西轩书事十首》，其一：“小儒避贼南征日，皇帝行天第一春。走到邓州无脚力，桃花初动雨留人。”其二：“千里空携一影来，白头更著乱蝉催。书生身世今如此，倚遍周家十二槐。”其三：“瓦屋三间宽有余，可怜小陆不同居。易求苏子六国印，难觅河桥一字书。”其四：“莫嫌啖蔗佳境远，橄榄甜苦亦相并。都将壮节供辛苦，准拟残年看太平。”其五：“皇家卜年过周历，变故未必非天仁。东南鬼火成何事？终待胡锋作争臣。”其六：“杨刘相倾建中乱，不待白首今同归。只今将相须廉蔺，五月并门未解围。”其七：“不须夜夜看太白，天地景气今如斯。始行夷狄相攻策，可惜中原见事迟。”其八：“诏书忧民十六事，父老祝君一万年。白发书生喜无寐，从今不仕可归田。”其九：“范公深忧天下日，仁祖爱民全盛年。遗庙只今香火冷，时时风叶一骚然。”其十：“诸葛经行有夕风，千秋天地几英雄？吊古不须多感慨，人生半梦半醒中。”

二月

宋解除元祐学术党籍之禁。《续资治通鉴》卷九六：“壬寅，追封范仲淹魏国公，赠司马光太师、张商英太保，除元祐学术党籍之禁。”

以皇弟肃王枢为质于金，康王构还。

陈与义于春光大好之中，作诗甚多。《增广笺注简斋诗集》卷十五《晚步顺阳门外》：“六尺枯藜了此生，顺阳门外看新晴。树连翠篠围春昼，水泛青天入古城。梦里偶来那计日，人间多事更闻兵。只应千载溪桥路，欠我蹩跚勃窣行。”

同卷，《纵步至董氏园亭三首》，其一："池光修竹里，筇杖季春头。客子愁无奈，桃花笑不休。百年今日胜，万里此生浮。莽莽樽前事，题诗记独游。"其二："槐树层层新绿生，客怀依旧不能平。自移一榻西窗下，要近丛篁听雨声。"其三："客子今年驼褐宽，邓州三月始春寒。帘钩挂尽蒲团稳，十丈虚庭借雨看。"

同卷，《海棠》："春雨夜有声，连林杏花落。海棠已复动，寒食岂寂寞。人间有此丽，赴我隔年约。花叶两分明，春阴耿帘幙。东风吹不断，日暮胭脂薄。何可无我吟，三叫恨诗恶。"

同卷，《雨中观秉仲家月桂》："月桂花上雨，春归一凭栏。东西南北客，更得几回看。红衿映肉色，薄暮无奈寒。园中如许树，独觉赋诗难。"

同卷，《香林四首》，其一："绝爱公家花气新，一林清露百般春。是中宴坐应容我，只恐微风唤起人。"其二："丈人延客非俗物，百和香中进一杯。乞取齐奴锦步障，与春遮断晓风来。"其三："谁见繁香度牖时，碧天残月映花枝。固应撩我题新句，压倒韦郎宴寝诗。"其四："简斋居士不饮酒，一入香林更不醒。驱使小诗酬晓露，绝胜辛苦广《骚经》。"

本年春，陈与义始以简斋自号。《增广笺注简斋诗集》卷十五《题简斋》："我窗三尺余，可以阅晦明。北省虽巨丽，无此风竹声。不着散花女，而况使鬼兄。世间多歧路，居士绳床平。未知阮遥集，几屐了平生。领军一屋鞋，千载笑绝缨。槐荫自入户，知我喜新晴。觅句方未了，简斋真虚名。"

同卷，《印老索钝庵诗》："人言融公懒，床上揖宾客。我将两忘揖，团团一庵白。戏谈邓州禅，分食天宁麦。竹风亦喜我，萧瑟至日夕。出家丈夫事，轩冕本儿剧。愿香惊余烟，世故感陈迹。固应师未钝，使我不安席。时求一滴水，为洗三生石。"

同卷，《春雨》："花尽春犹冷，羁心只自惊。孤莺啼永昼，细雨湿高城。扰扰成何事，悠悠送此生。蛛丝闪夕霁，随处有诗情。"

同卷，《难老堂周元翁家》："城南乌声和且都，我识丈人屋上乌。难老堂中一樽酒，不教霜雪上髭须。樊侯种梓用莫竭，丈人向来亦种德。挽回万事入绳床，花竹相看有佳色。人生知足一饱多，当时恨我弃渔蓑。题诗素壁蛇蚓集，五百年后公摩挲。"

尝登邓州城西楼，有诗。《增广笺注简斋诗集》卷十五《登城楼》："去年梦陈留，今年梦邓州。几梦即了我，一笑城西楼。新晴草木丽，落日淡欲收。远川如动摇，景气明田畴。百年几凭栏，亦有似我不？城阴坐来失，白水光不流。丈夫贵快意，少住宽千忧。归来简斋陋，局促生白头。"

四月

太上皇回东京。

贤哉尹焞之母。《纲鉴易知录》卷七六："召河南尹焞至京师，赐号和靖处士，遣还。焞，洛人，师事程颐，绍圣初尝应举，发策有诛元祐诸臣议，焞曰：'噫，尚可以干禄乎哉！'不对而出，告颐曰：'焞不复应进士举矣。'颐曰：'子有母在。'焞归告其母，母曰：'吾知汝以善养，不知汝以禄养。'颐闻之曰：'贤哉母也。'于是终身不就举，聚徒洛中，非吊丧问疾不出，士大夫宗仰之。种师道荐焞德行，召至京师，不欲留，赐号和靖处士遣还。户部尚书梅执礼及侍郎邵溥、中丞吕好问、中书舍人胡安国合奏：‘焞言动可以师法，器识可以任大，乞擢用之。’不报。”

初夏微雨，陈与义有诗。《增广笺注简斋诗集》卷十五《雨》：“忽忽忘年老，悠悠负日长。小诗妨学道，微雨好哨响。檐鹊移时立，庭梧满意凉。此身复南北，仿佛是它乡。”

五月

诏举习武艺兵书者。

傅察遗骨归京师，特赠徽猷阁待制。李邴《傅察墓志》：“某以一介之使，驰不测之虏，临以白刃，毅然不屈，以身殉于义……以旌高节，特赠徽猷阁待制。”

六月

高丽王称藩于金。《续资治通鉴》卷九六：“高丽国王王楷称藩于金。”又，同卷：“金遣知制诰韩昉使高丽责誓表，高丽人对曰：‘小国事辽、宋二百年，无誓表，未尝失藩臣礼。今事大国，当与事辽、宋同礼，而屡盟誓长乱，圣人所不与，必不敢用誓表。’昉曰：‘贵国必欲用古礼，古者帝王巡狩，诸侯朝于方岳，今天子方事西狩，则贵国当从朝会矣。’高丽人不能对，乃曰：‘徐议之。’昉曰：‘誓表朝会，一言决耳。’于是高丽乃进誓表如约。昉还，贝勒宗干大悦，曰：‘非卿谁能办此！’因谓执事者曰：‘自今出疆之使，皆宜择之。’”

李纲为河北、河东路宣抚使援太原。《续资治通鉴》卷九六：“以知枢密院事李纲为河北、河东路宣抚使，援太原。京师自金兵退，上下恬然，置边事于不问，纲独以为忧，上备边御敌八策，不见听用。每有议，复为耿南仲等所沮。及姚古、种师中败溃，种师道以病凶归，南仲等请弃三镇，纲言不可，乃以纲为宣抚使，刘韐副之，以代师道；又以解潜为制置副使，以代姚古。纲言：‘臣书生，实不知兵。在围城中，不得已为陛下料理兵事；今使为大帅，恐误国事。’因拜辞，不许。退而移疾，坚乞致仕，章十余上，亦不允。台谏言纲不可去朝廷，帝以其为大臣游说，斥之。或谓纲曰：‘公知所以遣行之意乎？此非为边事，欲缘此以去公，则都人无辞尔。公不起，上怒则不测，奈何！’许翰复书‘杜邮’二字以遗纲，纲不得已受命，帝手书《裴度传》以赐之。纲言寇攘外患可除，小人在朝难去，因书裴度论元稹、魏洪……简章疏以进。时宣抚司兵仅万二千人，纲请银绢钱各百万，仅得二十万。庶事皆未集，纲乞展行期，御批以为迁延拒命，趣召数四。纲入对，帝曰：‘卿为朕巡边，便可还朝。’纲曰：‘臣之行，无复还理。臣以愚直，不容于朝，使既行之后，无有沮难，则进而死敌，臣之愿也；万一朝廷执议不坚，臣自度不能有为，即当求去，陛下以察臣孤忠以全君臣之义。’上为感动。陛辞，又为帝道唐恪、聂昌之奸，任之必误国，言甚激切。”

宋诏除民间疾苦十七事。《续资治通鉴》卷九六：“诏除民间疾苦十七事。”

陈与义再游董园，有诗。《增广笺注简斋诗集》卷十五《游董园》：“西园可散发，何必赋《远游》。地旷多雄风，叶声无时休。幸有济胜具，枯藜支白头。平生会心处，未觉身淹留。散坐青石床，松意淡欲秋。薄雨青众卉，深林耿微流。一凉天地德，物我俱夷犹。东北方用武，六月事戈矛。甲裳无乃重，腐儒故多忧。珍禽叫高树，且复寄悠悠。”

同卷，《夏雨》：“三伏过几日，坐数令人瘿。片云忽西行，庭树生光景。须臾万银竹，壮观发异境。天公终老手，一笑破日永。龙公无惮烦，事了亦俄顷。修竹恬变化，依然半窗影。”

同卷，《夏夜》：“闲弄玉如意，天河白练横。时无李供奉，谁识谢宣城。两鹤翻明月，孤松立快晴。南阳半年客，此夜满怀清。”

夏

本年李清照四十三岁。夏，赵明诚李清照夫妇共赏白居易所书《楞严经》。赵明诚跋云：“淄川邢氏之村，丘地平瀰，水林晶淯，墙麓硗确布错，疑有瘾君子居焉。问之，兹一村皆邢姓。而邢君有嘉，故潭长，好礼。遂造其路。园中繁花正发。主人出接，不厌余为兹州守，而重余有素心之馨也。夏首后相经过，遂出乐天书《楞严经》相示。因上马疾驰归，与细君共赏。时已二鼓下矣。酒渴甚，烹小龙团，相对展玩，狂喜不支。两见烛跋，犹不欲寐，便下笔为之记。赵明诚。”

七月

蔡京行至潭州死。《续资治通鉴》卷九七：“甲申，蔡京行至潭州死，年八十，子孙二十三人分窜远地者，遇赦不许量移。京天资险谲，舞智以御人主。在人主前，左狙右伺，专为固位之计。始终持一说，谓当越拘挛之俗，竭九州四海之力以自奉。道君虽富贵之，以阴知其奸谀，不可以托国，故屡起屡仆。尝收其素所不合者，如赵挺之、张商英、刘庆夫、郑居中、王黼之属，迭居台司以柅之。京每闻将罢退，辄入宫求见，叩头祈哀无廉耻。燕山之役起，攸实在行，京送之以诗，阳为不可之言，冀事之不成，得以自解。暮年即家为府，干进之徒，举集其门。输货僮奴以得美官者踵相蹑，纲纪法度，一切为虚文。患失之心，无所不至。根结盘固，牢不可脱。卒以召衅误国，为宗社奇祸。虽以谴死，而海内多以不正典刑为恨云。”

蔡京、童贯、赵良嗣之结局。《纲鉴易知录》卷七六：“秋七月，窜蔡京于儋州，道死（死于潭州，其子孙二十三人分窜远地）。童贯、赵良嗣伏诛（窜贯于吉阳军，良嗣于柳州，皆诛于贬所）。”

赵明诚以斩获逋卒功转一官。许景衡《横塘集》卷七《赵明诚转一官制》：“逋卒狂悖，警扰东州。尔为守臣，提兵帅属，斩获为多。今录尔功，进官一等，剪除残孽，拊循兵民，以纾朝廷东顾之忧。惟尔之职，往其懋哉！”

初秋，陈与义作绝句两首。《增广笺注简斋诗集》卷十五《又两绝》，其一：“虚庭散策晚凉生，斟酌星河亦喜晴。不记墙西有修竹，夜风还作雨来声。”其二：“待到天公放月时，东家乔柏两虬枝。悬知满地疏阴处，不及遥看突兀奇。”

同卷，《积雨喜霁》："积雨得一晴，开窗送吾目。叠云带余愤，远树增新绿。天公信难料，变化杂神速。夕霞尽意红，诘朝固难卜。西轩一杯酒，未负将军腹。竹林怀微风，余韵久回复。热官岂办此？何必思烂熟。曳杖出门行，栖鸦息枯木。"

同卷，《邓州城楼》："邓州城楼高百尺，楚岫秦云不相隔。傍城积水晚更明，照见纶巾倚楼客。李白上天不可呼，阴晴变化还须臾。独抚栏杆咏奇句，满楼风月不枝梧。"

陈与义复北征，还陈留。未几，陈与义复去陈留，道汝叶。经方城。游董宗禹园，为题先志亭诗。至光化，登崇山，并有诗。《增广笺注简斋诗集》卷十六《北征》："世故信有力，挽我复北驰。独冲七月暑，行此无尽陂。百卉共山泽，各自有四时。华实相先后，盛过当同衰。亦复观我生，白发忽及期。夕云已不征，客子今何之？愿传飞仙术，一洗局促悲。披襟阆风观，濯发扶桑池。"

同卷，《秋日客思》："南北东西俱我乡，聊从地主借绳床。诸公共得何侯理，远客新抄陆氏方。老去事多藜杖在，夜来秋到叶声长。蓬莱可托无因至，试觅人间千仞岗。"

同卷，《道中书事》："临老伤行役，篮舆岁月奔。客愁无处避，世事不堪论。白道含秋色，青山带雨痕。坏梁斜斗水，乔木密藏村。易破还家梦，难招去国魂。一身从白首，随意答乾坤。"

同卷，《将次叶城道中》："荒野少人去，竹舆伊轧声。晴云秋更白，野水暮还明。寂寞信吾道，淹留谙物情。王乔有馀舄，借我一东征。"

同卷，《至叶城》："苏武初逢雁，王乔欲借凫。深知念行李，为报了长途。难稳三更枕，遥怜五岁雏。却思正月事，不敢恨榛芜。"

同卷，《晓发叶城》："竹舆开两牖，秋色为横分。左送廉纤月，右揖离披云。诗情满行色，何地着世纷。欲语王县令，三叫不能闻。"

同卷，《方城陪诸兄坐心远亭》："客中日食三斗尘，北去南来了今岁。暂时亭中一杯酒，与兄同宗复同味。博山云气终日留，竹君萧萧不负秋。世路明年倘无故，却携藜杖更来游。"

同卷，《美哉亭》："西出城皋关，土谷仅容驼。天挂一匹练，双崖斗嵯峨。忽然五丈缺，亭构如危窠。青山丽中原，白日照大河。下视万里川，草木何其多。临高一吐气，却奈雄风何。辛苦生一快，造物巧揣摩。险易终不偿，翻身下残坡。"

同卷，《山路晓行》："两崖夹晓月，万壑分秋风。今朝定何朝，孤赏莫与同。石路抱壁转，云气青濛濛。篮舆拂露枝，乱点惊仆童。微泉不知处，玉佩鸣深丛。平生慕李愿，即此行旅中。居人轻佳境，过客意无穷。山木好题诗，恨我行匆匆。"

同卷，《题董宗禹园先志亭，宗禹之父早失，母万方求得之，此其晚节色养之地也》："作客古南阳，问俗仁孝敦。坐读杜羔传，起访城西园。伟哉是家事，作传堪千言。当年怀橘处，华屋澹晓暾。大松荫后楹，小松罗前轩。风露所沐浴，千载当连根。我已废《蓼莪》，感兹泪河翻。叶声含三叹，送我出园门。"

同卷，《同继祖民瞻游赋诗亭二首》，其一："邂逅今朝一段奇，从来华屋不关诗。诸君且作流连意，正是微风到竹时。"其二："浩浩白云溪一色，冥冥青竹鸟三呼。只今那得王摩诘，画我凭栏觅句图。”

同卷，《题崇山》：“短篷如凫鹥，载我万斛愁。试登山上亭，却望沙际舟。世故莽相急，长江去悠悠。西南浸山影，晦明分中流。摇荡宝鉴面，翠髻千螺浮。去城虽云阻，兹地固堪留。客路惜胜日，临风搔白头。众色忽已晚，川光抱岩幽。三老呼不置，我兴方未收。下山事复多，题诗记曾游。”

八月

钦宗任李纲不专，太原宋诸军败退。《纲鉴易知录》卷七六：“李纲至怀州，诸军溃于太原。纲留河阳十余日，练士卒，修整器甲之属，进次怀州，造战车，期兵集大举，而朝廷降诏罢所起兵。纲上书言：‘秋高马肥，敌必深入，宗社安危，殆未可知。防秋兵尽集，尚恐不足，仅河北、河东日告危急，未有一人一骑以副其求，奈何甫集之兵又皆散遣！且以军法勒诸路起兵，而以寸纸罢之，臣恐后时有所号召，无复应者矣！’疏上，不报，趣赴太原。纲乃遣解潜屯威胜军，刘鞈屯辽州，幕官王以宁与都统制折可求、张思正等屯汾州，范琼屯南北关，皆去太原五驿，约三道并进。时诸将皆承受御画，事皆专达，进退自如，宣抚使徒有节制之名，多不遵命。于是刘鞈兵先进，金人并力御之，鞈兵溃。潜与敌遇于关南，亦大败。思正等领兵十七万，与张灏夜袭金娄室军于文水，小捷，明日战，复大败，死者数万人。可求师溃于子夏山。于是威胜军、隆德府、汾、晋、泽、绛民皆渡河南奔，州县皆空。”

九月

太原保卫战残酷，科技新武器迭用。《续资治通鉴》卷九七：“九月丙寅，金人破太原府。时宗翰乘胜急攻，知府张孝纯力竭不能支，城破，孝纯被执。既而释用之，副都总管王禀死之。禀与孝纯同守太原，宗翰屡遣人招谕，不从。至是并力攻城。列炮三十座。凡举一炮，听鼓声齐发。炮石入城者大于斗。楼橹中炮，无不坏者。禀乃先设虚栅，下又置糠布袋在楼橹上。虽为所坏，即时复成。宗翰又为填濠之法，先用洞子下置车，转轮上安巨木，状似星形，以生牛皮缦上，裹以铁叶。人在其内，推而行之。节次以续。凡五十余辆。皆运土木柴薪于其中。其填濠先用大枝薪柴，次以荐覆，然后置土在上，增覆如初。禀预穿壁为窍，致火鞴在内，俟其薪多，即放灯于水。其灯下水，寻木能燃湿薪。火既渐盛，令人鼓鞴。其焰亘天，焚之立尽。宗翰又为车如鹅形，下亦用车轮，冠以皮铁，使数百人推行欲上城楼。禀于城中设跳楼，亦如鹅形，使人在内迎敌。先以索络巨石，置被鹅车上。又令人在下以搭钩及绳拽之。其车前倒不能进。然人众粮乏，三军先食牛、马、骡，次烹弓弩皮甲，百姓煮萍实糠籺草菱充腹，继而人相食。城破，禀犹率羸卒巷战。突围出，金兵追之急。遂负太原庙中太师御容，赴汾水死。子阁门祗候荀殉之，通判王逸自焚死，转运判官王毖、提举常平单孝忠，亦死于难。”

宗泽备战守磁州，牛黄巧释救一县。《续资治通鉴》卷九七：“太原既破，知磁州宗泽，缮城浚隍，治器械，募义勇，为固守之计。上言：‘邢、洺、磁、赵、相五州，各蓄精兵二万，敌攻一郡，则四郡皆应，常有十万人也。’帝嘉之。初，泽知莱州，掖县部使者得旨市牛黄。泽报曰：‘方时疫疠，牛饮其毒，则结为黄。今和气横流，牛安得黄?’使者怒，欲劾邑官。泽曰：‘此泽意也，独衔以闻。’一县获免。”

蔡攸、朱勔伏诛，枭童贯首于都市。

十月

真定保卫战，众将死国难。《续资治通鉴》卷九七：“丁酉，有流星如杯，金人破真定府。知府李邈、兵马都钤辖刘翊，死之。种师道及金宗望战于井陉，败绩，宗望遂入天威军。攻真定。翊率众昼夜搏战，久之，城破。翊巷战，麾下稍亡。翊顾其弟曰：‘我大将也，恪受戮乎?’因挺刃欲夺门出，不果，自缢死。初闻敌至，间道走蜡书上闻，三十四奏，皆不报。城被围，且战且守，相持四旬。既破，将赴井，左右持之不得入。宗望胁之拜，不屈。以火燎其须、眉及两髀，亦不顾。乃拘然燕山府。欲以邈知沧州，笑而不答。后命之易服，邈愤大骂。金人挞其口，犹吮血噀之。金人大怒，遂遇害。将死，颜色不变，南面再拜，端坐受戮。后谥忠壮。”

十一月

康王潜师夜发入磁州，岳飞秀干成栋见知用。《续资治通鉴》卷九七：“是日（编者注：戊寅），康王构发长垣，至滑州。庚辰，至相州。壬午，磁州守宗泽迎谒曰：‘肃王一去不返。今金又诡辞以致大王。其兵已迫，复去何益？愿勿行。’先是，王云奉使过磁、相，劝两郡撤近城民舍，运粟入保，为清野之计，民怨之。及王次磁，出谒嘉应神祠，云在后，百姓遮道，谏王勿北去，厉声指云曰：‘清野之人，真奸细也!’王出庙，行人噪执云杀之。时宗望军济河，游奕日至磁城下，踪迹王所在。知相州汪伯彦，亟以帛书请王如相，躬服櫜鞬部兵以迎于河上。王令韩公裔访得间道，潜师夜发，磁人无一知者。迟明至相，劳伯彦曰：‘它日见上，当首以京兆荐。’由是受知。是役也，议者以为云不死，王必无复还之理也。汤阴人岳飞，少负气节，家贫力学，犹好《左氏春秋》、《孙吴兵法》，力能挽弓三百斤，弩八石。刘韐宣抚镇定，募敢死士，飞与焉，屡擒巨贼。至是因刘浩以见，王以为承信郎。”［思齐按：王，康王也，后即位为高宗。］

京城终失陷，钦宗请投降。《纲鉴易知录》卷七六：“郭京出御金军，败走，京城陷；帝如金营请降。金人攻通津、宣化门，何㮚数趣郭京出师，京徙期再三。至是，京尽令守御人下城，毋得窃窥，因大启宣化门，出攻金师。京与张叔夜坐城楼上，金兵分四翼噪而前；京兵败，退走，堕死于护龙河，填尸皆满，城门急闭。京白叔夜曰：‘须自下作法。’因下城引余众南遁。金兵遂登城，四壁兵皆溃，京城遂陷。帝闻城陷，恸哭曰：‘不用种师道言，以至于此!’何㮚欲亲率都民巷战，金人宣言议和退师，乃止。帝闻金人欲和而退，命何㮚及济王栩使其军以请成，粘没喝、斡离不曰：“自古有南即有北，不可相无也。今之所议，期在割地而已。㮚还，言金人欲邀上皇出郊。帝曰：‘上皇惊忧而疾，必欲之出，朕当亲往。’遂如粘没喝军，奉表请降。㮚喜和议成，既归都堂，作会饮酒，谈笑终日。”

初八日，李擢任南壁清野。宋佚名《靖康要录》谓十一月八日，“梅执礼建议清野，从之。差王时雍东壁，李擢南壁，安扶西壁，邵溥西壁，并守御史。”李擢为赵明诚妹婿，曾与赵明诚多次游览仰天山。闰十一月十四日，李擢以守御不力落职。

十二月

乙亥，康王构至北京。

康王开大元帅府于相州。《纲鉴易知录》卷七六：“十二月，康王构帅师入卫，次于东平。康王开大元帅府于相州，有兵万人，分为五军而进。既渡河，次于大名。宗泽以二千人与金人力战，破其三十余砦。履冰渡河见王曰：‘京城受困日久，入援不可缓。’王纳之。继而知信德府梁扬祖以三千人至，张俊、苗傅、杨沂中、田师中等皆在麾下，兵威稍振。会帝遣曹辅赍蜡诏至，云‘金人登城不下，方议和好，可屯兵近甸毋动’。汪伯彦等皆信之，宗泽独曰：‘金人狡谲，是欲款我师尔。君父之望入援，何啻饥渴，宜急引军直趋澶渊，次第进垒，以解京城之危。万一敌有异谋，则吾兵已在城下。’伯彦难之，劝王遣泽先行。王乃命泽趋澶渊，自是泽不得预帅府事矣。耿南仲及伯彦请移军东平，从之。”

金用汉官制度。《续资治通鉴》卷九七：“初，金太祖定燕京，始用汉官宰相，置中书省、枢密院于广陵府，而朝廷宰相，自用本国官号。金祖初立，移置中书、枢密于平州，复移置燕京。及宗斡当国，劝金主改女直旧制，用汉官制度。是岁，始定官制，立尚书省，以天下诸司府寺，诏谕中外。”

二十六日，谢克家为请命使，使于金军。徐梦莘《三朝北盟会编》卷七十：“城陷，上急召大臣、亲王、侍从，而至者三人，谢克家其首也，因与徒步入阁中计议。俄顷，遣谢克家及景王（杞）使军中请命。传闻太上皇旨意极谦，皆以全活生灵为主……午漏方正，景王与谢克家回，同金人使命来议和。”谢克家，赵明诚姨兄。

张元幹作诗揭露和谴责南宋王朝割地议和。《感事四首丙午冬淮上作》之三：“戎马环京落，朝廷尚议和。伤心闻徇地，痛恨竟投戈。始望金三镇，谁谋弃两河！甲兵未息日，吾合老江波。”

本年

范成大（1126—1193）生。周必大《资政殿大学士赠银青光禄大夫范公成大神道碑》：“公讳成大，字至能。……公在怀抱，已识屏间字，少师力教之。年十二，遍读经史，十四能文词。是岁秦国薨，明年少师薨，公茕然哀慕，十年不出，竭力嫁二妹，无科举意。欲买山无赀，取唐人‘只在此山中’之语，自号此山居士。又慕元鲁山为人，一字幼元。友生御史王公彦光勉之曰：‘子之先君期尔禄仕，志可违乎？’因课以举业，遂中绍兴二十四年进士第。调徽州司户参军。……用王举升从事郎。三十二年，入监行在太平惠民和剂局。……寿皇受禅，命宰臣编类高宗圣政。隆兴元年四月，以公为检讨官，又兼敕令所，近世局务无修书者，人以公为宜。诏百官条时弊，公举十事，极论文具非所以为国，执政奇其才。二年四月，除枢密院编修官。居数月，自以铨格改左宣教郎。时馆职定员，有诏公与王衜候阙召试。十二月，郑升之不试先除，牵联并除公秘书省正字。公不可，必试策而后就。乾道元年三月升校书郎，六月兼国史院编修官，十一月迁著作佐郎，二年二月除尚书吏部员外郎。言者以不先摄为超迁，宰相曰：'著廷间擢左右史，顾不可为郎耶?'九月言者罢，乃主管台州崇道观。三年十二月起知处州，陛对论力之所及有三：一曰日力，寸阴是也；二曰国力，资用是也；三曰人力，思虑知术所及者是也。三者有限，今尽以虚文耗之。公前应诏上封事及试策反复论此，至是方见上，力以为言。上曰：'卿能激昂如此，朕当行之。'……初，上命宰相陈正献公择文士掌内制，正献荐知遂宁府张震及公，至是上曰：'卿文学词翰宜置翰林。'公惩前迁郎致谤，恳辞，退复告执政。会上目疾，不御朝久之。内殿奏事，上首及公除目，正献道公意。上曰：'不专在内制，正要士人宿直备顾问。'乃除礼部员外郎，兼崇政殿说书，上令更加清职，遂兼国史院编修官。会从兄成象为工部郎官，公援故事乞班其下，从之。内直数宣对，尝谕公：'朕治心养性，以求知道。'公曰：'知道莫如尧、舜、禹、汤、文、武、周、孔。其静而圣，存心养性是也；动而王，治天下国家是也。汉、唐之君功业固有之，道统则无传焉。'上嘉奖数四。十二月，擢起居舍人兼侍讲，直前谢，上曰：'卿宏深博约，因有此除。'又兼实录院检讨官。……初，大臣与上谋移侍卫马军屯金陵，示将进取，先遣使请祖宗陵寝河南故地；又隆兴再讲和，名体虽正，失定受书之礼，上常悔之。六年五月，迁公起居郎，假资政殿大学士、左太中大夫、醴泉观使、兼侍讲、丹阳郡开国公充金国祈请国信使，为二事也。上语公曰：'朕以卿气宇不群，亲加选择，闻外议汹汹，官属皆惮行，有诸?'公曰：'无故遣泛使近于求衅，不戮则执。臣已立后，仍区处家事为不还计，心甚安之。'上曰：'朕不敢败盟发兵，何至害卿? 啮雪餐毡，理或有之，不欲明言，恐负卿耳。'国书专求陵寝，而命公自及受书事。公乞并载书中，朝廷不从，公遂行。虏遣吏部郎中田彦皋、侍御史完颜德温迓客。彦皋文儒，深敬慕公，至求巾帻效之。至燕山，公知虏法严，附请不可达，密草奏，具言他日北使至，欲令亲王受书，其词云云，怀之入觐。初跪进国书，陈谊慷慨，虏君臣方倾听，公遂奏曰：'两朝既为叔侄，而受书之礼未称，昨尝附完颜仲、李若川等口陈，久未得报，臣有奏箚在此。'搢笏出而执之，金主大骇，厉声谓其宣徽副室韩钢曰：'有请当语馆伴，此岂献书启处耶? 自来使者未尝敢尔。'连呼绰起，钢惶恐，以笏来绰公。公不为动，再奏云：'奏不达，归必死，宁死于此。'金主欲起，左右掖之坐，又厉声云：'叫拜了去。'钢复以笏抑公拜，公跪如故，金主曰：'何不拜?'公曰：'此奏得达，当下殿百拜以谢。'金主乃令纳馆伴处，公即袖下殿，望殿上臣僚往来纷然。后闻太子欲杀公，其兄越王不可而止。顷之，引见如常仪。既归，馆伴果宣旨取奏去。是日，钢押宴，谓公早来殿上甚忠勤，皇帝嘉叹，云可以激励两国臣子。后数日朝辞，金主令其臣传谕云：'盟好已固，汝国乃以帛书密与夏国任德敬结约，此何理也?'公答以界外奸细伪为之。俄馆伴持蜀中蜡书来，指印文示公，公曰：'御宝可伪，况印乎?'德敬者，夏王外祖，号任令公，再世用事，欲篡其国，事败族诛，而四川宣抚司尝与通问，为夏人所获，致之虏廷云。十月公还，金主答书有曰：'抑闻附请之辞，欲变受书之礼，出于率易，要以必从。'

上于是知公竭节尽忠，奖劳之余，有‘始终保全’语，除中书舍人、同修国史及实录院同修撰，赐紫章服。副使以下皆迁两官，惟公不预，盖大臣不乐公尝言其轻信西夏也。……自公使北，狂生上书迎合恢复事，补官十余人。公奏：‘倖门不可开，继此臣必缴奏。’上曰：‘诚然，书已满屋，朕皆弗省。’公每事正救，大率类此。七年，以知閤门事兼枢密都承旨张说签书院事，公当制，知空言不可回，明日袖词头纳上前，且曰：‘閤门官日日引班，一旦骤置二府，正如州郡以典谒吏为倅贰，观听谓何?’明日说罢。后月余，公求去。上曰：‘卿言引班事甚当，朕方听言纳谏，乃欲去耶?’公自是数月缴奏。会召宋贶，公又论之，章不下，寻除集英殿修撰、知静江府、广西经略安抚使。明年春，说竟拜签枢。九年，公始赴镇。……淳熙元年十月，除敷文阁待制、四川制置使、知成都府，稍凿夔陕山路以避湍险，人以为便。会复置宣抚使，以命枢臣，改公成都路制置使。未几，废宣抚司，公复转四路之寄。……三年春，公大病求归。上令先进敷文阁直学士，明日乃下诏命。共列上兵民十五事，上曰：‘范某已病，尚为国远虑，可趣其来。’公疾愈而行，送客数百里不忍别。后公谢病吴门，往来者伺候谒舍或经月，必一见乃去，其得士心如此。十一月入对，除权礼部尚书，赐上方珍剂。五年正月知贡举，开院，侍御史奉诏启封，吏承例牒拆号官而不云何官，御史疑薄己，有后言。公寻兼直学士院。四月以中大夫参知政事，又权监修国史、日历。才两月前御史亟论公，公即出门。明日宣押奏事，引咎而已。上曰：‘朕不忘卿，数月讯至卿家矣。’除资政殿学士、知婺州。公请以本官奉祠，诏如所乞，提举临安府洞霄宫。九月，果有使来传诏抚问，密赐累珠、金鼎、金合，实香其中。六年二月，魏王薨于明州，起公代之，兼沿海制置使。公未复职，过阙，以前执政例，中使郊劳，赐银合茶药，仍许服毬文带，特御后殿引见，赐茶。上曰：‘蜀人思卿如慈亲，故付卿以海道。’公奏：‘张津伯圭、魏王皆国懿亲，时节奉海物于两宫。臣外朝臣也，不敢效尤。’上命停贡而罢进奉局。又乞权阁魏王移用诸司钱数万缗，宽民力。诏除之。七年二月，除端明殿学士。三月改帅江东，兼行宫留守，奏事毕，陛辞，诏明日辞选德殿。近例，赐宰执酒止传觞，至是特设几开宴，酒三行，命侍行过西小轩，曰：‘劝卿一杯，且有以为侑。’公饮讫，二内侍奉缣素来，上有‘石湖’二大字，御笔尚湿。公拜赐，奉觞进酒谢。上满饮，复袖御书苏轼诗一轴以赐，自未至酉乃罢。石湖在平江盘门西南十里，盖太湖之派，范蠡所从入五湖者。始吴夫差筑姑苏前后台，相距半里，围城三重，宴游忘归。其前有溪，今号越来溪，勾践由此攻吴。濒溪筑城，与吴人来水相持，遗址俨然。公遂高下为亭观，植花竹莲芰，湖山绝胜，绘图以传，至是携宸奎过家刻之。四月开府金陵……以余财代输下户秋苗及丁钱一年。九年，公以积勤寖苦头眩，自夏徂秋，五上章求闲。上不得已，进资政殿学士，再领洞霄。里居七年，十六年十一月起知福州，引疾固辞。诏令奏事，又辞。上先遣医官张广卿传旨灼艾，既对，劳公曰：‘卿南至桂广，北使幽燕，西入巴蜀，东薄鄞海，可谓贤劳，宜其多疾。’袖丹砂以赐。时皇太子参决庶务，公得见东宫，坐论治道移时。太子谕公：‘不敢暇逸，日惟读书作字。’公曰：‘石湖已拜宸翰，有寿栎堂，愿得宝书。’太子欣然曰：‘是庄子栎社事耶?’公既出关，上复赐药甚厚，至家，又遣使赐御书苏轼诗二首，太子亦送‘寿栎堂’三大字。俄寿皇内禅，公行至婺州，以腹疾力请奉祠，从之。寿康皇帝初政，特招求言。公疏乞述重华以广孝治，执仁术以守家法，坚国本以定规模，节经费以苏民力，精觇谍以应事机，审选任以求将才，修堡障以固西南，议盐筴以安二广，严钱禁以推官会，广屯田以实边储，皆当世要务。绍熙三年，加资政殿大学士、知太平州，公辞数四，优诏不允。下车逾月，幼女将有行而逝，公追悼切至，遂请纳禄，复得洞霄而归。先以石湖稍远，不能日涉，即城居之南别营一圃，阅杜光庭《神仙传》及胡六子自昆山风海至范老村遇陶朱公事，大喜曰：'此吾里吾宗故事，不可失也。'题曰'范村'，刻两朝赐书于堂上，榜曰'重奎'。其北又葺古桃花坞，往来其间。四年九月，公疾病，语门人曰：'吾本不待年告老，今不济矣，亟为我剡奏。'诏下，而公以是月五日薨。积官至通议大夫，爵自吴县开国男，累封吴郡公，食邑三千二百户，实封一百户。享年六十有八。遗奏闻，赠银青光禄大夫。……历典名藩，所至礼贤下士，仁民爱物，凡可兴利除害，不顾难易必为之。乐善不厌，于同僚旧交喜道其所长，不欲闻人过。去思遗爱，所在歌舞之。公天资聪明，辅以博学，文章赡丽清逸，自成一家。尤工诗，大篇短章传播四方。初效王筠一官一集，后自裒次为《石湖集》一百三十六卷，别著《吴郡志》五十卷，使北又《揽辔录》、入粤有《骖鸾录》、《桂海虞衡志》，出蜀有《吴船录》各一卷。公蔡氏所自出，故书法兼真行草之妙，人争藏之。寿皇尤爱赏，相与极论古今翰墨，数被赐予。因虏使为馆伴王侍郎秬详言公奉使时事，益简上心，以公羸疾，赐药无虚岁，至口授导引修养秘诀，亲厚非群臣比。辅政既日浅，每出镇辄以病免，故虽大用而未尽，议者惜焉。某与公齐年，御史王公予外舅也，以是与公善。壬辰春，自春官去朝，过平江游城西诸山。公访余灵岩，同宿石湖，望夜小舟共栽湖心，风露浩然，尝有六十挂冠之约。其后或同朝，或相遇于外，每以未践言为恨。今公云亡，二子以主管吏部架阁文字龚颐正行状来请铭，其敢以老誖辞？铭曰：……"

周必大（1126—1204）生。楼钥《少傅观文殿大学士致仕益国公赠太师追谥文忠周公神道碑》："公讳必大，字子充，一字洪道。世为郑州管城县人……宣和中，祖为吉州通判，因家焉。……靖康元年，公生于郡治，幼孤，归信州外家。……绍兴二十二年，擢进士第，授左迪功郎，徽州司户参军，改监行在和剂局门，以邻火罢。二十七年，中博学鸿词科，循左修职郎、建康府府学教授。三十年，除太学录，召试馆职，高宗称奏篇，谓他日可掌制。除秘书省正字，循左文林郎。三十一年，改左宣教郎，兼权国史院编修官。三十二年五月，除监察御史。六月孝宗即位，八月除起居郎，直前奏事，上曰：'朕旧见卿文，有近作进来。'此眷注之始也。……兼编类圣政所详定官，暂权给事中，兼权中书舍人。……以信州迁奉请祠，两任主管台州崇道观。乾道四年，权发遣南剑州，未赴。六年，改福建路提点刑狱公事。……执政奏拟秘书少监，上可之，仍令兼直学士院。会草晁公武知扬州不允诏，御笔改定，公引故事乞罢，不许，兼国史院编修官。……赵丞相雄以中书舍人奉使贺金主生日，宗室伯摅为介，御札生辰使兼赍国书一封，理会受书，公立具草，有云：'尊卑分定，或校等威；叔侄情亲，岂嫌坐起。'……皇太子领临安尹，公既草制，因奏恐别无被受，欲依诏书体式降付东宫。兼权兵部侍郎。……除权吏部侍郎，仍兼直学士院，升同修国史实录院修撰。……八年，权中书舍人。……九年，除知建宁府，再辞不允，中道引疾，提举江州太平兴国宫。天下愈高之。淳熙元年，除右文殿修撰。(张)说罢，召还，除敷文阁待制兼侍讲。六月，兼权兵部侍郎。……八月，兼直学士院，上称公持重，不迎合，无附丽。除兵部侍郎，仍兼侍讲。进太上尊号诏草，上曰：'此文难于言，而温纯典雅，无一字可议。'公奏：'向者初上光尧之号，陈预议，庚寅之诏，亦出臣手。'上愕然曰：'前诏亦卿所草耶?'兼太子詹事。……四年，除翰林学士。……除礼部尚书，兼翰林学士。……七年五月，除参知政事。……九月，除知枢密院事。……(编者注：十四年二月)丁亥，拜右丞相，寻兼提举国史院会要所、敕令所。……十六年正月己亥，拜左丞相。壬子，始因奏事，宣谕二府，旬日当内禅，又令公留身呈草诏，兼提举玉牒及监修日历。……继而谏省有言，请益切，除观文殿大学士，判潭州。言者不已，副端助之，遂以少保充醴泉观使而归。……绍熙改元，判隆兴府，辞不赴。二年，除观文殿学士，判潭州，亲理郡政，不以简贵自居。……庆元元年，公于是年七十矣，三上表引年，遂以少傅致仕。……四年十月庚寅朔薨，年七十有九。……公在高宗朝，已擢台察，事孝宗最久，始皆以词章受知，可以平挹美官，而秉心不欺，遇事辄发，不复顾身，屡踣复奋，上久而深察其精忠。……公及丞相王公淮、参政钱公良臣，同为参枢，人谓三府为'丙午坊'，公尝作诗，用文潞公同生丙午之韵。告老之后，犹引故等夷之齐年者，与生朝痛悔，用韵赋诗者数年。……以《文苑英华》及《六一居士集》讹舛太甚，率同志者朱黄手校如老生书，锓板家塾，以惠学者。……公之文不待赞扬，微至题跋之语，考古证今，岁月先后，通彻明白，读者叹服。末为《三忠堂记》，谓欧阳文忠、杨忠襄、胡忠简皆郡人也，精确简严，几于绝笔。呜呼，一代风流，于焉尽矣。钥何足以铭公！铭曰：……"[思齐按：厉鹗《宋诗纪事》卷五一钱良臣："良臣字友魏，华亭人。绍兴二十四年进士。孝宗朝拜参知政事，罢知镇江。"厉鹗《宋诗纪事》卷四七王淮："淮字季海，金华人。绍兴十五年进士。累官翰林学士。孝宗朝，拜右丞相，兼枢密事。薨赠少师，谥文定。"吴之振、吕留良、吴自牧《宋诗钞·益公省斋稿钞》中，载周必大诗《文忠烈公居洛，有丙午同甲会诗。今执政府凡三位，枢密使王季海，参政钱师魏先在焉。前岁夏，某忝参预，连墙而居，适然齐年，时号"丙午坊"。次文公韵，简二公》："文公八十会伊川，盛事于今有百年。岂意苍颜华发叟，亦陪黄阁紫枢仙。府居未至容连栋，班路前瞻愧比肩。丁丙连干支合德，君臣庆会岂虚传。"]

江端友赐同进士出身。

第四章

宋高宗建炎元年至绍兴三十二年（1127—1162）共36年

·引 言·

《宋史》卷二四至三二《高宗本纪》："高宗受命中兴全功至德圣神武文昭仁宪孝皇帝，讳构，字德基，徽宗第九子。……大观元年五月乙巳，生东京之大内，赤光照室。八月丁丑，赐名，授定武军节度使、检校太尉，封蜀国公。二年正月庚申，封广平郡王。宣和三年十二月壬子，进封康王。资性朗悟，博学强记，读书日诵千余言。……靖康元年春正月，金人犯京师，军于城西北，遣使入城，邀亲王、宰臣议和军中。……［钦宗］遂命少宰张邦昌为计议使，与帝俱。金帅斡离不留之军中旬日，帝意气闲暇。二月，会京畿宣抚司都统制姚平仲夜袭金人砦不克，金人见责，邦昌恐惧涕泣，帝不为动。斡离不异之，更请肃王。……建炎元年春正月癸巳，帝至东平。……二月庚辰，发东平。癸未，次济州。时帅府官军及群盗来归者号百万人，分屯济、濮诸州府。［四月］癸未至应天府。……五月庚寅朔，帝登坛受命，礼毕恸哭，遥谢二帝，即位于府治。改元建炎，大赦，常赦所不原者咸赦除之。……［建炎二年五月］丙戌，命参酌元祐科举条制，立诗赋、经义分试法。……［绍兴元年二月］辛巳，以秦桧参知政事。……［三年］秋七月己未，复置博学宏词科，初许任子就试。……［八年］十一月辛亥，以枢密院编修官胡铨上书直谏斥和议，除名，昭州编管。壬子，改差广州都盐仓。十二月甲寅，以赵鼎为醴泉观使。……［十四年］冬十月甲午，从右正言何若言请，戒内外师儒之官，黜伊川程氏之学。……［十九年］九月戊申，命绘秦桧像，仍作赞赐之。……［二十三年七月］戊戌，从秦桧所请，命台州取綦崇礼草桧罢相制所受墨敕。……［二十四年］十二月丙戌，以故龙图阁直学士程瑀有《论语讲解》，秦桧疑其讥己，知饶州洪兴祖尝为序，京西转运副使魏安行镂板，至使命毁之，兴祖昭州，安行钦州编管，瑀子孙亦论罪。……［二十五年五月］癸丑，以前知泉州宗室令衿讥讪秦桧，遂坐交结罪人，汀州居住。……［十月丙申，秦］桧薨。丁酉，桧姻党户部侍郎兼知临安府曹泳停官，新州安置。朱敦儒、薛仲邕、王彦傅、杜思旦皆罢。命有司具上执政、侍从官居外任及主宫观与在谪籍者职位、姓名。……十一月乙巳朔，追封桧申王，谥忠宪，赐神道碑，额为'决策元功，精忠全德'。……十二月甲戌朔，诏曰：'台谏风宪之地，比用非其人，党于大臣，济其喜怒，殊非耳目之寄。朕今亲除公正之士，以革前弊。继此者宜尽心乃职，毋合当缔交，败乱成法。当谨兹戒，毋自贻咎。’诏张浚、折彦质、万俟卨、段拂听自便。量移李光郴州安置。……甲申，召孟忠厚奉朝请，命胡寅、张九成等二十八人并令自便，仍复其官。……［二十六年］冬十月己巳朔，诏许秦桧在位之日无辜被罪者自陈厘正。……［三十二年六月］丙子，诏皇太子即皇帝位。帝称太上皇帝，退处德寿宫，皇后称太上皇后。孝宗即位，累上尊号曰光耀寿圣宪天体道性仁诚德经武纬文绍业兴统明谟盛烈太上皇帝。淳熙十四年十月乙亥，崩于德寿殿，年八十一，谥曰圣神武文宪孝皇帝，庙号高宗。赞曰：……高宗恭俭仁厚，以之继体守文则有余，以之拨乱反正则非其才也。况时危势逼，兵弱财匮，而事之难处又有甚于数君者乎？君子于此，盖亦有悯高宗之心，而重伤其所遭之不幸也。然当其初立，因四方勤王之师，内相李纲，外任宗泽，天下之事宜无不可为者。顾乃播迁穷僻，重以苗、刘群盗之乱，权宜立国，确乎艰哉！其始惑于汪、黄，其终制于奸桧，恬堕猥懦，坐失事机。甚而赵鼎、张浚相继窜斥，岳飞父子竟死于大功垂成之秋。一时有志之士，为之扼腕切齿。帝方偷安忍耻，匿怨忘亲，卒不免于来世之诮，悲夫！”

王夫之《宋论》卷十《高宗二》：“高宗之畏女直也，窜身而不耻，屈膝而无惭，直不可谓有生人之气矣。乃考其言动，察其志趣，固非周赧、晋惠之比也。何以如是其馁也？李纲之言，非不知信也。宗泽之忠，非不知任也。韩世忠、岳飞之功，非不知赏也。吴敏、李棁、耿南仲、李邦彦主和议误钦宗之罪，非不知贬也。而忘亲释怨，包羞丧节，乃至陈东、欧阳澈拂众怒而骈诛于市，视李纲如仇雠，以释女直之恨。是岂汪、黄二竖子之能取必于高宗哉？且高宗亦终见其奸而斥之矣。抑主张屈辱者，非但汪、黄也。张浚、赵鼎力主战者，而首施两端，前却无定，抑不敢昌言和议之非。则自李纲、宗泽而外，能不以避寇求和为必不可者，一二冗散敢言之士而止。以时势度之，于斯时也，诚有旦夕不保之势，迟回葸畏，固有不足深责者焉。苟非汉光武之识量，足以屡败而不挠，则外竞者终必栩，况其不足以兢者乎？高宗为质于虏廷，熏灼于剽悍凶疾之气，俯身自顾，固非其敌。已而追帝者滨海而至明州，追隆祐太后者薄岭而至皂口，去之不速，则相胥为俘而已。君不自保，臣不能保其君，震慑无聊，中人之恒也。亢言者恶足以振之哉？靖康之祸，与永嘉等，而势则殊矣。怀、愍虽俘，晋元犹足以自立者，以外言之：晋惠之末，五胡争起，乱虽已极，而争起者非一，则互相禁制，而灭晋之情不果。女直则势统于一，唯其志之欲为而无所顾也。以内言之：江南之势，荆、湘为其上游，襄、汉为其右臂。晋则刘弘夙受方州之任，财富兵戎听其节制，而无所掣曳，顾、陆、周、贺诸大族，自孙氏以来，世系三吴之望，一归琅琊，而众志交孚，王氏合族拥众偕来以相扶掖。宋则虽有广土，而无绥辑之人，数转运使在官如寄，优游偃息，民不与亲，而无一兵可集，一粟可支。高宗盱衡四顾，一二议论之臣，相与周旋之外，奚恃而可谋一夕之安？琐琐一苗、刘之怀忿，遽夺其位而幽之萧寺，刘光世、韩世忠翱翔江上，亦落拓而不效头目之悍。自非命世之英，则孑然孤处，虽怀悲愤，抑且谁为续命之丝？假使晋元处此，岂能临江踞坐，弗有系组之在目前哉？故高宗飘摇而无壮志，诸臣高论而无特操，所必然矣。于是而知国之一败而不可支者，唯其孤也。有萧何在关中，而汉高泗水之败，得有所归。有寇恂在河内，而邓禹长安之败，散而复合。崛起者且如是矣。若夫唐室屡覆，而朔方又可籍之元戎，江、淮有可通之财赋，储之裕而任之人者勿猜，非一朝一夕之积也。宋则奄有九土，北控狡夷，西御叛寇，而州无绥抚之臣，郡无持衡之长，军卫为罪人之梏，租庸归内帑之藏。吏其土者，浮游以需，秩满而扬去。一旦故国倾颓，窜身无所，零丁江介，俯海澨以容身。陈东、欧阳澈慷慨而谈，其能保九子仅存之一线，不随二帝以囚死于燕山乎？《传》曰：‘周之东迁，晋、郑焉依？’言其必有依也。《诗》曰：‘池之竭矣，不云自频。’外已久枯而中存之勺水一涸而无余也。宋自置通判于诸州，以夺州镇之权，大臣出而典郡者，非以遗老，则为左迁。富庶之江南，无人也；岩险之巴、蜀，无人也；扼要之荆、襄，无人也；枢要之淮、徐，无人也。峨冠长佩，容与于天下，贤者建宫墙以论道，其次饰亭榭以冶游，其下攘民财以自润。天子且安之，曰：‘是虽不肖，亦不至攘臂相仍，而希干吾神器者也。’则求如晋元以庸懦之才，延宗社而免江淮之民于左衽，不亦难乎？故以走为安，以求和为幸，亦未可遽责高宗于一旦也。乃其后犹足以支者，则自张浚宣抚川、陕而奉便宜之诏始。宋乃西望而犹有可倚之形。且掣肘之防渐疏，则任事之心咸振。张、韩、岳、刘诸将兢起，以荡平群盗，收为部曲。宋乃于是而有兵。不絷其足者，不仆其身。不刈其枝者，不槁其本。故垂及秦桧椓削之余，而逆亮临江，高宗不为骇走，且下亲征之诏。则使前剌者，有威望之重臣镇江淮，以待高宗之至，亦未必气沮神销之至于如斯也。首其谋者，唯恐天下之不弱。继其后者，私幸靡散之无忧。国已蹙，寇已深，而尸位之臣，争战争和，穴中相讼，无一人焉，惩诸路勤王之溃散，改覆辙以树援于外。宋本不孤，而孤之者，猜疑之家法也。以天子而争州郡之权，以全盛而成贫寡之势，以垂危而不求辅车之援，稍自树立，而秦桧又以是惑高宗矣。和议再成，依然一毕世安之策也。岳飞诛死，韩世忠罢，继起无人，阃帅听短长于文吏，依然一赵普之心也。于是举中原以授蒙古，犹掇之矣。岂真天骄之不可向迩哉？有可籍之屏藩，高宗犹足似唐肃之平安史。无猜忌之家法，高宗犹足嗣唐德之任李晟。故坏千万世中夏之大闲者，赵普也。以太祖之明，而浸润之言，已沁入于肺腑。况后之豢养深宫，以眇躬莅四海者乎？光武不师高帝之诛夷，上者能之，非可期于中才以下也。”

王夫之《宋论》卷十《高宗一六》：“荣悴之际，难言之已。贫贱者，悴且益难胜也；崇高者，荣愈不能割也。故代谢之悲，天子与匹夫均，而加甚焉。太宗册立爱子，犹不怿，曰：‘人心遽属太子，置我何地？’高宗之于孝宗，未有毛里之恩也。乃年方盛，而早育之宫中；天下粗定，而亟建为家嗣；精力未衰，而遽授以内禅。迨其退养德寿，岁时欢宴，如周密所记者，和气翔洽，溢于色笑，翛然无累，忘其固有天下之容，得不谓高人一等乎？人之于得失也，甚于生死。一介之世，身首可捐，而不能忘情于百金之产。苟能夷然澹定以处得失，而无悁忮之心，是必其有定力者也。则以起任天下之艰危，睠怀君父之隐痛，复何所顾惜，而不可遂志孤行以立大节？物固莫御也。然而高宗忘父兄之怨，忍宗社之羞，屈膝称臣于骄虏，而无愧怍之色；虐杀功臣，遂其猜防，而无不忍之心；倚任奸人，尽逐患难之亲臣，而无宽假之度。孱弱以偷一隅之安，幸存以享湖山之乐。惉滞残疆，耻辱不恤，如此其甚者，求一念超出于利害而不可得。由此言之，恬淡于名利之途者，其未足以与于道，不仅寻丈之间也。人之欲有所为者，其志持之已盈，其气张之以甚，操必得之情，则必假乎权势而不能自释。

人之欲有所止者，其志甫萌而即自疑，其气方动而遽求静，恒留余地以藏身，则必惜其精力而不能自坚。二者之患，皆本原于居心之量；而或逾其度，或阻其机，不能据中道以自成。要以远于道之所宜而堕其大业，皆志气之一张一弛者所为之也。夫苟弛其志气以求安于分量之所可胜，则于立功立名之事，固将视为愿外之图，而不欲与天人争其贞胜。故严光、周党、林逋、魏野之流，使出而任天下之重，非徒其无以济天下也，吾恐其于忠孝之谊，且有所推委而不能自靖者多也。诚一弛而不欲固张，则且重抑其情而祈以自保，末流之弊，将有不可胜言者矣。己与物往来之冲，有相为前却之几焉。己进而加乎物，则物且退缩而听其所御；御之者，有得有失，而皆不能不受其御也。己退而忘乎物，则物且环至而反以相临；临己者，有顺有逆，而要不能胜其临也。夫苟不胜其临矣，力不可以相御与？则柔巽卑屈以暂求免于害者，无所复吝。力可以相御与？则畏之甚，疑之甚，忍于忮害以希自全。故庄生之沉溺于逍遥也，乃至以天下为羿之彀中，而无遗名义之可恃，以逃锋镝。不惑已而有机可乘，有威可假，则淫刑以逞，如锋芒刺于衾簟，以求一夕之安。惟高宗之如是矣。故于其力不可御者，称臣可也，受册可也，输币可也。于其力可御者，可逐则逐之已耳，可杀则杀之已耳。迨及得孝宗而授之，如托桎梏而游于阆风之圃，不知有天子之尊，不知有宗社之重，不知有辱人贱行之可耻，不知有不共戴天之不可忘。萧然自遂，拊髀雀跃于无何有之乡，以是为愉快而已矣。三代以下，人君之能享寿考者，莫高宗若也。其志逸，其气柔，其嗜欲浅，而富贵之戕生者无所耽溺，此抑其恬淡如知足之自贻也。然而积渐以靡天下之生气，举皇帝王霸慭留之宇宙而授之异族，自此始矣。故曰：'无欲然后可以语王道。'知其说者，非王道之仅以无欲得也。退而不多取之利欲者，进而必极其道义之力。自非圣人，则乘权出师以免天下于凶危者，尚矣。是岂徒人主为然哉？鸡鸣不起，无所孳孳，进不为舜，退不为跖，行吟坐啸，以求无所染。迨其势之已穷，则将滥入于跖之徒而不自戢，所必然矣。窜李纲，斩陈东，杀岳飞，死李光、赵鼎于瘴乡，奚辞？君子鉴之，尚无以恬然自矜洁己哉？"

魏了翁《王侍郎柜复斋诗集序》："国朝自全盛时，丰芑菁莪之泽浃于人也深，虽中更挫偃，而封培之久，根苗未慭。过江以来，如张忠献、赵忠简诸老，又相与扶持之，生意昭苏，足以济登兴运。虽再扼嫂秦，而绍兴之季，隆、乾之间，人物复振。故相之仅存惟张忠献，而声求气应则有如正献陈公、忠肃虞公、刘公、忠简张公、胡公、玉山王公、梅溪王公、于湖张公、缙云冯公、无隐张公，以至杜公莘老、查公元章、冯公图仲、李公德远，殆不可胜数。后来继踵，学问如朱、张二子，词章如周、洪诸贤，并生错出，亦非一人。盖祖宗德泽之感，山川风气之会，适钟是时。"

赵孟頫《第一山人文集序》："宋以科举取士，士之欲见用于世者，不得不繇科举进，故父之诏子，兄之教弟，自幼至长，非程文不习，凡以求合于有司而已。宋之末年，文体大坏。治经者不以背于经者为非，而以立说奇险为工。作赋者不以破碎纤靡为异，而以缀缉新巧为得。有司以是取，士以是赢，程文之变，至此尽矣。狃于科举之习者，则曰：钜公如欧、苏，大儒如程、朱，皆以是显，士舍此将焉学？是不然，欧、苏、程、朱，其进以是矣，其名世传后，岂在是哉？"

《宋史》卷四三九《文苑传一》："自古创业垂统之君，即其一时之好尚，而一代之规模，可以豫知矣。艺祖革命，首用文吏而夺武臣之权，宋之尚文，端本乎此。太宗、真宗，其在藩邸，已有好学之名，及其即位，弥文日增。自时厥后，子孙相承，上之为人君者无不典学，下之为人臣者，自宰相以至令录，无不擢科，海内文士彬彬辈出焉。国初，杨亿、刘筠犹袭唐人声律之体，柳开、穆修志欲变古而力弗逮。庐陵欧阳修出，以古文倡，临川王安石、眉山苏轼、南丰曾巩起而和之，宋文日趋于古矣。南渡文气不及东都，岂不足以观事变欤。”

欧阳玄《潜溪集序》：“三代而下，文章惟西京为盛，逮及东都，其气寖衰。宋有天下百年始渐于古。南渡以还，为士者以泛焉无根之学而荒思于科试，间有稍自振拔者，亦多诞幻卑冗，不足以名家，其衰又益甚矣。”

吴仲子《苔石效颦集序》：“盖宋自南渡大江以来，中兴于杭，和议既成，上下率以诗文藻饰治具，文教益隆。至宁宗、理宗朝，经史纂修，发先儒之所未言者，至于今昭然如日星之丽乎上。彝伦之所以攸序，人文之所以昭宣，深有赖焉。道统固根于人心，岂不因文而益著也?”

朱彝尊《与李武曾论文书》：“魏晋以降，学者不本经术，惟浮夸是务，文运之厄数百年。赖昌黎韩氏始倡圣贤之学，而欧氏、王氏、曾氏继之，二刘氏、三苏氏羽翼之，莫不原本经术，故能横绝一世。盖文章之坏，自唐始反其正，至宋而始醇。宋人之文亦犹唐人之诗，学者舍是而不能得师也。北宋之文，惟苏明允杂出乎纵横之说，故其文在诸家中为最下。南宋之文，惟朱元晦以穷理尽性之学出之，故其文在诸家中最醇。学者于此可以得其概也。以武曾之才，正不必博取元和以前之文，但取有宋诸家，合以元之郝氏经、虞氏集、揭氏傒斯、戴氏表元、陈氏旅、吴氏师道、黄氏潜、吴氏莱……而又稽之六经以正其源，考之史以正其事，本之性命之理，俾不合于百家二氏之说，以正其学。如是而文犹不工，有是理哉。”

舒曰敬《崇祯本双峰猥稿序》：“人之言曰：‘宋无文。’余谓宋非无文，今无目耳。夫文孰衣于宋？四六其最著者矣。南渡以前，如永叔、子瞻之大笔，意象冲融，自然神逸，诗家之初唐乎。南渡后，能手则周益公、李雨亭为杰出。纲其参用经史，错综时事，排偶熔于流利，对待俨若天成，李极其才情，似弟汴京诸作者而兄之。然明眼人必归正始于欧、苏者，亦能尽而能不尽也。”

吴伟业《古文汇钞序》：“南宋后，经生习科举之业，三百年来以帖括为时文，皆趋今而去古，间有援古以入今。古文、时文，或离或合，离者病于空疏，合者病于剽窃。彼其所谓古文与时文，对待而言者也，盖学古之亡久矣。”

翁方纲《石洲诗话》卷四：“谈理至宋人而精，说部至宋人而富，诗则至宋而益加细密，盖刻抉入里，实非唐人所能囿也。而其总萃出，则黄文节为之提挈，非仅江西派以之为祖，实乃南渡以后，笔虚笔实，俱从此导引而出。善乎，刘后村之言曰：‘国初诗人如潘阆、魏野，规规晚唐格调；杨、刘则有专为昆体；苏、梅二子，稍变以平淡豪俊，而和之者尚寡；至六一公，岿然为大家，学者宗焉。然各极其天才笔力之所至，非必缀镰勤苦而成也。豫章稍后出，会粹百家句律之长，究极历代体制之变，搜讨古书，穿穴异闻，作为古律，自成一家，虽只字半句不轻出，遂为本朝诗家宗祖。’按此论不特深切豫章，而且深切宋贤三昧。”

又，“唐诗妙境在虚处，宋诗妙境在实处。初唐之高者如陈射洪、张曲江，皆开启盛唐者也。中、晚之高者，如韦苏州、柳柳州、韩文公、白香山、杜樊川，皆接武盛唐、变化盛唐者也。是有唐之作者，总归盛唐。而盛唐诸公全在景象超诣，所以司空表圣《二十四品》及严仪卿以禅喻诗之说，诚为后人读唐诗之准的。若夫宋诗，则迟更二三百年，天地之精英，风月之态度，山川之气象，物类之神致，俱已为唐贤占尽，即有能者，不过次第翻新，无中生有，而其精诣，则固别有在者。宋人之学，全在研理日精，观书日富，因而论事日密。如熙宁、元祐一切用人行政，往往有史传所不及载，而于诸公赠答议论之章，略见其概。至如茶马、盐法、河渠、市货，一一皆可推析。南渡而后，如武林之遗事，汴土之旧闻，故老名臣之言行、学术，师承之绪论、渊源，莫不借诗以资考据。而其言之是非得失，与其声之贞淫正变，亦从可互按焉。今论者不察，而或以铺写实景者为唐诗，吟咏性灵、掉弄虚机者为宋诗。所以吴孟举之《宋诗钞》，舍其知人论世、阐幽表微之处，略不加省，而惟是早起晚坐、风花雪月、怀人对景之作，陈陈相因。如是以为读宋贤之诗，宋贤之精神其有存焉者乎”？

朱庭珍《筱园诗话》卷一：“自来诗家，源同流异，派别虽殊，旨归则一。……晚唐衰极，五代诗亡，几扫地尽。宋人出而矫之，杨、刘唱和，宗法玉溪，台阁从风，号西昆体。久而堆垛挦撦，贻人口实。故苏子美矫以疏纵，梅宛陵矫以枯淡，然未厌人望也。欧公学韩，而以夷犹神韵，变其光怪陆离。半山学杜，而以简拔短錬，变其沉郁飞动。各自一家，一时瑜、亮。至东坡则天仙化人，飞行绝迹，变晋唐人面目，另辟门户，敏妙超脱，巧夺天工，在宋人中独为大宗。山谷力求新异，戛戛独造，能以奇奥生峭瘦劲，别开蹊径，虽非东坡匹，亦钜手也。后山高老，简斋深秀，惟江西习气过重，易使人厌。二晁尚有笔力，宛丘颇见气格。淮海辈明丽无骨，诗近于词，无足论矣。南渡后，江西派盛行，推崇山谷，而槎枒晦涩，百病丛生，既入偏锋，复堕恶趣。江湖一派，鄙俚不堪入目。九僧、四灵，以长江、武功为法，有句无章，不惟寒险，亦且琐僻卑狭。明末钟、谭，即此种之遗音。草根虫鸣，鼠穴啾唧，殊无生气，皆魔道也。惟放翁老錬峭洁，七古简而能厚，清而能辣；七律佳者，沉雄近杜，真巨擘矣！第存诗太多，流连光景之作，十居七八，而世人又以平调秀句，易于谐俗效之，遂减身价。然可冠南宋，石湖非其伯仲。后来惟金代元遗山，雄豪跌荡，足与放翁相抗。遗山、剑南并称，非无见也。金人染江西习气，遗山以外无杰出者。元人但逐晚唐，师飞卿、长吉二家，一代成风。虞道园自负‘汉廷老吏’，亦时无英雄，浪得名耳。杨、范、揭三子，及金华、天水、雁门，不过夭桃秾李，绝非梅兰之友。铁崖如倡女艳妆，渊颖如村妇盛服，均乏名贵之气。缘忘本逐末，故降而愈靡也。”

方回《跋遂初尤先生尚书诗》：“宋中兴以来，言治必曰乾、淳，言诗必曰尤、杨、范、陆。其先或曰尤、萧，然千岩早世不显，诗刻留湘中，传者少。尤、杨、范、陆特擅名天下。……回谓光尧龙渡时，则有诗人陈去非、吕居仁、徐师川、韩子苍之徒，所谓及闻正始之音者。至阜陵在囿，而四钜公出焉，非以其浑大典正，与中原诸老并驮？诚斋时出奇峭，放翁善为悲壮，然无一语不天成。公与石湖，冠冕佩玉，度《骚》媲《雅》，盖皆胸中贮万卷书，今古流动，是惟无出，出则自然。近世有刻削以为心，组织以为丽，怒骂以为豪，谲觚以为怪，苦涩以为清，尘腐以为熟者，是不可与言诗也。举是而溯源上下其说，则于今而梦想乾、淳之盛者，又岂止于诗而已哉？”

杨万里《千岩摘稿序》：“余尝论近世之诗人，若范石湖之清新，尤梁溪之平淡，陆放翁之敷腴，萧千岩之工致，皆余所畏者。”

杨万里《进退格寄张功父姜尧章》：“尤、萧、范、陆四诗翁，此后谁当第一功？新拜南湖为上将，更差白石作先锋。可怜公等俱痴绝，不见词人到老穷。谢遣管城侬已晚，酒泉端欲乞移封。”

朱庭珍《筱园诗话》卷四：“南宋四大家，当时称尤、萧、范、陆，谓尤延之、萧东夫、范石湖、陆放翁也。然三人皆非放翁匹，而延之尤卑。后萧之诗失传，乃以杨诚斋代之，改为尤、杨、范、陆，而萧之姓氏与诗，几泯灭无闻。身后名之显晦，亦有幸有不幸焉。然诚斋诗浅俗鄙滑，颓唐粗硬，纯堕恶趣，真江西派中魔魁，竟负虚名，浪传至今，殊不可解。东夫诗虽亦染江西派习气，而风骨棱棱，较诚斋为雅音矣。仅传其咏梅花句云：‘百千年藓著枯树，一两点花供老枝。’又云：‘湘妃危立冻蛟背，海月冷挂珊瑚枝。’又云：‘悬崖雪堕惊孤鹤，压屋云凉眠定僧。’笔意崎崟，力求生造，在拗体中，亦斩新耳目之句，归愚先生乃贬其意象孤孑，入于涩体，未免是丹非素之习，所见不广。夫言岂一端，体各有当，拗律、吴体，皆以生峭奇逸为工，本避熟求新，乃作此体，何得以常法绳之。”

朱彝尊《群雅集序》：“宋之初，太宗洞晓音律，制大小曲，及因旧曲造新声，施之教坊舞队。曲凡三百九十，又琵琶一器有八十四调。仁宗于禁中度曲，时则有若柳永。徽宗以大晟名乐，时则有若周邦彦、曹组、辛次膺、万俟雅言，皆明于宫调，无相夺伦者也。洎乎南渡，家各有词。虽道学如朱仲晦、真希元亦能倚声中律吕，而姜夔审音尤精。终宋之世，乐章大备，四声二十八调，多至千余曲，有引有序，有令有慢，有近有犯有赚，有歌头，有促拍，有摊破，有摘遍，有大遍，有小遍，有转踏，有转调，有增减字，有偷声。惟因刘昺所编《宴乐新声》失传，而八十四调图谱不见于世，虽有歌师板师，无从知当日之情趣箫篴谱矣。”

朱彝尊《词综发凡》：“世人言词，必称北宋。然词至南宋，始极其工，至宋季而始极其变。姜尧章氏最为杰出，惜乎《白氏乐府》五卷，仅存二十余阕也。《东泽绮语》，传本亦寥寥。至施承之、孙季蕃，盛以词鸣。沈伯时《乐府指迷》亦为矜誉。今求其集，不可复睹。周公瑾、陈君衡、王圣与，集虽抄传，公瑾赋西湖十景，当日属和者甚众，而今集无之。《花草粹编》载有均衡二词；陆辅之《词旨》载有圣与《霜天晓角》等调中语，均今集所无。”

公元 1127 年（宋高宗建炎元年　西夏崇宗政德元年　金天会五年　夏正德元年　西辽延庆三年　丁未）

正月

两河义民，奋起抗金。《纲鉴易知录》卷七七：“丁未，二年，春正月，诏两河（河北、河东）民降金，民不从。陈过庭至两河，民坚守不奉诏。至是，复诏两河民开门出降，民犹不肯。”

刘韐从容自缢。《纲鉴易知录》卷七七：“河东割地使刘韐自经于金军。韐至金营，金人使仆射韩正馆之僧舍，谓韐曰：‘国相知君，今用君矣。’韐曰：‘偷生以事二姓，有死不为也。’正曰：‘军中议立异姓，欲以君为正代。与其徒死，不若北去取富贵。’韐仰天大呼曰：‘有是乎！’归，书片纸曰：‘贞女不事二夫，忠臣不事二君。况主辱臣死，以顺为正者妾妇之道，此予所以必死也！’使亲信持归，报其子子羽等，即沐浴更衣，酌卮酒而缢。金人叹其忠，瘗之寺西冈上，遍题窗壁以示其处。凡八十日，乃就敛，颜色如生。”

高丽遣使节，如金贺正朔。《续资治通鉴》卷九七：“高丽通使如金贺正朔，自后岁以为常。”

宗泽卫州之捷。《纲鉴易知录》卷七七：“副元帅宗泽大败金人于卫州。泽自大名至开德，与金人十三战，皆捷，遂以书劝康王檄诸道兵会京城。又移书北道总管赵野，河东、北路宣抚范讷，知兴仁府曾楙，合兵入援，三人皆以泽为狂，不答。泽遂以孤军进至卫南，先驱云‘前有敌营’，泽挥众直前，与战，败之，转战而东。敌益生兵至，泽将王孝忠战死，前后皆敌垒，泽下令曰：‘今日进退等死，不可不死中求生。’士卒知必死，无不一当百，斩首数千。金人大败，退却数十里。泽计敌众势必复来，乃暮徙其营。金人夜至，得空营，大惊，自是惮泽，不敢复出兵。泽出其不意，遣兵过大河袭击，败之。”

陈与义本年三十八岁。正月，与富直柔、孙确自光化复入邓，卜居城西，有诗。《增广笺注简斋诗集》卷十七《与季申信道自光化复入邓书事四首》，其一：“孙子白木杖，富子黑油笠。我独白竹篮，差池复相及。夕阳桥边画，岸帻归云急。勿语城中人，从渠慎出入。”其二：“卖舟作归计，竹篮稳如舟。雾收青皋湿，行路当春游。老马不自知，意欲踏九州。依然还故枥，寂寞壮心休。”其三：“再来生白发，重见邓州春。依旧城西路，桃花不记人。卜居得穷巷，日色满窗新。微吟警市卒，独鹤语城闉。”其四：“城西望城南，十日九相隔。何如三枝杖，共踏江上石。门前流水过，春意满渠碧。遥知千顷江，如今好颜色。”

同卷，《寄季申》：“雨歇城南泥未干，遥知独立整衣冠。旧时邺下刘公干，今日辽东管幼安。绿阴展尽身还远，黄鸟飞来节已阑。安得一樽生耳热，暂时相对说悲欢。”

二月

金废徽、钦二帝为庶人。《纲鉴易知录》卷七七：“二月，金上皇及后妃、太子、宗戚至其军。吏部侍郎李若水死之。吴乞买得帝降表，遂废帝及太上皇帝为庶人。知枢密院事刘彦宗请复立赵氏，不许。丁卯，金人令翰林承旨吴幵，吏部尚书莫俦入城，令推立异姓堪为人主者，且邀上皇出城。孙傅曰：‘吾惟知吾君可帝中国尔。若立异姓，吾当死之。’京城巡检范琼逼上皇与太后御犊车出宫。郓王楷及诸妃、公主、驸马及六宫有号位者皆行，独元祐皇后孟氏以废居私第获免。金人逼帝及上皇易服，李若水抱帝而哭，诋金人为狗辈。金人曳若水出，击之，败面，气结仆地。金人又逼上皇召皇后、太子，孙傅留太子不遣。吴幵、莫俦督胁甚急，范琼恐变生，以危言詟卫士，遂拥皇后、太子共车而出。傅曰：‘吾为太子傅，当同死生。’遂以留守事付王时雍，从太子出；百官军吏奔随太子号哭，太子亦呼云：“百姓救我！”哭声震天。至南熏门，范琼力止傅，金守门者曰：‘所欲得太子，留守何预？’傅曰：‘我，宋之大臣，且太子傅也，当死从。’随宿门下以待命。若水在金营旬日，粘没喝召问立异姓状，若水骂之为剧贼。粘没喝令拥之去，若水反顾，骂益甚。谓其仆曰：‘我为国死，职尔，乃并累若属何！’又骂不绝口，监军挝破其唇，噀血骂愈切，至以刃裂颈断舌而死。金人相与言曰：“辽国之亡，死义者十数，南朝惟李侍郎一人。”

尤袤（1127—1194）生。二月十四日，尤袤生。尤侗刊《梁溪遗稿》卷首《家谱本传》：“文简公讳袤，字延之，五岁能诗，十岁以神童荐。二十二岁礼部试第一，廷拟状元，以不呈卷，秦桧易之。登绍兴十八年进士，与朱文公同榜。杨文公同官馆中，有尤、杨之目。……公少从喻玉泉游，得龟山之学，门人李祥、蒋重珍，皆公造就为大儒。吴人推理学者，必曰喻、尤、李、蒋。今郡五贤祠、邑崇正书院并祀云。公平居无事，日取古人书录之，家人女子莫不识字，共录三千余部，建万卷藏书楼，又辟书堂于锡山之麓。久之，楼火，书焚其半，仅存书目。所著有《梁谿集》、《遂初稿》若干卷。与杨廷秀、范德机、陆放翁相唱和，时号四诗翁。公生建康丁未，卒绍熙甲寅，享年六十有八，史称七十，举全数耳。”

三月

金立张邦昌为楚帝。《纲鉴易知录》卷七七：“三月，金立张邦昌为楚帝。阁门宣赞舍人吴革率众讨邦昌，不克而死。金人奉册宝至，邦昌北向拜舞，受册即位，号大楚。阁门宣赞舍人吴革，耻屈节异姓，率内亲事官数百人，皆先杀其妻孥，焚所居，举义金水门外。范琼诈与合谋，令悉弃兵仗，乃从后袭之，杀百余人，捕革，并其子杀之。是日风霾，日晕无光。百官惨沮，邦昌亦变色，惟王时雍、吴幵、莫俦、范琼等欣然以为有佐命功。邦昌心不安，拜官皆加权字。”

赵明诚奔母丧至江宁。

春

张元幹到临安，寓居杭州西湖，有诗《丁未岁春过西湖宝藏寺作》。［思齐按：宝藏寺，又名宝藏院，有古井名乌龙井。］

四月

粘罕退兵，孟后听政。《纲鉴易知录》卷七七：“张邦昌号哲宗废后孟氏曰宋太后。吕好问谓邦昌曰：‘相公欲真立邪，抑姑塞敌意而徐为之图也？’邦昌曰：‘是何言也？’好问曰：‘相公知中国人情所向乎？特畏女真兵威尔。女真既去，能保如今日乎？大元帅在外，元祐皇后在内，此殆天意。盍亟还政，可转祸为福。且省中非人臣所处，逸寓直殿庐。车驾未还，下文书不当称圣旨。为今计者，当迎元祐皇后，请康王早正大位，庶获保全。’监察御史马伸具书，请邦昌速奉迎康王，极陈逆顺利害。邦昌读其书，气沮，乃尊元祐皇后为宋太后，迎居延福宫，而遣人至济州访康王。”

五月

康王赵构即皇帝位于南京。《纲鉴易知录》卷七七：“五月，康王即皇帝位于南京，大赦，改元。吕好问谓邦昌曰：‘天命人心皆归康王，相公先遣人推戴，则功无在相公右者。若抚机不发，他人声罪致讨，悔可追邪！’邦昌乃复遣谢克家往奉迎。王时雍曰：‘骑虎者势不得下，所宜熟虑。他日噬脐，悔无及矣！’邦昌不听。克家至济州劝进，王不许，张俊曰：‘大王，皇帝亲弟，人心所归，当早正大位。’既而邦昌又遣蒋思愈等持书诣济州，自陈：‘所以勉循金人推戴者，欲权宜一时，以纾国难尔，非敢有他也。’王复书与之，而谕宗泽等，以为‘邦昌受伪命之人，义当诛讨；然虑事出权宜，未可轻动，合移师近都，按甲观变。’泽复书谓：‘邦昌篡乱，踪迹已无可疑。今二圣、诸王悉渡河而北，惟大王在济，天意可知，宜亟行天讨，兴复社稷，不可不断。’好问亦遣人来言：‘大王不自立，恐有不当立而立者。’邦昌又遣谢克家及王舅忠州防御使韦渊，奉大宋受命宝诣济州，复以手书号太后曰元祐皇后，入居禁中，垂帘听政，以俟复辟。克家等至济州，王恸哭受之，命克家还京办仪物。皇后命太常少卿汪藻草手书告中外，俾王嗣统，其略曰：‘历年二百，人不知兵，传序九君，世无失德。虽举族有北辕之衅，而敷天同左袒之心。乃眷贤王，越居近服。汉家之厄十世，宜光武之中兴；献公之子九人，惟重耳之尚在。兹乃天意，夫岂人谋！’济州父老诣军门，言：‘州四旁望见城中火光属天，请即皇帝位。’会宗泽及权应天府朱胜非来言：‘南京，艺祖兴亡之地，取四方中，漕运尤易。’王遂决意趋应天府。既发济州，鄜延副总管刘光世自陕州来会，王以光世为五军都提举。西道总管王襄、宣抚司统制官韩世忠皆以师来会。王至应天，邦昌来见，伏地痛哭请死，王抚慰之。王时雍等奉乘舆服御至，群臣劝进者益众。王命筑坛于府门之左，五月庚寅朔，王登坛受命。毕，恸哭，遥谢二帝，遂即位于府治。改元建炎，大赦。是日元祐皇后在东京撤帘。”《宋稗类钞》卷一：“高宗好养鹁鸽，躬自放牧，有士人题诗曰：‘鹁鸽飞腾绕帝都，暮收朝放费工夫。何如养个南来雁，沙漠能传二帝书。’高宗闻之，召见士人，即补以官。”

李纲出任宋朝宰相。《纲鉴易知录》卷七七：“耿南仲免，召李纲为尚书右仆射，兼中书侍郎。纲再贬宁江，金兵复至，渊圣悟和议之非，召纲为开封尹。行次长沙，被命即帅湖南勤王师入援，未至，而京城失守。至是，召拜右相，趋赴行在所。中臣颜岐、右谏议大夫范宗尹咸沮之，帝皆不听。汪伯彦、黄潜善自谓有攀附之劳，拟比为相，及召纲于外，二人不悦，遂与纲忤。纲行至太平，上疏曰：‘兴衰拨乱之主，非英哲不足以当之。英则用心刚，足以莅大事而不为小故之所摇；哲则见善明，足以任君子而不为小人之所间。愿陛下以汉之高、光，唐之太宗，国朝之艺祖、太宗为法。’”

张元干作《建炎感事诗》，此诗开创了南宋爱国诗歌之先河。诗曰：“乾坤复震荡，土宇遂分裂，杀气西北来，遗毒成僭窃。议和其祸胎，割地亦覆辙。倘从种将军，用武寨再劫。不放匹马回，安得两宫说？”

六月

邵兴领导义军抗金。［思齐按：邵兴（？—1043）据解州神稷山起义，屡败金兵。］

宋诏河北、河东民众抗金。《续资治通鉴》卷九八："丁卯，诏河东北郡县。略谓：河东北，国之屏障。靖康间以金人凭陵，不得已以割地为名，将以保全宗社。今君父之仇不共戴天，两河之地，何割之有？方命帅遣师，以为声援。州县守臣，有能保一方及力战破敌者，当即授以节钺，应移用税赋，辟置将吏，并从便宜。"

夏

陈与义有诗。《增广笺注简斋诗集》卷十七《题继祖蟠室三首》，其一："云起炉山久未移，功名不恨十年迟。日斜疏竹可窗影，正是幽人睡足时。"其二："万卷吾今一字无，打包随处野僧如。短檠未尽残年债，欲问班生试借书。"其三："中兴天子要人才，当使生擒颉利来，正待吾曹红抹额，不须辛苦学颜回。"同卷，《述怀》："闭户生白发，逍遥步城隅。野外晴林满，天末暮云孤。水容澹春归，草色带雨濡。物态纷如昨，世事再呜呼。京洛了在眼，山川一何迂。乘桴莽未办，且复小踟蹰。"

七月

宋朝贬叛臣，分三等定罪。从右正言邓肃、右司谏潘良桂请，贬斥依附张邦昌者，分三等定罪。

八月

河朔人民愤于军乱，自发结成忠义巡社。《续资治通鉴》卷九九："丁卯，张悫言：河朔之民，愤于兵乱，自结巡社。请依唐人泽潞步兵、三河子弟遗意，联以什伍，而寓兵于农，是合力抗敌。且从靖康诏旨，以人数借补官资，仍仿义勇增修条画，下之诸路。乃以忠义巡社为名，其法五人为甲，五甲为队，五队为部，五部为社，皆有长；五社为一都社，有正副；二都社有都副总首；甲长以上免身役。所结及五百人以上，借补官有差。都总首满二年无过者，并补正。犯阶级者杖之。岁十月案试于县，仍听守令节制。岁中巡社增耗者，守贰令尉黜陟皆有差。"

岳飞抗金。《续资治通鉴》卷九九："壬申。先是，河北宣抚使张所，招徕豪杰，以忠翊郎王彦为都统制、效用人岳飞为准备将。飞初补承信郎，以战功迁秉义郎。帝初立，［飞］上书论黄潜善、汪伯彦不图恢复，以越职夺官。至是归所，所问曰：'汝能敌几何？'飞曰：'勇不足恃，用兵在先定谋。栾枝曳柴以败荆，莫敖采樵以致绞，皆谋定也。'所矍然曰：'君殆非行五中人。'借补修武郎、阁门宣赞舍人、充中军统领。飞因进说曰：'国家都汴，恃河北以为固。苟凭据要冲、峙列重镇，则京师根本之地固矣。'招抚能提兵压境，飞惟命是听。所壮之，借补武经郎。"

李纲罢相。

陈东、欧阳澈以忠言被杀。

宋金科举各不同，时人号为南北选。《续资治通鉴》卷九九："金主诏曰：'河北河东郡县，职员多阙，宜开贡举取士，以安新民。'有司以辽宋取士之制不同为请，命南北各因其所学之业取士，号为南北选。真定拘籍境内进士试安国寺。宋进士褚臣亮亦在籍中，匿而不出，军中知其才，严令押试，与诸生对策。主文者侍中刘宵，故辽官，降于金，愤宋助伐金，发策问宋上皇无道、少帝失信。举人承风旨，极口诋毁。承亮起诣宵曰：'君父之过，岂臣子所宜言邪?'长揖而出。宵为之动容，余悉放第，凡七十二人，遂号七十二贤榜。状元许必仕为郎官，一日出左掖门，堕马首中阃石死。宵荐承亮知稾城县，承亮弃去。"

九月

己丑，宋建州军乱。

壬子，诏赐张邦昌死，王时雍亦伏诛。

王彦、岳飞抗金于新乡。《续资治通鉴》卷一百："王彦及金人战于新乡县，败绩兵溃，彦奔太行山。岳飞以单骑持丈八铁枪刺杀金帅于阵，金人为退却。初，彦既得新乡，传檄诸郡，金人以为大军之至，率众数万，薄彦垒围之。彦兵寡，且器甲疏略，乃决围出。敌尽锐追击，彦与麾下数十人驰赴之，所向披靡，转战数十里，弓矢且尽，会日暮得免。彦收散亡得七百余人，保共城县。西山部曲感其义，皆面刺'赤心报国'字。未几两河响应。忠义民兵首领傅选、孟德、刘泽、焦文通等皆附之，绵亘数百里，金人患之。"

秋

本年秋，陈与义有诗。《增广笺注简斋诗集》卷十七《寄题赵景温筠居轩》："相逢汉江边，盗起方如云。当时苍黄意，亦可无此君。俗士固鲜欢，王孙终逸群。清秋不可负，牖壁看修筠。碧幹立疏雨，丛稍冒斜曛。引君著胜地，世事从纠纷。何时微月夕，胡床与子分。高吟呼天风，夜半笙箫闻。"

同卷，《重阳》："去岁重阳已百忧，今年依旧叹羁游。篱底菊花唯解笑，镜中头发不禁秋，凉风又落宫南木，老雁孤鸣汉北州。如许行年那可记，谩排诗句写新愁。"

同卷，《有感再赋》："忆昔甲辰重九日，天恩曾与宴城东。龙沙此日西风冷，谁折黄花寿两宫。"

同卷，《感事》："丧乱那堪说，干戈竟未休。公卿危左衽，江汉故东流。风断黄龙府，云移白鹭洲。云何舒国步，持底副君忧！世事非难料，吾生本自浮。菊花纷四野，作意为谁秋?"

同卷，《送客出城西》："邓州谁亦解丹青？画我羸骖晚出城。残年政尔供愁了，末路那堪送客行？寒日满川分众色，暮林无叶寄秋声。垂鞭归去重回首，意落西南计未成。"

赵鼎南渡，泊舟仪真，作词《满江红·丁未九月南渡泊舟仪真江口作》抒发思念故土之情，寄托其对国事之深重忧愁。词曰："惨结秋阴，西风送、霏霏雨湿。凄望眼，征鸿几字，暮投沙碛。试问乡关何处是？水云浩荡迷南北。但一抹、寒青有无中，遥山色。　　天涯路，江上客。肠欲断，头应白。空搔首兴叹，暮年离拆。欲待忘忧除是酒，奈酒行有尽情无极。便挽取、长江入尊罍，浇胸臆。”

十月

高宗南渡。《纲鉴易知录》卷七七：“冬十一月，帝入扬州。先是黄潜善、汪伯彦力主幸东南，许景衡亦言：‘建康天险可据。’帝从之，诏淮、浙沿海诸州，增修城壁，招训民兵，以备海道。又命扬州守臣吕颐浩缮修城池。至是，谍者言金人欲犯江、浙，诏暂住淮甸，捍御稍定，即还京阙。宗泽上疏谏曰：‘京师，天下腹心，不可弃也。昔景德间契丹寇澶渊，王钦若江南人，劝幸金陵；陈尧叟阆中人，劝幸成都；惟寇准毅然请亲征，卒用成功。’因条上五事，其一言黄潜善、汪伯彦赞南幸之非。泽前后建议，辄为汪、黄所抑，二人每见泽奏至，皆笑以为狂。于是帝决意幸扬州。十月朔，帝登舟。时两河虽多陷于金，而其民怀朝廷恩，所在结为红巾，出攻城邑，皆用建炎年号，今人稍稍引去，及闻帝南行，无不解体。泽复上疏言：‘欲遣闾勍、王彦各统大军尽平贼垒，望陛下早还京阙。臣之此举，可保万全。或奸谋蔽欺，未即还阙，愿陛下从臣措画，勿使奸臣沮抑，以误社稷大计！陈师鞠旅，尽扫胡尘，然后奉迎銮舆还京，以塞奸臣之口，以快天下之心。’帝优诏答之。”

陈与义与席益交往，有诗纪之。席益，字大光，绍兴三年任参知政事。《增广简斋诗集注》卷十七《得席大光书因以诗迓之》：“十月高风客子悲，故人书到暂开眉。也知廊庙当推毂，无奈江山好赋诗。万事莫论兵动后，一杯当及菊残时。喜心翻倒相迎地，不怕荒林十里陂。”

同卷，《送大光赴石城》：“石城高嵽嵲，城下是江波。莫愁织绮地，年来战马过。秀眉使君医国手，却把江头无事酒。山川勃郁不平处，浇以三杯一搔首。半江楼影白逶迤，想见春流二月时。待予去扫仲宣赋，走马还朝亦未迟。”

同卷，《梦中送僧觉而忘第三联戏足之》：“两鸿同一天，羽翼不相及。偶然一识面，别意已超忽。去程秋光好，万里无断绝。虽无仁人言，赠子以明月。”又，《无题》：“六经在天如日月，万事随时更故新。江南丞相浮云坏，洛下先生宰木春。孟喜何妨改师法，京房底处有门人。旧喜读书今懒读，焚香阅世了闲身。”此二诗不能确考作于何时，按原编次，姑系于此。

十一月

宋朝再遣使赴金通问。

十二月

金兵分三路大举侵宋。《纲鉴易知录》卷七七：“十二月，金人分道入寇，遂陷西京（洛阳）；留守孙昭远走死，河东经制使王𤫉引兵遁蜀。”

李清照本年四十四岁。离青州南渡，载书十五车。

本年

杨万里（1127—1206）**生**。《宋史》卷四三三《杨万里传》：“杨万里字廷秀，吉州吉水人。中绍兴二十四年进士第，为赣州司户，调永州零陵丞。时张浚谪永，杜门谢客，万里三往不得见，以书力请，始见之。浚勉以正心诚意之学，万里服其教终身，乃名读书之室曰‘诚斋’。浚入相，荐之朝，除临安府教授，未赴。丁父忧。改知隆兴府奉新县。戢追胥不入乡，民逋赋者，揭其名市中，民欢趋之，赋不扰而足，县以大治。会陈俊卿、虞允文为相，交荐之，召为国子博士。侍讲张栻以论张说出守袁，万里抗疏留栻，又遗允文书，以和同之说规之。栻虽不果留，而公论伟之。迁太常博士，寻升丞，兼吏部侍右郎官，转将作少监，出知漳州，改常州，寻提举广东常平茶盐。盗沈师犯南粤，率师往平之，孝宗称之曰‘仁者之勇’，遂有大用意，就除提点刑狱。请于潮、惠二州筑外砦，潮以镇贼之巢，惠以扼贼之路。俄以忧去。免丧，召为尚书左郎官。淳熙十二年五月，以地震应诏上书。……东宫讲官阙，帝亲擢万里为侍读。宫僚以得端人相贺。他日读《陆宣公奏议》等书，皆随事规警，太子深敬之。王淮为相，一日问曰：‘宰相先务者何事？’曰：‘人才。’又问：‘孰为才？’即疏朱熹、袁枢以下六十人以献，淮次第擢用之。历枢密院检详，守右司郎中，迁左司郎中。十四年夏旱，万里复应诏言：‘旱及两月，然后求言，不曰迟乎？上自侍从，下至馆职，不曰隘乎？今之所以旱者，以上泽不下流，下情不上达，故天地之气隔绝而不通。’因疏四事以献，言皆恳切。迁秘书少监。会高宗崩，孝宗欲行三年丧，创议事堂，命皇太子参决庶务。万里上疏力谏，且上太子书，言：‘天无二日，民无二王，一履危机，悔之何及！与其悔之而无及，孰若辞之而不居。愿陛下三辞五辞，而必不居也。’太子悚然。高宗未葬，翰林学士洪迈不俟集议配享，独以吕颐浩等姓名上，万里上疏诋之，力言张浚当预，且谓迈无异指鹿为马。孝宗览疏不悦，曰：‘万里以朕为何如主！’由是以直秘阁出知筠州。光宗即位，召为秘书监。……绍熙元年，借焕章阁学士为接伴金国贺正旦使兼实录院检讨官。会《孝宗日历》成，参知政事王蔺以故事，俾万里序之，而宰臣属之礼部郎官傅伯寿，万里以失职力丐去，帝宣谕勉留。会进《孝宗圣政》，万里当奉进，孝宗犹不悦，遂出为江东转运副使，权总领淮西、江东军马钱粮。朝议欲行铁钱于江南诸郡，万里疏其不便，不奉诏，忤宰相意，改知赣州。不赴，乞祠，除秘阁修撰，提举万寿宫，自是不复出矣。宁宗嗣位，召赴行在，辞。升焕章阁待制，提举兴国宫。引年乞休致，进宝文阁待制致仕。嘉泰三年，诏进宝谟阁直学士，给赐衣带。开禧元年召，复辞。明年，升宝谟阁学士，卒，年八十三，赠光禄大夫。万里为人刚而褊。孝宗始爱其才，以问周必大，必大无善语，由此不见用。韩侂胄用事，欲网罗四方知名士相羽翼，尝筑南园，属万里为之记，许以掖垣，万里曰：‘官可弃，记不可作也！’侂胄恚，改命他人。卧家十五年，皆其柄国之日也。侂胄专僭日益甚，万里忧愤，怏怏成疾。家人知其忧国也，凡邸吏之报时政者，皆不以告。忽族子自外至，遽言侂胄用兵事，万里恸哭失声，亟呼纸书曰：‘韩侂胄奸臣，专权无上，动兵残民，谋危社稷。吾头颅如许，报国无路，惟有孤愤！’又书十四言别妻子，笔落而逝。万里精于诗，尝著《易传》行于世。光宗尝为书‘诚斋’二字，学者称为诚斋先生，赐谥文节。子长孺。”

王明清（生卒年不详），字仲言，汝阴（今安徽阜阳）人，铚子。据钱大昕《疑年录》，王明清大约生于本年。《四库全书总目》卷一四一：“《挥麈前录》四卷、《后录》十一卷、《第三录》三卷、《馀话》二卷，河南巡抚采进本，宋王明清撰。……是编皆其札记之文，《前录》为乾道丙戌奉亲会稽时所纪，多国史中未见事。自跋谓‘记忆残缺，以补册府之遗’是也。末附沙随程迥、临汝郭九惪二跋，李垕一简，及庆元二年实录院移取《挥麈录》牒文二道。《后录》为绍兴甲寅武林官舍中所纪，有海陵王禹锡跋。《第三录》为庆元初请外时所纪，于高宗东狩时尤详。《馀话》兼及诗文碑铭，补前三录所未备。……明清为王铚之子，曾纡外孙，纡为曾布第十子，故是录于布多溢美。其记王安石没，有神人幢盖来迎，而于米芾极其丑诋，尤不免轩轾之词。赵彦卫《云麓漫钞》尝议其载张耆宴侍从诸臣事为不近事理。王士祯《古夫于亭杂录》亦议其载岁祀黄巢墓事为不经之谈。然明清为中原旧族，多识旧闻，要其所载，较委巷流传之小说，终有依据也。”

公元 1128 年（宋建炎二年　金天会六年　夏正德二年　西辽延庆四年　戊申）

赵构即位为高宗皇帝，南宋王朝由之开始。《纲鉴易知录》卷七八：“高宗皇帝，名构，徽宗第九子。初封康王，及二帝北狩，遂即位于南京，迁都临安，号南宋。在位三十六年而内禅，又二十五年而崩，寿八十一岁。帝虽云中兴，然无拨乱之才，初惑汪、黄之佞，继阨苗、刘之乱，终成秦桧之奸，虽相有李纲、赵鼎，将有张、韩、刘、岳，信任不坚，黜戮相踵。偷安一隅，忍辱鲜耻，由畏懦有余而刚果不足故也。或曰‘徽宗生帝时梦吴越王钱镠入宫’，斯言信欤?”

正月

金兵将继续南侵，宗泽声威日著。《纲鉴易知录》卷七八：“戊申，高宗皇帝建炎二年，春正月，金人陷邓州，范致虚出奔，安抚使刘汲死之，京西州郡皆陷。金将兀术犯东京，宗泽败之。金兀术自郑抵白沙，去汴京密迩，都人震恐。僚属入问计，宗泽乃对客围棋，笑曰：‘何事张皇！刘衍等在外，必能御敌。’乃选精锐数千，使绕出敌后，伏其归路。金人方与衍战，伏兵起，前后夹击之，金人果败。粘没喝据西京，与泽相持。泽遣部将阎中立、郭俊民、李景良等帅兵趋郑，遇敌大战，兵败，中立死之，俊民降，景良遁去。泽捕景良，斩之。既而俊民与金将史姓者持书来招泽，泽皆斩之。刘衍还，金人复入滑，泽部将张㧑往救之。㧑至滑众寡不敌，或请稍避之，㧑曰：‘避而偷生，何面目见宗公！’力战而死。泽闻㧑急，遣王选往援，已不及，因与金人大战，破走之。泽以宣知滑州，金自是不复犯东京。泽得金将辽臣王策于河上，解其缚，问金之虚实，得其详，遂决大举之计。召诸将谓曰：‘汝等有忠义心，当协谋剿敌，期还二圣，以立大功。’言讫泣下，诸将皆听命。金人屡战不利，悉引去。宗泽复上疏请帝还京，曰：‘臣为陛下保护京城，自去年秋至今春，又三月矣。陛下不早回，则天下之民合依戴?’不报。泽声威日著，敌闻其名，常尊惮之。对南人言，必曰‘宗爷爷’。”

陈与义本年三十九岁，有诗多首。《增广笺注简斋诗集》卷十七《正月十二日，自房州城遇金虏至，奔入南山，十五日抵回谷张家》：“久谓事当尔，岂意身及之。避虏连三年，行半天四维。我非洛豪士，不畏穷谷饥。但恨平生意，轻了少陵诗。今年奔房州，铁马背后驰。造物亦恶剧，脱命真毫厘。南山四程云，布袜傲险巇。篱间老炙背，无意管安危。知我是朝士，亦复颦其眉。呼酒软客脚，菜本濯玉肌。穷途士易德，欢喜不复辞。向来贪读书，闭户生白髭。岂知九州内，有山如此奇。自宽实不情，老人亦解颐。投宿恍世外，青灯耿茅茨。夜半不能眠，涧水鸣声悲。”

同卷，《正月十六夜二绝》，其一：“正月十六夜，竹篱田父家。明月照树影，满山如龙蛇。”其二：“二更风薄竹，悲吟连夜分。村西递余韵，应胜此间闻。”

同卷，《坐涧边石上》：“三面青山围竹篱，人间无路访安危。扶筇共坐槎牙石，涧水悲鸣无歇时。”

卷十八，《十七日夜咏月》：“月轮隐东峰，奇彩在南岭。北崖草木多，苍茫映光景。玉盘忽微露，银浪泻千顷。盐谷散陆离，万象杂形影。不辞三更露，冒此白发顶。老筇无前游，危处有新警。涧光如翻鹤，变态发遥景。回首房州城，山中夜何永。”

同卷，《独立》：“篱门一徒倚，今夜天星繁。独立人世外，唯闻涧水喧。丛薄凝露气，群峰带春昏。偷生亦聊尔，难与众人言。”

同卷，《采菖蒲》：“闲行涧底采菖蒲，千岁龙蛇抱石臞。明朝却觅房州路，飞下山颠不要扶。”

李清照本年四十五岁。抵江宁。江宁旅邸后庭梅花盛开，清照作词《殢人娇·后庭梅花开有感》咏之，词云：“玉瘦香浓，檀深雪散。今年恨，探梅又晚。江楼楚馆。云闲水远。青昼永、凭栏翠帘低卷。　　坐上客来，尊中酒满。歌声共、水流云断。南枝可插，更须频剪。莫直贷、西楼数声羌管。”

二月

马扩据保五马山。《续资治通鉴》卷一〇一：“初，武功大夫和州防御使马扩，聚兵西山，既为金所执，囚之真定。右副元帅宗望义而赦之，欲授以官，扩辞不受。请给田以养其母。既而又言耕田不即得食，愿为酒肆以自活。宗望许之。时武翼大夫赵邦杰，聚忠义乡兵保庆源五马山寨，扩因此杂结往来之人，复与山寨通。辛巳，寒食节，扩伪随大众送丧，携亲属十三人，奔山寨。先是，皇弟信王榛，既亡去，更称梁氏子，为人摘茶。扩等阴迎以归，遂奉榛总制诸山寨。两河遗民，闻风响应，愿受旗榜者甚众。”

宋朝招募振华军。《续资治通鉴》卷一〇一：“壬午，诏募河南北淮南土人有民籍者为‘振华军’，以六万人为额。即不足，听募两河流移之众，勿得过三分。皆于左鬓刺‘某州振华’四字。”

三月

金兵攻破中山府。《续资治通鉴》卷一〇一："三月辛卯，金人破中山府。时城中粮绝，人皆羸困，不能执兵。城破，金见居人瘦瘠，叹而怜之，兵校千余人，皆不杀。中山自靖康末受围，至是三年乃破。"

李清照于上巳日召亲族，作词《蝶恋花·上巳召亲族》。词曰："永夜厌厌欢意少，空梦当时，认取长安道。为报今年春色好，花光月影宜相照。　　随意杯盘虽草草，酒美梅酸，恰称人怀抱。醉莫插花花莫笑，可怜春似人将老。"又有词《小重山》："春到长门春草青，江梅些子破，未开匀。碧云笼碾玉成尘。留晚梦，惊破一瓯云。　　花影压重门。疏帘铺淡月，好黄昏。二年三度负东君，归来也，著意过今春。"王玢《漱玉词汇钞》引《问蘧庐随笔》："荆公《桂枝香》作名世，张东泽用易安'疏帘淡月'语填一阙，即改《桂枝香》为《疏帘淡月》。"

初十日，赵明诚跋蔡襄书《赵氏神妙帖》。

春

是春，陈与义作诗较多。《增广笺注简斋诗集》卷十八《与信道游涧边》："斜阳照乱石，颠崖下双筇。试从绝壑底，仰视最起风。回碕发涧怒，高霭生树容。半岩菖蒲根，翠葆森伏龙。岂无避世士，于此倘相逢。客心忽悄怆，归路迷行踪。"

同卷，《咏西岭梅花》："雨后众崖碧，白处纷寒梅。遥遥迎客意，欲下山坡来。穷村爱春晚，邂逅今日开。绛领承玉面，临风一低回。折归无可赠，孤赏心悠哉。"

同卷，《游南嶂同孙信道》："遥瞻南嶂深复深，双崖与天藏太阴。青鞋济胜不能懈，踏破积云穷崎嵚。空中朽树抱孤条，无穷苍壁生横林。孤禽三叫危石裂，欲反未反神萧森。磴回忽然何处所，当面烟如翠蛟舞。石门泄风无昼夜，古木截道藏雷雨。丹丘赤城去几许，下视人间足尘土。放身天地不自知，导以龙蛇翼熊虎。山中异事记今晨，杖藜得道孙与陈。"

同卷，《游东岩》："散策东岩路，梦中曾记经。斜晖射残雪，崖谷遍晶莹。鸦鸣山寂寂，意迥川冥冥。乘兴欲穷讨，会心还少停。新晴远村白，薄暮群峰青。危途通仙境，胜日行画屏。岂独净一念，将期朝百灵。不同《南涧》咏，悲慨满中扃。"

同卷，《望信道立竹林边》："修竹林边烟过迟，幅巾藜杖立疏篱。恨无顾陆同携手，写取孙郎觅句时。"

同卷，《雨晴徐步》："百年几晴朝，徐步山径湿。忽悟春已深，鸣禽飞相及。雪消众绿净，雾罢群峰立。涧边千嵔岩，今日可复集。"

同卷，《同信道晚登古原》："幽怀忽牢落，起望登古原。微吹度修竹，半林白翻翻。日暮纷物态，山空销客魂。惜无一樽酒，与子醉中言。"

同卷，《岸帻》："岸帻立清晓，山头生薄阴。乱云交翠壁，细雨湿青林。时改客心动，鸟鸣春意深。穷乡百不理，时得一闲吟。"

同卷，《雨》："云起谷全暗，雨晴山复明。青春望中色，白涧晚来声。远树鸟群集，高原人独耕。老夫逃时日，坚坐听阴晴。"

同卷,《醉中至西径梅花下,已盛开》:“梅花乱发雨晴时,褪尽红绡见玉肌。醉中忘却头边雪,横插繁枝归竹篱。”

春末,陈与义出山,有诗。《增广笺注简斋诗集》卷十八《出山二首》,其一:“阴岩不知晴,路转见朝日。独行修竹尽,石崖千丈碧。”其二:“山空樵斧响,隔岭有人家。日落潭照树,川明风动花。”

同卷,《入山二首》,其一:“出山复入山,路随溪水转。东风不惜花,一暮都开遍。”其二:“都迷去时景,策杖烟漫漫。微雨洗春色,诸峰生晚寒。”

同卷,《寒食》:“竹篱寒食节,微雨澹春意。喧哗少所便,寂寞今有味。空山花动摇,乱石水经纬。倚仗忽已晚,人生本何冀。”

同卷,《清明》:“雨晴闲步涧边沙,行入荒林闻乱鸦。寒食清明惊客意,暖风迟日醉梨花。书生投老王官谷,壮士偷生漂母家。不用秋千与蹴鞠,只将诗句答年华。”

同卷,《与夏致宏、孙信道、张居山同集涧边,以“散发岩岫”为韵,赋四小诗》,其一:“哦诗谷虚响,散发下岩半。披丛涧影摇,集鸟纷然散。”其二:“乱石披潜流,水纹如绀髪。驰晖忽西没,林光相映发。”其三:“举头山围天,濯足树映潭。山中记今日,四士集空岩。”其四:“张子卧石榻,夏子理泉窦。孙子独不言,搘颐数烟岫。”

同卷,《出山宿向翁家》:“纸坊山绝顶,直下夕阳斜。却看来处路,南北两岩花。田翁遥客宿,笑指林下家。问我出山意,无奈贵喧哗。”

同卷,《出山道中》:“雨歇澹春笑,云气山腰流。高崖落绛叶,恍如人世秋。避地时忽忽,出山意悠悠。溪急竹阴动,谷虚禽响幽。同行得快士,胜处频淹留。乘除了身世,未恨落房州。”

同卷,《咏清溪石壁》:“青溪宜晓日,曲处千丈晦。天开苍石屏,影落西村外。虚无元气立,明灭河汉对。人行峥嵘下,鸟急浩荡内。向来千万峰,琐细等蓬块。老夫倚杖久,三叹造物大。惜哉太史公,意短遗此快。更欲访野人,穷探视其背。”

四月

夏四月,金兀术复入西京,翟进击走之。

宋以信王赵榛为河外兵马都元帅。

杨时为程氏正宗。《纲鉴易知录》卷七八:“工部侍郎杨时罢。帝初即位,除时工部侍郎,陛对,言‘古圣贤之君,未有不以兴学为务’,除兼侍讲。以老求去,遂提举洞霄宫。时在东郡,所交皆天下士,先达陈瓘、邹浩,皆以师礼事时。暨渡江,东南学者推时为程氏正宗。”

五月

南宋开科取士。《纲鉴易知录》卷七八:“定诗赋、经义试士法。元祐中科举以诗赋、经义兼取,绍圣以来罢试诗赋,至是命参酌元祐科举条制,定试士法。中书省请习诗赋,举人不兼经义,习经义人止习一经,解试、省试并计数各取,通定高下,殿试仍对策三道。”

王彦组织“八字军”抗金。王岩聚兵太行山，部下万人均于面上刺“赤心报国，誓杀金贼”八字，故号“八字军”。

苏轼追复端明殿学士。《续资治通鉴》卷一〇一：“乙未，诏苏轼追复端明殿学士，尽还合得恩数。时轼孙司农司丞符，以轼政和中复职未尽，诉于朝，乃有是命。”

六月

金朝准备修国史。《续资治通鉴》卷一〇二：“金初未有文字，亦未尝有记录。宗翰好访问女直故老，多得先世旧闻。至是金主诏求访祖宗遗事，以备国史，命完颜勖等掌之。”

宋于沿江练水军。《续资治通鉴》卷一〇二：“己卯，言者以为，东南武备，利于水战。金人既破唐、邓、陈、蔡，进逼淮、汉，去大江仅一间耳。为今之策，宜于大江上游，如采石之类，凡要害处，精练水军，广造战舰，仍泊于江之南岸，缓急之际，庶几可倚。诏江、浙州郡措置，限一月毕。”

许顗《彦周诗话》成书。许顗，生卒年不详，襄邑（今河南睢县）人，所作《彦周诗话》成书于本月。自序：“诗话者，辨句法，备古今，纪盛德，录异事，正讹误也。若含讥讽，著过恶，诮纰缪，皆所不取。仆少孤苦而嗜书，家有魏晋文章及唐人诗集，仅三百家。又数得奉教，闻前辈长者之余论。今书籍散落，旧学废忘，其能记忆者，因笔识之，不忍弃也。嗟乎，仆岂足言哉！人之于诗，嗜好去取，未始同也，强人使同己则不可，以己所见以俟后之人，呜呼？而不可哉！建炎戊申六月初吉日襄邑许顗序。”[思齐按：这是出自宋人的关于诗话这一文学批评样式之定义。]

夏

陈与义离开房州，前往均阳，有诗。《增广笺注简斋诗集》卷十九《闻王道济陷虏》：“海内堂堂友，如今在贼围。虚传袁盎脱，不见华元归。浮世身难料，畏途计易非。云孤马息岭，老泪不胜挥。”

是夏，陈与义权摄知均州，有诸诗。《增广笺注简斋诗集》卷十九《均阳官舍，有安榴数株，著花绝稀，更增妍丽》：“庭际安榴树，花稀更可怜。青旌拥绛节，伴我作神仙。迟日耿不暮，微云眩弥鲜。一樽兼百虑，心赏竞悠然。”

同卷，《和王东卿绝句四首》，其一：“少年走马洛阳城，今作江边瓶锡僧。说与虎头须花卧，三更月丽影崚嶒。”其二：“来日安榴花尚稀，压墙丹实已垂垂。何时著我扁舟尾，满袖清风信所之。”其三：“只今当代功名手，不数平生粥饭僧。独立江风垂短发，暮云千里倚崚嶒。”其四：“平生不得吟诗力，空使秋霜入鬓垂。大岳峰前满樽月，为君聊复一中之。”

同卷，《观江涨》：“涨江临眺足消忧，倚杖江边地欲浮。叠浪并翻孤日去，两津横卷半天流。鼋鼍杂怒争新穴，鸥鹭惊飞失故洲。可为一官妨快意，眼中唯觉欠扁舟。”

同卷，《同左通老用陶潜还旧居韵》：“故园非无路，今已不念归。秋入汉水白，叶脱行人悲。东西与南北，欲往还觉非。勿云去年事，兵火偶脱遗。可怜竛竮影，残岁聊相依。天涯一樽酒，细酌君勿退。持觞望江山，路永悲身衰。百感醉中起，清泪对君挥。”

同卷，《同通老用渊明独酌韵》：“纷纷吏民散，还我以兀然。悄悄今夕意，鸟影驰隙间。向来房州客，采药危得仙。忽驾太守车，出处宁非天。何妨暂阅世，谋行要当先。西斋一壶酒，微雨新秋还。蛛网闪明晦，叶声饯岁年。呼儿具纸笔，录我醉中言。”

李清照有词咏芭蕉。《添字丑奴儿・芭蕉》：“窗前谁种芭蕉？阴满中庭。阴满中庭。叶叶心心舒卷有余情。　　伤心枕上三更雨，点滴凄清。点滴凄清。愁损北人不惯起来听。”

七月

东京留守宗泽（1059—1128）卒。《四库全书总目》卷一五六：“《宗忠简集》八卷，浙江鲍士恭家藏本。宗泽撰。……是编自一卷至六卷皆札子、状疏、诗文杂体；七卷、八卷为逸事、俘虏，皆后人纪泽事实及诰敕铭记之类也。……明崇祯间，熊人霖始据旧本重刻，国朝义乌县知县王庭曾又重为编定，增入《谏止割地》一书，而以楼昉原序及明初李孝儒序弁于篇首。考史称泽力请高宗还汴，书凡二十八上，本传不尽录其文，今集中所载仅十八篇，犹佚其十，则其散亡已多矣。”

八月

宋朝改革盐茶法。

金主吴乞买废上皇为昏德公、靖康帝为重昏侯，徙之韩州。

陈与义离开均阳，有诗。《增广笺注简斋诗集》卷十九《欲离均阳，而雨不止，书八句寄何子应》：“江城八月枫叶凋，城头哦诗江动摇。秋雨留人意恋恋，水风泛树声萧萧。纶巾老子无远策，长作东西南北客。不如何逊在扬州，坐待梅花映妆额。”同卷，《均阳舟中夜赋》：“游子不能寐，船头语轻波。开窗望两津，烟数何其多。晴江涵万象，夜半光荡摩。客愁弥世路，秋气入天河。汝洛尘未消，几人不负戈。长吟宇宙内，激烈悲蹉跎。”

陈与义舟次高舍，有诗。《增广笺注简斋诗集》卷十九《舟次高舍书事》：“涨水东流满眼黄，泊舟高舍更情伤。一川木叶明秋序，两岸人家共夕阳。乱后江山元历历，世间歧路极茫茫。遥指长沙非谪去，古今出处两凄凉。”

陈与义经石城，有诗。《增广笺注简斋诗集》卷十九《石城夜赋》：“初月光满江，断处知急流。沉沉石城夜，默默西汉秋。为客寐常晚，临风意难收。三更柁楼底，身世入搔头。”

陈与义抵岳州，居焉，有诗。《增广笺注简斋诗集》卷十九《登岳阳楼二首》，其一：“洞庭之东江水西，帘旌不动夕阳迟。登临吴蜀横分地，徙倚湖山欲暮时。万里来游还望远，三年多难更凭危。白头吊古风霜里，老木沧波无限悲。”其二：“天入平湖晴不风，夕帆和雁正浮空。楼头客子杪秋后，日落君山元气中。北望可堪回白首，南游聊得看丹枫。翰林钩色分留少，诗到巴陵还未工。”

九月

宋试进士于扬州。《续资治通鉴》卷一〇二：“庚寅，帝御集英殿，赐诸路类省试正奏名进士李易等四百五十一人及第出身同出身，而川、陕、河北、京东正奏名进士一百四人，以道梗不能赴，皆即家赐第。特奏名张鸿举以下至五等，皆许调官。鸿举以龙飞恩，特附第二甲。易，江都人。鸿举，邵武人也。故事，殿试上十名，例先纳卷子御前定高下。及是御药院以例奏。帝不许，曰：‘取士当务至公，既有初、复考详定官，岂宜以朕意更自升降！自今勿先进卷。’”

秋

李清照有词，描写与弟迒相逢又别之感慨。《青玉案·用黄山谷韵》：“征鞍不见邯郸路，莫便匆匆归去。秋正萧条何以度？明窗小酌，暗灯清话，最好流连处。　相逢各自伤迟暮。犹把新词诵奇句。盐絮家风人所许。如今憔悴，但余双泪，一似黄梅雨。”又作词抒发思乡之情，《鹧鸪天》：“寒日萧萧上锁窗，梧桐应恨夜来霜。酒阑更喜团茶苦，梦断偏宜瑞脑香。　秋已尽，日犹长，仲宣怀远更凄凉。不如随分尊前醉，莫负东篱菊蕊黄。”

十月

金破马扩军。

陈与义有诗。《增广笺注简斋诗集》卷十九《巴丘书事》：“三分书里识巴丘，临老避胡初一游。晚木声酣洞庭野，晴天影抱岳阳楼。四年风露侵游子，十月江湖吐乱洲。未必上流须鲁肃，腐儒空白九分头。”

同卷，《晚步湖边》：“客间无胜日，世故可暂逃。杖黎迎落照，寒彩遍平皋。夕湖光景丽，晴鹳声音豪。天长蒹葭响，水落城堞高。万象各摇动，慰此老不遭。楚纍经行地，处处余《离骚》。幸无大夫责，得伴诸子遨。终然动怀抱，白发风中搔。”

陈与义再登岳阳楼，感慨赋诗。《增广笺注简斋诗集》卷十九《再登岳阳楼感慨赋诗》：“岳阳壮观天下传，楼阴背日堤绵绵。草木相连南湖内，江湖异态栏杆前。乾坤万事集双鬓，臣子一谪今五年。欲题文字吊古昔，风壮浪涌心茫然。”

陈与义又作诗。《增广笺注简斋诗集》卷十九《里翁行》：“里翁无人支缓急，天雨墙坏百忧集。卖衣雇人筑得墙，不虑偷儿披户入。夜寒干撅不经过，偷儿若来知奈何。君不见巴丘古城如培塿，鲁肃当年万人守。”

《增广笺注简斋诗集》卷二十《居夷行》：“遭乱始知承平乐，居夷更觉中原好。巴陵十月江不平，万里北风吹客倒。洞庭叶稀秋声歇，黄帝罢乐川杲杲。君山偃蹇横岁暮，天晚湖南白如扫。人事多违壮士悲，干戈未定书生老。扬州云气郁不动，白首频回费私祷。后胜误齐已莫追，范蠡图越当若为。皇天岂无悔祸意，君子慎惜经纶时。

愿闻群公张王室，臣也安眠送余日。”

《增广笺注简斋诗集》卷二十《又登岳阳楼》：“岳阳楼前丹叶飞，栏杆留我不须归。洞庭镜面平千里，却要君山相发挥。”

十一月

金兵破濮州。接着，金兵又破开德府。

十二月

刘豫叛降金。《纲鉴易知录》卷七八：“十二月，刘豫叛降金。挞懒围济南，刘豫遣子麟御却之。挞懒遣人啖豫以利，豫惩前忿，遂杀济南骁将关胜，率百姓降金。百姓不从，豫缒城纳款。”

金兵破北京。金兵至扬州。

陈与义除夕夜，有诗。《增广笺注简斋诗集》卷二十《除夜二首》，其一：“城中爆竹已残更，朔吹翻江意未平。多事鬓毛随节换，尽情灯火向人明。比量旧岁聊堪喜，流转殊方又可惊。明日岳阳楼上去，岛烟湖雾看春生。”其二：“万里江湖憔悴身，鼕鼕街鼓不饶人。只愁一夜梅花老，看到天明付与春。”

本年

西辽帝征服喀什噶尔。

刘安上（1069—1128）卒。《四库全书总目》卷一五五：“《刘给事集》五卷。……其诗酝酿未深，而格意在中晚唐间，颇见风致。文笔亦修洁自好，无粗犷拉杂之习。盖不惟风节足重，即文章亦不在元祐诸人后矣。”

惠洪（1071—1128）卒。释达观《石门文字禅序》：“公南渡波斯，因风到岸，标榜具存，仪刑不远。呜呼，可以思矣。盖禅如春也，文字则花也。春在于花，全花是春，花在于春，全春是花。而曰禅与文字有二乎哉？故德山、临济棒喝交驰，未尝非文字也；清凉、天台疏经造论，未尝非禅也。而曰禅与文字有二乎哉？逮于万斤，更相笑而更相非，严于水火矣。宋寂音尊者忧之，因名其所著曰《文字禅》。夫齐秦搆难，而按以周天子之命令，遂投戈卧鼓而顺于大化，则文字禅之为也。盖此老子向春台撷众芳，谛知春花之际，无地寄眼，故横心所见，横口所言，斗千红万紫于三寸枯管之下，于此把住，水泄不通。即于此放行，波澜浩渺，乃至逗物而吟，逢源而咏，并入编中。夫何所谓禅与文字者夫，是之谓文字禅，而禅与文字有二乎哉！噫！此一枝花自瞿昙拈后，数千余年，掷在粪扫堆头，而寂音再一拈似，即今流布，疏影撩人，暗香浮鼻，其谁为破颜者。明万历丁酉八月望日释达观撰。”《郡斋读书志》卷一九：“洪觉范《筠溪集》十卷。右皇朝僧惠洪觉范，姓喻氏，高安人。……著书数万言，如《林间录》、《僧宝传》、《冷斋夜话》之类，皆行于世，然多夸诞，人莫之信云。”

公元1129年（宋建炎三年　金天会七年　夏正德三年　西辽延庆五年　己酉）

正月

宋加官占城、真腊、阇婆诸国王。《续资治通鉴》卷一〇三："怀德军节度使检校太保占城国王杨卜麻叠，加检校太傅。大同军节度使检校司空真腊国王金裒滨深，怀远军节度使检校司空阇婆国王悉里地茶兰固野，并加检校司徒。皆用南郊恩也。时占城以方物来献，因有是命。"［思齐按：占城，古国名，位于今越南南部，其水稻种贡于南宋为粮食之增产起到了一定的作用。真腊，今柬埔寨及泰国东南部。阇婆，今马来半岛。］

邵兴败金于潼关。

金兵攻破徐、淮二州。《纲鉴易知录》卷七八："二月，诏刘光世将兵阻淮以拒金。光世兵溃，走还，粘没喝遂陷天长军，帝奔镇江。粘没喝至楚州，守臣朱琳降，遂乘胜而南，陷天长军。内侍邝询报金兵至，帝即备甲乘骑，驰至瓜州镇，得小舟渡江，惟护圣军卒数人及王渊、张俊、内侍康履等从行。日暮至镇江。时汪伯彦、黄潜善方率同列听浮图克勤说法罢，会食，堂吏大呼曰：'驾已行矣！'二人相顾仓皇，乃戎服策马南驰，军民争门而出，死者相枕藉，无不怨愤。司农卿黄锷至江上，军士以为黄潜善，骂之曰：'误国误民，皆汝之罪！'锷方辩其非是，而首已断矣。是日，金将马五率五百骑先驰至扬州城下，闻帝已南行，乃追至扬子桥。时事起仓卒，朝廷仪物皆委弃，太常少卿季陵即取九庙神主以行，出城未数里，回望城中烟焰烛天。陵为金人所迫，亡太祖神主于道。"又："帝如杭州，以吕颐浩签书枢密院事，守镇江。帝至镇江，宿于府治，翌日，召从臣问去留。吏部尚书吕颐浩，乞留跸以为江北声援，群臣皆以为然。王渊独言：'镇江止可捍一面，若金人自通州渡江，以据姑苏，将若之何？不如钱塘有重江之险。'帝意遂决。以颐浩为江淮制置使，与行在五军制置使刘光世驻镇江，又以杨惟忠节制江东军马，驻江宁。是夕发镇江，约四日次平江，命朱胜非节制平江、秀州军马，张浚副之，留王渊守平江。又二日次崇德。时吕颐浩从行，即拜同签书枢密院事，江、淮、两浙制置使，以兵二千还屯京口。又命张俊以兵八千屯吴江。"

陈与义本年四十岁。春正月，岳州大火。火后问舍至城南，有诗。《增广笺注简斋诗集》卷二十《火后问舍至城南有感》："魂伤瓦砾旧曾游，尚想奔烟万马遒。遂替胡儿作正月，绝知回禄相巴丘。书生性命惊频试，客子茅茨费屡谋。唯有君山故窈窕，一眉晴绿向人浮。"

陈与义尝晓登燕公楼，有诗。《增广笺注简斋诗集》卷二十《晓登燕公楼》："栏杆纳清晓，拄杖追黄鹄。燕公不相待，使我立于独。雾收天罗传，日动春浮木。举手谢时人，微风吹野服。"

火后，陈与义从郡守王借后圃君子亭居住，自号园公，有诗。《增广笺注简斋诗集》卷二十《火后借居君子亭，书事四绝，呈粹翁》，其一："天公恶剧逐番新，赖是今年有主人。君子亭中眠白昼，燕公楼上眺青春。"其二："祝融回禄意佳哉，挽我梅花树下来。一夜东风不知惜，月明满树十分开。”其三：“斫竹和稍编作篱，微风如在竹林时。无人来访庞居士，晚日疏阴光陆离。”其四：“入山从此不须深，君子亭中人不寻。青竹短篱围昼静，梅花两树照春阴。”

同卷，《用前韵再赋四首》，其一：“西园芳气雨余新，唤起亭中入定人。为报使君多酿酒，梅花落尽不关春。”其二：“扬州云气郁佳哉，百虑方横吉语来。却看诗书安稳在，竹篱阴里得时开。”其三：“危楼只隔一重篱，谁见扶筇独上时。如许江山懒搜句，燕公应笑我支离。”其四：“欲识道人门径深，水仙多处试来寻。青裳素面天应惜，乞与西园十日阴。”

同卷，《二十一日风甚，明日梅花无在者，独红萼留枝间，甚可爱也》：“昨日梅花犹可攀，今朝残萼便斓斑。群仙已御东风去，总脱绛袂留林间。”

同卷，《咏水仙花五韵》：“仙人缃色裘，缟衣以裼之。青帨纷委地，独立东风时。吹香洞庭暖，弄影青昼迟，寂寂篱落阴，亭亭与予期。谁知园中客，能赋《会真诗》。”

望燕公楼下李花，陈与义有诗纪之。《增广笺注简斋诗集》卷二十《望燕公楼下李花》：“燕公楼下繁华树，一日遥看一百回。羽盖梦余当昼立，缟衣风急过墙来。洛阳路不容春到，南国花应为客开。今日岂堪簪短发，感时伤旧意难裁。”

同卷，《陪粹翁举酒于君子亭，亭下海棠方开》：“世故驱人殊未央，聊从地主借绳床。春风浩浩吹游子，暮雨霏霏湿海棠。去国衣冠无态度，隔帘花叶有辉光。使君礼数能宽否，酒味撩人我欲狂。”

又作诗多篇。同卷，《春夜感怀寄席大光（郴州）》：“管宁白帽且蹁跹，孤鹤归期难计年。倚杖东南观百变，伤心云雾隔三川。江湖气动春还冷，鸿雁声回人不眠。苦忆西州老太守，何时相伴一灯前。”

同卷，《夜赋寄友》：“卖药韩康伯，谈经管幼安。向来甘寂寞，不是为艰难。微月扶疏树，空园浩荡寒，细题今夕景，持与故人看。”

同卷，《阴风》：“阴风三日吹南极，二月巴陵寒裂石。长林巨木首轩轾，洞庭倒流萧湘黑。君不见古庐竹扉声策策，中有竛竮落南客，曾经破胆向炎官，敢不修容待风伯。”

同卷，《雨》：“霏霏三日雨，霭霭一园青。雾泽含元气，风花过洞庭。地偏寒浩荡，春半客竛竮。多少人间事，天涯醉又醒。”

同卷，《春寒》：“二月巴陵日日风，春寒未了怯园公。海棠不惜胭脂色，独立濛濛细雨中。”

同卷，《次韵傅子文绝句》：“风雨门前十日泥，荒街相伴只筇枝。从今老子都无事，落尽园花不赋诗。”

与岳州决曹掾周莘数相唱酬。《增广笺注简斋诗集》卷二十《周尹潜雪中过门，不我顾，遂登西楼，作诗见寄，次韵谢之，三首》，其一：“晓窗飞雪惬幽听，起觅新诗自启扃。不觉高轩墙外过，贪看万鹤舞中庭。”其二：“堪笑腊仙也耐寒，飞花端合上楼看。深知壮观增诗律，洗尽元和到建安。”其三：“敲门俗子令我病，面有三寸康衢埃。风饕雪虐君驰去，蓬户那无酒一杯?”周莘，字尹潜，时任岳州决曹掾。

李清照本年四十六岁。初七日，有词《菩萨蛮》：“归鸿声断残云碧，背窗雪落炉烟直。烛底凤钗明，凤头人胜轻。　　角声催晓漏，曙色回牛斗。春意看花难，西风留旧寒。”

二月

高宗至杭州，金兵入扬州。《纲鉴易知录》卷七八：“帝如杭州，以吕颐浩签书枢密院事，守镇江。帝至镇江，宿于府治，翌日，召从臣问去留。”

李清照有《临江仙》词二首。序云：“欧阳公作《蝶恋花》，有‘庭院深深深几许’之句，用其语作‘庭院深深’数阕。其声盖即旧《临江仙》也。”其一：“庭院深深深几许？云窗雾阁常扃。柳梢梅萼渐分明。春归秣陵树，人客建安城。　　感月吟风多少事，如今老去无成。谁怜憔悴更凋零。灯花空结蕊，离别共伤情。”其二：“庭院深深深几许？云窗雾阁春迟。为谁憔悴损芳姿？夜来清梦好，应是发南枝。　　玉瘦檀轻无限恨，南楼羌管休吹。浓香吹尽有谁知。暖风迟日也，别到杏花时。”

李清照又有诸词。《诉衷情·枕畔闻梅香》：“夜来沉醉卸妆迟，梅蕊插残枝。酒醒熏破春睡，梦断不成归。　　人悄悄，月依依，翠帘垂。更挼残蕊，再撚余香，更得些时。”又，《满庭芳·残梅》：“小阁藏春，闲窗锁昼，画堂无限深幽。篆香烧尽，日影下帘钩。手种江梅渐好，又何必临水登楼。无人到，寂寞恰似，何逊在扬州。　　从来知韵胜，难禁雨藉，不耐风揉。更谁家横笛，吹动浓愁。莫恨香消雪减，须信道、扫迹情留。难言处，良宵单月，疏影尚风流。”又，《浣溪沙》：“淡荡春光寒食天，玉炉沉水袅残烟。梦回山枕隐花钿。　　海燕未来人斗草，江梅已过柳生绵。黄昏疏雨湿秋千。”

三月

苗傅、刘正彦迫高宗传位太子。《纲鉴易知录》卷七八：“扈从统制苗傅、刘正彦作乱，杀王渊及内侍康履等，劫帝传位于魏国公旉，请隆祐太后临朝。苗傅自负世将，以王渊骤迁显职，心不平之，而刘正彦亦以招降剧盗，功大赏薄怨上，二人因相结。时内侍康履等，恃恩用事，妄作威福，凌忽诸将，诸将嫉之。中大夫王世修亦嫉内侍恣横，言于正彦。正彦曰：‘会当共除之。’及王渊入枢府，傅等疑其由内侍以进，遂与世修谋先斩渊，然后杀宦者。议既定，时以刘光世为殿前都指挥使，百官入听宣制，傅、正彦令世修伏兵城北桥下，俟渊进朝，即捽下马，诬以结宦者谋反，正彦手斩渊，即与傅拥兵至行宫，执康履等斩之。帝谕傅等归营，傅等逼帝传位太子，请隆祐太后同听政。太后出，见傅等谕之曰：‘今强敌在前，吾以一妇人抱三岁儿决事，何以令天下？敌国闻之，岂不转加轻侮！’傅等不从。后顾朱胜非等曰：‘今日政须大臣果决，相公可无一言？’胜非白帝曰：‘傅等腹心有王钧甫者，适语臣云：二将忠有余而学不足。此语可为后图之绪。’帝乃即坐上作诏，禅位于皇子，而请太后同听政。宣诏毕，傅等麾其军退，于是皇子旉即位，太后垂帘决事。尊帝为睿圣仁孝皇帝，以显宁寺为睿圣宫，是夕徙帝居之。大赦，改元明受。”

宋行折帛钱。

是春，陈与义有诸诗。《增广笺注简斋诗集》卷二十《城上晚思》：“独凭危堞望苍梧，落日君山如画图。无数柳花飞满岸，晚风吹过洞庭湖。”

同卷，《雨中对久，庭下海棠，经雨不谢》：“巴陵二月客添衣，草草杯觞恨醉迟。燕子不禁连夜雨，海棠犹待老夫诗。天翻地覆伤春色，齿豁头童祝圣诗。白竹篱前湖海阔，茫茫身世两堪悲。”

《增广笺注简斋诗集》卷二一《寻诗两绝句》，其一：“楚酒困人三日醉，园花经雨百般红。无人画出陈居士，亭角寻诗满袖风。”其二：“爱把山瓢莫笑侬，愁时引睡有奇功。醒来推户寻诗去，乔木峥嵘明月中。”

《增广笺注简斋诗集》卷二十一《寒食日游百花亭》：“晴气已复浊，虚馆可淹留。微花耿憾事，始觉在他州。自闻鼙鼓聒，不恨岁月流。乱代有今夕，兹园况堪游。云移树阴时，风定川华收。曳杖新城下，日暮禽语幽。群行意易分，独赏兴难周。永啸以自畅，片月生城头。”

赵明诚罢守江宁，具舟西上。

四月

高宗复皇帝位。苗傅、刘正彦拥精兵二千，夜开涌金门以走。韩世忠斩王世修于市。吴湛佐逆为最，同斩于市。逆党皆贬。诏张浚知枢密院事。

陈与义闻王銖拊张恭甫舟过湖南，作诗送之。《增广笺注简斋诗集》卷二一《王应仲欲附张恭甫舟过湖南，久未决，今日忽闻，遂登舟，作诗送之》：“我身如孤云，随风堕湖边。墙东木阴好，初识避世贤。从来有名士，不用无名钱。披君三迳草，分我一味禅。忽为黄鹄举，忽上湖南船。竟随文若去，聊伴元礼仙。洞庭烟发渚，潇湘雨鸣川。三老好看客，天高柁楼船。子鱼独留滞，坐送管邴还。作诗相棹讴，寄恨余酸然。”

夏四月，陈与义权摄知郢州，有和周莘诗。《增广笺注简斋诗集》卷二一《周尹潜以仆有郢州之命，作诗见赠，有横槊之句，次韵谢之》：“一岁忧兵四阅时，偷生不恨隙驹迟。如何南纪持竿手，却把西州破贼旗。倘有青油盛快士，何妨画戟入新诗。因君调我还增气，男子平生政要奇。”

陈与义又有感怀之作。《增广笺注简斋诗集》卷二一《次韵尹潜感怀》：“胡儿又看绕淮春，叹息犹为国有人。可使翠华周寓县，谁持白羽静风尘？五年天地无穷事，万里江湖见在身。共说金陵龙虎气，放臣迷路感烟津。”

五月

韩世忠获苗傅、刘正彦，送行在诛之。

宋遣徽猷阁待制洪浩使金，金人拘之。

陈与义有诸多诗作。《增广笺注简斋诗集》卷二一《五月二日避贵寇入洞庭湖绝句》：“鼓发嘉鱼千面雷，乱帆和雨向湖开。何妨南北东西客，一听湘妃瑶瑟来。”

陈与义过君山，不获登览，有诗。《增广笺注简斋诗集》卷二一《过君山不获登览》："我梦君山好，万里来南州，青梅横玉镜，色照城中楼。胜日空倚眺，经年未成游。今朝过山下，贼急不敢留。嵌空浪吞吐，荟蔚风嗖嗖。龙吟杂虎啸，九夏含三秋。了与遥赏异，况乃行岩幽。蚍蜉何当扫，延伫回我舟。掷去九节筇，褰裳走林丘。会逢湘君降，翠气衣上浮。山椒望苍梧，寄恨舒冥搜。"

五日，陈与义移舟明山下，作词二首。《忆秦娥·五日移舟明山下作》："鱼龙舞，湘君欲下潇湘浦。潇湘浦，兴亡离合，乱波平楚。　独无尊酒酬端午，移舟来听明山雨，白头孤客，洞庭怀古。"《临江仙》："高咏楚词酬午日，天涯节序匆匆。榴花不似舞裙红。无人知此意，歌罢满帘风。　万事一身伤老矣，戎葵凝笑墙东。酒杯深浅去年同。试浇桥下水，今夕到湘中。

陈与义又作诗。《增广笺注简斋诗集》卷二一《细雨》："避寇烦三老，那知是胜游。平湖受细雨，远岸送轻舟。天地悲深阻，山川慰久留。参差发临舫，未觉壮心休。"

同卷，《泊宋田遇厉风作》："逐队避狂寇，湖中可盘嬉。泊舟宋田港，俯仰看云移。造物犹不惜，颠风忽横吹。洞庭何其大，浪挟雷车驰。可怜岸上竹，翻倒不自持。老夫元耐事，淹速本无期。会有天风定，见汝亭亭时。五月念貂裘，竟生薄暮悲。萧萧不自畅，耿耿独题诗。"

二十二日，陈与义自白沙移舟，是日闻贼革面，有诗。《增广笺注简斋诗集》卷二一《二十二日自北沙移舟作，是日闻贼革面》："宛宛转湖滩，遥遥隔城邑。是时雨初霁，众绿带余湿。晓泽澹不波，菰蒲觉风入。我生莽未定，世故纷相袭。靦然贺兰面，安视一坐泣。岂知虎与狼，义感功反集。尧俗可尽封，呜呼吾何及。气苏巨浸内，未恨乏供给。日历会有穷，吾行岂须急。近树背人去，远树久凝立。聊以忧世心，寄兹忘怏悒。"

陈与义又作诸诗。《增广笺注简斋诗集》卷二一《赠傅子文》："渔子牧儿谈笑新，先生胜日步湖滨。沙边忽见长身士，头上仍欹折角巾。豺虎不能宽远俗，山川终要识诗人。芦丛如画斜阳里，拄杖相寻无杂宾。"

同卷，《晚晴野望》："洞庭微雨后，凉气入纶巾。水底归云乱，芦丛返照新。遥汀横薄暮，独鸟渡长津。兵甲无归日，江湖送老身。悠悠只倚杖，悄悄自伤身。天意苍茫里，村醪亦醉人。"

同卷，《雨中》："雨打船篷声百般，白头当夏不禁寒。五湖七泽经行遍，终忆吾乡八节滩。"

赵明诚至池阳，被旨知湖州。

六月

赵鼎谏王安石配享神宗。《纲鉴易知录》卷七八："六月，大霖雨，诏郎官以上言阙政。罢王安石配享神宗庙廷。时旧雨恒阴，吕颐浩、张浚皆谢罪求去。诏郎官以上言阙政，司勋员外郎赵鼎上疏曰：'自熙宁间王安石用事，变祖宗之法而民始病，假辟国之谋造生边患，兴理财之政穷困民力，设虚无之学败坏人材。至崇宁初，蔡京托绍述之名，尽祖安石之政。凡今日之患，始于安石，成于蔡京。今安石犹配享神宗，而京之党未除，时政之缺，莫大于此。’帝从之，遂罢安石配享。”

陈与义以下诗篇大约作于本月。《增广笺注简斋诗集》卷二二《舟抵华容县》：“篙舟入华容，白水绕城堞。夹津列茂树，倒影青相接。远色分村坞，微凉动芦叶。天地困腐儒，江湖托孤楫。”

同卷，《夜赋》：“泊舟华容县，湖水终夜鸣。凄然不能寐，左右菰蒲生。穷途事多违，胜处亦心惊。三更萤火闹，万里天河横。阿瞒狼狈地，山泽空峥嵘。强弱与兴衰，今古莽难评。腐儒忧平世，况复值甲兵。终然无寸策，白发满头生。”

同卷，《月夜》：“独立夜轇轕，芦声泛遥津。月下风起波，莽莽白龙鳞。阴彩凝草木，暑气森星辰。天地尘未消，江湖气聊伸。人生几今夕，乱代偶此身。胡为不少乐，况乃迹易陈。三更大鱼舞，悄怆惊心神。永怀骑鲸士，发兴烟中新。”

同卷，《晚晴》：“幽卧不知晴，墙稍见斜日。披衣起四望，天际山争出。光辉渚蒲净，意气沙鸥逸。避寇半九围，两脚不遗力。川陵各异态，艰险常一律。胡为作弧矢，前圣意莫诘。岂知百代后，反使奸宄密。腐儒徒叹嗟，救弊知无术。人生如归云，空行杂徐疾。薄暮俱到山，各不见踪迹。念此百年内，可复受忧戚。林水方翕然，放怀陶兹夕。”

同卷，《寥落》：“寥落洞庭野，微风泛客裾。袁宏咏史罢，孙登清啸余。月明流水去，夜静芙蓉舒。城郭方多事，野兴一萧疏。”

十三日，赵明诚独赴行在建康，与李清照告别。

七月

宋升杭州为临安府，宋朝将定都于此焉。

杜充弃汴赴建康。《纲鉴易知录》卷七八：“以杜充知枢密院事。(充留守东京，以粮绝归行载，遂有是命。充将发汴，岳飞谏曰：‘中原地尺寸不可弃。今一举足，此地非我有，他日取之，非数十万众不可。’不听)”

陈与义从华容道乌沙还郡，有诗。《增广笺注简斋诗集》卷二二《自五月二日避寇，转徙湖中，复从华容道乌沙还郡，七月十六日夜半出小江口泊焉，徙倚柁楼书十二句》：“回环三百里，行尽力都穷。巴丘左移右，章华西转东。江声摇斗柄，秋事弥葭丛。群木立波上，芙蕖披月中。镜湖应足痹，剡溪那可同。世将非识事，孤啸聊延风。”

晁说之（1059—1129）卒。《四库全书总目》卷一五四：“《景迂生集》二十卷，两淮马裕家藏本，宋晁说之撰。……说之博极群籍，尤长经术，著述数十种，靖康中兵燹不存。其孙子健访辑遗文，编为一十二卷，又续为二十卷。……又有别本，题曰《嵩山集》，所录诗文均与此本相合，讹阙之处亦同，盖一书而两名。”

八月

宋遣使致书于金请和，金人不答。

杜充为建康留守。

赵明诚（1081—1129）卒。十八日，赵明诚卒于建康府，年四十九。旋葬之，李清照为文以祭。李清照病起，作词《花山子》："病起萧萧两鬓华，卧看残月上窗纱。豆蔻连梢煮熟水，莫分茶。　　枕上诗词闲处好，门前风景雨来佳。终日乡人多蕴藉，木樨花。"

闰八月

宋复遣使至金通问。

闰八月十二日，过孙伟（字奇父）赏木犀，陈与义有诗报王使君接。《增广笺注简斋诗集》卷二二《闰八月十二日，过奇父共坐翠窦轩，赏木犀花，玲珑满枝，光气动人，念风日不贷，此花无五日香矣，而王使君未之知，作小诗报之》："清露香浮黄玉枝，使君未到意低迷。极知有日交铜虎，可使无情向木樨？"

同卷，《再赋二首呈奇父》（奇父自号七泽先生），其一："国香薰坐先生醉，秋叶藏花客子迷。驱使晚风同胜地，东轩不用镇帷犀。"其二："香遍东园花一枝，寻花觅路忽成迷。先生莫道心如铁，喜气朝来横角犀。"

十三日，郡中修水战之具，大阅燕公楼下，再赋二首，呈王使君。《增广笺注简斋诗集》卷二二《十三日再赋二首，其一以赞使君，是日对花赋此韵诗，落笔纵横，而郡中修水战之具，方大阅于燕公楼下也；其一自叙所感，忆年十五在杭州，始识此花，皆三丈高木，尝赋诗焉》，其一："我丈风流元祐枝，晴轩雨雹笔端迷。从容文武一时了，赋罢木犀观水犀。"其二："武林曾识最高枝，百感重逢岁月迷。向日擘笺须采凤，如今执楯要文犀。"

九月

金复试进士于蔚州。《续资治通鉴》卷一〇六："甲戌，金陕西都统洛索，大合兵渡渭，攻长安。是日，经略使郭炎遁去。是秋，金元帅府，复试辽国及两河学人于蔚州，辽人试词赋，河北人试经义，始用契丹三岁之制。初，乡荐以府解次省试，乃曰及第。时有士人不愿赴者，州县必根刷遣之。云中路察判张孝纯主文，得赵洞、孙九鼎诸人。九鼎，忻州人也，宣和间，尝游太学，入金五年，始登第。"

忠壮之士李邈死节。《续资治通鉴》卷一〇六："青州观察使李邈，留金三年，金欲以邈知沧州，笑而不答。及髡髪令下，邈愤诋之。金人以挝击其口，流血，复吮血而噀之。翼日，自祝髪为浮屠。金人大怒，命击杀之。邈将死，颜色不变，谓行刑者曰：'愿容我辞南朝皇帝。'拜讫，南向端坐就戮。燕山之人，皆为流涕。邈，清江人，家世业儒。其母，曾巩女兄弟也。后秦桧还，言其忠，赠昭化军节度使，谥忠壮。"

重九前后，陈与义与孙、王数相唱酬，有作诗送王接之子赴试。《增广笺注简斋诗集》卷二二《九月八日登高作重九，奇父赋三十韵，与义拾余意亦赋十二韵》（二禅老同自燕公楼过观鳌亭）："九日风景好，节意满天涯。书生尊所闻，登高乱城鸦。虽无后乘丽，前驱载黄花。两楼压波壮，众泽分天斜。居夷惊有苗，访古悲章华。萧条湖海事，胜日一笑哗。兴移三里亭，木影杂蛟蛇。二士醉藜杖，两禅风袈裟。奇哉古无有，未觉欠孟嘉。天公亦喜卧，催诗出微霞。赋罢迹已陈，忧乐如转车。却后五百岁，远俗增雄夸。”

同卷，《两绝句》，其一：“西风吹日弄晴阴，酒罢三巡湖海深。岳阳楼上登高节，不负南来万里心。”其二：“二士相随风满巾，两禅同对景弥新。但得黄花不牢落，莫嫌惊倒岳州人。”

同卷，《粹翁用奇父韵赋九日，与义同赋，兼呈奇父》：“安稳轻节序，艰难惜欢娱。先生守苜蓿，朝士夸茱萸。前年邓州城，风雨倾客居。何常踈曲生，曲生自我踈。岂无登高地，送目与云俱。门生及儿子，劝我升篮舆。出门与入门，戈旆填街衢。去年郢州岸，孤楫对坏郛。莫招大夫魂，谁揽使君须。独题怀古句，枯砚生明珠。亦复跻荒戍，日暮野踟蹰。白衣终不至，眇眇空愁予。今年洞庭上，九折余崎岖。时凭岳阳楼，山川看萦纡。孙兄语蝉连，王丈色敷腴。不用踏筵舞，秋风摇菊株。乐哉未曾有，是梦其非欤？丈夫各趑趄，坐受事故驱。会须明年节，醉倒还相扶。此花期复对，勿令堕空虚。明日风景佳，南翔先一凫。何言知机早，政尔因鲈鱼。分襟腓肝热，抚事岁月迂。归来问瓶锡，生理何必馀。相期衡山南，追步凌忽区。回首望尧云，中原莽榛芜。臣岂专爱死，有怀竟不舒。老谋与壮事，二者惭俱无。”

同卷，《送王因叔赴试》：“风落南纪明，秋高洞庭白。自是天涯人，更送湖上客。人生险易乘除里，富贵功名从此始。不须惜别作酸然，满路新诗付吾子。”

陈与义自巴丘过湖南，有留别诸诗。《增广笺注简斋诗集》卷二三《己酉九月自巴丘过湖南别粹翁》：“离合不可常，去住两无策。渺渺孤飞雁，严霜欺羽翼。使君南道主，终岁好看客。江湖尊前深，日月梦中疾。世事不相贷，秋风撼瓶锡。南云本同征，变化知无极。四年孤臣泪，万里游子色。临别不得言，清愁涨胸臆。”

同卷，《留别康元质教授》：“腐儒身世已百忧，此去行年岂堪记。岳阳楼前一杯酒，与子同州复同味。洞庭秋气连苍梧，天高地远鱼龙呼。莫倚仲宣能做赋，不随文若事征途。”

同卷，《留别天宁永庆乾明金銮四老》：“我生能几何，两脚疲世故。忽破巴丘梦，还寻邵阳路，穷乡得四老，足以慰迟暮。胜事远公莲，深心懒残芋。本是群山云，暂聚当别去。那知天风变，不得还相聚。凡情我未免，临别吐幽句。慎勿过虎溪，晓霜侵杖屦。”

同卷，《别岳州》：“朝食三斗葱，暮饮三斗醋。宁受此酸辛，莫行岁晚路。丈夫少壮日，忍穷不自恕。乘除冀晚泰，乃复逢变故。经年岳阳楼，不见宫南树。辞巢一万里，两脚未遑住。水落君山高，洞庭秋已素。浮云易归岫，远客难回顾。飘然一瓶锡，未知所挂处。寂寞《短歌行》，萧条《远游赋》。学道始恨晚，为儒孰非腐？乾坤杳茫茫，三叹出门去。”

陈与义由南洋路去湘潭，道中作诗。《增广笺注简斋诗集》卷二三《奇父先至湘阴，书来戒由禄唐路，而仆以它故，由南洋路来，夹道皆松，如行青罗步障中，先寄奇父》：“云接湘阴百里松，萧萧穆穆湖南风。随时忧乐非人世，迎我笙箫起道中。竹舆两面天明灭，秋令不到林西东。未必禄唐能班次，题诗著画寄兴公。”

同卷,《初识茶花》:“伊轧篮舆不受催，湖南秋色更佳哉。青裙玉面初相识，九月茶花满路开。”

秋

张元幹在吴兴，作词《石州慢·己酉秋吴兴舟中作》表达对金兵猖獗之愤慨及恢复中原统一祖国之心愿。词曰:“雨急云飞，惊散暮鸦，微弄凉月。谁家疏柳低迷，几点流萤明灭。夜帆风驶，满湖烟水苍茫，菰蒲零乱秋声咽。梦断酒醒时，倚危樯清绝。

心折。长庚光怒，群盗纵横，逆胡猖獗。欲挽天河，一洗中原膏血。两宫何处，塞垣只隔长江，唾壶空击悲歌缺。万里想龙沙，泣孤臣吴越。”

十月

金兵大举南侵，一支趋江西，一支趋浙江。宋将刘光世引兵退，于是江西军、州多为金所有。

宋朝改革四川酒法，财政收入有所增加。《续资治通鉴》卷一〇六:“辛丑，张浚承制以朝请郎同主管川陕茶马盐牧公事赵开，兼宣抚司随军转运使，专一统领四川财赋。开言:‘蜀民已困，惟榷率尚有盈余，而贪猾认以为己私，惟不恤怨詈，断而行之，庶救一时之急。’浚以为然。于是大变酒法。自成都始，先罢公帑，卖公给酒，即旧扑买坊场所置隔槽，听民以米赴官自酿。每一斛，输钱三千，头子钱二十二，多寡不限数。明年遂遍四路行其法。夔路旧无禁酒，开始榷之。旧四川酒，课岁为钱一百四十万缗，自是递增，至六百九十余万缗。”

宋置钱引务于秦州。

十一月

金兀术入建康。《纲鉴易知录》卷七八:“金兀术渡江入建康，杜充叛降金，通判杨邦乂死之。”

陈与义抵潭州，仲冬，以玉刚卯为其帅向子諲寿，有诗。《增广笺注简斋诗集》卷二三《以玉刚卯为向伯恭生朝》:“仲冬吉日，风穆气休。我出刚卯，以寿元侯。祝融之玉，奠此离方。元侯佩之，如玉之刚。攘除厉凶，以迪明王。南门不键，有室则强。三肃元侯，既赠既祷。曷其报我，当以刚卯。”

陈与义旋去潭，有留别诗。《增广笺注简斋诗集》卷二三《别伯恭》:“樽酒相逢地，江枫欲尽时。犹能十日客，共出数年诗。供世无筋力，惊心有别离。好为南极柱，深慰旅人悲。”

同卷,《再别》:“多难还分手，江边白发新。公为九州督，我是半途人。政尔倾全节，终然却要身。平生第温峤，未必下张巡。”

同卷,《别孙信道》:“万里鸥仍去，千年鹤未归。极知身有幾，不奈世相违。岁暮蒹葭响，天长鸿雁微。如君那可别，老泪欲沾衣。”

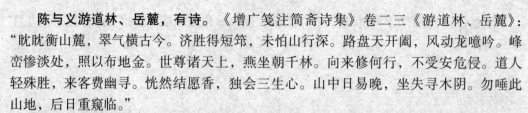

陈与义游道林、岳麓，有诗。《增广笺注简斋诗集》卷二三《游道林、岳麓》："眈眈衡山麓，翠气横古今。济胜得短筇，未怕山行深。路盘天开阖，风动龙噫吟。峰峦惨淡处，照以布地金。世尊诸天上，燕坐朝千林。向来修何行，不受安危侵。道人轻殊胜，来客费幽寻。恍然结愿香，独会三生心。山中日易晚，坐失寻木阴。勿唾此山地，后日重窥临。"

陈与义江行野宿，有诗。《增广笺注简斋诗集》卷二四，《江行野宿寄大光》："樯乌送我入蛮乡，天地无情白发长。万里回头看北斗，三更不寐听鸣榔。平生正出元子下，此去还经思旷傍。投老相逢难衮衮，共恢诗律撼潇湘。"

同卷，《寄信道》："衡山未见意如飞，浩荡风帆不可期。却忆府中三语掾，空吟江上《四愁诗》。高滩落日光凌乱，远岸丛梅雪陆离。剩欲平分持寄子，白头才尽只成悲。"

同卷，《谪远》："处处非吾土，年年备虏兵。何妨更适远，未免一伤情。石岸烟添色，风滩暮有声。平生五字律，头白不贪名。"

陈与义过衡麓，道中作诗。《增广笺注简斋诗集》卷二四《衡岳道中四首》，其一："野客元耕崧岳田，得游衡岳亦前缘。避兵径度吾岂忍，欲雨还休神所怜。世乱不妨松偃蹇，林空更觉水潺湲。非无拄杖终伤老，负此名山四十年。"其二："客子山行不觉风，龙吟虎啸满山松。纶中一幅无人识，胜业门前听午钟。"其三："城中望衡山，浮云作飞盖。朅来岩谷游，却在浮云外。"其四："危亭见上方，林壑带残阳。今日岂无恨，重游却味长。"

陈与义与席益会于衡山之下，有诗。《增广笺注简斋诗集》卷二四《与王子焕、席大光同游廖园》："三枝筇竹兴还新，王丈席兄俱可人。侨立司州溪水上，吟诗把酒对青春。"（王、席皆洛人）

戊午，金人陷洪州，赵氏连舻渡江之书散为烟云。丈夫死后，李清照往依其弟李迒。时传赵氏有颁金之语，清照惶怖，尽将铜器赴外廷投进，一路追随帝踪。清照离建康南下，途中作《浪淘沙》词，怀念丈夫赵明诚，词云："帘外五更风，吹梦无踪。画楼重上与谁同？记得玉钗斜拨火，宝篆成空。　　回首紫金峰，雨润烟浓。一江春浪醉醒中。留得罗襟前日泪，弹与征鸿。"

李清照作词《孤雁儿》，再抒发悼念明诚之情。序云："世人作梅词，下笔便俗。予试作一篇，乃知前言不妄耳。"词云："藤床纸帐朝眠起，说不尽，无佳思。沉香烟断玉炉寒，伴我情怀如水。笛声三弄，梅心惊破，多少春情意。　　小风疏雨萧萧地，又催下千行泪。吹箫一去玉楼空，长短与谁同？一枝折得，人间天上，没个人堪寄。"

又作词《清平乐》，写奔亡之苦。词云："年年雪里，常插梅花醉。挼尽梅花无好意，赢得满衣清泪。　　今年海角天涯，萧萧两鬓生华。看取晚来风势，故应难看梅花。"

十二月

金兀术入临安。

岳飞于广德击败金兵。《纲鉴易知录》卷七八："飞率所部自建康蹑金人于广德境中，六战皆捷，擒金将王权。俘首领四十余，察其可用者结以恩义，遣还，令夜斫营纵火。飞乘乱纵击，大破之。驻军钟村，军务见粮，将士忍饥，秋毫无犯。金所籍兵相谓曰：'此岳爷爷军也。'争降附之。"

金破越州。

除夕，陈与义有与席益二诗。《增广笺注简斋诗集》卷二四《除夕夜次大光，大光是夕婚》："一杯节酒莫留残，坐看新年上鬓端。只恐梅花明日劳，夜瓶相对不知寒。"同卷，《除夜不寐，饮酒一杯，明日示大光》："万里乡山路不通，年年佳节百忧中。催成客睡须春酒，老却梅花是晓风。"

公元1130年（宋建炎四年　金天会八年　夏正德四年　西辽延庆六年　伪齐刘豫阜昌元年　庚戌）

正月

金兵攻破明州。《纲鉴易知录》卷七八："庚午，四年，春正月，金人陷明州，屠其民；遂袭帝于海，帝走温州。是月朔，西风大作，金师承之，复攻明州。张俊、刘洪道坐城楼遣兵掩己，杀伤大半；金人北奔，死于江者无数，夜半拔砦退屯余姚，而遣人请济师于兀术。兀术遣兵与阿里蒲芦浑复攻明州。张俊惧，率师趋台州，刘洪道亦遁，金师入城，屠其民。帝闻明州陷，遂移次台州章安镇。金人闻帝在章安，移舟师追三百余里，弗及，提领海舟张公裕引大舶击却之，金人引还。帝发章安，如温州，泊于港口。"

金娄室破陕州，知府李彦仙死之。

陈与义本年四十一岁。元日，有诗。《增广笺注简斋诗集》卷二四《元日》："五年元日只流离，楚俗今年事事非。后饮屠苏惊已老，长乘舴艋竟安归。携家作客真无策，学道刳心却自违。汀草岸花知节序，一身千恨独霑衣。"

陈与义又为席益题画诸诗。《增广笺注简斋诗集》卷二四《跋任才仲画两首大光所藏》，其一："远游吾不恨，扁舟载幅巾。山色暮暮改，林气朝朝新。野客初逢句，薄雾欲生春。因知子任子，胸怀非世人。"其二："前年与孙子，共作南山客。扶疏月下树，偃蹇涧边石。赋诗题古藓，三叫风脱帻。任子不同游，毫端有畴昔。"

同卷，《跋江都王画马》："天上房星空不动，人间画马亦难逢。当年笔下千金鹿，此日窗前八尺龙。"

陈与义离开衡岳，与席益告别，有诗词。诗即《增广笺注简斋诗集》卷二四《别大光》："堂堂一年长，渺渺三秋阔。怳然衡山前，相遇各白发。岁穷窗欲霰，人老情难竭。君有杯中物，我有肝肺热。饮尽不能起，交深忘事拙。乾坤日多虞，游子屡惊骨。衡阳非不遥，雁意犹超忽。一生能几回，百计易相夺。滔滔江受风，耿耿客孤发。他夕淮君子，岩间望明月。"词即《虞美人·大光祖席，醉中赋长短句》："张帆欲去扔搔首，更醉君家酒。吟诗日日待春风，及至桃花开后却匆匆。　歌人频为行人咽，记著尊前雪。明朝酒醒大江流，满载一船离恨向衡州。"

陈与义自衡岳历金潭，下甘棠，去邵阳，有道中诸诗。《增广笺注简斋诗集》卷二四《道中》：“雨子收还急，溪流直又斜。迢迢傍山路，漠漠满村花。破水双鸥影，掀泥百草芽。川原有高下，随意著人家。”

同卷，《金潭道中》：“晴路篮舆稳，举头闲望赊。前冈春泱漭，后岭雪槎牙。海内兵犹壮，村边岁自华，客行惊节序，回眼送桃花。”

同卷，《绝句》：“野鸭飞无数，桃花湿满枝。竹舆鸣细雨，山客有新诗。”

同卷，《甘棠道中》：“笋舆凝石一悠然，正月微风意已便。桃花向来浑不数，山中时见绝堪怜。”

同卷，《将至杉木铺望野人居》：“春风漠漠野人居，若使能诗我不如。数株苍桧遮官道，一树桃花映草庐。”

同卷，《晓发杉木》：“古泽春光淡，高林露气清。纷纷世上事，寂寂水边行。客子凋双鬓，田家自一生。有诗还忘记，无酒却思倾。”

陈与义将至邵州，有诗先寄邢子友。《增广笺注简斋诗集》卷二四《先寄邢子友》：“作客经年乐有余，邵阳歧路不崎岖。山川好处欹纱帽，桃李香中度笋舆。欲见旧交惊岁月，剩排幽话说艰虞。人间书疏非吾事，一首新诗未可无。”

立春日有雨，陈与义有诗纪之。《增广笺注简斋诗集》卷二四《立春日雨》：“衡山县下春日雨，远映青山丝样斜。容易江边欺客袂，分明沙际湿年华。竹林路隔生新水，古渡船空集乱鸦。未暇独忧巾一角，西溪当有续开花。”

十二日陈与义至邵州，十三日夜大雨滂沱，有诗。《增广笺注简斋诗集》卷二四《正月十二日至邵州，十三日夜暴雨滂沱》：“邵州正月风气殊，鹑尾之南更山坞。昨日已见三月花，今夜还闻五更雨。笺与天公一破颜，走避北狄趋南蛮。梦到龙门听涧水，觉来檐溜正潺潺。”

陈与义初至邵阳，逢入桂林使，作书问之。《增广笺注简斋诗集》卷二四《初至邵阳，逢入桂林使，作书问其地之安危》：“湖北弥年所，长沙费月余。初为邵阳梦，又作桂林书。老矣身安用，飘然计本疏。管宁辽海上，何得便安居。”

陈与义自邵阳过孔雀滩，抵贞牟，即紫阳山居焉，有诗多首。《增广笺注简斋诗集》卷二四《舟泛邵江》：“老去作新梦，邵江非旧闻。滩前群雁起，柁尾川华分。落花栖客鬓，孤舟遡归云。快然心自足，不独避嚣纷。”

同卷，《过孔雀滩赠周静之》：“海内无坚垒，天涯有近亲。不辞供笑语，未惯得殷勤。舟楫深宜客，溪山各放春。高眠过滩浪，已寄百年身。”

同卷，《江行晚兴》：“曾听石楼水，今过邵州滩。一笑供舟子，五年经路难。云间落日淡，山下东风寒。烟岭丛花照，夕湾群鹭盘。生身后圣哲，随俗了悲欢。淹旅非吾病，悠悠良足叹。”

同卷，《夜抵贞牟》：“野暝犹闻远，川明不恨迟。焚山隔岸火，及我系船时。夜半青灯屋，篱前白水陂。殷勤谢地主，小筑欲深期。”

同卷，《晚步》：“畎亩意不释，出门聊三法。雨余山欲近，春半水争流。众籁夕还坐，孤怀行转幽。西溪篁竹乱，微径杂归牛。”

同卷，《雨》：“云物淡清晓，无风溪树闲。柴门对急雨，壮观满空山。春发苍茫内，鸟鸣篁竹间。儿童笑老子，衣湿不知还。”

同卷，《今夕》：“今夕定何夕，对此山苍然。偷生经五载，幽独意已坚。微阴拱众木，静夜闻孤泉。唯应寂寞事，可以送余年。”

同卷，《暝色》：“残晖度平野，列岫围青春。柴门一枝筇，日暮栖心神。暝色著川岭，高低郁轮囷。水光忽倒树，山势欲傍人。万化元相寻，幽子意自新。肃肃夜将久，空明动边垠。田鹳吟响应，我独荒无临。短篇可不就，所寄聊一伸。”

同卷，《贞牟书事》：“留侯辟穀年，汉鼎无余功。子真策不售，脱迹市门中。神仙非异人，由来本英雄。抚世独余事，用舍向必同。眷此贞牟野，息驾吾其终。苍山雨中高，绿草溪上丰。仲春水木丽，禽鸣清昼风。祸福两合绳，既解一身空。荣华信非贵，寂寞亦非穷。”

本月及次月，陈与义作诗多篇。《增广笺注简斋诗集》卷二四《山中》：“当复入州宽作期，人间踏地有安危。风流丘壑真吾事，筹策庙堂非所知。白水春陂天澹澹，苍峰晴雪锦离离。恰逢居士身轻日，正是山中多景时。”

同卷，《入城》：“舴艋遡溪水，款段踏山去。入城缘底事，要识崎岖路。稻塍白纵横，茅岭青盘互。牧儿歌不休，孤客自多惧。士行犹运甓，文公亦习步。我敢忘艰难，冲烟问荒渡。”

《增广笺注简斋诗集》卷二五《谢主人》：“春禽劝我归，主人留我住。一笑谢主人，我自归无处。拟借溪边三亩春，结茅依树不依邻。伐薪政可烦名士，分米何须待故人。”

《增广笺注简斋诗集》卷二五《罗江二绝》，其一：“荒村终日水车鸣，陂北陂南共一声。洒面风吹作飞雨，老夫诗到此间成。”其二：“山翁见客亦欣然，好语重重意不传。行过竹篱逢细雨，眼明双鹭立青田。”

《增广笺注简斋诗集》卷二五《洛头书事》：“纶巾古鹤氅，日暮槲林间。谁使翁迎客？应闻屐响山。占年犹得熟，劝我不须还。村酒困壮士，水风吹醉颜。”

陈与义又作词。《点降唇·紫阳寒食》：“寒食今年，紫阳山下蛮江左。竹篱烟锁，何处求新火？　不解乡音，只怕人嫌我。愁无那，短歌谁和？风动梨花朵。”

二月

金屠潭州。金焚明州、杭州。金焚平江。金陷东京。

鼎州钟相起义。《续资治通鉴》卷一〇七：“鼎州人钟相作乱，自称楚王。初，金人去潭州，群盗乃大起，东北流移之人，相率渡江。武经大夫潍州团练使孔彦舟，自淮西收溃兵，侵据荆南、鼎、澧诸郡。秘阁修撰知荆南府唐悫弃城去。相以左道惑众，自号大圣，言有神灵与天通，能救人疾患。阴结其徒，则曰：‘法分贵贱贫富，非善法也。我行法当等贵贱，均贫富。’持此语以动小民，故环数百里间，小民无知者，翕然从之。备粮谒相，谓之拜父，如此者二十余年。相以故家赀巨万，及湖湘盗起，相与其徒结集为忠义民兵。士大夫避乱者多依之。相所居村有山曰天子冈，遂即其处筑垒浚濠，以捍贼为名。会孔彦舟入澧州，相乘人情惊扰，因托言拒彦舟以聚众。至是起兵，鼎、澧、荆南之民响应，相遂称楚王，改元天载，立妻伊氏为皇后，子子昂为太子，行移称圣旨，补授用黄牒，一方骚然。时鼎州阙守臣，而湖南提点刑狱公事王彦成、单世卿，皆挈家顺流东下，仅以身免。贼遂焚官府、城市、寺观，及豪右之家，凡官吏、儒生、僧道、巫医、卜祝之流，皆为所杀。自是鼎州之武陵、桃源、辰阳、沅江，澧州之澧阳、安乡、石门、慈利，荆南之枝江、松滋、公安、石首，潭州之益阳、临湘、湘阴、江化，峡州之宜都，岳州之华容，辰州之沅陵，凡十九县，皆为盗区矣。”

三月

韩世忠阻击金兵。《纲鉴易知录》卷七八：“韩世忠邀击金兀术于江中，大败之，走建康。复引兵袭世忠，世忠败绩，兀术遂趋江北。初，韩世忠以前军驻青龙镇，中军驻江湾，后军驻海口，欲俟兀术师还击之。及兀术由秀趋平江，世忠事不就，遂移师镇江以待之。金师至江上，世忠先以八千人屯焦山寺，兀术欲济江，乃遣使通文，且约战期，世忠许之，因谓诸将曰：‘是间形势无如金山龙王庙者，敌必登之以觇我虚实。’乃遣苏德将百人伏庙中，百人伏庙下岸侧，戒之曰：‘闻江中鼓声则岸兵先入，庙兵继出，以合击之。’及敌至，果有五骑趋庙，庙兵先鼓而出，获两骑，其三骑则振策以驰。驰者一人红袍玉带，既坠，复跳而免，诘诸获者则兀术也。既而接战江中，凡数十合，世忠妻梁氏亲执桴鼓，敌终不得济。俘获甚众，虏兀术之婿龙虎大王。兀术惧，请尽归所掠以假道，世忠不许。复益以名马，又不许。遂自镇江溯流西上，兀术循南岸，世忠循北岸，且战且行。世忠艨艟大舰出金师前后数里，击柝之声达旦。将至黄天荡，兀术窘甚，或曰：‘老鹳河故道今虽湮塞，若凿之可通秦淮。’兀术从之，一夕渠成，凡三十里，遂趋建康。岳飞以骑三百，步兵三千，邀击于新城，大破之，兀术乃复自龙湾出江中，趋淮西。会挞懒自潍州遣孛堇太一引兵来援，兀术乃复引还，欲北渡，世忠与之相持于黄天荡。太一军江北，兀术军江南，世忠以海舰进泊金山下，豫以铁绠贯大钩以授健者。明旦，敌舟噪而前，世忠分海舟为两道出其背，每缒一绠则曳一舟沉之，兀术穷蹙，求会语，祈请甚哀，世忠曰：‘还我两宫，复我疆土，则可以相全。’兀术语塞。又数日，求再会，而言不逊，世忠引弓欲射之，兀术亟驰去。见海舟乘风使篷，往来如飞，谓其下曰：‘南军使船如使马，奈何！’乃募人献破海舟之策，于是闽人王姓者教其舟中载土，以平板铺之，穴船板以棹桨，俟风息则出，海舟无风不可动也，且以火箭射其箬篷，则不攻自破矣。兀术然之。及天霁风止，兀术以小舟出江，世忠绝流击之，海舟无风不能动，兀术令善射者乘轻舟以火箭射之，烟焰蔽天，师遂大溃，焚溺者不可胜数，世忠仅以身免，奔还镇江。兀术遂济江，屯于六合县。世忠以八千人拒兀术十万之众，凡四十八日而败，然金人自是亦不敢复渡江矣。”

陈与义于二十日闻赦，有诗寄李擢、席益，二人时寓永州。《增广笺注简斋诗集》卷二四《三月二十日闻德音，寄李德升、席大光，新有召命，借寓永州》：“尘隔斗牛三月余，德音再与万方初。又蒙天地宽今岁，且扫轩窗读我书。自古安危关政事，随时优喜到樵渔。零陵并起扶颠手，九庙无归计莫疏。”

春

李清照本年四十七岁。春，清照追随高宗辗转浙东。清照在明州，尝散失书画。入海，有《渔家傲》词志其事，词云：“天接云涛连晓雾，星河欲渡千帆舞。仿佛梦魂归帝所，闻天语，殷勤问我归何处？　　我报路长嗟日暮，学诗漫有惊人句。九万里风鹏正举。风休住，蓬舟吹取三山去。”陈廷焯《词则·别调集》卷二：“有出世之想，笔意矫变。此亦无改适事一证也。”黄苏《蓼园词选》：“此似不甚经意之作，却浑成大雅，无一毫钗粉气，自是北宋风格。”

四月

信州贵溪（今江西上饶贵溪）王念经以神道聚众起义，达数万人，旋败。

五月

岳飞收复建康。收复建康后不久，岳飞途经五岳祠，题壁而作誓词：“自中原板荡，夷狄交侵，余发愤河朔，起自相台，总发从军，历二百余战。虽未能远入荒夷，洗荡巢穴，亦且快国仇之万一。今又提一旅孤军，振起宜兴。建康之城，一鼓败虏，恨未能使［敌］匹马不回耳！故且养兵休卒，蓄锐待敌。嗣当激励士卒，功期再战，北逾沙漠，蹀血虏廷，尽屠夷种。迎二圣归京阙，取故土上版图，朝廷无虞，主上奠枕，余之愿也。河朔岳飞题。”

金禁私度僧尼，又继父、继母子女不得互相婚配。

陈与义作诗两首寄席益。《增广笺注简斋诗集》卷二六《寄大光二绝句》，其一：“心折零陵霜入鬓，更修短札问何如。江湖不是无来雁，只惯平生作报书。”其二：“芭蕉急雨三更闹，客子殊方五月寒。近得会稽消息否？稍传荆渚路歧宽。”

六月

陈与义与乡人邢子友聚饮超然台，有诗、词。《增广笺注简斋诗集》卷二六《六月六日夜》：“蕴隆岂不坏，凉气亦徐还。独立清夜半，疎星苍桧间。晦明莽相代，天地本长闲。四顾何寥落，微风时动关。”同卷，《六月十七夜寄邢子友》：“暑雨虽不足，凉风还有余。乐此城阴夜，何殊山崦居。月明苍桧立，露下芭蕉舒。试问澄虚阁，今夕复焉如。”同卷，《观雨》：“山客龙钟不解耕，开轩危坐看阴晴。前江后岭通云气，万壑千林送雨声。海压竹枝低复举，风吹山角晦还明。不嫌屋漏无干处，正要群龙洗甲兵。”词即《虞美人·邢子友会上》：“超然台上闲宾主，不受人间暑。冰盘围坐此州无，却有一瓶和露玉芙蕖。　　亭亭风骨凉生牖，消尽尊中酒。酒阑明月转城西，照见纱巾藜杖带香归。”

夏

是夏，陈与义有诗多篇。《增广笺注简斋诗集》卷二五《雷雨行》：“忆昨炎正中不融，元帅仗钺临山东。万方嗷嗷叫上帝，黄屋已照睢阳宫。呜呼吾君天所立，岂料四载犹服戎。禹巡会稽不到海，未省驾舶观民风。定知谏诤有张猛，不可危急无高共。自古美恶周必复，犬羊汝莫穷妖凶。吉语四奏元气通，德音夜发春改容。雷雨一日遍天下，父老感泣霑其胸。臣少忧国今成翁，欲起荷戟伤疲癃。小游太一未移次，大树将军莫振功。刘琨、祖逖未足雄，晏求一沾腥臊空。诸君努力光竹素，天子可使尘常蒙。君不见夷门山头虎复龙，向来佳气元葱葱。”

同卷，《夏夜》：“远游万事裂，独立数峰青。明月照山木，荒村饶夜萤。翻翻云渡汉，历历水浮性。遥舍灯已尽，幽人门未扃。”

同卷，《题东家壁》：“斜阳步屧过东家，便知清樽不煮茶。高柳光阴初罢絮，嫩凫毛羽欲成花。群公天上分时栋，闲客江边管物华。醉里吟诗空趺宕，借君素壁落栖鸦。”

同卷，《曳杖》：“柳条一何长，我发一何短。余日会有几，经春卧荒疃。曳杖陂西去，悠悠寄萧散。田垄粲高低，白水一时满。农夫暮犹作，愧我读书懒。且复弃今兹，前峰青蹇嵯。”

同卷，《开壁置窗命曰远轩》：“钟妖鸣吾旁，杨獠舞吾侧。东西俱有碍，群盗何时息。丈夫堂堂躯，坐受世褊迫。仙人千仞冈，下视笑予厄。谁能久郁郁，持斧破南壁。窗开三尺明，空纳万里碧。崑霏杂川霭，奇变供几席。谁见老书生，轩中岸玄帻。荡漾浮世里，超遥送兹夕。倚槛法孤啸，呼月出荒泽。天公亦粲然，林壑受珠璧。会有鹤驾宾，经过来见客。”

同卷，《再赋》：“清晓坐南轩，望山头屡侧。居士亦岂痴，飞云方未息。乐哉此远俗，乱世免怵迫。那知百战祸，岂识三空厄。闭门美熟睡，开门瞻翠壁。远客谢主人，分此一窗碧。新晴鸟鸣檐，微暑风入席。萧然此白首，岂更冒朝帻。试将老兹地，不复数晨夕。但恨食无肉，臞仙出山泽。蛰雷转空肠，吐句作圭璧。一笑示邻家，向来无此客。”

同卷，《又赋》：“我昨在衡山，伤心衢路侧。岂知得此地，一坐数千息。易安生痛定，过美出饥迫。誓言入齐侯，常戒在莒厄。要将万里身，独面九年壁。如何不已奈，开窗玩霏碧。招呼面前山，浮翠落衾席。一笑等儿戏，都忘雪侵帻。人生何不娱，今夕定何夕。向来万顷胸，余地吞七泽。念此亦细事，未遽瑕生璧。聊使山中人，永记山下客。”

本年夏天，陈与义闲居紫阳时，忆及所经历诸事，又有诸诗。《增广笺注简斋诗集》卷二六《伤春》：“庙堂无策可平戎，坐使甘泉照夕烽。初怪上都闻战马，岂知穷海看飞龙。孤臣霜发三千丈，每岁烟花一万重。稍喜长沙向延阁，疲兵敢犯犬羊锋。”

同卷，《题水西周三十三壁二首》，其一：“不管先生巾欲摧，雨中艇子便撑开。青山隔岸迎人去，白鹭冲烟送酒来。”其二：“周子笃中早得春，唤人同渡一溪云。贪看雨歇前峰变，不觉斟时已十分。”周三十三，周静之也。

同卷，《山斋二首》，其一："夏郊绿已变，山斋昼自迟。云物忽分散，余碧暮逶迤。寒暑送万古，荣枯各一时。世纷幸莫及，我麈得常持。"其二："虽愧荷钮叟，朝来亦不闲。自剪墙角树，尽纳溪西山。经行天下半，送老此窗间。日暮烟生岭，离离飞鸟还。"

同卷，《散发》："百年如寄亦何为，散发清狂未足非。南涧题诗风满面，东桥行药露霑衣。松花照夏山无暑，桂树留人吾岂归。藜杖不当轩盖用，稳扶居士莫相违。"

七月

为刘豫即伪齐皇帝位做准备，金徙徽、钦二宗于五国城。

八月

金破承州。

九月

金立刘豫为伪齐皇帝。刘豫即位，都大名府，该明年为阜昌元年。

张浚率五路之兵与金娄室大战于富平，败绩，张浚退军秦州。

金破楚州。

朱熹（1130—1200）生。十五日，朱熹出生。时其父朱松为南剑州尤溪县尉。吴之振、吕留良、吴自牧《宋诗钞·文公集》诗人小传："朱子文公，讳熹，字元晦，一字仲晦，徽州婺源人。绍兴进士第，历事高、孝、光、宁四朝，仕至转运副使、崇政殿说书，焕章阁待制致仕。年七十一卒，理宗赠太师，封信国公，改徽国公。屡经荐召，为小人所沮抑，旋仕旋已，道终不行。知南康时，建复白鹿洞书院。游武夷，爱其山水奇宕，筑精舍，论道其中。所至生徒云集，教学不倦。天下攻伪学日疾，不顾也。孝宗时，侍郎胡铨以诗人荐，同王庭珪内召，故朱子自注诗云：'仆不能诗。'平生侥幸，多类此。然虽不役志于诗，而中和条贯，浑涵万有，无事模镌，自然声振，非浅学之所能窥。此和顺之英华，天纵之余事也。"

秋

本年五月，召陈与义守尚书兵部员外郎，以病辞，不允。秋，始拜诏。有诗多篇作于此间。《增广笺注简斋诗集》卷二六《寄德升大光》："君王优诏起群公，也置樵夫尺一中。易著青山随世事，难将白发犯秋风。共谈太极非无意，能系苍生本不同。却倚紫阳千丈岭，遥瞻黄鹄九霄东。"

同卷，《次韵谢邢九思》："平生不接里闾欢，岂料相逢𤆬蜮坛。能赋君推三世事，倦游我弃七年官。流传恶语知谁好，勾引新篇得细看。六月山斋当暑令，风霜独发卷中寒。"

同卷，《村景》："黄昏吹角闻呼鬼，清晓持竿看牧鹅。蚕上楼时桑叶少，水鸣车处稻苗多。”

同卷,《次周漕示族人韵》:“谏议遗踪尚可望,曳裾不必效邹阳。但修天爵膺人爵,始信书堂有玉堂。”

同卷,《水车》:“江边终日水车鸣,我自平生爱此声。风云一时都属客,杖藜聊复寄诗情。”

同卷,《山居二首》,其一:“点检行年书阅阅,山中共赋几篇诗。如今未有惊人句,更待秋风生桂枝。”其二:“宅图不必烦丘令,已卜坡东涧水边。更与我为烧药灶,只愁君要买山钱。”

同卷,《拜诏》:“紫阳山下开皇牒,地藏阶前拜诏书。乍脱绿袍山色翠,新披紫绶佩金鱼。”

同卷,《别诸周二首》,其一:“风送孤蓬不可遮,山中城里总非家。临行有恨君知否,不见篱前稻著花。”其二:“陇云知我欲船开,飞过江东还复回。不似周颙趋阙去,山灵应许却归来。”

同卷,《题向伯恭过峡图二首》,其一:“旌旗翻日淮南道,兴罢归来雪一船。正有佛光无处著,独将佳句了山川。”其二:“《过峡》新图世所传,峡中犹说泛舟仙。柱天勋业须君了,借我茅斋看十年。”

同卷,《题赵少隐青白堂三首》,其一:“小谢为州不废诗,庭中草木有光辉。一林风露非人世,更著梅花相发挥。”其二:“使君堂上无俗客,白白青青两胜流。添得吟诗老居士,千年一笑泽南州。”其三:“雪里芭蕉摩诘画,炎天梅蕊简斋诗。他时相见非生客,看倚琊玕一段奇。”

同卷,《次韵邢九思》:“百年鼎鼎杂悲欢,老去初依六祖坛。玄晏不堪长抱病,子真那复更为官。山林未必容身得,颜面何宜与世看。白帝高寻最奇事,共君盟了不应寒。”

同卷,《遥碧轩作,呈使君少隐,时欲赴召》:“我本山中人,尺一唤起趋尘埃。君为边城守,作意邀山入窗牖。朝来爽气如有期,送我凭轩一杯酒。丈夫已忍猿鹤羞,欲去且复斯须留。西峰木脱乱鬟拥,东岭烟破修眉浮。主人爱客山更好,醉里一笑惊蛮州。丁宁云雨莫作厄,明日青山当送客。”

秋,陈与义自紫阳入邵州,出石限,小病,有诗。《增广笺注简斋诗集》卷二六《石限病起》:“幽人病起山深处,小院鸦鸣日午时。六尺屏风遮宴坐,一帘细雨独题诗。”

十月

金纵秦桧南归。《纲鉴易知录》卷七八:“冬十月,金人纵秦桧还。桧从二帝至燕,金主以桧赐挞懒,为其任用。挞懒信之。及南侵,以为参谋军事,又以为随军转运使。挞懒攻楚州,桧与妻王氏自军中趋涟水军,自言杀金人监己者夺舟而来,欲赴行在,遂航海至越州。帝命先见宰执,桧首言:‘如欲天下无事,须是南自南,北自北。’朝士多疑其与何桌、孙傅等同被拘执,而桧独还,又自燕至楚二千八百里,逾河越海,岂无讥诃之者，安得杀监而南？就令从军挞懒，金人纵之，必质妻属，安得与王氏偕？惟范宗尹及李回二人素与桧善，尽破群疑，力荐其忠。桧入对，手奏所草挞懒求和书，帝谓辅臣曰：‘桧朴忠过人，朕得之喜而不寐。既闻二帝、母后消息，又得一佳士也。’遂拜礼部尚书。先是，朝廷虽数遣使于金，但且守且和，而专意与敌解仇息兵，则自桧始。盖桧首倡和议，故挞懒因纵之使还也。”

陈与义赴京途中，经过永州，曾与友人游览浯溪，具体时间不详，有诗纪之，姑系于此。《增广笺注简斋诗集》卷二七《同范直愚单履游浯溪》：“潇湘之流碧复碧，上有铁立千寻壁。河朔功就人与能，湖南碑成江动色。文章得意易为好，书杂矛剑天假力。四百年来如创见，雷公雨师知此石。小儒五载忧国泪，杖藜今日溪水侧。欲搜奇句谢两公，风作浪涌空心恻。”

陈与义又作诗。《增广笺注简斋诗集》卷二七《愚溪》：“小阁当乔木，清溪抱竹林。寒声日暮起，客思雨中深。行李妨幽事，栏干试独临。终然游子意，非复昔人心。”

十一月

金破泰、通二州。

二十日，陈与义过道州，为姜仲谦题任才仲画轴。《增广笺注简斋诗集》卷二七《己酉中秋之夕，与任才仲醉于岳阳楼上，明年十一月二十日南游过道州，谒姜，光彦出才仲画轴，则写是夕事也，剪烛观之，怅然一笑，书八句以当画记》：“去年中秋洞庭野，寒瑶万顷兼天泻。岳阳楼上两幅巾，月入栏干影潇洒。世间此境谁能孤，狂如我友人所无。一梦经年无续处，道州还见倚楼图。”

甘泉吴使君使画史作简斋居士像，陈与义戏题三十二字。《增广笺注简斋诗集》卷二七《甘泉吴使君使画史作简斋居士像，居士见之大笑，如洞山过水覩影时也，戏书三十二字》：“两眉轩然，意像无寄。而服如此，又不离世。鉴中壁上，处处皆是。简斋虽传，文殊无二。”

陈与义又作他诗。《增广笺注简斋诗集》卷二七《题道州甘泉书院》：“甘泉坊里林影黑，吴氏舍前书榜鲜。床座略容摩诘借，桂枝应待小山传。兵横海内犹纷若，风到湖南还穆然。勉效周生述孔业，赋诗吾独愧先贤。”

度桂岭，登秦岩，陈与义并有诗。《增广笺注简斋诗集》卷二七《度岭》：“年律将穷天地温，两州风气此横分。已吟子美湖南句，更拟东坡岭外文。隔水丛梅疑是雪，近人孤嶂欲生云。不愁去路三千里，少住林间看夕曛。”同卷《游秦岩》：“秦岩昧旧闻，胜会非复常。异哉五里秘，发此一旦狂。篝灯破大阴，拄杖入仙乡。散途杨梅实，承磴菡萏房。石液白瑶堕，泉气青霓翔。度危心欲动，逢衍兴未央。眩人黝谷深，覆我翠极长。降登穷田垄，开阖到鞠场。龙遮侧岸路，猫护高廪藏。力士倒履空，应真俨成行。碾缺神所吝，帐空仙莫量。水鸣泬寥内，柱立森罗傍。语闻受远响，力极生微阳。梦中出小窦，立处忽大荒。尘缘信深重，仙事岂渺茫。灵武唐业开，湘滨耀文章。望夷秦政坏，岭底畏祸殃。隐显非士意，安危存国纲。且复置此事，更将适何方。

赋诗意未惬，吾欲栖僧廊。”

壬子，朝廷为节省经费，放散百官，李清照至衢州。

十二月

金兵寇掠熙河。《纲鉴易知录》卷七八：“十二月，金人寇熙河，副总管刘惟辅死之。金人掠熙河，惟辅击败之，杀五千余人；已而复至，惟辅顾熙河尚有积粟，恐金人因之以守，急出焚之。为金人所执，捽以去，惟辅曰：‘死犬！斩即斩，吾头岂汝捽也！’顾坐上客曰：‘国家不负汝，一旦遽降敌也！’即闭口不言而死，所部亦多不屈被杀。”

宋制定差役法。《纲鉴易知录》卷七八：“定差役法。帝在河朔亲见闾阎之苦，尝叹知县不得其人，一充役法，即至破家。及即位，深加讲义，乃定差役法。以二十五家为一保，十大保为一都，内选才力高富者二人充都保，主一都盗贼烟火之事，其次有保长。若品官，则一品限田五十顷，至九品五顷。免差子孙，荫尽则同编户。太学生及得经解省试者，许募人充役。军丁女户及孤弱悉免。”

金命索取南人，将之卖于边地。《续资治通鉴》卷一〇八：“辛未，金左副元帅宗翰，命诸路州县，同以是日大索南人及拘之于路，至癸酉罢。籍客户，拘之入官，至次年春，尽以铁索锁之云中。于耳上刺官字以志之，散养民间，既而立价卖之。余者，驱之夏国以易马，亦有卖于蒙古、室韦、高丽之域者。时金既立刘豫，复以旧河为界。宗翰恐两河陷没，士庶非本土之人，逃归豫地，故有是举。”

陈与义于赴京途中有诗忆席益。《增广笺注简斋诗集》卷二七《戏大光送酒》：“折得岭头如玉梅，对花那得欠清杯。不烦白水真人力，便有青州从事来。”冬杪至贺州，与吕本中唱和，同卷《次韵谢居仁，居仁时寓贺州》：“别君不觉岁时荒，岂意相从魑魅乡。箧里诗书总零落，天涯形貌各昂藏。江南今岁无胡虏，岭表穷冬有雪霜。倘可卜邻吾欲住，草茅为盖竹为裳。”

公元1131年（宋绍兴元年　金天会九年　夏正德五年　西辽延庆七年　伪齐阜昌二年　辛亥）

正月

宋以张俊、岳飞招讨江淮。《纲鉴易知录》卷七九：“辛亥，绍兴元年，春正月，以张俊为江淮招讨使，岳飞副之。时孔彦舟据武陵，张用据襄、汉。李成据江、淮、湖、湘十余郡，尤悍强，连兵数万，有席卷东南之意，久围江州。朝廷患之，以俊为招讨使。俊请岳飞同讨，许之。”

二月

秦桧任参知政事。《纲鉴易知录》卷七九：“谢克家罢，二月，以秦桧任参知政事。”

金占熙、河诸州。

耶律余绪攻西辽。

三月

张俊、岳飞平定李成乱军。《纲鉴易知录》卷七九：“张俊、岳飞大败李成于楼子庄，群盗皆遁。”

张荣败挞懒于兴化。《纲鉴易知录》卷七九：“武功大夫张荣击败金兵于兴化。荣本梁山泊渔人，聚舟数百，以劫掠金人。杜充时尝借补武功大夫，金人南侵，攻之不克。及金兵退，荣袭据通州（治静海县，即今江苏南通市），联舟入兴化缩头湖，作水寨以守。金挞懒在泰州，谋再渡江，欲先破营寨，荣率舟师与之遇，见金战舰不多，余皆小舟，时水退隔泥淖不能前，乃舍舟登岸，大呼而击之。金人不得骋，舟中自乱，溺水及陷泥淖者不可胜计，俘馘五千余人。挞懒收余众奔还楚州，退屯泗迁，寻北去。容告捷于朝，遂以荣知泰州。”

渡江以来国史散佚。《续资治通鉴》卷一〇九：“自渡江国史散佚。至是衢州布衣何克忠献《太祖实录》、《国朝宝训》。诏授下州文学。后八九年而国书始备。”

李清照本年四十八岁。三月，李清照复度越，文物被盗五簏。

春

陈与义本年四十二岁。出贺溪，有诗。《增广笺注简斋诗集》卷二七《舟行遣兴（贺溪舟中）》：“会稽尚隔三千里，临贺初盘一百滩。殊俗问津言语异，长年为客路歧难。背人山岭重重去，照鹞梅花树树残。酌酒柁楼今日意，题诗船壁后来看。”

陈与义溯康州，与耿延禧、李擢、席益、郑滋四友人乘小舫游，分韵作诗。《增广笺注简斋诗集》卷二七《康州小舫，与耿伯顺、李德升、席大光、郑德象夜话，以“更长爱烛红”为韵，得“更”字》：“万国衣冠京国旧，一船风雨晋康城。灯前颜面重相识，海内艰难各饱更。天阔路长吾欲老，夜阑酒尽意还倾。明朝古峡苍烟刀，都送新愁入橹声。”

陈与义过封州，小留，有诗。《增广笺注简斋诗集》卷二七《与大光同登封州小阁》：“去程欲数莽难知，三日封州更作迟。青嶂足稽天下事，锦囊今有峤南诗。共登小阁春风里，回望中原夕霭时。万本梅花为我寿，一杯相属未全痴。”

陈与义至广州，有诗。《增广笺注简斋诗集》卷二七《登海山楼》：“万航如凫鹥，一水如虚空。此地接元气，压以楼观雄。我来自中州，登临眩冲融。白波动南极，苍鬓承东风。人间路浩浩，海上春濛濛。远游为两眸，岂恤劳我躬。仙人欲吾语，薄暮山葱珑。海青无蜃气，彼固蓬莱宫。”

同卷，《次韵大光五羊待耿伯顺之作》：“康州艇子来不及，过岸橹声空复长。百尺楼头堪望远，淡烟斜日晚荒荒。”

同卷，《雨中再赋海山楼》：“百尺阑干横海立，一生襟抱与山开。岸边天影随潮入，楼上春容带雨来。慷慨赋诗还自恨，徘徊舒啸却生哀。灭胡猛士今安有？非复当年单父台。”

陈与义与席益分别，有诗。《增广笺注简斋诗集》卷二七《题长乐亭》：“远山云迷颠，近山净如沐。客子曳竹舆，伊鸦过山麓。我行一何迟，时序一何速。东风所经过，临水一时绿。疏雨忽飞坠，声在道边木。淑气自远归，光景变川陆。遥知存存子，明亦戒征轴。霁色虽宜诗，不见此清穆。”

同卷，《和大光道中绝句》：“已费天工十日晴，今朝小雨送潮生。转头云日还如锦，一抹葱珑画不成。”

同卷，《又和大光》：“寂寂孤村竹映沙，槟榔迎客当煎茶。岭南二月无桃李，夹路松开黄玉花。”

同卷，《题长冈亭呈德升、大光》：“久客不忘归，如头垢思沐。身行江海滨，梦绕嵩少麓。马何预得失？鹏何了淹速？匣中三尺水，瘴雨生新绿。胡为古驿中，坐听风吟木？既非还吴张，亦异赴洛陆。两公茂名实，自是宜鼎轴。发发不可迟，帝言频郁穆。”

陈与义度庾岭，上罗浮。之后，入闽，次甘棠驿，有诗怀念席益和李擢。《增广笺注简斋诗集》卷二八，《甘棠驿怀李德升、席大光》：“破驿难并休，差池便薪水。山川会心地，还思对君子。道边千尺榕，午荫清且美。极知非世用，我爱不能已。东风吹南服，莽莽绿万里。此地亦可耕，胡为茧予趾。”

陈与义过漳州，有诗赠太守綦崇礼。《增广笺注简斋诗集》卷二八《赠漳州守綦叔厚》：“过尽蛮荒兴复新，漳州画戟拥诗人。十年去国九行旅，万里逢公一欠伸。王粲登楼还感慨，纪瞻赴召欲逡巡。绳床相对有今日，賸醉斋中软脚春。”原注：“叔厚自兼直得漳州，蒙犯霜雪，以十二月到郡，适公库新造腊酒成，因名曰软脚春，盖取郭子仪软脚局字以寓意焉。”

陈与义作词《渔家傲·福建道中》。词云：“今日山头云欲举，青蛟素凤移时舞。行到石桥闻细雨，听还住，风吹却过溪西去。　　我欲寻诗宽久旅，桃花落尽春无所。渺渺篮舆穿翠楚，悠然处，高林忽送黄鹂语。”

陈与义入浙，泛前仓，入雁荡，并有诗。《增广笺注简斋诗集》卷二八《泛舟如前仓》：“曾鼓盐田棹，前仓不足言。尽行江左路，初过浙东村。春去花无迹，潮归岸有痕。百年都几日，聊复信乾坤。”

同卷，《题大龙湫》：“晓行苍壁中，穷处仍高崖。白龙三百丈，欲下层颠来。映日洒飞雨，绕山行怒雷。潭影纳浩荡，云气扶崔嵬。小儒叹造化，办此何雄哉。亦知天下绝，尊者所徘徊。三生清净愿，俗缘故难开。践胜吾岂敢，稽首倘兴哀。”

同卷，《雨中宿灵峰寺》：“雁荡山中逢晚雨，灵峰寺理借绳床。只应护得纶巾角，还费高僧一炷香。”

同卷，《宿资圣院阁》：“暮投山崦寺，高处绝人群。远岫林间见，微泉舍后闻。阁虚云乱入，江阔野横分。欲与僧为记，今年懒作文。”

陈与义自黄岩县舟行入台州，有诗。《增广笺注简斋诗集》卷二八《自黄岩县舟行入台州》：“宴坐峰前冲雨急，黄岩县里借舟迟。百年痴黠不相补，万事悲欢岂可期。莽莽沧波兼宿雾，纷纷白鹭落山陂。只应江海凄凉地，欠我临风一赋诗。”

同卷，《过下杯渡》："夜宿下杯馆，朝鸣一棹东。湖平天尽落，峡断海横通。冉冉云随舸，茫茫鸟遡风。仙人蓬岛上，遥见我乘空。"

同卷，《王孙岭》："已过长溪岭更危，伏龙莽莽向川垂。斜阳照见林中石，记得南山隐去时。"

四月

张浚枉杀曲端。《续资治通鉴》卷一〇九："丁亥，宣抚处置使张浚，杀责授海州团练副使曲端于恭州。端既为利夔制置使王庶所谮，忠州防御使知渭州吴玠亦憾之，乃书'曲端谋反'四字于手心，因侍浚立举以示浚，浚素知端、庶不可并立，且方倚玠为用，恐玠不自安。庶等知之，即言端尝作诗题柱，有指斥乘舆之意，曰：'不向关中兴事业，却来江上泛渔舟。'此其罪也。浚乃送端恭州狱。有武臣康随者，在凤翔尝以事忤端，鞭其背百，切骨憾端。浚以随提点夔州路刑狱，端闻之曰：'吾其死矣！'呼天者数声。端有马曰铁象，日驰四百里。至是连呼'铁象可惜！'者数声，乃赴逮。既至，随命狱吏系维之，糊其口，熁之以火，端干渴而死。士大夫莫不惜之，军民亦皆怅恨。浚以是大失西人之心。"

五月

张俊、岳飞平定江淮乱军。《纲鉴易知录》卷七九："张俊追败李成于黄梅，成奔刘豫，岳飞招张用。俊引兵渡江，追成至蕲州黄梅县，大败之，其众数万皆溃，成北走，降刘豫。用复寇江西。岳飞与用具相人（岳飞与张用具相州汤阴人，即今河南汤阴县），以书谕之曰：'吾与汝同里，欲战则出，不战则降。'用得书，遂率众降，江、淮悉平。张俊奏飞功第一，诏进飞右军都统制，屯洪州，弹压盗贼。"

吴玠败金兵于和尚原。

夏

是夏，陈与义抵会稽行在所，继除兵部员外郎，有诗。《增广笺注简斋诗集》卷二八《送熊博士赴瑞安令》："衣冠衮衮相逢处，草木萧萧未变时。聚散同惊一枕梦，悲欢各诵十年诗。山林有约吾当去，天地无情子亦饥。笑领铜章非失计，岁寒心事欲深期。"

七月

入秋后，陈与义有诗。《增广笺注简斋诗集》卷二八《病中夜赋》："抱病喜清夜，形羸心独开。不知药鼎沸，错认雨声来。岁晚灯烛丽，天长鸿雁哀。书生惜日月，欹枕意茫哉。"

宋高宗作《渔父词并序》。序曰："绍兴元年七月十五日，余至会稽，因览黄庭坚所书张志和《渔父词》十五首，戏同其韵，赐辛永宗。"

八月

秦桧野心大，军政一把抓。《纲鉴易知录》卷七九：“以秦桧为尚书右仆射同平章事，兼知枢密院事。范宗尹既去，桧欲得相位，因扬言曰：‘我有二策，可耸动天下。’或问：‘何不言？’桧曰：‘今无相，不可行也。’帝闻，乃有是命。”

高宗诏赠程颐直龙图阁。《纲鉴易知录》卷七九：“诏赠程颐直龙图阁。制词略曰：‘周衰，圣人之道不得其传，世之学者，其欲闻仁义道德之说，孰从而求之？亦孰从而听之？尔颐潜心大业，高明自得之学，可信不疑。而浮伪之徒，自知学问文采不足表见于世，乃窃借名以自售，外示恬默，中实奔竞，使天下之士，闻其名而疾之，是重不幸焉。朕所以振耀褒显之者，以明上之所与在此，而不在彼也。’”

汪藻请修日历。《纲鉴易知录》卷七九：“修复日历。翰林学士汪藻言：‘本朝宰相皆兼史馆，故书榻前议论之词则有时政记，（录）柱下见闻之实则有起居注，谓之日历，所以备言，垂一世之典。苟旷三十年之久，漫无一字，何以示来世？’帝从之，即以命藻。”

壬申，陈与义迁起居郎，有诗。《增广笺注简斋诗集》卷二八《喜雨》：“秦望山头晕，昨日鸾凤举。冥冥万里风，淅淅三更雨。小臣知君忧，起坐听檐语。风力又去来，龙工杂文武。灯花识我意，一笑相媚妩。泥翻早朝路，瀰瀰光欲吐。郁然苍龙阙，佳气接南亩。千官次第来，豫色各眉宇。记事以短篇，不工还自许。”

同卷，《醉中》：“醉中今古兴亡事，诗里江湖摇落时。两手尚堪杯酒用，寸心唯是鬓毛知。稽山拥郭东西去，禹穴生云朝暮奇。万里南征无赋笔，茫茫远望不胜悲。”

九月

丁未，陈与义请遣使往河南省视诸陵，因抚问所屯将士。

十一月

王德歼邵青之众于崇明沙。《纲鉴易知录》卷七九：“王德歼邵青之众于崇明沙，获青送行在。青寇宣州，进围太平，刘光世招降之，寻复叛去，聚其党于崇明沙，将犯江阴。光世令都统制王德讨之。德执旗麾兵，拔栅以入，青众大溃。翌日，余党复索战，谍言贼将用火牛，德笑曰：‘此古法也，可一不可再。’命合军持满，阵始交，万矢齐发，牛皆返奔，贼众歼焉。青自缚请命，德献诸行在，余党悉平。”

吴玠兄弟和尚原之捷。《纲鉴易知录》卷七九：“金兀术寇和尚原，吴玠及其弟璘大败之，兀术遁。玠自富平之败，收散卒保和尚原，积粟缮兵，列栅为死守计。或谓玠宜退屯汉中，扼蜀口以安人心。玠曰：‘我保此，敌决不敢越我而进，是所以保蜀也。’玠在原上，凤翔民感其遗惠，相与夜输刍粟助之，玠偿以银帛，民益喜，输者益多。金人怒，伏兵渭河邀杀之，且令保伍连坐，民冒禁如故。金将没立自凤翔，乌鲁折合自阶、成出散关，约日合和尚原。乌鲁折合先期至，阵北山，索战，玠命诸将坚阵待之，更战迭休，金人大败遁去。没立方攻箭筈关，玠复遣将击破之。两军终不得合。金人自起海角，狃于常胜，及与玠战辄败，愤甚，谋必取玠。于是，兀术会诸帅兵十余万，造浮梁跨渭，自宝鸡结连珠营，垒石为城，夹涧与官军相拒，进薄和尚原。玠与弟璘选劲弩，命诸将分番迭射，号'驻队矢'，连发不绝，繁如雨注；敌稍却，则以奇兵旁击，绝其粮道，度其困且走，设伏于神坌以待之。敌至伏发，遂大乱。玠因纵兵夜击，大败之。兀术中二流矢，仅以身免。亟剃其须髯而遁。初，金人之至也，玠与璘以散卒数千驻原上，朝问隔绝，人无固志。有谋劫玠之兄弟北降者，玠知之，召诸将歃血盟，勉以忠义，皆感泣，愿尽死力，故能成功。"

宋朝初置见钱关子。《纲鉴易知录》卷七九："初置见钱关子。时命张浚屯婺州，有司请椿办合用钱，而路不通舟，钱重难致，乃造关子付婺州，召商人入中以给军食。商人执关子于榷货务请钱，愿得茶、盐、香货、钞引者听。于是州县以关子充籴本，未免抑配，而榷货务又止以日输三分之一偿之，人皆怨嗟。"

十二月

金以陕西地畀刘豫。《纲鉴易知录》卷七九："十二月，金以陕西地畀刘豫。"

是冬，陈与义有诗多篇。《增广笺注简斋诗集》卷二八《不见梅花六言》："荆楚岁时经尽，今年不见梅花。想得苍烟玉立，都藏江上人家。"

同卷，《梅花二首》，其一："铁面苍髯洛阳客，玉颜红领会稽仙。街头相见如相识，恨满东风意不传。"其二："画取维摩室中物，小瓶春色一枝斜。梦回映月窗间见，不是桃花与李花。"

同卷，《雨》："听雨披夜襟，冲雨踏晨鼓。万珠络笋舆，诗中有新语。老龙经秋卧，岁暮始一举。成功亦何迟，光采变蔬圃。道边闻井溢，可笑遽如许。旧山百尺泉，不知旱与雨。"

同卷，《瓶中梅》："明窗净棐几，玉立耿无邻。红绿两重袂，殷勤满面春。曾为庾岭客，本是洛阳人。老我何颜貌，东风处处新。"

除夕，陈与义有诗。《增广笺注简斋诗集》卷二九《除夜》："畴昔追欢事，如今病不能。等闲生白发，耐久是青灯。海内春还满，江南砚不冰。题诗饯残岁，钟鼓报晨兴。"

同卷，《雨中》："北客霜侵鬓，南州雨送年。未闻兵革定，从使岁时迁。古泽生春霭，高空落暮鸢。山川含万古，郁郁在樽前。"

本年

袁枢（1131—1205）生。《宋史》卷三八九《袁枢传》："袁枢字机仲，建之建安人。幼力学，尝以《修身为弓赋》试国子监，周必大、刘珙皆期以远器。试礼部，词赋第一人，调温州判官，教授兴化军。乾道七年，为礼部试官，就除太学录，轮对三疏，一论开言路以养忠孝之气，二论规恢复当图万全，三论士大夫多虚诞、侥荣利。张说自阁门以节钺签枢密，枢方与学省同僚共论之，上虽容纳而色不怡。枢退诣宰相，示以奏疏，且曰：‘公不耻于与桧等为伍邪?’虞允文愧甚。枢即求外补，出为严州教授。枢尝喜诵司马光《资治通鉴》，苦其浩博，乃区别其事而贯通之，号《通鉴纪事本末》。参知政事龚茂良得其书，奏于上，孝宗读而嘉叹，以赐东宫及分赐江上诸帅，且令熟读，曰：‘治道尽在是矣。’他日，上问袁枢今何官，茂良以实对，上曰：‘可与寺监簿。’于是以大宗正簿召登对，即因史书以言曰：‘臣窃闻陛下尝读《通鉴》，屡有训词，见诸葛亮论两汉所以兴衰，有“小人不可不去”之戒，大哉王言，垂法万事。’遂历陈往事，自汉武而下至唐文宗偏听奸佞，致于祸乱。且曰：‘固有诈伪而似诚实，憸佞而似忠鲠者，苟陛下日与图事于帷幄中，进退天下士，臣恐必为朝廷累。’上顾谓曰：‘朕不至与此曹图事帷幄中。’枢谢曰：‘陛下之言及此，天下之福也。’迁太府丞。时士大夫颇有为党与者。枢奏曰：……上方锐意北伐，示天下以所向。枢奏：‘古之谋人国者，必示之以弱，苟陛下志复金仇，臣愿蓄威养锐，勿示其形。’复陈用宰执、台谏之术。时议者欲制宗室应举锁试之额，限添差岳祠，减臣僚荐举，定文武任子，严特奏之等，展郊禋之岁，缓科举之期，枢谓：‘此皆近来从窄之论，人君惟天是则，不可行也。’遂抗疏劝上推广大以存国体。兼国史院编修官，分修国史传。章惇家以其同里，宛转请文饰其传，枢曰：‘子厚为相，负国欺君。吾为史官，书法不隐，宁负乡人，不可负天下后世公议。’时相赵雄总史事，见之叹曰：‘无愧古良史。’权工部郎官，累迁吏部郎官。……迁军器少监，除提举江东常平茶盐，改知处州，赴阙奏事。枢之使淮入对也，尝言：‘朋党相附则大臣之权重，沿路壅塞则人主之势孤。’时宰不悦。……除吏部员外郎，迁大理少卿。……权工部侍郎，仍兼国子祭酒。因论大理狱案请外，有予郡之命，既而贬两秩，寝前旨。光宗受禅，叙复元官，提举太平兴国宫，知常德府。宁宗登位，擢右文殿修撰，知江宁府。……寻为台臣劾罢，提举太平兴国宫。自是三奉祠，力上请制，比之疏傅、陶令。开禧元年，卒，年七十五。自是闲居十载，作《易传解义》及《辩异》、《童子问》等书藏于家。

叶梦得为主和派朱胜非所排挤，出为江东安抚大师兼寿春等六州安抚使，作词《八声甘州·寿阳楼八公山作》。词曰：“故都迷岸草，望长淮、依然绕孤城。想乌衣年少，芝兰秀发，戈戟云横。坐看骑兵南渡，沸浪骇奔鲸。转盼东流水，一顾功成。

千载八公山下，尚断崖草木，遥拥峥嵘。漫云涛吞吐，无处问豪英。信劳生、空成今古，笑我来、何事怆遗情。东山老，可堪岁晚，独听桓筝。”

朱熹本年二岁。

公元1132年（宋绍兴二年　金天会十年　夏正德六年　西辽延庆八年　伪齐阜昌三年　壬子）

正月

高宗命科场复置贤良方正能直言极谏科。

韩世忠镇压建州起义，李纲驰见劝予宽饶。《纲鉴易知录》卷七九：“韩世忠拔建州，范汝为自焚死。世忠闻汝为入建州，曰：‘建居闽岭上流，贼沿流而下，七郡皆血肉矣。’即率步卒三万，水陆并进，直抵凤凰山，五日破之，汝为自焚死。世忠初欲尽诛建民，李纲自福州驰见世忠曰：'建民多无辜。'世忠乃令军士驻城上，听民自相别，农给牛谷，商贾驰征禁，胁从者汰遣，独取附贼者诛之。民感更生，家为立嗣。捷闻，帝曰：'虽古名将何以加！'世忠因进讨江西、湖、广诸盗。"

金主下诏，于辽故地平均士庶赋役。《续资治通鉴》卷一一〇："金主诏曰：'昔辽人分士庶之族，赋役皆有等差，其悉均之。'"

陈与义本年四十三岁。从驾至临安，有渡钱塘诗。《增广笺注简斋诗集》卷二九《渡江》："江南非不好，楚客自生哀。摇檝天平渡，迎人树欲来。雨余吴岫立，日照海门开。虽异中原险，方隅一壮哉。"

二月

宋朝以李纲为观文殿学士、湖广宣抚使。李光伟以吏部尚书为淮西招抚使。

三月

宋封交趾郡王。《续资治通鉴》卷一一〇："己亥，制授故南越王李乾德子阳焕静海军节度使、特进检校太尉，兼御史大夫，上柱国，封交趾郡王，仍赐推诚顺化功臣。自元丰后大臣功号悉除之，独安南如故。"

杨政败金于方山原。《续资治通鉴》卷一一〇："庚子，陕西都统司同统制军马杨政，及金战于方山原，败之。时陇州移治方山原。守将范琮以散卒兵数千驻原上。金人所命陕西经略使萨里干，与叛将张忠彦、慕容洧合兵来侵。陕西都统制吴玠，命政及吴璘、雷仲救之。大战三日，焚其寨。翼日，敌引去。政，临泾人，初为弓箭手，骁勇过人，玠用为统制，宣抚处置使张浚录其功，擢知凤州。"

翟兴遇害。《纲鉴易知录》卷七九："三月，河南镇抚使翟兴为其下所杀，诏以其子琮代之。刘豫将迁汴，以兴屯伊阳山，惮之，遣蒋颐持书诱兴以王爵，兴战颐而焚其书。豫复阴啖兴裨将杨伟以利，伟遂杀兴，携其首奔豫。兴在河南累年，军少乏食，而能激以忠义，士莫不自奋，金人畏之，诸陵得不侵犯。诏以其子琮嗣职。"

吕颐浩开府镇江。《纲鉴易知录》卷七九："诏吕颐浩都统江、淮、荆、浙诸军事，开府镇江。颐浩屡请出师，身自督军北向，乃命颐浩开府镇江。颐浩辟文武士七十余人，以神武后军及御前忠锐崔增、赵延寿二军从行（时分降盗崔增、邵青、赵延寿、徐文等所部兵为七将，名御前忠锐军，隶步军司，非枢密奉旨，不许调遣），韩世忠、张俊、刘光世、岳飞、王燮、杨沂中等皆隶焉。"

宋策试诸路类试奏名进士于讲殿。《续资治通鉴》卷一一〇："甲寅，帝策试诸路类试奏名进士于讲殿。帝谓辅臣曰：'朕此举将以作成人才，为异日之用。若其言鲠亮切直，它日必端方不回之士。自崇宁以来，恶人敢言，士气不作，流弊至今，不可不革。'因手诏谕考官：'直言者置之高等，尤谄佞者居下列。'盐官进士张九成对策曰：'祸难之作，天所以开圣，愿陛下以刚大为心，无遽以惊忧自阻。彼刘豫者，素无勋德，殊乏称声，天下徒见其背叛于君亲而委身于强敌耳，黠雏经营，有若儿戏。今日之计，当先用越王之法以骄之，使侈心肆意，无所忌惮，将见权臣争强，篡夺之祸起矣。臣观滨江郡县，为守令者类无远图。阳羡、惠山之民，何其被酷之深也。率敛之民，种类闳大。秋苗之外，又有苗头。苗头未已，又有八折。八折未已，又曰大姓。大姓竭矣，又曰经实。经实均矣，又曰均敷。均敷之外，名字未易数也。流离奔窜，益已无聊。臣窃谓前世中兴之主，大抵以刚德为尚。去谗节欲，远佞防奸，皆中兴之本也。今闾巷之人，甿隶之伍，皆知有父兄妻子之乐，室家聚处之欢。陛下虽贵为天子，富有四海，徒以金人之故，使陛下冬不得其温，夏不得其凊，昏无所定，晨无所省。问寝之私，何时可遂？在原之急，何时可救？日往月来，何时可归？望远伤怀，何时可释？每感时遇物，想惟圣心雷厉，天泪雨流，思扫清蛮帐以迎二圣之车。若夫小民则不然，是以搜搅小虫，驰驱骏马，道路之言，有若上诬圣德者，深察其源。盖自彼阉人求私禽马，动以陛下为名，国之不祥也。今此曹名字，稍有闻，此臣之所忧也。贤士大夫，宴见有时。宦官女子，实居前后。有时者易疏，前后者难间。圣情荏苒，不知其非，不若使之安扫除之役，复门户之司。凡交接往来者有禁，干预政事者必诛。陛下日御便殿，亲近儒者，讲诗书之旨趣，论古今之成败，将闻阉寺之言，如狐狸夜号而鸱枭昼舞也。'帝感其言，擢九成第一，以下二百五十九人及第出身。而川陕类省试合格进士杨希仲等一百二十人，皆即家赐第。"

春

陈与义是春在临安，有多篇。《增广笺注简斋诗集》卷二九《夙兴》："美哉木枕与菅席，无耐当兴戴朝帻。巷南巷北闻煅声，舍后舍前唯月色。事国无功端未去，竹舆伊鸦犹昨日。不见武林城里事，繁华梦觉生荆棘。成坏由来几古今，乾坤但可著山泽。西湖已无金碧丽，雨抹晴妆尚娱客。会当休日一访之，摩挲苍藓慰崖石。只恐冷泉亭下水，发明白发增嗟息。"

同卷，《幽窗》："贫士工用短，壮夫溺于诗。破壁为幽窗，我笔还得持。高鸟度遗影，风扉语移时。迨我休暇日，与物聊同嬉。古来贤哲人，甽亩策安危。一行或大谬，半隐良亦痴。寄言山中友，即岁以为期。"

同卷，《题伯时画温溪心等贡五马》："漠漠西河尘几重，年来画马亦难逢。题诗记着今朝事，同看联翩五疋龙。"

同卷，《休日马上》："休日不自休，骑马踏荒径。却扇受景风，今朝我无病。春云闷晨耀，群绿澹相映。山川与朝市，一动自一静。九衢行万人，谁抱此怀胜。不得与之语，萧萧寄孤咏。"

同卷，《题画》："分明楼阁是龙门，亦有江流曲抱村。万里家山无路入，十年心事与谁论？"

李清照本年四十九岁。赴临安。有《偶成》诗悼念赵明诚："十五年前花月底，相从曾赋赏花诗。今看花月浑相似，安得情怀似往时？"又有《菩萨蛮》词怀念故乡："风柔日薄春犹早，夹衫乍著心情好。睡起觉微寒，梅花鬓上残。　故乡何处是？忘了除非醉。沉水卧时烧，香消酒未消。"

四月

刘豫移都东京。《纲鉴易知录》卷七九："刘豫徙居汴。豫至汴，尊其祖考为帝，置于宋太庙。是日暴风卷旗，屋瓦皆振，市民大惧。时河、淮、山东、陕西皆屯金军，刘麟籍乡兵十余万，为皇太子府军，分置河南、汴京陶沙官，两京冢墓发掘殆尽，赋敛烦苛，民不聊生。"

高丽贡于宋。《续资治通鉴》卷一一〇："癸巳，高丽国王楷，遣其尚书礼部员外郎崔惟清、阁门祇候沈起入贡。诏秘书省校书郎王洋，押伴。楷献金百两，银千两，帛二百匹，纸二百匹，人参五百斤。诏赐惟清起金带，赐酒食于同文馆。"

岳飞平荆湖曹成。

壬午，陈与义试中书舍人兼掌内制。

五月

高宗育太祖后人。

宋令贡丝帛并半折钱。《续资治通鉴》卷一一一："甲申，户部请诸路上供丝帛，并半折钱，许之。是时江、浙、湖北、夔路，岁额绸三十九万匹；江西、川、广、湖南、两浙，绢二百七十三万匹；东川、两浙、湖南，绫罗绝七万匹；成都府，锦绮千八百余匹段，皆有奇。"

孔彦舟叛降伪齐。

六月

颁《戒石铭》于州县。《纲鉴易知录》卷七九："颁《戒石铭》于州县。以黄庭坚所书《戒石铭》颁于州县，令刻石。文曰：'尔俸尔禄，民膏民脂。下民易虐，上天难欺。'"

夏

金试举人词赋以取进士，令主考者勿取中原士子。《续资治通鉴》卷一一一："是夏，金都元帅宗翰之白水泊避暑，试举人以词赋，得胡砺以下。先是，试之日，宗翰立马场中，呼举人之年老者。诸生不谕其意，争跪于马前。宗翰据鞍以鞭指麾，裨译者谕之曰：'汝无力老奴婢，胡为应试？汝能文章，则少年登科矣。今苟得官，自知日暮途远，必受赇为子孙计。否则图财假手，何补于国？我欲杀汝，又念汝罪未著，姑听终场。倘有所犯，必杀无赦。'诸生伏地叩头，愧恐而去。是举也，宗翰谕主司毋取中原人。"

七月

翟汝文罢。《纲鉴易知录》卷七九："翟汝文罢。汝文虽为桧所荐，然性刚，不为桧屈，至对案相诟，目桧为金人奸细，顾不得久居位。”

岳飞屯江洲。

陈与义兼侍讲。

八月

胡安国上《时政论》，《春秋》《左传》有差异。《纲鉴易知录》卷七九：“帝初即位，召安国为给事中，黄潜善恶之，遂罢。潜善去，复召为中书舍人，兼侍讲。安国因上《时政论》二十一篇，其言以为：‘保国必先定计，定计必先建都，建都择地必先设险，分土必先制国，制国以守必先恤民。夫国之有民，犹人之有元气，不可不恤也。除乱贼，选县令，轻赋敛，更弊法，省官吏，皆恤民事也。而行此有道，必先立政；立政有经，必先核实，而后赏罚当；赏罚当，而后号令行，人心顺从，惟上所命，以守则固，以战则胜，以攻则服，天下定矣。然欲致辞，顾人主志尚如何耳。尚志，所以立本也；正心，所以决事也；养气，所以制敌也；宏度，所以用人也；宽隐，所以明德也。具此五者，帝王志能事必矣。’论入，改给事中。入对，以疾力求去，帝曰：‘闻卿深于《春秋》，方欲讲论。’遂以《左氏传》付安国点句、正音。安国言：‘《春秋》经世大典，见诸行事，非空言比。方今思济艰难，《左氏》繁碎，不宜虚费光阴，耽玩文采，莫若潜心圣《经》。’帝善之，命兼侍读，专讲《春秋》。”

秦桧罢相。《纲鉴易知录》卷七九：“秦桧免，榜其罪于朝堂。先是，起居郎王居正与秦桧善，及桧执政，与居正论天下事甚锐，既相，所言皆不酬。居正疾其诡，言于帝曰：‘秦桧尝语臣：“中国之人，惟当著衣啖饭，共图中兴。”时臣心服其言，桧又自谓：“为相数月，必耸动天下。”今为相设施止是。愿陛下以臣所言，问桧所行。’桧闻而憾之，出居正知婺州。及胡安国罢，桧留之，不报，遂求去。吕颐浩讽侍御史黄龟年劾桧‘专主议和，沮止国家恢复远图，且植党专权，渐不可长。’乃罢桧相，仍榜朝堂，示不复用。初桧所陈二策，欲以河北人还金，中原人还刘豫。帝曰：‘桧言南人归南，北人归北。朕北人，将安归？’桧语乃塞。至是帝召直学士院綦崇礼语以是事，及居正所言。崇礼即以帝意载于制辞，播告中外，人始知桧之奸。”

陈与义辛亥兼权起居郎。

九月

王伦自金还抵行在，宋遣使赴金通问。

凭借长江如长城，沿江岸置烽火台。《续资治通鉴》卷一一一：“初，命沿江岸置烽火台，以为斥堠。自当涂之褐山、东采石、芜湖、繁昌、三山，至建康之马家渡、大城堙，池州之鹊头山，凡八所。旦举烟，暮举火，各以一，以为信，有警即望之。”。

耶律余绪谋反金。

十月

张浚治关陕，蜀中得安然。《纲鉴易知录》卷七九："张浚在关陕三年，训新集之兵，当方张之敌，以刘子羽为上宾，任赵开为转运，擢吴玠为大将。子羽慷慨有才略，开善理财，而玠每战辄胜，西北遗民归附者众，故关陕虽失，而蜀安堵，且以形势牵制东南，江、淮亦赖以安。"

军旅之事马政急，宋设马监于饶州。《续资治通鉴》卷一一一："冬十月戊子朔，置孳生马监于饶州，命守臣提领，括神武诸军及郡县官牧马隶之。仍选使臣五人，专主其事。时言者以为：'军旅之事，马政为急。多事以来，国马为强敌所侵，盗贼所有，其在诸军者无几。乞讲求孳生之利于江东西，择水草善地，置地以牧之。'故有是命。"

科学技术有进步，置换方法可炼铜。《续资治通鉴》卷一一一："辛卯。朝议以坑冶所得，不偿所废，悉罢监官，以县令领其事。至是江东转运副使马承，奏存饶、信二州铜场。许之。二场皆产胆水，浸铁成铜。元祐中，始置饶州兴利场，岁额五万余斤。绍兴三年，又置信州铅山场。岁额三十八万斤。其法，以斤铁排胆水槽中，数日而出，三炼成铜。率用铁二斤四两，而得铜一斤云。"［思齐按：胆水，天然矿物质溶液，主要成分为硫酸亚铜。这里所用的是化学方法，通过置换反应获取金属铜。］

水战有利器，车船与海鳅。《续资治通鉴》卷一一一："诏湖北安抚使刘洪道、知鼎州程昌寓，并力招捕湖寇杨太。时太据洞庭，有众数万，又有周伦、杨钦、夏诚、刘衡之徒。大造车船，及海鳅船，多至数百。车船者，置人于前后，踏车进退，每舟载兵千余人。又设拍竿，长十余丈，上置巨石，下作辘轳，遇官军船近，即倒拍竿击碎之。官军以此辄败。大率车船如陆战之阵兵，海鳅如陆战之轻兵。又，伦、钦虽各有寨，而专倚舟以为强。诚、衡虽各有舟，而专倚寨以为固。此其所恃也。韩世忠之在湖南也，遣使臣朱实往招之，太不听命。至是昌寓以奏，乃命趣捕之。"［思齐按：杨太，又名杨幺。］

十一月

湖南群盗平。《纲鉴易知录》卷七九："冬十一月，李纲至潭州，湖南群盗平。"

乙丑，陈与义上疏论人才。

十二月

宋罢湖广宣抚使李纲。《纲鉴易知录》卷七九："十二月，罢湖广宣抚使李纲。纲上言：'荆、湖自昔用武之地，今朝廷保有东南，制驭西北，当于鼎、澧、荆、鄂皆宿重兵，使与四川、湘、汉相接，乃有恢复中原之渐。'会吕颐浩言纲纵暴无善状，而谏官徐俯、刘斐亦劾纲，遂罢，提举崇福宫。"

张浚知枢密院事。《纲鉴易知录》卷七九："诏张浚知枢密院事（吕颐浩不悦浚，朱胜非有以宿憾日短浚，故召之，而以陆法原为川、陕宣抚副使，与王似同治司事）。"

本年

张孝祥（1132—1170）生。《宋史》卷三八九《张孝祥传》："张孝祥字安国，历阳乌江人。读书一过目不忘，下笔顷刻数千言。年十六，领乡书，再举冠里选。绍兴二十四年，廷试第一。时策问师友渊源，秦埙与曹冠皆力攻程氏专门之学，孝祥独不攻。考官已定埙冠多士，孝祥次之，曹冠又次之。高宗读埙策皆秦桧语，于是擢孝祥第一，而埙第三，授承事郎、签书镇东军节度判官。谕宰相曰：'张孝祥词翰俱美。'先是，上之抑埙而擢孝祥也，秦桧已怒，既之孝祥乃祁之子，祁与胡寅厚，桧素憾寅，且唱第后，曹泳揖孝祥于殿庭，以请婚为言，孝祥不答，泳憾之。于是风言者诬祁有反谋，系诏狱。会桧死，上郊祀之二日，魏良臣密奏散狱释罪，遂以孝祥为秘书省正字。故事，殿试第一人，次举始召，孝祥第甫一年得召由此。初对，首言乞总揽权纲以尽更化之美。又言：'官吏忤故相意，并缘文致，有司观望锻炼而成罪，乞令有司即改正。'又言：'王安石作《日录》，一时政事，美则归己。故相信任之专，非特安石。臣惧其作《时政记》，亦如安石专用己意，乞取已修《日历》详审是正，黜私说以垂无穷。'从之。迁校书郎。芝生太庙，孝祥献文曰《原芝》，以大本未立为言，且言：'芝在仁宗、英宗之室，天意可见，乞早定大计。'迁尚书礼部员外郎，寻为起居舍人，权中书舍人。初，孝祥登第，出汤思退之门，思退为相，擢孝祥甚峻。而思退素不喜汪澈，孝祥与澈同为馆职，澈老成重厚，而孝祥年少气锐，往往陵拂之。至是澈为御史中丞，首劾孝祥奸不在卢杞下，孝祥遂罢，提举江州太平兴国宫，于是汤思退之客稍稍被逐。寻除知抚州。年未三十，莅事精确，老于州县者所不及。孝宗即位，复集英殿修撰，知平江府。事繁剧，孝祥剖决，庭无滞讼。属邑大姓并海囊橐为奸利，孝祥捕治，籍其家得谷粟数万。明年，吴中大饥，迄赖以济。张浚自蜀还朝，荐孝祥，召赴行在。孝祥既素为汤思退所知，及受浚荐，思退不悦。孝祥入对，乃陈：'二相当同心戮力，以副陛下恢复之志。且靖康以来惟和战两言，遗无穷祸，要先立自治之策以应之。'复言：'用才之路太狭，乞博采度外之士以备缓急之用。'上嘉之。除中书舍人，寻除直学士院兼都督府参军事。俄兼领建康留守，以言者改除敷文阁待制，留守如旧。会金再犯边，孝祥陈金之势不过欲要盟。宣谕使劾孝祥落职，罢。复集英殿修撰、知静江府、广南西路经略安抚使，治有声绩，复以言者罢。俄起知潭州，为政简易，时以威济之，湖南遂以无事。复待制，徙知荆南、荆湖北路安抚使。筑寸金堤，自是荆州无水患，置万盈仓以储诸漕之运。请祠，以疾卒，孝宗惜之，有用才不尽之叹。进显谟阁直学士致仕，年三十八。孝祥俊逸，文章过人，尤工翰墨，尝亲书奏札，高宗见之，曰：'必将名世。'但渡江初，大议惟和战，张浚主复仇，汤思退祖秦桧之说力主和，孝祥出入二人之门而两持其说，议者惜之。论曰：尤袤学本程颐，所谓老成典刑者，立朝抗论，与人主争是非，不允不已，而能令终完节，难矣。谢谔、颜师鲁、袁枢临民则以治辨闻，立朝则启沃忠谏，各举乃职，为世师表。李椿、刘仪凤言论节概，著于行事。张孝祥早负才畯，莅政扬声，迨其两持和战，君子每叹息焉。"

徐俯赐同进士出身。

邓肃（1091—1132）卒。《四库全书总目》卷一五七："《栟榈集》十六卷，福建巡抚采进本，宋邓肃撰。案王明清《挥麈后录》称，宣和壬寅艮岳成，徽宗御制记，李质、曹组各献赋，独太学生邓肃上十诗，备述花石之事，其末句云：'但愿君王安万姓，圃中何日不春风。’诏屏逐之。建康初，李伯纪启其事，荐其才，召对，赐进士出身。后为右正言，著亮直之命于当日。肃字志宏，南剑人，有文集，号栟榈。遗文三十卷，诗附集中云云，即其人也。今本仅诗一卷、词一卷、文十四卷，与三十卷之数不符，殆散佚不完，又经后人重编欤。张邦昌之僭立也，肃间行奔赴南京，其擢右正言即在是时，大节与杜甫略相似。其《靖康迎驾行》、《后迎驾行》等篇，亦颇近甫奉先诸作。在南北宋间，可谓笃励名节之士。”

朱熹本年三岁。

公元 1133 年（宋绍兴三年　金天会十一年　夏正德七年　西辽延庆九年　伪齐阜昌四年　癸丑）

正月

李横伐金。《纲鉴易知录》卷七九：“癸丑，三年，春正月。李横举兵伐金，复颍昌府。横屡败刘豫及金兵，诏以横为襄阳府，邓、随、郢州宣抚使。”

金人陷金州（治西城县，即今陕西安康县）。

陈与义本年四十四岁。己巳，除试尚书吏部侍郎兼侍讲。

二月

吴玠黄柑遗劲敌，子羽据床坐垒口。《纲鉴易知录》卷七九：“三月，刘子羽、吴玠兵溃于饶风关。金人如兴元，子羽、玠还击，破之。金人长驱趋洋、汉。刘子羽闻王彦败，亟命田晟守绕风关，而遣人召吴玠入援。玠自河池日夜驰三百里至饶风，以黄柑遗敌，曰：‘大军远来，聊用止渴。’撒离喝大惊，以杖击地，曰：‘尔来何速邪!’遂悉力仰攻，一人先登，二人拥后，先者既死，后者代攻。玠军弓弩乱发，大石催压，如是者六昼夜，死者山积。敌乃更募死士，由间道自祖溪关入，绕出玠后，承高以阚饶风，诸军不支，遂溃。敌入洋州，玠邀子羽去，子羽不可，而留玠同守定军山。玠难之，虽退保兴元之西县；子羽亦焚兴元，退保大安之三泉县。撒离喝遂入兴元，至金牛镇。四川大震。子羽从兵不满三百，与士卒取草芽木甲食之，遗玠书诀别。玠得书未有行意，其爱将杨政大呼军门曰：‘节使不可负刘待制！不然，政辈亦舍节使去矣!’复往守仙人关，子羽以潭毒山形斗拔，其上宽平有水，乃筑壁垒，方成而金人已至，距营十数里。子羽据胡床坐垒口，诸将泣告曰：‘此非待制坐处。’子羽曰：‘子羽今日死于此!’敌寻亦引去。时张浚亦移受潼川，子羽遗书言已在此，金人必不南，浚乃止。金兵由斜谷北去。撒离喝既至凤翔，遣十人持书招子羽，子羽皆斩之，而纵其一还，曰：‘为我语贼，欲来即来，吾有死尔，何可招也。’初，子羽闻有金兵，预徙梁、洋之积，及金人深入，馈饷不继，杀马及两河所佥军士以食，而子羽、玠复腹背要击之，死伤十五六，疫疠且作，乃引众还。子羽、玠因出师掩其后，金人堕溪涧死者不可胜计，尽弃辎重而走，余兵不能自拔者悉降。子羽遂还兴元。金人始谋，本谓玠在西边，故涉险东来，不虞玠驰至，遂入三州，而得不偿失。”

宋置买马司于宾州。《续资治通鉴》卷一一二：“辛卯，置广西提举买马司于宾州，俸赐视监杂司，凡买马事，略司毋得预。仍命拨本路上供封桩内藏钱各二十七万缗，钦州盐二百万斤，为买马费。以左朝请大夫新知建昌军李预提举。”

宋兴营田法于诸路。《续资治通鉴》卷一一二：“癸巳，都司检详官奏下营田法于诸路。行之。悉以陈规条画为主。其江北无牛之地，仍用古法。以二人拽一锄。凡授田五人为甲，别给菜田五亩，为庐舍稻场。初年免田租之半。兵屯以使臣主之，以岁课多寡为殿最。”

庄绰《鸡肋编》书成，自序署绍兴三年二月九日。［思齐按：该书写成后，还有续作。］

三月

李横攻东京。《纲鉴易知录》卷七九：“三月，李横传檄收复东京，刘豫以金人来战于牟驼冈，横师败绩，颍昌复陷。”

李清照本年五十岁。春暮，作词抒发伤春之情。《好事近》：“风定落花深，帘外拥红堆雪。长记海棠开后，正伤春时节。　　酒阑歌罢玉尊空，青缸暗明灭。魂梦不堪幽怨，更一声啼鴂。”本年之前，李清照曾有《长寿乐》词，贺南昌生日，故系于此。南昌，指诰命为南昌夫人的某妇人。《长寿乐·南昌生日》：“微寒应候，往日边、六叶阶蓂初秀。爱景欲挂扶桑，漏残银箭，杓回摇斗。庆高闳此际，掌上一颗明珠剖。有令容淑质，归逢佳偶。到如今，画锦满堂贵胄。　　荣耀，文步紫禁，一一金章绿绶。更值棠棣连阴，虎符熊轼，夹河分守。况青云咫尺，朝暮重入承明后。看彩衣争献，兰羞玉酎。祝千龄，借此松椿比寿。”

四月

金兵自兴元府北撤。

杨太号大圣天王。《纲鉴易知录》卷七九：“夏四月，杨太僭号大圣天王，诏统制王燮会兵讨之（太又名幺，盖楚人谓年少者为幺云）。”

五月

宋高宗日有常程。《续资治通鉴》卷一一二：“五月乙卯，帝谕大臣曰：‘朕省阅天下事，日有常度。每退朝，阅群臣及四方奏章，少暇即读书史。至申时而常程乃毕，乃习射。晚则复览投匭封事。日日如是也。’”

宋以议和约束边将。《续资治通鉴》卷一一二：“枢密院言，已遣使赴大金议和，恐沿边守将辄发人马，侵犯齐界，理宜约束。诏出榜沿边晓谕。如敢违犯，令宣抚司依法施行。”

六月

宋遣使赴金通问。

王燮节度两湖军事。

岳飞自虔州班师。《纲鉴易知录》卷七九："六月，岳飞讨江、广群盗，悉平之。时虔、吉盗连兵寇掠江、广诸州，帝专命飞平之。飞至虔，固石洞贼彭友悉众至雩都迎战，跃马驰突。飞麾兵即马上擒之，余党皆破降之。初，帝以隆祐太后震惊之故，密令飞屠虔城。飞请诛首恶而赦胁从，帝许焉。虔人感其德，绘像祠之。及入见，帝手书'精忠岳飞'字，制旗以赐之。"

初九日，陈与义言选人改官事。

七月

宋设置博学鸿词科。《续资治通鉴》卷一一二：己未，工部侍郎李擢奏，罢词学兼茂科，改置博学鸿词科，"其法以制、诏、书、表、露布、檄、箴、铭、记、赞、颂、序十二件为题目，古文杂出六题，分三日考试。命官除归明、流外、进纳及犯赃人外，愿试者以所业每题二篇，纳礼部，下两制考校。堪召试者，每举附省试院收。上等改京官，除馆职。中等减三年磨勘。下等减二年，并与堂除，奏补出身人。以赐进士及第、出身、同出身为三等之差，著为令。"

癸未，陈与义兼权直学士院。

八月

岳飞屯驻江洲。

金选授州县官。《续资治通鉴》卷一一二："戊戌，金主诏曰：比以军旅未定，尝命帅府自择人授官，今并从朝廷选法。"

九月

刘豫及金均约交趾扰宋。

岳飞为荆湖江西制置使。《纲鉴易知录》卷七九："秋九月，吕颐浩免。以刘光世、韩世忠为江东、两淮宣抚使，王𤫉、岳飞为荆、湖、江西制置使，分屯沿江诸州。"

金徙女真人居汉地。《续资治通鉴》卷一一二："是秋，金都元帅宗翰，悉起女真土人，散居汉地。惟金主及将相亲属卫兵之家得留。"

十一日，谢客家跋赵明诚旧藏《蔡襄谢御书诗卷》于海安法慧寺。

十月

大理入贡卖马。《续资治通鉴》卷一一三："甲午，大理国请入贡，且卖马。帝谕大臣曰：'令卖马可也，进奉可勿许。安可利其虚名而劳民乎？'朱胜非曰：'异时广西奏大理入贡，事可为鉴。'帝曰：'遐方异域，何由得实？彼云进奉，实利贾贩。'第令帅臣边将偿其马直当价，则马当继至，庶可增诸将骑兵，不为无益也。"

刘豫进犯襄邓。

十一月

宋复行元祐十科取士之制。《续资治通鉴》卷一一三：“甲戌，诏复司马光十科取士之制，令文武侍从官，岁各举三人。”

十二月

金使至宋行在。

金兀术陷和尚原。

丁未，陈与义论选人。

本年

陈造（1133—1203）生。正月初一日，陈造生。陆心源《宋史翼》卷二九：“陈造字唐卿，高邮人。年二十五始知为儒，贫不能自振。妻张氏，富室也，捐所有以左右所无。年三十四登乙未科，调繁昌尉，改平江府教授。范成大见其诗文，曰：‘唐卿亦高邮人，使遇欧、苏，盛名当不在少游下。’尚书尤袤、枢密罗点得其骚词、杂著，手之不置。寻知明之定海县，以荐通判房陵，摄郡事，皆有最绩。秩满，授朝散郎、浙西路安抚使参议官，曰：‘吾得尽偿诗债，足矣。’改淮南西路参议官，晚年自号江湖长翁。有集四十卷。其诗文居今笃古，一洗南宋纤巧俚俗之病，卓然自立于颓波之外。”

张栻（1133—1180）生。朱熹《右文殿修撰张公神道碑》：“淳熙七年春二月甲申，秘阁修撰、荆湖北路安抚、广汉张公卒于江陵之府舍。其弟衡州史君杓护其柩以归葬于潭州衡阳县枫林乡龙塘之原，按令式立碑墓道，而以书来谓熹曰：‘知吾兄者多矣，然最其深者莫如子，今不可以不铭……’公讳某，字敬夫，故丞相魏国忠献公之嗣子也。生有异志，颖悟夙成，忠献公爱之。自其幼学，而所以教者莫非忠孝仁义之实。既长，又命往从南岳胡公仁仲先生问河南程氏学。先生一见，知其大器，即以所闻孔门论仁亲切之旨告之。公退而思，若有得也，以书质焉。而先生报之曰：‘圣门有人，吾道幸矣。’公以是益自奋厉，直以古之圣贤自期，作《希颜录》一篇，蚤夜观省，以自警策。所造既深远矣，而又未敢自以为足，则又取友四方，益务求其学之所未至。盖玩索讲评，践行体验，反复不置者十有余年，然后昔之所造深者益深，远者益远，而反以得乎简易平实之地。其于天下之理，盖皆了然心目之间，而实有以见其不能已者。是以决之勇，行之力而守之固，其所以笃于俊勤、一于道义而没世不忘者，初非有所勉慕而强为也。少以荫补右承务郎，辟宣抚司都督府书写机宜文字，除直秘阁。是时天子新即位，慨然以奋伐仇虏、克复神州为己任。忠献公亦起谪籍，受重寄，开府治戎，参佐皆极一时之选。而公以藐然少年，周旋其间，内赞密谋，外参庶务，其所综画，幕府诸人皆自以为不及也……已而忠献公辞位去，用事者遂罢兵，与虏和。虏乘其隙，反纵兵入淮甸，中外大震。然庙堂犹主和议，至敕诸将勿得以兵向虏。时忠献公已即世，公不胜君亲之念，甫毕藏事，即拜疏言……疏入不报。后六年，始以补郡临遣，得复见上。时宰相虽以恢复之说自任，然所以求者类非其道。且妄以公素论当与己合，数遣人致殷勤。公不答……明年召还，宰相又方谓虏势衰弱可图，建遣泛使往责陵寝之故，士大夫有忧其无备而召兵者，皆斥去之。于是公见上，上曰：'卿知虏中事乎?'公对曰：'不知也。'上曰：'虏中饥馑连年，盗贼四起。'公又对曰：'虏中之事臣虽不知，然境中之事则知之详矣!'上曰：'何事?'公遂言曰：'臣窃见比年诸道亦多水旱，民贫日甚，而国家兵弱财匮，官吏诞谩，不足倚仗。正使彼实可图，臣惧我之未足以图彼也。'上为默然久之。公因出所奏书读之曰……上为悚听，改容称善，至于再三。公复读曰……上为叹息褒谕，以为前未始闻此论也。其后又因赐对，反复前说，上益嘉叹，面谕'当以卿为讲官，冀时得晤语也'。时还朝未期岁，而召对至六七。公感上非常之遇，知无不言。大抵皆修身务学、畏天恤民，抑权倖、屏谗谀之意。至论复仇之义，则反复推明所以为名实之辨者益详。于是宰相益惮公，而近倖尤不悦，遂合中外之力以排之，而公去国矣。盖公自是退居三年，更历两镇，虽不复得闻国论，而蚤夜孜孜，反身修德，爱民讨军，以俟国家扶义正名之举，尤极恳至。于是天子益知公可用，尝赐手书褒其忠实，盖将复大用之，而公已病矣。病亟且死，犹手书劝上以亲君子、远小人，信任防一己之偏，好恶公天下之理，以清四海，克固丕图，若眷眷不能忘者。写毕，缄付府僚，使驿上之，有顷而绝。呜呼！靖康之变，国家之祸乱极矣。小大之臣奋不顾身以任其责者盖无几人。而其承家之孝，许国之忠，判决之明，计虑之审，又未有如公者。虽降命不长，不克卒就其业，然其志义伟然，死而后已，则质诸鬼神而不可诬也。始，公出幕府，即罹外艰。屏居旧庐，不交人事。会盗起郴、桂间，声摇数路。湖南帅守刘公珙雅善公，时从访问筹策，卒用以破贼。还朝，为上极言公学行志业非常人比，上亦记公议论本末，除知抚州。未上，改严州。到任问民疾苦，首以丁盐钱绢太重为请，得蠲是岁半输。召为尚书吏部员外郎，兼权左右司侍立官。时庙堂方用史正志为发运使，名为均输，而实但尽夺州郡财富以惑上听，远近骚然，人不自安。贤士大夫争言其不可，而少得其要领者。公亦为上言之，上曰：'正志以为今但取之诸郡，非取之于民也，何伤?'公对曰：'今日州郡财富大抵劫劫无余，若取之不已而经用有阙，则不过巧为名色而取之于民耳。'上闻之瞿然，故谓公曰：'论此事者多矣，未有能及此者。如卿之言，是朕假手于发运使以病吾民也。'旋阅其实，果如公言，即诏罢职。兼侍讲，除左司员外郎。经筵开，以《诗》如侍，因《葛覃》之篇以进说曰：'治常生于敬畏，乱常起于骄淫。使为国者每念稼穑之劳，而其后妃不忘织纴之时，则心之不存者寡矣。周之先后勤俭如此，而其后世犹有以休蚕织而为厉阶者，兴亡之效，于此见矣。'既又推广其言，上陈祖宗自家刑国之懿，下斥当时兴利扰民之害详焉。上亦叹曰：'此王安石所谓人言不足恤者，所以误国事也。'俄而，诏以知阁门事张说签书枢密院事，公夜草手疏，极言其不可，且造诣宰相质责之，语甚切。宰相惭愤不堪，而上独不以为忤，亲札疏尾付宰相，使谕指。公复奏曰：'文武之势诚不可以太偏，然今欲左文右武以均二柄，而所用乃得如此之人，非惟不足以服文吏之心，正恐反激武臣之怒也。'于是上意感悟，命得中寝。然宰相实阴附说，明年，乃出公知袁州，而申说前命，于是中外欢哗，而说后竟谪死云。淳熙改元，公家居累年矣，上复念公，诏除旧职，知静江府，经略安抚广西南路。

……上闻公治行，且未尝叙年劳，乃召特转承事郎、进直宝文阁再任。五年，除秘阁修撰、荆湖北路转运副使，改知江陵府，安抚本路……盖方是时，上所以知公者愈深，而恶公者忌之亦愈力。公自以不得其志，数求去不得，寻以病请，乃得之。然比诏下，以公为右文殿修撰、提举武夷山冲佑观，则已不及拜矣。卒时年四十有八。柩出江陵，老稚挽车号恸，数十里不绝。讣闻，上亦深为嗟悼。四方贤士大夫往往出涕相吊，而静江之人哭之尤哀。盖公为人坦荡明白，表里洞然，诣理既精，信道又笃，其乐于闻过而勇于徙义，则又奋厉明决。无毫发滞吝意。以至疾病垂死而口不绝吟于天理人欲之间，则平日可知也。故其德日新，业日广，而所以见于论说行事之间者，上下信之至于如此。虽小人以其好恶之私，或能壅害于一时，然至于公论之久长，盖亦莫得而揜之也。公之教人，必使之先有以察乎义利之间，而后明理居敬，以造其极。其剖析开明，倾倒切至，必竭两端而后已。所为郡必葺其学，于静江又特盛。暇日召诸生告语不倦，民以事至廷中者，亦必随事教戒，而于孝悌忠信、睦姻任恤之意尤孜孜焉。犹虑其未遍也，则又刻文以开晓之。至于丧葬嫁娶之法，风土习俗之弊，则列其事以为戒。命闾井各推耆宿，使为乡老，授之夏楚，使以所下条教训厉其子弟，不变，然后言之有司而加法刑焉。在广西，刑狱使者陆济之子弃家为浮图，闻父死，不奔丧。为移诸路，俾执拘以付其家。官吏有犯名教者，皆斥遣之，甚或奏劾抵罪。尤恶世俗鬼神老佛之说，所至必屏绝之。盖所毁淫祠前后以百数，而独于社稷山川、古先圣贤之奉为兢兢，虽法令所无，亦以义起。其水旱祷祠，无不应也。平生所著书，惟《论语说》最后出，而《洙泗言仁》、《诸葛忠武侯传》为成书。其他如《书》、《诗》、《孟子》、《太极图说》、《经世编年》之属，则犹欲稍更定焉而未及也。然其提纲挈领，所以开悟后学，使不迷于所乡，其功则已多矣。盖其常言有曰：'学莫先于义利之辨，而义也者，本心之所当为而不能自已，非有所为而为之者也。一有所为而后为之，则皆人欲之私，而非天理之所存矣。'呜呼，至哉言也！其亦可谓扩前圣之所未发而同于性善养气之功者欤！公之州里世系已见于忠献公之碑，此不著。"

朱熹本年四岁。

公元1134年（宋绍兴四年　金天会十二年　夏正德八年　西辽延庆十年　伪齐阜昌五年　甲寅）

正月

宋遣龙图阁学士枢密都承旨章谊为使节赴金通问。

金以韩企先为相。《续资治通鉴》卷一一三："先是，金以韩企先为尚书左丞相，召至上京，金主见之，惊异曰：'朕畴昔常梦此人，今果见之！'于是议定制度，损益旧章。企先博通经史，知前代故事，或因或革，咸取折衷焉。甲子，以改定制度，宣示中外。"

修德抚民可应天，消灾何必用祷文。《续资治通鉴》卷一一三："癸酉，辅臣进呈张浚奏：'四川自七月以来霖雨地震，盖名山大川久阙降香，乞制祝文付下。'帝曰：'霖雨地震之灾，岂非重兵久在蜀，调发供馈，椎肤剥体，民怨所致。当修德抚民以应之，又何祷乎？'"

宋浚漕河。《续资治通鉴》卷一一三："浚漕河，以漕运不通故也。诏役兵得遗物者，以十分之四给之。河中遗骸，听僧徒收瘗，数满二百，给度牒一道。统用二浙厢军四千余人，月余而毕。"

宋秦州观察使熙河兰廓路马步军总管关师古叛降伪齐。

二月

杨太分散民众，继续造反活动。《续资治通鉴》卷一一三："二月辛巳朔，张浚至潭州。时鼎寇杨太，既为官军所败，其党渐散。贼防之甚严，邻居失觉者，其罪死。间有得达官地，保甲又利其财而杀之。知鼎州程昌寓，乃募人能降者，与获级同，故降者稍众。浚至，遂留左朝散郎权枢密院计议官冯檝为荆湖抚谕，俾同安抚使折彦质，措置招安。会岳州进士王朝倚，在贼寨脱归，自言知贼虚实，诏赴都堂审问。后数日，有旨令王燮与彦质招安。然贼方恃水出没，其所据北达公安，西及鼎澧，东至岳阳，南抵长沙之界，春夏耕耘，秋冬攻掠，跳梁自如，未有降意也。"

陈与义本年四十五岁。乙未，奏请搜访上书党籍人姓名录。丙申，以病辞剧，改试礼部侍郎兼侍讲兼权直学士院。

三月

吴玠败金兵于仙人关。《纲鉴易知录》卷七九："三月，吴玠、吴璘与金兀术战于仙人关，大败之。先是，璘守和尚原，馈饷不继，玠虑金人必复深入，且其地去蜀远，乃命璘别营垒于仙人关右之地，名曰杀金平，移兵守之。至是，兀术、撒离喝、刘夔帅步骑十万破和尚原，进攻仙人关，自铁山凿崖开道，循岭东下。玠以万人守杀金平，以当其冲。璘自武阶路入援，冒围转战七昼夜，始得与玠会于仙人关。敌首攻玠营，玠击走之。又以云梯攻垒壁，杨政以撞竿碎其梯，以长矛刺之。金军分为二，兀术阵于东，韩常阵于西，璘率锐卒介其间，左绕右萦，随急而后战。数日，玠大出兵。统领王善、王武率锐士分紫、白旗入金营。金阵乱，奋击，射韩常中左目，金人始宵遁。玠遣统制官张彦劫横山寨，王俊伏河池，扼其归路，又败之。是役也，兀术以下皆携妻孥来。刘夔乃刘豫腹心，本谓蜀可图，既不得逞，度玠终不可犯，乃还据凤翔，授甲士田，为久留计，自是不妄动矣。"

癸亥，陈与义讲明堂之礼。

四月

吴玠收复秦、凤二州。

五月

岳飞收复郢、唐、襄阳。《纲鉴易知录》卷七九："五月，以岳飞兼荆南制置使。

时杨太与刘豫通，欲顺流而下。李成既据襄阳，又欲自江西陆行趋浙，与太会。帝命飞为之备。朱胜非言：'襄阳，国之上流，不可不急取。'飞亦奏：'襄阳等六郡为恢复中原基本，今当先取六郡，以除心膂之病，李成远遁，然后加兵湖、湘，以殄群盗。'帝以语赵鼎，鼎曰：'知上流利害，无如飞者。'除飞荆南制置使。飞渡江，中流顾幕属曰：'飞不擒贼不涉此江！'"［思齐按：请注意，过去人们只留意到杨太（幺）起事具有农民起义之性质之一面，未留意其勾结伪政权分裂国家之一面。］

六月

岳飞收复随州。

七月

岳飞复襄阳等六郡。《纲鉴易知录》卷七九："岳飞复襄阳等六郡。（襄、汉悉平，飞移屯德安，军声大振。捷闻，帝喜曰：'朕素闻飞行军有纪律，未知其能破敌如此。'）"

宋建昌军乱。《续资治通鉴》卷一一四："建昌军乱，杀知军事左朝请郎刘滂。建昌兵素骄，邀取无艺，滂以法裁之。及是市肆聚博，群卒掠取，不从，遂毁撤其肆，殴伤其人。滂杖而责偿之。众愤，兵马监押沈敦智，以俸缗代偿，且以言激众军士。修达、饶青等相与作乱，杀滂及其家，通判军事张棫、判官赵不停，皆死。贼遂胁寓居左中大夫提举亳州明道宫张羲叔权军事，尽刺强壮为兵，欲纵掠旁郡，羲叔谕止之，乃婴城自守。滂，东阳人，尝为太常博士，用近臣詹乂、汪藻、李公彦荐，守建昌军，及是遇害。……丙寅，神武右军统领官赵详等，引兵入建昌军，执叛兵诛之。先是朝廷命详自虔州进兵，而江西制置使胡世将，亦遣左朝请大夫本司参议官侯懿、中军统领官邱赟，与之会。前一日，懿等至城下，权军事左中大夫张羲叔，遣叛兵刘净等就招。翼日，军中胁从者六百余人，解甲出城。其首谋犹不出，懿等纵兵入城，贼败走，追杀五百余人。时降者尚怀反侧，懿尽诛之。既而羲叔待罪于朝，士民言其有抚定之劳，乃诏放罪。于是叛兵所掠金帛子女，多为懿所取而去。……执政进呈赵详已平建昌叛兵，帝曰：'官兵既入城，宁免玉石俱焚?'赵鼎进曰：'未必敢肆杀戮，恐须劫掠耳。'帝愀然不悦，曰：'斯民无辜，遽遭此祸！'其令有司优恤之。"

八月

杨太击败官军于鼎江。《纲鉴易知录》卷七九："杨太败官军于鼎江，诏岳飞移兵讨之。王燮遣忠锐统制崔增等讨太于鼎江，师败皆没。太乘大水出兵，攻破鼎州社木寨，守将许筌战没，官军死者甚众。于是授飞清远军节度使，代王燮讨太。飞时年三十二，中兴诸将建节未有如飞之年少者。"

辛丑，陈与义自尚书礼部侍郎兼侍讲兼权直学士院，除徽猷阁直学士，出知湖州。

李清照本年五十一岁。作《金石录后序》。

九月

刘豫使其子麟以金兵入寇，于是金兵复侵宋。

赵鼎为相。《纲鉴易知录》卷七九：“以赵鼎为尚书右仆射同平章事，兼知枢密院事。时边报骤至，举朝震恐。鼎将赴川、陕，陛辞，帝曰：‘卿岂可远去，当遂相朕。’制下，朝士相庆。”

十月

召张浚于福州。《纲鉴易知录》卷七九：“召张浚于福州。初，浚至福州，虑金、齐必并力窥东南，而朝廷已议讲解，因上疏极言其状。至是帝思其言，会赵鼎劝帝亲征，帝从之。喻樗谓鼎曰：‘六龙临江，兵气百倍，然公自度此举果出万全乎？或姑试一掷也！’鼎曰：‘中国累年退避不振，敌情益骄，义不可更屈，故赞上行耳。若事之济否，则非鼎所可知也。’樗曰：‘然则当思归路耳。张德远有重望（张浚字德远），若使宣抚江、淮、荆、浙、福建，俾以诸道兵赴阙，则其来路即朝廷归路也。’鼎然之，入言于帝，遂召浚，以资政殿学士提举万寿观，兼侍读。”

韩世忠建大仪捷，中兴武功数第一。《纲鉴易知录》卷七九：“韩世忠大败金人于大仪，追至淮而还。世忠至扬州，使统制解元守承州，候金步卒，亲提骑兵驻大仪，以当敌骑，伐木为栅，自断归路。会魏良臣使金过之，世忠撤炊爨，绐良臣有诏移屯平江，良臣疾驰去，世忠度良臣已出境，即上马令中军曰：‘眂吾鞭所向！’于是移军向大仪，勒五阵，设伏二十余所，约：‘闻鼓即起击！’良辰至金军中，金前将聂儿孛堇问官军动息，具以所见对。孛堇大喜，即引兵至江口，距大仪五里，别将挞不野拥铁骑过五阵东，世忠传小麾鸣鼓，伏兵四起，旗色与金人旗杂出，金军乱，官军迭进。世忠令背嵬军各持长斧，上揕人胸，下斫马足。敌被甲陷泥淖，世忠麾劲骑四面蹂躏，人马俱毙，遂擒挞不野等二百余人，而世忠所遣董旼亦击败金人于天长之鸦口桥。解元至承州北门遇敌，设水军夹河阵，一日十三战，相拒未决。世忠遣成闵将骑士往援，复大战，俘获甚多。世忠复亲追至淮，金人惊溃，相蹈藉溺死者甚众。捷闻，群臣入贺，帝曰：‘世忠忠勇，朕知其必能成功。’沈与求曰：‘自建炎以来，将士未尝与金人迎敌一战，今世忠建捷，厥功不细。’论者以此举为中兴武功第一。”

宋令江浙纳折帛钱。

十一月

宋高宗自将御金，次于平江。

张浚视师江上。《纲鉴易知录》卷七九：“以张浚知枢密院事，视师江上。浚至，见赵鼎，执其手曰：‘此行举事，皆合人心。’鼎笑曰：‘喻子才（喻樗字子才）之功也。’复命浚知枢密院事，以其尽忠竭节诏谕中外。浚既受命，即日起江上视师。时挞懒、兀术拥兵十万，约日渡江决战。浚长驱临江，召刘光世、韩世忠、张俊议事，将士见浚，勇气十倍。浚既部分诸将，身留镇江，以节度之。”

二十四日，李清照在金华完成《打马图经》，并为之作序。又作《打马赋》及《打马图经命辞》。

十二月

金兵自淮引还。《纲鉴易知录》卷七九：“金兵自淮引还。挞懒屯泗州，兀术屯竹墩镇，为韩世忠所扼，以书币约战。世忠遣麾下王愈及两伶人以橘茗报之，且言：‘张枢密已在镇江。’兀术曰：‘张枢密贬岭南，何得乃在此?’愈出浚所下文书示之，兀术色变，遂有归意。会雨雪，馈道不通，野无所掠，杀马而食，蕃、汉军皆怨，又闻金主晟病笃，乃夜引还。兀术等既去，刘麟、刘猊不能独留，亦弃辎重遁。”

赵鼎真宰相，中兴有希望。《纲鉴易知录》卷七九：“帝谓赵鼎曰：‘近将士致勇争先，诸路守臣亦翕然自效，乃朕用卿之力也。’鼎谢曰：‘皆出圣断，臣何力之有?’或问鼎曰：‘金人倾国来攻，众皆汹惧，公独言不足畏，何也?’鼎曰：‘敌众虽盛，然以刘豫邀而来，非其本心，战必不力，是以知其不足畏也。’帝语张浚曰：‘赵鼎真宰相，天使佐朕中兴，可谓宗社之幸。’”

岳飞败金兵于庐州。滁州金兵亦败退。

本年

薛季宣（1134—1173）生。吕祖谦《薛常州墓志铭》：“公讳季宣，字士龙，起居之子也。起居学于胡文定公安国，而雅为赵忠简公鼎所厚，其立朝皆有本末。最后奏丞相桧建与虏和，起居自殿坳直前，引义固争，反复数刻。中寒疾以卒，夫人胡氏亦继卒，于是公生六年矣。伯父待制收鞠之，任以官。公幼逮事过江诸贤，闻中兴经理大略，已能识之。喜从老校退卒语。得岳、韩二三大将兵间事甚悉。志尚荦荦，与常儿异。年十七，起从妻父荆南帅孙汝翼，辟书写机宜文字。荆州善袁溉道洁，虚郡斋迎致之，公遂委已师焉……道洁语公伊洛轶书多在蜀，时同郡萧振方制置四川，乃往为其属。道洁期至蜀，授以书……调鄂州武昌令……当是时，诸公争知之，举辟交至，公一无所就，从吏部铨得婺州司理参军，召对，首言治体有本末，愿遴三公之选，责以进人才，张纪纲，延端直之士，与之讲问学，求治道……王枢使炎前在鄂，熟公治行，及是新得政，求助于公，公语之曰：‘上天资英特，群臣幸得遭时，乃忽略根本而奔走军旅之间，盖以仁义纲纪为本。至于用兵，请俟十年之后。’改宣义郎，知平江府常熟县。退待次，具区瀼上。明年，复召审察，公固辞，徘徊逾年，乃就道，至则除大理寺主簿。是岁，江湖大旱，流民往往北渡江，边吏复奏淮北民多款塞者，虞丞相允文白遣公行淮西，收以实边……始公以乾道七年十二月至淮西，反命以明年之夏……光守宋端友，自上招集北归户一百十七，公至固始，验新民止五户，余皆保塞数年，端友混新旧户为一以幸赏，异时有以善马涉淮者，杀而要夺之。公亟亟具奏，端友有挟，人谓章且不下，语闻，上感悟，属廷尉治。方穷尽，端友以忧死，刁为谋者皆竦。而虞丞相始不乐公矣，故为多端縻公，以缓其归。或迎说公见上盍少自绌，毋与当路者忤，公曰：‘上遣我视边，欲得利害之实。’卒极陈之……上是之。隆兴以来，经理两淮，受遣者且数十辈，发御府金缯，听施置自便，阅十年，鲜有当上意者。及公使事有绪，恨得公晚，道进官二等，除大理正，侧席迟其至。故闻紬绎，奏著论荐，皆报可，闻者意公且用矣。居七日，出守湖州。入辞，语意恳到，上慰勉遣焉……初，陈亨伯割诸道留州钱输大农，号经制，翁彦国复附以总制，嗜进者竞裒敛以应赏格，已而遂定其多数为岁额。州用日削，而供亿稍饩，较军兴前五六倍，吏骫法擿抉无遗笔，犹廪廪不能给。至是户部令提点刑狱司以历付场务，一钱以上皆分隶经总制如式。诸郡被符，拱手无策，相顾莫敢先，公独言于朝……户部镌谯愈急，公争之愈强，台谏亦交疏助公，遂收前令不布。凡可以纾民力者，知无不言，如论和籴贾贱，请更平直，徙汰军宽州，添差隶郡者止今见员，后勿遣，函封相继，多格于有司。则以病谒祠，朝廷惜之，却其请。至八九，知不可夺，改知常州。未上，以乾道七年九月戊申卒于家，年四十，官止奉议郎。娶孙氏。子沄，补太学生。公之殁，其友张淳治丧，程以古礼，公配孙夫人以顺听不违，里中观法焉。十二月壬申葬于永嘉县吹台乡慈湖之原……公之学既有所授，博览精思，几二十年，百氏群籍，山经地志，断章阙简，研索不遗。过故墟废垄，环步移日，以验其迹。参绎融液，左右逢源，凡疆里卒乘，封国行河，久远难分明，一经公讲画，枝叶扶疏，缕贯脉连，于经无不合，于事无不可行。涖官随广狭默寓之于簿领期会之间，其所部吏曹经时而不知公为儒者也。平生所际文武之职不同，未尝为町畦崖岸，而去就从违之际，守义不可夺。言兵变化若神，而在朝每以不可轻试为主，所见疏快轩豁。潜察之，自律严饬。虽倥偬，札翰正楷，无一惰笔。少年豪举，既知学，销落不留，省其私泊如也。其为人平实质确，本于简易，行于敬恕，而坚志强力又足以充践之。善类方共倚属公，而公则死矣。《诗》、《易》、《春秋》、《中庸》、《大学》、《论语》皆有训义。他所论著，若《九州图志》之属，稿方立而未就也。岁在壬午，先君子守黄，公夹江为令，归以公所为语某，固已矍然自失。后十载，乃识公于朝，一见莫逆如故交。其葬也，张淳既志其圹，沄复请诗以揭之。丧不能文，今既免丧不死矣，其可不为公一言乎！"

江端友（？—1134）卒。《宋诗纪事》卷三三："端友字子我，陈留人，邻几之孙，以元祐党，隐居封丘门外。靖康出，吴敏荐，召见，以为承务郎，赐进士出身，诸王宫教授。上书辩宣仁诬谤，遭黜。渡江，寓居桐庐之鸬鹚原。后为太常少卿，有《七里先生自然庵集》。"又，《江西诗派小序·江子之》："［端本］子我弟也。子我诗多而工，舍兄而取弟，亦不可晓。岂子我自为家，不肯入社如韩子苍耶？"

邵伯温（1057—1134）卒。范公偁《过庭录》："邵伯温子文，康节先生子也，才而有文，为陕西宣抚司书写机宜文字，与路钤李君交往甚熟。李家有数侍婢，每遇歌宴，子文必预。后十余年，子文与李氏邂逅长安，而李君已死，适值其妻生辰，命子侄宴子文于书舍，遣旧婢出舞。酒酣，子文感怆宿昔，即席作词，末章云：'翻翻绣袖上红裀，舞姬犹是旧精神。座中莫怪无欢意，我与将军是故人。'诸子得之，入呈其母，皆感泣不自胜，乃令谓子文曰：'宅中得公佳词，情绪作恶，难复行酒，即容别日款会。'子文不终席而退，良久怃然曰：'所谓口乃祸门。'此事即传于时。外日，子文谒一当位而不相识，问之，答曰：'此乃李家作调笑者。'"

谢克家（？—1134）卒。李正民《谢克家兵部尚书制》："具官材度宏深，性资忠厚，殖学造古人之蕴，摛辞追作者之英。早师表于儒宫，遂翱翔于谏省。文章尔雅，入更四禁之游；悃愊无华，出载列城之誉。久辞著位，想见仪型。比锡对于便朝，实副怀于虚伫。宜陟中兵之长，进联八座之崇。时属多虞，朝方尚武。虽军旅征发，必资庙算之奇，而献纳论思，允赖辰猷之告。益殚忠荩，图济艰难。”

陈克（1081—?）作词《临江仙》，反映靖康以来，连年战争不断动乱生活的一个侧面。词云：“四海十年兵不解，胡尘直到江城。岁华销尽客心惊。疏髯浑似雪，衰涕欲生冰。　　送老齑盐何处是，我缘应在吴兴。故人相望若为情。别愁深夜雨，孤影小窗灯。”

朱熹本年五岁，始入小学。

公元1135年（宋绍兴五年　金天会十三年　夏大德元年　西辽康国元年　伪齐阜昌六年　乙卯）

正月

金太宗死，金熙宗立。《纲鉴易知录》卷八十：“金主吴乞买卒，兄之孙亶立（亶，太祖之孙合剌也）。”《续资治通鉴》卷一一五：“己巳，金主殂于明德宫，年六十一，谥曰文烈皇帝，庙号太宗，后增上尊谥曰：体元应运世德昭功哲惠仁圣文烈皇帝。太宗在位十三年，宫室苑籞，无所增益。承太祖草创之后，以杲、宗幹知国政，以宗翰总戎事，既灭辽破汴，即议礼制度，治历明时，经国规摹，至是始定云。庚午，安班贝勒亶承遗诏，即位于柩前。”

二月

宋高宗回临安。

作太庙于临安，失兴复之大计。《纲鉴易知录》卷八十：“作太庙于临安。侍御史张致远言：‘创建太庙，甚失兴复大计。’殿中侍御史张绚亦言：‘去年建明堂，今年立太庙，是将以临安为久居之地，不复有意中原。’不报。”

吴玠遣军收复秦州。

陈与义本年四十六岁。丙子，召试给事中。

闰二月

南宋刊印书籍。《续资治通鉴》卷一一五：“尚书兵部侍郎兼史馆修撰王居正言：‘四库书籍多阙，乞下诸州县，将已刊到书板，不拘经史子集小说异书，各印三帙赴本省。系民间者，官给纸、墨、工价偿之。’从之。”

唐开献《国朝会要》。《续资治通鉴》卷一一五：“保义郎唐开，特换右迪功郎。开献《国朝会要》三百卷，诏进一官。自言本诸生，故有是命。”

宋设总制司，增税供军需。

韩世忠率军北上。

宋朝廷制定招捕杨太等之约束。《续资治通鉴》卷一一五："辛酉，都督行府奏招捕水贼杨太等约束。时张浚以建康东南都会，而洞庭实据上流。今寇日滋，壅遏漕运，格塞形势，为腹心害，不去之无以立国。然寇阻大湖，春夏耕耘，秋冬水落，则收粮于湖寨，载老小于泊中，而尽驱其众四出为暴。前日朝廷反谓夏多水潦，屡以冬用师，故寇得并力，而我不得志。今乘其怠，盛夏讨之。彼众既散，一旦合之，疲于奔命，又不得守其田亩，禾稼蹂践，则有秋冬绝食之忧，党与携离，方可招徕。乃以便宜命荆、潭、鼎、醴、岳州，将逐寨出首人多方存恤，首领申行府收官，余人给以闲田，贷之种子。又命湖南安抚司统制官任士安，以兵三千屯湘阴，保护湘江粮道。统制官郝晸屯桥口，王俊屯益阳旧县，吴锡屯公安，崔邦弼屯南阳渡，马浚、步谅留潭州。其鼎州官兵，令程千秋分拨紧要屯驻。应诸校招收致人数，比附出战获级例推赏。其招收人报所属给种授田，务令安业。候黄诚、杨太、周谕公参了日，当议蠲免租税，补授官资，仍给黄榜。下任士安军及岳、潭、鼎州军抚谕。"

陈与义言雇船转输之弊。

李清照本年五十二岁。在金华，有词《武陵春》："风住尘香花已尽，日晚倦梳头，物是人非事事休，欲语泪先流。　　闻说双溪春尚好，也拟泛轻舟，只恐双溪舴艋舟，载不动、许多愁。"又有诗《题八咏楼》："千古风流八咏楼，江山留与后人愁。水通南国三千里，气压江城十四州。"春，朱敦儒有词《鹊桥仙·和李易安金鱼池莲》，李清照原作已佚。

四月

团结濒海居民，结为海社备盗。《续资治通鉴》卷一一五："诏福建广东帅臣，措置团结濒海居民为社，擒捕海贼。时宝文阁直学士连南夫，论海寇之患，谓：'国家每岁市舶之入数百万，今风信已顺，而舶船不来，闻有乘黄屋而称侯王者。臣恐未易招也。愿令委州县措置团结濒海居民，五百人结为一社，不及三百人以下，附近社。推材勇物力人为社首，其次为副社首，备坐圣旨给帖差捕。盖滨海之民，熟知海贼所向，今听其会合，如擒获近上首领，许保奏优与补官，其谁不乐为用?'乃下张守、曾开，相度如所请。"

宋改革役法。

宋徽宗（1082—1135）卒于金之五国城。

杨时（1053—1035）卒。《纲鉴易知录》卷八十："龙图阁直学士致仕杨时卒。时奉祠致仕，优游林泉，以著书讲学为事。东南学者推时为程氏正宗，胡宏、罗从彦皆其弟子。卒年八十三，谥文靖。"杨时著有《龟山集》、《二程粹言》。

豫章先生罗从彦。《纲鉴易知录》卷八十："从彦，南剑人，初为博罗主簿，闻时得程氏之学，慨然慕之。及时为萧山令，从彦徒步往学，见时三日，即惊汗夹背曰：'不至是，几虚过一生矣！'既卒业归，筑室山中，绝意仕进，学者称为豫章先生。朱熹谓：'龟山倡道东南（龟山，杨时号），士之游其门者甚众，然潜思力行，任重诣极者，豫章先生一人而已。'"

延平先生李侗。《纲鉴易知录》卷八十："延平李侗，初从从彦学，从彦令于静中看喜、怒、哀、乐未发前气象，而求所谓中者。久之，于天下之理，该摄洞贯，以次融释，各有条序。退居山中，谢绝世故，凡四十年。其接后学，答问不倦，常曰：'学之道不在多言，但默坐澄心体认，天理自见。'学者称为延平先生。朱熹尝从侗受学，每称侗资禀劲特，气节豪迈，而充养完粹，无复圭角，自然之中若有成法。平居恂恂，无甚可否，及酬酢事变，断以义理，别有截然不可犯者。"

壬子，陈与义请申严奏谳不当之令。是月，陈与义尝密荐周葵。［思齐按：周癸(1098—1174)，字立义，晚年自号惟心居士，常州宜兴人，隆兴元年六月拜参知政事。］

五月

宋遣使赴金。

张浚视师潭州，部署招徕水贼。《纲鉴易知录》卷八十："张浚至潭州。初，浚自建昌西上，而枢密副都承旨沿江制置使马扩自武昌召归。乃以为都督行府都统制。浚行至醴陵，狱囚数百人，尽杨太遣为间探者，安抚使席益傅致远县囚之。浚召问，尽释其缚，给以文书，俾分示诸寨曰：'今既不得保田亩，秋冬必乏食，且馁死矣。不若早降，即赦尔死。'数百人欢呼而往。浚至长沙，贼首黄诚、周伦，先请受约束。于是相率来降。然诚等屡杀招安吏士，犹自疑不安。浚遣制置使岳飞，分兵屯鼎、醴、益阳，压以兵势，贼大惊，遂订出降之计。"

六月

宋行统元历。

岳飞攻占洞庭水寨。《续资治通鉴》卷一一五："六月甲辰，洞庭贼杨钦将所部三千人诣岳飞降。初，张浚至长沙，亲临湖以观贼势，疑未可攻。会召浚还朝，谋防秋之计。飞至潭州，抽出小图示浚，浚欲俟来年议之，飞曰：'已有定画，都督能少留否？八日可破。'君曰：'何言之易？'飞曰：'王四厢以王师攻水寇则难，飞以水寇攻水寇则易，水战我短彼长，以所短攻所长，故难。若因敌势，用敌兵夺其手足之助，离其腹心之托，而后以王师乘之，八日之内，当俘诸贼。'浚许之。先是，湖南统制官任士安、王俊、郝晸等，领兵二万余，不禀王燮号令，遂至于败。及飞始至，鞭士安以折其气，使为贼饵，令曰：'三日不能平贼，皆斩。'先扬言岳太尉将二十万兵至矣，及是止见士安等军，贼并力拒之。三日，飞乃以大兵四合，一战破贼众殆尽。乘其舟以入水寨，钦等迎降。钦在贼中最悍，所至常先诸贼，杨太恃以为强。飞厚待之，贼逾丧气。浚承制授钦武略大夫。……荆湖制置使岳飞破湖贼夏诚。飞既降杨钦，率统制官牛皋、傅选、王刚，乘胜击攻水寨。贼将陈瑫劫伪太子钟子仪船，获金龙交床与龙凤簟等，诣飞降。杨太穷蹙赴水，牛皋擒斩之。余党刘衡等相继皆降。飞入水寨，杀贼众，殆尽。惟夏诚寨三面临大江，背倚峻山，官军陆攻则入湖，水攻则登岸。至是飞亲往测其浅处，乃择善骂者二十人，夜往骂之，且悉众运草木上流，贼闻骂声，争掷瓦石击之，草木为瓦石所压，一旦填满，飞长驱入寨，遂执诚。果八日而湖寇悉平。浚叹曰：‘岳侯神算也！’初，贼恃其险，曰：‘犯我者，除是飞来！’至是，人以其言为谶。……湖寇既平，得丁壮五六万人，老弱不下十余万。张浚更易郡县奸赃吏，宣布宽恩。命岳飞进军屯荆襄，以图中原。浚率官属泛洞庭而下。时淮东宣抚使韩世忠、江东宣抚使张俊，皆已立功，而飞以列校拔起，世忠、俊不能平。飞皆屈己下之，数通书，俱不答。及飞破杨太，献楼船各一，兵徒战守之械毕备，世忠始大悦，而俊益忌之。”

丁巳，陈与义引疾求去，除显谟阁直学士提举江州太平观。卜居青墩，寓寿圣院后芙蓉浦上，匾所居曰“南轩”。

七月

宋朝廷免湖南上供米三年。《续资治通鉴》卷一一六：“免湖南上供米三年，用本路漕臣请也。”

立秋后三日，陈与义有词。《虞美人》，题下小序：“余甲寅岁，自春官出守湖州。秋杪，道中荷花无复存者。乙卯岁，子琐闼以病得请奉祠，卜居青墩。立秋后三日，行舟之前后，如明霞相映，望之不断也。以长短句记之。”词曰：“扁舟三日秋塘路，平度荷花去。病夫因病得来游，更值满川微雨洗新秋。　　去年长恨拏舟晚，空见残荷满。今年何以报君恩？一路繁花相送过青墩。”十二日，有词《浣溪沙》，题下小序：“离杭日，梁仲谋惠酒，极清而美。七月十二日晚卧小阁，已而月上，独酌数杯。”词曰：“送了栖鸦复暮钟，栏干生影曲屏东。卧看孤鹤驾天风。　　起写一尊明月下，秋空如水酒如空。谪仙已去与谁同？”有诗，《增广笺注简斋诗集》卷二九《秋夜独酌》：“凉秋佳夕天氛廓，河汉之涯秋漠漠。月出未出林彩变，幽人露坐方独酌。自歌新词酒如空，天星下饮觥船中。忽思李白不可见，夜半乔木摇西峰。百年佳月几今夕，忧乐相寻老来疾。琼瑶满地我影横，添酒赋诗何可失。”又有词《玉楼春·青镇僧舍作》，词曰：“山人本合居岩岭，聊问支郎分半境。残年藜杖与纶巾，八尺庭中时弄影。　　呼儿汲水添茶鼎，甘胜吴山山下井。一瓯清露一炉云，偏觉平生今日永。”又作词《清平乐·木犀》，词曰：“黄衫相倚，翠葆层层底。八月江南风日美，弄影山腰水尾。　　楚人未识孤妍，《离骚》遗恨千年。无住庵中新事，一枝唤起幽禅。”

计有功为右承议郎、知简州，提举两浙西路常平茶盐公事。

八月

宋荆南行交子。《续资治通鉴》卷一一六：“罢荆南营田司，令安抚司措置官兵耕种，毋得循旧扰民。又以归州还利州安抚使王彦。皆用都督行府请也。初，彦自渠州以所部之镇至荆南，而镇抚使解潜已去，仓廪皆竭。彦惧不可留，即引兵追潜至鄂州。会张浚平湖贼还，与之遇，复劝彦还自枝江，徙居旧治。时军储不继，彦乃仿川钱引法，造交子，行于荆南管内，渐措置屯田，为出战人耕之计。仍择荒田分将士为庄，庄耕千亩，治石唐、瓦窑二废堰。计工六万有奇，不浃旬告成，公私利之。”

宋增置馆职员额。《续资治通鉴》卷一一六："甲辰，诏增馆职为十八员。时言者论太宗当兵戈抢攘之际，置文学馆学士凡十有八人，其后皆为名臣。祖宗辟三馆以储养人才，盖本如此。今国步艰难，时方右武，故馆职犹多阙员，然临事每有乏才之叹，则储养之方亦不可以兵戈而遽已也。一馆职之奉人，仅比一小使臣，小使臣动万数，何独于馆职较此微禄哉？乞依祖宗故事，通以十八人为额，故有是命。既而本省再请，乃命秘书郎及著作各除二员，校书郎、正字通除十二员，而少丞不与焉。"

宋礼部贡院放榜考校合格进士。《续资治通鉴》卷一一六："礼部贡院放榜考校，到合格进士樊光远等二百人。"

九月

汪洋等二百二十人中进士。《续资治通鉴》卷一一六："乙亥，帝御射殿，赐进士汪洋等二百二十人及第出身。洋乞避远祖嫌名，时年十八，帝以其与王拱辰同岁，赐名应辰。"

重修《神宗实录》五十卷成书。《续资治通鉴》卷一一六："乙酉，尚书左仆射监修国史赵鼎，上重修《神宗实录》五十卷，旧文以墨，新修以朱，删出以黄帝起。诣殿东壁，焚香再拜受书。鼎、冲及直史馆诸人，进秩各有差。"

太原河北义民抗金。

秋

是秋，陈与义尝一至衢州，与赵子昼、程俱唱酬，有诗。《增广笺注简斋诗集》卷二九《题崇兰图二首》，其一："两公得我色敷腴，藜杖相将如画图。我已梦中都识路，秋风举袂不踟蹰。"其二："奕奕天风吹角巾，松声水色一时新。山林从此不牢落，照影溪头共六人。"

同卷，《九日示大圆洪智》："自得休心法，悠然不符实。忽逢重九日，无奈菊花枝。"

是秋，又有词《菩萨蛮·荷花》，词曰："南轩面对芙蓉浦，宜风宜月还宜雨。红少绿多时，帘前光景奇。　绳床乌木几，尽日繁香里。睡起一篇新，与花为主人。"又作词《南柯子·塔园僧阁》，词曰："矫矫千年鹤，茫茫万里风。栏干三面看秋空，背插浮屠千尺冷烟中。　林坞村村暗，流溪处处通。此间何似玉霄峰，遥望蓬莱依约晚云东。"，又作词《临江仙·夜登小阁忆洛中旧游》，词曰："忆昔午桥桥上饮，坐中多是豪英。长沟流月去无声。杏花疏影里，吹笛到天明。　二十余年如一梦，此身虽在堪惊。闲登小阁看新晴。古今多少事，渔唱起三更。"

十月

张浚进《中兴备览》。《纲鉴易知录》卷八十："冬十月，张浚还自潭州。湖、湘平，浚奏遣岳飞屯荆、襄，以图中原，乃自鄂、岳转淮东，会诸将议防秋之宜。帝赐诏趣归，及至，劳问曰：‘卿暑行甚劳，群寇就招抚，成朕不杀之仁，卿之功也。’召对便殿，浚进《中兴备览》四十一篇，帝喜叹，置之座隅。”

十一月

宋朝廷征尹焞于涪州。《纲鉴易知录》卷八十：“十一月，征和靖处士尹焞于涪州（治涪陵县，即今四川涪陵县）。初，金人陷洛，焞阖门被害，焞死复苏，门人舁至山谷中而免。刘豫聘之，不从。以兵恐之，焞自商州奔蜀。至阆，得程颐《易传》，拜受之，因止于涪，辟三畏斋以居，州人不识其面。至是，范冲举以自代。”

金朝颁行大明历。

宋朝官员减少俸禄。宰相赵鼎首倡之，以体谅国家的困难。

金朝征伐蒙古。《纲鉴易知录》卷八十：“金伐蒙古。蒙古在女真之北，唐为蒙兀部，亦号蒙骨斯。其人劲悍善战，夜中能视，以鲛鱼皮为甲（鲛鱼出南海，其形似鳖，无脚，有尾，今谓之鲨鱼），可捍流矢。金主命万户胡沙虎将兵击之。”

十二月

金国建造海船。《续资治通鉴》卷一一六：“伪齐刘豫献海道图及战船木样于金主。金主入其说，调燕云两河夫四十万入蔚州交邪山，采木为筏，开河道运至虎州。将造战船，且浮海以入，既而盗贼蜂起，事遂中缀，聚船材于虎州。”

冬

陈与义有诗。《增广笺注简斋诗集》卷二九《与智老天经夜坐》：“残年不复徙他邦，长与两禅通夜缸。坐到更深都寂寂，雪花无数落天窗。”（按：智老，即大圆智洪；天经，姓叶，名懋。）

同卷，《观雪》：“无住庵前境界新，琼楼玉宇总无尘。开门倚杖移时立，我是人间富贵人。”

又为俞秀才所藏画题诗。同卷，《题江参山水横轴俞秀才所藏二首》，其一：“卷中衮衮溪山去，笔下明明开辟初。不肯一裈为妇计，俞郎作计未全踈。”其二：“万壑分烟高复低，人家随处有柴扉。此中只欠陈居士，千仞岗头一振衣。”

是冬，陈与义又作诗多篇。同卷，《小阁晨起》：“纸帐不知晓，鸦鸣吾当兴。开窗面老松，相对寒峻嶒。幸无公家责，欲懒还不能。汲井頮我面，铜盆旋敲冰。梳头峰入槛，纷散霜满膺。四瞻郊泽间，苍烟惨朝凝。却望塔颠日，光景舒层层。乾坤有奇事，变化忽相乘。客来无可语，语此不见譍。今晨胡床冷，愧我无髭髶。”

同卷，《小阁晚望》：“泽国候易变，孟冬乃微合。解襟凭小阁，日暮归云多。苍苍散草木，莽莽杂山河。荒野虫乱鸣，长空鸟时过，万象各无待，唯人顾纷落。备物以养己，更用干与戈。天风吹我来，衣袂生微波。幽怀渺无寄，萧瑟起悲歌。”

卷三十，《梅花》：“一枝斜映佛前灯，春入铜壶夜不冰。昔岁曾游大庾岭，今年聊作小乘僧。”

同卷,《江梅》:“风雪集岁暮,江梅开不迟。朝来幽窗底,明珰缀青枝。上天播淑气,百卉分四时。寒村值西子,足以昌吾诗。”

同卷,《雪》:“穷腊见三白,江南无旧闻。天上春已暮,尽日花缤纷。平生虽畏寒,遇雪心所欣。拥裘未敢出,投隙致殷勤。窗户忽相招,川陵已难分。二仪有巨丽,老我不能文。高吟《黄竹》诗,薄暮心无垠。浮屠似玉笋,突兀倚重云。”

同卷,《小阁》:“栏杆横岁暮,徙倚度阴晴。木落太湖近,梅开南纪明。病余仍爱酒,身后更须名?鹳鹤忽双起,吾诗还欲成。”

是冬,张嵲有诗见寄,作诗报之。同卷,《得张正字书》:“送老茅屋底,天寒人迹稀。一觞犹有味,万事已无机。岁暮塔孤立,风生鸦乱飞。此时张正字,书札到郊扉。”(按:张嵲,字巨山,为陈与义之表侄。)

张戒与陈与义论诗。张戒《岁寒堂诗话》卷上:“乙卯冬,陈去非初见余诗,曰:‘奇语甚多,只欠建安六朝诗耳。’余以为然。及后见去非诗全集,求似六朝者,尚不可得,况建安乎?词不逮意,后世所患。邹员外德久尝与余阅石刻,余问:‘唐人书虽极工,终不及六朝之韵,何也?’德久曰:‘一代不如一代,天地风气生物,只如此耳。’言亦有理。‘独坐烧香静室中,雨声初罢鸟声空。瓦沟柏子时时落,知有寒天木杪风。’此绝句非余得意者,而陈去非独称诵不已。张巨山出去非诗卷,戒独爱其《征牟书事》一首云‘神仙非异人,由来本英雄。苍山雨中高,绿草溪上风’者,而去非亦不自以为奇也。王霁云:‘作文字易,识文字难,删《诗》订《书》,须仲尼乃可。’萧统《文选》之有不当,又何怪也。”

本年

方崧卿(1135—1194)生。字季申,莆田人,信孺父。隆兴元年进士。淳熙九年,通判明州。乾道二年,为湖广总领所干办公事。秩满,添差淮西安抚司准备差遣,徙两浙路转运司属官。以荐知上饶县。十二年,知南安军。绍熙元年,知吉州。二年,擢广东路提点刑狱。三年,徙广西转运判官。五年卒,年六十。历官所至,皆有惠声。崧卿博学明识,议论过人,创聚书堂,藏书四万卷。尤喜韩愈文,尝校正《韩昌黎文集》,有《韩集举正》四十卷、《韩文公年表》传颂至今,多所发明。有家集二十卷,诗文辨丽,略无陈言。

王质(1135—1189)生。《宋史》卷三九五《王质传》:“王质字景文,其先郓州人,后徙兴国。质博通经史,善属文。游太学,与九江王阮齐名。阮每云:‘听景文论古,如读郦道元《水经》,名川支川,贯穿周匝,无有间断,咳唾皆成珠玑。’质与张孝祥父子游,深见器重。孝祥为中书舍人,将荐质举制科,会去国不果。著论五十篇,言历代君臣治乱,谓之《朴论》。中绍兴三十年进士第,用大臣言,召试馆职,不就。明年,金主完颜亮南侵,御史中丞汪澈宣谕荆、襄,又明年,枢密使张浚都督江、淮,皆辟为属。入为太学正。时孝宗屡易相,国论未定,质乃上疏曰……天子心知质忠,而忌者共谗质年少好异论,遂罢去。会虞允文宣抚川陕,辟质偕行。一日令草檄契丹文，援毫立就，辞气激壮。允文起执其手曰：‘景文天才也。’入为敕令所删定官，迁枢密院编修官。允文当国，孝宗命拟进谏官，允文以质鲠亮不回，且文学推重于时，可右正言。时中贵人用事，多畏惮质，阴沮之，出通判荆南府，改吉州，皆不行，奉祠山居，绝意禄仕。淳熙十五年卒。”

曾纡（1073—1135）卒。陆游《书空青集后》：“建中靖国元年，景灵西宫成，诏丞相曾公铭于碑，以诏万世。碑成，天下传诵，为宋大典，且叹曾公耆老白首，而笔力不少衰如此。建炎后，仇家尽斥，曾公文章始行于世，而独无此文，或谓中更丧乱，不复传矣。淳熙七年，某得曾公子宝文公遗文于临川，然后知其宝文公代作，盖上距建中八十年矣。呜呼！文章巨丽宏伟至此，使得用于世，代王言，颂成功，施之朝廷，荐之郊庙，孰能先之？而终宝文公之世，士大夫莫知也。汪翰林平生故人，及铭其墓，惟曰：‘始为家贤子弟，中为时胜流，晚为能吏。’是岂足以言公哉？公家世固以文章名天下，又自少时所教，皆诸父客，天下伟人，出入试用，亦数十年朋旧满朝，然世犹不尽知之如此，况山林之士，老于布衣，所交不出闾巷，其埋没不耀，抱才器以死者，可胜数哉？”

韩驹（1080—1135）卒。苏辙《题韩驹秀才诗卷》：“唐朝文士例能诗，李杜高深独到希。我读君诗笑无语，恍然重见储光羲。”又，《四库全书总目》卷一五七：“《陵阳集》四卷……驹学原出苏氏，吕本中作《江西宗派图》，列驹其中，驹颇不乐。然驹诗磨淬翦截，亦颇涉豫章之格，其不愿寄王［黄］氏门下，亦犹陈师道之瓣香南丰，不忘所自耳，非必其宗旨之迥别也。陆游跋其诗草，谓反复涂乙，又力疏语所从来。诗成，既以与人，久或累月，远或千里，复追取更定，无毫发憾乃止，亦可谓苦吟者矣。晁公武《读书志》谓王黼尝命驹题其家藏《太乙真人图》，盛传一时，今其诗具在集中，有‘玉堂学士今刘向’之句，推许甚至。刘克庄谓子苍诸人自鬻其技至贵显，盖指此类。其亦陆游《南园记》之比乎。要其文章不可掩也。”

朱熹本年六岁。王懋竑《朱熹年谱》引《语录》：“某五六岁时，心便烦恼：天体是如何？外面是何？（黄义刚记录）”

公元 1136 年（宋绍兴六年　金熙宗完颜亶天会十四年　夏大德二年　西辽康国二年　伪齐阜昌七年　丙辰）

正月

高丽等遣使贺金主生辰。

二月

宋改江淮营田为屯田。

岳飞守襄阳。

金国大兵围淮阳，世忠奇计夺胜利。《纲鉴易知录》卷八十：“韩世忠围淮阳，金兀术救之，世忠还。韩世忠闻刘豫聚兵淮阳，即引军渡淮，旁符离而北，至其城下，为贼所围，奋戈溃围而出，不遗一镞。呼延通与金将牙合孛堇搏战，扼其吭而擒之，乘锐掩击。金人败去，遂进兵围淮阳。兀术与刘猊皆引兵至，世忠求援于张俊，俊以世忠有见吞意，不从。世忠勒阵向敌，遣人语之曰：‘锦衣骢马立阵前者，韩相公也。’或危之，世忠曰：‘不如是不足以致敌。’敌果至，杀其导战二人，遂引去。世忠复还楚州，淮阳之民从而归者以万计。”

三月

伪齐王威陷唐州。

张浚并用张韩二人。《纲鉴易知录》卷八十：“张浚会诸将于镇江，遣张俊屯盱眙，韩世忠屯楚州。张浚每称二人可倚大事，故并命之。世忠至楚，披草莱，立军府，与士卒同力役。夫人梁氏，亲织箔为屋。将士有怯战者，世忠遗以巾帼，设乐大宴，俾妇人妆以耻之，故人奋励。抚集流散，通商惠工，山阳遂为重镇（山阳为淮安旧称，楚州治）。”

伪齐再开贡举。《续资治通鉴》卷一一六：“是春，伪齐刘豫再开贡举。得邵世以下六十九人，改明堂基为讲武殿，于其地造战船。”

春

陈与义本年四十七岁。居青镇僧舍，有诗。《增广笺注简斋诗集》卷三十《元夜》：“今夕天气佳，上天何澄穆。列宿雨后明，流云月边速。空檐垂斗柄，微风生丛竹。对此不能寐，步绕庭之曲。遥睇浮屠颠，数星红煜煜。悟知烧灯夕，节意亦满目。历代能几诗，遍赋杂珉玉。栖鸦亦未定，更鸣伴我独。百年滔滔内，忧乐两难复。惟应长似今，寂寞送寒燠。”

同卷，《怀天经、智老，因访之》：“今年二月冻初融，睡起苕溪绿向东。客子光阴诗卷里，杏花消息雨声中。西庵禅伯还多病，北栅儒先只固穷。忽忆轻舟寻二子，纶巾鹤氅试春风。”

四月

岳飞为荆湖宣抚副使。《纲鉴易知录》卷八十：“夏四月，起复岳飞为荆湖宣抚副使。飞以母丧扶榇还庐山，累表乞终制，不许。”

五月

马扩阅习水军战舰，出入风涛如履平地。《续资治通鉴》卷一一六：“命沿海制置副使马扩，阅习水军战舰。时右司谏王缙言：‘舟师实吴越之长技。将帅之选既慎矣，而舟船数百，多阁水岸，士卒逾万，未经训习。欲乞明诏，将帅相视舟船。漏损者修之，士卒疲弱者汰之。船不必多，取可乘以战斗；人不必众，取可资以胜敌。分部教习，周而复始。出入风涛，如履平地，则长技可施，威声远震，折冲千里之外矣。’从之。”

六月

张浚抚师淮上。《纲鉴易知录》卷八十："张浚抚师淮上，遣刘光世屯庐州，岳飞屯襄阳，杨沂中屯泗州。浚命光世屯合肥，以招北军；沂中领精骑以佐张俊；飞屯襄阳，以图中原。且谓飞曰：'此君素志也。'"

壬戌，陈与义被召，复用为中书舍人兼侍讲直学士院。

夏

陈与义有诗。《增广笺注简斋诗集》卷三十《黄修职雨中送芍药五枝》："微雨湿清晓，老夫门未开。煌煌五仙子，并拥翠蕤来。胭脂洗净不自惜，为雨归来更无力。老夫五十尚可痴，凭轩一赋《会真诗》。"［思齐按：芍药初夏开花，此诗应作于夏天。］

同卷，《樱桃》："四月江南黄鸟肥，樱桃满市粲朝晖。赤瑛盘里虽殊遇，何似筠笼相发挥。"

同卷，《叶柟惠花》："无住庵中老居士，逢春入定不衔盃。文殊罔明俱拱手，今日花枝唤得迴。"

同卷，《牡丹》："一自胡尘入汉关，十年伊洛路漫漫。青墩溪畔龙钟客，独立东风看牡丹。"

同卷，《盆池》："三尺清池窗外开，茨菰叶底戏鱼回。雨声转入浙江去，云影还从震泽来。"

同卷，《松棚》："黯黯当窗云不驱，不教风日到琴书。只今老子风流地，何似茅山陶隐居？"

同卷，《西轩》："平生江海志，岁暮僧庐冢。虚斋时独步，遡此西窗风。初夏气未变，幽居念方冲。三日无客来，门外生蒿蓬。清阴映夕幌，窈窕瓶花红。未知古今士，谁与此心同？"

七月

陈公辅为左司谏。《纲鉴易知录》卷八十："秋七月，以陈公辅为左司谏。公辅召还，为吏部员外郎，言：'今日之祸，实由公卿大夫无气节忠义，不能维持天下国家。平时既无忠言直道，缓急讵肯仗节死义，岂非王安石学术坏之也！安石政事坏人才，学术坏人心，《三经》、《字说》诋诬圣人，破碎大道，非一端也。《春秋》正名分，定褒贬，俾乱臣贼子惧，安石使学者不治《春秋》。《史》、《汉》载成败安危，存亡理乱，为世龟鉴，安石使学者不读《史》、《汉》，扬雄不死王莽之篡，而著剧秦美新之文，安石乃曰："合于孔子'无可无不可'之义。"冯道事四姓八君，安石乃曰："避难以存身。"使公卿皆师安石之言，宜其无气节忠义也。'疏入，帝大喜，授左司谏，赐三品官服。"

宋行营前护副军都统制王彦自荆南（今湖南）率八字军万人抵达临安。

宋淮南宣抚使刘光世攻克寿春府（今安徽寿县）。

八月

岳飞收复蔡州。《纲鉴易知录》卷八十："岳飞复蔡州，飞累战皆捷，遣牛皋复镇汝军，杨再兴复河南长水县。张浚曰：'飞措画甚大，今已至伊、洛，则太行一带山砦必有响应者。'已而忠义杜梁兴等果归之。飞复及伪齐李成、孔彦舟连战，至蔡州，克其城。"

宋预借江浙夏税之半。

九月

岳飞遣兵击败刘豫军于唐州。《纲鉴易知录》卷八十："岳飞遣兵败刘豫之众于唐州。上书请进军恢复中原，帝不许，飞乃还鄂。"

陈与义从高宗皇帝幸平江。

十月

杨沂中藕塘之捷。《纲鉴易知录》卷八十："冬十月，刘豫使刘麟、刘猊分道寇淮西，杨沂中等大败猊于藕塘，追麟至南寿春而还。刘豫闻张浚会诸将于江上，榜其罪逆，将进兵讨之，告急于金，请先出师南侵，而乞师救援。金主亶召诸将、相议之，蒲卢虎曰：'先帝所以立豫者，欲其开疆保境，我得安民息兵也。今豫进不能取，又不能守，兵连祸结，愈无休期。从其请则豫收其利，败则我受其弊，况前年因豫出师，尝不利于江上矣，奈何许之！'金主遂不许豫，而遣兀术提兵黎阳以观衅。于是豫佥乡兵三十万，分三道入寇：麟率中路兵，由寿春以犯合肥；猊率东路兵，由紫荆山出涡口以犯定远；孔彦舟率西路兵，由光州以犯六安。时张浚、杨沂中、韩世忠、岳飞、刘光世分屯诸州，而沿江上下无兵，赵鼎深以为忧，移书张浚，欲令俊与沂中同保合肥。浚以为然，乃遣沂中、张宗颜等分道御之，且另沂中趋濠州，以与张俊合。及刘麟进逼合肥，赵鼎曰：'今贼渡淮，当急遣张俊合光世之军，尽扫淮南之寇，然后议去留。'帝善之，然虑俊、光世不足任，因命岳飞尽以兵东下，而手札付浚，令浚、光世、沂中等还保江。浚上言：'若诸将渡江则无淮南，而长江之险与贼共，有淮南之地，正所以屏蔽大江。使贼得淮南，因粮就运以为家计，江南岂可保乎？今正当合兵掩击，可保必胜；若一有退意，则大势去矣。且岳飞一动，襄、汉有警，何所恃乎！愿朝廷勿专制于中，使诸将有所观望也。'帝手书报浚曰：'非卿识高虑远，何以及此。'由是异议乃息。沂中兵至濠，光世已舍庐州，将趋采石，淮西大震。浚闻之，令吕祉驰往光世军，谕之曰：'有一人渡江，即斩以徇！'光世不得已，复还庐州，与沂中、俊等相应。刘猊军至淮东，为韩世忠所沮，乃引趋定远。刘麟从淮西系三浮桥而渡，次于濠、寿之间，张俊以兵拒之。猊率众犯定远，欲趋宣化以寇建康。沂中以兵二千进御，与猊前锋遇于越家坊，败之。猊恐孤军深入为王师所袭，乃欲趋合肥与麟合而后进。至藕塘，沂中复遇之。猊据山列阵，矢下如雨。沂中急击之，使统制吴锡率劲卒五千突入其军；猊众溃乱，沂中纵大军乘之，而自以精骑冲其胁，大呼曰：'贼破矣！'贼众错愕骇视。张宗颜自泗来，乘背击之。张俊大军复与战于李家湾。贼众大败，横尸满野。猊以首抵谋主李愕曰：'适见髯将军，锐不可当，果杨殿前也。'即与数骑遁去。麟在顺昌，闻猊败，亦拔砦去。沂中及王德乘势追麟，至南寿春而还。孔彦舟亦解光州围而去，北方大恐。金人闻豫败，来诘其状，始有废豫之意。"

十一月

辛未，陈与义除翰林学士知制诰，有诗。《增广笺注简斋诗集》卷三十《玉堂儤直》："庭叶珑珑晓更青，断云吐日照寒厅。只应未上归田奏，贪诵《楞伽》四卷经。"

十二月

赵鼎与小元祐。《纲鉴易知录》卷八十："赵鼎罢。初，张浚在江上，遣参议军事吕祉入奏事，所言夸大，鼎每抑之。帝谓鼎曰：'他日浚与卿不和，必吕祉也。'既而浚因论事，语意微侵鼎，鼎言：'臣初与浚如兄弟，因吕祉离间，遂尔睽异。今浚成功，当使展尽底蕴。浚当留，臣当去。'帝曰：'俟浚还议之。'及浚还，鼎与折彦质请帝回跸临安，浚奏：'天下之事，不倡则不起。三岁之间，陛下一再临江，士气百倍，乞乘胜攻河南，而车驾幸建康。'又言：'刘光世骄惰不战，请罢其军政。'鼎言：'得河南固易尔，能保金人不内侵乎！且光世累世为将，将卒多出其门，无故而罢之，恐人心不安。'浚滋不悦，而帝多从浚议，鼎求退益力，遂罢知绍兴府。鼎与浚为相，政事先后及人才所当召用者，条而置之座右，次第奏行之，故列要津者多一时之望，人号为'小元祐'。帝尝亲书'中正德文'四字及《商书》赐之，曰：'《书》载君臣相戒饬之言，所以赐卿，欲共由斯道也。'鼎顿首谢。"

陈公辅乞禁程氏之学。《纲鉴易知录》卷七九："陈公辅乞禁程氏之学，诏从之。公辅上疏言：'今世取程颐之说，谓之伊川之学，相率从之，倡为大言，谓尧、舜、文、武之道传之仲尼，仲尼传之孟轲，孟轲传之颐，颐死，遂无传焉。狂言怪语，淫说鄙论，曰"此伊川之文也"。幅巾大袖，高视阔步，曰"此伊川之行也"。师伊川之文，行伊川之行，则为贤大夫；舍此，皆非也。乞禁止之。'遂诏士大夫之学，宜以孔、孟为师，庶几言行相称，可济时用。时方召尹焞，焞，颐门人也，公辅之意，盖有所指云。"

本年

张元幹与吕本中。吕本中召赴行在，赐进士出身，擢起居舍人兼权中书舍人。张元幹作词《水调歌头·送吕居仁召赴行在所》勉励这位主张恢复的朋友，词曰："戎虏乱中夏，星历一周天。干戈未定，悲咤河洛尚腥膻。万里两宫无路，正仰君王神武，愿数中兴年。吾道尊洙泗，何暇议伊川。　吕公子，三世相，在凌烟。诗名独步，焉用儿辈更毛笺。好去承明说论，照映金狨带稳，恩与荔枝偏。回首东山路，池阁醉双莲。”

罗愿（1136—1184）生。曹泾《鄂州太守存斋先生罗公传》：“故鄂州太守存斋先生罗公卒之百三十五年，为至大戊申岁，其曾孙婿黄仲宣山长，以公之曾侄孙前容州文学洪所具生年官历卒葬之略来视，使润饰成篇，待付家传。泾生晚，不及识公，然从乡先生四方名钜游，概知之矣。宋南渡后，文字有先秦、西汉风，惟公一人。乾、淳间，朱文公、周益公视为畏友。《淳安县社坛记》，文公自谓不如，谓公文有经纬，又谓公文止此可惜。迩岁汤东涧公汉宝藏公《小集》，每为文，必读数十百过方下笔，客猝至，扃箧惟谨。马碧梧公廷鸾久在翰苑，身至宰辅，里居之日，讲问公《小集》，愿见不可得，至从某转求之。然则存斋之所以不亡者有在矣。……公之先五季时自豫章避地来歙，遂为徽州歙县人。七传至尚书公，为大家。尚书公，公父也，年十六上辟雍，宋政和二年进士，由大谏、中丞迁吏部尚书，赠少师。六男子，公为第五人，讳愿，字端良，存斋其自号也。幼凝重寡言，资特颖异，甫七岁能为《青草赋》以寿父。少长，落笔万言。既冠，乃数月不妄下一语。绍兴二十五年，荫补承务郎，授临安府新城县监税。连丁内外艰，服阕，监饶州景德镇税，有能名。乾道元年，监南岳庙，遂踵世科，才望斗著，授饶州鄱阳知县，不乐往，主台州崇道观。八年，通判赣州，遄摄州事。寇攘甫定，壹以政清讼简，化美风俗为务。教官刘靖之子和，官事之暇，时至学宫，不为倦烦，缝掖生淑艾之功居多。详刑使者剡闻于朝，谓公宜在清要之选。秩满，差知南剑州，陛对第一札主于富民，不为浮文，切中积弊，孝庙大赏异曰：‘卿磊落议论可采，必副朕委任。’从臣亦交口荐之，改畀鄂州。至郡，上五事……凡皆论病识源，切证用剂，一本儒术，如古循良，他所罢行，可类推已。贰车刘公清之子澄学行端饬，相与泉穴劭农甚力，所谓令修庭户之间，而民自得于湖山千里之外。报政才期，而公不少延矣，淳熙十一年甲辰七月十三日也。公生于绍兴丙辰之三月，得年仅四十九。《新安续志》谓值旱，立日中精祷致疾。《志》，公之犹子任臣、毅臣所共订也。鄂人绘像灵竹寺孟宗泣竹处，刘贰车为刊《小集》于郡。丧还，夫人吴氏卒。明年，公兄端规自镇江请檄归，视窀穸，阴阳家以西峰先垄之次为拟，族党一辞，谓公生而孝奉祖考，其安乐之，遂葬于是，吴夫人祔。四月六日也。所著《春秋》、《新安志》、《尔雅翼》、《鄂州小集》行世。其与《小集》同类，已抄而未刊者，尚十之八九，年远事殊，并为亡是，太息而止。虽然，豹斑鼎脔，不必求尽，故从《尔雅翼》漫阅一则，《社坛记》读之百遍，公胸次所贮，何可量数！笔底之文，又可以人力企勉也哉!”

朱熹本年七岁。

公元1137年（宋绍兴七年　金天会十五年　夏大德三年　西辽康国三年　伪齐阜昌八年　丁巳）

正月

宋朝设御前军器局于建康。《续资治通鉴》卷一一八：“置御前军器局于建康府，岁造装甲五千，矢百万。以中侍大夫岷州观察使行营中护军忠勇军统制杨忠闵充提点，仍隶枢密院及工部。”

辨马与识人。《续资治通鉴》卷一一八：“丙寅。帝谕大臣曰：‘昨日张浚呈马，因为区别良否优劣，及所产之地，皆不差。’张浚曰：‘臣闻陛下闻马足声，而能知其良否。’帝曰：‘然。闻步骤之声，虽隔墙垣可辨也。凡物，苟得其要，亦不难辨。’浚曰：‘物具形色，犹或易辨，惟知人为难。’帝曰：‘人诚难知。’浚因奏：‘人材诚难知，但议论刚正，面目严冷，则其人必不肯为非。阿谀便佞，固宠患失，则其人必不可用。’帝以为然。”

陈与义任参知政事，本年四十八岁。《续资治通鉴》卷一一八：“癸未，翰林学士兼侍讲陈与义参知政事，资政殿学士新除提举醴泉观兼侍读沈与求同知枢密院事。”

二月

高宗起复岳飞为宣抚使。《续资治通鉴》卷一一八：“起复湖北京西宣抚副使岳飞，以亲兵赴行在。翼日内殿引对，飞密奏请正建国公皇子之位，人无知者。及对，帝谕曰：‘卿言虽忠，然握重兵于外，此事非卿所当预也。’飞退。参谋官薛弼继进，帝语之故，且曰：‘飞意似不悦，卿自以意开谕之。’”

刘光世引疾乞祠。《续资治通鉴》卷一一八：“淮西宣抚使刘光世乞在外宫观。先是，议者谓光世昨退保当涂，几误大事，后虽有功，可以赎过，不宜仍握兵柄。又言其军律不整，士卒恣横。张浚自淮上归，亦言光世沉酣酒色，不恤国事，语以恢复，意气怫然，请赐罢斥，以儆将帅。帝然之。光世闻之，乃引疾乞祠。帝曰：‘光世军皆骁锐，但主将不勤，月费钱米不赀，皆出民之膏血，而不能训练使之赴功，甚可惜也。大抵将帅不可骄惰，若日沉迷于酒色之中，何以率三军之士？’后三日，亲笔答光世，曰：‘卿忠贯神明，功存社稷，朕方倚赖以济多艰。俟至建康，召卿奏事。其余曲折，并俟面言。’时上赐诸将诏书，往往命浚拟进，未尝易一字。”

李清照有词《转调满庭芳》。词曰：“芳草池塘，绿茵庭院，晚晴寒透窗纱。玉钩金鏁，管事客来吵。寂寞尊前席上，惟愁海角天涯。能留否？酴醿落尽，尤赖有梨花。
当年曾胜赏，生香薰袖，活火分茶。极目犹龙娇马，流水轻车。不怕风狂雨骤，恰才称，煮酒残花。如今也，不成怀抱，得似旧时那？”本词当作于绍兴七年前后，故系于此。

三月

宋高宗至建康。《续资治通鉴》卷一一八：“三月癸亥朔，帝次丹阳县，京东宣抚处置使韩世忠，以亲兵赴行在，遂卫帝入建康。”

宋罢免刘光世。《纲鉴易知录》卷八十：“刘光世免，张浚命吕祉节制其军。”

四月

岳飞还庐山。《纲鉴易知录》卷八十：“夏四月，岳飞乞终丧，遂还庐山。张浚以张宗元监其军。飞自鄂入见，拜太尉，继除宣抚使，以王德、郦琼兵隶之。帝诏德、琼曰：‘听飞号令，如朕亲行。’飞见帝，数论恢复之略，疏言：‘金人所以立刘豫，盖欲荼毒中原，以中国攻中国，彼得以休息观衅耳。臣愿陛下假臣日月，提兵趋京、洛，据河阳、陕府、潼关以号召五路叛将。叛将既还，遣王师前进，豫必弃汴而走，河北、京畿、陕右可以尽复，然后分兵濬、滑，经略两河，如此则逆豫成擒，金人可灭，社稷长久之计，实在此举。’帝曰：‘有臣如此，朕复何忧！’复至寝阁，命之曰：‘中兴之事，一以委卿。’飞方图大举，会秦桧主和议，忌之，遂不以德、琼兵隶飞，而请诏飞诣张浚议事。浚谓飞曰：‘王德，淮西军所服，浚欲以为都统，而命吕祉以督府参谋领之，如何？’飞曰：‘德与郦琼素不相下，一旦握之在上则必争。吕尚书不习军旅，恐不足服众。’浚曰：‘张俊、杨沂中如何？’飞曰：‘张宣抚，飞之旧帅也，其人暴而寡谋。沂中视德等耳，亦岂能御此军哉？’浚艴然曰：‘固知非太尉不可。’飞曰：‘都督以正问飞，飞不敢不尽其愚，岂以得军为念哉！’飞即与浚忤，即日上章乞终丧服，以张宪摄军事，步归庐山，庐母墓侧。浚怒，遂以张宗元权宣抚判官，监其军。”

五月

胡安国谏禁程氏之学。《纲鉴易知录》卷八十：“五月，召胡安国提举万寿观，兼侍读；未止而罢。张浚荐安国，帝召至，将行，闻陈公辅乞禁程颐之学，乃上疏曰：‘孔、孟之道，不传久矣，自程颐兄弟始发明之，然后知其可学。而至今使学者师孔、孟而禁从颐学，是入室而不由户也。自嘉祐以来，颐与兄颢及邵雍、张载皆以道德名世，著书立言，公卿大夫所钦慕而师尊之；及王安石、蔡京等曲加排抑，故其道不行。望下礼官，讨论故事，加之封爵，载在祀典，仍照观阁阅褒遗书，羽翼六经，使邪说者不得作，而道术定矣。’疏入，公辅与中丞周秘、侍御史石公揆交章论安国学术颇僻，除知永州；安国辞，遂复与祠。”

六月

岳飞奉诏入朝，高宗遣之还镇。《纲鉴易知录》卷八十：“飞奉诏入朝，遂遣还镇。累诏趣飞还职，飞不得已，趋朝待罪，帝慰遣之。及张宗元还，言：‘将和士悦，人怀忠孝，皆飞训养所致。’帝大悦。飞至镇，奏言：‘比者寝阁之命，咸谓圣断已坚，何至今尚未决？臣愿提兵进讨，顺天道，因人心，以曲直为老壮，以逆顺为强弱，万全之效可必。钱塘僻在海隅，非用武地，愿建都上游，用汉光武故事，亲率六军，往来督战，庶将士知圣意所向，人人用命。’”

七月

金太保王忠翰（1080—1137）卒。《续资治通鉴》卷一一八：“金太保领三省事晋国公王宗翰薨。宗翰决策制胜，有古名将风，薨年五十八。”

八月

武穆早有先见，郦琼叛降刘豫。《纲鉴易知录》卷八十："秋八月，以张浚为淮西宣抚使。召淮西副统制郦琼赴行在。琼以众叛降刘豫，执吕祉杀之（时以王德为淮西都统制，郦琼副之。琼与德素不相下，及吕祉还朝，德、琼列状交诉于都督府御史台。乃召德还建康，而命杨沂中为淮西制置使，刘锜副之，往屯庐州。祉复至庐州，琼又讼德。祉密奏乞罢琼兵权，书吏露语于琼，琼遂谋反，渡淮降刘豫，执祉杀之。时有得祉括发之帛归吴中者，祉妻吕氏持帛自缢以殉葬，闻者哀之）。"

九月

宋朝罢免张浚。《纲鉴易知录》卷八十："九月，张浚免，罢都督府。浚总中外之政，几事丛委，以一身任之。每奏对，必言仇耻之大，帝未尝不改容涕洟，事无巨细，必以咨浚。及郦琼叛，吕祉死，浚因引咎力求去，帝问谁可代者，且曰：'秦桧何如?'浚曰：'近与共事，方知其闇。'帝曰：'然则用赵鼎尔。'浚曰：'得之矣。'桧由是憾浚。浚遂奉祠，而都督亦罢。"

赵鼎为相。《纲鉴易知录》卷七九："以赵鼎为尚书左仆射同平章事，兼枢密使。"

交趾郡王李天祚立。《续资治通鉴》卷一一九："乙酉，静海军节度使安南都护交趾郡王李阳焕薨，子天祚立。阳焕在位九年。"

吴玠于梁、洋营田。《续资治通鉴》卷一一九："中书言：'川陕宣抚使吴玠于梁、洋劝诱军民营田，今夏二麦并约，秋成所收近二十万石，可省馈饷，'诏奖之。"

十月

张浚荐赵鼎为相。《纲鉴易知录》卷八十："冬十月，安置张浚于永州。浚既去位，言者论之不已，欲远窜之。会赵鼎乞降诏安抚淮西，帝曰：'浚罪当远窜。'鼎曰：'浚母老，且有勤王功。'帝曰：'功过自不相掩。'已而内批出浚谪岭南，鼎留不下，诘旦约同列救解。帝怒未释，鼎力恳曰：'浚罪不过失策尔。凡人计虑，岂不欲万全，倘因一事便置之死地，后有奇谋秘计，谁复敢言者！此事自关朝廷，非独私浚也。'张守亦以为言，帝意解，遂以秘书少监分司西京（洛阳），永州居住。李纲闻之，驰奏曰：'浚措置失当，诚为有罪，然其区区徇国之心，有可矜者。愿少宽假，以责来效。'不报。"

闰十月

尹焞为崇政殿说书。《纲鉴易知录》卷八十："闰月，以尹焞为崇政殿说书。初，焞被召，以疾辞。范冲奏言：'给五百金为行资，命漕臣至涪亲遣。'焞始就道。会陈公辅攻程氏之学，焞至九江，遂留不进。张浚言：'焞拒刘豫之节，且其所学所养有大过人者，乞令江州守臣疾速津送。'焞至建康，复以疾辞。帝曰：'焞可谓恬退矣。'趣召入见，命为秘书郎，兼说书。"

十一月

宋置赡军酒库于行在。《续资治通鉴》卷一一九："十一月，甲午，用户部尚书章谊请，初置赡军酒库于行在，命司农寺丞盖谅主之，赐浙东总制钱五万缗为酿本。其后，岁收息钱五十万缗。(李心传曰：二十九年七月，内外二库共收三十万缗。三十年二月癸亥，增置新中库，又收二十万缗)"

金废刘豫为蜀王。《纲鉴易知录》卷八十："金人袭汴，执刘豫，废为蜀王，立行台尚书省于汴。韩世忠、岳飞请伐金，收复中原。不报。"

十二月

宋遣迎梓宫使赴金。《纲鉴易知录》卷八十："十二月，王伦还自金，寻复遣之。伦还入对，曰：'金人许还梓宫及太后，且许归河南地。'帝喜曰：'若金人能从朕所求，其余一切非所较也。'逾五日，复遣王伦奉迎梓宫于金。"

本年

吕祖谦（1137—1181）生。《宋史》卷四三四《吕祖谦传》："吕祖谦字伯恭，尚书右丞好问之孙也。自其祖始举婺州。祖谦之学本之家庭，有中原文献之传。长从林之奇、汪应辰、胡宪游，既又友张栻、朱熹，讲索益精。初，补荫入官，后举进士，复中博学鸿词科，调南外宗教。丁内艰，居明招山，四方之士争趋之。除太学博士，时中都官待次者例补外，添差教授严州，寻复召为博士兼国史院编修官、实录院检讨官。轮对，勉孝宗留意圣学。……召试馆职。先是，召试者率前期从学士院求问目，独祖谦不然，而其文特典美。尝读陆九渊文喜之，而未识其人。考试礼部，得一卷，曰：'此必江西小陆之文也。'揭示，果九渊，人服其精鉴。父忧免丧，主管台州崇道观。越三年，除秘书郎、国史院编修官、实录院检讨官。以修撰李焘荐，重修《徽宗实录》。书成进秩，面对言……迁著作郎，以末疾请祠归。先是，书肆有书曰《圣宋文海》，孝宗命临安府校正刊行。学士周必大言《文海》取去差谬，恐难传后，盍委馆职铨择，以成一代之书。孝宗以命祖谦。遂断自中兴以前，崇雅黜浮，类为百五十卷，上之，赐名《皇朝文鉴》。诏除直秘阁。时方重职名，非有功不除，中书舍人陈骙驳之。孝宗批旨云：'馆阁之职，文史为先，祖谦所进，采取精详，有益治道，故以宠之，可即命词。'骙不得已草制。寻主管冲祐观。明年，除著作郎兼国史院编修官。卒，年四十五。谥曰成。祖谦学以关、洛为宗，而旁稽载籍，不见涯涘。心平气和，不立崖异，一时英伟卓荦之士皆归心焉。少卞急，一日，诵孔子言'躬自厚而薄责于人'，忽觉平日愤懥涣然冰释。朱熹尝言：'学如伯恭方是能变化气质。'其所讲画，将以开物成务，既卧病，而任重道远之意不衰。居家之政，皆可为后世法。修《读诗记》、《大事记》，皆未成书。考订《古周易》、《书说》、《阃范》、《官箴》、《辨志录》、《欧阳公本末》，皆行于世。晚年会友之地曰丽泽书院，在金华城中。既殁，郡人即而祠之。子延年。"

王炎（1137—1218）**生**。《新安文献志》卷六九胡升《王大监炎传》："王大监炎字晦叔，婺源武口人。自幼笃学，登乾道五年进士第，调明州司法参军。丁母忧，再调鄂州崇阳簿。时南轩先生张公帅江陵，闻而器之，檄于幕府，议论相得。秩满，授潭州教授，以教养为己责。提学苏诩补一学职，炎辨之不从。苏怒，欲易教武冈，炎遂用峥嵘字韵。某不揆，斐然成一篇缀卷尾，有'鳌山耸处尚峥嵘'之句，先大夫为一启齿。传至诸父处，族伯父镇江通守见之，莞尔笑曰：'上元用鳌山事于押峥嵘韵，有意思，吾辈不如，后生乃能为此语！'当是时，群从昆弟数十人，而伯父独每见某，欣然谈笑忘倦，其教诲讲提良厚。后四年当绍兴辛巳，先大夫弃诸孤，又三年当隆兴甲申，伯父捐馆，又五年当乾道乙丑，某始登科，而先大夫及伯父皆不及见，某心切切以为恨。……自伯父云亡，某虽窃进士第，学不加进，而曩时为仪曹郎，因牋表诸公颇相称许，追惟所自，伯父教诲之力为多。"

陈傅良（1137—1203）**生**。叶适《宝谟阁待制中书舍人陈公墓志铭》："公姓陈氏，讳傅良，字君举，温州瑞安人。初讲城南茶院，时诸老先生传科举旧学，摩荡鼓舞，受教者无异辞。公未三十，心思挺出，陈编宿说，披剥溃散，奇意芽甲，新语懋长。士苏醒起立，骇未曾有，皆相号召，雷动从之，虽縻他师，议籍名陈氏。由是其文擅于当世。公不自喜，悉谢去。独崇敬郑景望、薛士隆，师友事之。入太学，则张钦夫、吕伯恭相视遇兄弟也。四方受业愈众。乾道八年，策进士殿庐，定公第一，奏入，不果用。教授泰州。朝廷难以铨法持之，遂授太学录。将召授馆职，复不果，使告公，将以为编修官，公辞焉。通判福州，右正言黄治引王安石事劾公罢，主管崇道观，知桂阳军。或言知名士废不用凡三十三人，公为其首，执政病之，稍迁提举湖南茶盐、转运判官、浙西提刑、吏部员外郎。去朝十四年，至是而归，鬓发无黑者，都人聚观嗟叹，号老陈郎中。光宗逆劳曰：'卿昔安在？朕思见久矣，其以所著书示朕。'迁秘书少监兼实录院编修官，皇子赞读，历起居郎、舍人，皆兼中书舍人。会上疾，不能觐重华，公阴讽显谏，危论婉说，因乞致仕，下殿径行。改秘阁修撰，复兼赞读，不至。今上即位，除中书舍人、侍讲，同实录院修撰。御史中丞谢深甫论公言不顾行，提举兴国宫。居三年，察官交疏，削秩罢，时庆元二年也。嘉泰二年始复官，再为兴国宫，知泉州，辞。授集英殿修撰，待制宝谟阁。三年十一月丙子卒。开禧元年三月庚寅，葬于帆游乡澍村前山，距家巷语可达也。……公之从郑、薛也，以克己兢畏为主。敬德集义，于张公尽心焉。至古人经制，三代治法，又与薛公反复论之。而吕公为言本朝文献相承，所以垂世立国者，然后学之内外本末备矣。公犹不已，年经月纬，昼验夜索，询世旧，翻史牍，搜断简，采异闻，一事一物，必稽于极而后止。千载之上，珠贯而丝组之，若目见而身折旋其间，吕公以为其长不独在文字也。公既实究治体，故常本原祖宗德意，欲减重征，捐末利，还之于民，省兵薄刑，期于富厚。而稍修取士法，养其义理廉耻，为人材地，以待上用。其余君德内治，则欲内朝外庭为人主一体，群臣庶民并询叠谏，而无壅塞不通之情。凡成周之所以为盛，皆可以行于今世，视昔人之致其君，非止以气力荷负之，华藻润色之而已也。呜呼！其操术精而致用远，弥纶之义弘矣。……公葬四年，吏部侍郎蔡公行之始状其行于太史。行之从公蚤，载之详。余亦陪公游四十年，教余勤矣，故摭其平生大指，刻于墓上，以记余之哀思，而行之已载者，不复述也。”

楼钥（1137—1213）**生**。袁燮《资政殿大学士赠少师楼公行状》：“公讳钥，字大防，旧字启伯，姓楼氏，著籍于明，明今为庆元府。……公幼警敏，始就外傅，乡人王先生默、李先生鸿渐为严师。既冠，三山郑屯田锷寓馆乡邻，公又师之。隆兴元年，试于南宫，主司伟其辞艺，欲以冠多士，而所答策偶犯庙讳。胡忠宪公赞知贡举洪公奏言其故，有旨置末等之首。是岁廷不策士，即礼部所次，定为五等，赐同进士出身。以启谢诸公，胡公大称赞之曰：‘此翰苑长才也。’明年，中教官选，调温州州学教授。范物以恭，出入冠带惟谨，日与周旋，讲明为学之要，务在笃实，毋溺浮华。……秩满。……充详定义司敕令所删定官，对选德殿，论善为天下者贵实用，不贵空言。……兼玉牒所检讨官，以进仁宗皇帝玉牒迁秩。……求去，添差通判台州。……除太常寺主簿，以先讳辞，改宗正寺主簿。……迁太府寺丞，俄除太常博士，班寺丞下。上疑焉，丞相言：‘议礼之地，最要得人，臣欲重其选尔。’公复以家讳请仍旧职，许之，迁宗正丞。对延和殿，言天下之大患，每起于细微。……丁兖公忧，服出，选知温州。……光宗嗣位，赴行在奏事。……除考工郎中。……选国子监司业。迁太常少卿，改太府少卿。亦以家讳故，兼玉牒检讨官，迁起居郎。……兼权中书舍人，缴奏录黄，无所顾忌，戚里近习望风退缩。……除中书舍人，兼实录同修撰。……兼直学士院……上倦于勤，内禅诏书，实出公手，辞婉而切，朝野传诵。今天子始即位，内外制杂然俱下，公独当之，笔不停缀，而皆明白正大，得代言体，初政有光焉。……迁给事中。国朝太庙，旧为七世之室，太祖祀禧、顺、翼、宣四祖，而虚其三，嘉祐中，以亲未尽，犹虚祫享东向之位以待。……曾少卿三复请乘此时就祧僖祖，正太祖东向之位，集议御史台。公俱陈本末，自郑公侨以下议皆合，公为奏稿，其略曰。……于是度太室之西，建四祖庙焉。孟冬雷震不已，公既草《罪己诏》，又条陈时政。……始与侍读赵忠定公尝同考试南省，官舍又比邻，时时徒步往还，每谓人曰：‘楼公当今人物也，直恐临事颇少刚决尔。’及见其持论坚正，始叹曰：‘吾于是大过所望矣。’权吏部尚书，兼侍读。初，公为馆伴使，知阁门事韩侂胄副之。上之受禅也，侂胄预闻传命，遂尸其功，有弄权之渐。吏部侍郎彭龟年因内引力攻之，且求去。于是侂胄转一官，在京宫观，彭公除待制，与郡。枢密林公时在西掖，公与之合辞论奏……彭公竟去。公久列崇班，负庙堂之望，侂胄闻其不助己也，怒，天官之除，虽阳迁之，而掐抑之也。……公自知直道难行，去志已决，于是请对……先是，谏臣假尊君之说，排逐贤相，榛塞正途，上下之情，日益隔绝，故公言及之。对毕，求去坚确，除显谟阁直学士，知婺州。……始公自永嘉趋召，至是九年，暂还里中，展省先墓。遇太夫人得疾，公亦雅志闲退，三奏乞祠，提举太平兴国宫。申命牧婺，以缴奏寝。御史又攻之，夺其职。久之，乃复差知宁国府，是日丁太夫人忧。坐亲党累，再夺职。又逾年始复，遂告老，至于再，许之。除龙图阁直学士，食兴国之禄，前后凡七任，书问未尝一入都门。权臣于天下善类中，怨公最深，尝语人曰：‘彭侍郎非有雅故，见攻虽急，不敢深怨。楼公尝与共事，一旦鄙我，实不能堪。’群奸窥知其意，协力排根，怨毒滋甚。久而后稍悔悟，旧于都亭驿中，以所藏苏黄门答其伯祖忠彦《辞嘉彦尚主诏草》，求公跋语，公作诗曰：‘今日犹存卯君笔，向来谁造粉昆书。’又为言其所以然。一日，以示从班曰：'某与楼公本厚。'意若拳拳。有寄声使通问者，公不为动。盗权益甚，晦迹愈深。亲故间以利害怵公，请效持书之役，公指席间曰：'宁死于此，此志不可移也。'……闲适既久，德望益增。天子更新大化，招延旧德，起公于既老，除翰林学士。固辞不许，进对，首言：'天道好生恶杀，本朝以不杀为家法。……'上倾听之。迁吏部尚书，兼翰林学士兼侍读。顷之，兼修国史、实录院修撰。……嘉定元年贡举，既奏名，摭对策中有益于时者，为一编以进。……除端明殿学士，签枢密院事，兼太子宾客。……进同知枢密院事，参知政事。公之伯父故扬州太守璹为於潜令时，图耕织之劳，因事为诗，尝以进御。公重绘二图，仍书旧诗，而跋其后，献之于东宫，请时时省阅，知民事之艰难。太子敛衽听受，且致谢焉。……南郊侍祠，驰驱得疾，予告者三，求去不已，除资政殿学士，知太平州，辞。进大学士、提举万寿观，居从其便，赐以器币香茗，东宫再有颁。丞相及两执政送之江亭，握手唏嘘，殆不忍别。既还乡，乞休致愈力，转两官致仕，命下而公薨，实嘉定六年四月己丑，享年七十有七。积阶至金紫光禄大夫，爵至奉化郡公。……赠少师。……平生静专，琐琐尘务，不经于心。惟酷嗜书，潜心经学，旁贯史传以及诸子百家之书，前言往行，博采兼收，森如武库。曾侍郎逮尝问'雨必以夜'所出，公曰：'此《盐铁论》中语。'曾喜报其兄大理卿逢曰：'吾兄弟往来于怀者，今豁然矣。'崔府君庙食甚盛，而逸民氏，多以为汉之子玉。或曰：'此魏之伯深尔。'及公奉诏作《显应观碑》，推寻其实，始知其为唐之贤令。山经地志、星纬律历之学，皆欲得其门户。研精字书，偏旁点画，纤悉无差。……属辞叙事，以意为主，不事雕镌，自然工致。旧有诗声，晚造平淡，而中有山高水深之趣。以铭墓为请者，与之不靳，英辞妙语，散落人间，殆知唐人所谓'碑版照四裔'者。而属稿之初，后生小子辄指其瑕，欣然改定，曾不自知其名位之崇、德齿之尊也。惧儒学之不续，勉励诸子，俾世其家。……榜书斋以攻媿，曰：'人患不知其过，知之而不能改，是无勇也。'自号为攻媿主人。小有过差，不敢自恕，期之于无媿之可攻。铭诸座右曰：'逆境进德，顺境误人。'其子随牒轴线，以诗送之，于淳则曰：'知行勤所职，通塞听何如。'于潚则曰：'不应频来往，恃有檄可沿。'皆所以勉其进修也。慕杜正献公、范忠宣公之为人。丰清敏公，乡之先达也，赋《荷花》诗，有'人心正畏暑，水面独摇风'之句，蔡元长见之，曰：'此人岂肯受我笼络。'公心敬之，以为标的，能言其贤德甚详。……藏书既富，欲别贮之，营度累岁。执政之次年，东楼始成，有登临之快。丛古今群书其上，而垒奇石于前，崭然有二十四峰之状。又取楚公登封令时所藏《嵩岳图》石刻，列屏其下，仍以'仰嵩'旧名名之。雅好琴弈，达其妙趣。得闲之后，方将携以自随，往来于锦照、东楼之间，极燕衎之适，以遂其初志，而病尼之矣。归舟中，观书不辍，弟镛以辞来贺，援笔赓之，雅丽如平日。又赋《鉴湖》二诗，其始归也，卧于别榻，旬余而更得其正，而终焉，怡然不乱。遗稿皆藏于家，方将编次成集。"

沈与求（1086—1137）卒。《四库全书总目》卷一五七："《龟溪集》十二卷。……史称与求历御史三院，知无不言，前后几四百奏，其言切直，今所存仅十之三四，类多深中时弊。……至其制诰诸篇，典雅春荣，亦具有唐人轨度，又不徒以奏议见长矣。"又，王昶《舟中无事偶作论诗绝句·陈俱沈与求陈去非》："故事麟台擅旧闻，小引见礼部合格举人黄公度以下。遂以南省及四川类试合格举人黄贡等三百九十五人，参定为五等，赐及第出身、同出身。奏名林格以下，出身至助教。”

金令负债者为奴。《续资治通鉴》卷一二〇：“是夏，金左监军完颜杲，自长安归云中。元帅府下令：诸公私债负无可偿者，没身及妻女为奴婢以偿之。先是，诸帅回易贷缗遍于诸路，岁久不能偿。会改元诏下，凡债负皆释去。诸帅怒，故违赦复下此令。百姓怨愤，往往杀债主，聚啸山谷焉。”

七月

宋复遣王伦入金。《纲鉴易知录》卷八十：“秋七月，彗星见。王伦复遣如金（秦桧复请遣王伦如金定和议也）。”

十一日，陈与义疾益侵，丐闲得请，提举临安府洞霄宫。还寓青镇僧舍，有诗。《增广笺注简斋诗集》卷三十《病骨》：“病骨瘦始轻，清虚日来入。今朝僧阁上，超遥久风立。茂林榴萼红，细雨离黄湿。物色乃可怜，所悲非故邑。”

同卷，《晨起》：“寂寂东轩晨起迟，蒙笼草木暗疏篱。风来众绿一时动，正是先生睡足时。”

八月

金朝颁行官制。《纲鉴易知录》卷八十：“八月，金始颁行官制（置三师、三公、三省、六曹、台、院、寺、监等）。金以会宁为上京，临潢府为北京。会宁即海古地，金之旧土，初称内地，至是升为上京会宁府。改辽上京临潢府为北京，而东京辽阳、西京大同、南京大兴、中京大定府则仍旧云。”

九月

宋议复兴太学。《续资治通鉴》卷一二〇：“辛丑，温州州学教授叶琳上书，请兴太学。其说以为：‘今驻跸东南，百司备具，何独于太学而迟之？且养士五百人，不过费一观察使之月俸。’又言：‘汉光武起于河朔，五年而兴太学。晋元兴于江左，一年而兴太学。皆未尝以恢复为辞，以馈饷为解。诚以国家之大体在此，虽甚倥偬，不可缓也。’事下礼部。继而，右谏议大夫李谊言：‘今若尽如元丰养士之数，则军食方急，固所未暇。若止以十分之一二为率，则规模稍弱，又非天子建学之体。况宗庙社稷，俱未营建，而遽议三雍之事，岂不失先后之序？望俟回跸汴京，或定都它所，然后推行。’从之。”

陈与义有诗。《增广笺注简斋诗集》卷三十《登阁》：“今日天气佳，登临散腰脚。南方宜草木，九月未黄落。秋郊乃明丽，夕云更萧索。远游吾未能，岁暮依楼阁。”

同卷，《芙蓉》：“白发飘萧一病翁，暮年身世药瓢中。芙蓉墙外垂垂发，九月凭栏未怯风。”

同卷，《岁华》：“岁华日已凋，飞叶鸣古瓦。白头倚危槛，高旻覆平野。遥瞻书留鳞，下有清溪泻。三春既繁丽，九秋亦潇洒。平生万事过，所欠茅一把。山川郁日稀，有抱无与写。赋诗老不工，开篇咏风雅。”

同卷，《得长春两株植之窗前》：“乡邑已无路，僧庐今是家。聊乘数点雨，自种两丛花。篱落失秋序，风烟添岁华。衰翁病不饮，独立到栖鸦。”

同卷，《九月八日戏作两绝句示妻子》，其一：“今夕知何夕，都如未病时。重阳莫草草，剩作几篇诗。”其二：“小瓮今朝熟，无劳问酒家。重阳明日是，何处有黄花。”

同卷，《拒霜》：“拒霜花已徒，吾宇不凄凉。天地虽萧杀，草木有芬芳。道人宴坐处，仕女古时妆。浓露湿丹脸，西风吹绿裳。”

同卷，《微雨中赏月桂独酌》：“人间跌宕简斋老，天下风流月桂华。一壶不觉丛边尽，暮雨霏霏欲湿鸦。”

十月

丙寅，金朝分封诸王。辛未，金朝定封国制。

刘大中罢。《纲鉴易知录》卷八十：“冬十月，罢参知政事刘大中。大中与赵鼎不主和议，秦桧忌之，荐萧振为侍御。振入台，即劾大中，罢之。鼎曰：‘振意不在大中也。’振亦谓人曰：‘赵丞相不待论，当自为去就矣。’”

赵鼎罢相。《纲鉴易知录》卷八十：“赵鼎罢。初，中书舍人潘良贵，以户部侍郎向子諲奏事久，叱之退。帝欲抵良贵罪，中丞常同为之辩，帝欲并逐同。鼎奏子諲虽无罪，而同与良贵不宜逐，帝不从。命下，给事中张致远谓：‘不应以一子諲，出二佳士。’不书黄。帝怒，顾鼎曰：‘固知致远必缴驳。’鼎闻：‘何也？’帝曰：‘与诸人善。’盖已有先入之言，由是不乐鼎。秦桧既留身奏事，及出，鼎闻：‘帝何言？’桧曰：‘上无他，恐丞相不乐耳。’鼎乃引疾求罢，且言：‘臣议论出处与刘大中同，大中去，臣何可留！’乃出知绍兴府。入辞，言于帝曰：‘臣去后，必有以孝悌之说胁制陛下者。’将行，桧率执政饯之，鼎不为礼，一揖而去，桧益憾之。鼎自再相，无所施为。或以为言，鼎曰：‘今日之事，如人患羸，当静以养之，若复攻砭，必损元气矣。’后王庶入对，帝曰：‘赵鼎两为相，于国有大功；再赞勤政，皆能决胜。又镇抚建康，回銮无虞，他人所不及。’”

勾龙如渊为御史中丞。《纲鉴易知录》卷八十：“以勾龙如渊为御史中丞（勾龙，复姓）。先是宰执入见，秦桧独留身，言：‘臣僚畏首尾，多持两端，此不足议论大事。若陛下决欲讲和，乞专与臣议，勿许群臣预。’帝曰：‘朕独委卿。’桧曰：‘臣恐不便，望陛下更思三日。’桧复留身奏事，帝意欲和甚坚，桧犹以为未也，复进前说。又三日，桧复留身奏事如初，知帝意不移，乃始出文字乞决和议。然犹以群臣为患，中书舍人勾龙如渊为桧谋曰：‘相公为天下大计，而邪说横起，盍不择人为台谏，使尽击去，则事定矣。’桧大喜，即擢如渊为中丞，劾异议者，卒成其志。”

十一月

宋文武官吏多反对和议，均一一遭到贬谪。提举洞霄宫李纲亦上书反对，张元幹作词《贺新郎·寄李伯纪丞相》以声援，词曰："曳杖危楼去，斗垂天、沧波万顷，月流烟渚。扫尽浮云风不定，未放扁舟夜渡。宿雁落、寒芦深处。怅望关河空吊影，正人间、鼻息鸣鼍鼓。谁伴我，醉中舞？　十年一梦扬州路，倚高寒、愁生故国，气吞骄虏。要斩楼兰三尺剑，遗恨琵琶旧语。谩暗拭、铜华尘土。换取谪仙平章看，过苕溪、尚许垂纶否？风浩荡，欲飞举。"

孙近参知政事。《纲鉴易知录》卷八十："十一月，以孙近参知政事。"

王庶罢。《纲鉴易知录》卷八十："王庶罢（庶言虏不可和，上疏者七，秦桧绌其说，遂罢为资政殿学士，知潭州）。"

胡铨上疏斥和议，宋文名篇放光辉。宰臣秦桧决策主和，金使以"诏谕江南"为名，中外汹汹。胡铨抗疏，疏文即宋代古文名篇《戊午上高宗封事》。此文《宋史·胡铨传》几全录，仅略去首尾各数句。各种选本，收录此篇时，仅个别字句，偶有不同。胡铨《澹庵集》卷七《戊午上高宗封事》："绍兴八年十一月，右通直郎枢密院编修官臣胡铨，谨斋沐裁书，昧死百拜，献于皇帝陛下。臣谨案，王伦本一狎邪小人，市井无赖，顷缘宰相无识，遂举以使虏。专务诈诞，欺罔天听，骤得美官，天下人切齿唾骂。今者无故诱致虏使，以'诏谕江南'为名，是欲臣妾我也，是欲刘豫我也。刘豫臣事丑虏，南面称王，自以为子孙帝王万世不拔之业，一旦豺狼改虑，捽而缚之，父子为虏。商鉴不远，而伦又欲陛下效之。夫天下者，祖宗之天下也，陛下所居之位，祖宗之位也。奈何以祖宗之天下为金虏之天下，以祖宗之位为金虏藩臣之位！陛下一屈膝，则祖宗庙社之灵尽污夷狄，祖宗数百年之赤子尽为左衽，朝廷宰执尽为陪臣，天下士大夫皆当裂冠毁冕，变为胡服。异时豺狼无厌之秋，安知不加我以无礼如刘豫也哉？夫三尺童子至无识也，指犬豕而使之拜，则怫然怒。今丑虏则犬豕也，堂堂大国，相率而拜犬豕，曾童孺之所羞，而陛下忍为之耶？伦之议乃曰：'我一屈膝则梓宫可还，太后可复，渊圣可归，中原可得。'呜呼！自变故以来，主和议者谁不以此说啖陛下哉！然而卒无一验，则虏之情伪已可知矣。而陛下尚不觉悟，竭民膏血而不恤，忘国大仇而不报，含垢忍耻，举天下而臣之甘心焉。就令虏决可贺，尽如伦议，天下后世谓陛下何如主？况丑虏变诈百出，而伦又以奸邪济之，梓宫决不可还，太后绝不可复，渊圣决不可归，中原决不可得，而此膝一屈不可复伸，国势陵夷不可复振，可为痛哭流涕长太息矣！向者陛下间关海道，危如累卵，当时尚不忍北面臣虏，况今国势稍张，诸将尽锐，士卒思奋。只如顷者丑虏陆梁，伪豫入寇，固尝败之于襄阳，败之于淮上，败之于涡口，败之于淮阴，校之往时蹈海之危，固已万万，傥不得已而至于用兵，则我岂遽出虏人下哉？今无故而反臣之，欲屈万乘之尊，下穹庐之拜，三军之士不战而气已索。此鲁仲连所以义不帝秦，非惜夫帝秦之虚名，惜天下大势有所不可也。今内而百官，外而军民，万口一谈，皆欲食伦之肉。谤议汹汹，陛下不闻，正恐一旦变作，祸且不测。臣窃谓不斩王伦，国之存亡未可知也。虽然，伦不足道也，秦桧以心腹大臣而亦为之。陛下有尧、舜之姿，桧不能致君如唐、虞，而欲导陛下为石晋，近者礼部侍郎曾开等引古谊以折之，桧乃厉声责曰：'侍郎知故事，我独不知！'则桧之遂非愎谏，已自可见，而乃建白，令台谏、侍臣佥议可否，是盖畏天下议己，而令台谏、侍臣共分谤耳。有识之士皆以为朝廷无人，吁，可惜哉！孔子曰：'微管仲，吾其被发左衽矣。’夫管仲，霸者之佐耳，尚能变左衽之区，而为衣裳之会。秦桧，大国之相也，反驱衣冠之俗，而为左衽之乡。则桧也不惟陛下之罪人，实管仲之罪人矣。孙近附会贵议，遂得参知政事，天下望治有如饥渴，而近伴食中书，漫不敢可否事。桧曰虏可和，近亦曰可和；桧曰天子当拜，近亦曰当拜。臣尝至政事堂，三发问而近不答，但曰：‘已令台谏、侍从议矣。’呜呼！参赞大政，徒取充位如此。有如虏骑长驱，尚能折冲御侮耶？臣窃谓秦桧、孙近亦可斩也。臣备员枢属，义不与桧等共戴天，区区之心，愿断三人头，竿之藁街，然后羁留虏使，责以无礼，徐兴问罪之师，则三军之师不战而气自倍。不然，臣有赴东海而死矣，宁能处小朝廷求活邪！小臣狂妄，冒渎天威，甘俟斧钺，不胜郧越之至。”《宋史·胡铨传》：“张九成之策，胡铨之疏，忠义凛然。”无名氏《四朝名臣言行录·胡铨条》杨存斋题公书稿曰：“澹庵先生，借尚方剑，以斩欲帝秦之书。当其一封朝奏之时，虏酋闻之，募本千金，三日得之，君臣动色，发‘国有人焉’之叹。自是不敢南顾者，二十有四年。”杨万里《胡忠简公文集序》：“绍兴戊午，高宗皇帝以显仁皇太后驾未返，不得已以大事小，屈尊和戎。先生上书力争，至乞斩宰相，在廷大惊。金虏闻之，募其本书千金，三日得之，君臣夺气。”楼昉《崇古文诀》卷三五：“论正辞严，谊形于色，晦翁谓可与日月争光，信哉！”

胡铨上书，即遭贬谪。《纲鉴易知录》卷八十：“书上，桧以铨狂妄凶悖，鼓众劫持，诏除名编管昭州。给、舍、台谏及朝臣多救之（给、舍，给事中及中书舍人），桧迫于公论，翌日改铨监广州都盐仓。”

吴师古锓胡铨书，陈刚中贺胡铨谪。《纲鉴易知录》卷八十：“宜兴吴师古，锓其书于木，金人募之千金。朝士陈刚中，以启事贺铨之谪。师古坐流袁州，刚中谪知虔州安远县，皆死焉。晏敦复谓人曰：‘顷言桧奸，诸君不以为然。方今专国，便敢尔，他日何所不至邪！’”

张元幹作词《贺新郎·送胡邦衡待制赴新州》声援胡铨。词曰：“梦绕神州路。怅秋风，连营画角，故宫离黍。底事昆仑倾砥柱，九地黄流乱注？聚万落、千村狐兔。天意从来高难问，况人情、老易悲如许。更南浦，送君去。　凉生岸柳催残暑，耿斜河、疏星淡月，断云微度。万里江山知何处，回首对床夜语。雁不到、书成谁与？目尽青天怀今古，肯儿曹、恩怨相尔汝！举大白，听金缕。”

陈与义（1090—1138）卒。二十九日辛亥，卒于乌墩之僧舍，年四十九。杨万里《诚斋集》卷二六《跋陈简斋奏草》：“诗宗已上少陵坛，笔法仍抽逸少关。真迹总归天上去，独留奏草在人间。”

十二月

金诏谕使至宋，宋朝遣使赴金。

秦桧既定和议，李光参知政事。《纲鉴易知录》卷八十：“十二月，以李光参知政事（秦桧既定和议，将揭榜，以吏部尚书李光有人望，欲藉之同押榜以息浮议，乃请于帝而用之）。”

本年

黄公度进士及第。

京镗(1138—1200)生。杨万里《文忠京公墓志铭》:“讳堂,字仲远,豫章人。……公稚而翘秀,受孔安国《尚书》,通子史百氏,试郡学必前列。及大比,对典谟义,极陈禹皋赞舜深旨,考官惊异,谓有经纶业。明年绍兴丁丑第进士,奉大对,以直闻,时年二十。主抚州临川县簿,令陈鼎有能名,公一日旁观其政,曰:‘吾得知矣,然陈以繁,吾以简。’再转南康星子县令。……知江州瑞昌县。……吏部使者荐之,章交公车,参知政事龚茂良荐公于孝宗,转主管官告院。先是,茂良帅豫章日,得公牋奏之文,奇之,曰:‘此汪彦章辈代言手也。’庀职两月,诏从臣举良县令为执法官,给事中王希吕以公应书,即召见。时帝方英明果锐,有雪仇耻复境土志,夸者乘之,遞遞窾言,以归速化,公言于帝曰:‘天下固有落落难合之事,亦未有骤如意之事。’帝曰:‘天地尚无全功,天下安有骤如意之事?’盖悟公之规也。因极言州县俱困,民贫兵骄,士气隤靡,媢贤憎直,帝曰:‘卿议论通明,有用材也。’是日除监察御史。……大朝会,摄殿中监。……卫公薨,既祥,除荆湖北路转运判官。……召为郎,未行,既母秦国夫人薨。既祥,复召为将作监,迁右司员外郎。北虏贺生辰使来,命公为傧。值帝宅高宗之忧,公谂其使以‘帝方居庐,难以受礼’。除中书门下省检正诸房公事。虏又遣使来吊祭,遂以公为报谢使。公行涉淮,故事当于汴京受宴礼。前三日,公与虏中郊劳使介康元弼、瑶里仲通相见于宁陵,公请免宴,不从。至汴馆,公请必不免宴,则请彻乐,宜如告哀。……遗之书曰:‘……若不得请,有死无贳。无所逃遁,惟执事图之。’一日之间,凡遣人以书辞者六七,口传者数十。元弼等不从,公亦竟不诎。公虑其以衡命诬我也,至期夙兴,衣冠往俟于位。元弼等遣人相踵,趣公即席,又遣相里者传呼邀请,其声不绝于两序之间。公不为动,徐答曰:‘若不彻乐,死不敢即席。必欲即席,可取吾头以往。’闻者震骇。元弼等知不夺,乃遣人谓公曰:‘请先拜醪醴果实之锡,徐议去乐。’公乃率其属班于庭,北向拜受未毕,忽北典籤者连呼曰:‘北朝宴,南使敢不即席!’其声厉甚。于是公既趋退复位,及门,甲士露刃闭关,公命吾典谒叱曰:‘南使执礼,何物卒徒,乃敢无礼!’遂排闼而出。元弼等乃以闻其主,留馆七日,乃有免乐之命,后有宴亦如之。帝闻公还,谓辅臣曰:‘京某在汴,死执不听乐,其节可嘉。士大夫平时孰不以节义自许,临危乃见耳。’除敷文阁待制、四川安抚制置使、知成都府。……于是三边绥靖,朝廷无西顾之忧。公请为祠官,光宗曰:‘蜀人方安京某之政。’进宝文阁待制,俾因任焉。在蜀四年,召为刑部尚书。今上御极,公上疏献四事,曰敬曰公曰勤曰俭,上嘉纳之,命兼侍读。上前陈《春秋》一王赏诛大法,读吕公著《新法奏议》,皆酌古明今,随事寓讽。上喜,因语金华诸儒曰:‘京某进读,义理坦明,使朕意冰释。卿等说经,不当如是耶?’于是大用公之意萌于此矣。寻兼吏部尚书。绍熙五年九月,除端明殿学士、兼枢密院事。十二月,除参知政事。明年改元庆元,四月,除知枢密院事。二年正月,拜右丞相。……六年正月,公与同列奏事,退,公独留,力祈上丞相印绶。先是,同列知其意,言于上曰:‘京某公正无私,不可听其去。’上曰:‘丞相诚实,安得言去?’及公有请,果不从。闰二月，拜少傅、左丞相。三月，公属疾，遂力申前请，凡六表，词皆哀痛。上竟不许，诏药丞视之，且许肩舆入见。六月，慈懿皇后上仙，公力疾而出，发哀成服。八月庚寅，光宗升遐，公闻之，不能出，因大恸，遂疾革。至丁酉，将逝，其子沅问以家事，不答，第长太息曰：'国家多故，何以枝梧。'言讫而薨，享年六十有三。……赠之太师，谥之文忠，以为恩，又命有司祭之。……公之天资，里和表爽，喜怒不留，色悴气平，可否无忤。……于文无所不工，尤长牋奏。仕虽至公台，独未尝掌制，谈者为恨。其为诗源委山谷，而气骨卓伟，无寒瘦态。有杂著三十卷，《经学讲义》五卷。晚卜居得宋齐丘宅，古松百草，岑蔚后先，因号松坡居士。堂曰真趣，楼曰山浦，上为书堂名以赐焉。"

李清照五十五岁。

朱熹九岁。王懋竑《朱熹年谱》引《语录》："孔子曰：'仁远乎哉？我欲仁斯仁至矣。'这个全要人自去做。孟子所谓奕秋，只是争这些子，一个近前要做，一个不把当事。某年八九岁时，读《孟子》到此，未尝不慨然奋发，以为为学当如此做工夫，当时便有这个意思。如此只是未知得是如何做工夫，自后更不肯休，一向要去做工夫。（不知何人记录）"

公元 1139 年（宋绍兴九年　金天眷二年　夏大德五年　西辽康国五年　己未）

正月

宋金达成和议，宋朝大赦天下。《纲鉴易知录》卷八十："己未，九年，春正月，大赦。以金国通和，大赦江南新复州军。直学士院楼炤草赦文，略曰：'乃上穹开悔祸之期，而大金报许和之约，割河南之境土归我舆图，戢宇内之干戈用全民命。'张浚在永州，上疏言：'燕、云之举，其鉴不远。虏自宣和以来，挟诈反复，倾我国家，盖非可结以恩信者。借令虏中有故，上下纷难，天属尽归，河南遂复，我必德其厚赐，谨守信誓，数年之后，人情益解，士气渐消。彼或内乱既平，指瑕造衅，肆无厌之欲，发难从之请，其将何辞以对！顾事理可忧，又有甚于此者。陛下积意兵政，将士渐孚，一旦北面事虏，听其号令，小大将帅，孰不解体！盖自尧、舜以来，人主奄有天下，非兵无以立国，未闻委质可以削平祸难者也。'前后凡五上疏，皆不报。岳飞在鄂州，闻金将归河南地，上言：'金人不可信，和好不可恃。相臣谋国不臧，恐逸后世议。'秦桧衔之。及赦至鄂，飞又上疏立陈和议之非，至有'顾定谋于全胜，期收地于两河，唾手燕、云，终欲复仇而报国；誓心天地，尚令稽首以称藩'之语，疏入，桧意怒，遂成仇隙。和议成，例加爵赏，飞加开府仪同三司，力辞，言：'今日之事，可危而不可安，可忧而不可贺，可训兵饬士谨备不虞，而不可论功行赏取笑敌人。'三诏不受，帝温言奖誉之，飞乃受命。吴璘在熙州，其幕客拟为贺表，璘愀然曰：'在朝廷休兵息民，诚天下庆。璘等叨窃，不能宣国威灵，亦可愧矣，但当待罪，称谢何也！'"

金朝告谕河南军民。《续资治通鉴》卷一二一："是日，金右副元帅沈王宗弼，始以割地诏下宿州。金主诏河南吏民略曰：'顷立齐豫以守南服，累年于兹。天其意者不忍遽泯宋氏社稷，犹留康邸在江之南，以安吾南北之赤子也。倘能偃兵息民，我国家岂贪尺寸之地而不为惠安元元之计乎？所以去冬特废刘豫，今自河南之南，复以赐宋氏。尔等处尔旧土，还尔世主，我国家之恩亦已洪矣。尔能各安其心，无忘我上国之大惠。虽有巨河之隔，犹吾民也。其官吏等，已有誓约，不许辄行废置，各守厥官，以事尔主，无贻悔吝。'又命：'官吏居民，愿归山东、河北者，听。'"

李清照五十六岁。元宵，有词《永遇乐·元宵》："落日熔金，暮云合璧，人在何处？染柳烟浓，吹梅笛怨，春意知几许。元宵佳节，融和天气，次第岂无风雨。来相召，香车宝马，谢他酒朋诗侣。　中州盛日，闺门多暇，记得偏重三五。铺翠冠儿，撚金雪柳，簇带争济楚。如今憔悴，风鬟霜鬓，怕见夜间出去。不如向，帘儿底下，听人笑语。"

二月

以和议为非，尹焞辞官不拜。《纲鉴易知录》卷八十："以尹焞提举万寿观兼侍讲，赐不拜。先是，资善堂翊善朱震疾亟，荐焞自代，帝惨然曰：'杨时物故，胡安国与震又亡，朕痛惜之！'赵鼎曰：'尹焞学问渊源可以继震。'乃除焞太常少卿，兼崇政殿说书，至是改命。焞以和议为非，故辞不拜。"

三月

宋金交割地界。《续资治通鉴》卷一二一："丙申，东京留守王伦始交地界。先是，赵荣既纳款，至寿州王威者，亦以城来归，及伦至东京，见金右副元帅沈王宗弼，首问荣、威，且责赦文载割河南事，不归德于金。伦一面改定，谓元降赦文非真，乃已。接伴使乌陵阿思谋至馆，亦以荣、威为问，必欲得之。至是伦始交地界毕。京城父老官吏，送宗弼至北郊，宗弼坐坛上，酌酒为别。应交割州军官物，十分留二，余八分，赴河北送纳。宗弼由沙店渡河至祁州，金遂移行台于大名。初，金以宗辅子褒为三路都统，知归德府，秋毫无扰，甚得人心。及割地而归，褒悉遣其吏士先行，最后乃出，即下钓桥，极为肃静。"

夏攻陷金府州。《续资治通鉴》卷一二一："是春，夏人乘折可求之丧，陷府州。可求子彦文，挈家依金左副元帅鲁国王昌于大同府。后金人命彦文知代州。"

吴玠为四川宣抚使。

暮春，李清照有词《怨王孙·春景》。词曰："梦断漏悄，愁浓酒恼。宝枕声嘶，翠屏向晓。门外谁扫残红？夜来风。　玉箫声断人何处？春又去，忍把归期负。此情此恨，此际拟托行云，问东君。"

四月

甲戌，金百官朝参，始用朝服。

五月

李世辅自夏归宋。《纲鉴易知录》卷八十："五月，李世辅自夏来归，赐名显忠（世辅，绥德清涧人，自唐以来世袭苏尾九族都巡检使。世辅年十七，随父永奇出入行阵。金人陷延安，授永奇父子官，永奇聚泣曰：'我宋臣也，世袭国恩，乃为彼用邪！'会刘豫令世辅帅马军赴东京，乃密遣其客雷灿以蜡书赴行在。及豫废，兀术授世辅知同州，以计执金撒离喝，欲归朝，金兵追急，乃纵之。世辅携老幼长驱而北，至鄜城县即遣人告永奇，永奇急挈家出城，至马翅谷为金人所及，家属三百口皆遇害。世辅奔夏，夏人问其故，世辅具言父、母、妻、子之亡，切齿疾首，愿得二十万人生擒撒离喝，取陕西五路归于夏。夏主以世辅为延安招抚使。世辅至延安，揭榜招兵。行至鄜州，吴玠遣诣楼炤于长安，炤送之朝，世辅乃率部下三千南来。帝抚劳再三，赐名显忠）。"

宋遣官吏朝谒永安诸陵。《续资治通鉴》卷一二一："判大宗正事士㒟，兵部侍郎张焘，朝谒永安诸陵。前二日，士㒟等至河南，民夹道欢迎，皆言久隔王化，不图今日复得为宋民，有感泣者。士㒟等入柏城，披荆履蘖，随意葺治，成礼而还。陵下石涧水，兵兴以来久涸，三使到，水即日大至，父老惊叹，以为中兴之祥。士㒟等既朝陵，留二日，遂自郑州，历汴、宋、宿、泗、淮南，以归行在。"

六月

宋官吏朝谒永安诸陵还。《续资治通鉴》卷一二二："六月，己巳，光山军节度使、开府仪同三司、判大宗正事士㒟，兵部侍郎张焘，自西京朝陵还。入见，帝问诸陵寝如何，焘不对，唯言万世不可忘此仇。帝默然。"

张焘直言。《纲鉴易知录》卷八十："士㒟、张焘还自河南，出焘知成都府。张焘疏奏曰：'金人之祸，上及山陵（太祖永昌陵而下皆遇发掘，而哲宗永泰陵至暴露），虽殄灭之，未足以雪此耻复此仇也！必不可恃和盟而亡复仇之大事！'帝默然。秦桧患之，出焘知成都府。"

西夏改元。夏主乾顺卒，子仁孝立。仁孝改元大庆，称乾顺为崇宗。

吴玠（1093—1139）卒。《续资治通鉴》卷一二二："保平静难军节度使、开府仪同三司、四川宣抚使吴玠，薨于仙人关，年四十七，诏辍朝二日，赠少师，赙帛千匹。玠御下严而有恩，故士乐为之死。其后制置使胡士将，问玠所以胜于其弟右护军都统制。璘曰：'敌令酷而下必死，每战非累日不决，然其弓矢不若中国之劲利。吾尝以长技洞重甲于数百步之外，又据其行便，争出锐卒，与之为无穷，以阻其坚忍之势。至于决机两阵之间，则璘有不能言。'然玠晚节嗜色，多蓄子女，饵金石，以故得咯血疾。死后谥武安。初，富平既失律，蜀口屡危，金人必欲以全取胜，蜀赖玠以为固。蜀人久而思之。"

吴玠有将略。《纲鉴易知录》卷八十："玠善读史，凡往事可师者，录置座右，积久墙牖皆格言也。用兵本孙、吴，务远略，不求近小利，故能保必胜。御下严而有恩，虚心请受，虽身为大将，卒伍最下者得以情达，故士乐为之死。选用将佐，视劳能为高下先后，不以亲故权贵挠之。卒年四十七，赠少师，谥武安。自富平之败，金人专意图蜀，微玠身当其冲。无蜀久矣，故西人思之，立祠以祀。”

七月

胡士将宣抚四川。《纲鉴易知录》卷八十：“秋七月，以胡士将为四川宣抚副使。士将精神明悟，闲习吏治。初除宣抚，诸将皆贺，士将语之曰：‘士将不习骑射，不知虏情，朝廷所以遣来者，袭国家故事以文臣为副将尔。军事一无改吴宣抚之规（吴宣抚，吴玠），各推诚心，共济国事可也。’诸将皆拜谢。”

金朝发生内讧，杀死蒲卢虎等。《纲鉴易知录》卷八十：“今宋王蒲卢虎等谋反，伏诛（金蒲卢虎自以太宗长子，跋扈尤甚。兖王讹鲁观为左丞相，复附之。挞懒方持兵柄，遂相与谋。及事觉，蒲卢虎、讹鲁观皆伏诛。以挞懒属尊，释不问）。”

八月

王伦如金被执，挞懒谋反见杀。《纲鉴易知录》卷八十：“王伦如金，金人执之。兀术言于金主曰：‘挞懒、蒲卢虎主张割河南与宋，必有阴谋。今宋使在汴，勿令逾境。’伦闻之，即遣介具言于朝。会孟庾至汴，伦即解留钥，将使至赴金国议事。行至中山，会挞懒等反，金人执之，乃遣副使蓝公佐还，议岁贡、政朔、誓命等事，及索河东、北士民之在南者，而徙伦拘于河间以待报命之至。时皇后邢氏崩于五国城，金人秘之。”

九月

金人法苛赋太重，太行一带起义多。《续资治通鉴》卷一二二：“是秋，太行义士蜂起。威胜辽州以来，道不通行。时金人法苛赋重，加以饥馑，民不聊生。又下令欠债者，以人口折还。及藏亡命而被告者，皆死。至是，将相大臣如昌、宗磐之徒，皆被诛。二帅久握重兵，植党滋众，至是悉为亡命，保聚山谷，官司不能制。”

十月

王彦（1090—1139）卒。《续资治通鉴》卷一二二：“丙寅，洪州观察使新知鼎州王彦，卒于邵州，年五十。荆南旧部曲，闻彦之丧，皆即佛宫为位而哭。彦事亲孝，居官廉，其为将也，与士卒同甘苦。屡破大盗，子弟从军者，未尝霑赏。及将死，召其弟侄，悉以家财分给之。时号名将，然性刚寡合，虽待士尽礼，而黑白太分。此其大略也。”

十一月

宋屯田于复归之地。《续资治通鉴》卷一二二：“庚辰，言者论：‘今舆地复归，宿师百万，隶籍诸将，非屯田何以善后？今荆南与洋、汝、颍、江、淮之间，沃野千里，尚或邱墟，是地有遗利。诸师所统，自农为兵者不少。战士之外，负荷役使之徒，不无可用，是人有余力。望令诸路宣府帅臣，悉意讲行。’从之。”

十二月

李光罢。《纲鉴易知录》卷八十：“冬十二月，李光罢。光初谓可因和为自治之计，故署榜不辞。及秦桧议撤河南守备，夺诸将兵权，光始极言‘和不可恃，备不可撤’，桧恶之。光复责桧于帝前曰：‘桧怀奸误国，不可不察。’桧大怒，光遂求去。”

冬

金朝沿河置寨，防人渡河南归。《续资治通鉴》卷一二二：“是冬，金主谕其政省：‘自今四时游猎，春水秋山，冬夏剌钵，并循辽人故事。’元帅府下令：‘沿河置寨，防渡河南归之人，及与人渡者，皆死。’海寇张青，乘海至辽东，称南师，遂破苏州，辽土大扰。中原之被掠在辽者，多起兵应之。青初无进取意，既而复去。金主诏郡县：‘不得从元帅府擅更佥军，俟见御书乃听。’时太行义士王忠植，已取石州等十一郡，闻于朝，帝嘉之，拜忠植武功大夫、华州观察使、统制河州忠义军马。忠植，步佛山人也。”

呼沙呼北攻蒙古，大金朝始弛铁禁。《续资治通鉴》卷一二二：“女直万户呼沙呼（旧作胡沙虎，今改），北攻蒙古，粮尽而还。蒙古追袭之，至上京之西北，大败其众于海岭。金主以富勒玛（旧作胡卢马，今改）为招讨使，提点夏国、达勒达两国市场。达勒达者，在金国之西北。其近汉地，谓之熟达勒达，食其粳稻。其远者，谓之生达勒达，止以射猎为生，性勇悍，然地不生铁，矢镞但以骨为之。辽人初置市场，与之回易，而铁禁甚严。至今始弛其禁。又刘豫不用铁钱，繇是河东、陕西铁钱，率自云中货于达勒达。蒙古得之，遂大作军器焉。”

本年

陆九渊（1139—1193）生。杨简《象山先生行状》：“先生姓陆，讳九渊，字子静。……母孺人饶氏，生六子，先生其季也。先生幼不戏弄，敬重如成人。三四岁时，常侍宣教公行，遇事物必致问。一日，忽问天地何所穷际，宣教公笑而不答，遂深思至忘寝食。角总经夕不脱衣，履有弊而无坏，袜至三接，手甲甚修，足迹未尝至庖厨。常自扫洒林下，宴坐终日。立于门，过者驻望称叹，以其端庄雍容异常儿也。五岁读书，纸隅无卷摺。六岁侍亲会嘉礼，衣以华好，却不受。季兄复斋，年十三，举礼经以告，先生乃受。与人粹然乐易，然恶无礼者。读书不苟简，外视虽若闲暇，而实勤于考索。伯兄总家务，常夜分起，必见先生秉烛检书。伊川近世大儒，言垂于后，至今学者尊敬讲习之不替。先生独谓简曰：‘丱角时，闻人诵伊川语，自觉若伤我者，亦尝谓人曰：“伊川之言，奚为与孔子、孟子之言不类。”初读《论语》，即疑有子之言支离。’先生生而清明，不可企及，有如此者。他日读古书，至于宇宙二字，解者曰：‘四方上下曰宇，往古来今曰宙。’忽大省曰：‘宇宙内事乃己分内事，己分内事乃宇宙内事。’又尝曰：‘东海有圣人出焉，此心同也，此理同也。西海有圣人出焉，此心同也，此理同也。南海北海有圣人出焉，此心同也，此理同也。千百世之上有圣人出焉，此心同也，此理同也。千百世之下有圣人出焉，此心同也，此理同也。’乾道八年登进士第，时考官吕祖谦能识先生之文于数千人之中，他日谓先生曰：‘未尝宽诚足下之教，仅得之传闻，一见高文，心开目明，知其为江西陆子敬也。’……淳熙元年，授迪功郎、龙兴府靖安县主簿。未上，丁继母太孺人邓氏忧。服阕，调延宁府崇安县主簿。八年，少师史公浩荐先生之辞曰：‘渊源之学，沉粹之行，辈行推之，而心悟理融，出于自得。’得旨都堂审察升擢，不赴。九年，侍从复上荐，除国子正。诸生叩请，孳孳启谕。中家居教授，感发良多。十年冬，迁敕令所删定官。同志之士相从讲切不替。僚友多贤，相与问辩，大信服。先生自少时闻长上道靖康间事，慨然有感于复仇之义。至是遂访求智勇之士，与之商榷，益知武事利病，形势要害，人物短长。十一年当轮对，期迫甚，犹未入思虑，所亲累请，久乃下笔，缮写甫就，厥明即对，上屡谕所奏。修宽恤诏令，书成，有旨改承奉郎。十三年，转宣义郎。……距对五日，除将作监丞，后省疏驳，得旨主管台州崇道观。先生既归，学者辐辏愈盛，虽乡曲老长，亦俯首听诲，言称先生。先生悼时俗之通病，启人心之故友，咸惕然以惩，跃然以兴。每诣城邑，环坐者一二百人，至不能容，徙观寺。县大夫为设讲座于学宫，听者贵贱老少，溢塞途巷，从游之盛，未见有此。贵溪有山，实龙虎之本冈，先生登而乐之，结茆其上。山高五里，其形如象，遂名之曰象山，自号象山翁。四方学徒复大集，至数百人，从容讲道，咏歌怡愉，有终焉之意。于是人号象山先生。十六年，祠秩满，今上登极，除知荆门军。是年转宣教郎，又转奉议郎，绍熙二年九月，初领郡事。……治化孚洽，久而益著。既逾年，笞箠不施，至于无讼。相保相爱，闾里熙熙，人心敬向，日以加厚。吏卒亦能相勉以义，视官事如其家事。识者知其为郡，有出于政刑号令之表者矣。诸司交章论荐，丞相周公必大尝遗人书，有曰：‘荆门之政，于以验躬行之效。’三年冬十一月，语女兄曰：‘先教授兄有志天下，竟不得施以没。’女兄然。又尝谓家人曰：‘吾将死矣。’或曰：‘安得此不祥语，骨肉将奈何？’先生曰：‘亦自然。’又告僚属曰：‘某将告终。’先生素有血疾，居旬日大作，实十二月丙午。越三日，疾良已，接见属僚，与论政理如平时。宴息静室，命扫洒焚香，家事一不挂齿。庚戌祷雪，辛亥雪骤降。命具浴，浴罢，尽易新衣，幅巾端坐。家人进药，先生却之，自是不复言。癸丑日中，奄然而卒。郡属棺敛竭诚，哭哀甚。吏民哭奠，充塞衢道，各有辞以叙陈痛恋之情。柩归，门人奔哭会葬以千数。郡县于其讲学之地为立祠。先生遗文，诸生已次第编纪。先生生于绍兴九年二月乙亥，享年五十有四。娶吴氏，封孺人。二子持之、循之，女一。明年十有一月壬申，葬于乡之永兴寺，山距妣饶氏孺人墓为近。先生之道，至矣大矣，简安得而知之？惟简主富阳簿时，摄事临安府中，始承教于先生。及反富阳，又获从容侍诲。偶一夕，简发本心之问，先生举是日扇讼是非以答，简忽省此心之清明，忽省此心之无始末，忽省此心之无所不通。简虽凡下，不足以识先生，而于是亦知先生之心，非口说所能赞述。所略可得而言者：日月之明，先生之明也；

四时之变化，先生之变化也；天地之广大，先生之广大也；鬼神之不可测，先生之不可测也。欲尽言之，虽穷万古，不可得而尽也。虽然，先生之心与万古之人心一贯无二致，学者不可自弃。”

崔敦诗（1139—1182）**生**。韩元吉《中书舍人兼侍讲直学士崔公墓志铭》：“上乾道九年，思得文学之臣以视草司诏命，惟翰林学士品秩甚崇，虽或假摄，亦必侍从，将择属僚之俊异者，寓职玉堂，以作古贻后世。于是诏左宣教郎、秘书省正字崔公墩诗首为翰林权直。公通州静海人也，少年中进士科，早有文名。用荐者入馆阁，所为制词，一出温润详雅，明白有体要，众以惊叹。兼崇政殿说书，兼权给事中，而公以‘封驳之重，资望未称’辞焉，上益嘉重其名。明年十二月，以父忧去位，未除丧，复遭内艰。淳熙之五年，翰林学士今知枢密院周公子充屡请补外，上以为难其人。一日，中批以问旧尝荐公吏部尚书韩某曰：‘崔某今安在?’然后知公之眷未亡，且复用矣。某因其言公连有家难，适外除，陛下用之，此其时也。既召见，即言：‘国家治否系公论废兴，公论者众心所在。理之当然，乃天道也。愿明诏大臣，施舍废止，务合于此。’上称善，除枢密院编修官，复为权直。……迁著作郎，兼权吏部郎官，又兼崇政殿说书。公具辞曰：‘铨曹事剧，非文字讲说所可兼也。’未几，进国子司业，改权直学士院。八年九月，拜中书舍人，加侍郎，直学士院。公赋性端厚，议论疏通，知大体，始以固人心振士气为言，且谓：‘监司郡守以蜂厉之威为强，以敏给办事为能，词讼不理，而专事财利，教化不修，而专用刑法。’最为知要。自直宿遞讲遇引对，所陈必剀切，然不务激讦以沽名声，故睠予隆甚。尝论储将帅……皆深契圣意。进《选德殿六箴》，曰政令听察，财用审慎，极规正之义。且言用人之道。……至造膝密陈，有家人不得觇其稿者。上深契许，众谓公之柄用可期矣。九年大疫，遽以疾，五月几日不起闻。天子悼叹，士夫吊者皆失声堕泪。诏赠四官，推恩其后，所以赙邺之特厚。始公游行，爱溧阳县山水，买田卜居。及父之丧，得邑之举福乡泉山葬焉。至是以十年二月丁酉，祔于泉山，敕建康府为办葬事。公字大雅，其氏族自唐为甲姓，五代末有师约者，仕南唐，因家靖海。曾祖珙，祖泾，皆隐德于乡。累世习善奇行，以不杀为劝，号崔放生家。至父邦哲，始业进士，而教子甚力，以子封承事郎，赠宣教郎。当绍兴三十年，承事君以累举奏名，而公与兄敦礼联登第，父子三人同日解褐，乡人荣之。敦礼为诸王公大小学教授，一病而卒。不数月，公又物故，人尤哀之。公初主扬州高邮县簿，次两浙转运使干办公事，遂正字于秘书省。逮还朝，除擢皆出上选。三年四迁，而侍西掖，典内外制，执经劝讲，可谓千载之遇。而不究其用，呜呼，得非命耶。公博览强记，为文敏赡，尝仿汉魏至唐为《铙歌鼓吹曲》十二篇，以述祖宗功德之盛，见称于时。又以司马公《资治通鉴》于治乱得失，忠邪善恶，有所未论者，凡一君之后为总说，一代之末为统论，成六十卷，号《通鉴要览》，皆以奏御。而上命公更定吕祖谦所编《文鉴》中群臣奏议，其增损去留，率有意义。有文集若干卷，内外制稿若干卷，所类《制海》十编、《鉴韵》五编，藏于家。官自朝奉大夫，赠中大夫，年仅四十有四。母陶氏，赠安人。娶军器少监钱俣之女，封安人。一男子端学，几岁。四女子，长及笄，余尚幼。方公兄之没也，公悼之甚，誓以己之恩先与其侄。今钱夫人遂推遗泽，以成公之志。故其葬也，士友相率为之请铭，是重可哀也。”

朱熹十岁。王懋竑《朱熹年谱》引《行状》:“少长，厉志圣贤之学，于举子业初不经意。”

公元1140年（宋绍兴十年　金天眷三年　夏李仁孝大庆元年　西辽康国六年　庚申）

正月

高宗遣使迎徽宗之丧。《纲鉴易知录》卷八一:“庚申，十年，春正月，遣工部侍郎莫将等使金（初，将为司农丞，附秦桧，力赞和议。至是，以将为工部侍郎，充迎护梓宫、奉迎两宫使)。”

李纲（1083—1140）卒。《纲鉴易知录》卷八一:“观文殿大学士、陇西公李纲卒。纲卒于福州，年五十八岁，赠少师，谥忠定。纲负天下之望，以一身用舍为社稷生民安危，虽身或不用，用且不久，而其忠诚义气，凛然动乎远迩。每使者至金，金人必问:‘李纲、赵鼎安否?’其为远人所畏服如此。”同月，张元幹作《挽少师相国李公五首》，赞扬李纲奋勇抗金之精神。

二月

宋朝革正科举制度。《续资治通鉴》卷一二二:“癸丑，诏曰:‘永惟三岁兴贤之制，肇自承平。爰暨累朝，尊用彝典。顷缘多事，游展试期。致取士之年，属当宗祀。宜从革正，用复故常。可除科场于绍兴十年，仰诸州依条发解外，将省殿试更展一年，于绍兴十二年正月锁院省试，三月择日殿试。其向后科场，仍自绍兴十二年省试为准，于绍兴十四年，令诸州依条发解，内将来绍兴十二年特奏名，合出官人。有年六十一岁者，许出官一次。’”

三月

张焘虑金败盟约，速徙大军屯蜀口。《续资治通鉴》卷一二二:“丙戌，成都府路安抚使张焘，始至成都。初，焘自京洛入潼关，已闻金人有败盟意。逮至长安，所闻益急。焘遂行，见川陕宣抚副使胡士将，为言:‘和尚原，最为要冲，自原以南，则入川路。若失此原，是无蜀也。’士将曰:‘蜀口旧戍，皆精锐，最号严整。自朝旨撤戍之后，关隘撤备。士将虽屡申请，未见行下。公其为我筹之!’焘遂为士将草奏，具言:‘事势危机，其速徙右护军之戍陕右者还屯蜀口。’又请赐料外钱五百万缗，以备缓急。”

宋朝罢内教。《续资治通鉴》卷一二二:“辛卯，赐京东淮东宣抚使韩世忠、淮西宣抚使张俊，燕于临安府，以其来朝故也。初，诸大将入觐，陈兵阅于禁中，谓之‘内教’。至是，统制官呼延通，因内教出不逊语，中丞王次翁，乞斩通以肃军列，因言:‘祖宗著令，寸铁入皇城者，皆有常刑。今使武夫悍卒，披坚执锐于殿廷之下，非所以严天陛也。’内教遂罢。”

四月

金朝奖廉惩贪。《续资治通鉴》卷一二二："夏四月，乙巳朔，金温都思忠廉问诸路，得廉吏杜遵晦以下百二十四人，各进一阶；贪吏张轸以下二十一人，皆罢之。"

腐败先从内部起，金宋用兵有差异。《续资治通鉴》卷一二二："丁卯，金主如上京。时降将郦琼，为金人所用，知金将南伐，语其同列曰：'琼向从大军南伐，每见元帅国王，亲临阵督战，矢石交集，而王免胄指麾三军，意气自若，用兵制胜，皆与孙、吴合，可谓命世雄才矣。至于亲冒锋镝，进不避难，将士视之，孰敢爱死乎？宜其所向无前，日辟国千里也。江南将帅，才能不及中人，每当出兵，必身居数百里外，谓之持重。或督召军旅，易置将校，仅以一介之士，持虚文谕之，谓之调发。制敌决胜，委之偏裨，是以智者解体，愚者丧师。幸一小捷，则露布飞驰，增加俘级，以为己功。敛怨将士。纵或亲临，亦必远遁。而又国政不纲，才有微功，已加厚赏。或有大罪，乃置而不诛。不即覆亡，已为天幸，何能振耶？'琼所指元帅，谓宗弼也。宗弼闻之，召问江南成败，谁敢相拒者。琼曰：'江南军势怯弱，皆败亡之余。又无良帅，何以御我？吾以大军临之，彼君臣方且心破胆裂，将哀鸣不暇，盖伤弓之鸟，可以虚弦下也。'宗弼喜以为知言。"

五月

金复陷河南陕西。《纲鉴易知录》卷八一："五月，金兀术、撒离喝分道入寇，复陷河南、陕西州郡。秦桧以其言不雠，甚惧，谓给事中冯檝曰：'金人背盟，我之去就未可卜。前此大臣皆不足虑，独君乡浚（乡同向，独虑君意向张浚），未测上意（然上意不可测），君其为我探之！'檝入见曰：'金人长驱犯顺，势必兴师，如张浚者且须以戎机付之。'帝正色曰：'宁至覆国，不用此人。'桧闻之喜。"

辛弃疾（1140—1207）生。十一日，辛弃疾生。《宋史》卷四〇一《辛弃疾传》："辛弃疾字幼安，齐之历城人。少师蔡伯坚，与党怀英同学，号辛、党。始筮仕，决以蓍，怀英遇《坎》，因留事金，弃疾得《离》，遂决意南归。金主亮死，中原豪杰并起。耿京聚兵山东，称天平节度使，节制山东、河北忠义军马，弃疾为掌书记，即劝京决策南向。……绍兴三十二年，京令弃疾奉表归宋，高宗劳师建康，召见，嘉纳之，授承务郎、天平节度掌书记，并以节使印告召京。会张安国、邵进已杀京降金，弃疾还至海州……约统制王世隆及忠义人马全福等径趋金营，安国方与金将酣饮，即众中缚之以归，金将追之不及。献俘行在，斩安国于市。仍授前官，改差江阴佥判。弃疾时年二十三。乾道四年，通判建康府。六年，孝宗召对延和殿。时虞允文当国，帝锐意恢复，弃疾因论南北形势及三国、晋、汉人才，持论劲直，不为迎合。作《九议》并《应问》三篇、《美芹十论》献于朝，言逆顺之理、消长之势、技之长短、地之要害，甚备。以讲和方定，议不行。迁司农寺主簿，出知滁州。……辟江东安抚司参议官，留守叶衡雅重之，衡入相，力荐弃疾慷慨有大略。召见，迁仓部郎官、提点江西刑狱。平剧盗赖文政有功，加秘阁修撰。调京西转运判官，差知江陵府兼湖北安抚。迁知隆

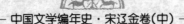

兴府兼江西安抚，以大理少卿召，出为湖北转运副使，改湖南，寻知潭州兼湖南安抚。盗连起湖湘，弃疾悉讨平之，遂奏疏曰……诏奖谕之。……加右文殿修撰，差知隆兴府兼江西安抚。……进一秩，以言者落职，久之，主管冲佑观。绍熙二年，起福建提点刑狱。召见，迁大理少卿，加集英殿修撰、知福州兼福建安抚使。……台臣王蔺劾其用钱如泥沙，杀人如草芥，旦夕望端坐闽王殿，遂丐祠归。庆元元年落职。四年，复主管冲佑观。久之，起知绍兴府兼浙东安抚使。四年，宁宗召见，言盐法，加宝谟阁待制、提举佑神观，奉朝请。寻差知镇江府，赐金带。坐缪举，降朝散大夫、提举冲佑观，出知绍兴府、两浙东路安抚使，辞免。进宝文阁待制，又进龙图阁，知江陵府。令赴行在奏事，试兵部侍郎，辞免。进枢密都承旨，未受命而卒。赐对衣、金带，守龙图阁待制致仕，特赠四官。弃疾豪爽尚气节，识拔英俊，所交多海内知名士。尝跋绍兴间诏书曰：'使此诏出于绍兴之前，可以无事雠之大耻；使此诏行于隆兴之后，可以卒不世之大功。今此诏与雠敌俱存也，悲夫！'人服其警切。帅长沙时，士人或诉考试官滥取第十七名《春秋》卷，弃疾察之信然，索亚榜《春秋》卷两易之，启名则赵鼎也。弃疾怒曰：'佐国元勋，忠简一人，胡为又一赵鼎！'掷之地。次阅《礼记》卷，弃疾曰：'观其议论，必豪杰士也，此不可失。'启之，乃赵方也。尝谓：'人生在勤，当以力田为先。北方之人，养生之具不求于人，是以无甚富甚贫之家。南方多末作以病农，而兼并之患兴，贫富斯不侔矣。'故以'稼'名轩。……弃疾尝同朱熹游武夷山，赋《九曲棹歌》，熹书'克己复礼'、'夙兴夜寐'，题其二斋室。熹殁，伪学禁方严，门生故旧至无送葬者。弃疾为文往哭之曰：'所不朽者，垂万世名。孰谓公死，凛凛犹生！'弃疾雅善长短句，悲壮激烈，有《稼轩集》行世。绍定六年，赠光禄大夫。咸淳间史馆校勘谢枋得过弃疾墓旁僧舍，有疾声大呼于堂上，若鸣其不平，自昏暮至三鼓不绝声。枋得秉烛作文，旦且祭之，文成而声始息。德祐初，枋得请于朝，加赠少师，谥忠敏。"

六月

刘锜顺昌之捷。《纲鉴易知录》卷八一："东京副留守刘锜大败金人于顺昌，兀术走汴。初，锜赴东京，至涡口，方食，忽暴风拔坐帐，锜曰：'此贼兆也，主暴兵。'即下令兼程而进。闻金人败盟南下，锜与将佐舍舟陆行，至顺昌城下，谍报东京已陷，因与知府陈规议敛兵入城为守御计。乃寘家寺中，积薪于门，戒受者曰：'脱有不利，即焚吾家，毋辱敌手也。'于是军士皆奋。时守备一无可恃，锜于城上躬自督励，取刘豫时所造痴车，以轮辕埋城上，又撤民户扉周匝蔽之。凡六日，粗毕，而金兵遂围城。锜募壮士五百，夜斫其营，是夕天欲雨，电光四起，见辫发者辄歼之；敌众大乱，终夜自战，积尸盈野，退兵老婆湾。兀术在汴闻之，即索靴上马，率十万众来援。锜遣耿训约战，兀术怒曰：'以吾力破汝城，直用靴尖趯倒耳。'训曰：'太尉非但请战，且谓太子必不敢济河，愿献浮桥五所，济而大战。'迟明，锜果为浮桥五座于颍河上，且毒颍上流及草中，戒军士虽渴死，毋饮于河。时大暑，敌远来疲弊，人马饥渴，食水草者辄病。锜士气闲暇，军皆番休。方晨气清凉，按兵不动；敌力疲气索，乃出接战，敌大败，兀术拔营去，车旗器甲积如山阜。兀术平日所恃以为强者，十损七八，遂还汴。既而洪皓自金密奏：'顺昌之捷，金人震恐丧魄，燕之重宝珍奇悉徙而北，意欲捐燕以南弃之。'故议者谓：'是时诸将协心，分路追讨，则兀术可擒，汴京可复；而王师亟还，自失机会，良可惜也。'"

岳飞击败金兵于京西。《纲鉴易知录》卷八一："岳飞遣兵败金人于京西。帝赐飞札曰：'设施之方，一以委卿，朕不遥度。'飞乃遣王贵、牛皋、扬再兴、李宝等分布经略西京诸郡，又命梁兴渡河纠合忠义社取河东、北州县，又遣兵东援刘锜，西援郭浩，自以其军长驱以阚中原。将发，密奏曰：'先正国本以安人心，然后不常厥居，以示无忘复仇之意。'飞将李宝、牛皋，相继败金人于京西。"

闰六月

闰六月，宋军捷报频传。先是，金人寇泾州，经略使田晟破走之。之后，尽管朝廷遣使谕岳飞班师，岳飞还是收复了河南州郡。

韩世忠军克海州。《续资治通鉴》卷一二三："京东淮东宣抚司都统制王胜克海州。先是，韩世忠命胜率统制官王升权等攻海州，守将王山以兵逆战，去城六十里，与官军遇，败走。夜二鼓，以舟师傅城北。山乘城守，而胜命诸军随地而攻，火其北门。军士周成先入，父老裒金帛以犒军，胜不受。世忠每出军，秋毫无犯，军之所过，耕夫皆荷锄而观。"

王德善夜战，夜叉复宿州。《纲鉴易知录》卷八一："张俊使王德复宿州，金人弃亳而遁，俊入亳，遽还寿春。俊遣统制王德复宿州，金守将马秦降，宿州平。德乘胜趋亳州，与俊会于城。时郦琼与葛王乌禄在亳，闻德至，曰：'夜叉未易当也。'即遁去。德入亳州，请于俊曰：'今兵威已振，请乘胜进取。'俊不从而还寿春。初，德以十六骑径入隆德府，缚金守臣姚太师献于朝，钦宗问状，姚对曰：'臣就缚时，只见夜叉耳。'由是人呼为'王夜叉'。"

七月

秦桧荐王次翁。《纲鉴易知录》卷八一："秋七月，以王次翁参知政事。秦桧荐次翁为中丞，故凡可以为桧地者无不力为之。及金人败盟，帝下诏罪状兀术，此翁惧桧得罪，因奏曰：'前日国事，初无主议，事有小便，更用他相，后来者未必贤，而排黜异党，纷纷累月不能定。愿陛下以为至戒！'帝深然之。桧德其言，遂引同列，由是益安据其位，公论不能撼摇矣。"

岳飞郾城之捷。《纲鉴易知录》卷八一："岳飞击走金兀术于郾城，追至朱仙镇，大破之。遣使修治诸陵。飞留大军于颍昌，命诸将分道出战，自以轻骑往郾城，兵势甚锐。兀术大惧，合龙虎大王、盖天大王及韩常之兵逼郾城。飞遣子云领骑兵直贯其阵，戒之曰：'不胜先斩汝！'云与金人战数十合，金尸布野。兀术以拐子马五千来，飞戒步卒以麻扎刀入阵，勿仰视，第斫马足。拐子马相连，一马仆，二马不能行，飞军奋击，遂大破之。兀术大恸曰：'自海上起兵，皆以此胜，今已矣！'因复益兵而前，飞自以四十骑突战败之。兀术夜遁，追奔十五里，中原大震。飞谓子云曰：‘贼屡败，必还攻颍昌，汝宜速援王贵。’既而兀术果至，贵将游弈，云将背嵬战于城西（游奕、背嵬皆军号），云以骑兵八百，挺前决战，步卒张左右翼继之，杀兀术胥夏金吾。飞又使梁兴会太行忠义、两河豪杰，败金人于垣曲，又败之于沁水，遂复怀、卫州，断金人山东、河北之道。金人大恐。飞进军朱仙镇，距汴京四十五里，与兀术对垒而阵，遣背嵬骑五百奋击，大破之，兀术还汴。飞檄陵台令行视诸陵，葺治之。”

岳飞奉诏班师，河南复陷于金。《纲鉴易知录》卷八一：“岳飞奉诏班师，河南州郡复陷于金。两河豪杰李通等帅众归飞，由是金人动息、山川险要，飞皆得其实。中原尽磁、相、泽、潞、晋、绛、汾、隰之境，皆期日兴兵与官军会。其所揭旗，皆以岳为号，父老百姓争挽车牵牛，载糗粮以馈义军，顶盆焚香迎候者充满道路。自燕以南，金人号令不行。兀术欲佥军以抗飞，河北无一人应者，乃叹曰：‘自我起北方以来，未有如今日之挫衄。’金将乌陵思谋，素骁勇桀黠，亦不能制其下，但谕之曰：‘毋轻动，待岳家军来即降。’金将王镇、崔清、李觊、崔虎、华旺等，皆率所部降飞。龙虎大王之将忻查等，亦密受飞旗榜，自其国来降。韩常亦欲以众五万内附。飞大喜，语其下曰：‘直抵黄龙府，与诸君痛饮耳！’方指日渡河，而秦桧欲画淮以北与金和，讽台臣请班师。飞奏：‘金人锐气沮丧，尽弃辎重，疾走渡河，而我豪杰向风，士卒用命。时不再来，机难轻失！’桧知飞志锐不可回，乃先请张俊、杨沂中等归，而后上言：‘飞孤军不可久留，乞连诏还。’飞一日奉十二金字牌，乃愤惋泣下，东面再拜曰：‘十年之力，废于一旦！’乃自郾城引兵还。民遮马痛哭，诉曰：‘我等迎官军，金人皆知之，相公去，我辈无噍类矣！’飞亦悲泣，取诏示之曰：‘我不得擅留！’哭声震野。飞留五日以待民徙。从而南者如市，飞亟奏以汉上六郡闲田处之。初，兀术败于朱仙，欲弃汴而去，有书生叩马曰：‘太子毋走，岳少保且退。’兀术曰：‘岳少保以五百骑破吾十万，京城日夜望其来，何谓可守？’生曰：‘自古未有权臣在内，而大将能立功于外者。岳少保且不免，况欲成功乎！’兀术悟，遂留不去。及飞还，兀术遣兵追之，不计，而河南新复府州，皆复为金有。飞至鄂，力请解兵权，不许。已而入觐，帝问之，飞拜谢而已。”

岳飞《乞止班师诏奏略》：“契勘金虏，重兵尽聚动静，屡经败衄，锐气沮丧，内外震骇。闻知谍身，虏欲弃其辎重，疾走渡河。况今豪杰向风，士卒用命，天时人事，强弱已见。功及垂成，时不再来，机难轻失。臣日夜料之熟矣，惟陛下图之。”

八月

张九成贬官。《纲鉴易知录》卷八一：“八月，贬秘阁修撰张九成等官。九成等皆言和议非计，秦桧恶之，乃贬九成知邵州，喻樗知怀宁县，陈刚中知安远县，凌景夏知辰州，樊光远阆州学教授，毛叔度嘉州司户参军。九成从杨时学，绍兴初举进士，对策直言无隐。及为刑部侍郎，会金人议和，九成言于赵鼎曰：‘金实厌兵，而张虚声以撼中国耳。’因陈十事，云彼诚能从吾所言则与之和，使权在朝廷。鼎罢相，桧诱之曰：‘且成桧此事。’九成曰：‘九成胡为异议，特不可苟安耳！’桧曰：‘立朝须优游委曲。’九成曰：‘未有枉己而能直人者。’帝问以和议，九成对曰：‘敌情多诈，不可不察。’桧尤恶之。”

李清照五十七岁，有词《花山子》咏丹桂，并借以怀乡。词云：“揉破黄金万点明，剪成碧玉叶层层。风度精神如彦辅，太鲜明。　　梅蕊重重何俗甚，丁香千结苦粗生。熏透愁人千里梦，却无情。”

九月

宋朝诸大帅皆罢兵还镇。

十月

金兵攻陷庆阳城，忠植遇害谥义节。《纲鉴易知录》卷八一：“冬十月，金撒离喝陷庆阳，河东经略使王忠植死之。忠植本河东步佛山忠义人，以复石、代等十一州功，授河东经略安抚使。及撒离喝犯庆阳，知府宋万年据守，胡士将檄忠植以所部救庆阳。行次延安，叛将赵惟清执忠植诣撒离喝，撒离喝使甲士引至庆阳城下谕降，忠植大呼曰：‘我太行忠义也，为虏所执，使来招降。愿将士勿负朝廷，坚守城壁！’撒离喝怒诘之，忠植披襟曰：‘当速杀我！’遂遇害。万年以城降。后赠忠植奉国军节度使，追谥义节。”

十一月

金朝封孔子后人。《纲鉴易知录》卷八一：“十一月，金封孔子后璠为衍圣公（时金主兴礼乐，立孔子庙于上京，求孔子后，得四十九代孙承奉郎璠，遂封之）。”

金屯田于中原。《纲鉴易知录》卷八一：“十二月，金始置屯田军于中原。金既取河南，犹虑中原士民怀贰，始创屯田军。凡女真、奚、契丹直人，皆自本部徙居中州，与百姓杂处，计其户口，授以官田，使自播种，春秋量给其衣；若遇出师，始给钱米。凡屯田之所，自燕南至淮、陇之北俱有之，皆筑垒于村落间。”

本年

赵汝愚（1140—1189）生。《宋史》卷三九二《赵汝愚传》：“赵汝愚字子直，汉恭宪王元佐七世孙，居饶之余干县。……汝愚早有大志，每曰：‘丈夫得汗青一幅纸，始不负此生。’擢进士第一，签书宁国军节度判官，召试馆职，除秘书省正字。孝宗方锐意恢复，始见，即陈自治之策，孝宗称善，迁校书郎。知閤门张说擢签书枢密院事，汝愚不往见，率同列请祠，未报。会祖母讣至，即日归，因自劾，上不加罪。迁著作郎、知信州，易台州，除江西转运判官，入为吏部郎，兼太子侍讲。迁秘书少监兼权给事中。……权吏部侍郎兼太子右庶子，论知閤王抃招权预政，出抃外祠。以集英殿修撰帅福建，陛辞，言国事之大者四，其一谓吴氏四世专蜀兵，非国家之利，请即今以渐抑之。进直学士，制置四川兼知成都府。诸羌蛮相挺为边患，汝愚至，悉以计分其势。孝宗谓其有文武威风，召还。光宗受禅，趣召未至，殿中侍御史范处义论其稽命，出知潭州，辞，改太平州。进敷文阁学士，知福州。绍熙二年，召为吏部尚书。……四年，汝愚知贡举，与监察御史汪义端有违言。汝愚除同知枢密院事，义端言祖宗之法，宗室不为执政，诋汝愚植党沽名，疏上，不纳。又论台谏、给舍阴附汝愚，一切缄默，不报。论汝愚发策讥讪祖宗，又不报。汝愚力辞，上为徙义端军器监。给事中黄裳言：'汝愚事亲孝，事君忠，居官廉，忧国爱民，出于天性。义端实忌贤，不可以不黜。'上乃黜义端补郡，汝愚不获已拜命。未几，迁知枢密院事，辞不拜，有旨趣受告。汝愚对曰：'臣非敢久辞。臣尝论朝廷数事，其言未见用，今陛下过重华，留正复相，天下幸甚。惟武兴未除帅，臣心不敢安。'上遂以张昭代领武兴军，汝愚乃受命。……兼权参知政事。留正至，汝愚乞免兼职，乃除特进、右丞相。汝愚辞不拜，曰：'同姓之卿，不幸处君臣之变，敢言功乎？'乃命以特进为枢密使，汝愚又辞特进。孝宗将欑，汝愚汉欑宫非永制，欲改卜山陵，与留正议不合。侂胄因而间之，出正判建康，命汝愚为光禄大夫、右丞相。汝愚力辞至再三，不许。汝愚本倚正共事，怒侂胄不以告，及来谒，故不见，侂胄惭忿。签书枢密罗点曰：'公误矣。'汝愚亦悟，复见之。侂胄终不怿，自以有定策功，且依托肺腑，出入宫掖，居中用事。朱熹进对，以为言，又约吏部侍郎彭龟年同劾之，未果。熹白汝愚，当以厚赏酬劳，勿使预政，而汝愚谓其易制，不为虑。……侂胄恃功，为汝愚所抑，日夜谋引其党为台谏，以摈汝愚。汝愚为人疏，不虞其奸。……其党牵联以进，言路遂皆侂胄之人。会黄裳、罗点卒，侂胄又擢其党京鏜代点，汝愚始孤，天子益无所倚信。……侂胄欲逐汝愚而难其名，或教之曰：'彼宗姓，诬以谋危社稷，则一网无遗。'侂胄然之，擢其党将作监李沐为正言。沐，彦颖之子也，尝求节度使于汝愚不得，奏：'汝愚以同姓居相位，将不利于社稷，乞罢其政。'汝愚出浙江亭待罪，遂罢右相，除观文殿学士、知福州。台臣合词乞寝出守之命，遂以大学士提举洞霄宫。……侂胄忌汝愚益深，谓不重贬，人言不已。以中丞何澹疏，落大观文。监察御史胡纮疏汝愚唱引伪徒，谋为不轨，乘龙授鼎，假梦为符。责宁远军节度副使、永州安置。初，汝愚尝梦孝宗授以汤鼎，背负白龙升天，后翼宁宗以素服登大宝，盖其验也，而谗者以为言。时汪义端行词，用汉诛刘屈氂、唐戮李林甫事，示欲杀之意。迪功郎赵师召亦上书乞斩汝愚。汝愚怡然就道，谓诸子曰：'观侂胄之意，必欲杀我，我死，汝曹尚可免也。'至衡州病作，为守臣钱鍪所窘，暴薨，天下闻而冤之，时庆元二年正月壬午也。汝愚学务有用，常以司马光、富弼、韩琦、范仲淹自期。凡平昔所闻于师友，如张栻、朱熹、吕祖谦、汪应辰、王十朋、胡铨、李焘、林光朝之言，欲次第行之，未果。……汝愚聚族而居，门内三千指，所得廪给悉分与之，菜羹疏食，恩义均洽，人无间言。自奉养甚薄，为夕郎时，大冬衣布裘，至为相亦然。汝愚既殁，党禁寖解，旋复资政殿学士、太中大夫，已而赠少保。侂胄诛，尽复元官，赐谥忠定，赠太师，追封沂国公。理宗诏配享宁宗庙庭，追封福王，其后进封周王。"

朱熹十一岁，受学于家庭。

朱弁作《风月堂诗话》。

公元 1141 年（宋绍兴十一年　金皇统元年　夏大庆二年　西辽康国七年　辛酉）

正月

赵开（1066—1141）卒。《续资治通鉴》卷一二四：“春正月戊寅，右文殿修撰提举江州太平观赵开卒，年七十六。自金人侵陕、蜀，开职馈饷者十年，军用得以毋乏，一时赖之。开既黜，主计之臣，率三四易，于开条画，毫发无敢变更者，人伟其能。然议者咎开竭泽而渔，使后来者无所施其智巧。凡茶盐榷酤激赏零畸绢布之征，遂为西蜀常赋，故虽累经减放，而害终不去焉。”

武将如何保福禄，郭子仪传细细读。《续资治通鉴》卷一二四：“庚戌，淮西宣抚使张俊入见。帝问：‘曾读郭子仪传否？’俊对以未晓。帝谕云：‘子仪方时多虞，虽总重兵处外，而心尊朝廷。或有诏至，即日就道，无纤介怏望，故身享厚福，子孙庆流无穷。今卿所管兵，乃朝廷兵也。若知尊朝廷若子仪，则非特一身飨福，子孙昌盛亦如之。若恃兵权之重而轻视朝廷，有命不即禀，非特子孙不飨福，身亦有不测之祸，卿宜戒之。’先是，金都元帅宗弼，自顺昌战败而归，遂保汴京，留屯宋、亳，出入许、郑之间，复遣两河军与藩部，凡十余万，欲谋再举。上亦逆知敌情，必不一挫便已，乃诏大合兵于淮西以待之。俊自建康来朝，故有是谕。”

金夏开榷场贸易。《续资治通鉴》卷一二四：“金初定命妇封号。西夏请置榷场，金主许之。”

二月

王德和州之捷。《纲鉴易知录》卷八一：“春正月，金兀术陷寿春，入庐州，诏张俊等将兵救之。二月，王德复和州。兀术自败后，留屯京、亳以谋再举。及闻秦桧召诸军还，乃攻陷寿春，遂渡淮入庐州。诏张俊、杨沂中帅兵赴淮西，岳飞进兵江州。寻诏韩世忠引兵往援。时兀术自合肥趋历阳，游骑至江，张俊议分军守南岸，王德请急击之，即渡采石，俊督军继之，宿江中。德曰：‘明旦当会食历阳。’已而夜拔和州，晨迎俊入，兀术退保昭关。既而德又败韩常于含山县东，又败兀术于昭关，复含山及昭关。”

宋师柘皋之捷。《纲鉴易知录》卷八一：“杨沂中、刘锜败金兀术于柘皋，遂复庐州。刘锜自太平渡江，与张俊、杨沂中回，而庐州已陷，锜乃与关师中据东关之险以扼敌，引兵出清溪，两战皆捷。兀术以柘皋地坦平，利于用骑，因驻师。锜进兵，与兀术夹石梁河而阵。河通巢湖，广二丈，锜命曳薪垒桥，须臾而成，遣甲士数队，踰桥卧枪而坐。遣人会合张俊、杨沂中之师。翌日，沂中及王德、田师中、张字盖诸军俱至，惟俊后期。锜与诸将分军为三，并进渡河以击之。师中欲俟俊至，德曰：‘事当机会，复何待！’即与锜上马先迎敌，沂中继之。金人以拐子马两翼而进，德率众鏖战。沂中曰：“虏恃弓矢，吾有以屈之。”使万人持长斧如墙而进，虏遂大败。德与锜等追之，又败（之）于东山。虏望见，惊曰：‘此顺昌旗帜也！’即走保紫金山。是役也，失将士九百人，金人死者以万计。既而，兀术复亲帅兵逆战于店步，沂中等又败之，乘胜逐北，遂复庐州。”

叶梦得善理财，宋朝廷嘉奖之。《续资治通鉴》卷一二四：“丙申，江东制置大使叶梦得，上奏称贺，诏嘉奖。初，建康屯重兵，岁费钱八百万缗，米八百万斛。榷货务所入，不足以赡。至是，禁旅与诸道之师皆至。梦得被命，兼总四路漕计，以给馈饷。军用不乏，故诸将得悉力以战，由是朝廷益嘉之。”

三月

金人攻破濠州。《纲鉴易知录》卷八一：“三月，张俊、杨沂中、刘锜奉诏班师。金人陷濠州，俊使沂中救之，败绩。”

金主亲祭孔子。《续资治通鉴》卷一二四：“戊午，金主亲祭孔子庙，北面再拜，退谓侍臣曰：‘朕幼年游佚，不知志学，岁月逾迈，深以为悔。孔子虽无位，其道可尊，使万世景仰，大凡为善，不可不勉。’自是颇读《尚书》、《论语》及《五代》《辽史》诸书，或以夜继日。”

四月

宋高宗罢韩世忠、张俊及岳飞兵权。宋高宗诏张俊、岳飞至楚州阅军。

五月

金太师宗幹卒。《续资治通鉴》卷一二四：“先是，金主如燕京，太师领三省事梁宋国王宗幹从，有疾，金主亲临问。自燕京还至野狐岭，宗幹疾亟不行，金主亲临问。语及军国事，金主悲泣不已。及后同往视疾，后亲与馈食。至暮而还，因赦罪囚，为宗幹禳疾。己酉，宗幹薨。金主亲临，太师奏戌亥不宜哭泣，金主曰：‘朕幼冲时，太师有保傅之功，安得不哭？’哭之恸，辍朝七日。金主还上京，幸其第，视殡事。及宗幹丧至上京，金主临哭。葬之日，复临视之。其优礼如此。”

十三日，谢伋《四六谈麈》书成。

六月

宋高宗进秦桧为尚书左仆射。

七月

宋罢淮北宣抚判官刘锜。《纲鉴易知录》卷八一：“罢淮北宣抚判官刘锜。锜自顺昌之捷，骤贵，张俊、杨沂中嫉之（时杨沂中名存中）。至是，二人言于朝曰：‘淮西之役，岳飞不赴援，刘锜战不力。’秦桧信之，遂罢锜兵，命锜知荆南府。”

秦桧使万俟卨劾岳飞。《续资治通鉴》卷一二四：“壬子，右谏议大夫万俟卨，疏言：‘枢密副使岳飞，爵高禄厚，志满意得，平昔功名之念，日益颓坠。今春敌兵大入，趣飞犄角，而乃稽违诏旨，不以时发，久之。一至舒、蕲，匆卒复还。幸诸帅兵力，自能却敌，不然，则败挠国事，可胜言哉？比与同列按兵淮上，公对将佐，谓山阳为不可守。沮丧士气，动摇民心。远近闻之，无不失望！望免飞副枢职事，出之于外，以伸邦宪。’癸丑，帝谓大臣曰：‘飞倡议不修楚州城，盖将士戍山阳，久欲弃而之他，飞意在附下以要誉。朕何赖焉？’秦桧曰：‘飞意如此，中外或未知也。’先是，桧逐赵鼎，飞每对客叹息，又以恢复为己任，不肯附和议。读秦桧‘至德无常师，主善为师’之语，恶其欺罔，恚曰：‘群臣大伦，根于天性。大臣而忍面谩其主耶？’金都元帅宗弼遗桧书曰：‘汝朝夕以和请，而飞方为河北图。必杀飞，始可和。’桧亦以飞不死，终梗和议，己必及祸。至是飞自楚州归，乃令禼论其罪，始定计杀飞矣。”

八月

王居正罢官。《纲鉴易知录》卷八一：“八月，罢知温州王居正。居正立朝，屡与秦桧忤，且力辩王安石父子学行之非。自兵部侍郎出知温州，桧犹忌之，讽中丞何铸劾居正为赵鼎汲引，欺世盗名；夺职奉祠。居正之学，根据六经，杨时器之，出所著《三经义解》示居正曰：‘吾举其端，子成吾志。’居正感励，首尾十载，为《诗书周礼辩学》三十九卷，与时书同进。二书行，天下遂不复言王氏学。”

岳飞罢枢密副使，为万寿观使，奉朝请。

九月

宋遣魏良臣为使，至金议和。

吴璘采用叠阵法，大败金兵剡家湾。《纲鉴易知录》卷八一：“九月，吴璘等收复陕西诸州，诏班师还镇。吴璘进兵拔秦州，闻金统军胡盏与习不祝合兵五万屯刘家圈，请于胡士将击之。士将问：‘策安出？’璘曰：‘有新立叠阵法，每战以长枪居前，坐不得起，此最强弓，次强弩，跪膝以俟，此神臂弓。约贼相搏，至百步内则神臂先发，七十步强弓并发，次阵如之。凡阵以拒马为限，铁钩相连，俟其伤则更代，代则以鼓为节，骑两翼以蔽于前，阵成而骑退，谓之叠阵。’士将善之。诸将窃议曰：‘吾军其歼于此乎！’璘曰：‘此古束伍令也，军法有之，诸君不识耳。得车战余意，无出于此。战士心定，则能持满，敌虽锐，不能当也。’遂进次剡家湾。时胡盏、习不祝据险自固，前临峻岭，后控腊家城，谓璘必不敢犯。璘先以兵挑之，胡盏出鏖战，璘以叠阵法更迭战，轻裘驻马亟麾之，士殊死斗，金人大败，降者万人。胡盏走保腊家城，璘围而攻之。城垂破，朝廷方主和议，以驿书诏班师。”

十月

张俊附秦桧，共谋害岳飞。《纲鉴易知录》卷八一：“秦桧矫诏下岳飞于大理狱。秦桧必欲杀飞，乃与张俊谋，密诱飞部曲能告飞事者，优与重赏，卒无应者。俊闻飞尝欲斩统制王贵，又尝杖之，乃诱贵告飞，贵不肯，俊因劫以私事，贵惧而从之。桧又闻飞统制王俊善告讦，号‘雕儿’，以奸贪屡为张宪所抑。使人谕之，王俊许诺。于是桧谋以张宪、王贵、王俊，皆飞部将，使其徒自相攻发，因以及飞父子，庶帝不疑。俊时在镇江，乃自为状付王俊，妄言：'副都统制张宪谋据襄阳，还飞兵柄。'令告王贵，使贵执宪赴镇江行枢密府。宪未至，俊预为狱以待之。俊亲行鞫鍊，使宪自诬，谓得飞子云手书，命宪迎还兵计。宪被掠无完肤，竟不伏。俊手自狱成，告桧，械宪至临安，下大理寺狱。桧奏召飞父子证宪事，帝曰：'刑所以止乱，勿妄追证，动摇人心。'桧矫诏召飞父子，使者至飞邸，飞笑曰：'皇天后土，可表此心！'遂与云就狱。桧命中丞何铸、大理寺周三畏鞫之。铸引飞至庭，诘其反状。飞裂裳以背示铸，有旧涅'精忠报国'四大字，深入肤理。既而阅实俱无验，铸察其冤，白桧，桧曰：'此上意也。'铸曰：'铸岂区区为岳飞者。强敌未灭，无故戮一大将，失士卒心，非社稷之长计。'桧语塞，乃改命谏议大夫万俟卨。卨素与飞有怨，遂诬飞令于鹏、孙革致书张宪、王贵，令虚申探报，以动朝廷，云与宪书，令措置使飞还军，且云其书已焚。飞坐繋两月，无可证者，或教卨以台章所指淮西逗留事为言。卨喜白桧，卨又使鹏、革等证飞受诏逗留，命评事元龟年取行军时日杂定之，傅会其狱。大理卿薛仁辅、寺丞李若朴、何彦猷皆言飞无辜。判宗正寺士㒟请以百口保飞无他，且曰：'中原未靖，祸及忠义，是忘二圣，不欲复中原也。'皆不听。韩世忠心不平，诣桧，诘其实，桧曰：'飞子云与张宪书虽不明，其事莫须有。'"世忠曰：'莫须有三字，何以服天下也！'

虚恨蛮附于宋。《续资治通鉴》卷一二四："乙酉，虚恨蛮王历阶，诣嘉州乞降。历阶既犯边，获寨将茹大猷以去。提刑司调兵防扼，所费不赀，连年不能讨。大猷因以利啗之。去年春，历阶款塞求降，不许，至是复申前请。守臣邵博，言于宣抚司，以便宜补历阶进武校尉，令还大猷等。且遣以色带、茶、彩，命王士安往促之。历阶遣其子阿帕蛮、将军叶遇等，送大猷归州。令右宣校郎知峨眉县梁端，即境上波斯神祠，折箭歃血与盟而去。历阶归，其出没钞掠如故。"虚恨，乌蛮别种。

宋罢韩世忠枢密使。《纲鉴易知录》卷八一："韩世忠罢。韩世忠深以和议为不然，及魏良臣使金，抗疏言秦桧误国之罪。桧讽言官论之，帝不听，而世忠连疏乞罢，遂罢为醴泉观使，封福国公。世忠自是杜门谢客，绝口不言兵，时跨驴携酒，从一二童奴，纵游西湖以自乐，澹然若未尝有权位者。平时将佐，罕得见其面。"

十一月

宋金和议成。《纲鉴易知录》卷八一："和议成，以何铸签枢密院事，奉表称臣于金。兀术以萧毅、邢具瞻为审议使，与魏良臣偕来，议以淮水为界，求割唐、邓二州，及陕西余地，岁币银绢各二十五万，仍许归梓宫、太后。帝悉从其请，命铸往使，铸至汴，见兀术，遂入会宁。"

十二月

岳飞被害。《纲鉴易知录》卷八一："秦桧杀故少保、枢密副使、武昌公岳飞。岁已暮，而飞狱不成。一日，桧手书小纸付狱，即报飞死矣。年三十九。云与张宪皆弃市，于鹏等从坐者六人。籍飞家赀，徙之岭南。于是薛仁辅、李若朴、何彦猷等皆被黜。布衣刘允升上书讼飞冤，下大理狱死。凡傅成其狱者，皆进秩。洪皓在金，以蜡书奏：‘金人所畏者惟飞，至以父呼之。及闻其死，诸酋酌酒相贺。’”

《宋史》卷三六五《岳飞传》：“飞至孝，母留河北，遣人求访，迎归。母有痼疾，药饵必亲。母卒，水浆不入口者三日。家无姬侍。吴玠素服飞，愿与交欢，饰名姝遗之。飞曰：‘主上宵旰，岂大将安乐时?’却不受，玠益敬服。少豪饮，帝戒之曰：‘卿异时到河朔，乃可饮。’遂绝不饮。帝初为飞营第，飞辞曰：‘敌未灭，何以家为?’或问天下何时太平，飞曰：‘文臣不爱钱，武臣不惜死，天下太平矣。’师每休舍，课将士注坡跳壕，皆重铠习之。子云尝习注坡，马踬，怒而鞭之。卒有取民麻一缕以束刍者，立斩以徇。卒夜宿，民开门愿纳，无敢入者。军号‘冻死不拆屋，饿死不卤掠’。卒有疾，躬为调药；诸将远戍，遣妻问劳其家；死事者哭之而育其孤，或以子婚其女。凡有颁犒，均给军吏，秋毫不私。善以少击众。欲有所举，尽召诸统制与谋，谋定而后战，故有胜无败。猝遇敌不动，故敌为之语曰：‘撼山易，撼岳家军难。’张俊尝问用兵之术，曰：‘仁、智、勇、严，阙一不可。’调军食，必蹙额曰：‘东南民力，耗敝极矣。’荆湖平，募民营田，又为屯田，岁省漕运之半。帝手书曹操、诸葛亮、羊祜三事赐之。飞跋其后，独指曹为奸贼而鄙之，尤桧所恶也。张所死，飞感旧恩，鞠其子宗本，奏以官。李宝自楚归来，韩世忠留之，宝痛哭愿归飞，世忠以书来谂，飞复曰：‘均为国家，何分彼此?’世忠叹服。襄阳之役，诏光世入援，六郡既复，光世始至，飞奏先赏光世军。好贤礼士，览经史，雅歌投壶，恂恂如书生。每辞官，必曰：‘将士效力，飞何功之有?’然忠愤激烈，议论持正，不挫于人，卒以此得祸。”[思齐按：这段著名的文字为《宋史·岳飞传》之结尾，亦作为单篇文章而传诵。《纲鉴易知录》卷八一，所载文字几与此相同，而略去了文中所举之例子。《续资治通鉴》卷一二四所载文字亦相同，又更压缩。]

金修国史成。《续资治通鉴》卷一二四：“金尚书左丞完颜勗，奉诏访祖宗遗事。勗采摭遗言旧事，自始祖以下十帝，综为三卷。凡部族曰某部，复曰某水之某，又曰某乡某邨以别识之。凡与契丹往来，及征伐诸部，其间诈谋诡计一无所隐，事有详有略，咸得其实。书成，进入，金主焚香立受之，赏赉有差，旋诏左丞勗、暨平章政事奕，职俸外，别给二品亲王俸傔。旧制，皇兄弟、皇子为亲王，给二品俸；宗室封一字王者，给三品俸。勗等别给亲王俸，皆异数也。”

本年

蔡戡（1141—?）生。陆心源《宋史翼》卷一四：“蔡戡字定夫，福建仙游人。祖伸，父洸。戡以荫补建康府溧阳县尉。乾道二年登进士科，历江州观察推官。淳熙初，知随州。自金人通和之后，边备渐弛，疏言：‘……望陛下戒谕大臣，申饬边郡，讲求所以为备者，缓急有恃而无恐。以守则固，以和则久。’孝宗嘉纳之，转京西转运判官。……五年，改广东转运判官。……会广西妖贼李接作乱，警报日至。戡防备严密，民获安堵，条陈十事，五事治盗于已然，五事止盗于未然，皆切中剿御机窾。十年，充淮西总领使。时议措置淮西屯田，诏戡与都统制郭刚条具事宜奏闻。戡疏言淮西事

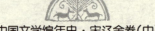

体与襄阳不同者有四。……疏入，孝宗御笔褒之，曰：'卿通兵事，可以倚仗。'未几，移湖广总领使。请修江陵府城，与荆、襄犄角，以绝敌人窥视之心。戡躬自董役，凡楼橹雉堞高下阔狭，与防守之具，一一坚密如襄阳。召除司农卿。光宗初政，戡奏陈谨始八事：一正心术，二辨邪正，三广圣孝，四求直言，五戒游逸，六崇节俭，七恤刑罚，八重名器。迁知临安府。……光宗不朝重华宫，戡上疏极谏，备陈去岁旱灾及郊夕雷震之由，语皆激切，疏入不省。宁宗登极，迁户部侍郎，除右文殿修撰，知隆兴府，寻为广西经略安抚使。岭峤去朝廷最远，州县官媮惰苟且。戡擢廉能，黜贪墨，兴滞补弊，境内肃然。开禧初，韩侂胄当国，戡请老，以宝谟阁直学士致仕。戡侃直忠亮，所奏多经世有用之言，其论边事以严备为主，而不汲汲于和战纷争，识者以为非好事偷安者所可及云。"

徐俯（1075—1141）卒。黄庭坚《与徐师川书》："所寄诗超然出尘垢之外，甚善甚善。恨君知刻意于学问，时不得从容朝夕耳。承以乡中岁歉，寓居同安。同安美俗，里中有佳士，又四旁有禅老，皆可人。居必择乡，游必就士，今两得之矣。士大夫多报吾生择交不忘处，极副所望。诗政欲如此作，其未至者，探经术未深，读老杜、李白、韩退之诗不熟耳。"

翟汝文（1076—1141）卒。周紫芝《见翟公巽书》："始阁下以学问文章，二十而决巍科，三十而登侍从，四十而挂冠于神武。其取之也易若拾芥，其弃之也轻若鸿毛，皆前人之所艰难而仅能者，阁下逡巡而为之。此其气必有以高下而绝古今者，而人岂足以知之哉？阁下以其所学，而践其所行，其忠孝之节、卓越之行，皆非人所能及。至启发而为文也，则清而丽，婉而深，高明而不为异，殆非近世骫骳之所能仿佛也。方其翱翔琐闼，进掌丝纶，而议者以阁下之辞粹然，有典诰之遗风，常、杨、张、陆之徒为不足比数。此其胸中之气浩然于外，又不可掩者。而其身不得一日安于朝廷之上者，何哉？以阁下重风节而轻势利，高目云汉，傲睨俦列，昂昂然若野鹤之在鸡群也。奸佞之士、阘茸之流，恶得不忌而谋孽之哉？顷阁下剖符清禁，坐啸南邦，风声气焰，耸动千里，雍容机格，而民自治，其流风镇静，如杜元凯、羊叔子、孔文举、谢元晖之流，使吏曹缩手相视，而部使者之车不敢入阚其境，此岂徒然哉，是必有其气以盖之也。"《四库全书总目》卷一五六："《忠惠集》十卷附录一卷，永乐大典本。宋翟汝文撰……今从《永乐大典》各韵中掇拾排比，编为十卷，以存其梗概。"

李清照五十八岁。

朱熹十二岁。

公元1142年（宋绍兴十二年　金皇统二年　夏大庆三年　西辽康国八年　壬戌）

正月

乙巳，金命伐高丽。

二月

宋使进誓表于金。《续资治通鉴》卷一二五：“签枢密院事何铸、知閤门事曹勋，进誓表于金，表曰：‘臣构言。今来画疆，合以淮水中流为界，西有唐、邓州，割属上国。自邓州西四十里，并南四十里为界，属邓州。其四十里外，并西南尽属光化军，为敝邑沿边州城。既蒙恩造，许备藩方，世世子孙，谨守臣节。每年皇帝生辰并正旦，遣使称贺不绝。岁贡银绢二十五万两匹，自壬戌年为始，每春季，差人搬送，至泗州交纳。有渝此盟，明神是殛，坠命亡氏，踣其国家。臣今既进誓表，伏望上国蚤降誓诏，庶使敝邑永有凭焉。’勋等见金主，首以太后为请。金主曰：‘先朝业已如此，岂可辄改？’铸伏地不言。勋再三恳请，金主命归馆。是晚，馆伴耶律绍文、杨用修至馆，传金主命：‘来晨上殿。’金主乃许归徽宗、郑后之丧，及帝母韦氏，遣铸等还。”

洪皓不就金朝官。《续资治通鉴》卷一二五：“初，奉使徽猷阁待制洪皓，既至燕，金主闻其名，欲用为翰林直学士，皓力辞。至是赦文，复令南官换授，皓请于参知政事韩昉，乞于真定，或大名，养济，作逃归计。昉怒，遂换中京副留守，再降为承德郎留司判官，趣行者屡矣。皓迄不就职。”

三月

赵士㒟被流放于建州。秦桧恶齐安郡王赵士㒟曾救岳飞，万俟卨劾赵士㒟于衢州居住时宾客盈门，喜诋朝政，故有是命。

胡士将（1085—1142）卒。《续资治通鉴》卷一二五：“丙辰，起复端明殿学士、川陕宣抚副使胡世将，卒于仙人关。世将疾，命官属会军马、钱粮、铠仗、文书等，召宣谕使郑刚中，至卧内面授之。刚中辞以使事有指不敢当，士将曰：‘公以近臣出使，苟利国家，以意可否之。请命于朝，可也。’帝初欲擢士将签书枢密，讣闻，赠资政殿学士，卹典如执政。”

两浙文风渐盛，温州举人尤多。《续资治通鉴》卷一二五：“乙卯。帝御前殿，引试南省举人何溥以下。是举两浙转运司秋试举人，凡解二百八人，而温州所得四十有二，宰执子侄皆预焉。”

四月

陈诚之等二百五十三人中进士。《续资治通鉴》卷一二五：“庚午，帝御射殿，引正奏名进士唱名，有司定右通直郎主管台州崇道观秦熺第一。举人陈诚之次之。秦桧引故事辞，乃降为第二人。特遣左朝奉郎、通判临安府，赐五品服。自诚之以下赐第者二百五十三人。新科明法，得黄子淳一人而已……辛未，帝御射殿，放合格特奏名进士胡鼎才等二百四十八人；武举正奏名陈鄂等五人，特奏名潘璋等二人。是岁始依在京旧制，分两日唱名，自是以为例。”

金册宋高宗为帝。《续资治通鉴》卷一二五：“金遣左宣徽使刘筈，以衮冕、圭宝、佩璲、玉册，来致册命。其册曰：‘皇帝若曰。咨尔宋康王赵构，不吊，天降丧于尔邦，亟渎齐盟，自贻颠覆，俾尔越在江表，用勤我师旅，盖十八年于兹。朕用震悼，斯民其何罪？今天其悔祸，诞诱尔衷，封奏押至，愿身列于藩辅。今遣光禄大夫左宣徽使刘筈，持节册命尔为帝，国号宋，世服臣职，永为屏翰。呜呼钦哉，其恭听朕命！’筈，彦宗之子也。”

夏国地震，逾月不止，地裂泉涌，出黑沙，岁大饥，乃立井里以分赈之。

五月

宋金互市榷场。《续资治通鉴》卷一二五：“乙巳，军器监主簿沈该直秘阁、知盱眙军，措置榷场之法。商人赀百千以下者十人，为保留其货之半，赴泗州榷场博易。俟得北物，复易其半以往。大商悉拘之，以待北价之来。两边商人，各处一廊。以货呈主管官牙人，往来评议，［交易双方］毋得相见。每交易千钱，各收五厘息钱入官。其后，又置场于光州、枣阳、安丰军、花黡镇，而金人亦于蔡、泗、唐、邓、秦、巩、洮州、凤翔府置场。凡枣阳诸场，皆以盱眙为准。”

六月

宋制定常行仪仗之规格。《续资治通鉴》卷一二五：“己酉，命有司制常行仪仗。自南渡，仪物草创。时以皇太后且至，将躬迎于郊，诸王公大小学教授石延庆，以仪卫为请。乃命工部尚书莫将、户部侍郎张澄，与内侍邵谔董治。将等先造玉辂及黄麾，仗用二千二百六十五人。从之。”

七月

回鹘遣使向金纳贡。

八月

宋割和尚原于金。

九月

宋封秦桧为魏国公。《纲鉴易知录》卷八一：“大赦，加秦桧太师，封魏国公（以和好成也）。”

十月

宋诏中外臣民可用乐。《续资治通鉴》卷一二五：“冬十月乙丑，诏中外臣民，自今月丙寅后，并许用乐。初以梓宫未还，故辍乐以待迎奉。至是太母还宫，将讲上寿之礼，故举行焉。”

十一月

张俊罢枢密使。

尹焞（1071—1142）卒。《纲鉴易知录》卷八一："徽猷阁待制尹焞卒。焞质直弘毅，实体力行，程颐尝以鲁许之，且曰：'我死而不失其正者，尹氏子也。'"

十二月

宋礼部定太学名额。《续资治通鉴》卷一二五："庚午，礼部请太学养士，以三百人为额。"

本年

綦崇礼（1083—1142）卒。《四库丛书总目》卷一五七："《北海集》四十六卷、附录三卷。……今检《永乐大典》载崇礼诗文颇多，中惟制诰最富，表启之类次之，散体古文较少，而诗什尤寥寥无几，盖其平生以骈体擅长故也。……史称崇礼妙龄秀发，聪明绝人，覃心辞章，极润色论思之选。再入翰林，凡五年，所撰诏命数百篇，文简意明，不私美，不寄怨，深得代言之体。今观是集所载内外之制，大约明白晓畅，切中事情，颇与《浮溪集》体格相近。如《吕颐浩开都督府制词》，则楼钥赏其宏伟；《王仲嶷落职制词》，则王应麟取其精切；《邹浩追复待制制词》，则《宋史》采入本传，以为能推朝廷所以褒恤遗直之意；其草《秦桧罢政制》，则直著其恶，致归再相后奏索其稿，几蹈危祸。史所云，该非溢美矣。陆游《老学庵笔记》称，崇礼《谢宫祠表》云：'杂宫锦于渔蓑，敢忘君赐；话玉堂于茅舍，更觉身荣。'时叹其工。又有一表云：'欲挂衣冠，尚低回于末路；未先犬马，倘邂逅于初心。'尤佳云云。"

吴激（？—1142）卒。元好问《中州集》卷三刘迎《题吴彦高诗集后》："片云踪迹任飘然，南北东西共一天。万里山川悲故国，十年风雪老穷边。名高冀北无全马，诗到西江别是禅。颇忆米家书画否，梦魂应逐过江船。"又，《白雨斋词话》卷三："金代词人，自以吴彦高为冠，能于感慨中饶伊郁，不独组织之工也。同时尚'吴蔡'体，然伯坚非彦高匹。"

刘著，生卒年不详，约于本年前后在世。元好问《中州集》卷二《刘内翰集》："著字鹏南，舒州皖城人。宣、政末登进士第。归朝预铨调，碌碌州县，年六十余始入翰林充修撰，出守武遂，终于忻州刺史。皖城有玉照乡，既老，号玉照老人，示不忘本云。"

李清照五十九岁。

朱熹十三岁。

公元 1143 年（宋绍兴十三年　金皇统三年　夏大庆四年　西辽康国九年　癸亥）

正月

宋复置国子监太学。《续资治通鉴》卷一二六："癸卯，诏以钱塘县西岳飞宅为国子监太学。旧太学七十七斋，今为斋十有二，曰视身、服膺、守约、习是、允蹈、存心、持志、养正、诚意、率履、循理、时中。”

二月

高闶奏言太学事，教育科举渐正规。《续资治通鉴》卷一二六：“己卯，国子司业高闶言：‘太学者教化之本，而最所当先者经术是也。自汉以来，多置博士，后世所谓诗赋论策，皆经术之余耳。太学旧法，每旬有课，月一周之；每月有试，季一周之。亦皆以经义为主，而兼习论策为三场。苟如一场，则旬课季考之法，遂不可行。自元祐以来，虽臣僚累奏，请加诗赋，通为四场，而终不施行者，盖为此也。自罢诗赋之后，朝廷恐专门之学，未足以收实用，乃别设词学一科，试以制诏表章之类，通谓之杂文。臣今参合条具太学课士及科举三场事件。第一场，大经义三道，《论语》、《孟子》义各一道。第二场，以诗赋。第三场，以子史论一首，并时务策一道。永为定式。’闶又言：‘比岁郡国虽有学，而与选举不相关。今参取祖宗旧制，通以当今之宜，补太学生以诸路住本贯。学满一年，三试中选，不曾犯第三等以上罚（游学者同），或虽不住学，而曾经发解，委有士行之人教授保委，申州给公据，赴国子监补试。诸路举人以住本贯学半年，或虽不住学而两预释奠，及齿于乡饮酒礼者（县学同，仍籍记姓名），本学次第委保教授审实，申州听取。应仍自绍兴十四年为始。’皆从之。”

三月

宋朝修筑圜丘。《续资治通鉴》卷一二六：“丙午，诏临安府同殿前司修筑圜丘，于龙华寺之西。坛四成，上成纵广七丈，下成二十有二丈。分十三陛，陛七十有二级。坛及内壝凡九十步，中壝、外壝共二十五步。以龙华寺为望祭殿，不筑斋宫。”

四月

蒙古反金。《续资治通鉴》卷一二六：“是月，蒙古复叛，金主命将讨之。初，鲁国王昌既诛，其子胜花都郎君者，率其父故部曲以叛，与蒙古通。蒙古由是强，取二十余团寨。金人不能制。”鲁国王昌，挞懒也。

五月

甲申，金初立太庙社稷。

六月

己酉，金初置骁毅军。

金遣洪皓等南归。《续资治通鉴》卷一二六：“戊戌，金人遣通问使徽猷阁待制洪皓、直龙图阁张邵、修武郎朱弁，还行在。先是，金主大赦，始许皓等南归。渡江后，奉使几三十人，生还者三人而已。”

李清照本年六十岁。是年夏，表上《金石录》。

七月

甲子，宋诏求遗书。

宋高宗书六经，刻石于太学。

八月

洪皓等至临安。《续资治通鉴》卷一二六：“戊戌，徽猷阁待制洪皓，至自金，即日引见内殿。帝谕皓曰：‘卿不忘君，虽苏武不能过。’赐内库金币、鞍马、黄金三百两、帛五百匹、象齿、香绵、酒、茗甚众。翌日，见于慈宁殿，帝人设帘，太后曰：‘吾故识尚书矣。’命撤之，退。退见秦桧，语连日不止，曰：‘张和公，敌人所惮。乃不得用，钱塘暂居。而景灵宫、太庙，皆极土木之华，岂非示无中原意乎？’桧不悦，谓其子秘书省正字适曰：‘尊公信有忠节，得上眷，但官职如读书，速则易终而无味，须如黄钟大吕，乃可。’”张和公，张浚也。

九月

甲子，洪皓出知饶州。

十月

冬十月乙未，奉安祖宗、帝后，及徽宗皇帝、显肃皇后神御，于景灵宫。

十一月

庚申，日南至，宋高宗合祀天地于圜丘。

十二月

宋恢复图书典籍。《续资治通鉴》卷一二六：“癸巳，秘书丞严抑言：‘本省藏祖宗国史、历代图籍，有右文殿、秘阁、石渠，及三馆、四库。自渡江后，权寓法慧寺，与居民相接，深虑风火不虞，欲望重建以副右文之意。于是建省于天井巷之东，以故殿前司寨为之。帝自书右文、秘阁二榜，命将作监米友仁书道山堂榜，且令有司直秘阁陆宰家，录所藏书来上。”

本年

金颁行皇统新历。

西辽耶律大石死，感天皇后听政。

陈亮（1143—1194）**生**。《宋史》卷四三六《陈亮传》："陈亮字同父，婺州永康人，生而目光有芒，为人才气超迈，喜谈兵，论议风生，下笔数千言立就。尝考古人用兵成败之迹，著《酌古论》，郡守周葵得之，相与论难，奇之，曰：'他日国士也。'请为上客。及葵为执政，朝士白事，必指令揖亮，因得交一时豪俊，尽其议论。因授以《中庸》、《大学》，曰：'读此可精性命之说。'遂受而尽心焉。隆兴初，与金人约和，天下忻然幸得苏息，独亮持不可。婺州方以解头荐，因上《中兴五论》，奏入不报。已而退修于家，学者多归之，益力学著述者十年。先是，亮尝圜视钱塘，喟然叹曰：'城可灌尔！'盖以地下于西湖也。至是，当淳熙五年，孝宗即位盖十七年矣。亮更名同，诣阙上书……书奏，孝宗赫然震动，欲榜朝堂以励群臣，用种放故事，诏令上殿，将擢用之。左右大臣莫之所为，惟曾觌知之，将见亮，亮耻之，逾垣而逃，觌以其不诣已，不悦。大臣尤恶其直言无讳，交沮之，乃有都堂审察之命。宰相临以上旨，问所欲言，皆落落不少贬，又不合。待命十日，再诣阙上书。……又上书……书既上，帝欲官之，亮笑曰：'吾欲为社稷开数百年之基，宁用以博一官乎！'亟渡江而归。日落魄醉酒，与邑之狂士饮，醉中戏为大言，言涉犯上。一士欲中亮，以其事首刑部。侍郎何澹尝为考试官，黜亮，亮不平，语数侵澹，澹闻而嗛之，即缴状以闻。事下大理，笞掠亮无完肤，诬服为不轨。事闻，孝宗知为亮，尝阴遣左右廉知其事。即奏入取旨，帝曰：'秀才醉后妄言，何罪之有！'划其牍于地，亮遂得免。居无何，亮家僮杀人于境，适被杀者尝辱亮父次尹，其家疑事由亮。闻于官，笞榜僮，死而复苏者数，不服。又囚亮于州狱，而属台官论亮情重，下大理。时丞相淮知帝欲生亮，而辛弃疾、罗点素高亮才，援之尤力，复得不死。亮自以豪侠屡遭大狱，归家益励志读书，所学益博。其学自孟子后惟推王通，尝曰：'研穷义理之精微，辨析古今之同异，原心于秒忽，较礼于分寸，以积累为工，以涵养为正，睟面盎背，则于诸儒诚有愧焉。至于堂堂之陈，正正之旗，风雨云雷交发而并至，龙蛇虎豹变现而出没，推倒一世之智勇，开拓万古之心胸，自谓差有一日之长。'亮意盖指朱熹、吕祖谦等云。高宗崩，金遣使来吊，简慢。而光宗由潜邸判临安府，亮感孝宗之知，至金陵视形势，复上疏……大略欲激孝宗恢复，而是时孝宗将内禅，不报。由是在廷交怒，以为狂怪。先是乡人会宴，末胡椒特置亮羹胾中，盖村俚敬待异礼也。同坐者归而暴死，疑食异味有毒，已入大理。会吕兴、何念四殴吕天济且死，恨曰：'陈上舍使杀我。'县令王恬实其事，台官谕监司酷吏讯问，无所得，取入大理。众意必死。少卿郑汝谐阅其单辞，大异曰：'此天下奇材也！国家若无事而杀士，上干天和，下伤国脉矣。'力言于光宗，遂得免。未几，光宗策进士，问以礼乐刑政之要，亮以君道师道对……时光宗不朝重华宫，群臣更进迭谏，皆不听，得亮策乃大喜，以为善处父子之间。奏名第三，御笔擢第一。既知为亮，则大喜曰：'朕擢果不谬！'孝宗在南内，宁宗在东宫，闻之皆喜，故赐第告词曰：'尔蚤以艺文首贤能之书，旋以论奏动慈宸之听。亲阅大对，嘉其渊源，擢置举首，殆天留以遗朕也。'授佥书建康府判官厅公事。未至官，一夕，卒。亮之既第而归也，弟充迎拜于境，相对感泣。亮曰'使吾他日而贵，泽首逮汝，死之日各以命服见先人于地下足矣。'闻者悲伤其意。然志存经济，重许可，人人见其肺肝。与人言必本于君臣父子之义，虽为布衣，荐士恐弗及。家仅中产，畸人寒士衣食之，久不衰。卒之后，吏部侍郎叶适请于朝，命补一子官，非故典也。端平初，谥文毅，更与一子官。”

赵蕃（1143—1229）**生**。刘宰《章泉赵先生墓表》：“粤自炎祚中兴，文物萃于东南，厥初诸老先生师友渊源，有以系学者之望，天下学者翕然而景从之。闽、湘、江、浙，师道并建，凡异时孔、孟之所传，周、程、张、邵之所讲，思之益精，语之益详，炳然斯文，万世攸赖。比年天不憖遗，诸老沦谢，文献之家，典刑之彦，岿然独存，又有以系学者之望者，章泉先生一人而已。故先生虽退然不敢以师道自任，而天下学者凡有一介之善，片文只字之长，皆裹粮负笈，就正函丈。其限以地、屈于力而不能至者，诗筒书函，左右旁午，往往以一酬酢为荣。及先生之殁，而文献典刑尽矣。后生晚进欲求师友之益，而怅怅然无所之矣，可不为大哀乎！先生姓赵氏，讳蕃，字昌父。其先自杭徙汴，由汴而郑，南渡居信之玉山。曾祖旸，朝散大夫、直龙图阁、提举江州太平观。祖泽，迪功郎、海州朐山县主簿，赠承义郎。父涣，奉议郎、通判沅州，赠朝奉郎。龙图殁，葬玉山之章泉，先生因家焉，故世号章泉先生。用龙图致仕恩入仕，饶之浮梁尉，福之连江簿，皆不赴，为吉之太和簿、辰之司理参军，最后监衡之安仁赡军酒库。已至未上而归，遂奉祠家居，积祠庭之考至三十有三。今天子御极之元年，岁在乙酉，宰相以先生名文，有旨除大社令，三辞不拜，特改奉议郎、直秘阁、主管建昌郡仙都观，又三辞不允。越三年，差主管华州云台观。盖先生自乙酉至是岁，辞官不获，屡上休致之请，皆不允。而先生请不已，明年夏四月，始得旨转承议郎，依前直秘阁致仕。又越月而先生逝矣，实绍定某年某月某日，寿八十有七。方先生之在太和，便坐有斋，榜曰‘思隐’，盖当筮仕之初，已有山林之思。在官清苦，惟以赋咏自娱，以是受知于吉之乡先生杨公万里，赠诗有云：‘西昌主簿如禅僧，日飧秋菊嚼春冰。’又云：‘劝渠未要思旧隐，且与西昌作好春。’其所以行之身，加乎民者，略可想见。又为理掾辨狱之诬，不为二千石屈，卒见是于当路。榷沽位下，特以少尝从静春先生刘公清之受学，公时守衡，故欲从之卒业。甫至而刘以非罪去，即从之归，其谨于所职而笃于所识如此。赋性宽平，与人乐易，而刚介亦不可夺。故相周公必大与先生有乡里之旧，先生亦有不可，寄诗有‘公如在廊庙，我亦遂箪瓢’之句。其后公在相位，屡加荐引，先生竟不受。自少喜作诗，答书亦或以诗代，援笔立成，不经意而平淡有趣，读者以为有陶靖节之风。岁时宾友聚会，尊酒从容，浩歌长吟，心融意适，见者又以为有浴沂咏归气象。至于年垂知命，自视欿然，更往受学于文公朱先生。既耄矣，犹虞末路之难，命所居曰‘难斋’，则眡昔贤启足启手而战战兢兢，年逾九十而求箴儆于其国，无异心也。其能续诸老先生之后，为学者所归，岂偶然哉。……学者为诗为文以诵叹先生之美者，不可胜计。其为诔，其为铭，又有名公巨卿在。某寒乡晚出，于先生无能为役，而遂以七十翁不远二千里来。致先生垂没之赠，且谓某昔叨误恩，实玷先生后，不应泊然忘言，无以昭令德。某义不得辞，则姑取门人郑梦协所状先生行，益以己所闻，使归表于先生墓上。”

朱松（1097—1143）**卒**。傅自得《韦斋集序》：“文章之工拙系乎人，时命之通塞存乎天。天人之适相合也为甚难，是以古今负文章之名者，未必得贵仕，而都公卿之位者，又未必以文章显也。故吏部员外郎韦斋先生朱公，建炎、绍兴间诗声满天下，一时名公钜卿交口称荐，词人墨客传写讽诵如不及。予少时学诗，尝以作诗之要叩公，公不以晚辈遇我，而许从游。间宿于闽部宪台从事官舍之东轩，夜对榻语，蝉联不休，比晨起则积雨初霁，西风凄然。公因为予举简斋‘开门知有雨，老树半身湿’及韦苏州‘诸生时列坐，共爱风满林’之句，且言古之诗人贵冲口直致，盖与彭泽‘采菊东篱下，悠然见南山’同一关捩。三人者出处穷达虽不同，诵此诗则可见人之萧散清远，此殆太史公所谓难与俗人言者。予时心开神会，自是始知为诗之趣。别去，未几而公下世。予既为诗以哭公，因求其遗编伏而读之，爱其诗高远而幽洁，其文温婉而典裁，至表疏书奏，又皆中于理而切事情，乃喟然叹曰：‘公之于诗文，可谓至矣！今世能言之士非不多也，然浅则及俚，华则少寔，是无他，徒从事于末而不知其本之过也。’公幼小喜读书缀文，冠而擢第，未尝一日舍笔砚。年二十七八，闻河南二程先生之遗论，皆先贤未发之奥，始捐旧习，朝夕从事于其间，既久而所得益深，故发于诗文，自然臻此，非有意于求其工也。使其得通显于朝廷，施诸润色而见于事业，必有大过绝人者。不幸位不媲德，虽两入东观，三为尚书郎，卒不得以其所长发纾，又不得年而殁。天人之难合也如此，可不太息也哉！”

朱熹十四岁。春三月辛亥，丁父韦斋先生忧。

公元1144年（宋绍兴十四年　金皇统四年　夏人庆元年　西辽感天皇后咸清元年　甲子）

正月

王伦为金所杀。《续资治通鉴》卷一二六：“端明殿学士同签枢密院事王伦，为金人所杀。伦留居河间六年，至是，金人欲用为河间、平、滦三路都转运使，伦曰：‘奉使而来，非降也。大宋之臣，岂受大金爵禄耶?’金遣使来趣，伦又不受，金人杖其使，俾缢杀之。伦冠带南向，再拜恸哭，乃就死。其后，帝尝语宰执曰：‘伦虽不矜细行，乃能死节，此为难也。’”

二月

宋复置教坊。《续资治通鉴》卷一二六：“辛卯，复置教坊。凡乐共四百有十六人，以内侍充钤辖。”

丁酉，回鹘遣使于金。

三月

宋高宗视察太学。《续资治通鉴》卷一二六：“己巳，帝幸太学，祗谒先圣。止辇于大成殿门外，步趋升降。退，御敦化堂，命礼部侍郎秦熺执经，国子司业高闶讲《易·泰卦》。权侍郎、正刺史以上，并与坐。讲毕，赐诸生席于庑下，啜茶而退。遂幸养正、持志二斋，观诸生肄业之所。赐闶三品服，熺与学官皆迁官，诸生授官、免解、赐帛如故事。”

四月

宋朝禁止撰著野史。《纲鉴易知录》卷八一：“夏四月，初禁野史。从秦桧请也。后著作郎林机言：‘有失意之人，匿迹近地，窥伺朝廷，作为私史，以售其邪说，请禁绝之。’复下诏申禁之。”

五月

甲寅，将作监米友仁，权尚书兵部侍郎。

六月

江、浙、福建大水。《续资治通鉴》卷一二六：“乙未，帝谓大臣曰：‘浙东、福建被水灾处，可令监司躬往，悉力赈济，务使实惠及民，毋为文具。’时江、浙、福建同日大水。建州水冒城而入，俄顷深数丈，公私庐舍尽坏，溺死数千人。严州水暴至，城不没者数板。右奉议郎、通判州事洪光祖，集舟以援民，且区处山阜，给之薪、粥，卒无溺者。衢、信、处、婺等州，民之死者甚众。”

七月

辛酉，升蜀州为崇庆军，以帝始封之地故也。

八月

癸未，金主杀其子魏王道济。

九月

宋迁赵鼎至吉阳军。《纲鉴易知录》卷八一：“秋九月，徙赵鼎于吉阳军。鼎在潮五年，杜门谢客，时事不挂口，有问者，引咎而已。先是，鼎请正建国公皇子之号，桧曰：‘鼎欲立皇太子，是待陛下终无子也。宜俟亲子乃立。’至是，中丞詹大方希桧意，劾鼎与其党范冲邪谋密计，转相煽惑，以徼无妄之福。盖指皇子，而冲尝为翊善故也。遂移鼎吉阳。鼎谢表有曰：‘白首何归，怅余生之无几！丹心未泯，誓九死以不移！’桧见曰：‘此老倔强犹昔。’”

十月

金河朔诸郡地震。《续资治通鉴》卷一二六：“甲辰，金以河朔诸郡地震，诏复百姓一年；其压毙者，官为敛藏；陕西蒲、解、汝、蔡诸郡县饥民，为奴婢者，官给绢，赎为民，放还其乡。”

十一月

完颜勗先作《东狩猎赋》。《续资治通鉴》卷一二六："己酉，金主猎于海岛，三日之间，亲射五虎，获之。左丞完颜勗，献《东狩射虎赋》。金主悦，厚赐之。勗能以契丹字为诗文，凡游宴有可言者，辄作诗以见意。"

内教场。《续资治通鉴》卷一二六："甲子，帝即宫中，阅试殿前马步诸军。将士艺精者，赐赉有差。自是岁以冬月行之，号内教场。"

十二月

肉简牌。《纲鉴易知录》卷八一："十二月，李文会免，以杨愿签枢密院事。愿为中丞，迎合桧意以举劾，人号之为'肉简牌'。至是，论文会，遂代其位。"

本年

是岁，西辽感天皇后改元咸清。

葛胜仲（1072—1144）卒。孙觌《文康葛公丹阳集序》："左宣奉大夫、显谟阁待制丹阳葛公，自髫丱以奇童名里中，年十六，随计诣京师，连三荐至礼部，遂收其科。文节林公子中爱其文，荐试学官，公以《诗》、《书》、《礼》三经应诏。又试宏词，皆中第一，于是名声隐然动京师。始去州县，更内外学官之选，校中秘书，如尚书为郎。当是时，天子辑瑞应，搜讲弥文，报礼上下。四方以符瑞来告者不可胜数，大臣表贺，皆出公手，瑰奇英丽，独步一时。公卿大夫交口誉之，咸谓公即日典司制命，施之朝廷，荐之郊庙，以追汤《盘》周《诰》、商诗鲁颂之作。稍迁太常少卿、国子祭酒，擢大司成，遂跻法从。会新宰相用事，与公有连，补郡去国，竟不复召……公之子吏部侍郎立方裒公诗文为十八卷，号《文康葛公丹阳集》。自天经地业，五材万物变化，隐显巨细之邀，世之乱，人贤不肖，事之得失，是非兴坏之理，尽载此书。而尤善为诗，喜怒穷泰，悲忧愉快，凌高眺逈，饮酒欢呼，杂然有触于中，则大篇长句，援笔立成，不改定一字，非如前世之士以一能一技列于儒林者比也。"

程俱（1078—1144）卒。叶梦得《北山小集序》："绍圣末，余官丹徒，信安程致道为吴江尉，有持其文示余者，心固爱之，愿请交，未能也。政和间，余自翰苑罢领宫祠，居吴下，致道亦以书论政事与时异，籍不得调，寓家于吴，始相遇，则其学问风节，卓然有不见于其文者。即为移书当路，论以言求士，孰不幸因此自表见，其趣各不同，若概论其国，一斥不复录，天下士几何，可以是尽弃之乎，并上其文数十篇。宰相见而惊曰：'今之韩退之也！'亟召见政事堂。会有间之者，复得闲秩，然宰相知之未已也。宣和初，复召入关，稍迁为郎，议者翕然，始恨得之晚。自是二十年间，卒登侍从，为天子掌制命，文章擅一时……尽观其文，精确深远，议论皆本仁义，而经纬错综之际，则左丘明、班孟坚之用意也。至于诗章，兼得唐中叶以前名士众体。"又，吴之振、吕留良、吴自牧《宋诗钞·北山小集序》："为文典雅闳奥，诗则取途韦、柳，以窥陶、谢，萧散古澹，有忘言自足之趣，标致之最高者也。”

朱弁（1085—1144）卒。朱弁《风月堂诗话序》：“予在东里，于所居之东、小园之西，有堂三楹。壁间多皇朝以来诸名卿画像，而文集中多与左、司马、班、韩、欧、苏数公相对。以其地无松竹，且去山水甚远，而三径闲寂，庭宇虚敞，凡过我门而满我坐者，惟风与月耳。故斯堂也，以风月得名。又余心空洞无城府，见人素昧平生，必出肺腑相示，以此语言多触忌讳而遭悔吝。每客至，必戒之曰：‘是间只可谈风月，舍此不谈而泛及时事，请酾吾大白。’厥后山渊反复，兵火肆虐，堂于兹时均被赭垣之酷，风月虽存，宾客安往？予复以使时羁绊漯河，阅历星纪，追思囊游风月之谈，十仅省四五，乃纂次为二卷，号《风月堂诗话》，归诒之孙。异时幅巾林下，摩挲泉石时取观之，则溱洧风月犹在吾目中也。”又，《四库全书总目》卷一九五：“《风月堂诗话》二卷，内府藏本，宋朱弁撰。”又，《四库全书总目》卷一二一：“《曲洧旧闻》十卷，浙江汪汝瑮家藏本。朱弁撰，弁字少章，朱子之从父也，事迹具《宋史》本传。”

李清照六十一岁。

朱熹十五岁，葬韦斋先生于崇安县五夫里西塔山。

公元 1145 年（宋绍兴十五年　金皇统五年　夏人庆二年　西辽咸清二年　乙丑）

正月

宋措置两浙经界。《续资治通鉴》卷一二七：“戊辰，命权户部侍郎王铁，措置两浙经界。李椿年既以忧去，秦桧请用铁。帝因言：‘经界之法，细民多以为便。’桧曰：‘不如此，则差役不行，赋税不均，积弊之久，今已尽革，去年陛下放免积欠，天下便觉少苏。’铁言：‘本部员外郎李朝正，尝知溧水县，均税不扰，请与共事。’又言：‘今当革诡名狭户，侵耕冒佃，使差有常籍，田有定税，则差役无争诉之烦，催科免代纳之弊，然须不扰而速办，则实利及民，欲更不画图。又造砧基簿，止令逐保排定，十户为一甲，令递相纠合。从实供账二本，积年所隐，一切不问。如有不实，致人陈告，即将所隐田，给以充赏。’从之。”

宋命僧、道纳免丁钱。《续资治通鉴》卷一二七：“辛未，初命诸路僧道士纳免丁钱。时言者论：今官尹皆纳役钱，而僧道坐享安闲，显为侥幸。乃诏：‘律僧岁输五千。禅僧、道士，各二千。其住持、长老、法师、紫衣、知事，皆递增之。至十五千，凡九等。’”

二月

宋太学生增额。《续资治通鉴》卷一二七：“二月戊寅，帝谓大臣曰：‘朕观史册，见古之养士，有至二三千人，亦朝廷一盛事。’于是增国学弟子员百人，通旧以七百人为额。寻命置上舍三十人，内舍百人。”

三月

高宗以守信为主，秦桧唱委曲调护。《续资治通鉴》卷一二七：“三月甲子，帝谓大臣曰：‘交邻国之道，当以守信为主。’秦桧曰：‘观真宗皇帝时，虽远藩小国，如溪洞之类，亦必委曲调护，不欲起兵端，可谓知仁矣。’时金人来索北客之在南者，桧因遣敷文阁待制周襟、马观国、史愿北还。”

四月

刘章等三百人中进士。《续资治通鉴》卷一二七：“癸未，赐正奏名进士刘章等三百人及第出身、同出身，正奏名张镃新科明法及第。甲申，特奏名林洵美等二百四十七人，武举正奏名应褒然等二人，特奏名三人，授官有差。”

五月

金颁行女真小字。

六月

丁丑，宋高宗幸秦桧新第。

七月

宋朝廷流放张浚于连州。《纲鉴易知录》卷八一：“秋七月，放张浚于连州。浚因星变，欲力论时事，以其母计氏年高，言之必被祸。计氏知之，诵其父咸绍圣初制策曰：‘臣宁言而死于斧钺，不忍不言而负陛下。’浚意遂决，即上疏言：‘当今时势，如养大疽于头目心腹之间，不决不止。迟则祸大而难决，疾则祸轻而易治。惟陛下谋之于心，断之以独，谨察情伪，豫备仓卒，庶几社稷安全。不然，后将嗜脐。’事下三省，秦桧大怒，令中丞何若劾之，遂贬连州居住，寻徙永州。桧必欲杀浚，以其死党张柄知潭州，与郡丞汪召锡共伺察之。”

庐州、光州上贡展期。《续资治通鉴》卷一二七：“七月戊午，诏庐、光州上贡钱米展一年，用转运司请也。帝曰：‘人皆知取之为取，而不知予之为取。若稍与展免，俟其家给人足，税敛自然易办。淮南平时，一路上供内藏䌷绢九十万匹有奇。至绍兴末年，才八千匹尔。’”

八月

宋复置常平提举司。《续资治通鉴》卷一二七：“自建炎初，省诸路提举常平官，并其职于提刑司。次年朝议复置，且讨论其得失，书成未颁，而帝南渡。继而言者谓常平之法不可行，遂寝。中间常平之职，常隶发运司，亦隶经制司，已而复隶提刑司。至是，王铁言：‘常平一司，钱谷敛散，宜专使领之，请复置诸路提举官。’九月，诏以诸路提举茶盐官为提举茶盐常平公事，川陕以宪臣兼领。”

九月

虔梅福建剧盗起，管天下者掠州县。《续资治通鉴》卷一二七：“时虔、梅及福建剧盗，有号‘管天下’者，其徒日众，攻掠县城，乡民多结砦自保。先是，福建帅臣莫将上言，漳、泉、汀、剑［建］四州，接江西、广东之境，游手从贼，熟识山路，引其直冲山路，如入无人之境。官军不习山险，多染瘴疠，艰于掩捕。乞委四州守臣，募强壮游手，每州以千人为效用。时统制官张渊措置本路盗贼，请逐州先招五百人。既而将改帅广东，以知虔州集贤殿修撰为福建帅。是月，弼入福建，沿途盗贼。弼令迓兵列队伍，扬金鼓声，言：‘新帅以虔兵至矣！’贼不敢犯。”［思齐按：弼，薛弼也。参见《宋史》卷三八〇《薛弼传》：“时福州大盗有‘管天下’、‘伍黑龙’、‘满山红’之属，其众甚盛，钤辖李贵为贼所获，民作山砦自保。守臣莫将令委漳、泉、汀、建，募强壮游手各千人为效用，与殿前司统制张渊同措置。未及行，诏升弼集英殿修撰，与将两易。弼至郡，漕臣以游手易聚难散，恐为他日患，闻于朝。事下弼议，弼谓：‘昔守章贡，有武夫周虎臣、陈敏者，丁壮各数百，皆能战，视官军可一当十。’乃奏虎臣为副将，敏为巡检，选丁壮千人，号‘奇兵’，日给粮粮，责以灭贼。自是岁费钱三万六千余缗，米九千石，凡四年而贼平。弼知广州，擢敷文阁待制。卒，年六十三。”］

十月

晏敦复（1075—1145）**卒。**《续资治通鉴》卷一二七：“戊子，宝文阁直学士、提举亳州明道宫晏敦复，卒于明州。方议和之始，敦复力抵屈己之非，秦桧使人啖以利曰：‘公若曲从，两地旦夕可至。’敦复曰：‘吾终不以身计而误国家，况姜桂之性，到老愈辣，请勿复言。’桧卒不能屈。帝尝面谕曰：‘卿鲠峭直言，无所间辟，可谓无忝尔祖矣。’”

十一月

滕膺卒，义灵立。《续资治通鉴》卷一二七：“十一月甲辰，右朝散大夫主管台州崇道观滕膺卒。方腊之反也，膺为台州司户参军。贼徒吕师囊以万众围城，膺率军民捍之，数月不能拔。台人为立祠祀之，后名其庙曰‘义灵’。”

十二月

戊戌，金始增谥始祖以下十帝。

本年

吕本中（1084—1145）卒。陆游《渭南文集》卷十四《东莱诗集序》：“……宋兴，诸儒相望，有出汉唐之上者。迨建炎、绍兴间，承丧乱之余，学术文辞，犹不愧前辈。如故紫薇舍人东莱吕公者，又其杰出者也。公自少时既承家学，心体而身履之几三十年。仕愈踬，学愈进，因以其暇尽交天下名士。其讲习探讨，磨砻浸灌，不极其源不止。故其诗文汪洋闳肆，备兼众体，间出新意，愈奇而愈浑厚，震耀耳目，而不失高古，一时学士宗焉。晚节稍用于时。在西掖，尝兼直内廷，草赵丞相鼎制，力排和戎之议，忤秦丞相桧。丞相自草《日历》，载公制词以为最，而天下益推公之正。……游自童子时读公诗文，愿学焉。稍长，未能远游，而公捐馆舍。晚见曾文清公，文清谓某：‘君之诗，渊源殆自吕紫薇，恨不一识面。’游于是尤以为恨。”［思齐按：本文又作《吕居仁集序》。］

吕本中《夏均父集序》：“学诗当学活法。所谓活法者，规矩备俱，而能出于规矩之外；变化不测，而亦不背于规矩也。是道也，盖有定法而无定法。知是者，则可以与语活法矣。谢元晖有言，‘好诗流转美如弹丸’，此真活法也。近世惟豫章黄公，首变前作之弊，而后学者之所趣向，毕精尽知，左规右矩，庶几至于变化不测。然余区区浅末之论，皆汉魏以来有意于文者之法，而非无意于文者之法也。子曰：‘兴于诗，诗可以兴，可以观，可以群，可以怨；迩之事父，远之事君，多识于鸟兽草木之名。’今之为诗者，读之果可使人兴起其为善之心乎，果可使人兴、观、群、怨乎，读之使人知事父、事君而能识鸟兽草木之名之理乎？为之而不能使人如是，则如勿作。吾友夏均父，贤而有文章，其于诗，盖得所谓规矩备俱，而出于规矩之外，变化不测者。后果多从先生长者游，闻人之所以言诗者而得其要妙，所谓无意于文之文，而非有意于文之文也。”

杨炎正（1045—?）生。厉鹗《宋诗纪事》卷五七：“炎正字济翁，庐陵人。鹗按：炎正工词，有《西樵语业》一卷。毛氏汲古阁刊本误作杨炎号止济翁。余见旧钞本作杨炎正济翁，是炎正其名，济翁其字也。《全芳备祖》有杨济翁诗，即是一人，毛氏之误可见矣。”

陈渊（？—1145）卒。沈度《默堂先生文集序》：“余服膺高坚，因得其遗文五百一十四篇，釐为二十二卷，序而刊之，广诸同志……绍兴十七年三月日，门人沈度序。”又黄宗羲《宋元学案》卷三八：“先生幼颖悟异常儿，得闻家学。十有八岁，首领乡荐，名声籍甚，顾慊然以所学不在是。闻杨文靖得伊洛之传，上书执弟子礼，以伊尹之所觉，周公之所思，孔子之所贯，颜子之所乐请焉。文靖得书，以为深识圣贤旨趣，遂以子妻之。”

李清照六十二岁。

朱熹十六岁。王懋竑《朱熹年谱》引《语录》：“某年十五六时，读《中庸》‘人一己百、人十己千’一章，因见吕与叔解得此段痛快，未尝不悚然警厉奋发。（沈僩记录）”

公元 1146 年（宋绍兴十六年　金皇统六年　夏人庆三年　西辽咸清三年　丙寅）

正月

修弥文以饰治具，祥瑞之奏日以闻。《纲鉴易知录》卷八一：“丙寅，十六年，春正月，行籍田礼。先是，知度州薛弼言：‘州民朽柱中有文，曰：天下太平年。’秦桧大喜，乞诏付史馆。于是修弥文以饰治具，如象饮、耕籍之类。节节备举，为苟安于杭之计。自此不复巡幸江上，而祥瑞之奏日闻矣。”

戊子，宋太学外舍生以千人为额。

庚寅，金以边地与夏国。

十五日，曾慥《乐府雅词》成。

二月

壬申，宋诏诸路毁淫祠。

三月

庚子朔，宋诏有司建武学，以文武之道不可偏废也。

四月

兵部上《武士弓马及选士去留格》。《续资治通鉴》卷一二七：“戊午，兵部上《武士弓马及选士去留格》。初，补入学步射弓一石，若公私试步骑射不中，即不许试程文。其射格自一石五斗以下至九斗，凡五等。帝可其奏，因谓武臣曰：‘国家武选，所系非轻。今诸将子弟，皆耻习弓马，求换文资，数年之后，将无人习武矣。岂可不劝诱之！’”

五月

宇文虚中（1079—1146）、高士谈（？—1146）被金处死。《续资治通鉴》卷一二七：“宇文虚中既留金，累官礼部尚书，兼承旨。虚中恃才轻肆，好讥讪，贵人达官，往往积不能平。虚中尝撰宫殿榜署，恶虚中者摘其字以为谤讪。会有告虚中谋反者，诏有司鞫治无状，乃罗织虚中家图籍为反具，虚中曰：‘死自吾分。至于图籍，南来士大夫，家家有之。高士谈图书尤多于我家，岂亦反耶？’有司承风旨，并逮士谈。六月乙巳，杀虚中及士谈，金人冤之。士谈，琼之孙，尝为忻州户曹参军，降金，官至翰林学士。”宇文虚中，字叔通，成都人。生于宋神宗元丰二年（1079）。仕宋为黄门侍郎。天会中，奉使至金，留掌词命，历官翰林学士承旨，封河内郡开国公。皇统六年（1146）以谋复宋被害，年六十八。高士谈，字子文，一字季默。宣和末，任忻州户曹参军，仕金为翰林直学士。皇统六年（1146）因宇文虚中得罪牵连遇害。著有《蒙城集》。

六月

是月，安南献驯象十头于宋。

七月

宋朝定立献逸书等赏格。《续资治通鉴》卷一二七："壬辰，提举秘书省秦熺，奉诏立定献书赏格，诏镂板行下。应有官人献秘阁阙书善本，及二千卷，与转官；士人免解；余比类增减推赏；愿给直者听。诸路监司守臣，访求晋、唐真迹，及善本书籍，准此。"

八月

金向蒙古请和，蒙古不允。

九月

刘豫（1073—1146）死于金临潢府（今内蒙巴林左旗）。

十月

丁酉朔，新礼器成。戊戌，宋高宗观新礼器于射殿。

十一月

诗赋经术与取士。《续资治通鉴》卷一二七："十一月庚午，言者论：'近来诗赋经术，各以旧式人数分取，其间不无轻重。大抵习诗赋者多，故取人常广；治经术者鲜，故取人常少。今若专以就试之人，立定所区分数，则诗赋人常占十之七八，而治经术者止得十之一二，但恐寖废经术之学矣。望命有司再加讨论。如通经之人有余，听参以策论，圆融通取，明立分数，庶几主司各有遵守。'帝曰：'当日行诗赋，为士人不读史；今若专用诗赋，士人不读经。大抵读书当以经义为先，所论宜令礼部看详以闻。'"

十二月

是岁，西夏尊孔子为文宣帝。

本年

张元幹作《丙寅自赞》诗。

俞灏（1446—1231）生。《宋诗纪事》卷五八：“灏字商卿，世居杭。绍熙四年进士。历麾节，皆有声。宝庆二年致仕，筑室九里松，自号青松居士。有集。”

李清照六十三岁。

朱熹十七岁。王懋竑《朱熹年谱》引《语录》：“某自十六七岁时，下工夫读书。彼时四旁皆无津涯，只自恁地硬著力去做，至今日虽不足道，但当时也是喫了多少辛苦读书。（杨道夫记录）”

公元 1147 年（宋绍兴十七年　金皇统七年　夏人庆四年　西辽咸清四年　丁卯）

正月

宋朝颁降乡饮酒仪式。《续资治通鉴》卷一二七：“辛卯，左迪功郎陈介言：‘国家颁降乡饮酒仪式，而诸郡所行，疏数不同。请令三年科举之年，行之于庠序。即古者三年大比饮酒于序之意也。’国子监言：‘唐人亦止行于贡士之岁，宜依介所请。如愿每岁举行者，听从其变。’从之。”

二月

宋朝祭祀青帝和姜嫄。《续资治通鉴》卷一二七：“甲辰，帝斋于内殿，时将祀高禖，乃以太师尚书左仆射秦桧为亲祠使。乙巳，帝亲祠青帝于东郊，以伏羲、高辛配，普安郡王终献。又祀简狄、姜嫄于坛下，牲用太牢，玉用青，币仿其玉之色，乐舞如南郊之制。礼毕，御端诚殿受贺。”

三月

牛皋（1087—1147）遇害。《续资治通鉴》卷一二七：“三月丁卯，捧日天武四厢都指挥使、宁国军承宣使、鄂州驻扎御前左军统制牛皋卒。前一日，都统制田师中大会诸将，皋遇毒而归，知其必毙，乃呼亲吏及家人，嘱以后事，至是卒。或谓秦桧密令师中毒之，闻者莫不叹恨。”

金与蒙古始和。《续资治通鉴》卷一二七：“是月，金与蒙古始和，岁遗牛、羊、米、豆、绵、绢之属，甚厚。于是蒙古长鄂罗贝勒自称祖元皇叔，改元天兴。金人用兵连年，卒不能讨，但遣金兵分据要害而还。”

四月

金主宴群臣，酒醉而杀人。《续资治通鉴》卷一二七：“戊午，金主宴群臣于便殿。金主醉，以剑逼其弟元使强饮。元惧而出，命左丞宗宪追之。宗宪与俱去，乃命户部宗礼跪于前，手杀之。”

五月

洪皓责授濠州团练副使，英州安置。

六月

高宗禁止污染西湖水。《续资治通鉴》卷一二七：“六月癸巳朔，帝命宰执曰：‘临安居民，皆汲西湖，近来为人扑卖作田种菱藕之类，沃以粪秽，岂得为便？况诸库引以造酒，用于祭祀，尤非所宜，可禁止之。’又曰：‘沿江石岸，令速修之。迟则冲损害民，费工必倍。’”［思齐按：由此记载可概见宋人之环保意识。］

七月

秋七月，金以太白经天，曲赦畿内。

八月

赵鼎（1085—1147）卒。《纲鉴易知录》卷八一：“秋八月，故相赵鼎卒于吉阳军。鼎潜居深处，门人故吏不敢通问，惟广西帅张宗元时馈醪米。会降旨‘赵鼎、理光，遇赦永不检举’，桧知之，令本军月具存亡申尚书省。鼎遣人语其子汾曰：‘桧必欲杀我。我死，汝曹无患；不尔，祸及一家矣。’先得疾自书墓中石，记乡里及除拜岁月，且书铭旌云：‘身骑箕尾归天上（箕尾，东方宿名。《庄子》：“傅说乘东维，骑箕尾，而比于列星。”）气作山河壮本朝。’遗言其子乞归葬，遂不食而死，天下闻而悲之。鼎为相，专以固本为先，以为本固而后敌可图，雠可复。惜其见忌于桧，赍志以没。然中兴贤相，鼎为称首。”

九月

郑刚中罢。《纲鉴易知录》卷八一：“九月，罢四川宣抚使郑刚中（刚中治蜀有方略，秦桧忌之，使人求其阴事，召还，责桂阳军安置，未几四川宣抚司亦罢）。”

十月

宋修建太一宫。《续资治通鉴》卷一二七：“癸卯，诏建太一宫于行在。自驻跸以来，岁祀十神太一于惠照僧舍。言者以为未称钦崇之意，乃作宫焉。”

十一月

闻喜宴。《续资治通鉴》卷一二七：“十一月丁卯，权礼部侍郎周执羔，请复赐新及第进士闻喜宴于礼部贡院。从之。”

十二月

金广置后宫妃嫔。《续资治通鉴》卷一二七："金主未有子嗣，而皇后妒忌，群臣莫敢言。右丞相宗贤，劝金主选后宫以广继嗣。金主乃遣使挟相士下两河诸路，选民间室女，得四千余人，皆令入宫。宗贤于皇后为母党。后专政，宗贤未尝依附，论事无顾忌，后以此怨之。"

孟元老（生卒年不详），号幽兰居士，北宋末南宋初人。少从其先人宦游南北。崇宁间，寓居开封。靖康之乱，避地江左。晚年，追忆汴京盛事，著《东京梦华录》二卷，自序成书于本年，备载汴京街坊风俗及朝章典仪，委曲详尽，可补史书之不足。

本年

刘子翚（1101—1147）卒。《四库全书总目》卷一五七："《屏山集》二十卷。……集中谈理之文，辨析明快，曲折尽意，无南宋语录之习。论事之文洞悉时势，亦无迂阔之见。如《圣传论》、《维民论》及论时事札子诸篇，皆明体达用之作，非坐谈三代、惟骛虚名者比。古诗风格高秀，不袭陈因。惟七言近体，宗派颇杂江西。盖子翚尝与吕本中游，故格律时复似之也。王士祯《池北偶谈》曰：'屏山诸诗，往往多禅语。如《牧牛颂》云："直饶牧得浑纯熟，痛处还应著一鞭。"《径山寄道服》云："聊将佛日三端布，为造青州一领衫。"又云："此袍遍满三千界，要与寒儿共解颜。"此类是也。'又述子翚之言曰：'吾少官莆田，以疾病接佛老之徒，闻其所谓清净寂灭者而心悦之。比归读儒书，乃见吾道之大'云云，是子翚之学初从禅入，当时原不自讳，故见于吟咏者如此云。"

苏庠（？—1147）卒。释惠洪《跋养直诗》："宣和三年三月，予迁居水西南台寺。初六日，颠风搅林，东轩小寝。俄大雨，起步修廊，复坐颓然昏睡，南州道崇难者持此轴来，隐几读之，如观飞菟顿尘，追风趁日也。然其诗词所及，皆予故人，而予亦常落怜悯中，盖方海外时帖也。昔曾鲁公问予曰：'苏养直闻齿少而诗老，恨未识之，子见其诗否？'予曰：'李太白诗语带烟霞，肺腑缠锦绣。以予观养直之诗，逮又过之。'鲁公骇予此论。今数诗惜公不见，以验前语耳。"张元幹《跋苏养直绝句后》："后湖醉卧已仙去，但有言句留人间。文采风流照千古，罗浮谁复遗金丹。"

曾季狸（生卒年不详）约于此年前后在世，著有《艇斋诗话》一卷。陆心源《宋史翼》卷三六："曾季狸字裘父，临川人，巩弟宰之曾孙。师事吕居仁，又与朱子、张栻游。栻被召，季狸戒其不当谈兵，且劝以范文正、忠宣父子为法。郡守张孝祥、枢密刘珙荐于朝，皆不起。尝一试礼部不中，终身不赴，隐居萧然，自号艇斋。有《艇斋杂著》、《艇斋诗话》。"

李清照六十四岁。此后几年，作有《声声慢》词，写国破家亡晚年孀居之惨戚，姑系于此。词云："寻寻觅觅，冷冷清清，凄凄惨惨戚戚。乍暖还寒时候，最难将息。三杯两盏淡酒，怎敌他、晚来风急。雁过也，正伤心，却是旧时相识。　满地黄花堆积，憔悴损，如今有谁忺摘？守著窗儿，独自怎生得黑。梧桐更兼细雨，到黄昏、点点滴滴。这次第、怎一个愁字了得！"宋·张端义《贵耳集》："炼句精巧则易，平淡入调则难，且《秋词・声声慢》‘寻寻觅觅，冷冷清清，凄凄惨惨戚戚’，此乃公孙大娘舞剑手。本朝非无能词之士，未曾又一下十四叠字者，用《文选》诸赋格。后叠又云‘梧桐更兼细雨，到黄昏、点点滴滴’，又使叠字，俱无斧凿痕。更有一奇字云‘守定窗儿，独自怎生得黑’，‘黑’字不许第二人押。妇人中有此文笔，殆间气也。有《易安文集》。”杨慎《词品》卷二：“宋人中填词，李易安亦称冠绝。使在衣冠，当与秦七、黄九争雄，不独雄于闺阁也。其次名《漱玉集》，寻之未得。《声声慢》一词，最为宛妙。其词云……山谷所谓以故为新、以俗为雅者，易安先得之矣。”[思齐按：这首词流传极广，版本亦多，各本字句略有不同。]

朱熹十八岁。秋，举建州乡贡。

公元1148年（宋绍兴十八年　金皇统八年　夏人庆五年　西辽咸清五年　戊辰）

正月

永祐陵春秋荐献。《续资治通鉴》卷一二八：“春正月甲子，以永祐陵近在会稽，准先朝故事，春秋二仲，以太常少卿荐献，季秋则御使按视。”

二月

签枢密院事汪勃兼权参知政事。

三月

宋朝禁止人民偷渡往北方。《续资治通鉴》卷一二八：“乙酉，诏私擅渡淮及招纳叛亡之人，并行军法。后诏津载及巡防人故纵与同罪，失察者减一官。”

四月

王佐等三百三十人中进士。《续资治通鉴》卷一二八：“庚寅，策试正奏名进士于射殿，王佐以下三百三十人，赐及第出身。……乙巳，特奏名进士俞舜凯等四百五十七人，武举进士柯燕等七人，特奏名一人，赐第授官有差。”朱熹、尤袤进士及第。

甲寅，金修《辽史》成。

五月

宋放李显忠于台州。《纲鉴易知录》卷八一：“五月，放浙东转运使李显忠于台州。显忠熟知西边山川险易，因上《恢复策》。秦桧恶之，降官奉祠，台州居住。”

宋修建明离殿。《续资治通鉴》卷一二八：“五月辛酉，权礼部侍郎兼直学士院沈该，言：‘国家秉火德之运，以王天下。望用故事，即道宫别离一殿，专奉火德，配以阏伯，而祀以夏至。’从之。后建殿于太一宫，名明离。”

六月

宋朝颁布诏书，非理不得扰民。《续资治通鉴》卷一二八："庚子，命监司郡守约束县令，无使非理扰民。"

七月

秋七月，宋宽诸郡杂税。

宋朝以县官兼县学教授。《续资治通鉴》卷一二八："秋七月乙丑，右朝奉大夫、新江西转运判官贾直清，请于县官中，以有出身人，兼县学教导。帝谓大臣曰：'州县选官教导,乃教化本原。将来三年科场,亦有人材,可备采择。'乃令礼部参酌,如所请。"

八月

川人不赴殿，亦可赐进士。《续资治通鉴》卷一二八："八月癸巳，权礼部侍郎沈该，乞：'四川类省试合格不赴殿试人，第一等并赐进士出身，余人同出身。'从之。"

梁兴（？—1148）卒。梁兴为太行山忠义社首领。北宋末年，与赵云、李进等在太原府、绛州等地组织忠义社，与金兵作战数百次，杀敌头目三百余人。绍兴五年，于太行山击杀金悍将耶律马五和耿光禄。当年冬，率部过黄河投岳飞。十年，岳飞北伐，与赵云、李进等率军过黄河，扰敌后方，屡破金兵。岳飞班师后，仍在黄河以北坚持抗金。十一年，与赵云等返回南宋，后官至亲卫大夫、忠州刺史，任鄂州御前选锋军同副统制。

十五日，胡仔为《苕溪渔隐丛话·前集》作序。胡仔于本年为此书前集作序，但该书完成于此后十年左右。

九月

八月，汪勃罢，宋以詹大方签枢密院事。九月，詹大方卒。

十月

金兀术（宗弼）卒。

十一月

窜胡铨于海南。

金诏两才通用。《续资治通鉴》卷一二八："乙未，金左丞相宗贤、左丞禀等，言州县长吏，当并用本国人。金主曰：'四海之内，皆朕臣子。若分别待之，岂能致？一谚不云乎：疑人勿使，使人勿疑。自今本国及诸色人，量才通用之。'"

十二月

金以左丞相完颜亮领三省事。

夏复建内学，选名儒主持讲学，又增修律书成，名为《新律》。

本年

丘处机（1148—1227）生。《甘水仙源录》卷二陈时可《长春真人本行碑》：“玄通大师李君浩然状老仙之行，谒文于余曰：父师长春子姓丘氏，讳处机，字通密，登州栖霞人。幼聪敏，日记千余言，能久而不忘。未冠学道，遇祖师重阳子于昆仑山之烟霞洞。祖师知其非常人也，以《金麟颂》赠之，遂执弟子礼。寻长生刘公、长真谭公、丹阳马公皆造席下，相视莫逆，世谓之丘、刘、谭、马焉。大定九年，从祖师游梁。明年祖师厌世。十有二年，师洎丹阳公护仙骨归终南，葬于其故里。师乃入磻溪，穴居，日乞一食，行则一蓑，虽箪瓢不置也，人谓之蓑衣先生。昼夜不寐者六年。既而隐陇州龙门七年，如在磻溪时。……二十八年春，师以道德升闻，征赴京师，官建庵于万宁宫之西，以便咨访。夏五月，召见于长松岛。秋七月，复见师，剖析至理，进《瑶台第一层曲》，眷遇至渥。翌日，遣中使赐上林桃，师不食茶果十余年矣，至是取其一啖之，重上赐也。八月，得旨还终南，仍赐钱十万，表辞之。尔后复居祖庵。明昌二年，东归栖霞，乃大建琳宫，敕赐其额曰太虚。……泰和间，元妃重道，遥礼师禁中，遗道经一藏。……贞祐甲戌之秋，山东乱，驸马都尉仆散公将兵讨之，时登及海宁未服，公请师抚谕，所至皆投戈拜命，二州遂定。己卯之冬，成吉思汗皇帝命使臣刘仲谦持诏迎师。明年春启行，……是年十月，师在武川，进表使回，复有敕书促师西行。……又明年春，逾岭而北，壬午之四月，甫达印度，见皇帝于大雪山之阳，问以长生药，师但举卫生之经以对。……八月至宣德，元帅邀师居真州之朝元观。明年春，住燕京大天长观，行省请也。……丁亥之五月，有旨以琼华岛为万安宫，天长观为长春宫，且授使者金虎牌，持护教门。……［七月九日］留颂葆光而归真焉，春秋八十。……师于道经无所不读，儒书梵典亦历历上口，又喜属文赋诗，然未始起稿，大率以提倡玄要为意，虽不事雕镌而自然成文。有《磻溪》、《鸣道》二集。”

陈长方（1108—1148）卒。陈长方，字齐之。唐琭《唯室集序》：“亡友陈齐之，初从师友学，则有真得，不事虚名，潜心古道。其读经则有《春秋私记》，读史则有《班范史论》。深造自得，发基其关键，直睹堂奥，圣人复起，不易斯言矣。不幸早殁，故见于行事者泰山之一毫芒，此善类所以深嗟而痛悼之也。虽其平生应用之文亦不苟出，率多有得之言，凡有所作，又为人持去，所存者寡。……虽然，此非其言之至也，后之人能读其书，逆其意，以知其言，则此亦不啻足矣，又奚以多为贵哉！”《四库全书总目》卷一五八：“《唯室集》四卷，附录一卷。……长方父侁，与游酢、杨时、邹浩、陈瓘等游，故长方之学以程氏为宗。《朱子语录》于同时学者多具其字，惟于长方则称为唯室先生，盖颇引以为重也。冯时可《雨航杂录》谓宋儒论人，喜核而务深，长方亦不免于是。然如谓刘先主灭刘璋取蜀为行不义，杀不辜，故不能有天下；谓张九龄与李林甫同辅政，不能发其奸而去之，以致天宝之乱。虽核以事势，均未必尽然，要其理则不为不正。至于绍兴六年应诏札子，谆谆以严师律、备长江、讲漕运为急，又因朝廷罢赵鼎任张浚，作《里医》一篇，以为国家起锢疾，必固元气，补当持重，攻当相机。盖其意不主于和，亦不主于遽战。富平、淮西、符离三败，躁妄偾事，若预睹之，固与迂阔者异矣。"

张嵲（1096—1148）卒。朱熹《答巩仲至》："张巨山乃学魏晋六朝之作，非宗江西者。其诗闲澹高远，恐亦未可谓不深于诗者也。坡公病李杜而推韦柳，盖亦自悔其平时之作而未能自拔者，其言似亦有味，不审明者视之，以为如何也。"又《跋张巨山帖》："近世之为词章字画者，争出新奇，以役世俗之耳目，求其萧散澹然绝尘如张公者，殆绝无而仅有也。刘兄亲承指画，妙得其趣。然公晚以事业著，故其细者人无得而称焉。敬夫雅以道学自任，而游戏翰墨乃能为之题识如此，岂亦有赏于斯乎?"《四库全书总目》卷一五六："《紫薇集》三十六卷。……嵲为陈与义之表侄，少时尝从受学，故刘克庄《后村诗话》谓其诗句法与简斋相似，而于五言古诗，尤极赏其语意高简，意味深远。又克庄所摘七言绝句，如'故园坟树想青葱'诸篇，尤能以标格见长。而集中似此类者尚多。大抵绝句清和婉约，较胜与义；其他虽未能遽相方驾，而气体高朗，颇足以自名一家。至古文典雅沉实，亦尚有北宋诸家矩矱。所上奏议，如论和战守，论攻取等篇，史皆采入本传，于当时事势，尤条析详明。惟《绍兴复古》诗一章贡谀秦桧，深玷生平。"曹庭栋《宋百家诗存》卷六《紫薇集》："诗二十卷，得陈黄句法。陆放翁谓其汪洋闳肆，间出新意，愈奇而愈浑淳，一时学者宗焉。"

叶梦得（1077—1148）卒。《四库全书总目》卷一五六："《石林居士建康集》八卷。……梦得为蔡京门客、章惇姻家。当过江以后，公论大明，不敢复嘘绍述之焰，而所著诗话，尚尊熙宁而抑元祐，往往于言外见之。方回《瀛奎律髓》于其《送严婿北使》一诗论之颇详。然梦得本晁氏之甥，犹及见张耒诸人，耳濡目染，终有典型。故文章高雅，犹存北宋之遗风。南渡以后，与陈与义可以肩随，尤、杨、范、陆诸人皆莫能及，固未可以其绍圣余党，遂掩其词藻也。"又卷一九八："《石林词》一卷。……卷首有关注序，称其兄圣功元符中为镇江掾，梦得为丹徒尉，得其小词为多。味其词，婉丽有温李之风。晚岁落其华而实之，能于简淡时出雄杰，合处不减靖节、东坡云云。考倚声一道，去古诗颇远，集中亦惟《念奴娇·故山渐近》一首杂用陶潜之语，不得谓之似陶，注所拟殊为不类。至于'云峰横起'一首，全仿苏轼'大江东去'，并即参用其韵。又《鹧鸪天·一曲青山》后阕，且直用轼诗语足成，是以旧刻颇有与东坡词彼此混入者。则注谓梦得近于苏轼，其说不诬。梦得著《石林诗话》，主持王安石之学，而阴抑苏黄，颇乖正论；乃其为词，则又挹苏氏之余波。所谓是非之心，有终不可澌灭者耶!"张履《道光重刊石林居士建康集序》："公诗文笔力之雄厚，《书》、《春秋》学之深邃，为前人所推许，其他论著亦多有可采，而余览是集，尤深叹公之才略为不可及也。盖公当高宗南渡，两帅建康，经戎马蹂躏之余，死伤载道，府寺民庐鞠为榛莽。公内尽修养之道，外竭备御之方，兼综财赋给诸军，馈饷不乏，俾得悉力于战，而又于其间缮葺讲堂，刊购经史，以作兴文教。其事功卓卓如此，而世之论者以公曾依附蔡京为病。夫自古小人在位，往往援引英流，推毂时彦，藉收物望而便己私，人才稍不自谨，即为所牵致，如柳子厚之于伾、叔文是已。据公本传，在徽宗朝，用京荐召对，而建言有体。大观初，京再相，凡法度之已罢者复行，公上言其不可，又规京以童贯宣抚陕西，亦颇持正。至附京之实，乃互见于他人传中。是公蚤岁立身诚为可议，而其后请卹太学生陈东、欧阳澈，卒以辞帅蜀，忤秦桧意致仕，未尝无晚尽之心。况才略之过人，平生所历州镇皆有能声，故虽尝罢斥，胡文定公以其蔡、颍、南京之政荐之于朝，谓不当以宿累废。其见取于当世名贤，夫岂偶然哉?”陆心源《重刊石林奏议序》:“今夫学问、经济，美名也，而人之才苦不能兼。兢事功者每陋于文辞，精考古者或瞀于从政，汉、晋而后，往往而然矣。左丞以积学著称，《宋史》传之《文苑》，宜若政事非所长者。今读其奏议，设施规划，纲举目张，乃知著书立说，非仅空言，夫岂寻章摘句、妄衿独得者所可同日语哉!”

李清照六十五岁。

朱熹十九岁。春，登王佐榜进士，为五甲第九十人。夏，准敕同进士出身。

公元1149年（宋绍兴十九年　金皇统九年、金海陵炀王完颜亮天德元年　夏天圣元年　西辽咸清六年　己巳）

正月

高宗贺太后七十寿礼。《续资治通鉴》卷一二八:“春正月甲申朔，帝以太后年七十，即宫中行庆寿礼。”

二月

好马分诸军，孳生有赏格。《续资治通鉴》卷一二八:“庚辰，帝谓辅臣曰:‘每岁市马，悉付镇江王胜军，而未见孳生之数。宜分送诸军，仍立赏罚。于是，岁发川马二百匹进御。而以四千匹付江上诸军，镇江、建康、荆、鄂军七百五十，江、池军各五百。又以秦马三千五百，付三衙殿前司千五百，马、步各千。自是，岁为定例。’”

三月

金以完颜亮领三省事。《续资治通鉴》卷一二八:“辛丑，金以尚书右丞相宗本兼中书令，以左丞相亮为太保，领三省事。亮益求名誉，引用势望子孙，结其欢心。金主不悟。”

十六日，王灼撰《碧鸡漫志》书成。王灼《碧鸡漫志序》:“乙丑冬，予客寄成都之碧鸡坊妙胜院，自夏涉秋，与王和先、张齐望所居甚近，皆有声妓，日置酒相乐，予亦往来两家不厌也。尝作诗云:‘王家二琼芙蕖妖，张家阿倩海棠魄。露香亭前古秋光，红霞岛边弄春色。满城钱痴买娉婷，风卷画楼丝竹声。谁似两家喜看客，新翻歌舞劝飞觥。君不见东州醉汉发半缟，日日醉踏碧鸡三井道。’予每饮归，不敢径卧，客舍无与语，因旁缘是日歌曲，出所闻见，仍考历世习俗，追思平时论说，信笔以记，积百十纸，混群书中，不自收拾。今秋开箧偶得之，残脱逸散，仅存十七，因次比增广成五卷，目曰《碧鸡漫志》。顾将老矣，方悔少年之非，游心淡泊，成此亦安用，但一时醉墨，未忍焚弃耳。己巳三月既望，覃思斋序。”胡薇元《岁寒居词话·碧鸡漫志》："《碧鸡漫志》，宋王灼撰。是编上自古初，至唐、宋声韵递变之由，次列凉州、伊州、霓裳羽衣曲、甘州、渭州、六幺、西湖、杨柳枝、喝驮子、兰陵王、虞美人、安公子、水调歌、万岁乐、河满子二十八调，一一溯其缘起沿革。《三百篇》余音，变为乐府歌辞，及唐中晚，词亦萌芽，而歌诗之法绝，词乃大盛，然犹播为管弦。灼乃核其名义，正其宫调，以著倚声之所自始。迨金院本既出，歌辞之法亦亡，明以来遂变为文章之事，而非律吕之事矣。"

四月

金有不祥之兆。《续资治通鉴》卷一二八："戊辰，日左右生青赤黄珥，太白犯月，金国太史言不利于君，大臣将作乱。壬申，金京师大风雨雷电，震坏寝殿鸱尾，有火入金主寝殿，烧帏幔，金主趋别殿避之。丁丑，有龙斗于利州榆林河水上，大风坏民居官舍，瓦木人畜，皆飘十数里，死伤者数百人。"

五月

金主杀翰林学士张钧。《续资治通鉴》卷一二八："戊子，金杀翰林学士张钧。时金主以天变欲下诏罪己，命钧视草。钧意谓奉答天戒，当深自贬损，其文曰'惟德弗类，上干天戒'及'顾兹寡昧，眇予小子'等语，参知政事萧肄，素恶钧，乃译奏曰：'弗类，是大无道。寡者，孤独无亲；昧者，弗晓人事。眇者，目无所见。小子，婴孩之称。此汉人托文字以詈主上也。'金主大怒，命卫士拽钧下殿，搒之百，不死，以手剑釐其口而醢之。赐肄通天犀带。是日，曲赦上京囚。"

六月

朱同取古今名方治疗瘴气。《续资治通鉴》卷一二八："辛酉，右朝奉郎朱同，知南雄州。代还，言：'岭南无医，凡有疾病，但求巫祝鬼，束手待毙。请取古今名方治瘴气者，集为一书，颁下本路。'从之。"

七月

宋诏修水利。《续资治通鉴》卷一二八："秋七月辛巳，左中奉大夫杨惇，知舒州。代还，请戒监司守臣修水利。诏付户部，帝曰：'平江堤堰不修，岁输米，比旧亏十万斛。临安西湖民间灌溉所资，其利不细，岁久亦填污。宜悉令修治。'"

八月

宋朝改革役法。《续资治通鉴》卷一二八："辛酉，宗正寺丞王葆，言：'国家设法，应女户、单丁，与夫得解举人、太学生，并免丁役，盖本先王仁先孤寡贵肄多士之意。顷议者历陈丁役之弊，遂有募人充役指挥。臣谓进纳杂流之人，物力高强，虽系单丁，自应雇募。至若前项三色，亦令雇募，似为矫枉之过。且女户而无子孙，与虽有子孙而年在幼弱，皆穷民之无告者。若遽使当力役之事，则公私所费，必倍于豪强，故昨来指挥：寡妇有男为僧道成丁者，并许募人充役，正恐奸民旋行规避尔。今州县之间舞文以虐无告，则或指远适之缁黄为某氏之子孙初不以存亡为别也，因使寡妇守志者，不免于执役困悴之患，其势迫而行者，家赀产业或破坏于后夫之手，是岂朝廷勤恤民隐之本心乎？得解举人，名已登于天府，今乃同籍于役人。太学生，身已隶于上庠，今乃心累于执役。是二者，其家或有兼丁，则力役自不妨充募。若乃单孑一身而奋身庠序者，不得自别于齐民。甚非陛下仁先孤寡贵肄多士之意。望特诏有司，重加审定，庶几孤寡得所，而士知爱重。'帝曰：'单丁女户，旧法免差役，后以许免者多，有司遂有雇募之请，宜令户部详其的确利害来上。'葆，昆山人也。既而本部请女户无子，及得解举人、太学生、单丁，并免身役。即特旨及因思免解人，听募人充役，官司毋得追正身从之。"

九月

金复任完颜亮为平章事。

十月

金主杀其弟北京留守胙王元。

十一月

金主杀皇后。《续资治通鉴》卷一二八："金皇后费摩（旧作裴满，今改）氏专政，性妒忌，挟制金主，故金主多以忿怒杀人。十一月，金主以积忿杀后。召胙王妃萨摩（旧作撒卯，今改）入宫，既而又杀德妃乌库哩（旧作乌古论，今改）氏、瓜勒佳（旧作夹谷，今改）氏、张氏，于是宫中近侍皆惧矣。"

十二月

初九日，完颜亮杀金主亶自立，改皇统九年为天德元年。亮本名迪古乃，太祖斡本之子，金主亶从弟也。因张钧被冤死，乃将萧肄禁锢终身。

本年

吴聿（生卒年不详）约于此年前后在世。吴聿，字子书，楚（今湖北一带）人。善论诗，著有《观林诗话》。全书宗旨推崇苏、黄，以出人意外，而又不失自然之诗为高。《四库全书总目》卷一九五：此书"足资考证，在宋人诗话之中，亦可谓之佳本"。

韩昉（1082—1149）卒。韩昉，字公美，燕京人。事辽，累世通显。天德初，加开府仪同三司，薨，年六十八。曾敏行《独醒杂志》卷八："契丹为金人攻击，穷蹙无计，萧后遣其臣韩昉来见童贯、蔡攸于军中，愿除岁帑，复结和亲，且言女真本远小部落，贪婪无厌，蚕食种类五十六国，今若大辽不存，则必为南朝忧，唇亡齿寒，不可不虑。贯与攸叱之出，昉大言于庭曰：‘辽宋结好百年，誓书具存，汝能欺国，独能欺天耶？’昉去，贯亦不以闻于朝。辽既亡，金人果背约。”

李清照六十六岁。

朱熹二十岁。朱熹《跋曾南丰帖》：“熹年二十许时，便喜读南丰先生之文，窃慕效之。”

公元1150年（宋绍兴二十年　金天德二年　夏天圣二年　西辽咸清七年　庚午）

正月

施全刺杀秦桧未成。《纲鉴易知录》卷八一：“庚午，二十年，春正月，殿司军士施全刺秦桧，不克，桧杀之。桧趋朝，殿前司后军使臣施全，挟刀于道，遮桧肩舆，刺之，不中，捕送大理。桧亲鞫之，全对曰：‘举天下皆欲杀虏人，故我欲杀汝也。’诏磔于市。自是桧每出，列五十兵持长梃以自卫。”

正月

安南进驯象十头与宋。

三月

宋禁私史谤朝。《纲鉴易知录》卷八一：“下李光子孟坚于大理狱，流之峡州。责降徽猷阁直学士胡寅等官有差。光在琼，尝作私史，其仲子孟坚为所亲陆升之言之，升之讦其事。秦桧命两浙转运副使曹泳究实，泳言：‘孟坚省记父光所作小史，语涉讥谤。’送大理寺，狱成，诏光遇赦不检举，孟坚除名，编管峡州。于是胡寅、程瑀、潘良贵、宗颖、张焘、许忻、贺允中、吴元许八人皆缘坐，责降有差。有太常主簿吴元美作《夏二子传》，指蚊、蝇也。其乡人告之，以为讥毁大臣，且言：‘元美与李光交，故其亭号潜光。’桧大怒，窜之容州。”

永夜倦思难入睡，提及冥官即改容。《续资治通鉴》卷一二八：“金主欲以勤政为名，召近臣讲论，每至夜分，尝问起居注杨伯雄曰：‘人君治天下，其道何贵？’对曰：‘贵静。’金主默然。明日，复谓曰：‘我迁诸部明安分屯戍边。前夕之对，岂指是为非静耶？’对曰：‘徙兵分屯，良策也。所谓静者，乃不扰之耳。’乙夜，复问鬼神事，伯雄进曰：‘汉文帝召见贾谊，夜半前席，不问百姓，而问鬼神，后世犹讥之。陛下不以臣愚陋，幸及天下大计，鬼神之事，未之学也。’金主曰：‘但言之，以释永夜倦思。’伯雄不得已，乃曰：‘臣家有一卷书，记人死复生。或问：冥官何以免罪？答曰：汝置一册，白日所为，暮夜书之，不可书者，不可为也。’金主为之改容。”

四月

金主大杀宗室。《纲鉴易知录》卷八一："夏四月，金主大杀其宗室（初，亮见太宗诸子强盛，忌之，至是杀太宗子孙七十余人、粘没喝子孙三十余人、诸宗室五十余人。太宗、粘没喝后皆绝）。"

宋垦田于两淮。《续资治通鉴》卷一二九："癸酉，左朝奉大夫新知庐州吴逵，言：'两淮之间，平原沃壤，土皆膏腴，宜谷易垦，稍施夫力，岁则有收，而茅苇翳塞，莫之加功。望置力田之科，募民就耕，赏以官资，辟田以广官庄。宜令江、浙、福建，委监司守臣，劝诱土豪大姓，赴淮南从便开垦。田地归官庄者，岁收谷五百石，免本户差役一次；七百石，补进义副尉；至四千石，补进武校尉，并作力田出身。其被赏后，再开垦及元数，许参选如法理，名次在武举特奏名出身之上。遇科场并得赴转运司应举。'从之。"

五月

大托卜嘉和完颜亮为相。《续资治通鉴》卷一二九："戊子，金以平章行台尚书省事，右副元帅大托卜嘉为行台尚书右丞相，元帅如故。壬辰，以左副元帅完颜杲为行台尚书左丞相，元帅如故。同判大宗正事宗安，为御史大夫。"

六月

东南沿海连年不靖。宋东南沿海连年不靖，海寇聚众连年，且犯台州（今浙江临海）临门寨、章安镇等地。宋命萧振知台州，萧振与殿前司水军统制王交会同捕之。王交乘舰入海，大败海寇，郡境始宁。

贵溪魔人起义。贵溪（今江西贵溪）魔人起义。宋遣浙江、江南西路兵马钤辖李横会副将孙青进讨，贵溪起义始被镇压。[思齐按：魔人，指明教徒，系宋代地主阶级所给的蔑称。明教是当时农民起义经常利用的秘密宗教组织，不事鬼神，供奉摩尼。宋代地主阶级易"摩"为"魔"，诬摩尼为"魔王"，诬明教为"魔教"。因明教徒吃斋，故亦诬称为"吃菜事魔"。]

七月

金主不视朝。《续资治通鉴》卷一二九："金左丞相乌达早朝，以阴晦将雨，意金主不视朝，先趋出，百官皆随之去。已而金主御殿，知乌达率百官出朝，恶之。己丑，出为崇义军节度使，以平章政事温都思忠为左丞相，以尚书左丞萧裕为平章政事，以右丞刘麟为左丞，以侍卫亲军步军都指挥使完颜思恭为右丞，参知政事张浩丁忧，起复如故。"

八月

张浚移永州。《续资治通鉴》卷一二九："甲辰朔，诏特进，提举江州太平兴国宫连州居住张浚，移永州。"

九月

宋建州人民起义。《续资治通鉴》卷一二九："自建炎初，剧盗范汝为窃发于建之瓯宁县，朝廷命大军讨平之。然其民悍而刁为暴，小遇岁饥，则群起剽掠。去岁因旱，凶民杜八子者，乘时啸聚，遂破建阳。是夏，民张大一、李大二，复于回源洞中作乱。安抚使仍岁调兵击之。"

十月

辛未，金杀太皇太妃萧氏。

十一月

金规定置妾之制。《续资治通鉴》卷一二八："己丑，金主命庶官许置次室二人，百姓亦许置妾。"

十二月

金主尊孔。《续资治通鉴》卷一二九："丙午，金主初定袭封衍生公俸格。"

本年

叶适（1150—1223）生。《宋史》卷四三四《叶适传》："叶适字正则，温州永嘉人。为文藻思英发。擢淳熙五年进士第二人，授平江节度推官。丁母忧，改武昌军节度判官。少保史浩荐于朝，召之不至，改浙西提刑司干办公事，士多从之游。参知政事龚茂良复荐之，召为太学正。迁博士，因轮对，奏曰：'人臣之义，当为陛下建明者，一大事而已。……讲利害，明虚实，断是非，决废置，在陛下所为耳。'读未竟，帝蹙额曰：'朕比苦目疾，此志已泯，谁克任此，惟与卿言之耳。'及再读，帝惨然久之。除太常博士兼实录院检讨官。尝荐陈傅良等三十四人于丞相，后皆召用，时称得人。会朱熹除兵部郎官，未就职，为侍郎林栗所劾。适上疏争……疏入不报。光宗嗣位，由秘书郎出知蕲州。入为尚书左选郎官。……孝宗崩，光宗不能执丧，军士籍籍有语，变且不测。适又告正曰：'上疾而不执丧，将何辞以谢天下？今嘉王长，若预建参决，则疑谤释矣。'宰执用其言，同入奏立嘉王为皇太子。……嘉王即皇帝位，亲行祭礼，百官班贺，中外晏然。凡表奏皆汝愚与适裁定，临期取以授仪曹郎，人始知其预议焉。迁国子司业。汝愚既相，赏功将及适，适曰：'国危效忠，职也。适何功之有？'而侂胄恃功，以迁秩不满望怨汝愚，适以告汝愚曰：'侂胄所望不过节钺，宜与之。'汝愚不从。适叹曰：'祸自此始矣！'遂力求补外，除太府卿，总领淮东军马钱粮。及汝愚贬衡阳，而适亦为御史胡紘所劾，降两官罢，主管冲佑观，差知衢州，辞。起为湖南转运判官，迁知泉州。召入对，言于宁宗曰：‘陛下初嗣大宝，臣尝申绎《卷阿》之义为献。天启圣明，销磨党偏，人才庶几复合。然治国以和为体，处事以平为极。臣欲人臣忘己体国，息心既往，图报方来可也。’帝嘉纳之。初，韩侂胄用事，患人不附，一时小人在言路者，创为‘伪学’之名，举海内知名士贬窜殆尽。其后侂胄亦悔，故适奏及之，且荐楼钥、丘崈、黄度三人，悉与郡。自是禁网渐解矣。除权兵部侍郎，以父忧去。服除，召至。……除权工部侍郎。侂胄欲藉其草诏以动中外，改权吏部侍郎兼直学士院，以疾力辞兼职。会诏诸将四路出师，适又告侂胄宜先防江，不听。未几，诸军皆败，侂胄惧，以丘崈为江淮宣抚使，除适宝谟阁待制、知建康府兼沿江制置使。适谓三国孙氏尝以江北守江，自南唐以来始失之，建炎、绍兴未暇寻绎，乃请于朝，乞节制江北诸州。……兵退，进宝文阁待制，兼江淮制置使，措置屯田，遂上堡坞之议。……三堡就，流民渐归，而侂胄适诛，中丞雷孝友劾适附侂胄用兵，遂夺职。自后奉祠者凡十三年，至宝文阁学士，通议大夫。嘉定十六年卒，年七十四，赠光禄大夫，谥文定。适志意慷慨，雅以经济自负。方侂胄之欲开兵端也，以适每有大雠未复之言重之，而适自召还，每奏疏必言当审而后发，且力辞草诏。第出师之时，适能极力谏止，晓以利害祸福，则侂胄必不妄为，可免南北生灵之祸。议者不能不为之叹息焉。”

李清照六十七岁。本年，李清照访米友仁，为米元章二帖求跋。

朱熹二十一岁。春，如婺源展墓。

公元1151年（宋绍兴二十一年　金天德二年　夏天圣三年　西辽仁宗耶律夷列绍兴元年　辛未）

正月

金初设国子监。

宋于大理诸蛮买马。《续资治通鉴》卷一二九：“丁未，直秘阁知静江府方滋，升直敷文阁，知广州。左朝散郎、广南西路转运判官陈璹，知静江府。初，朝廷命广西帅臣，即横山寨市马于大理诸蛮。岁捐黄金五十镒、白金三百斤、绵绝四千、廉州盐二百万斤，而得马千有五百匹。良马高五尺，率直中金五镒，它以是为差，每五十匹为纲，选使臣部送至行在。及建康、镇江府、太平、池州诸军。先是，廉州之盐，分令钦、横、宾、贵、浔、梧、藤、象、柳、容等州，转至横山仓。然诸州科民则苦富民，差吏则杂私贩，往往陷没留滞。至璹始令官支脚钱，选使臣运盐若及十万斤，即与部良马一纲至行在。”

二月

宋设置惠民局合药散民。《续资治通鉴》卷一二九：“己未，诏诸州各置惠民局。初，军器监丞齐旦，请令州县合药散民。上恐不能遍及，故命户部举旧法行之，仍命勿多取利。”

宋遣使入金请归宗族。

三月

壬辰，金扩建燕京，广建宫室。《纲鉴易知录》卷八一："金主稍习经史，慕中国朝著之尊，密有迁都意，遂下诏求直言，而上书者多谓'上京僻在一隅，不若徙燕，以应天地之中'，与金主意合。乃遣左丞相张浩、右丞相张通古等调诸路夫匠，筑燕京宫室，一依汴京制度。一殿之费，以亿万计，成而后毁，务极华丽。"又，金废除每年进贡鹰隼。

四月

丙午，金主诏迁都燕京。

闰四月

金主又命调诸路工匠兴筑燕京宫室。

赵奎等四百四人中进士。《续资治通鉴》卷一二九："帝亲试南省举人，擢赵逵等四百四人及第出身，特奏名进士昌永等五百三十一人，武举进士汤鷟等六人，授官有差。帝亲书《大学篇》，赐新及第进士。"萧德藻进士及第。

五月

宋令国子监刻书。《续资治通鉴》卷一二九："乙丑，秦桧请令国子监，复刻五经三史。帝曰：'其它阙书，亦令次第雕板。虽重有所费，亦不惜也。'"

六月

宋诏合药疗病囚。《续资治通鉴》卷一二九："六月辛巳，诏大理寺三衙，及州县，岁支官钱合药，以疗病囚。"

七月

临安减定物价，盗贼自然消矣。《续资治通鉴》卷一二九："秋七月丁未，秦桧请勿税商贩柴米。帝曰：'甚善。'临安自减定物价之后，盗贼消矣。"

八月

韩世忠（1089—1151）卒。《纲鉴易知录》卷八一："秋八月，太傅、镇南武安宁国军节度使、咸平王韩世忠卒。世忠解兵罢镇，卧家凡十年，至是卒。孝宗朝追封蕲王，追谥忠武，子彦直、彦质、彦古，皆以才见用。"费衮《梁溪漫志》卷八录韩世忠词两首，一为《临江仙》(冬看山林萧疏净)，一为《南乡子》(人有几何般)。钱彩、金丰《说岳全传》第五回有韩世忠《满江红》(万里长江)词一首,恐系小说家所依托。

不度僧,多赡学。《续资治通鉴》卷一二九:“时有言赡学公田,多为权势之家所占。九月戊戌朔,帝谓宰执曰:‘缘不度僧,常住多绝产,令户部拨以赡学。’”

十月

陆游第三子子修生。

十一月

戊寅,参知政事余尧弼罢。

十二月

金遣使至宋贺正旦。

本年

西辽仁宗耶律夷列改元绍兴。

王楙(1151—1213)生。郑虎臣《吴都文粹续集》卷四〇郭绍彭《宋王勉夫圹铭》:“嘉定六年四月二十九日,笠泽王先生以疾终。其年九月二十四日,葬于吴县横山先陇之侧,其孤德文,号泣致书,走介千里,诉曰:‘先君不求闻达,所以传信于后者,必托诸铭。君从先君游,知之实详,敢请。’绍彭先大夫侨居笠泽,先生年甫弱冠,籍籍有能文声。先大夫礼致斋馆,喜曰:‘汝得所矜式矣。’受业六载,开迪弘多。先大夫日夕相与优游晏处,定为文字交。继宰华容,力挽偕行,先生以亲老辞。虽相望荆浙,先生得一善必以告绍彭。先大夫一觞一咏,未尝不属意先生也。先大夫平时许与,每以远者大者期之,曾不少见于世,则次其颠末,今何敢辞。先生讳楙,字勉夫,家本福之福清,自其曾大父徙平江,后居笠泽。先生质禀颖悟,趋向端方。少失所怙,事母以孝闻。与人交诚实无虚语。有义事,虽窘匮,必竭力为之。清淡寡欲,刻苦嗜书,宽厚长者,耻言人过,乡里皆称为善人君子。少尝有志功名,蹭蹬不偶。自母夫人殁,悉弃所习,不复逐世好,取世资。或以勉之,泣曰:‘禄不逮亲,尚奚望?’榜所居曰‘分定斋’。先大夫及浙西参议陈公造为文以记之。富贵利达,恬不关念,安于义命若此。杜门著书,留意古学,有《野客丛书》三十卷,《巢睫稿笔》五十卷。丛书门分类聚,钩隐抉微,考证经史百氏,下至骚人墨客佚事,细大不捐。士大夫争先誊写。亲族之仕达者,欲锓木以传。先生辞之。顾语弟子曰:‘吾目未瞑,且将有所增益。’尝以文谒石湖先生。一见为之击节,雅相推誉。客于湖南仓使张公顾之门,达三十年,宾主相欢如一日。晚得拘挛之疾,坐卧未尝废卷。易箦之夕,神观不乱,作诗一绝,掷笔而逝。享年六十有三。诗中有‘趁著风帆便上船’之句,胸次坦夷可知。娶葛氏,能尽妇道。男二人:德文、之文,皆业进士。呜呼!才大者用必宏,先生之才,独啬于用;德博者寿必遐,先生之寿不报其德,命矣夫!若其谱系之详与先世履行之美,则有枢密曾公孝宽、司谏江公公望之志铭在，兹不复录。铭曰：何才之丰，何道之穷，横山之中，是为先生之宫。"

李清照六十八岁。

朱熹二十二岁。春，铨试中等，授左迪功郎、泉州同安县主簿。

公元1152年（宋绍兴二十二年　金天德三年　夏天圣四年　西辽绍兴二年　壬申）

正月

金立捕盗赏格。

二月

金立皇子光英为皇太子，诏中外。

三月

向子諲（1085—1152）卒。楼钥《芗林居士文集序》："芗林居士向公，宼文简公五世孙也。重珪叠组，生长富贵，而抗志不群，卓然自立，所交多天下名士。方全盛时，居官守职，故已不畏强御，声籍著闻。靖康元、二间，为江淮制置发运使，一闻伪楚之变，即移文合肥，拘留其家属，以折其奸心，闻者韪之。高宗初开元帅幕府，以羽檄起四方之兵，未有应者，公募士人李稙，首赍金币，以济艰难之用。上章劝进，切中事机，上甚嘉之，承制补稙以官。公之功名及受不世之知，实始于此。及帅长沙，金兵猝至，坚守奋击，外救阻绝，力不足而城破，犹保牙城巷战以拒敌。兵退，尽所以抚摩之力，楚人至今德之。寻改鄂州，行次衡阳，曹成、李宏贼众十万，将肆侵敚，公肩舆入曹成贼垒，晓以大义，不敢为暴，遂获钟相，降杨正表。上眷愈渥，擢之户篮，入从出藩，竭其忠力，几至大用。媢嫉者众，而公雅志退休，抗疏面陈，不一而足。卜居临江，古木无艺，多植岩桂，又素慕香山，自号芗林，有船曰汎宅，高宗亲御翰墨，书四大字及企疏堂以宠其归。公家东望冏皀，山连玉笋，靓深如瘾君子居，壁皆画以山水木石，门皆装以古刻，灵龟老鹤驯扰其间。自著五十诗以形容景物，亦多和篇。尝云渊明生于兴宁之乙丑，归以义熙之乙巳，年四十有一。余生于元丰之乙丑，归以绍兴之壬子，有《述怀》诗云：'我与渊明同甲子，归休已恨七年迟。'又言香山得洛阳履道坊杨常侍旧宅，芗林得临江五柳坊杨遵道光禄别墅，有诗云：'莫问清江与洛阳，山林总是一般香。两家地占西南胜，可是前人例姓杨。'又《题乐天真》云：'香山与芗林，相去几百祀。丘壑有深情，市朝多见忌。杭州总看山，苏州俱漫仕。才名固不同，出处略相似。'《上梁文》云：'坊名五柳，仰陶令之高风；洲号百花，乃东坡之遗事。'其尚友前贤类此，标致可知矣。士夫往来者必造见，又素喜客，相与觞咏其下。盖自建炎初元罢六路漕，明年归临江，绍兴八年起知平江，力辞不克。次年三月复归，自是不出，优游十五年，以寿终焉。勤劳著于中外，名节全其终始，虽有异论，亦皆厌服，无可议者。诸子又能世其家，不待平泉之记草木，数十年来，幽致俨然。复裒一时名公书尺，刻为《薌林帖》,公之忠孝大概愈著,而世之持论者大定矣。公之曾孙公起为湖广总属,分司九江,受知于使君袁和叔燮,介以求序,且言已刊公之家传、行状、志铭为一编,又刊《拘伪楚檄》稿及诸贤跋语,他日又将刊家集行于世。钥生晚,虽不及拜公床下,生长外家,外祖汪公少师与公同朝相好,曾为汪氏友恭堂生云阁赋诗;先太师岐公初丞昆山,及趋事于吴门,最蒙眷与,故多见公之藻翰,熟闻高风。今又尽得公之诗文杂著,如'断碑风雨碎文章'等句,皆素所脍炙,今乃知为公之诗。公为《徐东湖诗集后序》有云:'始为诗以数百计,一见师川,快说诗病,尽焚其稿。'则知公之少作尤多,其所存者止此耳。章表奏议,明白直亮,可举而行,兼备体制,而又能出入内典,此盖由前朝涵养之久,文简典刑之存,非曲学之士所易及也。钥庸陋不佞,何敢预品题之末,姑诵所闻如此。犹记九岁时,仲舅尚书公尉江山,乙丑登乙科,以书为谢,公答书亲题其外云'书上明州锁元先辈汪',下书'薌林居士',此亦近时之所未闻也。公讳子諲,字伯恭,官至徽猷阁直学士,累赠至少师云。"

四月

襄阳发大水,平地丈五尺。《续资治通鉴》卷一二九:"襄阳大水,平地丈五尺。汉水冒城而入。右朝奉大夫知府事荣薿乘桴得免。于是与转运判官魏安行,议请复环城石堤以捍水。许之。次年冬,按四县之籍,计田出力,百亩一夫,得三千余人,减其田亩十之二,凡五旬有七日而毕,计用工二十五万有奇,其长四十余里。"

五月

丁酉,金主出猎。甲寅,赐猎士人一羊。

六月

乙酉,宋奉安祖宗帝后神御于景灵宫。

七月

宋虔州发生军乱。《续资治通鉴》卷一二九:"丁巳,虔州军乱。初,江西多盗,而虔州尤甚,故命殿前司统制吴进,以所部戍之。虔之禁卒,尝捕寇有劳,江西安抚司统领马晟将之,与进军素不相下。会步军司遣将拣州之禁军,而众不欲行。有齐述者,以赂结所司,选其徒之强壮者,以捕盗为名,分往诸县。夜两军交斗,州兵因攻城作乱,杀进、晟,遂焚民居,逐官吏守臣。"

八月

癸亥,金主猎于图弥山。

九月

宋朝兵队久弛佚，将领役人图自利。《续资治通鉴》卷一二九："癸卯，右谏议大夫林大鼐言：'兵弛久佚，主将辄移勘而它役之。今有伐山为薪炭，聚木委簰筏，行商坐贾，开酒坊解质库，名为赡军回易，而实役人以自利，甚至有差借白直，为断隶之贱，供土木之工。请诏中外将帅，遵守祖宗条法，仍取约束未尽者，增广行之。'诏刑部检见行条法，行下诸军遵守；内借人一节，借者与借之者，并同罪。"

十月

李耕知虔州。《续资治通鉴》卷一二九："是月，李耕始受知虔州之命。耕既往攻城，犹冀就招安，贼曰：'健儿辈，初只缘与吴统制下人争，今作过已至此，纵招安，朝廷亦不赦也。'时城中细民皆绝食，每日为贼役者，才得一二升。间有出投官军，又为贼所杀。帝谓宰执曰：'前日差耕知虔州甚当，使百姓知已有知州，心有所归也。'"

十一月

金禁止民间私自买卖珍珠，并令乌古敌烈及蒲与两路民人采珠。

十二月

金遣使至宋贺正旦。

本年

谢伋（生卒年不详）约于本年前后在世。清刊本《嘉定赤城志》卷三四："谢伋字景思，参知政事克家之子。官至太常少卿、知处州。绍兴初侍父寓居黄岩。自号药寮居士。有文集，叶侍郎适为之序。"叶适《谢景思集序》："崇、观后文字散坏，相矜以浮，肆于险肤无据之辞，苟以荡心意，移耳目，取贵一时，雅道尽矣。谢公尚童子，脱丱髦，游太学，俊笔涌出，排迮老苍，而不能受俗学熏染，自汉魏根柢、齐梁波流，上溯经训，旁涉传记，门枢户钥，庭旅陛列，拨弃组绣，考击金石，洗削纤巧，完补大朴。其《药园小画记》，盖谢灵运《山居》之约，言志洁而称物芳，无忧愤不堪之情也。"谢伋《四六谈麈序》："予自少时，听长老持论多矣，忧患以后，悉皆遗忘。山居历年，饱食终日，因后生之问，可记者辄录之，以资讲学之一事，如古今五七字话，题为《四六谈麈》云。他时有得，当付益诸。绍兴十一年五月十三日，阳夏谢伋序。"

黄榦（1152—1221）生。《宋史》卷四三〇《黄榦传》："黄榦字直卿，福州闽县人。父瑀，在高宗时为监察御史，以笃行直道著闻。瑀没，榦往见清江刘清之，清之奇之，曰：'子乃远器，时学非所以处子也。'因命受业朱熹。……尝诣东莱吕祖谦，以所闻于熹者相质正。及广汉张栻亡，悉与榦书曰：'吾道益孤矣，所望于贤者不轻。'后遂以其子妻榦。宁宗即位，熹命榦奉表，补将士郎，铨中，授迪功郎，兼台州酒务。丁母忧，学者从之讲学于墓庐甚众。熹……并革,以深衣及所著书授榦,手书与诀曰:'吾道之托在此,吾无憾矣。'讣闻,榦持心丧三年毕,调兼嘉兴府石门酒库。时韩侂胄方谋用兵,吴猎帅湖北。……雅敬榦名德,辟为荆湖北路安抚司激赏酒库兼准备差遣,事有未当,必输忠款力争。江西提举常平赵希怿、知抚州高商老辟为临川令,岁旱,劝粜捕蝗极其力。改知新淦县,吏民习知临川之政,皆喜,不令而政行。以提举常平、郡太守荐,擢兼尚书六部门,未上,改差通判安丰军。……寻知汉阳军。……以病乞祠,主管武夷冲佑观。寻起安庆府……制置李珏辟为参议官,再辞不受。既而朝命与徐桥两易和州,且令先赴制府禀议,榦即日解印趋制府。……先是,榦移书珏,……珏皆不能用。……榦知不足与共事,归自淮扬,再辞和州之命,仍乞祠,闭阁谢客,宴乐不与。乃复告珏曰……其它言皆激切,同幕忌之尤甚,共抵排之。厥后光、黄、蕲继失,果如其言。遂力辞去,请祠不已。俄再命知安庆,不就,入庐山访其友李燔、陈宓,相与盘旋玉渊、三峡间,俯仰其师旧迹,讲《乾》、《坤》二卦于白鹿书院,山南北之士皆来集。未几,召赴行在所奏事,除大理丞,不拜,为御史李楠所劾。……榦遂归里,弟子日盛。……俄命知潮州,辞不行,差主管亳州明道宫,逾月遂乞致仕,诏许之,特授承议郎。既没后数年,以门人请谥,又特赠朝奉郎,与一子下州文学,谥文肃。有《经解》、文集行于世。"

李清照六十九岁。

朱熹二十三岁。

公元1153年(宋绍兴二十三年　金天德四年、贞元元年　夏天圣五年　西辽绍兴三年　癸酉)

正月

丙午,金以中京留守高祯为御史大夫。

二月

宋改虔州为赣州。《续资治通鉴》卷一三〇:"庚午,脔虔州军贼黄明等八人于市。明等据州城,凡百有十二日。辛未,改虔州为赣州,改虔化县为宁都。癸未,龙神卫四厢都指挥、忠州团练使、殿前司游弈军统制、措置盗贼、节制军马、知赣州李耕,以功为金州观察使。于是诸将刘纲等九人,各迁二官;将士受赏者,万三千百二十有四人。"

三月

金国迁都于燕京。《纲鉴易知录》卷八二:"春三月,金迁都燕京。金主自上京至燕京,初备法驾,下诏改元。以燕,列国之名,不当为京师号,遂改燕京为中都大兴府,汴为南京,削上京之名止称会宁府。又改中京大定府为北京,而东京辽阳府、西京大同府如旧。"

四月

戊寅，金太皇太后大氏崩。

五月

金主斩其弟衮。《续资治通鉴》卷一三〇："金主以其弟衮名声彰著[而]忌之，衮不自安，尝召日者问休咎。家奴希旨，乃上急变，言衮召日者问天命。金主使高祯等就鞫之，无状。金主怒，械衮至中都，不复究问，斩于市。牵连者皆磔之。"

六月

宋潼川府路大水。《续资治通鉴》卷一三〇："六月己卯，潼川大水，涪江涨。庚辰，沅江武陵，涨水坏城，人争保城西牛头山趾大溪桥坏，水大至平地丈五尺，死者甚众。"

七月

宋禁南方民间杀人祭鬼。《续资治通鉴》卷一三〇："戊申，将作监主簿孙寿祖，言：'湖广夔峡，多杀人以祭鬼。近又寖行于它路，浙路有杀人而祭海神，川路有杀人而祭盐井者。请饬监司州县，严行禁止，犯者乡保连坐，仍毁巫鬼淫祠，以绝永害。'从之。"

朱熹二十四岁。夏，始见李先生侗于延平。本月，至同安县，赴主簿任。本月丁酉，子塾生。本年作文多篇，其中有《高士轩记》、《同安县谕学者》等。

八月

金禁中都路捕射麞兔。

九月

宋赈济潼川路水灾。《续资治通鉴》卷一三〇："九月甲午，帝谓大臣曰：'闻潼川路水灾，可令转运常平司，将被灾州县，检放赈济。'"

十月

金主托言于神道，借以掩盖其杀戮。《续资治通鉴》卷一三〇："冬十月丁巳，金主猎于良乡，封料石冈神为灵应王。金主自言，曩时尝过此祠，持杯交祷曰：'使吾有天命，当得吉卜。'投之吉。又祷曰：'果如所卜，它日当有报，否则毁尔祠。'投之又吉。故封之。金主托言神道，欲掩其弑逆也。戊午，还京。"

十一月

宋为张叔夜立庙。《续资治通鉴》卷一三〇："壬寅，诏为张叔夜立庙于信州永丰县墓侧，赐名旌忠。叔夜之死，其家葬衣冠于县境。至是乃请建祠焉。"[思齐按：张叔夜死于建康二年(1127)被北掳去时。]

十二月

金主特赐贵妃唐古鼎格。《续资治通鉴》卷一三〇:“戊午,金主特赐贵妃唐古鼎格(旧作唐括定哥,今改)家奴孙梅进士及第。丙子,贵妃唐古鼎格坐与旧奴奸,赐死。”

闰十二月

闰月癸巳，金定社稷制度。

本年

张镃（1153—1211）生。朱文藻《书南湖集后》：“己亥仲冬，藻客京师，从邵太史二云得见《四库全书》馆裒集《永乐大典》中所载张镃诗词，编定为《南湖集》十卷。传钞副本，携归虎坊寓斋，粗校一过，而未能详考也。鲍君以文增辑遗文逸事，为附录外录，合刻竣工，复受而读之，始知公在当时，以诛韩一事，颇不满于时论，而事迹显晦，未备考稽，有不能释然于心者。公为循王之曾孙，《宋史》载循王子五人：子琦、子厚、子颜、子正、子仁，不知公为何人之孙。集中称南园、当涂、待制、阁学、侍郎、叔祖者，又不知何人也。循王先封清河郡王，称南清河坊，以其赐第得名，其居近市而隘。公于南湖之滨，得曹氏废圃，治宅以居，园中峰石，即撤旧居小假山为之，诗有云：‘迁巢城北倏两期，每还旧宅觉荒陋。’而《自咏》诗则又云‘卖屋因为宅’，可想见其经营之不获已也。南湖之地广百亩，割东宅为梵刹，其西亭榭数十处，备见《桂隐百课》标题。至栽梅之地衹十亩，不知《梅品序》何以有‘一棹径穿花十里’之语也。玉照之梅，桂隐之桂，邀客宴赏，对花独饮，集中屡见。至于牡丹之会，王简卿尝一赴之，如《齐东野语》所述，可谓极声伎之盛矣。而集中《拥绣堂看天花》词云：‘手种满阑花，瑞露一枝先坼。拄个杖儿来看，两三人门客。’又何其清况若是！公有小姬，放翁会饮，则有赠诗书扇之新桃。公集中于《梦游仙》题下云：‘小姬病起，幡然有入道之志。’正与《自咏》诗所谓‘红裙遣去入僧榻，白发梳来称道冠’之语合。故史魏公《慧云寺记》称其闲居远声色，薄滋味，矻矻诗文，自处不异布衣臞儒。而明之吴本如作公祠记，遂疑史语非实录。然公不云乎：‘光明藏中，孰非游戏。能于有差别境中，入无差别定，则淫房酒肆，遍历道场，鼓乐音声，皆谈般若。’后之论公者，正当作如是观耳。公履仕之可考者，《誓愿书》则云‘承事郎、直秘阁、新权通判临安军府事兼管内劝农事’，史魏公《记》则称之为‘旋义郎’，孙桱跋语则称为‘先大父少卿’，《齐东野语》则称之为‘右司郎’。当韩侂胄之诛，其时公官右司郎，未尝筦枢要，握兵柄，得以锄奸去邪。然公以勋旧之裔，心存报国，末由表见，诗中往往寓之。诛韩之举，公实预谋，因而移庖酣饮，使韩不疑，此实公之平日忠诚，藉以自矢，未必有意希赏也。而叶绍翁、周公瑾俱谓其赍伐自言，赏不满意。今观公诗文，多自写其淡忘荣利之见，如所谓‘钱物用多常是解，权门路便不曾钻'，已足略见其概。藉使朝廷果赏其功，不过加右司郎而上之，官亦无几。如公果有志于此，则自三十五岁通判临安，至此年已五十五矣，计二十年之中，稍事夤缘，何难早至要途，岂必待此以自效乎。要之，贬霅溪，谪象台，由于公'杀之足矣'一言而取忌于史弥远。史称弥远诛韩之后，独相两朝，擅权用事，专任襥壬，台谏言其奸，而朝廷弗恤。则公之被斥逐，势有必然。然而毕辞荣宠，当享上寿，道士已见梦于前，贷资治生，营居周葬，佣工复相遇于后。公之没于象也，殆有数存。观公之自定其诗，在宁宗嘉定三年，去谪象之年不远，公殆有先见矣。公于禅理有夙悟。捨宅之后，尝以悟由呈天童密庵禅师，语详寺僧行盛《敝屣说》中。其语虽不见于他书，要亦禅门传习之旧，非无本也。公有孙柽，见史魏公寺记碑末，而公之子不知其名。《赏心乐事序》所称小庵主人，疑即其子。然《赏心乐事》作于嘉泰辛酉，公年四十有九，而景白轩奉乐天像有诗云'子迟发白如先约'，足知公得子甚迟，至是时殆不过十余龄耳。公之谪象台，从行者有张良臣之子时，见《浩然斋雅谈》，而不言良臣父子于公为何人。慧云寺自绍熙元年赐额至绍定中厄于火，相距四十余年，寺经重建，不知何人之力，其时玉照、桂隐不言兴废如何，公之孙柽所居安在。碑末有住山息峰行海题名，而寺志竟不载此僧，无事迹可见，皆由载籍遗佚，而公诗所存，较方万里所称《前集》廿五卷、三千余首者，又仅三之一，设得其全，更足以资考镜矣。公之捨宅，据公《桂隐百课序》系淳熙丁未之秋，而《誓愿碑》则云淳熙十四年丙午。考丙午是十三年，非十四年。张柽谓碑文系先大父手笔，寺厄于火，记文不存，至景定壬戌，始取蜀人许居士所藏旧刻砻石。意者燬而重刻，事隔三十年之久，不无缺蚀，臆补之误欤？公生于绍兴三年癸酉三月二日。今公之像，尘翳于颓垣废庑之中。社姥田公，临村箫鼓，祈赛不绝，而公则苍苔阒冷，春雨昼昏，野菊寒泉，孰有过而荐之者？枯禅二三，桑麻自给，宜亦念公之遗德犹存也。公讳镃，字功甫，一字时可，号约斋，先世秦川成纪人。所著《皇朝仕学轨範》四十卷，今见送槧，偶传人间；又尝集古今山林闲适诗，以《林泉啸咏》为名，其书无考，见公集中，有诗。公既居杭日久，则为吾杭之先哲。"

李弥逊（1089—1153）**卒**。《四库全书总目》卷一五六："《筠溪集》二十四卷。……是集首有楼钥序，称其'归隐西山十六年，不复有仕宦意，咏诗自娱，笔力愈伟。'《朱子语录》称李弥逊亦一好前辈，又尝跋其《宿观妙堂诗》后，亦倾倒甚至。盖其人其文，俱卓然足以自立者也。"楼钥《筠溪集序》："政和间，以南宫舍人使契丹，擢左史，用讦直贬。宣和末，知冀州，独能坚壁以抗虏暴。靖康漕江东，平叛卒之变。入绍兴，为饶、吉二州七年，复立左螭，寻掌书命。雄深之文，黼藻王度，四方传诵之。论事封驳，皆人所难，又以力辟和议，益与时忤。迁户篚，丐外补。去国之际，犹拳拳以立国待夷狄之大计为言，竟请祠以归。隐福之连江西山凡十六年，不复有仕宦意。哦诗自娱，笔力愈伟。居闲忧世，著《议古》数十篇，虽泛论古事，而皆关于当世利病，深切著明，有范太史《唐鉴》之遗风。乃心王室，惜乎用之不尽也。"

李清照七十岁。

公元1154年（宋绍兴二十四年　金贞元二年　夏天圣六年　西辽绍兴四年　甲戌）

正月

宋诏中秋试举，不得随意选日。《续资治通鉴》卷一三〇：“癸酉，初诏郡国同以中秋日试举人。旧诸州皆自选日举士，故士子或有就数州取解者，至是禁之。”［思齐按：就数州取解，同一士子在几个州报名参加考试，以增加成功之可能性。］

二月

金主任命多人为高官。《续资治通鉴》卷一三〇：“甲申朔，金以平章事张浩为尚书右丞相。甲午，以尚书右丞萧玉为平章政事，前河南路统军使张晖为尚书右丞，西北路招讨使萧怀忠为枢密副使。”

三月

张孝祥等三百五十六人中进士。《续资治通鉴》卷一三〇：“辛酉，帝御射殿，策试正奏名进士，策问诸生以‘师友之渊源，志所欣慕，行何修而无伪，心何治而克成’。进张孝祥为第一，以下三百五十六人及第至同出身。……丙子，特奏名进士吕克成以下四百三十四人，武举进士郑砥等十六人，特奏名二人，授官有差。”范成大、杨万里进士及第。陆游因去年秋试原列第一，在秦桧孙秦埙之上，本年应试被黜。

四月

孔搢袭封衍圣公。《续资治通鉴》卷一三〇：“乙巳，进士孔搢为右丞奉郎，袭封衍圣公。先是，搢之父右直教郎衍圣公玠卒。衢州守臣以闻，故有是命。”

五月

丁卯（十五日），金始置交钞库。

六月

史才罢。《纲鉴易知录》卷八二：“夏六月，史才罢，以魏师逊签枢密院事。”

七月

张俊（1086—1154）卒。《纲鉴易知录》卷八二：“秋七月，张俊卒。俊握兵最早，屡立战功，帝于诸将中眷注特厚。然忌刘锜，附秦桧杀岳飞，为世所鄙薄焉。”

丹州莫公晟归宋。《续资治通鉴》卷一三〇：“乙亥，帝谓大臣曰：‘莫公晟以丹州归顺，及进马，可检拟取旨施行。’先是，公晟自宣和以来，屡为边患，岁调官军防守。至是，直秘阁知靖江府兼主管广西经略司公事吕愿中，言：‘公晟献马三十匹，且遣其部落七百余人，至靖江府，与经略司属官，歃血而盟。诸蛮愿以二十七州一百三十五县，为本路羁縻，实为熙朝盛事。’丙子，帝谓大臣曰：‘得丹州非以广地，但徭人不作过，百姓安业可喜。’乃诏：‘公晟以南丹州防御使致仕，其子延沈为银青光禄大夫、检校太子宾客、使持节南丹州诸军事、南丹州刺史、知南丹州公事武骑尉。其余首领，并推恩。’愿中又画图进呈，帝曰：‘且喜一方宁静。’秦桧曰：‘陛下兼怀南北，定计休兵，小寇岂敢不服?’帝曰：‘若非休兵，安能至此?’于是铸羁縻州、县印一百六十二给之。”

金始设盐钞香茶文引印造库使及副使。

朱熹本年二十五岁。秋七月，子埜生。

八月

戊申（二十七日），金以御史大夫高祯为司空，御史大夫如故。

九月

金主蹴鞠，百姓纵观。《续资治通鉴》卷一三〇：“九月己未，金主击鞠于常武殿，令百姓纵观。”

宋治理白茅浦。《续资治通鉴》卷一三〇：“乙丑，大理寺丞环周，言：‘临安、平江、湖、秀四州，低下之田多为积水浸灌，盖缘溪山诸水接连，并归太湖。自太湖，水分为二派，由松江入海。东北由诸浦注之江。其松江泄水诸浦中，惟白茅一浦最大，今为泥沙淤塞，每岁遇水雨稍多，则东北一派，水必壅溢，遂至积浸，有伤农田。请令有司相视，于农隙开决白茅浦水道，俾水势分派流畅。实四州无穷之利。’诏转运司措置。”

十月

乙亥，宋诏建天章等六阁。

正亨天下第一脚，竟被蹴阴而杀之。《续资治通鉴》卷一三〇：“冬十月庚辰朔，金广宁尹韩正亨见杀。亨之赴广宁也，金主使罗卜藏为同知，使伺动静，且构成其罪。亨待之厚，罗卜藏不忍发。金主使人促之。罗卜藏乃诱亨之家奴，言亨怨望，且欲刺金主。鞫之不服，罗卜藏夜至囚所，使人蹴其阴，杀之。亨材武似其父宗弼，击鞠为天下第一，马无良恶皆如意，持铁锤击野兽，洞中其腹，积为金主所忌，故不免。”

十一月

是月，金初置惠民局。

十二月

逐裸为游戏，藏金裀褥间。《续资治通鉴》卷一三〇："是岁，金主命诸从姊妹皆分属妃位。宗本之女出入贵妃位。宗望之女、宗磐之女孙，出入昭妃位。宗弼、宗隽之女，出入淑妃位。卧内遍设地衣，裸逐为戏。尝对其嬖倖张仲轲，与妃嫔亵渎，仲轲但称死罪，不敢仰视。又尝令仲轲裸形以观之。侍臣往往令裸裼，虽图克坦贞，亦不免。故事。凡宫人在外有夫者，皆听其出入。金主欲率意幸之，尽遣其夫往上京，妇人皆不听出。又杂置伶人及唐古辨乌达等之家奴，皆列宿卫，有侥幸至一品者。左右或无官职，人或以名呼之，即授以显职。金主谓其人曰：'尔复能名之乎?'尝置黄金裀褥间，喜之者令自取之。其滥赐如此。"

本年

刘过（1154—1206）生。凌万顷原撰、边实续补《玉峰续志》："刘过字改之，自号龙洲，本庐陵人，客昆山，依妻家而居。过为人尚气节，喜饮酒，为词章豪放英特，如'斗酒彘肩'、'风雨渡江'、'岂不快哉'等词，皆行于世。至扣阍一书，请先皇过宫，言极剀切，尤诸公所称许。死葬于马鞍山东斋之西岗，陈止安志其墓。其后诗人即东斋为祠，每暮春，县官率士友酬祠下。二卿汤□□中尝作文遣祭，及骚人墨客弔咏甚多，俱留祠壁。邑人吕大众尝哀诸诗，作《楚些遗音》行于世。"

敖陶孙（1154—1227）生。刘克庄《臞菴敖先生墓志铭》："敖先生讳陶孙，字器之，福州福清县人。……少贫，以学自奋。尝游于潮，潮人争执弟子礼。淳熙庚子乡荐第一，律赋传海内为式。下第客吴中，吴士从者云集，钜家名族率虚讲席竞迎致。已而入太学，中庆元己未第，主通州海门县簿，教授漳州，辟酒所幹官，改广东转运司主管文字。用荐者改秩，佥书平海军节度判官厅公事，兼南外宗正簿。上登极，转奉议郎，赐绯鱼袋，主管华州西岳庙，台疏镌一秩。宝庆三年十一月丁亥卒，年七十四。先生内负摩云冲斗之气，而外自蟠屈，寖趋平夷，然长身厖眉，轩昂惊俗。与人交际，机疏语简，知者以为质，不知者以为亢，惟漳牧赵公汝说、番禺帅杨公长孺尤敬爱。赵诗律高，无对垒者，独先生与唱酬；杨性峻，或面儁僚吏，见先生必改容。始不乐往温陵，州檄迫之行，竟谒告去。常平使者雅闻先生名，行部至州，怪先生已归，因上言：'敖某可予祠矣。'先生起寒苦，涉忧患，明练世务，历官多可书，而谈者但目以名儒。自有载籍以来悉记览，乱笺丛帙，披研钞纂，奇字奥义，穿抉呈露。诸文皆有气骨，可行世传远，而天下独诵其诗。初，朱文公在经筵，以耆艾难立讲，除外祠。先生送篇有曰：'当年灵寿杖，止合扶也光。'赵丞相谪死，先生为《甲寅行》以哀之，语不涉权臣也。或为律诗托先生以行，京尹承望风旨，急逮捕，先生微服变姓名去。当是时也，先生少壮忠愤，鸣号于郡邑众大之区，几不免矣，卒幸免。既退既老，占毕于寂寞无人之滨。金璧易求，先生之只字半名难致。然先生之诗名益重，托先生以行者益众，而《江湖集》出焉。会有诏毁集；先生卒不免。乌呼！前世以语言得罪者多矣，种豆观桃，往哲深戒。至本朝列圣好文怜才，骚人雅士往往以文墨受知，简斋、放翁诗当验矣。先生之诗主乎忠孝不主乎刺讥，送朱哀赵之作，发于情性义理之正，顾藏稿不轻出，真诗未为先生之福，而赝诗每为先生之祸，乌呼悲夫！

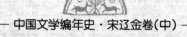

……有诗文若干篇，未诠次。……先生早游学四方，所交类当世闻人。白首还乡，辈行将尽，名理几熄，深居罕出，客至从户内摇手谢绝之，新学晚生少觌基段，至疑先生眉宇有异。独喜与太学博士李君韶、监南岳庙林君公遇还往，若余者亦先生所素厚也。铭曰：议郎之秩，华山之庙，既啬于少，复夺之髦。卓哉雁瓮，畴昔自号。揭之碑颜，以配贞曜。”

汪藻（1079—1154）卒。孙觌《浮溪集序》：“显谟阁学士、左中大夫、知徽州汪公，自崇宁初起太学诸生，策高第，校三馆秘书，尚符玺，再迁尚书郎，立柱下为右史，遂赞书命，入为翰林学士。盖仕朝廷三十年，专以文学议论居儒官从臣之列。……公平生无所嗜好，至读古圣贤之书，属为辞章，如啗土炙，嗜昌歜，为一病。寤寐千载，心慕手追，贯穿百氏，网罗旧闻，推原天地道德之旨，古今理乱兴废得失之迹，而意有所适者，必寓之于此。登高望远，属思千里，凡耳目之所接，杂然触于中而发于咏叹者，必寓之于此。崎岖兵乱，潜深伏隩，悲歌慷慨，酣醉无聊，而不平有动于心者，亦必寓之于此。技与道俱，习与空会，文从字顺，体质浑然，不见刻画。如金钟大镛，扣之辄应，愈扣而愈无穷，何其盛也！公在馆阁时，方以文章为公卿大臣所推重，每一篇出，余独指其妙处，公亦喜为余出也。后十五年，公以儒先宿学当大典册，秉太史笔，为天子视草，始大发于文，深醇雅健，追配古作，学士大夫传诵，自海隅万里之远，莫不家有其书。所谓常、扬、燕、许诸人，皆莫及也。公诗自少作已有能名，及是与年俱老，兴微托远，得诗人之本意，览者当自知之。”《四库全书总目》卷一五六：“《浮溪集》三十六卷。……藻学问博赡，为南渡后词臣冠冕。……统观所作，大抵以俪语为最工，其代言之文，如《隆裕太后手书》、《建炎德音》诸篇，皆明白洞达，曲当情事，诏令所被，无不凄愤激发，天下传诵，以比陆贽。说者谓其著作得体，足以感动人心，实为词令之极则。其他文亦多深醇雅健，追配古人。其诗则得于徐俯，俯得之其舅黄庭坚，尤具有渊源。孙觌作藻墓志，以大手笔推之，殆非溢美。惟杨万里《诚斋诗话》记藻与李纲不叶，其草纲罢相制词，至比之驩兜、少正卯，颇为清议所讥。是又名节心术之事，与文章之工拙，别为一论者矣。”

李清照七十一岁。

公元 1155 年（宋绍兴二十五年　金贞元三年　夏天圣七年　西辽绍兴五年　乙亥）

正月

辛酉，金以判东京留守大托卜嘉为太傅，领三省事。

二月

乙未（十八日），金以吏部尚书蔡松年为参知政事。

三月

乙卯（八日），金以大房山云峰寺为山陵，建行宫其麓。

春

朱熹本年二十六岁。春，建经史阁，作文《经史阁上梁告先圣文》。四部丛刊影印本《晦庵先生朱文公文集》卷八六《经史阁上梁告先圣文》："书楼之役，工告僝功。虔举修梁，卜曰惟谨。敢以释菜之礼，告于先圣先师至圣文宣王。惟先圣先师启迪众志，畀以有成。谨告。"

四月

丁丑朔（初一日），金境昏雾四塞，日无光，凡十有七日。

甲申（八日），安南入贡，诏广西帅臣、差熟事近上使臣，伴送赴行在。

五月

癸丑（初七日），金南京大内火。

六月

宋改岳州为纯州。《纲鉴易知录》卷八二："改岳州为纯州，岳阳军为华阳军。或言：'岳州乃岳飞驻军之地，又与其姓同，乞改之。'盖以媚秦桧也。岳州人谓：'飞驻军乃鄂州，与我州何与而改之？'"

夏

朱熹因县有盗而分守城之西北隅。又立故丞相苏公颂之祠于学宫，作文《苏丞相祠记》。苏颂，字子容，同安人，元祐时为相，学术风节，为世所称。

七月

宋封交趾王李天祚为南平王。

金增置教坊人数，以便多为游宴。

八月

秦桧必欲杀赵鼎等人。《纲鉴易知录》卷八二："秋八月，下赵鼎子汾等于大理狱。秦桧于一德格天阁书赵鼎、李光、胡铨三人姓名，必欲杀之。及鼎死而憾不已。江西运判张常先笺注前帅张宗元诗言于朝，其词连带者数十家，将诬以不轨而尽去之。会汪召锡告宗室知泉州令衿观桧《秦家庙记》，口诵'君子之泽，五世而斩'，谪居汀州。桧乃讽殿中侍御史许嘉论赵汾与令衿饮别厚賫，必有奸谋。诏送汾、令衿大理鞫问，使汾自诬与张浚、李光、胡寅、胡铨等五十三人谋大逆。狱成，而桧病不能书矣。”

九月

丁卯，敷文阁直学士提举佑神观秦埙，试尚书礼部侍郎。

十月

洪皓（1088—1155）徙死。《纲鉴易知录》卷八二：“徙洪皓欲袁州，未至卒。皓居英州九年，始复朝奉郎，徙袁州，至南雄卒。卒后一日，秦桧死。皓久在北廷，为金人所敬。既归，金人至，必问：‘皓为何官，居何地？’不幸为桧所忌，不死于敌国，而死于谗慝，闻者悼之。”

秦桧（1090—1155）病死。《纲鉴易知录》卷八二：“进封秦桧为建康郡王，加其子熺少师，并致仕。是夕，桧死。桧病，帝幸其第问焉，无一语，惟流涕而已。熺奏请：‘代居相位者为谁？’帝曰：‘此事卿不当与。’帝还宫，命沈虚中草桧及熺制，并令致仕。是夕，桧卒，赠申王，谥忠献。桧居相位十九年，倡和误国，忘雠斁伦，包藏祸心，劫制君父，郡国事惟申省，无至上前者。同列论事上前，未尝力辨，但以一二语倾挤之，俾帝自怒，一时忠臣良将，诛锄略尽。其顽钝无耻者，率为桧用，争以诬陷善类为功。晚年残忍尤甚，屡兴大狱。开门受赂，富敌于国，外国珍宝，死犹及门。桧每事与帝争胜，其势渐不可制。桧既死，帝谓杨存中曰：‘朕今日始免防桧逆谋矣。’”

十一月

占城献贡于宋。

洪皓（1088—1155）卒。《皇朝名臣言行续录》卷五赵汝腾《建忠贯日月祠堂记》：“忠宣在虏十五年，甚于苏中郎之十九年也。武终始节旄不敢忘汉，公于朝廷乃能奏中兴之报于永祐，修燕地之觐于显仁，又数以虏事闻于中国，此武之所不能及也。武得归，李陵送之河梁，赋咏以羡之。公归，虏犹以七骑追之，幸已至淮舟中矣。是间关之甚，不尤难于武乎？武归，仅得典属国。公归，亦仅得翰林权直。武不过不为霍将军所知耳，公乃大为秦桧所挤陷鱼肉，盖公帛书至榻前，率誉胡公铨封事，张公浚名望，桧甚不悦。及归朝，又数言张丞相不休，桧愈不悦，遂出领乡郡。其后坐宦者向锷言公宜在相位，桧怒甚，遂窜公于英州，竟客死身没，而谤始白。其坎壈视武转甚，然直气又加于武矣。”厉鹗《宋诗纪事》卷三九引《名臣言行续录》：“永祐陵崩于五国城，公即燕山开泰寺为文以荐曰：‘千岁厌世，莫遂乘云之仙；四海遏音，同深丧考之戚。况故宫为禾粟，改馆徒馈于秦牢；新庙游衣冠，招魂但歌于楚些。虽置河东之赋，莫止江南之哀。遗民失望而痛心，孤臣久絷唯欧血。伏愿圣德之祀，传百世以弥昌；在天之灵，继三后而不朽。’故臣读之，无不流涕。”又录洪皓《石碏大义灭亲》诗：“恶吁及厚笃忠纯，大义无私遂灭亲。后代奸邪残骨肉，屡援斯语陷良臣。”

《四库全书总目》卷一五七："《鄱阳集》四卷，永乐大典本，宋洪皓撰。……其诗世无传本，传称皓有文集五十卷，而《书录解题》作十卷。考皓子适《盘洲集》中载有皓集跋语一篇，称裒其在北方诗文为十卷，刻之新安郡，则《宋史》误矣。其集久不传。今从《永乐大典》所载，裒辑编次，共为四卷，凡其始奉使时，塗次所经，及迁居冷山，以及归国后南窜之作，有年月可考者，悉以年月排比。或年月不可考而确知其为奉使后作、归国后作、南迁后作者，亦皆以类相从；其不知作于何时者，则别缀于后，而以适跋语附焉。"又，洪适《鄱阳集跋》："先君以建炎己酉出疆，时年四十有二矣。平生著书多，悉留檇李，庚戌之春厄于兵烬，无一存者。绍兴癸亥还朝，入直玉堂，不旬日领乡郡去。明年而遭祖母之丧，服除，未几有岭表之谪，杜门避谤，不敢复为文章，谪九年而即世。故手泽之藏于家者，惟北方所作诗文数百篇。谨汇而序之，以为十卷，刻诸新安郡。未汇次者，犹有《春秋纪咏》千篇云。"

宋黜秦桧姻党。《纲鉴易知录》卷八二："黜秦桧姻党。十一月，释赵汾及李孟坚、王之奇等自便（二十二年三月，编管王庶子之奇、之荀于岭南）。"

十二月

宋复张浚等二十六人官。《纲鉴易知录》卷八二："十二月，复张浚、胡寅、张九成等二十九人官，徙李光、胡铨于近州（光移郴州，铨移衡州，光寻卒）。"因秦桧已死，宋朝乃令以前编管人员可任便居住。后又特进和国公张浚为观文殿大学士。

本年

姜夔（1155？—1221？）生。《赌棋山庄词话》卷三："姜白石《宋史》无传，祖述倚声者，一缺憾也。阮云台相国于西湖置诂经精舍，以拟作课肄业生，张鉴之篇，最为详核，备录于左，或资参考，亦前人补《韦苏州传》意也。姜夔，字尧章，号白石，饶州番阳人。早孤露，气貌若不胜衣服。家贫无立锥，然好客，未尝一日倦。少时即奔走四方，一时如辛弃疾、杨万里、楼钥、王炎、周文璞皆爱其才，为之延誉。既而客游湘江，以诗谒千岩萧氏，萧以为能，因以其兄之子妻之。初夔率意为长短句，既成按以律吕，无不协者，于是喜音律，善吹箫，多自制曲。庆元三年，时议以享国久长，而礼乐之事，式遵旧章，未尝有所改作，因诏天下，求知音之士，搜讲古制，以补遗轶。于是夔进《大乐议》于朝，欲以正庙乐。其略曰……夔之言乐，大致以权衡度数先正为主，其议详《乐志》中。又尝作《琴瑟考古图》一卷，及《圣宋铙歌鼓吹曲》十四首，曰《上帝命》、曰《河之表》、曰《淮海浊》、曰《沅之上》、曰《皇威扬》、曰《蜀山邃》、曰《时雨霈》、曰《望钟山》、曰《大哉仁》、曰《讴歌归》、曰《伐功继》、曰《帝临墉》、曰《维四叶》、曰《炎精复》。尚书省作表曰……书奏，诏付奉常有司收掌，令太常寺与议。当世嫉其能，不获尽其所议，仅免解而已。同时惟制朱熹尝叹夔，以为深于礼乐。夔既不遇，益自放于诗酒，其友窃哀怜之，欲输赀为之拜爵，辄谢不许。顺阳范成大之请老也，夔诣之，范有青衣曰小红，色艺双绝。一日，范授简征新声，夔制《暗香》、《疏影》两曲以进，范使二妓肄习之，音节清婉。

迨夔归吴兴，范以小红赠焉。其夕大雪，过垂虹亭，因赋诗使小红歌，而自吹洞箫以和之，闻者莫不凄绝。夔平生学，尤邃于长短句，说者以为南宋词家大宗。其于自制诸曲，皆注节拍于旁，殆似西域旁行之字，然终以无所遇而卒。所著《白石诗词集》及《绛帖平》、《续书谱》、《禊帖偏旁考》行于世。其后宋人学词者，如张辑、卢祖皋、史达祖、吴文英、蒋捷、王沂孙、张炎、周密、陈允平之徒，皆以夔为宗。……论曰：……白石归吴，移情丝竹，经正者纬成，理足者词畅。清真滥觞于其前，梦窗推波于其后，学者宗尚，要非溢美。其后竹屋、玉田、梅磎、碧山之俦，递相祖习，转益多师，洗《草堂》之纤秾，演黄初之眇论，后有作者，可以止矣。……按尧章徙家苕上，所居近白石洞天，因号石帚，潘柽复赠以号，所谓白石道人也。所著尚有《张循王遗事集》、《古印谱》。后游临安，馆水磨方氏，卒葬西马塍，范石湖诗所谓'差幸小红先死去，不然啼损马塍花'。同时又有黄岩老者，亦号白石，亦学诗于萧千岩，时称双白石云。"

洪兴祖（1090—1155）卒。《四库全书总目》卷一四八："《楚辞补注》十七卷，宋洪兴祖撰。……汉人注书，大抵简直，又往往举其训诂而不备列其考据。兴祖是编，列［王］逸注于前，而一一疏通、证明、补注于后，于逸注多所阐发。又皆以'补曰'二字别之，使与原文不乱。亦异乎明代诸人妄改古书，恣情损益。于《楚辞》诸注之中，特为善本。故陈振孙称其用力之勤，而朱子作《集注》，亦多取其说云。"

陆游遇前妻唐琬于山阴沈园，为赋《钗头凤》词。词曰："红酥手，黄縢酒，满城春色宫墙柳。东风恶，欢情薄，一怀愁绪，几年离索。错！错！错！　春如旧，人空瘦。泪痕红浥鲛绡透。桃花落，闲池阁。山盟虽在，锦书难托。莫！莫！莫！"

李清照七十二岁。

公元1156年（宋绍兴二十六年　金贞元四年、正隆元年　夏天圣八年　西辽绍兴六年　丙子）

正月

追复赵鼎、郑刚中等官。

范成大经霅川、桐川、宁国、宣城、休宁赴徽州，沿途作诗甚多，有《元夕泊舟霅川》、《桐川郡圃梅极盛，皆围抱高木，浙中无有》、《游宁国奉圣寺》、《次韵宣州西园二首》、《晚步西园》等。

二月

金改元正隆。

范成大到达徽州司户参军任。

三月

宋朝诏禁议边事。《续资治通鉴》卷一三一："丙寅，诏曰：'朕惟偃兵息民，帝王之盛德，讲信修睦，古今之大利，是以断自朕志，决讲和之策。故相秦桧，但能赞朕而已，岂以其存亡而有渝定议耶？近者无知之辈，遂以为尽出于桧，不知悉由朕衷，乃鼓唱浮言以惑众听。至有伪造诏命，召用旧臣，献章公车，妄议边事，朕实骇之！仰惟章圣皇帝，子育黎元，兼爱南北，肇修邻好，二百余年，戴白之老，不识兵革。朕奉祖宗之明谟，守信睦之长策，自讲好以来，聘使往来，边鄙绥静，嘉与宇内，共底和宁，内外大小之臣，其咸体朕意，恪遵成绩，以永治安。如敢妄议，当置重典。'自秦桧死，金人颇疑前盟不坚。会荆鄂间有妄传召张浚者，敌情益疑。于是，参知政事沈该言：'向讲和息民悉出宸衷。远方未必究知，谓本大臣之议，惧复用兵，宜特降诏书，具宣此意，远人闻之，当自安矣。'时参知政事万俟卨、签书枢密院事汤思退，言皆与该合，乃下是诏。"

曾几改知台州，陆游作《送曾学士赴行在》诗。

四月

宋规定武举名额。《续资治通鉴》卷一三一："癸巳，诏武学生以八十人为额。上舍十五人，内舍二十五人，外舍四十人。置博士学谕各一员。未几，诏学生百员为额(在七月癸亥)。"

宋置六科取士法。《续资治通鉴》卷一三一："戊戌，置六科以举士。一曰文章典雅，可备制诰。二曰节操公正，可备台谏。三曰法理皆通，可备刑谳。四曰节用爱民，可备理财。五曰刚方恺弟，劳绩著闻，可备监司郡守。六曰知几识变，智勇绝伦，可备将帅。令侍从岁举之，如元祐中司马光所请。"

五月

金颁行正隆官制。

六月

丁丑，诏端明殿学士新知湖州程克俊参知政事。

七月

甲辰，三佛齐国遣使入贡于宋。

朱熹本年二十七岁。秋七月，秩满。冬，奉檄走旁郡。

八月

交趾献珍物于宋。《续资治通鉴》卷一三一："庚寅，南平王李天祚，遣太平州刺史李国，以右武大夫李义，政翼郎郭应五，来贺升平。献黄金器千一百三十六两、明珠百、沉香千斤、翠羽五百只、杂色绫绢五千匹、马十、象九。诏尚书左司郎中汪应辰燕国于玉津园，迁国为太平州团练使，义左武大夫，应五武经郎；加赐袭衣金带器币有差。”

九月

宋严禁销金。《续资治通鉴》卷一三一：“辛丑，沈该等言：‘安南人欲买捻金线缎，此服华侈，非所以示四方。’帝曰：‘华侈之服，如销金之类，不可不禁。近时金绝少，有小人贪利，销而为泥，甚可惜。天下产金处极难得，计其所出，不足以供毁之费。虽屡降指挥，而奢侈之风，终未能绝，须申严行之。’”

十月

乙酉，金葬始祖以下十帝于大房山。

宋高宗罢贡珠。《续资治通鉴》卷一三一：“丙午，诏：‘廉州岁贡珠，虽祖宗旧制，闻取之颇艰，或伤人命，自今可罢贡，疍丁纵其自便。’帝谓宰执曰：‘朕尝读《太祖实录》见刘进珠子马鞍。太祖知刘张所采珠子甚多，日役疍丁数千人，死者不少。朕以为珠子非急用之物，既是难得，且伤人命，故特令罢贡，以为一方无穷之利。’”

十一月

杜申老陈时弊十事。《续资治通鉴》卷一三一：“十一月丙子，左从事郎主管礼兵部架阁文字杜莘老，充敕令所删定官。先是，诏以星变求言。莘老上书，论：‘彗，戾气所生，历考史牒，多为兵兆。国家为息民通和，而将骄卒惰，军政不肃。今因天戒，以修人事，思患预防，莫大于此。’因陈时弊十事。”

心念民生艰难，高宗允许采鳙。《续资治通鉴》卷一三一：“丙戌，知盱眙军吴说，奏请禁止采鳙。帝曰：‘暴殄天物，诚为可禁。第贫民以此为生，一旦禁止，恐致失业。古之圣人，先仁民而后爱物。今但禁官司不得买鳙，民间从其便也。’”

十二月

宋封三佛齐首领为王。《续资治通鉴》卷一三一：“壬戌，三佛齐国进奉使蒲晋等入见。癸亥，封其国首领为王，蒲晋等赐秩有差。”又，《宋史》卷四八九《外国五·三佛齐》：“绍兴二十六年，其王悉利麻霞罗陀遣使入贡。帝曰：‘远人向化，嘉其诚耳，非利乎方物也。’其王复以珠献宰臣秦桧，时桧已死，诏偿其直而收之。淳熙五年，复遣使贡方物，诏免赴阙，馆于泉州。”［思齐按：三佛齐，古国名，南朝时叫干陀利，唐代叫室利佛逝，梵文作 Srivijaya，位于今印度尼西亚苏门答腊。三佛齐在宋代与中国交通频繁。］

本年

黄公度（1109—1156）**卒**。洪迈《知稼翁集序》："公既以词赋压英躔，故于诗尤精。大氐锵锵蹈厉，发越沉郁，精神而不浮于巧，平淡而不近俗，与强名作诗者直相千万。风樯阵马不足呈其勇，犀渠鹤膝不足侔其珍。《悲秋》之句曰：'迢迢别浦帆双去，漠漠平芜天四垂。雨意欲晴山鸟乐，寒声初到井梧知。'吾不知谪仙、少陵以还，大历十才子尚能窥其藩否？公既没，其嗣子韶州君沃收拾手泽，汇次为十有一卷，诗居大半焉。它文悉从肺腑，源深流长。追乐府词章，宛转清丽，读者咀嚼于齿颊间，而不能已。惟其不沽于用，身不到銮坡凤阁中，铺扬太平之闳休，其所表暴，如是而已。"

李清照（1084—1156）**卒**。《四库全书总目》卷一九八："《漱玉词》一卷。……清照工诗文，尤以词擅名。……清照以一妇人，而词格乃抗轶周、柳。张端义《贵耳集》极推其元宵词《永遇乐》、秋词《声声慢》，以为闺阁有此文笔，殆为间气，良非虚美。虽篇帙无多，固不能不宝而存之，为词家一大宗矣。"樊增祥《石雪斋诗集》卷三《题李易安遗像并序》："丁巳小春，武进徐君养吾以所藏易安居士小像见示，征题。道光庚戌周二南诗跋谓'赵明诚籍诸城而居于青。此图设色古雅，或即当时原本，不知何年贮以竹筒，藏于诸城县署。后为邑绅某所得，今又转入济南裴玉樵家'云云。易安生于北而殁于南。此图阅八百余年，复由济南而入于吴。倘亦艳魄有灵，不忘江南烟水故耶？易安才高学赡，好诋诃人，遂为忌者诬谤。幸得卢雅雨、俞理初辈为之昭雪。其所为古诗，放翁、遗山且犹不逮，诚斋、石湖以下勿论矣。寒夜无俚，为制长句，以雪其冤，且伸夙昔论断之意云尔。樊山樊增祥识。　　赵侯一枕芝芙梦，难得鸳衾词女共。金堂茶事见恩弥，锦帕梅词觉情重。亭亭玉立倾城姝，文采风流盖世无。自信真心贯金石，浪言晚节失桑榆。父为元祐党人最，母是相府状元裔（母王氏，拱辰女孙）。外氏亲传懿恪衣，小时熟读《名园记》。归来堂里小鸳鸯，翁佐崇宁政事堂。郎典春衣携果饵，妾斸珠翠市琳琅。古今无比闺房艳，携手成欢分手念。无钱怅忆牡丹图，惜别悲吟红藕簟。乘舆北狩太仓皇，犹保余生守建康。烟水吴兴交管领，图书东武半存亡。此时间道趋行在，六月池阳具鞍辔。目光如虎射船窗，不作世间儿女态。秋雁衔来病里书，深忧痁作误苓胡。江路兰桡三百里，旧思锦帐卅年余（易安以十八归明诚，四十七而寡）。旅中相见忧还怖，疟痢既绵伤二竖。当年顾影比黄花，今日招魂埋玉树。从此流移历数州，缥缃彝鼎付沉浮。故知富贵能风雅，无福双栖到白头。绍兴壬子临安寓，已了玉壶蜚语事。一篇《后序》二千言，雾鬓风鬟五十二。序文详密媲藕酥，语语蘼芜念故夫。只雁何心随驵侩，求凰谁见用官书？才高众忌人情薄，蛾眉从古多谣诼。欧阳且有盗甥疑，第五犹蒙搒翁恶。眼波电闪无余子，谤议由人亦由己。积怨龙头张九成，伪投鱼素綦崇礼。致命衰年再相加，肯同商妇抱琵琶。憔悴已同金线柳，荒唐谁信《碧云騢》。姿才俊逸由天授，太白东坡比高秀。忆随夫婿守金陵，已是思陵南渡后。骑出江天白凤凰，云中戴笠金钗溜。归倒奚郎索报章，西风吟得萧郎瘦。晚年侨寄金华城，明烛摇窗博乃兴。玉轴三千俱扫地，海棠重五尚投琼（见《打马图经》）。曹蓝谢絮犹难匹，万古闺襜推第一（余之夙论如此）。松年、肖胄两篇诗，南宋以来无此笔。妙绘犹传墨竹图，绮词欲夺金荃席。龙辅妆楼枉费才，欧波柔翰惭无力。今见芙蓉出镜中，姑山冰雪拟清容。孤嫠八百年来泪，重洒苍梧夕照红。”

公元1157年（宋绍兴二十七年　金正隆二年　夏天圣九年　西辽绍兴七年　丁丑）

正月

宋优待王伦后人。《续资治通鉴》卷一三一：“春正月戊子，右通直郎、监登闻检鼓王述，以贫乞补外。帝曰：‘王伦顷年奉使金国，金欲留之，许以官爵。伦不从，乃冠带南向再拜求死。此事亦人所难，宜恤其后，可特添差通判平江府。’”［思齐按：王述是王伦的儿子，见《宋史》卷三七一《王伦传》末尾。］

二月

宋以经义诗赋取士。《续资治通鉴》卷一三一：“二月丁酉朔，诏自今国学及科举取士，并令兼习经义诗赋，内第一场大小经各一道，永为定制。”

曾几自台州任内召，陆游作诗送行。

三月

王十朋等四百二十六人中进士。《续资治通鉴》卷一三一：“三月丙戌，帝御射殿，引正奏名进士唱名。先是，汤鹏举以御史中丞知贡举，上合格进士博罗张宋卿等，帝亲策试。既而，以手诏宣示考试官曰：‘对策中有鲠亮切直者，并置上列，以称朕取士之意。’时乐清王十朋，首以‘法天揽权’为对，其略曰：‘臣劝陛下揽权者，非欲陛下衡石量书如秦皇帝，而谓之揽权也。又非欲陛下传飧听政如隋文帝，而谓之揽权也。又非欲以其强明自任，亲治细事，不任宰相如唐德宗，而谓之揽权也。又非欲其精于吏治，以察为明，无复仁恩如唐宣宗，而谓之揽权也。盖欲陛下惩其既往，戒其未然，操持把握，使威福之柄，一归于上，不至于下移而已。’又曰：‘朝廷往尝屡有禁铺翠之令矣，而妇人以翠玉为首饰者，今犹自若也。是岂法令之不可禁乎？岂宫中服浣濯之化，衣不曳地之风，未形于外乎？夫法之至公者，莫如取士；名器之至重者，莫如科第。往岁权臣子孙门客，省闱殿试，类皆窃巍科，有司以国家名器为媚权臣之具，而欲得人可乎？’又曰：‘臣愿陛下以正身为揽权之本，而有任贤以为揽权之助，广收兼听，以尽揽权之美，则所求无不得，所欲皆如意，虽社稷之大计，天下之大事，皆可以不动声色而为之矣。’晋原阎安中，策言：‘太子天下根本，自昔人君嗣政之后，必建立元子，授之匕鬯，所以系隆社稷，基固邦本，示奕世无穷之休。臣观汉唐史，东海王彊之于显宗，宋王宪之于明皇帝，既皆为太子矣。暨天命定于后，莫不优加职秩，大封殊礼，退就宫邸，当时无闲言，后世无异议。孝成帝即位二十五年，立弟之子定陶王为子，今陛下之心，祖宗之心也。圣虑经远，神机先物，尝修祖宗故事，累年于兹矣。日就月将，缉熙光明之学，其历试周知，不为不久也，而储位未正，嫡长未辨，臣深恐左右近习之臣，寖生窥伺，渐起党与，间隙一开，有误宗社大计。此进退安慰之机也。臣愿陛下断自宸衷，早正储位，以系中外之望。’帝谓大臣曰：‘今次举人程文，议论纯正，仍多切直，似此人才，极有可用。’翌日，又谓大臣曰：‘昨览进士试卷，其间极有切直者，如论理财则欲省修造。朕虽无崇台榭之事，然喜其言直，至论铺金铺翠。朕累年禁止，尚未尽革。自此当立法，必禁之。’汤思退曰：‘太宗朝有雍邱尉武程上疏，愿减后宫嫔嫱，太宗谓宰相曰：程疏远未悉朕意，纵欲败度，朕所不为，内庭执掌，有不可缺者。李昉欲斥程以戒妄言，太宗曰：朕何尝以言罪人？但念程不知耳。士人论事，不究虚实，陛下能容之，实千载之遇。’帝曰：‘朕不消与辨。’陈臣之曰：‘天下自有公论。陛下此举，大足以感动天下。愿陛下自此益崇俭约，以节浮费。’时帝临御久，主器未定，大臣无敢启其端者。安中对策，独以储贰为请。帝感其言，于是赐十朋等四百二十六人及第出身，而擢安中第二。或曰：‘安中与举人黄成孙同县相友善，成孙父源，尝为书言储贰事。安中得其说以对，帝大赏之。’始蜀人之未集也，帝数有展日之命，沈该奏：‘天时向暄，恐陛下临轩，不无少劳，请一面引试，后有至者，臣等策之。中书定其高下。’帝不许，曰：‘三年取士，朕岂惮一时之劳耶？’及唱名至安中，又至第三人双流梁介，帝连举首，谓该曰：‘如何？’该大惭悚。”

同卷，“丁亥，特奏名进士李三英等三百九十二人，武举进士赵应雄等十五人，特奏名一人，授官有差。应熊武艺绝伦，且试南省为第一人。帝谓大臣曰：‘徽宗时如马括、马识远，俱以武举擢用，或衔命出疆。今次魁选，文武皆得人。应熊弓马甚精，文字亦可采。朕乐于得士。虽终日临轩，不觉倦也。’遂以应熊为阁门祇侯，江东安抚司准备将。”

春

朱熹本年二十八岁。春，还同安。冬十月，代者卒不至，以四考满，罢归。其去也，士思其教，民怀其惠，相与立祠于学官。

四月

金降景宣帝为辽王。

五月

宋恢复每岁大祀。《续资治通鉴》卷一三一：“辛卯，礼部太常寺言：‘每岁大祀三十六，除天地、宗庙、社稷、感生帝、九宫贵神、高禖、文宣王等已行外，其余并请寓祠斋宫。立春祀青帝，朝日出火东阶，权于东门外长生院。赤帝、黄帝，权于南门外净明寺。白帝，夕纳火西阶，权于西门外惠照院。黑帝，权于北门外精进寺。皆用少牢，备乐舞。而神州地祇，以精进地狭祀荧惑，以与赤帝同日，皆权于惠照院行之。

神州当用犊，而亦用少牢，盖权礼也。’自绍兴以来，大祀所行，二十三而已。至是侍御史周方崇以为言，乃悉复之。”

六月

乙卯，尚书左司员外郎葛立方权吏部侍郎。

七月

人之才性，各有所长。《续资治通鉴》卷一三一：“秋七月乙丑，秘书省校书郎陈俊卿言：‘人之才性，各有所长。禹、稷、皋陶，垂益伯夷，在唐虞之际，各守一官，至终身不易。此数君子者，苟使之更来迭去，易地而居，未必能尽善，况其余乎？今也监司帅臣，鲜有终其任者，远者一年，近者数月，辄已迁徙。州县百姓，送往迎来之不暇，其为劳费，不可殚举。以至内而朝廷百执事之官，亦无肯安其职业为三数年计者，往往数日待迁，视所居之官，有如传舍。虽有勤恪之人，宣力公家，于人情稍通，纲条稍举，已舍而它去。来者皆未能尽识吏人之面，知职业之所主，则又迁矣。因循岁月，积弊已久，是以胥吏得以囊橐为奸，贿赂公行，而莫之谁何，如此而望职业之举难矣。夫爵禄名器，人所奔趋，必待积劳而后迁，则人各安分，不敢躁求。若开骤进之门，使有侥幸之望，则人人怀苟且之心，无守公之节，其自为谋利则得矣。朝廷何赖焉？臣尝读国史，见太祖朝，任魏丕掌作坊十年，刘温叟为台丞十有二年；太宗朝，刘蒙正掌内藏二十余年，陈恕在三司亦十余年。此祖宗用人之法也。望与执政大臣参酌，立为定论，其监司帅守，有政术优异者，或增秩赐金，必待终秩而后迁擢。至于朝廷百执事之官，亦当少须岁月，俾久于其职，然后察其勤惰而升黜之，庶几人安其分，尽瘁于国，无有过望而万事举矣。’诏三省行下，遂以俊卿为著作佐郎。”

宋户部出钱作饶、赣、韶三州铸本。《续资治通鉴》卷一三一：“庚午，户部侍郎林觉，言：‘国朝庆历以来，岁铸钱一百八十余万缗，其后亦不下百万，如前年犹得十四万缗，去年犹得二十二万缗，而典司官吏，徒縻禄廪。朝廷罢之，殊快人意，但付之漕司，日久亦未有涯。议者以为，诸路物料，有无不等，运司不相统辖，无以通融鼓铸。宜出户部钱八万缗，为饶、赣、邵三州铸本，委各州通判主管，漕臣往来措置。今岁权以二十三万缗为额，即不复以旧钱得代发。’从之。”

八月

金主试进士于广乐园。

九月

戊寅，吏部尚书兼侍读陈伯康参知政事。

十月

宋召对郑樵。《续资治通鉴》卷一三一："丁卯，工部侍郎兼侍讲王纶等，言：'兴华军进士郑樵，嗜耽坟籍，杜门著书。尝以所著书献之朝廷，降付东观，比间撰述益多。当必有补治道，终老韦布，可谓遗才。望赐召对，验其所学。果有所取，即乞依王蘋、邓名世例施用，庶学者有所激劝。'乃命樵赴行在。"

委官以责任，勿数易郡守。《续资治通鉴》卷一三一："辛巳，左正言何溥，请特召大臣勿数易郡守，帝谓宰执曰：'此论切中时病。近亦有因事移易者，今非甚不得已，且令成资。'汤思退曰：'岂惟郡守，监司亦然。欲于卿监郎官中择资浅者，令中外更代，皆至成资而罢。'帝曰：'如此，不惟免迎送之扰，亦可革内重外轻之弊矣。'"

十二月

乙未，宋重建尚书六部成。

公元1158年（宋绍兴二十八年　金正隆三年　夏天圣十年　西辽绍兴八年　戊寅）

正月

己巳，殿中侍御史王珪，奏言：宋殿前马步军三衙，强制平民为军，诏禁止。

金主日谋南侵，常设辞以为兵端，而杂以他辞乱之。

朱熹本年二十九岁。春正月，见李先生侗于延平。

二月

乙巳，尚书工部侍郎兼侍讲兼直学士院王纶同知枢密事。

三月

戊寅，宋高宗诏曰：设官分职，民事为先。

四月

乙未，宋以杨揆权刑部侍郎，汤允恭权尚书兵部侍郎。

五月

金主谋欲再修汴京而徙居之，为南侵之计。

六月

癸巳，名眉州青神县中岩山龙潭慈姥神祠曰慈济。

范成大有诗多篇，如《新馆》、《临溪寺》、《竹下》、《寒亭》、《隐静山》等。

七月

宋括民间铜器铸钱，洪遵议论铸钱利害。《续资治通鉴》卷一三二：“戊寅，起居舍人洪遵，论铸钱利害大略，谓：‘今钱宝少，多为错毁作器用，而南过海，北渡淮，所失至多。自罢提点官，复直属二员，无异监司，而铸钱殊未及额，亦宜多方措置。’帝谕大臣曰：‘遵论颇有可采，前后铜禁，行之不严，殆成虚文。铜器虽民间所常用，然亦可以它物代之。今若自公卿贵戚之家，以身率之，一切不用，然后申严法禁，宜无不成者。’己卯，帝出御府铜器千五百事，送铸钱司，遂大敛民间铜器，其道佛像及寺观钟磬之属，并置籍，每斤收其算二十文。民间所用照子、带鑻之类，则官鬻之。凡民间铜器，限一月输官，限满不纳，十斤以上，徒二年。赏钱三百千，许人告自后犯者。私匠配钱监重役。其后，得铜二百万斤。”

八月

宋置国史院，以修神宗、哲宗、徽宗三朝正史。

九月

江西州县，民间多铸私钱。

十月

宋高宗作损斋。《续资治通鉴》卷一三二：“初，帝作损斋。屏去好玩，置经史古籍书其中，以为燕坐之所，且为之记。权吏部尚书贺允中，请以赐群臣。庚寅，帝谓宰执曰：‘允中尝于经筵问朕所好之意。朕谓之曰，朕之所好非世俗之所谓道也。若果能飞升，则秦皇、汉武当得之。若果能长生，则二君至今不死。朕惟治道贵清静，故恬淡寡欲，清心省事，所谓为道日损，期与一世之民同跻仁寿。如斯而已。当降出碑本以赐卿等。朕又惟比年侈靡成风，如婚祭之类，至有用金玉器者，此亦不可以不戒。’自是降诏，谕中外如帝旨。”

十一月

癸亥，金诏有司勤政安民。

己丑，宋诏出御前钱，修葺睦亲宅，及重建学工殿宇，凡一百七十一区。

朱熹以养亲请祠。

十二月

宋朝拣选义士，以备金朝举兵南侵。

朱熹差监潭州南岳庙。

本年

陆游三十四岁。冬，始出仕为福州宁德县主簿。与县尉朱景参情好甚笃，与邑人高确为诗友。曾为邑人陈嗣光立孝廉坊以旌之。

是岁，夏始立通济监以铸钱。

公元1159年（宋绍兴二十九年　金正隆四年　夏天圣十一年　西辽绍兴九年　己卯）

正月

金朝更定私相越境法，并论以死刑。

金令沿边仅留泗州榷场。《续资治通鉴》卷一三二："金主诏：'自来沿边州军，设置榷场，本务通商，便于民用。其间多有夹带违禁物货，图利交易，及不良之人，私相来往。可将密、寿、颍、唐、蔡、邓、秦、巩、洮、凤翔府等处榷场，并行废罢，只留泗州榷场一处，每五日一次开场，仍指挥泗州照会移文，对境州军，照验施行。'"

二月

宋朝亦仅留盱眙军榷场。《续资治通鉴》卷一三二："二月丙戌朔，盱眙军申到北界泗州牒，金国已废罢密、寿等州榷场，只存留泗州一处。诏：'盱眙军榷场存留，余并罢之。'时事出不意，南北商旅弃物货而逃者甚众，既而无所得食，渐致抄掠。议者请严责州县捕之，帝不听，明给裹粮，各使归业，久之遂定。金人又于泗州增榷场屋二百间，于是盱眙亦如之，仍创给渡淮木牌，增守卒焉。"

宋朝禁止与金海路通商。《续资治通鉴》卷一三二："己丑，诏：'海商假托风潮，辄往北界者，依军法。'"

金建造战船并籍壮丁。《续资治通鉴》卷一三二："丁未，金修中都城，造战船于通州。金主谕宰相曰：'宋国虽臣服，有誓约而无诚实。比闻沿边买马，及招纳叛亡，不可不备。'乃遣史籍诸路明安部族，及州县、渤海丁壮充军，及分往上京、东京、北京、西京。凡年二十以上五十以下者，皆籍之。虽亲老丁多，乞一子留待，亦不许。"

三月

金遣使经画夏国边界，并至诸道总管府督造兵器。

朱熹本年三十岁。春三月，校订《谢上蔡先生语录》，作文《谢上蔡语录后序》、《谢上蔡语录后记》。

四月

金人于岐、雍间，伐木以造浮梁。

五月

孙道夫言金欲南侵。《纲鉴易知录》卷八二："夏五月，贬礼部侍郎孙道夫知绵州。道夫使金还，具奏金有南侵之意。帝曰：'朝廷待之甚厚，彼以何名为兵端？'道夫曰：'彼身弑其君而夺之位，兴兵岂问有名！'汤退思、沈该不以为然。道夫每对帝，辄言武事，该疑其引用张浚，忌之，故贬。"

六月

张九成（1092—1159）卒。《续资治通鉴》卷一三二："己丑，秘阁修撰提举江州太平兴国宫张九成卒，年六十八。诏复敷文阁待制致仕。"《四库全书总目》卷一五八："《横浦集》二十卷。……九成少师杨时，于程门为再传弟子，后从僧宗杲问道，其学乃全入于禅。朱子作《杂学辨》，所驳正者凡四家，九成实居其一，见于《语录》者掊击尤力。比其没也，犹谓'可惜将了许多鹘兀道理到地下去'，盖身后犹憾之不置。《宋史》本传亦称其早与学佛者游，故议论多偏。然其立身自有本末，其廷试对策，极陈恢复大计，规戒高宗安于和议之非；又指陈时弊，言皆痛切，于阉宦干政，尤反覆申明。其在当时，可称谠论。刘安世喜言禅，李纲亦喜言禅，言禅不可以立训，要不以是掩其大节也。陆游《老学庵笔记》，谓九成对策有'桂子飘香'语，李易安作'露花倒影柳三变，桂子飘香张九成'之句以嘲之。更掎摭琐屑，不足为九成病矣。"

戊戌，名乌江县楚霸王项羽庙曰英惠。

李光（1078—1159）卒。《续资治通鉴》卷一三二："辛丑，左朝奉大夫李光守本官致仕。光既许任便居住，行至江州而卒，年八十二。"《四库全书总目》卷一五六："《庄简集》十八卷。……就其存于今者观之，波澜意度，已约略可睹矣。考光本传，光值国步阽危之时，忠愤激发，所措置悉有成绪。又以争论和议为权相所排，垂老投荒，其节概凛然，宜不可犯。而其诗乃志谐音雅，婉丽多姿，大抵皆托兴深长，不独张淏《云谷杂记》、赵与虤《娱书堂诗话》所举《双雁》一诗，《道中》一诗、《滕州安置赠枢密使臣》一诗为清绝可爱。至所上奏议，如论守御大计，劝车驾勤政，戒约烦苛，裁减营缮诸札子，尤剀切指陈，有裨国是。论梁师成、燕瑛等疏疾恶如风，俱可想见其风采。迨过岭以后，与胡铨往还，简札甚夥，乃皆醇实和平，绝无幽忧牢落之意，其所养抑又可知矣。"胡铨《跋李泰发参政诗集》："此林氏所集参相李公诗文也，编次甚精。予蒙恩北归，行琼山道中，日读不废手。或疑其间用字有未妥，及用事有可疑者，盖人不曾观书，不知来历耳。如《宾燕堂》云'风飐圆荷翻翠盖'，用'飐'字，盖出柳子厚诗'惊风乱飐荷渠水'。《夜饮》云'酒薄犹堪缓客愁'，用'缓'字，盖出杜诗'急觞为缓忧心捣'。《感春》云'一壑风烟如可擅'，用'擅'字，出庄生云'擅一壑之水'。《符氏庄》云'野花随处供幽香'，'供'多读平，不知

《二疏传》'供张'读为去声。《野趣亭》云'幽居渺云庄'，盖用老杜'巨壑渺云庄'之句。《玻璃碗》云'自有随身老瓦盆'，盖用老杜'田家老瓦盆'事。《江桥》云'风卷断云飞玉马'，盖唐太宗有玉花马，杜云'先帝天马玉花骢'，故云'玉马'；又云'水摇明月走金蛇'，多疑'金蛇'似俗，盖不见坡老有'电光一掣紫金蛇'之语。此类甚多。方行役疲劳，不能一一指摘，聊拈出一二，庶后生不妄下雌黄耳。其送子迁吉阳诗云'梦里分明见黎姆，生前定合到朱崖'。余初贬新兴，一日忽梦黎姆，后十年乃迁朱崖，故云然，盖海南有黎姆山也。唐末有'朱崖赤子'之语，朱即朱崖也。绍兴丙子中秋后五日跋。"王鹏运《南宋四名臣词跋》："嗟乎，兹四公者，夫岂非所谓魁垒闳廓儒者其人耶？其身系乎长消安危，其人又系乎用与不用。用之而不终用之也，于是则悲天运，悯人穷，当变风云时，自托乎小雅之才，而作词焉。其思若怨悱而情弥哀，颢号幽明，剖通精诚，又不欲以为名也，于是则摧刚藏棱，蔽遏掩抑，所谓整顿缔造之意，而送之以馨香芬芳之言，与激昂怨慕不能自殊之音声，盖至今使人读焉而悲，演绎焉而慨伉，真洞然大人也！故其词深微浑雄而情独多。鹏运窃尝持此情以盱衡今古之词人，如四公者亦出而唱叹于其间，则必非闺襜屑越小可者所得之傀托。"李慈铭《南宋四名臣词序》："四公者，惧南北宋之间，未尝以词名。所为文章，忠义奋发，振厉一世，而其立论皆和平中正，字字尽情。与朋友言，尤往复三叹，不胜其气下而词敛。间为长短句，皆曲折如志，务尽其所欲言。即至尊俎从容，流连光景，若恐其思之不永而欢之不及，岂非所谓至人者，其气与天地自然流行，无所往而称其物者乎？四公中，得全居士之词最为艳发，似晏元献。三公多近东坡，而尤与后来朱子为似。虽处厄穷患难，而浩然自得，无一怨尤不平之语，则非东坡所及焉。"［思齐按：南宋四名臣指李光，字泰发，上虞人，《宋史》卷三六三有传；李纲，字伯纪，邵武人，《宋史》卷三五八、三五九有传；赵鼎，字元镇，自号得全居士，解州闻喜人，《宋史》卷三六〇有传；胡铨，字邦衡，号澹庵，庐陵人，《宋史》卷三七四有传。］

李焘著《续皇朝公卿百官表》。《续资治通鉴》卷一三三："戊戌，翰林学士修国史周麟之言：'左宣教郎知双流县李焘，尝著《续皇朝公卿百官表》九十卷。'诏给札录，付史馆。焘博学刚正，张浚、张焘咸器重之。秦桧盛时，尝遣人谕意，欲得焘一通问，即召用之。焘讫不与通，坐此偃蹇州县二十年。四川安处制置使王刚中，闻其名，奏以为干办公事。初，焘父中，仕至左朝奉大夫，通习本朝典故。焘以司马光《百官表》未有继者，乃遍求正史实录，旁采家集野史，增广门类，起建隆，迄靖康，分新旧官置踵而成书。其后《续资治通鉴长编》，盖始于此。"

七月

以贺允中参知政事。

八月

妙道得诸三君子，朱熹自乐不赴朝。《纲鉴易知录》卷八二："八月，召监潭州南岳庙朱熹，不至。熹，徽州婺源人，少有求道之志。父松，知饶州，疾亟，属熹曰：

‘胡宪、刘勉之、刘子翚三人，学有渊源，吾所敬畏。吾即死，汝往事之。’熹奉以告而禀学焉。既博求之经传，复遍交当世有识之士。即举进士，为泉州同安县主簿，罢归。闻延平李侗学于罗从彦，得伊洛之正，徒步往从之。其学大要穷理致知，反躬践实，而以居敬为主。筑室武夷山中，四方游学之士从之者如市。上闻其贤，故召之，熹卒不至。宪，安国从子，生而静悫，不妄言笑。绍兴中与于勉之同入太学，时禁伊洛之学，宪与勉之求得程颐书，潜抄默诵，夜以继日。闻涪陵谯定受《易》学于颐，二人从受业，久未有得，定曰：‘心为物渍，故不有见，惟学乃可明耳。’宪悟曰：‘所谓学者，非克己工夫邪?’自是一意下学，不求人知。一旦揖诸生归崇安故山，力田卖药，以奉其亲，从游日众，号籍溪先生。仕终秘书省正字，朱熹尝言从宪及勉之、子翚三君子游，而事籍溪先生为久，得其学为多。勉之从谯定、刘安世、杨时受学，卒业乃还崇安，结草堂读书其中。力耕自给，澹然无求于世，惟与宪、子翚日相往来讲论，学者踵至，勉之随其才器为说圣贤之道，因以女妻熹，门人号曰白水先生。子翚，韐仲子，以父死国难，痛愤致疾，弃兴化通判，隐居武夷山中者十七年。与宪、勉之交相得，每见，讲学外无杂言，他所与游，皆知名士，而期以任重致远者朱熹而已。熹初从子翚游，子翚以《易》之‘不远复’三言，俾佩之终身。学者称为屏山先生。”

九月

以汤思退、陈康伯为尚书左、右仆射，并同平章事。

十月

以王纶知枢密院事。

十一月

辛巳，宋祀昊天上帝于南郊。

十二月

金主使画工密绘临安图。《续资治通鉴》卷一三三：“丙子，金国贺正旦使施宜生、副使耶律翼，见于垂拱殿。以谅阴故，命坐赐茶，正侍观察使以上皆与。帝素服黄袍黑带。供帐皆用素黄。卫士常服，去银鹅对凤。侍坐者锦垫易以紫素。既见，命大臣就驿赐宴，不用乐，辞亦如之。时吏部尚书张焘，奉诏馆客。宜生素闻其名，畏慕之，一见顾翼曰：‘是使南朝不拜诏者也。’宜生，闽人。焘以首邱桑梓语之。宜生顾其介不在旁，为廋语曰：‘今日北风甚劲。’又取几间笔扣之曰：‘笔来。’焘密奏之，且言宜早为备。金主又潜使画工密写临安之湖山城郭以归。继则绘为屏，而图己之像，策马于吴山绝顶，后题以诗，有‘立马吴山第一峰’之句，盖金主所赋也。”

本年

金朝境内人民纷纷起义反抗，山东沂州（今山东临沂）、河北大名（今河北大名），均有数万人起义，契丹人亦于太行山攻占数县。

公元1160年（宋绍兴三十年　金正隆五年　夏天圣十二年　西辽绍兴十年　庚辰）

正月

丙申，宋以叶义问知枢密院事。

陆游本年三十六岁。自福州北归，过永嘉时，与老洪道士痛饮赋诗，王仲信为作《石门瀑布图》。回到临安，任敕令所删定官，有《除删定官谢丞相启》。陆游系官都下后，交友颇广，先后认识周必大、曾季狸、郑樵等，与周必大友谊尤甚。陆游后迁大理寺司直兼宗正簿。

二月

宋高宗立艺祖七世孙为太子。《纲鉴易知录》卷八二："二月，以普安郡王瑗为皇子，更名玮，进封建王。初，帝知瑗之贤，欲立为嗣，恐太后意所不欲，迟回久之。及后崩，帝问吏部尚书张焘以方今大计，对曰：'储嗣者，国之本也。天下大计，无逾于此。今两邸名分宜早定。'帝喜曰：'朕怀此久矣，开春当议典礼。'焘顿首谢。至是，利州提点刑狱范如圭，掇至和、嘉祐间名臣奏章，凡二十六篇，合为一书，囊封以献，请断以至公勿疑。帝感悟，即日下诏，以普安郡王为皇子，加恩平郡王璩开府仪同三司，判大宗正寺，称皇侄。"

三月

金东海县民张旺起义。《续资治通鉴》卷一三三："金东海县民张旺、徐元等反。金主遣都水监徐文、步军指挥使张宏信等，率舟师九百浮海讨之。金主曰：'朕意不在一邑，欲试舟师耳。'"

梁客家等四百余人中进士。《续资治通鉴》卷一三三："戊子，上策试礼部举人刘朔等于集英殿，既而得右迪功郎许克昌为首，用故事降为第二，遂赐晋江梁克家等四百十二人及第出身同出身。……甲辰，赐特奏名进士黄鹏举等五十三人同进士出身，宗子彦劵等三十一人，武举进士樊仁远等十九人，特奏名一人，并授官有差。"

四月

金处死耶律翼、施宜生。《续资治通鉴》卷一三三："甲寅，金以耶律翼南使失体，杖一百，除名；施宜生以漏言，烹死。"

五月

自金南归叶义问，宋朝悉知金国情。《续资治通鉴》卷一三三：“辛卯，参知政事贺允中免兼同知枢密院事，以同知枢密院事叶义问将及境也。初，义问入北境，见金已聚兵，有南侵意。及还，密奏：‘敌人以克剥不恤为能，以杀戮不恕为威。穷奢极侈，燕京已剧壮丽，而修汴京。伐木琢石，车载塞路。民劳而多死于道，天人共怨，观此岂能久也？又海州贼党未尽，而任契丹出没太行。臣去时闻破濬之卫县，回时闻破磁之邯郸。北使三人皆被击伤，夺去银牌。燕京以南，在处不宁。今欲迁汴京，且造战船。以臣度之，若果迁都，则在彼已失巢穴。今江淮既有师屯，独海道宜备。臣谓土豪、官军不可杂处。土豪谙练海道之险，凭藉海食之利，能役使船户，杂以官兵，彼此气不相下，难以协济。今宜于江海要处分寨，以土豪为寨主，令随其便，使土豪绕于舟楫之间，官军振于塘岸之口，则官无虚费，民无惊扰，此策之上者也。’”

六月

金平张旺起义。《续资治通鉴》卷一三三：“金都水监徐文等，破贼张旺、徐元，东海平。”

七月

叶义问奏应变、持久二说。《续资治通鉴》卷一三三：“戊戌，同知枢密院事叶义问，进知枢密院事，于是义问奏应变、持久二说，以为：‘两淮形势在今危急。荆南刘锜，则均、襄、随、郢、道、化、枣阳之所隶也。鄂渚田师中，则安、复、信阳、汉阳之所隶也。九江戚方，则蕲、黄之所隶也。池阳李显忠，则龙舒、无为军之所隶也。建康王权，则滁、和之所隶也。镇江刘宝，与马师、成闵，则真、扬、通、泰之所隶也。江阴正控海道，宜自镇江分兵以扼之。至于濠梁、固始、安丰诸郡近边，亦宜总之合肥。比已分屯诸将，宜饬令择地险要，广施预备。此应变之说也。秋冬之交，淮水浅涸，徒步可过。若敌今岁未动，请江淮一带遴选武臣为守。公私荒田，悉拨以充屯田，使募人耕之。暇则练习，专务持重，无生衅端。来则坚壁勿战，去则入壁勿追，使之终无所得而自困。此持久之说也。’”

戊午，以朱倬参知政事，周麟之同知枢密院事。

八月

金签兵中原，屯兵宿、泗。《续资治通鉴》卷一三三：“壬申，淮南东路马步军副都总管兼权安抚司公事许世安，得谍报‘金主已至汴京，重兵皆屯宿、泗，亦有至清河口者’，乃遣右宣义郎通判州事刘礼，告急于朝廷。先是，金主命户部尚书梁球、兵部尚书萧德温，计女直、契丹、奚三部之众，不限丁数，悉签起之，凡二十有四万。以其半壮者为正军，弱者为阿里善，一正军，一阿里善副之。又签中原汉儿、渤海十七路。除中都路造兵器、南都路修汴京免签外，吏部侍郎高怀正等十五人，分路带银牌而出，号曰宣差签军使。每路各万人，合蕃汉兵通二十七万。仿唐制，分为二十七军。签数已定，遂以百户部为穆昆，千户为明安，万户为统军。其统军则有正副。诸军悉以蕃汉相兼，无独用一色人者。”

九月

宋朝以李宝驻平江海防。《纲鉴易知录》卷八二：“以李宝为浙西副总管。宝尝陷金，拔身自海道来归，至是召对，询以北事，历历如数，乃授官，令于平江督海舟捍御。”

周必大、程大昌为秘书省正字。《续资治通鉴》卷一三三：“壬寅，太学录周必大、太学正程大昌，并为秘书省正字。”

十月

金镇压中原起义。《续资治通鉴》卷一三三：“庚午，金遣护卫完颜普连等二十四人，督捕山东、河东、河北、中都盗贼，籍诸路水手，得三万人。”

刘锜驻镇江。《续资治通鉴》卷一三三：“壬戌，太尉、武泰军节度使、知荆南府刘锜，为威武军节度使、充镇江府驻扎御前诸军都统制。仍诏：‘总领官同诸军统制，将日前非理掊敛，及应干私役，日下改政。诸军所负回易钱，具数以闻，当议除放。除刘宝私财还宝外，余并桩充军须。仍出榜晓谕。’”［思齐按：镇江时为南宋长江兵防要塞。因急于用人，故朝廷一方面查诸将的经济问题，一方面又帮助他们偿还债务。］

十一月

李显忠请屯田。《续资治通鉴》卷一三三：“丁酉，池州驻扎御前诸军统制李显忠，请令诸军屯田。帝谓大臣曰：‘此事可行。然须先立规摹，如括田、市牛、立庐舍、给粮种、置农具之类。悉有条理，乃可施行。两三年间，且尽与地利，使之岁入有得，则不劝而耕矣。’”

十二月

安南进驯象与宋朝。《续资治通鉴》卷一三三：“安南进驯象，边吏以闻。帝谓大臣曰：‘蛮夷贡方物，乃其职，但朕不欲以异兽劳远人。可令帅臣谕：今后不必以驯象入献。’”

宋朝初行会子。《纲鉴易知录》卷八二：“初行会子（会子，如交子、关子之类。关子，钞也。交子，见卷六十七仁宗天圣元年。关子，见卷七十九绍兴元年）。户部侍郎钱端礼被旨造会子。储见钱于城内外流转，其合发管钱，并许兑会子，输左藏库。初行于两浙，遂通行诸州。”

本年

朱熹三十一岁。本年冬，朱熹见李先生侗于延平，始受学焉。

公元 1161 年（宋绍兴三十一年　金正隆六年、世宗完颜雍大定元年　夏天圣十三年　西辽绍兴十一年　辛巳）

正月

汪澈上天变疏。《续资治通鉴》卷一三四："癸未夜，风雷雨雪交作。侍御史汪澈言：'春秋鲁隐公时大雷震电，继以雨雪。孔子以八月之间，再有大变，谨而书之。今一夕之间二异交至，愿陛下饬大臣常谨备边。'殿中侍御史陈俊卿言：'周之三月，今正月也。鲁隐公八月之间，再有大异。今一日而两异见，比春秋抑有甚焉。今边防之策，圣谟深远，讲之熟矣，然而将未得人，兵未核实，器械未精，储蓄未备。臣愿陛下与二三大臣因灾而惧，谨其藩篱，常若寇至，不可一日而弛。至于臣下，则有官居保傅，手握兵符，而广殖货财，专事交接，夺民利，坏军政。朝廷不言，道途侧目。养之不已，其患将有不可胜言者。此诚臣忧国惓惓至意，惟陛下采纳。'"

二月

宋以经义诗赋两科取士。《纲鉴易知录》卷八二："二月，分经义诗赋两科以取士。礼部侍郎金安节言：'熙宁、元丰以来，经义、诗赋，废兴离合，随时更革。近合科以来，通经者恐赋体雕刻，习赋者病经之渊微，心有弗精，业虽兼济，后进往往得志，而老生宿儒多困也。请复立两科，永为成宪。'从之。"［思齐按：考试的科目多，于年轻考生有利，因为他们的记忆力强。考试的科目少，于中年以上考生有利，因为试题要求深入理解与融会贯通。宋朝的考试政策已留意于此，以便选拔出有真才实学之人才。］

金主离中都，赴汴京。

三月

壬午，以杨椿参知政事。庚寅，以陈伯康、朱倬为尚书左、右仆射，并同平章事。

四月

宋遣使征诸路兵，以备金兵大举南侵。

五月

金主亮索取淮、汉地。《纲鉴易知录》卷八二："五月，金主亮使人来求淮、汉之地，始闻靖康帝之丧。金主尝密隐画工于奉使中，写临安湖山以归，为屏，而图己之

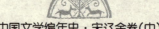

像，策马于吴山绝顶，题诗其上，有‘立马吴山第一峰’之句。至是，遣其签书枢密院事高景山、右司员外郎王全，来贺天中节。亮谓全曰：‘汝见宋主，即面数其焚南京宫室，沿边买马，招致叛亡之罪。当令大臣来此，朕将亲诘之。且索汉、淮之地；如不从，则厉声诋责之，彼必不敢害汝。’盖欲激怒以为南侵之名也。又谓景山曰：‘回日以全所言奏闻。’全至临安，一如金主之言以诋帝，帝谓全曰：‘闻公北方名家，何乃如是?’全复曰：‘赵桓今已死矣。’帝始闻渊圣崩，遽起发哀而罢，诏持斩衰三年。”

六月

宋朝下诏，准许淮南诸州迁移治所，以便清野。

契丹耶律撒八等起事反金，金派遣枢密使仆散、思恭等，率兵一万人，进行征讨。

七月

金主亮迁都于汴。

金大括境内诸路民马。

金主大杀宋、辽宗室之在其国者（凡百三十人）。

八月

魏胜克海州。《纲鉴易知录》卷八二：“八月，宿迁人魏胜起兵复海州，诏以胜知州事。胜多智勇，应募为弓箭手，居山阳，及金人籍诸路民为兵，胜跃曰：‘此其时也!’聚义士三百，北渡淮，取涟水军，宣布朝廷德意，不杀一人。金知海州事高文富，遣兵捕胜，胜迎击走之。追至城下，文富闭门固守。胜令城外多张旗帜，举烟火为疑兵，又使人向诸城门喻以金人弃信背盟，无名兴兵，及本朝宽大之意，城中人闻即开门，独文富与其子安仁率牙兵拒之。胜杀安仁，擒文富，民皆安堵如故。”

金主弑太后，大兵入淮东。《纲鉴易知录》卷八二：“金主亮弑其太后徒单（一作：图克坦）氏，九月，遂大举入寇。徒单后闻亮欲南侵，数以言谏之。亮不悦，寻弑之。遂分诸道兵为三十二军。九月，亮戎服乘马，具装启行，妃嫔皆从，众六十万，号百万，毡帐相望，钲鼓之声不绝。李通造浮梁于淮水之上，将自清河口入淮东。远近大震。”

九月

兰州汉军千户王宏，杀死金朝官吏而降大宋。金军将士，多有亡归。

义民王友直，收复大名府。《纲鉴易知录》卷八二：“高平人王友直起兵复大名，遣使入朝。友直幼从父佐游，志复中原，闻金主亮渝盟，乃结豪杰谓之曰：‘权所以济事，权归于正，何害于理?’即矫制自称河北等路安抚制置使，以其徒王任为副使，遍谕州县勤王。未几，得众数万，制为十三军，置统制官以统之。进攻大名，一鼓而克。抚定众庶，谕以绍兴年号，遣人入朝奏事。未几，自寿春来归，诏以为忠义都统制。”

十月

金帝背盟南侵，宋帝下诏传檄。《续资治通鉴》卷一三五：“绍兴三十一年冬十月，诏曰：‘朕履运中微，遭家多难。八陵废祀，可胜抔土之悲；二帝蒙尘，莫赎终天之痛。皇族尚沦于沙漠，神京犹陷于草莱。衔恨何穷，待时而动。未免屈身而事小，庶期通好以弭兵。属强敌之无厌，曾信盟之弗顾。怙其篡夺之恶，济以贪残之凶。流毒遍于陬隅，视民几于草芥。赤地千里，谓暴虐为无伤；苍天九重，以高明为可悔。辄因贺使，公肆谩言。指求将相之臣，坐索汉淮之壤。皆朕威不足以震叠，德不足以绥怀，负尔万邦，于兹三纪，抚心自悼，流涕无从。方将躬缟素以起行，率貔貅而薄伐，取细柳劳军之制，考澶渊却敌之规。诏旨未颁，欢声四起。岁星临于吴分，冀成淝水之勋；斗士倍于晋师，当决韩原之胜。尚赖股肱爪牙之士，文武大小之臣，戮力一心，捐躯报国，共雪侵凌之耻，各肩恢复之图。播告迩遐，明知朕意。’”

金人另立完颜褒为帝。《续资治通鉴》卷一三五：“丙午，金人立其东京留守曹国公褒为皇帝。时金人困于虐政，汹汹欲为变，完颜默音（旧作谋衍，今改）询以拥立留守，众皆曰：‘是太祖之孙，当立！’于是入府求见。褒才出，则庭下悉呼万岁，随即位。丁未，改元大定；大赦；数前主过恶：弑皇太后图克坦氏，杀太宗及宗翰、宗弼子孙，及宗本诸王，毁上京宫殿，杀辽豫王，宋天水郡公子孙等，数十事。以完颜默音为右副元帅，高忠建为元帅左监军，完颜福寿为右监军。”于是金世宗立，褒改名雍。

李宝破金兵于陈家岛。《纲鉴易知录》卷八二：“李宝大破金兵于陈家岛，杀其将完颜郑家。”

金人破扬州。《纲鉴易知录》卷八二：“金人陷扬州，刘锜遣兵拒于皁角林，大败之。”

十一月

张浚赴君父之急。《纲鉴易知录》卷八二：“十一月，诏张浚判建康府。殿中侍御史陈俊卿上疏，极言浚忠荩。帝悟，乃诏复官，判建康。浚至岳阳，买舟，冒风雪而行。时金兵充斥，浚遇东来者，云：‘敌兵方盛，焚采石。烟焰涨天，慎毋轻进！’浚曰：‘吾赴君父之急，知直前求乘舆所在而已！’遂乘小舟径进，时长江无一舟敢行北岸者。”

虞允文采石之捷。《纲鉴易知录》卷八二：“虞允文大败金兵于采石。金主亮趋扬州。亮筑台奖赏，自披金甲登台，杀黑马以祭天，以一羊一豕投于江中。誓明日渡江，晨饮玉麟堂，先济者与黄金一两。亮置黄旗、红旗于岸上，以号令进止。时叶义问命虞允文往芜湖趣李显忠交王权军，且犒师。允文至采石，权已去，显忠未来，敌骑充斥，官军三五星散，解鞍束甲，坐道旁，皆权败兵也。允文坐待显忠则误国事，遂立召诸将，勉以忠义，曰：‘金帛、诰命皆在此，以待有功。’众曰：‘今既有主，请死战。’或谓允文曰：‘公受命犒师，不受命督战，他人坏之，公受其咎邪！’允文叱之曰：'危及社稷，吾将安避?'乃命诸将列大阵不动，分戈船为五，其二并东、西岸；其一驻中流，藏精兵待战；其二藏小港，备不测。部分甫毕，敌已大呼，亮操小红旗麾数百艘绝江而来，瞬息之间，抵南岸者七十艘，直薄官军。军小却，允文入阵中，抚统制时俊之背曰：'汝胆略闻四方，立阵后，则儿女子尔!'俊即挥双刀出，士殊死战；中流官军以海鳝船冲敌舟，皆平沉，敌半死半战，日暮未退。会有溃卒自光州至，允文授以旗鼓，从山后转出，敌疑援兵至，始遁。允文又命劲弩尾击追射，大败之。金兵还和州，会报曹国公已即位于东京，改元大定。亮拊髀叹曰：'朕本欲平江南，改元大定，此非天乎!'遂召诸将帅谋北还，率其军趋扬州。"

金主亮被部下杀死。《纲鉴易知录》卷八二："金主亮为其下所杀。亮至瓜州，居于金山寺。虞允文与杨存中临江按试，命将士踏车船，中流上下三周金山，回转如飞。敌持满以待，相顾骇愕。亮笑曰：'纸船耳。'有一将跪奏：'南军有备，不可轻，愿驻扬州，徐图进取。'亮怒，杖之五十，召诸将约以三日济江，否则尽杀之。军士危惧，欲亡归，乃决计于都统制耶律元宜，且曰：'前阻淮，渡皆成擒矣！比闻辽阳新天子即位，不若共行大事，然后举军北还。'元宜然之。诘旦，元宜等帅诸将以众薄亮营，遂杀之。元宜自为左领军副大都督，使人杀太子光英于汴，退军三十里，遣人持檄诣镇江军议和。未几，金军皆北还。"

十二月

宋军收复两淮，张浚风采隐然。《纲鉴易知录》卷八二："十二月，成闵、李显忠收复两淮州郡。帝入建康。张浚至建康，即具行宫仪物，请车驾临幸，帝从之。帝至建康，张浚迎拜道左，卫士见浚，莫不以手加额。浚起复用，风采隐然，军民皆倚为重。"

金主雍入燕。[思齐按：完颜褎立为金主，称世宗，改名雍。]

契丹耶律斡罕称帝。

本年

刘一止（1078—1160）卒。刘一止《自作真赞》："枯木寒岩，形影相依。禄食而臞，孰与遯肥。四十九年，我知其非。已往不谏，来者庶几。"《四库全书总目》卷一五六："《苕溪集》五十五卷。……其没也，韩元吉为作行状，称其文章推本经术，出入韩、柳，不效世俗纤巧刻琢，虽演迤宏博，而关键严备，其为诗寓意高远，自成一家。吕本中、陈与义读之曰：'语不自人间来也。'是其著作亦盛为当代所推矣。"《宋百家诗集》卷八《苕溪集》："一止为人冲淡寡欲，每言生平通塞，听于自然，惟机械不生，故方寸自有乐地。博学无不通，为文不事纤刻，制诰坦明有体。尝草颜鲁公孙特命官制，甚伟，高宗叹之，为手书之。其诗能自成家，吕本中、陈与义读之，曰：'语不自人间来也。'其惊服如此。"

辛弃疾聚众从耿京起义抗金。

在金主完颜亮南下进攻的严峻形势之下，陆游调任枢密院编修官，有《代乞分兵

取山东札子》。

朱熹三十二岁。

公元 1162 年（宋绍兴三十二年　金大定二年　夏天圣十四年　西辽绍兴十二年　壬午）

正月

辛弃疾劝耿京来归。《纲鉴易知录》卷八二："山东人耿京起兵复东平，遣其将辛弃疾来朝。金主亮死，中原豪杰并起，山东忠义耿京据东平，自称东平节度使，以齐州历城人辛弃疾掌书记。辛弃疾劝京来归，京遣弃疾奉表诣行在。帝大喜，厚赉之，以京知东平府。"

范成大离开徽州，到杭州，入监太平惠民和剂局。

陆游卧病弥旬，周必大有诗慰候，诗题为《陆务观病弥旬，仆不知也，佳篇谢邻里，次韵自解》。本月，陆游家属到行在，陆游作诗《喜小儿辈到行在》。

宋诏郡守年七十，可自愿提举宫观。

金主完颜雍，派遣元帅府左监高忠建、礼部侍郎张景仁至宋，通告其登临大位。

金行纳粟补官法，实亦捐纳之一种。

二月

金主雍遣使来聘。《纲鉴易知录》卷八二："金主雍遣使来聘。（金主雍下令散南征之众，以高忠建为报谕宋国使，且告即位）"

虞允文为川陕宣谕使。《纲鉴易知录》卷八二："二月，以虞允文为川陕宣谕使。允文还朝，帝慰藉嘉叹，谓陈俊卿曰：'允文，朕之裴度。'及是陛辞，言：'金亮既诛，新主初立，彼国方乱，天相我恢复也。和则海内气沮，战则海内气伸。'帝以为然。允文至蜀，遂与吴璘经略中原。"

高宗诏授辛弃疾江淮判官。《纲鉴易知录》卷八二："耿京将张安国杀京以降金。辛弃疾还，执安国送临安，斩之。"（诏授弃疾江淮判官。弃疾献议恢复，持论劲直，不为迎合，众壮之）

三月

洪迈使金。《纲鉴易知录》卷八二："遣起居舍人洪迈使金。金高忠建至临安，议遣使报聘，且贺即位。工部侍郎张阐，请：'严遣使之命，正敌国之礼，彼或不从，则有战耳。如是，则中国之威可以复振。'帝然之，遂遣洪迈充贺登极使。迈行，书用敌国礼。帝手札赐迈曰：'祖宗陵寝隔阔三十年，不得以时洒扫祭祀，心实痛之！若彼能以河南地见归，必欲居尊如故，正复屈己，亦何所惜！'迈奏言：'山东之兵未解，则两国之好不成。'至燕，金阁门见国书不如式，抑令于表中改'陪臣'二字。朝见之仪，必欲用旧礼。迈执不可，金锁使馆，三日水浆不通。及见金人，语不逊，欲留迈，张浩不可（张浩，金尚书令），乃遣还。迈，皓季子也。”

春

朱熹本年三十三岁。春，迎谒李先生侗于建安，遂与俱归延平。

四月

宋以汪澈参知政事。

金追废完颜亮为海陵炀王。

五月

宋立皇太子眘。《纲鉴易知录》卷八二：“五月，立建王玮为皇太子，更名眘。初，金亮南侵，两淮失守，朝臣多劝帝退避。建王玮不胜其愤，及帝下诏亲征，玮请率师为前驱。直讲史浩闻之，入言于玮曰：‘皇子不宜将兵。’因为草奏请扈跸以供子职。帝亦欲玮遍识诸将，遂命从幸金陵。及还临安，帝欲逊位，陈康伯密赞大义，乞先正名，俾天下咸知圣意，遂草立太子诏以进，帝从之。玮既立，更名眘。”

六月

宋孝宗即位。《纲鉴易知录》卷八二：“帝传位于太子，自称太上皇帝，皇后称太上皇后。太子即位，大赦。”（上皇退居德寿宫，谓群臣曰：‘付托得人，吾无憾矣。’）

朱熹上封事，修攘图国强。《纲鉴易知录》卷八二：“监南岳朱熹上封事，首言：‘帝王之学，必先格物致知，以极乎事物之变，使义理所存，纤细必照，则自然意诚心正，而可以应天下之务。’次言：‘修攘之计不时定者，讲和之说疑之也。今虏于我，有不共戴天之仇，则不可和也明矣！愿断以义理之公，参以利害之实，闭关绝约，任贤使能，立纪纲，厉风俗，使吾修政攘夷之外，孑然无一毫可恃为迁延中已之资，而不敢怀顷刻自安之意，更相激厉，以图事功。数年之外，国富兵强，视吾力之强弱，观彼衅之浅深，徐起而图之，中原故地不为吾有而将焉往？’次言：‘四海利病，系斯民之休戚；斯民之休戚，系守令之贤否。监司者，守令之纲。朝廷者，监司之本。欲斯民之得所，本原之地，亦在朝廷而已。’”本年朱熹三十三岁。

七月

孝宗手书诏张浚。《纲鉴易知录》卷八二：“秋七月，召张浚入朝，以为江淮宣抚使，封魏国公。帝手书召浚入见，浚至，帝改容曰：‘久闻公名，今朝廷所恃惟公。’因赐之坐，浚从容言：‘人主之学，以心为本，一心合天，何事不济？所谓天者，天下之公理而已，必兢业自持，使清明在躬，则赏罚举措无有不当，人心自归，敌仇自服。’帝竦然曰：‘当不忘公言。’加浚少傅、魏国公，宣抚江淮。浚见帝英武，力陈和议之非，劝帝坚意以图恢复。欲遣舟师自海道捣山东，命诸将出师犄角以向中原。翰林学士史浩，以潜邸旧臣，时预枢密议，欲城采石、瓜洲。浚言：‘不守两淮而守江，于是示敌以削弱，怠战守之气，不若先城泗洲。’浩不悦，遂与有隙。凡浚所规画，浩必沮之，竟无成功。”

追复岳飞，以礼改葬，官其孙八人。

八月

金罢诸关征税。

九月

宋罢川陕宣谕使虞允文。《纲鉴易知录》卷八二：“八月，以史浩参知政事。九月，罢川陕宣谕使虞允文。浩上言：‘官军西讨，东不可过宝鸡，北不可过德顺。若兵宿于外，去川口远，则敌必袭之。’朝廷遂欲弃三路。允文上言：‘恢复莫先于陕西，陕西五路新复州郡，又系于德顺之存亡，一旦弃之，则窥蜀之路愈多，利害至重，不可不虑。’于是允文罢知夔州，以王之望代之。明年，允文入对，言今日有八可战，且以笏画地，陈弃地利害，帝曰：‘此史浩误朕也。’改允文知太平。”

十月

叶义问罢，以张焘同知枢密院事。

陆游本年三十八岁。陆游为枢密院编修，兼圣政所检讨，赐同进士出身。

十一月

金遣将攻宋。《纲鉴易知录》卷八二：“金主以宋不称臣，乃诏忠义军总戎事，居南京节制诸军，复令志宁驻军淮阳。忠义将行，金主谕之曰：‘宋若归侵疆，贡礼如故，则可罢兵。’忠义至汴，简阅士卒，分屯要害。”

十二月

是月，宋诏宰相复兼枢密使。

本年

徐玑（1162—1214）生。叶适《徐文渊墓志铭》：“君名玑，字文渊。任主建安簿，麻溪峒民业铸兵鬻盐者，官穷治群捕，因相聚为逆，多杀伤官军。州恐，以君将而往。君不用众，但命土人持榜告谕，皆散去，罪止三人。监造贡茶，其长欲取于数外，君正色曰：‘此人主所以荐天地宗庙，非臣下所宜得。’移永州司理。兵官大执平民为贼，冀以成赏，君明其无罪，尽释之。丞陇西，县城旁陂，旧称溉万顷，豪党私以为田，陂浸坏。君既按视，即疏凿如旧规。移武当令，改长泰令。未至官，嘉定七年十月二十日卒，年五十三。初，唐诗废久，君与其友徐照、翁卷、赵师秀议曰：‘昔人以浮声切响、单字只句计巧拙，盖风骚之至精也。近世乃连篇累牍，汗漫而无禁，岂能名家哉？’四人之语遂极其工，而唐诗由此复行矣。君每为余评诗及他文字，高者迥出，深者寂入，郁流瓒中，神洞形外，余辄俯仰终日，不知所言。然则所谓专固而狭陋者，殆未足以讥唐人也。得魏人单炜教书法，心悟所以然，无一食去纸笔。暮年，书稍浸《兰亭》。余谓君：‘当自成体，何必《兰亭》也？’君曰：‘不然。天下之书，篆、籀、隶、楷，皆一法，法备而力到，皆一体。其不能为《兰亭》者，未到尔，非自成体也。’此论余尤骇之。君与余游最早，余衰甚，朋曹益落。君将请于朝，弃长泰终从余，未及而死。垂绝，忽长叹言‘争争’者数声，其妹抚之曰；‘何争？’张其目视曰：‘天争。’妹又曰：‘天何争？’复力疾大声曰：‘争名也。’遂卒。嗟夫，君之志固远于利矣，岂以名未就而有不足耶。徐氏自君曾祖逢，祖赠朝议大夫泽，为泉州晋江人。皇考潮州太守定，始为温州永嘉人。君娶刘氏。子曰鼎，国子学生；曰吕。八年十月十二日，葬建牙乡郭溪。铭曰：如是而足以名欤？则所命何止于此。如是而不足以名欤？则古之为名寡矣。呜呼文渊，其视斯铭。余之所传，天亦不争。”

杨万里为永州零陵丞，自焚其少作诗千余首，诗风初变。杨万里《诚斋荆溪集序》：“予之诗，始学江西诸君子，既又学后山五字律，既又学半山老人七字绝句，晚乃学绝句于唐人。学之愈力，作之愈寡，尝与林谦之屡叹之。谦之云：‘择之之精，得之之艰。又欲作之之不寡乎？’予谓曰：‘诗人盖异病而同源也，独予乎哉？’故自淳熙丁酉之春上塈壬午止，有诗五百八十二首，其寡盖如此。其夏之官荆溪。既抵官下，阅讼牒，理邦赋，惟朱墨之为亲，诗意时日往来于予怀，欲作未暇也。戊戌三朝时节，赐告，少公事。是日即作诗，忽若有寤。于是辞谢唐人及王、陈、江西诸君子，皆不敢学，而后欣如也。试令儿辈操笔，予口占数首，则浏浏焉无复前日之轧轧矣。自此每过午，吏散庭空，即携一便面，步后园，登古城，采撷杞菊，攀翻花竹，万象毕来献予诗材。盖挥之不去，前者未酬，而后者已迫，涣然未觉作诗之难也。盖诗人之病，去体将有日矣。方是时，不惟未觉作诗之难，亦未觉作州之难也。明年二月晦，代者至，予合符而去。试汇其稿，凡十有四月，而得诗四百九十二首，予亦未敢出以示人也。今年备官公府掾，故人钟君将之自淮水移书于予，曰：‘荆溪比易守，前日作州之无难者，今难十倍不啻。子荆溪之诗，未可以出欤？’予一笑抄以寄之云。”

刘锜（1078—1162）**卒。**欧阳守道《清溪刘武忠公诗集序》：“百年来中原故家家长沙者颇多，予雅好四方之文献。比虽幽居南岳之麓，而美人胜士不鄙言予者亦相踵至。坐甫定，则必敬问其先世，向乔木之所在，动黍离之遐思。往往酬接未竟，继以悲叹。嗟夫，予心犹然，则复侨寓者子孙之心，岂相远耶？寓浏阳县有曰刘两府者，谓绍兴功臣武忠公也。公秦州人，其元孙坦示予以神道碑与公《清溪诗集》。神道碑洪景蘼撰。予三十年前既读章茂献所作公传矣，碑传详略小异而大概予所知也，惟其诗集则见昉今日。盖公之生，不幸奸桧用事，才志抑不及展。顺昌之战，勋名甚盛，然在公犹毫末尔，后遂韬晦，自全诗酒间。功臣至此，亦大可悲矣。集中有《读郭汾阳传》四绝者，可见其情也。余二百余首，或爱其幽淡闲雅，有尘外趣，回叱咤云雷之用，为吟弄风月之归，如出二人。以予观之，此盖公平生兵法也。决机两阵之间，力不敌则宁使敌易我。在顺昌时，使人以太平边帅子诓敌者，乃公取胜之第一筹也，后来不幸遂当以此施之于桧。我之气吞仇敌，不可使乌珠知之，亦不可使桧知之。乌珠知则敌坚，桧知则身危，两当愚之而后可。桧方喜其易与，曾不知正堕术中也。此英雄所以高人数等欤。桧与国宰，乃使元功宿将以乌珠待己，国事至此，尚何言哉？百年之后，予乃读此集而唏嘘。公乎有灵，勿谓世无识此心者。"曹彦约《中兴四将赞》："臣之妻父国子祭酒萧之敏为臣言：刘锜顺昌之捷，不在杀金平、和尚原下。晚岁守荆州，闻其名者争先睹之。锜褒衣博带，自言老当退矣。圣眷念功，尚令分阃。其挟有勋劳之意，形见颜面，识者知其志气有限，不可以复用兵。其后握兵京口，往来江淮间，轻进易退，卒致瓜洲之衄。失其本心，非疾病而后乱也？"

郑樵（1104—1162）卒。汪应辰《荐郑樵状》："伏见福州寄居郑樵，自少笃学，无他嗜好，年逾七十，称道不倦。所著《六书本义》明古人制字之意，皆有证援，疑者阙之，不为彊说，足以辨近世儒者私意穿凿之失。又有《诗传》考究静谧，多先儒所未悟，推测经旨，简易明白。伏望圣慈令福州取索，缮写投进，庶几一经圣鉴，必有取焉，亦足以慰其记事纂言之勤。"《四库全书总目》卷一五九："《夹漈遗稿》三卷。……其诗不甚修饰，而萧散无俗韵。其文滉漾恣肆，多类唐李观、孙樵、刘蜕，在宋人为别调。其《献皇帝书》，自誉甚至。《上宰相书》、《上方礼部书》，益放言纵论，排斥古人，秦汉来著述之家，无一书能当其意。至投宇文枢密、江给事二书，置学问而夸抱负，益傲睨万状，不可一世。其量殊嫌浅狭。然南北宋间记诵之富，考证之勤，实未有过于樵者。其高自位置，亦非尽无因也。观于是集，其学问之始末，夫亦可以概见矣。"

郑樵《通志略》卷首《通志总序》："百川异趋，必会于海，然后九州无浸淫之患。万国殊途，必通诸下，然后八荒无壅塞之忧。会通之义大矣哉！自书契以来，立言者虽多，惟仲尼以天纵之圣，故总《诗》、《书》、《礼》、《乐》而会于一手，然后能通天下之文；贯二帝三王而通于一家，然后能极古今之变。是以其道光明，百世之上，百世之下不能及。仲尼既没，百家诸子兴焉，各效《论语》以空言著书，至于历代实绩，无所纪系。迨汉建元、元丰之后，司马氏父子出焉。司马氏世司典籍，龚育之作，故能上稽仲尼之意，会《诗》、《书》、《左传》、《国语》、《世本》、《战国策》、《楚汉春秋》之言，通黄帝尧舜至于秦汉之世，勒成一书，分为五体："本纪"纪年，"世家"传代，"表"以正历，"书"以类事，"传"以著人，使百代而下，史官不能易其法，学者不能舍其书。六经之后，惟有此作。故谓周公五百岁而有孔子，孔子五百岁而在斯乎！是其所以自待者已不浅。然大著述者，必深于博雅，而尽见天下之书，然后无遗恨。当迁之士，挟书之律初除，得书之路未广，亘三千年之史籍，而跼蹐于七八种书，所可为迁恨者，博不足也。凡著书者，虽采前人之书，必自成一家言。左氏，楚人也，所见多矣，而其书尽楚人之辞。公羊，齐人也，所闻多矣，而其书皆齐人之语。今迁全用旧文，间以俚语，良由采摭未备，笔削不遑。故曰：予不敢堕先人之言，乃述故事，整齐其传，非所谓作也。刘知几亦讥其'多聚旧记，时插杂言'。所可为迁恨者，雅不足也。大抵开基之人，不免草创，全属继志之士，为之弥缝。晋之《乘》，楚之《梼杌》，鲁之《春秋》，其实一也。《乘》、《梼杌》无善后之人，故其书不行。《春秋》得仲尼挽之于前，左氏推之于后，故其书与日月并传。不然，则一卷事目，安能行于世？自《春秋》之后，惟《史记》擅制作之规模，不幸班固非其人，遂失会通之旨，司马氏之门户，自此衰矣。班固者，浮华之士也，全无学术，专事剽窃。肃宗问以制礼作乐之事，固对以在京诸儒必能知之。倘臣邻皆如此，则顾问何取焉？及诸儒各有所陈，固惟窃叔孙通十二篇之仪以塞白而已。倘臣邻皆如此，则奏议何取焉？肃宗知其浅陋，故语窦宪曰：'公爱班固而忽崔骃，此叶公之好龙也。'固于当时已有定价，如此人才，将何著述？《史记》一书，功在十表，犹衣裳之有冠冕，水木之有本原。班固不通旁行邪上，以古今人物彊立差等。且谓汉绍尧运，自当继尧，非迁作《史记》厕于秦、项，此则无稽之谈也。由其断汉为书，是致周、秦不相因，古今成间隔。自高祖至武帝，凡六世之前，书窃迁书，不以为惭。自昭帝至平帝，凡六世，资于贾逵、刘歆，复不以为耻。况又有曹大家终篇，则固之自为书也几希。往往出固之胸中者，《古今人表》耳，他人无此谬也。后世众手修书，道傍筑室，掠人之文，窃钟掩耳，皆固之作俑也。固之事业如此，后来史家奔走班固之不暇，何能测其浅深？迁之于固，如龙之于猪，奈何诸史弃迁而用固，刘知几之徒尊班而抑马？且善学司马迁者，莫如班彪。彪续迁书，自孝武至于后汉。欲令后人之续己，如己之续迁，既无衍文，又无绝绪，世世相承，如出一手。善乎，其继志也。其书不可得而见，所可鉴者元、成二帝赞耳。皆于本纪之外，别记所闻，可谓深入太史公之阃奥矣。凡《左氏》之有'君子曰'者，皆经之新意。《史记》之有'太史公曰'者，皆史之外事，不为褒贬也，间有及褒贬者，褚先生之徒杂之耳。且纪传之中，既载善恶，足为鉴戒，何必于纪传之后更加褒贬？此乃诸生决科之文，安可施于著述？殆非迁、彪之意。况谓为'赞'，岂有贬辞？后之史家，或谓之'论'，或谓之'序'，或谓之'铨'，或谓之'评'，皆效班固，臣不得不剧论固也。司马谈有其书，而司马迁能成其父志。班彪有其业，而班固不能读父之书。固为彪之子，既不能保其身，又不能传其业，又不能教其子。为人如此，安在乎言为天下法！范晔、陈寿之徒继踵，率皆轻薄无行，以速罪辜，安在乎笔削而为信史也！孔子曰：'殷因于夏礼，所损益可知也。周因于殷礼，所损益可知也。'此言相因也。自班固以断代为史，无复相因之义，虽有仲尼之圣，亦莫知其损益。会通之道，自此失矣。语其同也，则纪而复纪，一帝而有数纪，传而复传，一人而有数传。天文，千古不易之象，而世世作《天文志》；《洪范五行》者，一家之书，而世世序《五行传》。如此之类，岂胜繁文？语其异也，则前王不列于后王，后事不接于前事。郡县各为区域，而昧迁革之源；礼乐自为更张，遂成殊俗之政。如此之类，岂胜断绠？曹魏指吴、蜀为寇，北朝指东晋为僭。南谓北为索虏，北谓南为岛夷。齐史称梁军为义军，谋人之国可以为义乎？《隋书》称唐军为义军，伐人之军可以为义乎？房玄龄董史册，故房彦谦擅美名。虞世南预修书，故虞荔、虞寄有嘉传。甚者，桀犬吠尧，吠非其主。晋史党晋而不有魏，凡忠于魏者目为叛臣，王凌、诸葛诞、毋丘俭之徒抱屈黄壤。齐史党齐而不有宋，凡忠于宋者目为逆党，袁粲、刘秉、沈攸之之徒，含冤九原。噫！天日在上，安可如斯！似此之类，历世有之，伤风败义，莫大乎此。迁法既失，固弊日深。自东都至江左，无一人能觉其非。惟梁武帝为此慨然，乃命吴均作《通史》，上自太初，下终齐室，书未成而均卒。隋炀素又奏令陆从典续《史记》，讫于隋，书未成而免官。岂天之靳斯文而不传与？抑非其人而不祐之与？自唐之后，又莫觉其非，凡秉史笔者，皆准《春秋》专事褒贬。夫《春秋》以约文见义，若无传释则善恶难明。史册以详文该事，善恶已彰，无待美刺。读萧、曹之行事，岂不知其忠良？见莽、卓之所为，岂不知其凶逆？夫史者，国之大典也。而当职之人，不知留意于宪章，徒相尚于言语，正犹当家之妇，不事饔飧，专鼓唇舌，纵然得胜，岂能肥家？此臣之所深耻也。”

主要参考文献

白石道人诗集，姜夔撰，四部丛刊本
白石道人诗说，姜夔撰，历代诗话本
抱朴子，葛洪撰，诸子集成本
北史，李延寿撰，上海古籍出版社、上海书店影印二十五史本，1986年版
本事诗，孟棨撰，历代诗话续编本
蔡宽夫诗话，蔡启撰，宋诗话辑佚本
沧浪诗话，严羽撰，历代诗话续编本
藏海诗话，吴可撰，历代诗话续编本
茶山集，曾几撰，聚珍版丛书本
陈与义集校笺，白敦仁校笺，上海古籍出版社，1990年版
陈与义年谱，白敦仁著，中华书局1983年版
诚斋集，杨万里撰，四部丛刊本
诚斋诗话，杨万里撰，历代诗话续编本
楚辞集注，朱熹撰，上海古籍出版社排印本，1979年版
词综，朱彝尊、汪森辑，中华书局1975年版
徂徕石先生文集，石介撰，中华书局排印本，1984年版
大唐新语，刘肃撰，中华书局1984年排印本
带经堂诗话，王士祯撰，人民文学出版社排印本，1962年版
德国思想家论中国，夏瑞春编，陈爱政等译，江苏人民出版社，1995年版
东方文论选，曹顺庆主编，四川人民出版社，1996年版
东京志略，宋继郊编撰，王晟等点校，河南大学出版社1999年版
东莱博议，吕祖谦撰，宋晶如、章荣注译，武汉古籍书店影印
东莱先生诗集，吕本中撰，四部丛刊续编本
东坡诗、山谷诗，岳麓书社校点本，1992年版
东坡诗编年笺证，薛瑞生笺证，三秦出版社1998年版
东坡乐府研究，唐玲玲著，巴蜀书社，1993年版

东坡志林，苏轼撰，中华书局排印本，1981 年版
杜工部草堂诗话，蔡梦弼辑录，历代诗话续编本
杜诗详注，仇兆鳌注，上海古籍出版社影印本，1992
读史方舆纪要，范祖禹撰，上海古籍出版社影印本，1998 年版
对床夜话，范晞文撰，历代诗话续编本
二程全书，程颢、程颐撰，四部备要本
二程遗书、二程外书，程颢、程颐撰，上海古籍出版社影印合刊本
二程语录，程颢、程颐撰，正谊堂全书本
樊川文集，杜牧撰，四部丛刊本
范文正公集，范仲淹撰，四部丛刊本
范石湖集，范成大撰，上海古籍出版社排印本，1981 年版，
风骚旨格，齐己撰，历代诗话续编本
纲鉴易知录，吴乘权等辑，施意周点校，中华书局 1960 年版
庚溪诗话，陈岩肖撰，历代诗话续编本
砦溪诗话，黄彻撰，历代诗话续编本
古今诗话，李颀撰，宋诗话辑佚本，
古尊宿语录，禅宗集成本
观林诗话，吴聿撰，历代诗话续编本
归田录，欧阳修撰，中华书局排印本，1981 年版
韩昌黎诗系年集释，钱仲联集释，古典文学出版社，1957 年版
韩昌黎文集校注，马通伯校注，古典文学出版社，1957 年版
韩愈全集，上海古籍出版社校点本，1997 年版
鹤山先生大全集，魏了翁撰，四库丛刊本，
鹤林玉露，罗大经撰，中华书局排印本，1983 年版，
横渠易说，张载撰，四库全书本
洪龟父集，洪朋撰，四库全书本
洪驹父诗话，洪刍撰，宋诗话辑佚本
后村先生大全集，刘克庄撰，中华书局排印本，1983 年版，
后山集，陈师道撰，四部备要本
后山诗话，陈师道撰，历代诗话本
后山诗注，任渊注，四部丛刊本
后山诗注补笺，冒广生补笺，中华书局，1995 年版
滹南诗话，王若虚撰，历代诗话续编本
画史，米芾撰，津逮秘书本
画继，邓椿撰，津逮秘书本
淮海集笺注，徐培均笺注，上海古籍出版社，1994 年版
晦庵先生朱文公文集，朱熹撰，四部丛刊本
济南集，李廌撰，四库全书本

嘉祐集笺注，曾枣庄、金成礼笺注，上海古籍出版社，1993 年版
稼轩词编年笺注，邓广铭笺注，上海古籍出版社，1978 年版
简斋诗外集，陈与义撰，四部丛刊本
建炎以来系年要录，李心传撰，中华书局，1956 年版
江西诗社宗派图录，张泰来撰，清诗话本，
金明馆丛稿二编，陈寅恪著，上海古籍出版社，1980 年版
金圣叹全集，金圣叹撰，江苏古籍出版社 1985 年版
金史，脱脱撰，上海古籍出版社、上海书店影印二十五史本，1986 年版
景刊宋金元明本词，吴昌绶、陶湘辑，上海古籍出版社 1989 年版
绝妙好词，周密编撰，中华书局校点本，1957 年版
郡斋读书志，晁公武撰，中国历代书目丛刊本，现代出版社，1987 年版
老子注，王弼注，诸子集成本
老学庵笔记，陆游撰，中华书局排印本，1979 年版
乐全集，张方平撰，四库全书珍本初集本
冷斋夜话，惠洪撰，四库全书本
历代赋汇，陈元龙编，江苏古籍出版社、上海书店影印本，1987 年版
历代纪事本末（全二册），中华书局编辑部编，中华书局 1997 年版
李清照集笺注，徐培均笺注，上海古籍出版社 2002 年版
李清照集校注，王仲文校注，人民文学出版社，1979 年版
李太白集、杜工部集，岳麓书社校点本，1989 年版
濂洛风雅，金履祥编，丛书集成初编本
梁溪集，李纲撰，四库全书本
两宋文学史，程千帆、吴新雷著，上海古籍出版社，1991 年版
辽金简史，李桂之著，福建人民出版社，1996 年版
辽史，脱脱撰，上海古籍出版社、上海书店影印二十五史本，1986 年版
林间集，惠洪撰，四库全书本
林和靖先生诗集，林逋撰，四部丛刊本
林泉高致，郭熙撰，人民美术出版社画论丛刊本
临川先生文集，王安石撰，四部丛刊本
临汉隐居诗话，魏泰撰，历代诗话本
刘宾客嘉话录，韦绚撰，四库全书本
柳河东集，柳宗元撰，万有文库本，商务印书馆，1958 年重印版
柳宗元全集，上海古籍出版社校点本，1997 年版
陆游选集，朱东润选注，上海古籍出版社，1979 年新 1 版
栾城集（全三册），苏辙著，曾枣庄、马德富校点，上海古籍出版社 1987 年版
论语译注，杨伯峻译注，中华书局，1980 年第二版
马可·波罗行记，冯承均译本，上海书店出版，2000 年版
毛诗正义，毛亨传、郑玄笺、孔颖达疏，十三经注疏本

美学，黑格尔著，朱光潜译，商务印书馆，1979年版
孟子译注，杨伯峻译注，中华书局，1960年版
梦溪笔谈，沈括撰，四部丛刊续编本
渑水燕谈录，王辟之撰，中华书局与归田录合刊排印本，1981年版
南史，李延寿撰，上海古籍出版社、上海书店影印二十五史本，1986年版
能改斋漫录，吴曾撰，中华书局排印本，1960年版
欧阳修文选，杜维沫、陈新选注，人民文学出版社，1982年版
欧阳修选集，陈新、杜维沫选注，上海古籍出版社，1986年版
欧阳文忠公集，欧阳修撰，四部丛刊本
欧阳修资料选编，洪本健编，中华书局，1995年版
瓯北诗话，赵翼撰，人民文学出版社排印本，1963年版
秦观集编年校注（全二册），周义敢、程自信、周雷编注，人民文学出版社2001年版
秦观年谱（全二册），徐培均著，中华书局2002年版
清真记校注，周邦彦注，孙虹校注，中华书局2002年版
全金诗，薛瑞昭、郭明志编纂，南开大学出版社，1995年版
全金诗增补中州集，郭元钎编，四库全书本
全金元词，唐圭璋编，中华书局，1979年版
全上古三代秦汉三国六朝文，严可均辑，中华书局影印本，1958年版
全宋词，唐圭璋编，中华书局，1983年版
全宋诗，北京大学出版社出版，1991—1999年版
全唐诗，上海古籍出版社影印本，1980年版
全唐文，上海古籍出版社影印本，1990年版
全唐五代诗格校考，张伯伟编撰，陕西人民教育出版社，1996年版
全元文，江苏古籍出版社排印本，1997年起陆续出版
齐东野语，周密撰，中华书局，1983年版
日知录，顾炎武撰，扫叶山房刻本
容斋随笔，洪迈撰，四部丛刊续编本
山谷内集诗注，任渊注，四部备要本
山谷外集诗注，史容注，四部备要本
山谷别集诗注，史季温注，四部备要本
山谷题跋，黄庭坚撰，津逮秘书本
珊瑚钩诗话，张表臣撰，历代诗话本
邵氏闻见录，邵伯温撰，中华书局排印本，1983年版
邵氏闻见后录，邵伯温撰，中华书局排印本，1983年版
升庵诗话，杨慎撰，历代诗话续编本
诗友师传录，王士祯撰，清诗话本
诗人玉屑，魏庆之撰，上海古籍出版社排印本，1978年版
诗式，皎然撰，诗学指南本

诗品，钟嵘撰，历代诗话本
诗品集解，郭绍虞集解，人民文学出版社，1963 年版
诗源辩体，许学夷著，杜维沫校点，人民文学出版社，1987 年版
石门文字禅，惠洪撰，四部丛刊本
石林诗话，叶梦得撰，历代诗话本
石林燕语，叶梦得撰，中华书局排印本，1984 年版
石屏诗集，戴复古撰，四部丛刊续编本
史传通说——中西史学之比较，汪荣祖著，中华书局 2003 年新 1 版
说郛三种，陶宗仪等编，上海古籍出版社，1988 年版
司马光评传，李昌宪著，南京大学出版社 1998 年版
司马光日记校注，李裕民校注，中国社会科学出版社，1994 年版
四库全书总目提要，永瑢等撰，中华书局，1965 年版
四溟诗话，谢榛撰，历代诗话续编本
宋大诏令集，中华书局排印本，1982 年版
宋代诗经学研究，谭德兴著，贵州人民出版社 2005 年版
宋代诗学通论，周裕锴著，巴蜀书社，1997 年版
宋代文学通论，王水照主编，河南大学出版社，1997 年版
宋代文艺理论集成，蒋述卓等编，中国社会科学出版社，2000 年版
宋代文学史，孙望、常国武主编，人民文学出版社，1996 年版
宋代职官辞典，龚延明编著，中华书局，1997 年版
宋会要辑稿，徐松辑，中华书局，1957 年版
宋金元文论选，陶秋英编选，人民文学出版社，1984 年版
宋金元文学批评史，顾易生等著，上海古籍出版社，1996 年版
宋论，王夫之著，舒士彦点校，中华书局 1964 年版
宋人别集叙录，祝尚书著，中华书局，1999 年版
宋人年谱丛刊，吴洪泽、尹波主编，四川大学出版社，2003 年版
宋人轶事汇编（全二册），丁传靖辑，中华书局 1981 年版
宋人总集叙录，祝尚书著，中华书局，2004 年版
宋史，脱脱撰，上海古籍出版社、上海书店影印二十五史本，1986 年版
宋史，脱脱撰，中华书局二十四史简体字本，2000 年本
宋诗钞、宋诗钞补，吴之振等辑，上海三联书店影印合刊本，1988 年版
宋诗话全编（全十册），吴文治主编，江苏古籍出版社，1998 年版
宋诗纪事，厉鹗撰，上海古籍出版社排印本，1983 年版
宋诗精华录，陈衍选评，曹中孚校注，巴蜀书社 1992 年版
宋诗三百首，金性尧选注，上海古籍出版社，1986 年版
宋诗选注，钱钟书选注，人民文学出版社，1979 年版
宋诗研究，胡云翼著，重排本，巴蜀书社，1993 年版
宋文纪事，曾枣庄、李凯、彭君华编，四川大学出版社 1995 年版

宋文选，四川大学中文系古典文学教研室选注，人民文学出版社，1980 年版

苏轼年谱（全三册），孔繁礼撰，中华书局 1998 年版

苏轼诗集合注（全六册），冯应榴著，黄任轲、朱怀春校点，上海古籍出版社，2001 年版

苏轼全集（全三册），傅成、穆俦标点，上海古籍出版社，2000 年版

苏轼选集，王水照选注，上海古籍出版社，1984 年版

苏舜钦集，苏舜钦撰，上海古籍出版社排印本，1981 年版

苏辙年谱，孔繁礼撰，学苑出版社 2001 年版

岁寒堂诗话，张戒撰，历代诗话续编本

太平御览，李昉编修，夏剑秋等校点，河北教育出版社，1994 年版

唐人选唐诗新编，傅璇琮编撰，陕西人民教育出版社，1996 年版

唐宋八大家文钞校注集评，茅坤编选，高海夫主编，薛瑞生、淡懿诚执行主编，三秦出版社，1998 年版

唐宋诗举要，高步瀛选注，上海古籍出版社，1978 年新 1 版

唐宋文举要，高步瀛选注，上海古籍出版社，1982 年新 1 版

唐摭言，王定宝撰，古典文学出版社排印本，1957 年版

唐子西文录，强幼安撰，历代诗话本

唐国史补，李肇撰，上海古籍出版社排印本，1979 年版

天厨禁脔，惠洪撰，中华书局影印本，1958 年版，

苕溪渔隐丛话，胡仔撰，人民文学出版社排印本，1962 年版

桯史，岳珂撰，中华书局排印本，1981 年版

艇斋诗话，曾季貍撰，历代诗话续编本

桐江集，方回撰，宛委别藏本

桐江续集，方回撰，四库全书本

童蒙诗训，吕本中撰，宋诗话辑佚本

图画见闻志，郭若虚撰，四部丛刊续编本

宛陵先生集，梅尧臣撰，四部丛刊本

王安石全集，秦克、巩军标点，上海古籍出版社，1999 年版

王直方诗话，王直方撰，宋诗话辑佚本

渭南文集，陆游撰，四部丛刊本

温公续诗话，司马光撰，历代诗话本

文献通考，马端临撰，影印十通本，浙江古籍出版社，1988 年版

文选，六臣注，上海书店影印本，1988 年版

文章正宗，真德秀撰，四库全书本

五灯会元，释普济撰，苏渊雷点校本，中华书局，1986 年版

五十奥义书，徐梵澄译本，中国社会科学出版社，1995 年版

武夷新集，杨亿撰，四库全书本

西山先生真闻忠公文集，真德秀撰，四部丛刊本

西方文论选，伍蠡甫主编，上海译文出版社，1979 年版
西昆酬唱集，杨亿等撰，四部丛刊本
西清诗话，蔡绦撰，宋诗话辑佚本
湘山野录、续录，玉壶清话，文莹撰，中华书局合刊排印本，1984 年版
象山先生全集，陆九渊撰，四部丛刊本
小畜集，王禹偁撰，四部丛刊本
新唐书，欧阳修、宋祁撰，上海古籍出版社、上海书店影印二十五史本，1986 年版
须溪集，刘辰翁撰，豫章丛书本
徐骑省集，徐铉撰，四库全书本
续画品，姚最撰，丛书集成初编本
续资治通鉴，毕沅编著，上海古籍出版社影印本，1987 年版
续资治通鉴长编，李焘撰，上海古籍出版社影印本，1986 年版
宣和画谱，四库全书本
彦周诗话，徐顗撰，历代诗话本
养一斋诗话，潘德舆撰，清诗话续编本
伊川击壤集，邵雍撰，四部丛刊本
元好问全集，姚奠中主编，山西人民出版社，1990 年版
元诗纪事，陈衍辑撰，上海古籍出版社，1987 年版
元诗选，顾嗣立编，中华书局排印本，1987 年版
乐章集校注，柳永著，薛瑞生校注，中华书局 1994 年版
艺文类聚，欧阳询编，上海古籍出版社排印本，1982 年版
瀛奎律髓，方回编，上海古籍出版社影印本，1993 年版
优古堂诗话，吴开撰，历代诗话续编本
于湖居士文集，张孝祥撰，上海古籍出版社排印本，1980 年版
豫章黄先生文集，黄庭坚撰，四部丛刊本
原诗，叶燮撰，清诗话本
云笈七签，张君房撰，四库全书本
韵语阳秋，葛立方撰，历代诗话本
曾巩集，曾巩撰，中华书局校点本，1984 年版
张横渠先生文集，张载撰，丛书集成初编本
张耒集，张耒撰，中华书局校点本，1990 年版
张子语录，张载撰，四部丛刊续编本
昭昧詹言，方东树撰，人民文学出版社排印本，1961 年版
正蒙，张载撰，四部备要本
郑思孝集，郑思孝撰，上海古籍出版社，1991 年版
智顗评传，潘桂明著，南京大学出版社，1996 年版
中国道教史（四卷本），卿希泰主编，四川人民出版社，1992 年起陆续出版
中国佛学源流略讲，吕澂著，中华书局，1979 年版

中国历代文论选，郭绍虞主编，上海古籍出版社，1979 年版

中国历史大辞典·宋史卷，邓广铭、程应镠主编，上海辞书出版社，1984 年版

中国历史大事编年，张习孔、田珏主编，北京出版社，1997 年第二版

中国史通论——内藤湖南博士中国史学著作选译，夏应元选编并监译，社会科学文献出版社 2004 年版

中国文学家大辞典宋代卷，曾枣庄主编，中华书局 2004 年版

中国文学批评史（七卷本），王运熙、顾易生主编，上海古籍出版社，1979 年新 1 版

中国文学史大事年表，吴文治主编，黄山书社，1987 年版

中国哲学对欧洲的影响，朱谦之著，福建人民出版社，1985 年版

中国传记文学发展史，陈兰村主编，语文出版社 1999 年版

中华大典·文学典·宋辽金文学分典，曾枣庄、李文泽、吴洪泽、舒大刚主编，江苏古籍出版社，1999 年版

中外历史年表，翦伯赞主编，中华书局，1961 年版

中西交通史资料汇编（全四册），中华书局，张星烺编著、朱杰勤校订，中华书局 2003 年版

忠肃集，刘挚撰，中华书局，裴汝诚、陈晓平点校，2002 年版

钟嵘诗品研究，张伯伟著，南京大学出版社，1993 年版

周易正义，王弼、韩康伯注，孔颖达疏，十三经注疏

朱东润传记作品全集（全四册），朱东润著，东方出版中心 1999 年版

朱熹年谱，王懋竑撰，何忠礼点校，中华书局 1998 年版

朱子语类，朱熹撰，四库全书本

竹坡诗话，周紫芝撰，历代诗话本

庄子集释，郭庆藩辑，中华书局排印本，1982 年版

资治通鉴，司马光撰，上海古籍出版社影印本，1987 年版

紫薇诗话，吕本中撰，历代诗话本

George Brandes, *Main Currents in Nineteenth Century Literature*, 6 volumes (London: William Heinemann Ltd. 1923)

James Westfall Thompson, *A History of Historical Writing*, 2 volumes (New York: The MacMillan Company, 1942)

Réne Wellek, *A History of Modern Criticism*, 6 volumes (New Haven: Yale University Press, 1955—1986).

Philip Lee Ralph, Robert E. Lerner, Standish Meacham, Edward McNall Burns, *Word Civilizations, Their History and Their Culture*, 2 volumes, eighth edition (W. W. Norton & Company, Inc., 1991).

Peter K. Bol, *"This Culture of Ours": Intellectual Transitions in Tang and Sung China* (Stanford: Stanford University Press, 1972).

Jacques Gernet, *A History of Chinese Civilization*, trans. J. R. Foster and Charles Hartman, second edition (Cambridge: Cambridge University Press, 1996).

人名索引

后　记

2004 年 3 月，我自哈佛大学东亚语言与文明系访学归来，接到武汉大学文学院教授陈文新博士的电话，约请我加盟他主编的十八卷本《中国文学编年史》的雄伟工程。这项工程，不久被列为武汉大学人文社会科学重大攻关项目。数年前，武汉大学中文系推出了一套《中国诗学丛书》，社会反应良好。我撰写了其中的《宋代诗学》。后来得知，余之得以参与此事，乃是陈文新博士向主编推荐的结果。学以致用，恐怕是每一个读书人的愿望。当年我在复旦大学跟随顾易生先生读书的时候，原本打算就欧阳修的文学创作和文艺思想作一篇博士论文，于是在宋代文学上下过功夫，做了三千余张卡片。1996 年 4 月，我曾去英国剑桥大学访学一年余，从英国汉学最优长处入手，学的是唐代文史。按照英国人的治学传统，研究文学，且须从史学下手。在那里，我大体明白了版本和考据这一套学问。因为大至于研究一家一派，小至于研究某一篇唐代诗文，我们总是在剑大东方学部汉学系的工作间里比较版本。各个版本，有些关键的字词不同，比较来，比较去，就把文献读破（decode）了。我在麦大维教授（Professor David L. McMullen）的指导下，受到了较好的训练。后来我去哈佛大学研修，除了去听我的邀请人宇文所安教授（Professor Stephen Owen）的“唐代文学”课之外，我将更多的时间与精力放在包弼德教授（Peter K. Bol）的“宋以来的中国历史文化”和孔复礼教授（Professor Philip A. Kuhn）的“海外华人史”两门课上。由于有以上这样的一些基础，因此我愉快地接受了陈文新博士的邀请，担当了《中国文学编年史·宋辽金卷（中）》即两宋之际文学编年的工作。在撰写该书的过程中，我一直关注三个问题：一、假如今后我有机会写一部宋代文学史，我需要哪些材料？二、假如由别人来写宋代文学史，我能够为他们提供哪些材料？三、怎样让文学编年史具有可读性？在我看来，文学编年史也应该有可读性，庶几与文学有关的当时社会生活的诸多层面能够栩栩如生地展现在读者的面前。我努力这样做了。在整个写作过程中，我觉得胜任愉快。

张思齐 2005 年 7 月 20 日

记于武汉大学珞珈山家中

图书在版编目（CIP）数据

中国文学编年史．宋辽金卷（上、中、下）/ 陈文新主编；诸葛忆兵（上）、张思齐（中）、张玉璞（下）分册主编．—长沙：湖南人民出版社，2006.9

ISBN 7-5438-4532-6

Ⅰ.中… Ⅱ.①陈…②诸… Ⅲ.①文学史—编年史—中国—宋代②文学史—编年史—中国—辽金时代 Ⅳ.I209

中国版本图书馆 CIP 数据核字（2006）第 117665 号

中国文学编年史·宋辽金卷（上、中、下）

责任编辑：李建国　胡如虹　曹有鹏
　　　　　张志红　邓胜文　杨　纯　聂双武

主　　编：陈文新

书名题字：卢中南

装帧设计：陈　新

出　　版：湖南人民出版社

地　　址：长沙市营盘东路 3 号

市场营销：0731－2226732

网　　址：http://www.hnppp.com

邮　　编：410005

制　　作：湖南潇湘出版文化传播有限公司

电　　话：0731－2229693　2229692

印　　刷：中华商务联合印刷（广东）有限公司

经　　销：湖南省新华书店

版　　次：2006 年 9 月第 1 版第 1 次印刷

开　　本：787 × 1094　1/16

印　　张：99.5

字　　数：2,193,000

书　　号：ISBN 7－5438－4532－6/I · 449

定　　价：740.00 元(上、中、下册)